Die Welt der Jugend

TEACHER'S EDITION

GERMAN 2

CENTER FOR CURRICULUM DEVELOPMENT

 HARCOURT BRACE JOVANOVICH

New York   Chicago   San Francisco   Atlanta   Dallas   *and*   London

PICTURE CREDITS FOR TEACHER'S MANUAL SECTION

PHOTO CREDITS — All photos by George Winkler/HBJ Photo except: Page T70 #2, #5 Courtesy of Gemeinnütziger Verein die Förderer E. V. Landshut; T103 #1, #2, #5, T114 Gerhard Gscheidle/HBJ Photo; T133 #1 Werner H. Müller/Peter Arnold Archive.

ART CREDITS — All art by Manny Haller. Mechanical art by HBJ Art.

We do not include a teacher's edition automatically with each shipment
of a classroom set of textbooks. We prefer to send a teacher's edition
only when it is part of a purchase order or when it is requested by the
teacher or administrator concerned or by one of our representatives. A
teacher's edition can be easily mislaid when it arrives as part of a
shipment delivered to a school stockroom, and, since it contains answer
materials, we would like to be sure it is sent directly to the person
who will use it, or to someone concerned with the use or selection of
textbooks.
If your class assignment changes and you no longer are using or examin-
ing this Teacher's Edition, you may wish to pass it on to a teacher who
may have use for it.

Contents

Teaching Suggestions for Each Unit T12

Games and Activities for the Classroom T41

Answers to Exercises T46

Listening Comprehension Program T52

Scope and Sequence Chart T136

Introduction

This Harcourt Brace Jovanovich foreign language program is a completely new series, based in part on its highly successful predecessor, the A-LM® series, but greatly expanded in the areas of visuals, reading, and writing and having special emphasis on the foreign culture as seen in the daily lives of young people.

In creating the new program, we have incorporated suggestions from foreign language teachers in all parts of the country. We are grateful to you for talking and writing to us. We feel that, based on your suggestions and on what we have observed about general trends in foreign language teaching, we have produced a program that you and your students will profit from and enjoy.

Main Features of the Program

1. Versatile materials

Different students learn best in different ways. Some absorb new material most easily when they are allowed to listen to it and repeat it. Others do best when they see it in writing. Still others respond best to visual experiences—filmstrips, photographs, and drawings. And some students need to be involved physically with the material they are learning and to respond concretely and personally. Moreover, every student needs variety in the learning experience; the same student may respond differently on different days.

Recognizing that learning styles differ, we have designed the materials of this program to be highly adaptable. You will be able to offer a variety of experiences in learning and using the foreign language, choosing materials that correspond to the learning needs of each student.

The various parts of the program are as follows:
• THE CORE PROGRAM, consisting of this Teacher's Edition, the student textbook, and the accompanying recordings. The core program is intended for every student. It provides practice in all four basic language skills: listening, speaking, reading, and writing. It also encourages cultural awareness through an abundance of photographs and cultural information.

Accompanying the core program and providing more practice in the basic language skills are three strands or satellite programs:
• THE LISTENING COMPREHENSION PROGRAM. This program is designed for students who want to become more proficient in listening and speaking. It consists of recordings and a student answer booklet, which is printed in the front section of the activity book *(Übungsheft)*. The complete script for the Listening Comprehension Program appears in this Teacher's Edition, starting on page T52.
• THE READING PROGRAM. This program provides additional practice in reading and expands the students' vocabulary beyond that taught in the textbook. There are two readers. One is highly visual and primarily for fun. It supplements the core program, giving students additional reading practice on the themes of the textbook. The other reader provides more challenging reading selections and introduces new points of grammar, especially the grammar of the written language. It is intended for those students who want to go beyond the grammar in the textbook, and who are ready for more difficult reading.
• THE WRITING PROGRAM. This program gives students additional practice in writing the foreign language. It consists of two workbooks: an activity book *(Übungsheft)* and an exercise book *(Arbeitsheft)*.

The *Übungsheft* includes many puzzles, games, drawings, and photographs. It gives students practice with vocabulary and structure in ways that are fun. The *Arbeitsheft* restates the grammar points taught in the textbook, using different diagrams and examples. Each grammar point is followed by extensive exercises for more practice.

In addition to the core program and the three strand programs, the series includes the following materials:
• FILMSTRIPS, one for each unit of the textbook, expand on the themes of the units, providing additional cultural insights and background through pictures and commentary. You can use the filmstrips to introduce the theme of each unit, to stimulate conversation and to provide extra practice in listening comprehension.
• A TESTING PROGRAM. This consists of printed student tests, recorded listening tests, and a teacher's test manual.

Several of the components described above include recorded materials. The recorded materials of the program can be summarized as follows:
—Core Program Tapes include all basic material, optional reading passages, and exercises that carry a tape symbol in the textbook. There is one tape per unit.
—Core Program Cassettes are an alternate version of the Core Program Tapes. They contain all the same material, but broken into shorter segments. For each unit there are either three or four cassettes, making a total of 60 cassettes for the 16 units.
—Listening Comprehension Tapes include all the exercises found in the section of this Teacher's Edition titled "Listening Comprehension Program," beginning on page T52. There is one tape per unit. A special section printed in the front of the *Übungsheft* is designed to accompany the Listening Comprehension Tapes or Cassettes, providing visual cues and answer forms for the student who uses this strand of the program.
—Listening Comprehension Cassettes are an alternate version of the Listening Comprehension Tapes. For each unit there are either one or two cassettes, making a total of 30 cassettes for the 16 units.
—Listening Comprehension Test Tapes include one test per unit, intended for students who take the Listening Comprehension Program, mentioned above. The text for these tests appears in the front section of the Teacher's Edition of the Test Booklet. The visual cues and answer forms appear in the front section of the students' Test Booklet.

2. Thematic units

There are 16 units in **Die Welt der Jugend,** the second textbook of this series. Each unit revolves around a theme—a school dance, a camping trip, hobbies, dating, winter and water sports, and so forth. The material presented on each theme is practical and useful; students will be able to make use of the vocabulary and cultural information if they ever travel or live in a German-speaking country. At the same time, the situations depicted in the units relate to students' everyday lives here and now. They will spend as much time talking about their own world as about that of the boys and girls in the book.

Because the theme for each unit is different and the material illustrating each theme so various, we have adopted a flexible design. No two units look alike. This variety, and the close correlation of form and content, should make the material fun to learn; we hope students will always be eager to find out what comes next.

In this textbook, **Die Welt der Jugend,** we show hundreds of different boys and girls between the ages of eleven and eighteen and focus more closely on nearly fifty of these. Whereas the first level of the program shows German-speaking young people individually and in their own immediate circle of family and friends, the majority of boys and girls in the second level are shown with larger groups or as representatives of larger groups—apprentices, dancing school students, amateur photographers, etc. Boys and girls are equally represented, and both are shown in active, interesting roles.

For a complete listing of unit themes, see the "Scope and Sequence Chart," which begins on page T136.

3. Culture as an integral part of the program

The culture—that is, the behavior, beliefs, and values—of the people in German-speaking countries is an integral part of the material of every unit. It can be seen in the experiences, attitudes, and surroundings of all the German-speakers you and your students will encounter in this program. The liveliness and cultural authenticity of the materials reflect the fact that they were prepared after months of work abroad. Preparation included interviews with young people, visits to schools and homes, and many shared experiences which became the subject matter of the units. Accurate portrayal of life and cultural attitudes among today's young Germans was one of our main concerns in preparing the materials. We collected books, magazines, and information for and about German-speaking young people, and we recorded scenes and dialogs to use as a basis for the units. The culture of daily life is therefore evident on every page of the textbook and in every component of the program.

4. Local flavor

The young people in the series live in various areas of Germany and Austria. We have tried to convey the flavor of particular regions through the occasional use of regional language, as well as through photographs. (Regional terms are not, of course, taught as active vocabulary.) On the recordings accompanying the textbook, students will hear for themselves the way people from different areas speak. Through text and photographs they should come to recognize that the German-speaking area, although small in size, represents a great variety of landscapes and of people.

5. Useful and interesting vocabulary

In writing the units of this series, we have made an effort to introduce enough vocabulary to give students choices when expressing themselves, and to include words that students will enjoy learning and find useful. Sometimes we have introduced vocabulary items we thought students would enjoy using, even though these words do not appear on major frequency lists. For example, in Unit 27 we include words like *Schülertheater, Bühne,* and *proben,* although none of these words appear on Pfeffer's Frequency List of Spoken German. Our concern has been to find and develop themes that students will enjoy, even if certain themes may require a slightly specialized vocabulary. We have also made a conscious effort to introduce high-frequency general vocabulary, while remaining true to the context of each theme.

Every unit contains a certain proportion of vocabulary which students need to learn only for recognition, not for active recall. This vocabulary may occur in passages for cultural background information, as a colorful addition to dialog and narration, or as specialized language appropriate to the theme of the unit. Such vocabulary is printed in lightface type in the Wortschatz at the end of the unit. High-frequency words, on the other hand, and words which are essential for practicing the grammar and discussing the theme of the unit, are printed in heavy type (boldface) in the Wortschatz. These are the words your students will be required to use in classroom conversation and to manipulate correctly on tests.

6. Basic grammar in two levels

Because our previous foreign language program was based on the assumption that students would learn foreign languages over a period of four-to-six years, the basic grammar points could be spread over three levels of the earlier series. Now, however, on the urging of many teachers, we have condensed the presentation of basic grammar into two levels.

In preparing the presentation and sequence of grammar, we have consulted many state syllabuses, as well as published research on the frequency of structural patterns in spoken German. We present mainly the grammar of the spoken language in the first and second textbooks of this series; interested students can learn additional points of grammar, including some structures used mainly in writing, from the reading strand of the program.

7. Situational exercises and activities instead of mechanical drills

Traditional structure drills have been replaced by exercises that elicit personal reactions from the students. Transformations are "motivated"—that is, the response is so natural that the exercise seems less one of grammatical manipulation than of real conversational stimulus and response. The headings for these exercises often suggest the situation in which the lines that follow could be said. We have completely avoided mechanical headings, such as Item Substitution, in order to keep the exercises personal and interesting.

Almost every unit has one or two activity-related exercises or games that encourage students to review and practice while having fun. The map exercises in Unit 38, for example, are a device to make students produce sentences in the passive voice, while at the same time they learn where German products are manufactured. You can adjust the techniques of many games, such as Denk- und Sprech-Fix (p. 199), to apply to units other than the ones where they are first introduced. (For specific suggestions, refer to the section of this Teacher's Edition titled "Games and Activities for the Classroom," starting on page T41.)

8. Review

Review is built into every unit of **Die Welt der Jugend.** In the grammar generalizations, review material is highlighted in green. Specific suggestions for review are also noted throughout the annotated pages of this Teacher's Edition.

9. Coordination of strand materials with textbook; color-coding

Within each unit of the textbook, all material is numbered consecutively—each dialog, narrative, grammar point, exercise, and activity has its own number. These numbers reappear in the strand materials for reference, to show exactly what item or items in the textbook unit are being practiced.

In the textbook, these numbers are color-coded: orange for new material (dialog, narrative, grammar), blue for exercises, green for grammar review summaries, and purple for all material that should be treated as "inactive" (i.e., that should be done for fun or general interest, but does not need to be studied intensively). Color-coding is also used in the grammar charts, in which new structures are highlighted in orange and review material in green.

10. Cultural photo essays on the countries and the people

Following Units 28, 32, 36, and 40, you will find cultural photo essays of eight pages. These eight-page sections, titled "Historic Landmarks," "The Romantic Road," "Regions of Germany, Part I," and "Regions of Germany, Part II," give further insights into the life and surroundings of the people whose language your students are studying. They also give a more general view of the culture of German-speaking people and offer some glimpses into the historic background of present-day German life.

The first photo essay, "Historic Landmarks," shows some of the most famous architectural landmarks of Germany. It is organized as a brief chronological survey of German architecture from the time of the ancient Romans to the 20th century.

The second photo essay, "The Romantic Road," is like a travel folder of one of Germany's most scenic areas, from Füssen in the Bavarian Alps to the Main River, along the old, Roman "Via Claudia."

The third and fourth photo essays give a general overview of the regions of Germany, mentioning the character of the land and people, and giving some of the high points of cultural history for each area.

More information about each photo essay can be found in the section of this Teacher's Edition titled "Teaching Suggestions for each Unit," on pages T19, T26, T32, and T40.

Internal Organization of the Units

As we mentioned earlier, no two units are exactly alike; therefore we cannot give a typical lesson plan in detail. What follows is a rough outline of unit format, with a brief description of the different parts of a unit.

1. Average length

The length of a unit is 16 pages. This is short, considering that the first page of many units is mainly or entirely devoted to visual illustration of the unit theme—art work, graphics, photographs, and so forth— while the last page of each unit is taken up by the vocabulary list, leaving only 14 pages in between for the material of the unit. Each lesson is also enlivened by many photographs and drawings, which make the pages look open and appealing and which break up the longer blocks of text.

2. Division of new material into sections

New material in each unit is divided into two, three, or four sections and presented one part at a time with accompanying exercises. Dividing the lessons this way provides a natural pacing; students are usually presented with only a small amount to learn at one time. The Wortschatz lists at the end of the units reflect these divisions. This manner of presentation allows for variety in the basic material and the exercises, and makes for easier teaching and learning.

3. Different forms of basic material

The basic material in each unit may take a variety of forms, depending on the theme and the structures being taught. At different points we have presented new material in the form of a dialog, a letter, a handwritten note, a longer reading passage, or a set of captions under photographs.

4. Questions on the basic material

Each piece of basic material is followed by a set of content questions which the students must answer by rephrasing or recombining parts of the basic material. The aim of these questions is to make students practice the new vocabulary and to check their comprehension.

5. Personalized questions

The content questions are followed by a set of personalized questions. These encourage the students to talk about themselves in the situation or setting described in the basic material—to say, for example, what hobbies they have, what sports they like, what plans they have for their class trip. These questions should help make the new material more interesting and meaningful to your students and therefore easier for them to master.

6. Mündliche Übungen (Pronunciation)

Each section of each unit includes a pronunciation exercise with the heading "Mündliche Übung." These are recorded exercises that help students pronounce the new material correctly by giving them short phrases and sentences to repeat. In the Mündliche Übungen, active material is intensively practiced.

If a student has particular difficulty with certain sounds, you may want to assign the special pronunciation exercises that are part of the early lessons of the Listening Comprehension Program of the first book in the series, **Unsere Freunde.**

7. Presentation of grammar

Most new grammar points are discussed in two sections: a discovery exercise and a generalization. The discovery exercise consists of sentences illustrating the new structure, followed by questions to the student. In studying the sample sentences and answering the questions, students should come to understand the grammatical principle involved.

These discovery exercises have been recorded, and the recordings can serve you as a model for your own grammar presentation in class. Students, too, will benefit from hearing the recorded presentations before practicing a point of grammar. The recorded version of each discovery exercise emphasizes mainly the way the new forms sound, whereas the textbook version stresses mainly the way these forms appear in writing. Because of this difference in emphasis, make sure students use both versions. The recorded discovery exercises will be especially useful to students who work well on their own or who are absent when the new grammar is introduced in class.

Following grammar discovery sections is a generalization, "Lest die folgende Zusammenfassung." Although it follows immediately after the discovery section, it should be read only after students have done the appropriate structure drills at least once in class. By treating new grammar in this sequence — discovery, application, and finally generalization — students should begin to realize that grammar "rules" derive from speech patterns rather than leading to them.

For some grammar points there is no discovery exercise, but only a generalization. This format was used whenever the grammar point was better suited to a direct presentation and memorization than to a discovery exercise (e.g., the principal parts of verbs).

A more detailed discussion of the procedure for introducing new grammar is given on the following pages, in the section of this Introduction titled "How to Use This Program."

8. Structure drills

The structure drills which follow a grammar presentation provide practice in manipulating the new grammar structure. Most of these drills appear in a two-column format, with the stimulus on the left side and the response on the right. Responses and drill variations are indicated in the annotated part of this Teacher's Edition.

9. Exercises for fun

Many units include one or more activities in which students review vocabulary or structure while having fun. Activities may be guessing games, memory games, puzzles, map exercises, songs, or pictures. The purpose of these exercises is to break the routine, to give students a chance to relax and play with the language. You and your students can do them at any point — as a review, a warm-up before class starts, or a way of filling a few extra minutes at the end of class. Most are versatile enough to be used with vocabulary and structures from other units in the book.

10. Hörübungen (Listening)

Each unit contains at least one listening exercise. The script for each Hörübung is printed, together with the discussion of the unit, in the section titled "Teaching Suggestions for Each Unit," which starts on page T12. For more extensive listening practice, students should do the exercises in the Listening Comprehension Program.

11. Schriftliche Übungen (Writing)

The writing exercises in the textbook fall into two categories. One type involves strictly grammatical practice, such as writing the answers to exercises already done orally, or filling in the blanks and constructing sentences in exercises designed specifically for written grammar practice. These exercises help to prepare the student for the other type of writing exercise, which requires personal expression in short compositions. Additional writing practice of both kinds is provided in the *Übungsheft* and the *Arbeitsheft*. The composition-writing exercises in the *Arbeitsheft* should be especially helpful in preparing students to write the compositions assigned in the textbook.

12. Konversationsübungen (Conversation)

There is at least one Konversationsübung in each unit, usually toward the end of the lesson. The purpose of these exercises is to get students to talk about the theme of the unit in the context of their own experiences. The conversation exercises allow room for a multitude of different responses, which may be simple or complex depending on the student's language skills. You will have to determine how much additional vocabulary and information to provide for individual students, so they can talk about their own experiences. As much as possible, have them rely on the structure and vocabulary they know already. You may also want to use specific frames from the filmstrips to prompt conversation.

Students will also benefit from doing the appropriate listening and speaking exercises in the listening comprehension program before they do the Konversationsübung for a given unit. After they are done orally, the Konversationsübungen can be used as additional writing exercises.

13. Culture notes

Most of the units contain a culture note in English, expanding on aspects of the unit theme, clarifying points of cultural behavior, or giving background information about the people in the unit.

How to Use This Program

1. Presenting and practicing new material

The basic material of the program has different forms and purposes. The aim of a particular segment may be to model what to say in a situation—at the gas station, for example (Unit 29), at the drugstore (Unit 33), or at the fairground (Unit 36). It may be to introduce vocabulary related to the theme, as in the captions for art items (Units 25, 31, 38, and others). It may be to present a specific grammatical pattern, as in the art and photo captions illustrating adjective endings (Unit 29). Or it may be to give cultural information and to teach a few important idioms, as in the discussion of the Landshuter Hochzeit (Unit 28), or the description of a dancing class (Unit 32). In Unit 26 and several other units, the basic material takes the form of an extended reading passage; in Units 39 and 40, the reading passages resemble magazine articles. Part of the function of these longer pieces of narrative material is to challenge students to read new words and phrases from context. As they develop confidence in their ability to understand unfamiliar words and phrases in context, they should eventually become ready to try passages from other sources, and to experience the pleasure of reading independently.

Before you introduce any piece of basic material, consult the list of learning objectives in the "Scope and Sequence Chart," which starts on page T136. These objectives are usually functional; that is, they have to do with practical tasks and experiences like reading a map, talking to a salesperson, planning a party, making a date, or writing a job application. New material should be presented in ways that emphasize these functional objectives.

The basic material of the program—whether dialog or narrative passage—is not intended for rote memorization. Students should be made to feel that they are using the language to respond naturally and spontaneously in real situations. The aim should be to make the language a part of their personal experience. Of course, the dialogs and readings in this textbook are only samples of what a particular speaker might do or say in a given situation. They should not be considered as fixed and rigid sequences.

The following suggestions for presenting and practicing basic material can be adapted to your own classroom style, the learning needs of your students, the format of the material, and the time available.

a. Establishing context and meaning

It is essential that students understand the meaning of new material. To the extent possible, they should understand it using the German they already know, as well as pantomime, pictures, and "realia." When these resources are not enough, you should resort to English, so that every student will understand. Of course, a single word in English does not significantly break the pattern of German for the students, while whole sentences in English, involving structure as well as vocabulary, do break the pattern and should be used as little as possible.

As you prepare to teach new material, give information about the theme and situation ahead of time. There are several ways to do this:
- State the gist of the passage in English.
- Show the unit filmstrip, pausing to identify important persons and objects that appear on the screen.
- Use the photographs in the text, magazine pictures and articles, and actual objects (realia) to present the theme.
- Involve the students in finding and bringing to class specific items that may serve as "props."

b. Presenting the basic material

Refer to the vocabulary list for the unit to see which words and phrases are for active use and which are for comprehension only. If the material is clearly divided into active and inactive sections, you should emphasize the active parts as you practice the selection.
- As a first step in the presentation, read the passage aloud, first with the students' books closed and a second time with books open.
- Go on to the factual questions and then the personalized questions that follow the basic material. Do not emphasize pronunciation at this point, but note the difficult words and phrases, and have the class practice them afterwards.
- Have the students listen to the recorded presentation only after you present the material in class, since the recording may be slightly harder for some students to understand.

c. Practicing the basic material

Use the recorded Mündliche Übungen for each unit, and correct students' pronunciation in class. Students should always practice words in meaningful groupings, rather than isolated sounds or nonsense phrases. Good pronunciation will develop gradually. Students should learn to speak in a way that will be understood by a native speaker.

You can select passages, phrases, or vocabulary words for dictation whenever you feel the class would benefit. If students need further help with sound-letter correspondences, refer to the readers accompanying the program, where specific spelling rules are given.

As much as possible, take advantage of the diversity of materials in the series. Different students may need specific practice of different kinds. A student who needs help with a grammar point might be directed to the *Arbeitsheft,* to read the presentation on that point and do the exercises that follow. Another might benefit more from doing a puzzle or activity on that point in the *Übungsheft.* Students who like to listen to and speak German should do the exercises in the Listening Comprehension Program. Those who enjoy reading can do appropriate assignments in one of the two readers, while those who like writing and other pencil-and-paper activities can practice in either of the two workbooks. For additional vocabulary practice, use the vocabulary exercises in the workbooks. To stimulate classroom conversation on unit themes, use appropriate frames from the filmstrips.

2. Presenting and practicing new grammar

The sequence for presenting new grammar should be more or less as follows:
• Start by listening to the recorded grammar discovery exercise, so you can use it as a model for your classroom presentation.
• Present the new grammar to your class, using the discovery exercise printed in the book. Read the presentation aloud and ask the questions, helping students both to hear the new forms and to see how they are written.
• For the time being, skip over the grammar generalization section, which is printed after the discovery exercise, and go immediately to the grammar exercises. After they have a chance to use the new grammar by doing the exercises, your students will be ready to read and understand the generalization.

The exercises are designed to resemble conversations as much as possible. Treat the heading of each exercise as a lead-in sentence, setting the scene for the "conversation" that follows. For example, in practicing questions with woher and wohin (Unit 35), you might introduce Exercise 9 to your class as follows: "Henning weiss heute gar nichts. Der Lehrer fragt ihn: Wo kommt der Wind her? Und Henning antwortet: Ich weiss nicht, wo der Wind herkommt." Then, singling out one student from the class, you might repeat the example: Wo kommt der Wind her? The student should answer: Ich weiss nicht, wo der Wind herkommt. Now the class will have grasped the pattern of the exercise and will be ready to answer the rest of the questions. To keep students alert and encourage them to speak clearly, it is best to call for individual rather than choral responses. Go through each exercise rather rapidly. Words presenting a special problem can be practiced afterwards.
• To reinforce and review the grammar point they have been practicing, your students should next listen to the recorded discovery exercise, either individually or as a class. They can also do the recorded grammar exercises, which are exactly the same as those printed in the textbook. The recorded grammar materials are a valuable variation on your classroom presentation. They stress the sounds of the forms and structures rather than the spelling. Encourage your students to do the recorded exercises twice, if they have trouble the first time. They can also come back to the same exercise later, for review.
• Finally, assign your students to read the generalization section for the grammar point they have been practicing, and have them write the answers to one or more of the structure drills.

You can vary the exercises by using familiar vocabulary from other units when practicing new structures. For further practice of grammar, direct your students to the two exercise books.

3. Presenting and discussing culture

The kind of culture emphasized in the first two levels of the program is not, primarily, a matter of facts; it is more a matter of observation, experience, feeling, behavior, and attitude. It is the kind of culture that could best be taught through daily contact with life in a German-speaking community. Since such contact is not possible for most students, we have to rely on the kinds of experience available in the classroom — a variety of sensory stimuli, information, and lively discussion that allows students to say what they observe and feel, both about German culture and about their own.

The units of the second level, in addition to showing many facets of young people's daily life, frequently suggest aspects of German history and heritage, as well as touching on laws, customs, and social institutions of modern German society. In Unit 28, for example, students can see how the town of Landshut celebrates its heritage in a festival reenacting a famous medieval wedding. And in Unit 37 they learn something about the laws and regulations governing motor vehicles in Germany, as they read about a boy studying to get his driver's license. Thus, the second level builds and enlarges on the picture of German life which students have encountered in the first level, drawing attention not only to individual and family customs but to the culture of the larger society as well.

Many different approaches have been suggested for teaching culture to students in the classroom. In the first and second levels of this series, we hope to instill cultural awareness by exposing students to all the different kinds of cultural expression contained in the materials — the authenticity of written and spoken words, a rich collection of photographs showing a cross-section of people and places, a multitude of "realia," explanatory footnotes, and special culture notes in English. We also encourage students to "get acquainted" with several German-speaking young people, so that the students can develop a feel for the everyday life of people their own age in the foreign culture.

Throughout this Teacher's Edition we have noted additional cultural points that may interest you and your students or that clarify situations depicted in the units. The section titled "Teaching Suggestions for Each Unit," starting on page T12, provides more background information on the unit themes. Be sure you consult this section as you prepare to introduce each unit to your class, and include in your teaching as much of this information as you find helpful.

Sources for cultural awareness are present on almost every page of the textbook. They are especially concentrated, however, in the photo essays that follow every fourth unit. To help you in presenting the photo essays, we have included background information and suggestions for class research projects for each photo essay, in the section titled "Teaching Suggestion for Each Unit," following the material on Units 28, 32, 36, and 40.

Because the cultural materials are inherent in the units of this program, many aspects of the foreign culture will come out naturally in the course of each lesson. As the teacher, your own attitude is most important. Your interest in exploring cultural differences and the many different cultures normally grouped together as "German" will be sure to influence your students' response to the cultural content of the program.

Encourage your students to "personalize" the German culture as they study and practice the themes and vocabulary of the units. Assign as many activities and projects as possible. Have students prepare party invitations and a Getränkekarte, for example; have them make and discuss their own photo essays on specific themes; or have them write and act out scenes that might take place on a hike through the woods, in a doctor's office, or at a fair. Play the games suggested in the book, and add whatever German games you like. In playing games and doing projects, students not only practice their speaking skills, but also share in an experience that teaches them about the culture of the German-speaking countries in a direct and personal way. (Specific suggestions for projects and activities appear in the section of this Teacher's Edition titled "Teaching Suggestions for Each Unit," starting on page T12, and in the section titled "Games and Activities for the Classroom," starting on page T41.)

4. Scheduling time to complete the program

The units in this textbook are all 16 pages long; but the length of time needed to teach each unit will vary according to the amount of vocabulary and the difficulty of the grammar being introduced. To some extent, you can control the time you spend on each unit by the amount of emphasis you give to the optional elements — games and cultural readings — and by using or not using the related satellite or strand materials. Some units, however, will simply take longer than others.

You may find it helpful to devise a schedule for the year, to use as a reference in planning the time you can afford to spend on any given unit. The following chart might serve as a basis for your timetable. Note that your schedule will vary according to the material you expect to cover in a year.

Grades 9 or 10

Units	Goal: 12 units	Goal: 16 units
	Finish by	*Finish by*
25–28	End of November	Beginning of November
29–32	Middle of March	Middle of January
33–37	Middle of June	End of March
37–40	—	Middle of June

Teaching Suggestions for Each Unit

In this section each unit is discussed separately, with special comments on theme and culture, grammar, vocabulary, and classroom projects. Included with the teaching suggestions for each unit is the script for the Hörübung (listening practice exercise) for that unit.

Following the comments on Units 28, 32, and 36 are remarks about the textbook's four photo essays, giving background information about each subject area.

25 SOMMERBALL IM GYMNASIUM BESIGHEIM

Summary of Theme

At the Gymnasium in Besigheim the twelfth grade (the class behind the graduating class) is preparing for the annual summer ball in honor of the Abiturklasse, the graduating class. The students organize and do everything themselves. They are very interested in making the affair a success, as the proceeds will be used for their class trip to Berlin.

In the unit we follow the students through the planning stage and join them as they send invitations, arrange for the music, decorate the school, buy and prepare the refreshments, run the ball, and clean up afterwards.

Theme and Culture

The Sommerball run by the twelfth graders has become a tradition at the Gymnasium in Besigheim. The unit shows how the students work together to make the dance a success. Note that this is not just an affair for students. Parents, teachers, former students, and local merchants are also invited, resulting in a congenial mix of generations.

Your students can use this unit as a guide for giving a party of their own. They will be able to discuss the plans, make the preparations, have the party, and clean up—communicating only in German.

Grammar

The narrative past of weak and strong verbs is introduced in this unit. Emphasis should be placed on practicing the new forms, especially those of the strong verbs. The verb charts also show the past participles, so the conversational past can be reviewed as the narrative past is practiced.

The explanation about "Using the Narrative Past" on page 13 is intentionally simple. It is intended to help your students distinguish the narrative past from the conversational past and to help them use the two tenses correctly. The narrative past—the imperfect tense—is used most often in writing, or when narrating a story (a connected sequence of past events). The conversational past—the perfect tense—is used most often in conversation about the past.

Vocabulary

This unit introduces vocabulary related to giving a school party. It includes words for some of the tools and supplies needed for decorating, such as hammer, nails, wire, string, tape, thumb tacks, and stapler.

Other Remarks

The most common way of telling time in conversational German is presented in this unit. Practice telling time with your students throughout the semester.

The songs on page 6 are popular party songs. They are almost always among those played at parties and dances, and people often sing along with the music. There are many records available with these songs. You may want to buy one so your students can learn some of them and sing them at their own party or in class.

Project

If your students have a party, they might also have a contest for designing the best invitation, and they might make posters in German to advertise the affair. A list of refreshments and their prices could also be prepared in German and duplicated for the guests at the party.

Hörübung — Nummer 30 (teacher's script)

You will hear twelve statements about the graduation dance. Listen carefully to each one, and decide whether it refers to the time before the dance (vor dem Ball), at the dance (auf dem Ball), or after the dance (nach dem Ball). For example, you hear: Alle Gäste kauften Lose, und fast jeder Gast gewann einen Preis. You put your check mark in the row labeled "auf dem Ball." Fangen wir an!

1. Die Gäste bestellten bei Helga belegte Brote und Getränke, und Kurt schrieb alles auf, was die Küche verliess. *auf dem Ball*
2. Zwei Jungen dekorierten die Aula und alle Schulräume, und Rolf redete mit dem Hausmeister über die Beleuchtung. *vor dem Ball*
3. Um halb neun kam der Blumenhändler und lieferte die Blumen ab. Er zeigte Renate, wie man Blumen als Tischdekorationen steckt. *vor dem Ball*
4. Die Jungen vom Aufräumedienst bauten die Tische und Stühle ab und nahmen die Dekorationen herunter. *nach dem Ball*
5. Dann begann der Verkauf von Losen für die Tombola. Der Verkauf war so gut, dass die Schüler die Verlosung um eine halbe Stunde verschieben mussten. *auf dem Ball*
6. Schüler, Eltern und Gäste vergnügten sich. Sie plauderten, tanzten und assen belegte Brote und tranken Wein, Bier und alkoholfreie Getränke. *auf dem Ball*
7. Sie räumten die Schule auf, wuschen das Geschirr und brachten es zurück. *nach dem Ball*
8. Brigitte und Ursel malten die Schilder und Plakate, und Sibylle und ihr Team stellten die Blumen und die Aschenbecher auf die Tische. *vor dem Ball*
9. Dann sammelten sie die leeren Flaschen ein und brachten sie zum Supermarkt, wo sie ihr Pfand zurückbekamen. *nach dem Ball*
10. Rektor Weil hielt eine Rede. Er verlas die Namen von den Abiturienten und wünschte ihnen Glück und Erfolg im Leben. *auf dem Ball*
11. Das Orchester unter Werner Randecker brachte die Gäste mit Melodien von gestern und heute in Schwung. *auf dem Ball*
12. Die Schüler planten alles für dieses Ereignis. Sie schrieben die Einladungen, kauften das Essen und die Getränke und machten alle Dekorationen selbst. *vor dem Ball*

Now check your answers. *Read each item again with the correct answer.*

26 UNSER AUSFLUG INS ELSASS

Summary of Theme

The students of the Markgräfler Gymnasium in Müllheim near Freiburg are having their annual outing. Class 8c, Frau Ehrlich's class, has planned a bus trip to the Alsace. First, they visit the castle Hoch-Königsburg. From there they hike to the Affenwald, a monkey preserve not too far from the castle. Then they board their bus and drive to Schloss Kintzheim, the ruins of an old castle where eagles, hawks, and falcons are raised, trained, and shown. After watching a demonstration of these huge birds of prey, the students again board their bus for the trip home, stopping on the way for a picnic.

Theme and Culture

In German schools, certain days are set aside each year as Wandertage, on which every class takes a one-day trip with the Klassenlehrer or Klassenlehrerin (homeroom teacher). Wandertage are primarily intended for hiking and enjoying nature. They also give the class a chance to get to know each other and their teacher better in a more relaxed and informal atmosphere, away from the classroom. Wandertage encourage a feeling of class spirit, especially since a school class stays together, often with the same Klassenlehrer, until they graduate.

Once or twice during their school careers students may take a longer class trip. For example, the twelfth graders in Unit 25 are planning a class trip to Berlin; and in Unit 34 the upper classes in Starnberg go for a week of skiing in Austria. On class trips, students are often given projects, such as studying the tides and the shift of dunes (if they visit the islands in the North Sea), or studying the flora and fauna of whatever area they are in. On these class trips and Wandertage there is also quite a bit of informal instruction. Notice in this unit how students are asked to identify trees and flowers, and how Herr Mohr tells them about the mushrooms they find. Very often this type of instruction is remembered long after more formal classroom instruction has been forgotten.

The students shown in this unit organized the whole trip themselves. They chose the places they wanted to visit and the teacher to accompany their homeroom teacher, Frau Ehrlich. And they arranged for the bus and the driver.

It is not surprising that these students should choose a place in France for their class trip. Müllheim is only minutes from the French border. Most young Germans feel strong bonds with their European neighbors. Because Germany is relatively small in area and surrounded by other countries, it is much easier and more common for young Germans to travel to other countries than it is for young Americans.

Grammar

The purpose of this comparatively long reading piece is to introduce additional past tense forms and to review those introduced in Unit 25. The narrative style was specifically chosen for this purpose. The intent is to have the students learn these forms through repeated exposure rather than just from summary charts. The summary charts should be used for reference and practice. Have your students produce sentences using the narrative as well as the conversational past.

Vocabulary

Besides illustrating the use of the narrative past tense, the basic material of this unit will also give your students practice in reading longer selections. The vocabulary is large, but you will find many cognates, familiar compounds, and words and expressions whose meaning can easily be derived from the context. Help your students to recognize these words, and encourage them to derive meaning from context as much as possible. They should not try to translate word for word, and a certain amount of imprecision should be tolerated. The development of reading skill is extremely important. More practice will be provided in the readers.

Do not be intimidated by the seemingly large vocabulary in this unit. About half the words are considered optional, and students should not be required to memorize them. There is also quite a bit of student language, all authentic—we recorded it when we accompanied the class on their trip. These words and expressions are also optional vocabulary, but your students will probably enjoy learning them.

Project

Have your students find pictures of trees, flowers, mushrooms, and berries and identify them with their German names. These pictures could be made into an attractive and interesting bulletin board display.

Hörübung—Nummer 19 (teacher's script)

You will hear twelve statements about the class outing of the Müllheim students. Listen carefully to each one, and decide whether it refers to the time the students spent in the castle (auf der Hoch-Königsburg), in the monkey forest (im Affenwald), watching the hawks (in Kintzheim), or at the picnic (beim Picknick). For example, you hear: Jörg hatte sein eigenes Feuer. Er hatte sein Kochgeschirr mit und grillte ein grosses Schweineschnitzel. You put your check mark in the row labeled "beim Picknick." Fangen wir an!

1. Die letzte Raubvogel-Vorstellung fand um vier Uhr statt. Als wir in der alten Schlossruine ankamen, gab es auf den Bänken keine Plätze mehr. *in Kintzheim*
2. Wir folgten dem Führer in den grossen Waffensaal, und dort hörten wir viele Jahreszahlen und Namen von Kaisern, Königen und Herzögen. *auf der Hoch-Königsburg*
3. Es dauerte nicht lange, bis wir genug Holz hatten, und Herr Mohr und Rainer machten ein Feuer. *beim Picknick*
4. Von der Mauer aus konnten wir die Vorführung gut sehen. Ein Wärter, die linke Hand in einem dicken Lederhandschuh, stand mitten im Hof. *in Kintzheim*
5. Am Eingang bekam jeder von uns eine Handvoll Popcorn, und der Mann ermahnte uns, die Anweisungen auf dem Schild genau zu beachten. *im Affenwald*
6. Jeder spiesste die Wurst auf einen Stock und hielt sie ins Feuer. Antje legte eine Kartoffel in die heisse Asche. *beim Picknick*
7. Der Wärter stellte den Besuchern drei Geier und drei Adler vor. Jedes Tier flog eine Runde, und es bekam eine Maus dafür. *in Kintzheim*
8. Dann kamen wir durch ein Tor in den Burghof, und wir bewunderten die Wappen über dem Tor. *auf der Hoch-Königsburg*
9. Die Affenmutter mit dem Kleinen auf dem Rücken war wirklich süss. Rainer fütterte sie; dann lief sie davon. *im Affenwald*
10. Ein grosser Raubvogel, ein Kaiseradler, flog aus dem Wald. Er setzte sich auf die Mauer, und alle bewunderten das schöne Tier. *in Kintzheim*
11. Christian wollte ein Stück Kartoffel kosten, aber Antje gab ihm nichts. „Selber essen macht fett", sagte sie, als sie das letzte Stück in den Mund schob. *beim Picknick*
12. Dann marschierten wir über eine Zugbrücke in den Burghof und dann hinauf in den Turm. Vor einer riesigen Kanone setzte der Führer seine Rede fort. *auf der Hoch-Königsburg*

Now check your answers. *Read each item again with the correct answer.*

27 SCHÜLERTHEATER

Summary of Theme

The sixth-grade students at the Markgräfler Gymnasium in Müllheim have decided to participate in a state-wide theater competition. They choose a story, write the script, design and make sets and costumes, and with the help of the music teacher, write the music. The excitement builds as the students finally hold their dress rehearsal and then perform in front of parents, teachers, schoolmates, and judges for the theater competition. The production is a success, the sixth graders win first prize in their age group, and they are invited to appear on regional TV and to perform at the Städtisches Theater in Freiburg.

Theme and Culture

Theater productions are very popular in German schools. Since students stay in the same class and advance together from year to year, they know each other well. They are aware of each other's theatrical strengths and weaknesses, so it becomes easy to plan theater productions and to choose roles. Sometimes special plays are written because there are individuals in the class who are especially suited for certain roles.

The young students in this unit wrote and produced this play, basing it on a commedia dell'arte plot summary about Harlequin and Columbine. They entered and won the theater competition in the State of Baden-Württemberg, making headlines in the local paper. The same students had been in the headlines before, when they spent a week in France in a Partnerstadt program. When we met these young people, they were still relishing their publicity.

Grammar

A fairly extensive reading is again used as the basis for introducing additional past tense forms of strong verbs, and for reviewing verb forms learned previously. Make sure that your students learn these forms, and if they need it, give them additional practice. The past perfect should not cause any problems, since this tense is used the same way in English as in German.

Vocabulary

This unit provides quite a bit of "discussion" vocabulary. You may want to go through the reading and have your students pick out general phrases, such as: Bitte einmal herhören!, ich schlage vor . . . , ich bin dafür . . . . This vocabulary is extremely useful. It provides a framework which can be applied when discussing many different topics.

Projects

Assign different themes (shopping, gardening, vacationing, going swimming, etc.) to your students and have them write—and present orally—dialogs that use the vocabulary of discussion. For example:

—Bitte einmal herhören! Wer von euch will heute zum Baden fahren?
—Prima! Aber wohin?
—Ich schlage vor, dass wir an den Moose Lake fahren.
—Immer dorthin! Das ist doch langweilig. Ich bin dafür, dass wir mal an . . .

A bigger project, of course, would be to write and produce your own German play. You will find that this unit gives your students the vocabulary necessary to discuss many of the preparations in German.

Hörübung — Nummer 30 (teacher's script)

You will hear twelve statements about our friends from the Müllheimer Gymnasium and their play. Listen carefully to each one, and decide whether the information is correct and makes sense (richtig), or whether it contradicts what you have read in the unit (falsch). For example, you hear: In diesem Frühjahr hat die Badische Zeitung folgende Schlagzeilen gehabt: Mit Harlekin und Columbine in den Theaterwettbewerb. Schülertheater im Fernsehen. You put your check mark in the row labeled richtig, because this statement agrees with the story. Fangen wir an!

1. Ende Oktober, kurz nach Schulbeginn, kam Frau Braun, die Deutschlehrerin, in die Klasse und sagte: „Ihr habt den Theaterwettbewerb gewonnen!" *falsch*
2. „Ich schlage vor, dass wir dieses Jahr zum ersten Mal ein Puppenspiel aufführen", meinte Ursula. „Wir brauchen nur die Puppen zu kaufen." *falsch*
3. „Ich bin dafür", sagte Renate, „dass wir das Spiel selbst schreiben. Das wird viel lebendiger und lustiger." *richtig*
4. Die Schüler riefen begeistert durcheinander, und dann einigten sie sich auf die Idee, ihr eigenes Spiel zu schreiben. *richtig*
5. Jeden Tag kamen sie zusammen, und schon nach einer Woche hatten sie den Text für das Lustspiel. *falsch*
6. Mitte November brachte Hans-Jörg ein Lustspiel in die Klasse. Er hatte es in einem Buch zu Hause gefunden, und ihm hatten die Abbildungen so gut gefallen. *richtig*
7. Die besten Schauspielerinnen, Ursula und Renate, bekamen wichtige Rollen: sie mussten hinter den Bühnenbildern stehen und sie festhalten oder bewegen. *falsch*
8. Die Schüler mussten alles selbst machen: die Bühnenbilder selbst entwerfen und herstellen und die Kostüme entwerfen und nähen. *richtig*
9. Als die ersten Theaterproben begannen, waren die Kostüme und die Bühnenbilder noch nicht fertig, und die Schüler waren ganz traurig. *falsch*
10. Die Quintaner hatten die Jury zur Generalprobe eingeladen. Alles ging gut, denn die Jury war schon seit einigen Wochen unterwegs. *falsch*
11. Die Aufführung in der Aula war fantastisch. Die Zuschauer waren begeistert, und die beiden von der Jury haben laut geklatscht. *richtig*
12. Am folgenden Tag kamen Ausschnitte aus der Generalprobe im Fernsehen. Diese Ausschnitte gefielen der Jury so gut, und die Quinta gewann damit den Theaterwettbewerb. *falsch*

Now check your answers. *Read each item again and give the correct answer.*

28 DIE LANDSHUTER HOCHZEIT

Summary of Theme

This unit takes your students to the city of Landshut in Bavaria during the famous historic festival, the Landshuter Hochzeit. An interview with one of the participants in the activities gives a more personal glimpse of this elaborate event. Your students meet someone who actually takes part, and they discover how and why such a festival involves the whole town.

The origins of the festival are briefly explained, and the festival itself is illustrated in a colorful photo essay. This is followed by a dialog, in which a boy who attended the festival describes it to a friend.

Theme and Culture

Almost every village and town in Germany has a celebration at one time or another. It may be just a simple village fair or it may be a huge festival. Some festivals are so elaborate that they are celebrated only every two or three years. The famous Passion Play in Oberammergau takes so much preparation that it is only performed every ten years.

Practically the entire population of a smaller town gets involved in these festivals. Sometimes, as in Oberammergau, people even vote on who should play a particular role. Both adults and children participate in these events, and traditions are passed on from one generation to another. Such festivals create a great deal of community spirit and a strong sense of pride and belonging. This is reflected in the care people take to make their towns look well-kept and beautiful throughout the year, not just during festival time.

We chose this theme to illustrate the importance of festivals in the lives of many Germans. Landshut is representative of many communities — similar events could take place almost anywhere.

Grammar

This unit is light on grammar. The determiners of quantity are introduced in preparation for their use preceding adjectives in Unit 30. Time phrases with erst, schon, and seit need some attention, since students are accustomed to a very different construction in English.

Vocabulary

You will notice that most of the vocabulary from the four-page photo essay in this unit is optional. A few of the more useful words, however, are active and should be learned, since they reappear in later units.

Other Remarks

This unit is designed to culminate in a class conversation about an event in the students' own community — maybe a Memorial Day parade or a Fourth of July celebration. You will undoubtedly have to provide extra vocabulary, so your students can talk and write about the particular event in German. As in all the units, the culminating conversation exercise is intended to elicit from the students a personal sort of participation, based on their own experiences.

Project

Have a student go to a local travel agency and pick up a calendar of events for Germany. (Or you can write to the German National Tourist Office, 630 5th Avenue, New York, New York 10020.) Then have students report to the class on various festivals and events, pointing out on the map where each one takes place.

Hörübung — Nummer 29 (teacher's script)

You will hear ten statements made either by a participant (Mitspieler) or by a spectator (Zuschauer) at the Landshuter Hochzeit. For each one, decide which person is speaking, and put your check mark in the appropriate row. For example, you hear: Letzte Woche war ich in Landshut. Da war ein grosser Festzug, und die ganze Stadt spielte mit. You put your check mark in the row labeled "Zuschauer." Fangen wir an!

1. Ihr Kostüm gefällt mir. Ist es echt? Ich meine, so wie Sie hat ein Armbrustschütze damals ausgesehen?
   Zuschauer

2. Ich mache schon das achte Mal mit, aber erst das zweite Mal als Schütze. *Mitspieler*
3. Sieben Jahre war ich, als ich das erste Mal mitgespielt habe. Ich war damals ein Sohn vom Herzog. *Mitspieler*
4. Den Umzug konnte ich gut sehen, denn ich hatte einen prima Platz, auf einem Zaun, direkt neben der Post. *Zuschauer*
5. Ja, bei uns spielen auch die Kinder mit. Sie sind ganz begeistert. Dieses Jahr sind wir über 1 300 Leute im Festzug. *Mitspieler*
6. Man gewöhnt sich an das Fest; es ist immer ein grosser Spass. Ich freu' mich immer auf den Tag, wo es wieder losgeht. *Mitspieler*
7. Das Turnier am Abend konnte ich mir nicht ansehen, denn ich bekam keine Karten mehr. *Zuschauer*
8. Diese Armbrust gehört mir, und meine Frau hat sie geschmückt. Schön, nicht? *Mitspieler*
9. Der Eintritt ist teuer, zwölf Mark. Aber ich hatte einen Stehplatz, und Stehplätze sind frei. *Zuschauer*
10. So viele Leute waren in Landshut. Was für ein Gedränge! Aber der Hochzeitszug war einmalig, und die Fahrt hat sich gelohnt. *Zuschauer*

Now check your answers. *Read each item again and give the correct answer.*

COLOR PHOTO ESSAY Following Unit 28 — Plates 1–8

HISTORIC LANDMARKS

In this photo essay your students are introduced to some of the great works of German architecture — cathedrals, monasteries, castles, and other monuments. These works are landmarks in Germany, familiar to most German-speaking high school students. The essay is organized chronologically, by major cultural periods. Your students should learn to identify some of these cultural periods by their architectural style — Romanesque, Gothic, baroque, rococo, and so forth.

Space considerations forced us to leave out many fine examples of great architecture from each period, and the English descriptions explain only the barest essentials. You might use this photo essay as a starting point for various class projects or individual assignments. For example, you might assign particular pieces of architecture for further research; ask students to find more examples of a particular architectural style; or have students prepare background reports on specific cultural periods — mentioning important historic events, music, art, literature, and personalities of the period.

To help your students prepare such assignments in German, you may want to direct them to appropriate research sources, such as German art books, tourist guides, or folders and maps from the German Information Service in your area. Students should be encouraged to depend on visual aids when giving an oral report, since maps and pictures convey detailed and interesting information in a form that is easily understood, supplementing the information given in the foreign language.

29 MIT DEM AUTO IN DEN URLAUB

Summary of Theme

The Wieland family is making plans for the summer vacation. They discuss where they would like to go and what they would like to see. Christiane suggests that they go camping by a lake, and the family finally settles on that plan.

Before the trip, Frau Wieland takes the car to the gas station to fill up with gas, have the oil and tires checked, and to have the car washed. Then the whole family helps to pack the car. On the trip the children play a game, guessing where other cars are from by looking at each car's license plate and international auto identification sign.

Theme and Culture

A person who has not traveled on German highways during the summer months cannot imagine the large number of cars on the road and the long delays caused by accidents, road repairs, and bad weather. According to statistics, 60% of the population, roughly 36 million Germans, go on vacation during this time, and most of them travel by car. In addition, motorists from other European countries travel through Germany—the Dutch, for example, on their way to Italy and Yugoslavia, and the Swiss on their way to Scandinavia.

It is not uncommon for entire factories to send their employees on vacation during school vacation time; and everybody leaves at the beginning of the vacation period and returns at the end. On sunny days there is the additional local traffic—thousands of people leaving the towns to go to the beaches along lakes and rivers. To alleviate this situation, summer vacation schedules of German schools are staggered. Students in Baden-Württemberg, for example, may start their vacation on June 15th and return to class at the end of July, while in Bavaria vacation begins at the end of July and lasts until the middle of September. Cousins who live in neighboring states may never be able to spend their vacation together, but the arrangement does help the traffic situation.

Since so many people travel at the same time, a trip has to be carefully planned, and reservations for rooms or a campsite have to be made well in advance. Camping is very popular with Germans, but it has changed greatly over the past years. It used to be very simple and rustic—campers would just take along their tents and sleeping bags, and perhaps a few cooking utensils for preparing simple meals over an open fire. Today camping has become elaborate and expensive. Most campers seem to expect all the comforts of home. Many people have big campers which, by the way, are not very popular with other motorists, since they often cause accidents and delays.

All motor vehicles crossing national borders are required to have an oval-shaped sign indicating the country in which the vehicle is registered. All German license plates have letters which stand for the city where the vehicle is registered. Guessing what country, town, or city cars come from is a favorite way for children to pass the time on car trips.

Grammar

In this unit we introduce adjective endings following der and dieser-words, as well as adjective endings following ein-words. We found it best to introduce both grammatical situations in the same unit. Your students will, of course, need additional practice, especially with the masculine and neuter forms. You should also practice adjective endings in conjunction with vocabulary of earlier units. If you have the posters for **Unsere Freunde,** you may want to select sets of noun posters and make your own adjective posters. Students may then be asked to produce simple sentences, such as: Ich möchte einen grünen Pullover. Ich möchte ein neues Klavier. As you know from your own experience, the reason students make so many mistakes with adjective endings is that they forget the gender of the noun. For this reason, it is wise to practice and review noun genders as much as possible throughout the year.

Games and Projects

For good vocabulary and gender review, we suggest the following activity. It requires the use of the vocabulary item posters from Level 1, to which you should add some cards naming adjectives: lang, klein, rot, neu, etc. You may also want to make up verb cards, such as brauchen, kaufen, haben, finden; and pronoun cards, such as er, sie, ich. To play the game, first tell your students to use a particular determiner (dieser, mein, unser, etc.). Have two students stand in front of the class, one holding an adjective poster, the other a noun poster. Elicit quick responses, and have the two students change posters at a fast pace. For example: Er braucht diese lange Leiter. Er braucht diesen grossen Schreibtisch. You may then want to add two more students, one holding pronoun cards, the other holding verb cards. For example: Sie kauft eine rote Bluse. Substituting a reflexive verb, you get the sentence: Sie kauft sich eine rote Bluse. Substituting the pronoun: Ich kaufe mir eine rote Bluse. Remember that extending the variables is an important part of the exercise. Student mistakes increase rapidly as the number of critical elements increases in the sentence, and therefore a great deal of practice is needed.

You can give your students more practice with adjectives by using the map on page 77. Have your students look at the map and think of a sentence. For example: Ich esse keinen Käse. Then you say: Ich hab' den Käse in Frankreich gekauft. The student response should be: Ich esse keinen französischen Käse. (Butter/Dänemark; Apfelsinen/Spanien; Joghurt/Bulgarien, etc.) Then you change the response pattern, as, for instance: Ich hab' mir einen . . . gekauft.

Hörübung—Nummer 40 (teacher's script)

You will hear ten statements made by different members of the Wieland family while they are at home (zu Hause), on the way to the campsite (auf der Hinfahrt), or at the campsite (beim Campen). Decide where each statement was made, and put your check mark in the appropriate row. Fangen wir an!

1. Eine Reise ins Ausland können wir uns dieses Jahr nicht leisten. Wir müssen uns etwas in der Nähe suchen. *zu Hause*
2. Wenn ihr wollt, können wir raten, woher die Autos kommen. Ich hab' Muttis Taschenkalender, und da stehen alle Nummern drin. *auf der Hinfahrt*
3. Ich hab' keine Ahnung, was die Buchstaben auf diesem Nummernschild bedeuten. Ich weiss nur, dass es ein ausländischer Wagen ist. *auf der Hinfahrt*
4. Ich hab' ein paar Prospekte vom Reisebüro mitgebracht. Die können wir uns heute abend mal ansehen. Vielleicht finden wir darin ein Reiseziel. *zu Hause*
5. Wenn du heute abend schlafen willst, so musst du mir jetzt mit dem Zelt helfen. *beim Campen*
6. Fahr jetzt nicht so schnell! Ich glaube, da vorn ist eine Radarfalle. Du willst doch nicht schon wieder einen Strafzettel bekommen. *auf der Hinfahrt*
7. Du darfst schon mal die Luftmatratzen aufpumpen. Hier ist die Fusspumpe. *beim Campen*
8. Ihr braucht keine Angst zu haben, wenn ich 140 fahre. Ich hab' noch nie einen Unfall gehabt. *auf der Hinfahrt*
9. Weisst du, wem dieses grosse Schlauchboot hier gehört?—Ich glaube, den Leuten im Zelt neben uns. *beim Campen*
10. Das ist viel zu weit nach Landshut. Schau! Fast 300 Kilometer. Ich hab's ganz genau gemessen. *zu Hause*

Now check your answers. *Read each item again with the correct answer.*

30 HOBBYS

Summary of Theme

The introduction to this unit on hobbies discusses what a hobby actually is and shows some of the hobbies enjoyed by German young people. We meet Harry Braun, whose hobby is photography. We hear how he got started and what equipment he has. We see some of his favorite pictures and hear what he finds easiest and most difficult to photograph. Then we meet an old friend, Peter Niebisch, who discusses his hobby, stamp collecting.

Theme and Culture

There has been a tremendous increase in the number of people pursuing hobbies in recent years. People have more time and more money to spend. They take up a hobby for fun and relaxation and often to get away from the daily stress at work. A recent survey reveals that one German in three pursues a hobby. It is impossible, however, to find good statistics showing what the most popular hobbies are, because people often do not agree on what a hobby actually is. Many, for example, include sports as a hobby.

More accurate statistics are available on how people spend their leisure time. Most people spend much of their leisure time watching TV, listening to the radio, and leafing through magazines. Taking walks is probably the most popular outdoor activity. Some other popular leisure-time pursuits are tennis, photography, swimming, skiing, sailing, gardening, painting, horseback-riding, climbing, chess, collecting (antiques, carpets, etc.), model-building, diving, flying, and parachuting.

The hobbies most popular with young people, aside from sports and TV-watching, are stamp-collecting, photography, model-building, collecting (rocks, records, cassettes, posters), raising pets, drawing, and painting.

Grammar

We review comparative forms of adjectives and introduce comparative and superlative forms of adjectives before nouns. This gives students additional practice with adjective endings, which were taught in the preceding unit. At this point we also introduce adjectives after numerals and after determiners of quantity.

The suggestions given in Unit 29 for practicing adjectives can be used again here.

Vocabulary

The names of several popular hobbies are introduced in this unit, and the vocabulary of two hobbies, photography and stamp collecting, is given in some detail. Your students will undoubtedly have other hobbies in addition to those mentioned. Provide them with appropriate vocabulary so they can participate in the personalized discussion stimulated by this unit.

Projects

If any of your students have particularly interesting or unusual hobbies you could have them give a talk on their hobby in German. You may have to help them find appropriate background material in the language.

Choose a class photographer and have him or her take pictures of various German-class activities and outings. Make a class album or display the pictures on the bulletin board with appropriate captions in German.

If enough students are interested in photography, have a photo contest — in German, of course.

Hörübung — Nummer 54 (teacher's script)

Two of our friends are talking about their hobbies. You will hear ten sentences, some about taking pictures (Fotografieren), and some about stamp collecting (Briefmarken sammeln). For each one, decide which hobby is being referred to, and put your check mark in the appropriate row. Fangen wir an!

1. Dieses Hobby fördert Ausdauer und Ordungssinn, und es ist auch sehr lehrreich. Jeder Sammler muss auch tauschen, und durch das Tauschen entstehen oft Freundschaften. *Briefmarken sammeln*
2. Ich hab' gleich mit einem komplizierten Apparat angefangen, und ich mache heute die schönsten Aufnahmen. *Fotografieren*
3. Wenn du Tiere knipsen willst, musst du sehr viel Geduld haben. Du musst sie erst lange beobachten, bevor du sie gut vors Objektiv bekommst. *Fotografieren*
4. Man braucht gar nicht viel dazu: ein Vordruckalbum, eine Pinzette, eine Lupe. Vielleicht auch einen Katalog. *Briefmarken sammeln*
5. Dieses Hobby ist auch gar nicht so teuer. Schon mit wenig Geld kann man sich eine schöne Sammlung aufbauen. *Briefmarken sammeln*
6. Am schwierigsten sind Kinder. Wenn du sie knipsen willst, brauchst du ein Teleobjektiv. Sie merken dann nichts, und sie sehen in den Aufnahmen ganz natürlich aus. *Fotografieren*
7. Für manche Marken muss man einen Sonderzuschlag zahlen. Das ist für Wohlfahrtsmarken. *Briefmarken sammeln*
8. Die Schwarzweissfilme kann ich selber entwickeln, denn ich habe meine eigene Dunkelkammer. *Fotografieren*
9. Man kann dieses Hobby ausüben, wenn man auch nur eine halbe Stunde Zeit hat. Auch am Abend, und man braucht dazu das Haus nicht zu verlassen. *Briefmarken sammeln*
10. Ich besitze auch einen Vergrösserungsapparat. Von allen Arbeiten mache ich Vergrösserungen am liebsten. *Fotografieren*

Now check your answers. *Read each item again with the correct answer.*

31 MACH DICH SCHÖN!

Summary of Theme

Our friend Peter Niebisch gets up, does a few push-ups, and gets ready to go to his dancing class. He washes, brushes his teeth, shaves, and combs his hair. Another old friend, Babsie Buresch, does her hair and nails and uses make-up.

Theme and Culture

Getting ready to go out is a universal theme. You will probably notice more similarities than differences between the two cultures here. German boys and girls use the same gadgets and cosmetic articles as Americans do, and in many instances the same terminology.

Grammar

Special uses of ja, dass, doch, and the use of infinitives as nouns, are minor but very useful points explained in this unit. The main grammar points are da-compounds, wo-compounds, and unpreceded adjectives.

You should insist that your students produce the correct da-compounds. When it comes to the wo-compounds, however, you may want to tolerate the "preposition plus was" construction in student conversation. A question such as "An was denkst du?" is probably heard more frequently in informal conversation than "Woran denkst du?" Here we touch on the question of language level, which will be discussed more extensively later in the program, when the students have a broader base in the language.

Vocabulary

Much of the vocabulary in this unit is specialized and does not appear on most basic word lists. However, since grooming is a part of everyday life, and since most young people are interested in good grooming, especially when they go out, we think that students will learn this vocabulary easily. Many of the new nouns are compounds, one element of which may frequently be used alone; for example: Lidschatten (der Schatten).

Many American words have been incorporated into German in the area of cosmetic articles: Deodorant, Haarspray, Compact-Kassette, and, of course, Make-up. The word Shampoo, actually of Indian origin, has long been part of the German vocabulary. In the case of the newer "loan" words, variations in gender are often heard. When there is a question, we use the gender preferred in the *Duden*.

Ein blaues Auge is, of course, a black eye, and ein Muffel in this context is not an animal, but "ein Mensch, der dafür nicht zu haben ist." By the way, in preparing Unit 40 we came across another Muffel — ein Umweltmuffel.

Projects

Have your students look at ads in German or American magazines and then have them write their own ads for cosmetic articles in German.

Extend the activity on page 111: Ihr dürft nicht alles wörtlich nehmen! There are many sayings and phrases listed in the *Stilduden* under different parts of the body. Select appropriate ones and have your students guess what they actually mean. If there are artists among your students, they may enjoy illustrating these phrases. For example, under the entry Ohr you will find listed: Er macht lange Ohren. Er hört nur mit halbem Ohr hin. Sie hat überhaupt keine Ohren. Sie leiht ihm ihr Ohr. Die Ohren hängenlassen. See if your students can give English equivalents for the German idioms. Sometimes the expressions are the same in both languages, but sometimes they are surprisingly (or amusingly) different. This exercise will make for a greater conscious awareness of the frequency of idiomatic, nonliteral speech in both languages.

Hörübung — Nummer 49 (teacher's script)

You will hear ten sentences about Babsie and Peter, with a word missing at the end of each. Listen carefully, decide what word is missing, and write it down on your paper. After you have written the word, you will hear the correct response. Fangen wir an!

1. Peter hat den ganzen Nachmittag geschlafen, denn er war _____. *(hundemüde)*
2. Er sagt, dass er jetzt nicht baden will. Wenn er von der Tanzstunde nach Hause kommt, will er sich vor dem Schlafengehen schnell _____. *(duschen)*
3. Peter macht heute nur Katzenwäsche. Er wäscht sich schnell das Gesicht: einmal warm, einmal kalt. Warmes Wasser reinigt, kaltes Wasser _____. *(erfrischt)*
4. Peter hat einen elektrischen Rasierapparat. Bevor er sich rasiert, nimmt er das Rasierwasser und reibt sich damit den Bart ein. Rasierwasser macht den Bart _____. *(weich)*
5. Dann putzt sich Peter die Zähne. Er füllt das Zahnputzglas mit Wasser und _____. *(gurgelt)*
6. Babsie sagt, sie hat von Natur aus weiches Haar. Sie färbt ihr Haar auch nicht, denn sie sagt, Färben macht das Haar _____. *(spröde)*
7. Sie hat auch keine Dauerwelle, denn ihr Haar ist von Natur aus _____. *(wellig)*
8. Ab und zu dreht sie ihr Haar mit Lockenwicklern ein, oder sie frisiert ihr Haar mit einem _____. *(Frisierstab)*
9. Babsie schminkt sich. Sie trägt ein bisschen Make-up: helles Rouge auf den Wangen, und für ihre Lippen wählt sie einen dunkelroten _____. *(Lippenstift)*

10. Babsie reinigt ihre Fingernägel, schneidet sie kürzer, und dann lackiert sie sie mit einem dunkelroten
_____ . (Nagellack)

32   AUSGEHEN UND TANZEN

Summary of Theme

Peter tries unsuccessfully to get some of his high school classmates to join him in taking dance lessons, and he finally persuades his friend Christian. He tells Christian about two nice girls he met last time, and he arranges for the four of them to meet and go to the next class together.

We see Peter, Christian, Heidi, and Elli in the dance class, reviewing the waltz and learning the cha-cha-cha. During intermission the four talk about horoscopes. After dancing, the two couples go out for something to eat. The boys offer to see the girls home, but the girls assure them it isn't necessary. On the way home Peter and Christian talk about Peter's break-up with his previous girlfriend, Babsie.

Theme and Culture

Germans tend to be somewhat formal when it comes to acquiring a skill — and this includes a social skill like ballroom dancing. Many young people attend dance classes, often in groups of friends or classmates. Along with the dance steps, they learn the manners and social behavior that go with dancing.

For Peter, this dancing school also offers an opportunity to meet young people from different backgrounds and different areas of the city. Peter usually spends his time with friends from the Gymnasium and has little contact with the young people in his neighborhood who have either entered apprentice programs or started to work. (The German educational system is divided into two major strands: students either enter one of the various academic secondary schools at the age of ten or eleven, as Peter did, or they go through eight or nine years of elementary school and then begin an apprenticeship. More is said about apprentices and apprentice programs in Unit 39.)

Grammar

Students should become aware that definite articles are used in place of personal pronouns quite often in casual German, even when no emphasis is intended. For teaching purposes, however, you may want to restrict the use of the definite article, using it only when emphasis is intended.

Vocabulary

The vocabulary in this unit is extensive, but useful. It provides your students with enough choices so they can talk about the situations in the unit in their own context.

Projects

Hold a dancing class, having students take turns as dance instructors.

Have one of the artists in your class draw an astrological chart for the bulletin board. Using all the various adjectives they have learned, have students describe themselves, and then group the descriptions according to signs of the zodiac. See how much variety there is — or how much similarity — among the descriptions in each group.

Hörübung — Nummer 34 (teacher's script)

You will hear ten questions. Following each one, you will hear an incomplete answer with a beep sound where one of the words should be. When you listen to each question, notice which word is stressed. The stressed word will determine what kind of pronoun is needed in the answer, in place of the beep. You should write down one of the personal pronouns (er, sie, es) or one of the demonstrative pronouns (der, die, das or meiner, meine, meins). For example, you hear: Ist das nicht <u>dein</u> Lehrer? — Nein, __*__ ist älter. You write the word meiner. After you write down each response, you will hear the correct answer. Fangen wir an!

1. Peter, wie ist dein <u>Tanzlehrer</u>? — __*__ ist sehr gut. (er)
2. Gefällt dir <u>der</u> Tanz? — Ja, __*__ gefällt mir gut. (der)
3. Ist das <u>dein</u> Horoskop? — Nein, __*__ ist das hier. (meins)
4. Wo ist deine <u>Telefonnummer</u>? — __*__ ist hier. (sie)
5. Ist das <u>deine</u> Telefonnummer? — Nein, hier ist __*__. (meine)
6. Wo sind deine <u>Tanzplatten</u>? — Ich weiss nicht, wo __*__ sind. (sie)
7. Wo ist <u>dein</u> Platz? — Ich glaub', __*__ ist hier. (meiner)
8. Kennst du <u>die</u> Tanzdame? — Nein, __*__ kenn' ich nicht. (die)
9. Wo hast du dein <u>Geld</u>? — Hier hab' ich __*__. (es)
10. Wann ist <u>dein</u> Tanzkurs? — __*__ ist abends. (meiner)

COLOR PHOTO ESSAY Following Unit 32 — Plates 9–16

THE ROMANTIC ROAD

In this essay your students can follow one of the many special and scenic routes that exist all over Germany. The "Romantic Road" starts in Füssen in the Bavarian Alps and goes north to the Main River, along the old Roman "Via Claudia." Other famous routes include various Küstenstrassen along the shores of northern Germany, Weinstrassen in the wine-growing areas, the Burgenstrasse with its marvelous views of castles, and the famous Deutsche Alpenstrasse.

This essay, like the first, offers many opportunities for class and individual projects. Have your students choose any of the famous Strassen and describe — with the help of maps and photographs — various towns and landmarks, and perhaps some of the history along these beautiful roads.

33   UNSERE GESUNDHEIT

Summary of Theme

Annegret Tauber has a fever and sore throat, and cannot go to school. Her mother writes a note to the teacher to excuse her from class, and then she calls the doctor. Frau Tauber brings Annegret to the doctor's office. Dr. Meier examines Annegret and writes a prescription, which Frau Tauber has filled at the pharmacy.

Later in the unit, Annegret and other young people tell about accidents and illnesses they have had. At the end of the unit, we accompany Christian to the dentist's.

Theme and Culture

The theme in this unit is fairly universal. It shows some things people do when they are sick or injured. The unit also touches on the German system of socialized medicine, mentioning the use of Krankenscheine for doctors and dentists.

Your students may not be familiar with the "sweat cure," an old cold remedy still used a lot in Germany. The patient takes a hot bath, gets into bed under a feather bed and half a dozen blankets, and drinks plenty of hot tea or milk with honey. The purpose of the procedure is to make the patient "sweat out" the sickness.

Grammar

Three main points of grammar are taught here: the order of pronoun objects, the order of expressions of time and place in a sentence, and the double infinitive. This is a good place to review vocabulary from earlier units.

Exercise 29c on page 136 may be difficult for your students, as it requires a certain amount of "Sprachgefühl." A generalization will come later, when students have more language experience. Practice as much as you can with your students to help them develop a feeling for the language in this situation. More exercises on this point can be found in the *Arbeitsheft*.

Project

In playing the game "Verrückte Sätze" (p. 137) with your class, you will want to use German as much as possible, even though the directions have been given in English for easier comprehension. The following paragraph describes the game in German. If your class has good comprehension, read the directions in German first, and use the English paragraph on page 137 as a reference source for anyone who isn't sure about the rules.

Verrückte Sätze: Eure Klasse wählt einen Spielleiter. Der Leiter steht vor der Klasse und schreibt sechs Fragewörter an die Tafel: wer? was? wem? wann? wie? wo? (Diese Wörter können auch in anderer Reihenfolge stehen, z.B.: wie? was? wer? wann? was? wo?) Jeder nimmt dann ein Stück Papier und schreibt eine Antwort zum ersten Fragewort, faltet das Papier und gibt es weiter. Dann schreibt jeder eine Antwort (eine Verbform) zum zweiten Fragewort, faltet das Papier, und gibt es weiter. Keiner darf sehen, was schon auf dem Papier steht! Nachdem alle Fragewörter beantwortet sind, sammelt der Spielleiter die Papiere ein und liest die Sätze vor.

Note that it is very possible that most sentences won't make grammatical "sense" — subjects and verbs may disagree, and so forth. You might pick one or two outstandingly silly ones, write them on the board, and have students correct the grammar while preserving the nonsense.

Hörübung — Nummer 48 (teacher's script)

You will hear ten sentences, some referring to the present and some to the past. Listen carefully to each, decide whether it is in the present or the conversational past tense, and put your check mark in the appropriate row. For example, you hear: Ich hab' heute nicht in die Schule gehen können. You put your check mark in the row labeled Conversational Past. Fangen wir an!

1. Annegrets Stirn ist ganz schön heiss, und sie muss sich wieder hinlegen.   *Present*
2. Sie hat etwas essen wollen, aber sie hat kaum schlucken können.   *Conversational Past*
3. Ihre Mutter möchte das Fieber messen, bevor sie Dr. Meier anrufen will.   *Present*
4. Dr. Meier kann nicht weg, und er will Annegret in seiner Praxis untersuchen.   *Present*
5. Annegret hat ein paar Tage im Bett bleiben und Medizin nehmen müssen.   *Conversational Past*

6. Dr. Meier hat Annegret etwas Gutes gegen Halsentzündung verschreiben können. *Conversational Past.*
7. Frau Tauber muss dem Apotheker das Rezept geben, bevor er ihr die Medizin geben kann. *Present*
8. Frau Tauber hat noch eine Schachtel Kopfschmerztabletten kaufen wollen. *Conversational Past*
9. Alois hat eine Schwitzkur machen und heissen Tee mit Honig trinken müssen. *Conversational Past*
10. Und Peter kann nicht tanzen gehen; er muss mit seinem Gipsbein zum Arzt fahren. *Present*

Now check your answers. *Read each item again with the correct answer.*

34   WINTERSPORT

Summary of Theme

As an introduction we meet Alois and Franzl Reiter going skiing in St. Jakob. (In Unit 10 of **Unsere Freunde** we visited this little Tyrolean village in the summer; here we see it in the winter.) Then we go to a class meeting of our friends in Starnberg—we met Marzi and some others at Hans-Peter's party in Unit 7 and again at the Schulsportfest in Unit 13. They are discussing their upcoming ski trip with their teacher, Herr Schaaff, whom we also met in Unit 13. The class is going to Westendorf in the Tyrol, where the students will spend a whole week skiing. We find out about exchanging money and getting a ski pass, and we see where the students will be living for a week. Later on we see them on the slopes, and at the end we read what they do after a day of skiing: honoring the best skiers, dancing, playing party games, telling jokes, and, of course, talking about other big ski events. The unit ends with a short reading selection about grass-skiing, a new and increasingly popular summer sport.

Theme and Culture

This unit, like Unit 26, shows students spending time with their teacher outside the classroom. Herr Schaaff instructs the novices in skiing, but the mood is light and the emphasis is on having fun. Trips like this one provide a break in school routine. Students are refreshed and do better work when they get back to school.

Skiing is the most popular winter sport in German-speaking countries. Many people drive to the slopes on weekends throughout the winter. Around Christmas and New Year's, and during February and March, many skiers take a week or two of vacation and the little villages in the skiing areas become very crowded. The villages offer the same type of entertainment as they do in the summer—dances, theater performances, and special Tiroler Abende (as seen in Unit 10).

Many people prefer skiing in the Alps during February and March. The weather gets warmer, but there is still plenty of snow. Often at this time, people who do not ski go up the mountains just to sit in the sun and get a tan. Every ski area has restaurants located on the slopes, so skiers do not have to go down to the valley for a meal.

The ski areas in Westendorf and the neighboring communities are very popular. There are so many lifts and tows to take skiers to various slopes that a skier never has to go all the way down to the valley. This kind of tow arrangement is called a Schizirkus.

Grammar

There is a small section distinguishing between da-compounds and dieser-words used as pronouns: Dafür (für diese) hab' ich 20 Mark gezahlt. The main topic is the infinitive construction with zu. If students need additional practice, you may want to have them produce infinitive phrases with verbs from previous units. They should especially practice verbs with prefixes. For example: Ich bin gerade dabei, mich anzuziehen.

Vocabulary

Students who go skiing will find the vocabulary of the unit especially useful and interesting. There is also sufficient vocabulary for other winter sports, to allow nonskiers to take part in the conversation.

Other Remarks

The Flaggen-Spiel on page 158 can easily be extended for review of adjective endings. You may want to select a number of vocabulary item posters from Level 1. For example, you may ask: Was kaufst du dir? and show the item poster for "die Uhr." The student, looking at the item poster and at the flags, says a sentence such as: Ich kauf' mir eine französische Uhr.

Project

If enough students are interested in skiing, have some of them collect brochures on the various well-known ski areas in Germany, Austria, and Switzerland and report to the class. They might be able to get such brochures at a local travel agency, or else they can write to the national tourist offices of each country.

Hörübung — Nummer 28 (teacher's script)

You will hear ten questions, each followed by an incomplete answer. To complete the answer, you will use the infinitive form of the verb from the question, either with or without the preposition zu. Write your response in the pause provided. For example, you hear: Wann besprechen Sie den Ausflug? — Ich bin gerade dabei, den Ausflug _____. And you write: zu besprechen. After you have written your response, you will hear the correct answer. Fangen wir an!

1. Müssen wir alles aufschreiben? — Ja, ich bitte euch, alles _____. *(aufzuschreiben)*
2. Müssen wir alles mitbringen? — Ja, ihr müsst alles _____. *(mitbringen)*
3. Dürfen wir hier Geld wechseln? — Ja, ihr dürft hier Geld _____. *(wechseln)*
4. Warten Sie hier auf uns? — Nein, ich habe keine grosse Lust, auf euch _____. *(zu warten)*
5. Dürfen wir uns im Dorf ein wenig umsehen? — Ja, ihr dürft euch ruhig _____. *(umsehen)*
6. Müssen wir uns an der Liftkasse anstellen? — Nein. Ich beabsichtige, mich für euch an der Kasse _____. *(anzustellen)*
7. Müssen wir mit dem Lift zur Schihütte fahren? — Ja, warum? Traut ihr euch nicht, mit dem Lift _____? *(zu fahren)*
8. Eva! Kannst du dir die Schier alleine anschnallen? — Ja, ich kann sie mir alleine _____. *(anschnallen)*
9. Marzi, kannst du dem Hans die Schier anschnallen? — Du, ich bin gerade dabei, meine eigenen Schier _____. *(anzuschnallen)*
10. Herr Schaaff, wann wollen Sie uns das Schifahren beibringen? — Ich beabsichtige, den Anfängern gleich nach dem Essen das Schifahren _____. *(beizubringen)*

35 WASSERSPORT

Summary of Theme

We watch a class of ten-year-old boys and girls, as they get sailing instruction at Schilksee, outside of Kiel on the Baltic Sea. Then we join the Untertertia (eighth grade) at the Mädchengymnasium in Kiel during Latin class. The Latin teacher, Herr Wüstenberg, also gives his students lessons in rowing, and in the afternoon we see them at rowing practice.

Theme and Culture

Depending on the availability of interested teachers, German students get instruction in the outdoor skills appropriate to a particular area—in this case, sailing and rowing, since these students live close to lakes and to the Baltic Sea. You will notice that safety and boat care are stressed by the teachers.

The girls of the Untertertia are, of course, required to take Latin, and you may want to point out to your students that German students have no choice in their curriculum, with the exception of a few electives. In this Mädchengymnasium the girls have to take nine years of English, seven years of Latin, and four years of French. The curriculum varies, depending on the type of school.

Grammar

The main grammar topic is the use of prepositional phrases in questions. In addition to the exercises provided, you may want to give your students more practice with these verbs and prepositions. For example, you might ask: An wen schickst du den Brief? (an meinen Grossvater)—Wofür interessierst du dich? (für Sport). Or have students produce questions, asking you, the teacher. For example, you say: Robert beschäftigt sich mit seinen Briefmarken. The student then asks you: Und womit beschäftigen Sie sich?

Vocabulary

Students are required to learn the more general vocabulary in this unit, but you will notice that most of the technical vocabulary is optional. If some of your students go sailing or rowing, however, they may enjoy learning this vocabulary, too.

Other Remarks

You may want to get recordings of the songs on page 173. They are well-known folk songs.

Make extensive use of the map on page 174. Students who learn German should know the names of the most important rivers, lakes, and canals; they should be able to locate them on the map and be able to express related basic information as elicited in Exercise 39 on page 175.

Hörübung—Nummer 26 (teacher's script)

You will hear eight statements, each followed by an incomplete question with a beep sound where the question word or words should be. You are to write down the appropriate wo-compound, or the appropriate prepositional phrase, to complete the question. For example, you hear: Die Mädchen sprechen gern über ihren Ruderunterricht. Und du, __*__ sprichst du? For this question, which concerns a thing, you write the word worüber. Or you hear: Die Mädchen sprechen über ihren Lateinlehrer. Und ihr, __*__ sprecht ihr? Since this question concerns a person, you write the words über wen. After you write your response, you'll hear the correct answer. Ready? Fangen wir an!

1. Peter hat ein schönes Hobby: er beschäftigt sich mit seinen Briefmarken. Und du, __*__ beschäftigst du dich? *(womit)*
2. Anke und Sabine stehen vor dem Bootshaus und warten auf Herrn Wüstenberg. Und ihr, __*__ wartet ihr? *(auf wen)*
3. Anke und Sabine haben sich schon die ganze Woche aufs Training gefreut. Und ihr, __*__ habt ihr euch gefreut? *(worauf)*
4. „Ich bin dafür", sagt Herr Wüstenberg, „dass wir heute eine Nachhilfestunde in Latein haben." Und du, __*__ bist du? *(wofür)*
5. Sigrid sagt, dass sie mit ihren Freundinnen Anke und Sabine fährt. Und ihr beiden, __*__ fahrt ihr? *(mit wem)*
6. Die Mädchen unterhalten sich über das gute Training heute nachmittag. Und du, __*__ unterhältst du dich? *(worüber)*
7. Sigrid sagt, dass sie sich an die letzte Ruderstunde überhaupt nicht mehr erinnern kann. Und du, __*__ kannst du dich nicht mehr erinnern? *(woran)*
8. Anke und Sabine sagen, dass die sich noch gut an ihre erste Lateinlehrerin erinnern können. Und ihr, __*__ könnt ihr euch noch gut erinnern? *(an wen)*

36 HINEIN INS VERGNÜGEN!

Summary of Theme

This unit opens with a definition and vivid description of a Rummelplatz. Then it goes on to picture the Münchner Oktoberfest, where we join Hans and Pia as they stroll around the fair.

Next we find ourselves at the Rummelplatz in Geretsried with some old friends from **Unsere Freunde,** Gabi, Elke, and Monika (Units 1, 3, 6, and 21). They are having a good time going on the rides, trying their luck at the shooting galleries, and eating some of the foods usually found at the fairground.

The last part of the unit takes us to Starnberg and Munich, to celebrate Fasching with Marzi and some of his friends.

Theme and Culture

Fairs and festivals of all kinds are very popular in German-speaking countries. People look forward to them each year and, as they get older, fondly reminisce about what good times they have had at the fair.

In different areas, fairs are known by various names. Rummelplatz is a general, rather loose term used to refer to a fairground—the rides, galleries, food, and the general noise and bustle ("Jubel—Trubel— Heiterkeit"). A Jahrmarkt is a yearly fair which has a Rummelplatz, and where you can also buy goods. Dult is a Bavarian expression. There are four Dulten in Munich every year, each one two weeks long. In addition to the Rummelplatz, there are countless stands selling antiques and second-choice pots and pottery. Kirmes, or Kirchweih, is usually celebrated in a village on the patron saint's day of the local church. The word Messe refers more to big exhibits, such as the Buch-Messe in Frankfurt, or the Land-wirtschafts-Messe in Hanover.

Fasching, or Karneval, is the longest festival. It starts the day after Epiphany on January 7th and continues until Lent, six weeks before Easter. This time of merrymaking and fun has a long history. The stir-ring of nature after winter has always been celebrated in agricultural societies. In some areas of Germany, especially in the Southwest, remnants of very old customs are still preserved—people put on terrifying masks and disguises to chase the evil spirits of winter away.

Grammar

The subjunctive forms of modals are introduced here. Students can practice them in conditional sentences expressing polite wishes or requests, and in making suggestions.

Vocabulary

Again, notice that your students are required to learn only the more generally useful vocabulary. Most of the special terms (Ausrufer, Rutschbahn, etc.) are optional.

Other Remarks

The songs on page 190 are just a sample of the many songs played and sung at the various festivities described in this unit. You will find many recordings available, if you should want to play one for your class.

The pictures on page 191 are intended as a stimulus for writing a composition. Discuss the pictures orally before giving a written assignment.

Hörübung — Nummer 18 (teacher's script)

You will hear ten conditional sentences, some expressing real and some expressing unreal conditions. Listen carefully to each, decide which kind of condition it expresses, and put your check mark in the appropriate row. For example, you hear: Wenn ihr die Vorstellung um 18 Uhr sehen wolltet, könntet ihr mit mir zum Rummelplatz fahren. You put your check mark in the row labeled Unreal Conditional Sentence. Ready? Fangen wir an!

1. Wenn wir aufs Oktoberfest gehen wollten, müssten wir uns viel Geld mitnehmen. *Unreal Condition*
2. Wenn ich nicht gehen müsste, könnte ich dich anrufen. *Unreal Condition*
3. Wenn wir den Wagen nehmen dürfen, können wir schneller hinkommen. *Real Condition*
4. Wenn Sie den Festzug sehen wollten, müssten Sie früher wegfahren. *Unreal Condition*
5. Wenn ihr in die Stadt fahren müsst, könnt ihr uns mitnehmen. *Real Condition*
6. Wenn du mit dem Rotor fahren willst, musst du ohne mich fahren. *Real Condition*
7. Wenn sie die Musikkapelle hören wollten, müssten sie sich in ein Bierzelt setzen. *Unreal Condition*
8. Wenn wir uns in ein Bierzelt setzen wollten, müssten wir wenigstens ein Bier bestellen. *Unreal Condition*
9. Wenn ihr euch amüsieren wollt, dürft ihr nicht den ganzen Abend im Zelt sitzen. *Real Condition*
10. Wenn ich mit der Berg- und Talbahn und dem Rotor und allen Karussells fahren wollte, müsste ich mehr Geld mitbringen. *Unreal Condition*

Now check your answers. *Read each item again with the correct answer.*

COLOR PHOTO ESSAY Following Unit 36 — Plates 17–24

REGIONS OF GERMANY, PART I

In this photo essay and the following one, the various regions of the Federal Republic are represented. Part I deals with northern Germany, and Part II with southern. As much as possible, we have tried to give students the "flavor" of each area — products, food, music, costume — and to mention some of the most important people from the cultural history of the particular regions and towns.

This essay is organized as follows: Der Norden, Plate 17; Lübeck, Plate 18; Hamburg, Plate 19; Berlin, Plates 20–21; Rheinland-Westfalen, Plate 22; Hessen, Plate 23; and Rheinland-Pfalz, Plate 24.

You can use both essays on the Regions of Germany to stimulate many individual and class projects. Students could prepare reports on the various Länder of the Federal Republic, giving information about size, population, climate, products, food, folklore, and festivals. Or you may assign research on any of the famous Germans mentioned in the essays—Goethe, Mann, Gutenberg, Kollwitz—and ask students to prepare a report.

In assigning projects of this sort, you may want to help your students find appropriate background material in German. Government publications often use a style of writing different from that found in publications for the general public. Your students may find it easier to understand the German in travel folders and popular magazine articles.

37 PETERS SOMMERJOB

Summary of Theme

Peter has a summer job in an American fast-food restaurant—McDonald's in Munich. One day Babsie comes in. She is also looking for a summer job, and Peter tells her how he found his. Peter is putting in a lot of hours right now; he needs money to pay for driving lessons.

Then we have a look at the sorts of summer jobs other young people have found. We also find out what they intend to do with the money they earn.

In the second part of the unit we join Peter at driving school and see him having a driving lesson.

On the last page of the unit, Babsie and Peter meet again at a friend's birthday party and we see some of the snapshots taken there.

Theme and Culture

In recent years more jobs have opened up in the various service industries. Often these jobs require no particular skill and very little training. Peter works at McDonald's. McDonald's and Kentucky Fried Chicken have branches in Germany, and the type of food they serve has become increasingly popular, especially among young people who have less money. These fast-food chains are another indication of the American influence on German culture.

Peter's greatest ambition right now is to get his driver's license. He's preparing to get a license in two categories, Class 3, cars, and Class 1, heavy motorcycles. This unit shows the formality and expense involved in getting a license. More thorough knowledge of traffic regulations, driving, first aid, and car mechanics is required to get a driver's license in Germany than in the United States.

The traffic signs on page 201 and especially the ones on page 205 add to your students' knowledge of international traffic signs, some of which were introduced in Unit 8. This is especially relevant, since the international signs are gradually becoming common on U.S. roads.

Grammar

Past conditional sentences and modals used in past conditional sentences are introduced in this unit. If additional practice is needed, you may want to work with simple sentences. For example, you say: Isst Robert die Kartoffeln? The students respond with: Nein, aber er hätte sie essen sollen.

Vocabulary

This is a general and very useful vocabulary, so most of it is active.

Other Remarks

Practice the vocabulary in the first part of the unit by "playing restaurant." Have one student stand behind a counter and wait on other students who come in. Students can order from the menu on page 194, or you might have a student make a larger poster menu for your "restaurant."

The picture description exercise on page 207 should be done orally before being assigned as a composition. Suggested descriptions are found on p. T50.

Projects

Expand the Spiel mit Verkehrszeichen on page 205 by having your students bring in pictures of more street signs, and then continue the guessing game—all in German, of course.

Students could also expand on the traffic patterns depicted on page 206. Have them draw and discuss other traffic patterns. Note that German rules of the road are about the same as American. In both countries, cars drive on the right-hand side of the road, so driving situations are similar. The signs, however, are different in the two countries.

Hörübung—Nummer 37 (teacher's script)

You will hear ten sentences using subjunctive verb forms, some referring to the present, some to the past. Decide which time each sentence refers to, and put your check mark in the appropriate row. For example, you hear: Könnte ich in Ihrem Laden als Verkäufer arbeiten? You put your check mark in the row labeled Present. Or you hear: Du hättest mir einen Cheeseburger geben können. And you put your check mark in the row labeled Past. Fangen wir an!

1. Könnten Sie sich nicht das Papierkäppi aufsetzen, wenn Sie die Kunden bedienen? *Present*
2. Sie hätten mir nur einen Hamburger und ein Cola geben sollen. *Past*
3. Sag mir, warum könntest du nicht den Job im Warenlager nehmen? *Present*
4. Du hättest mit deinen Eltern ruhig in Urlaub fahren können. *Past*
5. Du hättest dir das Mofa kaufen sollen, nicht wahr? *Past*
6. Ich hätte im Warenlager als Fahrer arbeiten können. *Past*
7. Ich könnte als Fahrer viel mehr Geld verdienen. *Present*
8. Ich hätte diese Woche ruhig ein paar Überstunden machen können. *Past*
9. Herr Niebisch, wenn Sie wollten, könnten Sie für die Fahrprüfung einen Kleinwagen mit Automatik wählen. *Present*
10. Aber Peter! Du hättest an der Kreuzung mehr Gas geben sollen! *Past*

Now check your answers. *Read each item again and give the correct answer.*

38 AUF DEM LANDE

Summary of Theme

Unit 38 takes us back to the Reiter family in St. Jakob in the Tyrol. We are reintroduced to the family and see how everyone works together to run the farm. Then we go to the Alm, the high pasture where the cows are kept during the summer. And we watch Alois and Franzl haying.

At the end of the unit there is a reading selection which discusses Germany as an industrial and as an agricultural country, pointing out that industry is the most important part of the economy.

Theme and Culture

Work on a farm is hard, especially for the farmers in the Tyrol, where the soil is not too fertile and the mountains make things more difficult than elsewhere. This unit shows how dependent the farmer is on the help of his entire family. The children have to go to school and do their homework, but they are expected to do farm chores before school and again in the evening. A dairy farmer's work cannot be postponed. The cows must be fed and they must be milked twice a day, seven days a week.

During the summer months, from May until September, most Tyrolean farmers drive their herds to pastures higher up in the mountains. The lower pastures can then be used for haymaking. Farmers who do not have an Alm of their own, pay for the use of one for their cattle. In some areas there are Alm associations. An Alm lies above the productive zone, within the region of the upper timber line. Many Almen have a Sommerbetrieb—a spot for hikers to stop and have a glass of milk, a thick slice of farmer's bread with fresh butter, and cheese made on the Alm.

The cattle drive to the Alm in May is less of an event than the return of the cattle in the fall. If there were no injuries to the livestock on the Alm, the cows are decorated for the drive down the mountain. The ringing of the bells around the cows' necks can be heard for miles.

Grammar

This unit concentrates on teaching the passive voice. You will find that the topic of the unit provides excellent practice in producing natural sentences requiring the use of the passive construction. Not all tenses and aspects of the passive are covered here—only those we considered most useful for basic conversational situations.

Vocabulary

Again, most of the more specialized vocabulary is optional.

Other Remarks

Make extensive use of the "products map" on page 222. Using the information contained in this map as cues, students can produce natural sentences with the passive construction.

You might also work with a map of the world. Point to different countries and have the students name some of the well-known products from each one. For example: In Japan werden Fernsehapparate und Fotoapparate hergestellt. In Frankreich wird viel Wein angebaut, etc. You may have to provide additional vocabulary. This exercise will also provide a review of the names of countries, which students learned in Unit 29. As explained below, this exercise can be done as a student research project.

Exercise 40 on page 213 provides another good way to practice the passive construction. When your students run out of familiar dates and events, have them do some research and write clues (dates, events) on the board. Their classmates must then supply passive sentences using the clues. For example: 1770— Beethoven—Bonn. Response: Beethoven wurde 1770 in Bonn geboren.

Projects

Using a world map, have students conduct a lesson, making brief presentations about various countries and their important products. For example: Dieses Land heisst Frankreich. Wofür ist Frankreich bekannt? Another student would answer: In Frankreich wird Wein angebaut. (In Brasilien wird Kaffee angebaut; in Argentinien wird Vieh gezüchtet, etc.)

Have students draw up a "product map" of their own state or of the United States and discuss the products and places they come from.

Hörübung — Nummer 32 (teacher's script)

You will hear ten sentences, some in the active and some in the passive voice. Decide which kind of sentence each one is, and put your check mark in the appropriate row. Ready? Fangen wir an!

1. Zweimal am Tag werden die Ställe gereinigt und die Kühe, Kälber und Schafe gefüttert. *Passive*
2. Dann melken sie die Kühe und bringen die Milch ins Milchhaus. *Active*
3. Hier wird die Milch kühlgestellt, und morgens wird sie immer von einem Milchauto abgeholt. *Passive*
4. Die Milchmenge wird sofort gemessen und der Fettgehalt geprüft. *Passive*
5. In der Molkerei untersuchen sie die Milch und reinigen sie. *Active*
6. Sie wird auch entrahmt, dann erhitzt und zuletzt wieder abgekühlt. *Passive*
7. Wenn das Gras auf der grossen Wiese im Tal lang ist, können sie es mähen. *Active*
8. Nur am Steilhang muss das Gras mit der Hand gemäht werden. *Passive*
9. Dann wird es getrocknet, und danach kann es zusammengerecht werden. *Passive*
10. Herr Reiter kann das Heu mit dem Heuwagen nach Hause fahren und zu Hause abladen. *Active*

Now check your answers. *Read each item again with the correct answer.*

39   LEHRLINGE

Summary of Theme

The initial reading selection talks about a decision that many young Germans face when they reach the age of fourteen or fifteen: to start an apprenticeship and learn a trade, or to take a job as an unskilled worker. We then get a look at one German company and its apprentice program. We also meet three apprentices in the program and learn how they went about finding an apprenticeship, why they chose this company for their training, and what they actually do at their jobs.

At the end of the unit there is a short reading selection about an apprentice who began her training as a dental technician after passing her Abitur.

Theme and Culture

This unit points out the early age at which young Germans have to make decisions that affect the rest of their lives. Once these decisions are made, it is very hard to make changes later on in life, though with a great deal of work and determination, it is possible. At the age of ten or eleven, young people must decide whether to stay in elementary school, the Volksschule or Hauptschule, and finish at fourteen, or to switch over to an academic secondary school, where they could graduate with the Mittlere Reife at sixteen or go on and make their Abitur at nineteen. The Abitur is required for admission to a university.

The next decision must be made when young people finish the Hauptschule. They must then decide whether to begin an apprenticeship and get formal training for an occupation, or to enter the job market immediately as an unskilled worker. If they decide to begin an apprenticeship, they must choose among many: hairdresser, salesclerk, electrician, or car mechanic, to mention just a few. There are over 500 vocations in trade, business, and industry which require a Hauptschule diploma. To train for management positions in business and industry, the Mittlere Reife is required. Some young people begin an apprenticeship after they finish their Abitur — Gerda in this unit, for example, is training to be a dental technician.

Apprenticeship programs are usually three years, sometimes longer. The training of apprentices is in accordance with regulations that are uniform throughout the country. Apprentices usually spend four days a week at their jobs, where they get practical training, and one day a week at the Berufsschule (vocational school), where they take basic academic subjects and receive theoretical instruction in vocational subjects. Some vocational schools now have Blockunterricht, a program in which apprentices spend four weeks at a time on the job and then go to school for four weeks. It is felt that this provides more meaningful and concentrated experience in both areas.

Before starting an apprenticeship program, a legal contract is signed by the apprentice, his or her parents, and the company. The contract outlines the obligations and responsibilities of each party. The company pledges to give the apprentice proper training and to prepare him or her for the final examinations given by the appropriate chambers of commerce or handicrafts.

Some companies, such as Pfannkuch, where the three apprentices in this unit get their training, also have a Betriebsschule. This school provides the apprentices with additional schooling specifically concerned with the apprentices' jobs and the operation of the company. The company strives to give its apprentices the best training possible, and hopes that when they are finished with their apprenticeship they will stay with the company, rather than taking a position elsewhere.

Grammar

The genitive case is introduced in this unit. In colloquial German many people prefer using von and the dative, but the genitive is used in more formal speech and writing, as illustrated in the unit.

Vocabulary

The vocabulary is extensive, but necessary for talking about the topic of the unit. Many items will be especially useful for students who may eventually work or study in Germany.

Projects

Have your students write their own résumés. You may also want to have them look through additional job ads in a German newspaper and write letters of application in response to some of them. (You will have to help them with the many abbreviations used in such ads.) Many of your students will be required to write résumés and letters of application as they apply for college admission, summer jobs, and full-time positions after they graduate. They will find this exercise especially useful.

Another good exercise would be to write Stellengesuche of 15 words or less. Each student should describe a job he or she would like or be suited for. The wording should be brief and to the point, as in the ad on page 226.

Hörübung – Nummer 19 (teacher's script)

You will hear ten incomplete sentences, each one missing a verb form at the end. Some of the missing verb forms are infinitives, some are past participles. Listen carefully, and write down the missing verb. After you have written your response, you'll hear the correct answer. Fangen wir an!

1. Wir wissen, dass jedes Jahr 50% aller Jugendlichen die Schule mit 14 oder 15 Jahren _____. *(verlassen)*
2. Sie beginnen eine Berufsausbildung, oder sie nehmen irgendeinen Job, um Geld zu _____. *(verdienen)*
3. Wer eine Lehrstelle sucht, sollte aber ganz bestimmt mit den Eltern zuerst zu einem Berufsberater _____. *(gehen)*
4. Der Berufsberater kann im Gespräch die Interessen und Fähigkeiten des Schülers testen und gewisse Berufe _____. *(vorschlagen)*
5. Sigrid Knöll sagt, sie möchte eine gute Ausbildung haben, und deshalb hat sie sich bei der Firma Pfannkuch _____. *(beworben)*

6. Sie sagt, sie hat schon alle Abteilungen durchgemacht, und sie darf schon ab und zu _____. (aushelfen)
7. Martina Lankow sagt: „Mir gefällt, dass sich die Firma um die Lehrlinge _____.'' (kümmert)
8. Am ersten Tag haben wir etwas über die Geschichte der Firma gehört, und wir haben eine Besichtigung der Zentrale _____. (mitgemacht)
9. Werner Holzer hat es während der ersten Woche bei Pfannkuch überhaupt nicht gefallen. Er konnte sich einfach nicht an die Arbeitszeit _____. (gewöhnen)
10. Jetzt gefällt es ihm aber gut. Er verdient 250 Mark monatlich, und er braucht zu Hause kein Pfennig _____. (abzugeben)

40 UNSERE UMWELT

Summary of Theme

This unit discusses the general topic of environmental pollution, as well as some specific aspects of air, water, and noise pollution, and waste disposal. Toward the end of the unit, concrete suggestions are put forward for ways each person can work to reduce waste and pollution in the immediate community, and make his or her own environment healthier and more beautiful.

Theme and Culture

Concern about ecology has become one of the most pressing issues in the developed world. The industrialized countries are faced with common problems and threats. This unit shows some of the things that are being done in German-speaking areas to alleviate specific problems and to protect the environment from further damage.

The focus of the unit is primarily on the concerns and efforts of the industrialized West. Global questions of population growth, mechanization, and food supply have been largely omitted, as going beyond the scope of the unit. Our aim was to keep the discussion within the bounds of the students' own experience and ability to help. The suggestions which come at the end of the unit are therefore deliberately limited to things which students, working within their own communities, could hope to accomplish. You will notice that, as simple as these suggestions are, they have their pros and cons. Environmental questions are difficult even at this level.

The water consumption chart on page 245 shows comparative figures for household water use only. A comparative chart reflecting all categories of water use—agricultural, industrial, and household—shows that the highest consumers are nations where both irrigated farming and heavy industry are highly developed. Industrial usage alone does not lead to high per capita consumption, because industry returns most water to the source. Irrigated agriculture, on the other hand, consumes water without returning it to the source. So a nonindustrial country with much irrigated agriculture, like Mexico or India, will have a higher per capita usage than an industrial country with little irrigated agriculture, like Great Britain.

Even on a chart which reflects all possible categories of water consumption, the United States and the Soviet Union rank highest in per capita water usage. The United States, however, takes an enormous lead: our per capita water withdrawal is 6,301 liters a day, while the U.S.S.R. follows with only 2,740. For purposes of comparison, note that the BRD, with its heavy industry, withdraws 671 liters per person per day, and that the DDR, with its irrigated farming, withdraws 1,041. (All figures collected by the United Nations in 1965. For further information, see: Natural Resources/Water Series No. 3, *The Demand for Water*, United Nations report, 1976 publication.)

On a positive note, students should be made aware that many specific efforts to clean up the environment have been successful. For example, the waters of Lake Constance, once hopelessly polluted, have been made much cleaner by the combined efforts of Germany, Austria, and Switzerland. In Germany, regulations have been imposed to control excessive noise (see page 250), and citizens are encouraged by the government, through a multitude of posters and advertisements, to take responsibility for their immediate surroundings. Students can probably find examples in the United States, too, of specific environmental problems that have been solved or alleviated by community or government action.

Grammar

Only a brief treatment of relative pronouns is presented here. Your students will need to recognize relative pronouns and relative clauses in reading, but at this point they will seldom be required to use them in their own speaking and writing.

Vocabulary

This is a useful, theme-related vocabulary that will give your students enough preparation to talk about the topics in the unit, discuss their personal experiences, and express their own opinions.

Other Remarks

We hope that this unit will stimulate your students to think about how ecological problems affect them directly. Encourage students to do some research on the environmental concerns of your immediate area, of other areas, and even of other countries. (Apply to U.S. government agencies and information agencies of various countries for data.)

Project

As a class project, have your students form research groups and then report to the class. You might have a panel discussion, in which some students represent industry, for example, and others represent environmental groups. Also, the concrete suggestions at the end of the unit can be taken as propositions for informal debate.

Hörübung—Nummer 19 (teacher's script)

You will hear twelve statements about the environment. Some refer to air pollution (Luftverschmutzung), some to water pollution (Wasserverschmutzung), some to noise (Lärm), and some to garbage (Abfall). Decide which category each sentence refers to, and put your check mark in the appropriate row. Fangen wir an!

1. Kein Wunder, dass unsere Küchenabfälle von Jahr zu Jahr zunehmen. Wir verbrauchen immer mehr Dinge. Was wir kaufen ist gut verpackt, und wir reparieren fast nichts mehr, sondern werfen alles weg. *Abfälle*
2. Giftige Abwässer vieler Industriebetriebe gelangen in unsere Flüsse, ebenso Abwässer aus Millionen Haushalten. *Wasserverschmutzung*
3. In den Industriegebieten kann die Staubkonzentration auf 400 Teilchen je Kubikmillimeter steigen. *Luftverschmutzung*
4. Eine solche verschmutzte Gegend erhält 30% weniger Sonnenlicht als die ländliche Umgebung. *Luftverschmutzung*
5. Der Strassenverkehr, der seit 1950 um das 15fache angestiegen ist, ist heute so laut, dass er unser Nervensystem beeinflusst. *Lärm*
6. Die Donau ist nur in alten Liedern blau, und der ,,schöne deutsche Rhein'' ist bald ein toter Strom. *Wasserverschmutzung*

7. Es ist furchtbar, wie unsere Städte aussehen. Einer wirft seine Zigarette weg, ein anderer eine leere Streichholzschachtel und ein dritter seine Zeitung. *Abfälle*

8. Der Schmutz und die Gifte kommen 45% aus privaten Haushalten, aus Kohle- und Ölöfen. *Luftverschmutzung*

9. Der Mensch kann sich dabei weniger konzentrieren, und in der Regal kann er sich daran nicht gewöhnen. *Lärm*

10. In vielen Flüssen sterben die Fische, und die Verschmutzung ist an vielen Orten schon so schlimm, dass man dort nicht mehr baden darf. *Wasserverschmutzung*

11. Die Gase, die von Motorfahrzeugen stammen, sind besonders gefährlich. Sie bleiben in der Nähe des Bodens, und wir atmen sie ein. *Luftverschmutzung*

12. Wozu haben wir Papierkörbe? Aber nein, alles fliegt auf die Strasse—Zeitungen, Flaschen—alles, was wir nicht in unserer Tasche nach Hause tragen wollen. *Abfälle*

Now check your answers. *Read each item again with the correct answer.*

COLOR PHOTO ESSAY Following Unit 40—Plates 25–32

REGIONS OF GERMANY, PART II

This photo essay deals with southern Germany. It is organized as follows: Baden-Württemberg, Plates 25–28; Bayern, Plates 29–32. For general information, see the discussion starting on page T32.

Games and Activities for the Classroom

The following games can serve as a warm-up before class, or they can fill a few minutes at the end of the hour. Most of them can be used to practice vocabulary. They can be played at different points during the year, and be made more complicated as students master the language. They are given here more or less in order of difficulty, but can be introduced in any order you think appropriate.

Die Flüsterrunde

One student thinks of a fairly complicated word or sentence and whispers it to a neighbor, who then whispers it to the next, and so on around the room. The last person says aloud the word or sentence he or she hears, which is usually quite different from the way it started.

Die Wortmaschine

In a given time period, see who can think of the greatest number of words beginning with a certain letter of the alphabet. This can be played with or without pencil and paper.

Der Galgenschwengel

One student thinks of a word, and writes on the blackboard the first letter and enough blank spaces to spell the rest. Then the other people in the class start to guess letters, one at a time. When they name a letter that occurs in the word, it is written in its place. When a wrong letter is named, the person at the blackboard starts to draw a gallows, with a figure hanging from it. With every wrong letter, he or she adds one line to the drawing. Finally, unless the word is spelled out before the drawing is finished, the hangman wins. This is a game for two or more players. Of course, players must say the alphabet in German.

Wortspiel mit drei Buchstaben

You write three letters on the blackboard, and the class tries to think of words that have these three letters in them, in the order you wrote them. This can be played as a written game, in which everyone writes down as many words as possible. If the game is too hard with three letters, try using just two.

Schreib und gib weiter!

A piece of paper is given to the first person, who writes down a subject (Peter, meine Schwester, etc.), folds the paper to hide what has been written, and passes it to the next person. The next writes any verb, in the third person singular (spielt, ruft, etc.), folds the paper again, and passes it. The third person writes a phrase telling "when," and the fourth writes "where." The fifth person in line then opens the paper and reads the whole sentence out loud. (See page T27 in this Teacher's Edition for further suggestions about playing this game.)

Heinz Ganzgenau

Heinz is always asking for precise information about everything. His questions are short, but the answers get longer and longer. For instance:

Was tust du?	Ich will einkaufen.
Was?	Ich will Zucker einkaufen.
Wieviel?	Ich will drei Pfund Zucker einkaufen.
Für wen?	Ich will drei Pfund Zucker für meine Mutter einkaufen.
Wo?	Ich will drei Pfund Zucker für meine Mutter im Supermarkt einkaufen.

The sentence gets longer and longer, but the positions of the two verbs in the sentence stay the same. Two variations on this game: Heinz asks "Wo bist du gewesen?" and "Was hast du getan?" The basic form of the game practices the sentence pattern with modal verbs; the variations practice the pattern of past tense sentences.

Variations on the game can be used to practice the order of objects and of adverbial expressions. (See Unit 33, pages 135 and 137, where these grammar points are taught.) Suggested questions and answers:

Wohin fährst du?	Ich fahre nach Italien.
Mit wem?	Ich fahre mit meinem Freund nach Italien.
Wann?	Ich fahre am Sonntag mit meinem Freund nach Italien.

Was kaufst du?	Ich kaufe ein Geschenk.
Für wen?	Ich kaufe es meiner Mutter.
Wo?	Ich kaufe es ihr im Kaufhaus.
Wann?	Ich kaufe es ihr nach der Schule im Kaufhaus.

Bingo

As an activity, have students make a set of Bingo cards with German nouns written in the squares. Every card should have its own set of nouns, in random order; all the nouns must be represented on the vocabulary posters that accompany this program. Hand out the finished cards to the players, and begin the game. Someone acts as a silent "caller," holding up vocabulary posters one at a time. The players check their cards for the noun pictured on each poster. If the word appears on their card, they put a marker (perhaps a small piece of paper) over it. The first to cover all the words in a row, horizontal, diagonal, or vertical, calls out "Bingo!" Then that player has to verify his or her victory by saying the nouns in the row, giving the article and plural form for each.

Dichten

Everyone writes a noun on a piece of paper. Then one by one, in random order, each person reads out his or her word so the others can copy it down. When all the words are written down, each person starts writing a story using all the words, if possible in the order in which they were written down. The stories should be short. When finished writing, each person can read his or her composition to the class. As the name of the game suggests, this can also turn into a poetry contest. But it should be done fast, and for fun.

Personenkim

1. Send one person out of the room without drawing the others' attention to it. In a limited amount of time, everyone remaining must then write as complete a description as possible of the missing person: height, eyes, hair, clothing, and so on. This sounds easy, but it is actually quite difficult. It is also an excellent review of the vocabulary of Units 7, 9, 15, 17, 31, and 32.

2. Send one person out of the room for a moment, while everyone else changes one thing about himself or herself: glasses on or off, collar buttoned or unbuttoned, sleeves rolled up or down, shoes on or off. See if the person who is "it" can describe exactly what has changed. (You can provide extra vocabulary as it is needed.)

Zimmerkim (Detektiv am Tatort)

One person goes out of the room for a moment, and the others change just one thing in the room—move a table, open a curtain, turn over a wastebasket, etc. When the detective comes back in, he or she has to figure out what's been changed.

Lokalitäten-Raten

One person waits outside, while the others decide on a type of place—museum, restaurant, doctor's office, subway car, rock concert—and arrange the room and themselves to act it out. When the person comes back in, everyone uses pantomime to depict the chosen place, while the person guesses, in German, what place it is.

Flaschen-Quiz (Denk Fix!)

The players sit in a circle, either on the floor or around a table. One person lays an empty bottle on its side and spins it. While it spins, the spinner names a category—flowers, foods, colors, pets, cities, rivers, etc. When the bottle stops, the person it points to must come up with an appropriate word in the category—fast!

Games Given in the Units of This Textbook

As mentioned in the Introduction, most of the games given as exercises for fun in **Die Welt der Jugend** can easily be adapted to units other than the ones where they are printed. To make it simpler to find and use these games, they are listed below, in order as they appear.

Other Activities

Specific suggestions for class and individual projects are given in each unit and in the section of this Teacher's Edition titled "Teaching Suggestions for Each Unit," starting on page T12. In addition to these projects, you may want to incorporate the following activities into your classroom routine:

1. Wetterdienst

Have students review the weather language taught in Unit 18 of **Unsere Freunde.** Then assign one student each day to give the class weather report. Students can practice the future tense (Morgen wird es wieder regnen) and the conversational past tense (Gestern haben wir Schnee gehabt). When they learn to use adjective endings, students should practice them in their reports: helle Sonne, starker Wind, schlechtes Wetter, nasser Schnee, leichter Regen, hohe Wolken, and so forth.

Have the class keep a weather chart, as on page 188 in **Unsere Freunde,** including symbols for cloud conditions, wind direction, and temperature. Assign one or two students per week to keep the chart up to date and to read it out loud at the end of the week.

2. Tafeldienst

Choose one student each week to be in charge of erasing the blackboard before class, getting fresh chalk, and writing out the class homework assignment.

Classroom Phrases

In Level 1 your students should have picked up a good deal of useful classroom vocabulary, to which you can add certain other phrases that they should recognize when they hear them. Some common classroom instructions are given below, with their German equivalents. You may want to use these phrases in German from the beginning, rather than interrupting the language flow by breaking into English for simple directions.

Note that only the du- and ihr-forms are given here. You should address your students through grade ten using familiar forms. In German schools the formal form of address is used with students who are sixteen or older.

Listen.	Hör(t) zu, bitte!
Repeat after me.	Sprich (sprecht) nach!
(Say it) again.	Noch einmal, bitte! Noch mal!
Answer.	Antworte(t), bitte!
Get up.	Steh(t) auf!
Go to the chalkboard.	Geh(t) an die Tafel!
Write . . . on the chalkboard.	Schreib(t) . . . an die Tafel!
Sit down.	Setz dich (hin)! Setzt euch (hin)!
Take out a piece of paper.	Nimm (nehmt) ein Blatt Papier!
Speak louder.	Etwas lauter, bitte!
Not so fast!	Nicht so schnell! Etwas langsamer, bitte!
Not so noisy!	Nicht so laut!
Quiet, please.	Ruhe, bitte!
We're having a quiz.	Wir haben eine Ex (Extemporale).
We're having a test.	Wir haben eine Klassenarbeit (einen Test, eine Prüfung).
We're having a dictation.	Wir schreiben jetzt ein Diktat.
Let's get started.	Fangen wir an! Los!
Write in pencil/pen.	Mit dem Bleistift/dem Kuli schreiben!
Give me the test papers.	Gebt mir jetzt eure Arbeiten!
Hand in your homework.	Gib (gebt) deine (eure) Hausaufgaben ab, bitte!
Write down the assignment.	Schreib(t) die Hausaufgaben auf!
Look here, please.	Schau(t) her, bitte!
Pay attention.	Pass(t) auf! Pass(t) doch auf!
Raise your hand.	Heb(t) die Hand!
Open your book to page . . .	Mach(t) dein Buch (eure Bücher) auf; Seite . . . !
Look at number (8).	Übung (8). Nummer (8).
Look at line (25).	Zeile (25).
Ready?	Fertig?
Turn the page.	Bitte die Seite wenden! Umblättern!
Read . . . out loud.	Lies (lest) vor: . . . !
Wait.	Warte(t)! Nicht so schnell!
Start.	Fang(t) an!

Stop.	Halt!
That's all.	Das ist alles.
Are you finished?	Bist du (seid ihr) fertig?
Throw out the chewing gum.	Nimm (nehmt) den Kaugummi aus dem Mund!
Put the . . . away.	Leg(t) das . . . weg!
See me after class.	Du kommst nach dem Unterricht zu mir.
That's right.	Das ist richtig.
That's wrong.	Das stimmt nicht. Das ist falsch.
Good!	Gut! Prima! Das hast du gut gemacht.
Excellent!	Ausgezeichnet!
That's better.	So ist's besser.
You're doing fine.	Schön. Das ist ganz gut.
Perfect!	Du bekommst eine Eins mit Stern!

As you and your students do some of the projects suggested in the book, you may want to use German terms for various tools and supplies, some of which are listed below. You will find more of these terms in Units 4 and 19 of **Unsere Freunde,** and Unit 25 of **Die Welt der Jugend.**

bulletin board	die Anschlagtafel, –n
thumbtack	die Reisszwecke, –n
paperclip	die Büroklammer, –n
stapler	die Heftmaschine, –n
staple	die Heftklammer, –n
transparent tape	der Tesafilm
glue, paste	der Klebstoff
cardboard, poster board	die Pappe, –n
placard, sign	das Plakat, –e
scissors	die Schere, –n
felt-tipped pen	der Filzschreiber, –
watercolor, poster paint	die Tusche, –n
brush	der Pinsel, –
string	die Schnur, ⸚e
wire	der Draht, ⸚e
hammer	der Hammer, ⸚
nail	der Nagel, ⸚
pliers	die Zange, –n
wastepaper basket	der Papierkorb, ⸚e

Answers to Exercises

Answers to most exercises are printed in this Teacher's Edition on the textbook pages where the exercises themselves appear. Shown below are answers that could not fit on the pages where the exercises are printed.

UNIT 1 — Exercise 35: Wie war das nun alles? (p. 14)

1. a. Wir wählten ein Komitee. b. Das Komitee dachte an alles. c. Wir schickten Einladungen an Geschäftsleute. d. Die Geschäftsleute spendeten Geschenke für die Tombola. e. Jeder Gast kaufte viele Lose. f. Viel Geld kam in die Kasse. g. Wir machten einen Profit.

2. a. Um 9:30 Uhr begannen wir mit der Arbeit. b. Der Blumenhändler lieferte die Blumen ab. c. (Renate) steckte die Blumen. d. (Bernd und Hans) dekorierten die Aula. e. (Brigitte und Ursel) malten alle Plakate. f. (Sibylles) Team stellte Blumen und Aschenbecher auf die Tische. g. (Rolf) redete mit dem Hausmeister.

3. a. Um 8:15 Uhr kamen die ersten Gäste. b. Sie kauften die Eintrittskarten an der Kasse. c. Sie bestellten belegte Brote und Getränke. d. (Susi und Kurt) waren in der Küche. e. Sie schnitten das Brot mit der Brotmaschine. f. (Willi) holte den Schinken aus dem Kühlschrank. g. (Wolf) bediente die Gäste. h. Er sprach mit den Mädchen. i. (Kurt) schrieb alles auf.

4. a. Am nächsten Tag arbeiteten zwei Komitees fleissig. b. Ein Team hatte Aufräumedienst. c. Die Jungen und Mädchen bauten die Tische und Stühle ab. d. Sie wuschen das Geschirr und brachten es zurück. g. Sie sammelten die leeren Flaschen ein. h. Sie brachten die Flaschen zum Supermarkt zurück. i. Sie bekamen ihr Pfand zurück.

UNIT 2 — Exercise 11: Schriftliche Übungen, part a (p. 24)

1. Als Veronika an die Schule kam, warteten die andern schon.
   Die andern warteten schon, als Veronika an die Schule kam.
2. Als wir die Grenze erreichten, hielt der Bus an.
   Der Bus hielt an, als wir die Grenze erreichten.
3. Als der Bus den Rhein überquerte, waren wir in Frankreich.
   Wir waren in Frankreich, als der Bus den Rhein überquerte.
4. Als wir nach Colmar kamen, wurde der Marita schlecht.
   Der Marita wurde schlecht, als wir nach Colmar kamen.
5. Als Marita ausstieg, mussten wir im Bus bleiben.
   Wir mussten im Bus bleiben, als Marita ausstieg.
6. Als sie zurückkam, fuhren wir weiter.
   Wir fuhren weiter, als sie zurückkam.

UNIT 27 — Exercise 18: Schriftliche Übungen, part b (p. 41)

1. Anfang Oktober fangen die Schüler mit den Vorbereitungen an.
2. Einmal am Tag sehen sie die Deutschlehrerin.

3. Vormittags diskutieren sie das Theaterstück in der Deutschstunde.
4. Mitte Dezember suchen sie die Rollen aus.
5. Zweimal in der Woche kommen sie nach der Schule zusammen.
6. Ende April finden die Schülertheaterwettbewerbe statt.

UNIT 27 — Exercise 26: Schriftliche Übungen, part b (p. 45)

Wer in diesen Tagen die Badische Zeitung aufschlug, konnte viele Schlagzeilen über die Quintaner lesen. Die Quintaner hatten ein ganz besonderes Schuljahr! Sie lernten eine Partnerschaftsklasse aus Frankreich kennen, und sie führten ihr eigenes Theaterstück auf.

Schon im September planten die Schüler ihr Lustspiel. Zweimal in der Woche kamen sie zusammen und besprachen ihre Ideen. Sie fanden eine Geschichte, und dann begannen sie mit der Arbeit. Sie schrieben den Text und suchten die Rollen aus. Sie entwarfen die Bühnenbilder und die Kostüme und stellten sie selbst her.

Dann fanden die Theaterproben statt. Die Schüler wussten, dass alles gutging, denn die Generalprobe gefiel den Lehrern. Im April führten sie ihr Spiel vor einer Jury auf.

Zwei Wochen vergingen. Endlich erfuhren sie das Ergebnis: sie gewannen den Theaterwettbewerb und bekamen den ersten Preis! Ausschnitte aus dem Lustspiel kamen im Badischen Fernsehen, und die Stadt Freiburg lud die Quintaner ein. Sie sollten ihr Spiel im Städtischen Theater aufführen.

UNIT 27 — Exercise 29: Schriftliche Übungen, part b (p. 46)

1. Als wir die Bühnenbilder entworfen hatten, stellten wir sie her.
2. Als wir die Musik geschrieben hatten, studierten wir sie ein.
3. Als wir die Kostüme genäht hatten, fanden die Theaterproben statt.
4. Als zwei Wochen vergingen hatten, erfuhren die Schüler das Ergebnis.
5. Als sie das Ergebnis gehört hatten, waren die Eltern stolz.

UNIT 28 — Exercise 31: Zeitleisten (p. 62)

Suggested answers:

a. Heute früh bin ich aufgestanden. Heute vormittag geh' ich zur Schule. Heute mittag komm' ich wieder nach Hause. Heute nachmittag mach' ich meine Hausaufgaben. Heute abend ess' ich, und dann seh' ich fern.

b. Gestern morgen hab' ich bis halb neun geschlafen. Gestern vormittag hab' ich gefrühstückt. Ich bin gestern mittag mit dem Bus in die Stadt gefahren. Gestern nachmittag hab' ich mir Kleider in einem Laden angesehen (bin einkaufen gegangen). Gestern abend hab' ich meine Freundin angerufen, und ich bin zu einer Party gegangen.

c. Samstag morgen werde ich mich anziehen. Ich werde Samstag vormittag schwimmen gehen. Samstag mittag werde ich radfahren (einen Ausflug mit dem Fahrrad machen). Samstag nachmittag werde ich Fussball spielen. Samstag abend werde ich Radio hören und dann ins Bett gehen.

UNIT 29 — Exercise 44: Wer kennt die Nationalitätszeichen? (p. 78)

1. ein E: Dann kommt der Wagen aus Spanien. Es ist ein spanischer Wagen.
   ein L: aus Luxemburg, ein Luxemburger Wagen
   GR: aus Griechenland, ein griechischer Wagen

YU: aus Jugoslawien, ein jugoslawischer Wagen
DDR: aus der Deutschen Demokratischen Republik (DDR), ein deutscher Wagen
ein B: aus Belgien, ein belgischer Wagen
ein N: aus den Niederlanden, ein holländischer Wagen
ein S: aus Schweden, ein schwedischer Wagen
SF: aus Finnland, ein finnischer Wagen
ein H: aus Ungarn, ein ungarischer Wagen

2. ein P: Das ist ein portugiesisches Auto. Es kommt aus Portugal.
   TR: ein türkisches Auto, aus der Türkei
   GB: ein englisches Auto, aus Grossbritannien
   CS: ein tschechoslowakisches Auto, aus der Tschechoslowakei
   ein I: ein italienisches Auto, aus Italien
   USA: ein amerikanisches Auto, aus den Vereinigten Staaten (von Amerika)
   BG: ein bulgarisches Auto, aus Bulgarien
   ein A: ein österreichisches Auto, aus Österreich
   ein D: ein deutsches Auto, aus der Bundesrepublik Deutschland (BRD)
   IRL: ein irisches Auto, aus Irland

3. Er hat ein F auf dem internationalen Kennzeichen. Er fährt einen französischen Wagen.
   SU, einen russischen Wagen
   ein S, einen schwedischen Wagen
   NL, einen holländischen Wagen
   DK, einen dänischen Wagen
   CH, einen Schweizer Wagen
   ein I, einen italienischen Wagen

UNIT 30 — Exercise 26: Schriftliche Übungen, part b (p. 88)

1. Peter hat ein interessantes Hobby. Christian hat ein interessanteres Hobby. Harry hat das interessanteste Hobby.
2. Christian hat eine schöne Freizeitbeschäftigung. Babsie hat eine schönere Freizeitbeschäftigung. Gerhard hat die schönste Freizeitbeschäftigung.
3. Harry hat viel Geld. Peter hat mehr Geld. Babsie hat das meiste Geld.
4. Babsie hat einen alten Fotoapparat. Gerhard hat einen älteren Fotoapparat. Peter hat den ältesten Fotoapparat.
5. Peter ist ein guter Fotograf. Gerhard ist ein besserer Fotograf. Harry ist der beste Fotograf.

UNIT 30 — Exercise 30: Was könnt ihr über diese Zeichnungen sagen? (p. 89)

Suggested answers:

Der VW ist klein. Der Porsche ist grösser. Der Mercedes ist am grössten.
Ich sehe einen kleinen, gelben VW und einen grösseren, roten Porsche. Ich seh' auch einen grossen, blauen Mercedes.
Der VW ist der kleinste Wagen (das kleinste Auto) im Bild. Der Mercedes ist der grösste Wagen (das grösste Auto).

Das grösste Tier im Bild ist der Elefant. Das kleinste ist der Affe. Der Löwe ist grösser als der Affe aber nicht so gross wie der Elefant.
Ich sehe einen kleinen Affen und einen grösseren Löwen. Ich seh' auch einen grossen, grauen Elefanten.

Welches Auto ist schnell? – Das schnellste Auto ist der Porsche.
Welches Tier ist zahm? – Das zahmste Tier ist der Affe.
Welcher Wagen ist billig? – Der billigste Wagen ist der VW.
Welches Tier hat ein langes Leben? – Der Elefant hat das längste Leben.

Other adjectives can also be used in sentences like the above. For example, in describing the cars, students might compare them using the adjectives: bequem/unbequem, eng/geräumig, teuer/billig, schön/hässlich, sportlich, kurz/lang, etc.

In describing the animals, students might use: lustig, gefährlich/zahm, stark/schwach, schnell/langsam, intelligent, etc.

For further variation of this exercise, have students compare the stamps shown on page 91, using adjectives such as: schön, teuer, interessant, bunt, ungewöhnlich, hübsch, etc.

UNIT 33 – Exercise 31: Schriftliche Übung (p. 137)

1. Frau Tauber holt die Medizin von der Apotheke.
2. Annegret geht um 12 Uhr zu Dr. Meier.
3. Dr. Meier hat immer viele Patienten.
4. Annegret muss zwei Tage im Bett bleiben.
5. Sie hat heute eine Klassenarbeit.
6. Ihre Mutter bringt morgen den Krankenschein zum Arzt.
7. Herr von Lehmann kommt nach fünf Minuten mit einer braunen Flasche wieder.
8. Frau Tauber stellt die Schmerztabletten in die Hausapotheke.

UNIT 33 – Exercise 43: Zuerst spricht Peter, dann Annegret. (p. 141)

P: Er wollte mich untersuchen.   A: Er hat mich auch untersuchen wollen.
P: Er konnte bei mir nichts finden.   A: Er hat bei mir auch nichts finden können.
P: Ich sollte Tabletten nehmen.   A: Ich hab' auch Tabletten nehmen sollen.
P: Ich durfte in die Schule gehen.   A: Ich hab' auch in die Schule gehen dürfen.
P: Ich mochte nicht zu Hause bleiben.   A: Ich hab' auch nicht zu Hause bleiben mögen.

UNIT 33 – Exercise 45: Schriftliche Übungen, part b (p. 142)

1. Hat er sie zum Arzt bringen können? Hat er das gekonnt?
   Konnte er sie zum Arzt bringen? Konnte er das?
2. Hast du eine Schwitzkur machen wollen? Hast du das gewollt?
   Wolltest du eine Schwitzkur machen? Wolltest du das?
3. Hast du Tee mit Honig trinken müssen? Hast du das gemusst?
   Musstest du Tee mit Honig trinken? Musstest du das?
4. Hast du den Hustensaft einnehmen mögen? Hast du das gemocht?
   Mochtest du den Hustensaft einnehmen? Mochtest du das?
5. Hast du zu Hause bleiben dürfen? Hast du das gedurft?
   Durftest du zu Hause bleiben? Durftest du das?

UNIT 34 – Exercise 29: Schriftliche Übungen, part c (p. 154)

1. Ich hab' keine Lust, mir Geld im Dorf zu wechseln.
2. Er beginnt, ihnen das Schifahren beizubringen.

3. Ulrike hat vor, sich mit Sonnencreme einzureiben.
4. Er traut sich nicht, den Hang allein hinunterzufahren.
5. Ich bitte dich, dem Marzi und der Eva zuzuhören.
6. Wir beabsichtigen, erst nächste Woche zurückzufahren.

UNIT 36 — Exercise 12: Schriftliche Übungen, part b (p. 182)

1. Wenn sie keine Zeit hätte, müsste sie mit einem Taxi fahren.
2. Wenn wir krank wären, dürften wir nicht aufs Oktoberfest gehen.
3. Wenn ich genug Geld hätte, könnte ich mir ein Brathendl kaufen.
4. Wenn du dich amüsieren wolltest, würdest du mit der Rutschbahn fahren.
5. Wenn er früh zu Hause sein sollte, müsste er das Bierzelt schon jetzt verlassen.
6. Wenn die Kinder gut zielen könnten, würden sie bald mal etwas treffen.

UNIT 36 — Exercise 38: Was ist auf diesem Schulfest alles los? (p. 191)

Suggested description:

Die Jungen und Mädchen haben für ihr Schulfest einen Stand gebaut. Zwei Mädchen bemalen die Pappe mit Farbe. Dann schreiben sie ein Schild: Bitte noch nicht berühren!

Der Stand ist fertig. Das Spiel heisst: Nass-Spass. Wir sehen vier Menschen ohne Köpfe. Wenn das Spiel beginnt, stellen sich die Jungen und Mädchen hinter die Wand, je ein Kopf zu einem Körper. Alle sollen mitmachen. Das Spiel ist wirklich lustig. Die Jungen und Mädchen werfen nämlich mit nassen Schwämmen auf die Jungen und Mädchen hinter der Wand. Ein Wurf kostet 5 Pfennig, drei Würfe nur 10 Pfennig. Es macht grossen Spass, und die Jungen und Mädchen hinter der Wand werden wirklich ganz nass.

UNIT 37 — Exercise 40: Auf Utes Geburtstagsparty (p. 207)

Suggested description:

Ute hat Geburtstag, und sie hat ihre Freunde und Freundinnen zu einer Party eingeladen. Ute hat einen Blumenstrauss in der Hand. Ob sie den von Peter bekommen hat? Dann setzt sich Peter neben Ute. Er erklärt ihr ein Spiel, ein Geburtstagsgeschenk von einer Freundin.

Dann gehen alle in den Garten. Hier ist ein Pool, und Babsie ist schon im Wasser. Sie hat einen Pappbecher in der Hand und spricht mit einem Jungen. Zwischen den beiden steht ein Gartenzwerg. Die Jungen und Mädchen spritzen sich dann an, und sie wollen, dass Peter auch ins Wasser kommt.

Später gibt es Würstchen zu essen, Brötchen und Kartoffelsalat. Babsie sitzt neben Peter. Er ist gerade dabei, ihr ein Glas Bowle zu geben. Dann sucht ein Junge eine Platte aus, und alle tanzen. Peter tanzt mit Ute. Ob er auch mit Babsie tanzen wird?

UNIT 40 — Exercise 16: Verbindet diese Sätze! (p. 248)

1. Das Wasser, das wir hier trinken, ist schmutzig.
2. Die Abfälle, die wir wegwerfen, nehmen zu.
3. Der Rhein, der heute verschmutzt ist, war früher sauber.
4. Die Luft, die wir in der Stadt atmen, ist giftig.

5. Der Fluss, den wir verschmutzt haben, hat keine Fische mehr.
6. Die Gase, die von den Autos in die Luft geblasen werden, sind besonders gefährlich.

UNIT 40 — Exercise 22: Verbindet diese Sätze! (p. 251)

1. Nichts, was im Wald wächst, soll gestört werden.
2. Wir werfen viel weg, was repariert werden könnte.
3. Er sagt, wir können nur wenig tun, was die Umwelt verbessert.
4. Das Buch schlägt etwas vor, was wir beachten sollen.
5. Wir sollten alles, was grossen Lärm macht, zu Hause lassen.
6. Der Mensch tut viel, was die natürliche Ordnung stört.

Listening Comprehension Program

This strand of the series is intended to improve the students' listening and speaking skills. For each unit a variety of exercises is given. Some require students only to listen, some to give a minimal written response, and some to initiate their own spoken response using vocabulary and structures from the unit. Certain exercises require students to respond orally to a pictorial stimulus — a drawing or photograph. For each unit there is also an exercise or series of exercises that will prepare students to do the Konversationsübung for that unit of the textbook.

Above each exercise is a statement of the specific learning objective, together with a numeral or numerals. These numerals are reference numbers, showing which items in the textbook unit are being practiced. The letter R is sometimes used when the exercise involves a review of materials from previous units.

Answer forms for exercises requiring a written response, and all visual cues except a few found in the textbook, are printed in the front section of the *Übungsheft*.

This listening comprehension program will be more useful to some students than to others. It is designed specifically for those who can profit from extra listening and speaking practice. Certain students will derive more benefit from the reading and writing strands of the series.

LEKTION 25

1, 3, 5 *To practice comprehension of new vocabulary*

1. Listening and Reading Exercise

This exercise will help you practice vocabulary related to organizing a school party. You will hear eight statements, with a noun missing at the end of each. For each statement, you are given a choice of three nouns. Decide which one completes the statement best, and circle the appropriate letter. Let's begin.

1. Der Sommerball sollte erst im Juni stattfinden, und schon im März wählten die Jungen und Mädchen ein _____. (Komitee, B)
2. Die Schüler schickten Einladungen an Eltern und Bekannte, sie sorgten fürs Essen und Trinken, ja sie planten alles für dieses _____. (Ereignis, A)
3. Sie schickten Einladungen an viele Geschäftsleute. Die Geschäftsleute waren grosszügig und spendeten viele Geschenke für die _____. (Tombola, B)
4. Rolf, der Leiter vom Organisationskomitee, sagte: „Der Eintritt kostet sechs Mark. Ich hoffe, dass viele Gäste kommen, und dass sie viel essen und trinken und viele Lose kaufen. Dann erst machen wir einen _____." (Profit, C)
5. „Wir haben viele Geschenke für die Tombola, und ich denke, dass die Tombola ein Erfolg wird, denn der Preis ist nur 50 Pfennig für ein _____. (Los, B)
6. An einem Samstag im Juni fand der Ball statt. Schon früh um acht Uhr kam ein Team von Jungen und Mädchen in die Schule, und Hans und Bernd dekorierten die _____. (Aula, C)
7. Ein anderes Team stellte Blumen auf die Tische, und Brigitte und Ursel malten alle Schilder und _____. (Plakate, B)

8. Rolf, der Leiter vom Organisationskomitee, und ein paar andere Schüler standen in der Aula und sprachen mit Hausmeister Schmid über die _____. *(Beleuchtung, A)*

Now check your answers. *Repeat each item and give the correct answer. (1. Der Sommerball sollte erst im Juni stattfinden, und schon im März wählten die Jungen und Mädchen ein Komitee, B)*

1.	A	Ereignis	B	Komitee	C	Erfolg
2.	A	Ereignis	B	Komitee	C	Team
3.	A	Preise	B	Tombola	C	Lose
4.	A	Erfolg	B	Preis	C	Profit
5.	A	Profit	B	Los	C	Geld
6.	A	Beleuchtung	B	Tombola	C	Aula
7.	A	Preise	B	Plakate	C	Lose
8.	A	Beleuchtung	B	Lose	C	Aufräumearbeiten

1, 3, 5 *To practice comprehension of new vocabulary*

2. Listening and Speaking Exercise

In this exercise, you'll hear six incomplete sentences. Listen carefully, and say an appropriate verb to complete each one. The missing verb forms are all infinitives. For example, you hear: Die Geschäftsleute sollen Geschenke für die Tombola (   ). And you say: spenden. After your answer you'll hear a suggested response. Let's begin.

1. Schüler, Eltern, ehemalige Schüler, Freunde und Bekannte kommen einmal im Jahr auf dem Besigheimer Schülerball zusammen und (   ). *feiern*
2. Jung und alt möchte mit Freunden reden, essen und trinken, tanzen und sich (   ). *vergnügen*
3. Die Zwölftklässler kommen schon im März zusammen, denn sie wollen ein Organisationskomitee (   ). *wählen*
4. Die Jungen und Mädchen sorgen für alles: für Einladungen, Essen und Trinken, Dekorationen, Musik, ja, sie müssen an alles (   ). *denken*
5. Die Schüler brauchen Preise für die Tombola, und sie wollen Einladungen an alle Geschäftsleute (   ). *schicken*
6. Rolf und ein paar andere Schüler möchten mit Hausmeister Schmid über die Beleuchtung (   ). *reden*

7 *To check comprehension of new vocabulary*

3. Listening Exercise

You have in front of you eight drawings. For each one, you'll hear a statement. Identify the tool or utensil mentioned in each statement, and match it with the drawing in front of you. Enter the number of the sentence to the right of the appropriate drawing. Ready? Let's begin.

1. Rolf baut einen Tisch für die Tombola. Er braucht dazu einen Hammer und Nägel.
2. Renate macht die Tischdekorationen. Sie benutzt eine Schere, denn sie muss die Blumen kürzer schneiden.
3. Dann bindet sie die Blumen mit einem Draht zusammen und schneidet den Draht mit einer Zange ab.
4. Bernd heftet die Dekorationen mit einer Heftmaschine zusammen.
5. Brigitte und Ursel machen Schilder und Plakate und beschriften sie mit einem Filzschreiber.

6. Sie tauchen einen Pinsel in die Tusche und bemalen die Plakate.
7. Mit Klebstoff kleben sie Dekorationen auf die Plakate.
8. Dann heften sie die Plakate mit Reisszwecken ans schwarze Brett.

Now check your answers. The numbers next to the drawings should read, from left to right: *2, 4, 7, 3, 8, 6, 1, 5.*

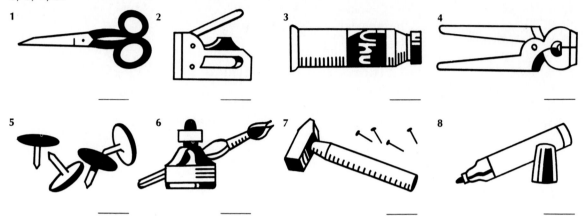

7 *To practice comprehension and gender of new nouns*

4. Speaking Exercises

For this exercise, pretend that you are helping to decorate your school and that you'll need to use certain tools and utensils.

Part 1
Look at the drawings in Exercise 3, and say that you need each of these items. For example, you hear: Eins. And you say: Ich brauche die Schere. After your response, you'll hear the correct answer. Let's begin.

1. (   ) *Ich brauche die Schere.*
2. (   ) *Ich brauche die Heftmaschine.*
3. (   ) *Ich brauche den Klebstoff.*
4. (   ) *Ich brauche die Zange.*
5. (   ) *Ich brauche die Reisszwecken.*
6. (   ) *Ich brauche den Pinsel und die Tusche.*
7. (   ) *Ich brauche den Hammer und die Nägel.*
8. (   ) *Ich brauche den Filzschreiber.*

Part 2
Look at the drawings again. For each one, you'll hear an incomplete sentence. Complete each sentence by using the preposition mit and naming the item in the drawing. For example, you hear: 1. Renate schneidet die Blumen (   ). And you say: mit einer Schere. After your response, you'll hear the correct answer. Let's begin.

1. Renate schneidet die Blumen (   ). *mit einer Schere*
2. Bernd heftet die Dekorationen zusammen. Er tut das (   ). *mit einer Heftmaschine*
3. Brigitte und Ursel kleben Dekorationen auf die Plakate. Sie tun das (   ). *mit Klebstoff*
4. Renate schneidet den Draht (   ). *mit einer Zange*
5. Die Mädchen heften die Plakate ans schwarze Brett. Sie tun das (   ). *mit Reisszwecken*
6. Ursel gebraucht Tusche und bemalt die Schilder und Plakate (   ). *mit einem Pinsel*
7. Hans baut den Tisch für die Tombola. Hier kommt er (   ). *mit einem Hammer und Nägeln*
8. Brigitte beschriftet die Schilder und Plakate (   ). *mit einem Filzschreiber*

5. Listening and Speaking Exercise

You will hear eight statements, with an infinitive missing at the end of each. Listen carefully to each statement, and say the missing verb. After your response, you'll hear the correct answer. Let's begin.

1. Hans braucht den Hammer und die Nägel. Er möchte den Tisch für die Tombola (   ). *bauen*
2. Brigitte braucht den Filzschreiber. Sie will die Plakate (   ). *beschriften*
3. Wo sind die Reisszwecken? Ursel möchte die Plakate ans schwarze Brett (   ). *heften*
4. Renate sucht den Draht. Sie möchte die Blumen mit dem Draht (   ). *zusammenbinden*
5. Ursel taucht den Pinsel in die Tusche, denn sie möchte die Plakate (   ). *bemalen*
6. Wo ist der Klebstoff? Brigitte will jetzt die Dekorationen auf die Plakate (   ). *kleben*
7. Renate sucht die Vase. Sie möchte die Blumen in die Vase (   ). *stellen*
8. Bernd hat die Heftmaschine in der Hand. Er muss die Dekorationen (   ). *zusammenheften*

6. Listening Exercise

You will hear ten sentences, some referring to the present and some to the past. Listen carefully to each sentence, and place your check mark in the appropriate row. For example, you hear: Die Zwölftklässler wählten ein Organisationskomitee. And you place your check mark in the row labeled Past. Let's begin.

1. Die Schüler schicken Einladungen an Eltern, Bekannte und ehemalige Schüler. *(present)*
2. Jung und alt vergnügte sich auf dem Besigheimer Sommerball. *(past)*
3. Rolf, der Leiter vom Organisationskomitee, dachte an alles. *(past)*
4. Er redet mit Hausmeister Schmid über die Beleuchtung. *(present)*
5. Brigitte und Ursel malten alle Schilder und Plakate. *(past)*
6. Hans und Bernd kleben die Dekorationen zusammen. *(present)*
7. Hans baute den Tisch für die Tombola. *(past)*
8. Sybille und ihr Team stellte die Blumen auf die Tische. *(past)*
9. Ursel beschriftet alle Schilder und Plakate. *(present)*
10. Dann vergnügten sich jung und alt auf dem Besigheimer Sommerball. *(past)*

Now check your answers. *Read each sentence again and give the correct answer.*

	0	1	2	3	4	5	6	7	8	9	10
Present											
Past	✔										

7. Listening Exercise

Let's see how well you can tell time in German. You'll hear ten statements referring to the time of day. Match the time you hear in each sentence with the appropriate clock face in front of you, and write the number of the sentence to the right of the clock face. Let's begin.

1. Der Sommerball fängt um Viertel nach acht an.
2. Fünf vor halb neun liefert der Blumenhändler die Blumen ab.

3. Um drei Viertel acht kommen die ersten Gäste.
4. Die Schüler bereiten das Essen um Viertel vor sieben vor.
5. Wie spät ist es jetzt? — Viertel sieben.
6. Das Orchester fängt um Viertel zehn an zu spielen.
7. Zehn nach halb elf verkaufen die Schüler die Lose.
8. Um Viertel elf hält der Rektor seine Rede.
9. Die Stimmung war gut, und um drei Viertel zwölf begann die Verlosung.
10. Um zehn nach eins gingen die ersten Gäste nach Hause.

Now check your answers. The numbers you wrote down should read, from left to right: *3, 5, 7, 2, 6, 8, 9, 1, 10, 4.*

24 *To practice comprehension of new vocabulary*

8. Listening and Reading Exercise

Let's practice more vocabulary relating to the party. You will hear six statements, with a noun missing at the end of each. For each incomplete statement, you are given a choice of three nouns. Decide which one completes the statement best, and circle the appropriate letter. Let's begin.

1. Schon um zehn Uhr wussten die Schüler, dass sie Erfolg hatten mit ihrer _____. *(Feier, C)*
2. Die Gäste vergnügten sich, denn alles war gut: das Essen, die Musik und die _____. *(Stimmung, A)*
3. Das Orchester brachte die Gäste mit Melodien von gestern und heute in _____. *(Schwung, C)*
4. Um Viertel zwölf hielt Rektor Weil eine _____. *(Rede, B)*
5. Er verlas die Namen von den Abiturienten und wünschte ihnen Erfolg im _____. *(Leben, B)*
6. Dann begann der Verkauf von Losen, denn um Mitternacht war die _____. *(Verlosung, A)*

Now check your answers. *Repeat each item, and give the correct answer.*

1. A	Rede	B	Stimmung	C	Feier
2. A	Stimmung	B	Verlosung	C	Hilfe
3. A	Leben	B	Glück	C	Schwung
4. A	Verlosung	B	Rede	C	Feier
5. A	Abitur	B	Leben	C	Glück
6. A	Verlosung	B	Stimmung	C	Rede

9. Listening and Speaking Exercise

You'll hear eight incomplete sentences, to which you should add the appropriate verbs. For example, you hear: Um Viertel nach elf möchte Rektor Weil eine Rede (   ). And you say: halten. After each answer, you'll hear a suggested response. Let's begin.

1. Schon am Nachmittag möchten die Schüler das Essen (   ). *vorbereiten*
2. Das Orchester ist gut, und es kann die Gäste leicht in Schwung (   ). *bringen*
3. Rektor Weil sagt: „Wenn ihr alle im nächsten Jahr so fleissig arbeitet wie in diesem Jahr, so werdet ihr bestimmt auch das Abitur (   )." *bestehen*
4. Die Gäste kauften viele Lose, und die Schüler mussten die Verlosung um eine halbe Stunde (   ). *verschieben*
5. Am nächsten Tag musste das Finanzkomitee das Geld (   ). *zählen*
6. Die Kasse ist positiv; sie haben einen Profit gemacht, und sie werden das Geld für ihre Reise nach Berlin (   ). *ausgeben*
7. Die Schüler vom Aufräumedienst mussten die Schule aufräumen und die Dekorationen (   ). *herunternehmen*
8. Sie mussten das Geschirr waschen und die leeren Flaschen (   ). *einsammeln*

10. Listening Exercise

You will hear ten sentences, some referring to the present and some to the past. For each sentence, place your check mark in the appropriate row. Let's begin.

1. Der Sommerball vom Gymnasium in Besigheim begann pünktlich um Viertel neun. *(past)*
2. Susi schneidet das Brot mit der Brotmaschine. *(present)*
3. Die Gäste assen Schinken- und Käsebrote. *(past)*
4. Um Viertel zwölf hielt Rektor Weil eine Rede. *(past)*
5. Um Mitternacht findet die Verlosung statt. *(present)*
6. Sie verschoben die Verlosung um eine halbe Stunde. *(past)*
7. Als Preise gab es Wein, Gläser und Konfekt. *(past)*
8. Werner Randecker und sein Orchester unterhält die Gäste. *(present)*
9. Am nächsten Tag nehmen die Schüler die Dekorationen herunter. *(present)*
10. Im Supermarkt bekamen die Schüler das Pfand für die Flaschen zurück. *(past)*

Now check your answers. *Read each sentence again, and give the correct answer.*

	1	2	3	4	5	6	7	8	9	10
Present										
Past										

11. Listening Exercise

Let's say you're planning your own party in school or in your German club. What do you talk about? Listen to how our German friends go about planning for their event.

Part 1

The boys and girls have gotten together and they are discussing the selection of four teams.

(Stimmengewirr)

DIRK   Nun seid doch endlich mal ruhig! Wenn jeder redet, kommen wir nicht weiter.

HEIKE   Ruhe, bitte!

DIRK   So, was gibt's auf unserer Party zu essen?

RENATE   Denk doch nicht immer gleich ans Essen!

HEIKE   Du hast recht, Renate. Fangen wir mal von vorn an! Wen sollen wir einladen?

STEFAN   Uns.

RENATE   Das ist doch klar.

DIRK   Unsere Lehrer.

HEIKE   Unsere Eltern.

RENATE   Wir brauchen Geld in unsere Klassenkasse.

DIRK   Dann laden wir lieber auch ein paar Geschäftsleute ein. Die haben Geld.

HEIKE   Wie wollen wir die Leute alle einladen?

STEFAN   Einfach! Wir rufen an.

SUSI   Ich glaube, es ist besser, wenn wir Einladungskarten schicken.

HEIKE   Ja, die Susi hat recht. Das sieht besser aus.

STEFAN   Wer kauft die Karten?

DIRK   Und wer schreibt sie? Meine Schrift kann keiner lesen.

RENATE   Das wissen wir.

HEIKE   Wählen wir also ein Team, das für die Einladungskarten sorgt!

STEFAN   Gute Idee! — So, wer will . . .

SCHÜLER   Ich. — Ich auch.

STEFAN   Noch jemand? Willst du, Jörg?

HEIKE   Gut. Unser Team für die Einladungen: Uschi, Peter und Jörg.

DIRK   So, und wer will für das Essen und für die Getränke sorgen?

Part 2

Now let's listen to what each of the four teams has to say. First, the team that takes care of the invitations.

JÖRG   Wenn wir Einladungen schicken wollen, müssen wir Einladungskarten kaufen.

USCHI   Wieviel Karten brauchen wir?

PETER   Ja, wieviel Leute laden wir ein?

USCHI   Schreiben wir mal auf, wen wir alles einladen! Also, wir sind 25.

JÖRG   Und jeder bringt seine Eltern, das sind 50.

USCHI   Nein, das sind auch nur 25! Wir schicken doch nur eine Karte pro Familie.

PETER   Mensch, bist du klug!

USCHI   Das weiss ich. — Und jetzt die Lehrer . . . und . . .

JÖRG   Was für eine lange Liste! 180 Karten!

PETER   Dann schreibt jeder von uns 60 Karten.

JÖRG   Mensch, kannst du gut rechnen!

PETER   Wer kauft jetzt die Karten?

USCHI   Wir gehen zusammen. Und wir können dann gleich mit auf die Post gehen und Briefmarken kaufen.

JÖRG   Tolle Idee!

PETER   Die Uschi hat immer tolle Ideen! Haha!

USCHI   Seid ihr blöd.

JÖRG   Wer hat denn so viel Geld für die Karten und die Briefmarken?

USCHI   Wir bekommen das Geld aus der Klassenkasse. — Also, kommt! Wir gehen Karten kaufen.

Part 3

Now listen to the team that takes care of the food and the beverages.

RALF   Ja, was essen und trinken wir denn auf unserer Party?

UTE   Jeder von uns soll etwas mitbringen: Würstchen, belegte Brote, usw.

THOMAS	Belegte Brote, ja. Aber Würstchen können wir selbst beim Fleischer kaufen.
SILKE	Vielleicht bekommen wir sie billiger, wenn wir so viel kaufen.
THOMAS	He, gute Idee!
RALF	Wir brauchen aber auch Kuchen.
UTE	Backen oder kaufen?
THOMAS	Ach, den können wir auch kaufen.
UTE	Aber wenn wir so viel brauchen, dann müssen wir die Kuchen und Torten beim Bäcker schon vorher bestellen.
RALF	Die Ute hat recht.
SILKE	Und die Getränke kaufen wir im Supermarkt.

THOMAS	Schreiben wir mal auf, was wir da brauchen: 40 Flaschen Limonade, 50 Flaschen Cola . . .
UTE	Wir haben doch gar nicht so viel Geld in der Kasse.
THOMAS	Oh, der Supermarkt muss uns Kredit geben. Und was wir nicht trinken, nehmen sie auch wieder zurück.
SILKE	Und wer soll am Abend die Gäste bedienen?
RALF	Ich glaube, dass jeder ein oder zwei Stunden bedienen soll. Dann können die andern auch essen und tanzen.
UTE	Prima!

Now you and your classmates can have a discussion about planning a party of your own.

LEKTION 26

1 *To practice comprehension of new vocabulary*

1. Listening and Reading Exercise

Let's practice vocabulary related to the class trip that the Müllheim students took. You will hear five statements, with a noun phrase missing at the end of each. For each statement, you are given a choice of three noun phrases. Decide which one completes the statement best, and circle the appropriate letter. Let's begin.

1. Es regnete die ganze Woche. Aber als Veronika heute morgen aufwachte, schien die Sonne. Das war für sie ____. *(eine Überraschung, B)*
2. Die Sonne schien, und keine Wolke war am Himmel. Es war ein herrlicher Tag für ____. *(den Schulausflug, C)*
3. Von der Aussichtsterrasse konnten wir viel sehen: kleine Dörfer, Kirchtürme, Wälder und Obstgärten und sogar den Rhein ____. *(in der Ferne, C)*
4. Auf der Aussichtsterrasse gab es auch ein Geschäft. Hier kaufte sich fast jeder Junge und jedes Mädchen ____. *(ein Andenken, B)*
5. Die Veronika sammelt Geld ein. Sie kauft die Eintrittskarten für alle, und zehn Minuten später beginnt ____. *(die Führung, A)*

Now check your answers. *Read each sentence again, and give the correct answer.*

1.	A	eine Ursache	B	eine Überraschung	C	eine Führung
2.	A	den Fahrer	B	den Führer	C	den Schulausflug
3.	A	in der Wiese	B	in der Führung	C	in der Ferne
4.	A	eine Geschichte	B	ein Andenken	C	eine Führung
5.	A	die Führung	B	die Geschichte	C	die Klasse

2. Listening and Speaking Exercise

In this exercise, you'll hear a series of incomplete sentences, to which you should add an appropriate verb. For example, you hear: Wenn es regnet, kann Veronika kaum (   ). And you say: aufwachen. After your answer you'll hear a suggested response. Let's begin.

1. Frau Ehrlich, der Herr Mohr fehlt noch. Wir können noch nicht (   ). *losfahren*
2. Frau Ehrlich sass vorn im Bus, neben dem Fahrer. Mit der rechten Hand zeigte sie uns, wenn es etwas zu sehen gab, und mit der linken Hand musste sie das Mikrofon (   ). *halten*
3. Sie sagte, dass wir auf der Elsässischen Weinstrasse entlangfahren und dass wir bald nach Colmar (   ). *kommen*
4. Dann bog der Bus links ab und fuhr eine steile Bergstrasse hinauf. Frau Ehrlich sagte uns, dass wir uns jetzt der Burg (   ). *nähern*
5. Ursel hatte sich eine Menge Ansichtskarten gekauft, und sie wollte jetzt an ihre Freunde (   ). *schreiben*
6. Wir gingen auf die Burg, denn wir wollten eine Führung (   ). *mitmachen*
7. Wir kamen in den Burghof und blieben stehen. Von hier konnten wir das Wappen über dem Tor (   ). *bewundern*
8. Wir kauften unsere Eintrittskarten, und wir mussten dem Führer in die Burg (   ). *folgen*
9. Wir mussten über unseren Führer lachen, und er konnte seine Rede kaum (   ). *fortsetzen*
10. Frau Ehrlich und Herr Mohr sahen uns vorwurfsvoll an. Wir mussten uns jetzt (   ). *benehmen*

3. Listening and Speaking Exercise

In this exercise, you'll hear a series of short, incomplete sentences to which you should add an appropriate verb prefix. For example, you hear: Die Veronika wacht heute um sieben Uhr (   ). And you say: auf. After your response, you'll hear the correct answer. Let's begin.

1. Wir machen heute eine Führung (   ). *mit*
2. Unser Bus fährt um acht Uhr (   ). *los*
3. Wir fahren an vielen Bauernhöfen (   ). *vorbei*
4. An wen schreibst du? — Das geht dich nichts (   ). *an*
5. Unsern Führer verstand ich nicht gut. Sein Französisch kam mir Spanisch (   ). *vor*
6. Unter einer riesigen Kanone setzte unser Führer seine Rede (   ). *fort*

4. Listening Exercise

You will hear eight sentences, some referring to the present and some to the past. For each sentence, place your check mark in the appropriate row. Let's begin.

1. Der Bus fuhr immer höher die steile Strasse hinauf und bog dann nach rechts ab. *(past)*
2. Wir liessen unsere Sachen im Bus und stiegen aus. *(past)*
3. Der Fahrer bleibt im Bus und ruft Herrn Mohr. *(present)*
4. Uschi sass an einem Tisch und schrieb Ansichtskarten an viele Freunde. *(past)*
5. Die Sonne scheint, und vor uns liegt die Hoch-Königsburg. *(present)*
6. Wir gingen in den Burghof, und Veronika lief zur Kasse. *(past)*

7. Wir verschwinden in der Burg und ziehen von Raum zu Raum. *(present)*
8. Unser Führer benahm sich merkwürdig, und wir verstanden wenig. *(past)*

Now check your answers. *Read each sentence again and give the correct answer.*

	1	2	3	4	5	6	7	8
Present								
Past								

12 *To practice comprehension of new vocabulary*

5. Listening and Reading Exercise

You will hear six statements, with a noun or noun phrase missing at the end of each. For each statement you are given a choice of three noun phrases. Decide which one completes the statement best and circle the appropriate letter. Let's begin.

1. Die ganze Klasse rutschte den Abhang hinunter bis zu einem kleinen _____. *(Pfad, A)*
2. Vor uns lag eine grosse Wiese mit hellroten Blumen. Antje rief: „Was für ein schöner _____!" *(Anblick, B)*
3. Wir fuhren nach Schloss Kintzheim. Wir wollten die Adler sehen. Wir mussten uns beeilen, denn um vier Uhr war die letzte _____. *(Vorführung, B)*
4. Auf den Bänken im Schlosshof gab es keinen Platz mehr, und wir setzten uns auf _____. *(die Mauer, B)*
5. Der Wärter stellte uns drei Adler und drei Geier vor, und jedes Tier flog _____. *(eine Runde, C)*
6. Auf unserem Picknickplatz wollten wir ein Feuer machen, aber wir brauchten zuerst _____. *(Holz, A)*

Now check your answers. *Repeat each item, and give the correct answer.*

1. A	Pfad	B	Picknick	C	Umweg
2. A	Umweg	B	Anblick	C	Pfad
3. A	Anweisung	B	Vorführung	C	Pause
4. A	den Pfad	B	die Mauer	C	den Umweg
5. A	einen Flügel	B	einen Umweg	C	eine Runde
6. A	Holz	B	Hunger	C	Kartoffeln

12 *To practice new vocabulary*

6. Listening and Speaking Exercise

In this exercise you will hear eight statements, with a verb prefix missing at the end of each. You should add the appropriate prefix to each one. For example, you hear: Als wir aus dem Affenwald kamen, stand der Bus schon da, und wir stiegen (   ). And you say: ein. After your answer you will hear the correct response. Let's begin.

1. Die ganze Klasse rutschte den Abhang hinunter und verschwand auf einem kleinen Pfad im Wald. Hier kam uns eine andere Klasse (   ). *entgegen*
2. Im Affenwald fütterten wir die Affen mit Popcorn. Da war eine Affenmutter mit einem Kleinen auf dem Rücken. Rainer fütterte sie, und dann lief sie (   ). *davon*
3. Dann fuhren wir nach Schloss Kintzheim. Um vier Uhr fand hier die letzte Raubvogel-Vorführung (   ). *statt*
4. Später hatten wir unser Picknick. Wir machten ein Feuer; wir wollten Würste grillen. Antje hatte zwei Kartoffeln mit, und sie packte sie in Aluminiumfolie (   ). *ein*

5. Wir assen Würste. Manche hatten auch Kartoffelsalat mit. Jörg grillte ein Schweineschnitzel. „So, was sollen wir jetzt spielen?" rief Silvia. Und Rainer antwortete: „Was schlägst du (   )?" *vor*

6. Bevor wir den Picknickplatz verliessen, rief Herr Mohr ein paar Jungen herbei, und sie machten das Feuer (   ). *aus*

7. Unser Busfahrer fuhr einen anderen Weg zurück. Wir waren müde und schliefen. Plötzlich rief Gerd etwas, und er weckte uns alle (   ). *auf*

8. Jemand stimmte dann ein Lied an. Zuerst klang nur eine Stimme, dann zwei, und bald sang die ganze Klasse (   ). *mit*

1, 12 *To practice comprehension of new vocabulary*

7. Listening and Reading Exercise

You will hear eight statements in which someone or something is referred to but not mentioned by name. You have in front of you a list of people, animals, and things. For each sentence you hear, identify who or what is being referred to, and write the sentence number in the appropriate space.

1. Wir überquerten die Autobahn Frankfurt-Basel, und wir waren an der Grenze nach Frankreich. Hier hielten wir an. Wir konnten aber sofort weiterfahren: wir mussten ihm nur sagen, wie viele Schüler wir waren und wohin wir fuhren. *(Grenzpolizist)*

2. Wir konnten sie jetzt sehen, hoch oben auf dem Berg. Hohe Türme, und eine Mauer ringsherum. *(Burg)*

3. Er führte uns durch die Räume, erklärte uns alles, nannte Jahreszahlen und Namen von Königen und Kaisern, und zuletzt führte er uns auf den Turm. *(Führer)*

4. Der Pfad war eng, links der Abhang, rechts der Wald. Und wir gingen hintereinander, Gert an der Spitze. *(Gänsemarsch)*

5. Ja, die kann man essen. Aber man soll sie nicht herausreissen, sondern abschneiden. Dann wachsen wieder neue. *(Pilze)*

6. Er kam aus dem Wald und flog eine Runde. Dann landete er auf der Mauer, nicht weit von uns, und wir bewunderten ihn. *(Adler)*

7. Am Eingang bekam jeder von uns eine Handvoll Popcorn, und der Mann sagte uns, dass wir ihnen nichts anderes geben dürfen. *(Affen)*

8. Gert wollte schneller nach Hause kommen, und er fragte ihn, ob er nicht die Blechkutsche vor ihm überholen kann. Aber er liess sich nicht aus der Ruhe bringen. *(Fahrer)*

Now check your answers. The numbers in your answer columns should read, from top to bottom: 6, 7, 2, 8, 3, 4, 1, 5. *Read each item again with the correct answer.*

_____ Adler		_____ Führer	
_____ Affen		_____ Gänsemarsch	
_____ Burg		_____ Grenzpolizist	
_____ Fahrer		_____ Pilze	

21 *To practice for Conversation Exercise 21 in the textbook*

8. Listening Exercises

Part 1

Pretend that your class is in Müllheim, and that you have the opportunity to go on a trip to see the castle Hoch-Königsburg, the monkey forest, or the eagles at Kintzheim. You want to go to one of these places, but your classmates choose another. You are going to try to convince them to go to your favorite place. But first, listen to what our friends in Müllheim might say.

LEHRER   In drei Wochen haben wir unsern Klassenausflug.

SCHÜLER Prima! Toll!

LEHRER   Jetzt überlegt euch doch mal, wohin ihr fahren wollt.

URSEL   Nach Basel.

ELKE   Nein, in keine Stadt. Fahren wir lieber mal durch den Schwarzwald.

JÖRG   Den kennen wir doch alle.

HANS   Fahren wir doch lieber mal wohin, was die meisten von uns noch nicht kennen!

URSEL   Ich denke, wir sollten mal nach Frankreich fahren.

SCHÜLER Gut! Prima!

URSEL   Meine Eltern waren auf der Hoch-Königsburg, und die hat ihnen gut gefallen.

JÖRG   Wo liegt die Burg?

URSEL   Ich glaube, bei Colmar.

LEHRER   Ein bisschen weiter weg, bei Selestat.

ELKE   Ich glaube, da gibt es auch einen Affenwald. Ich war mal dort, als ich noch klein war.

HANS   Das war vor 14 Tagen! Ja?

ELKE   Halt den Mund!

LEHRER   Da in der Nähe gibt es auch ein altes Schloss, eine Schlossruine. Das Schloss heisst Kintzheim. Dort richtet man Adler und Geier ab. Man kann sich das alles ansehen.

ELKE   Ich glaube, die Hoch-Königsburg ist am besten. Ich sehe Burgen gern.

HANS   Da müssen wir bestimmt eine Führung mitmachen, und ich habe Führungen nicht gern.

URSEL   Führungen sind lehrreich, und du willst bloss dumm bleiben.

JÖRG   Ja, lehrreich. Da hörst du bloss wieder Jahreszahlen und Namen von Königen und Kaisern—wie im Geschichtsunterricht.

HANS   Der Jörg hat recht. Es ist unser Wandertag, und da wollen wir wandern.

URSEL   Na, gut! Dann fahren wir eben zum Affenwald.

JÖRG   Das ist auch blöd. Die Affen kann ich mir auch im Zoo ansehen.

ELKE   Die Affen laufen dort frei herum, und du kannst sie auch füttern.

HANS   Das ist auch nichts. Dann bleibt uns nur noch Kintzheim.

URSEL   Das ist nicht schlecht. Ich hab' noch nie Raubvögel gesehen, und ich würde mir gern so eine Vorführung ansehen.

JÖRG   Ich hab' eine viel bessere Idee: wir sehen uns die Burg, den Affenwald und die Raubvögel an . . .

ELKE   Und machen nachher noch ein Picknick. *(Geschrei)*

Part 2

Some of you want to go on a hike; others want to go on a picnic. Let's hear how our German friends discuss this choice.

JÖRG   Ich schlage vor, dass wir ein Picknick machen. Wir suchen uns einen Platz aus und bleiben den ganzen Tag dort.

URSEL   Du bist doch verrückt. Ein Picknick von früh bis abends. Wie langweilig!

JÖRG   Das ist gar nicht langweilig! Am Vormittag können wir Ball spielen . . .

ELKE   Das kennen wir schon. Ihr Jungen spielt Ball, und wir müssen zuschauen.

HANS   Gar nicht wahr! Ihr könnt natürlich mitspielen. Wir spielen Fussball.

URSEL   Ich schlage vor, dass wir eine Wanderung machen.

HANS   Was kannst du auf einer Wanderung schon sehen? Überhaupt nichts.

URSEL   Ich hab' am Wochenende eine Wanderung mit meinen Eltern gemacht. Die war ganz toll. Wir haben Beeren gefunden und Pilze . . .

HANS   Pfui! Pilze sind giftig.

URSEL   Unsere waren's bestimmt nicht. Wir haben sie gegessen, und sie haben gut geschmeckt. Und ich bin noch da. Bäh!

HANS	Ich mag aber nicht so weit laufen.	HANS	Na, gut! Dann spielen wir eben Volley-ball.
JÖRG	Der Hans hat recht. Wenn wir ein Pick-nick machen, können wir uns aus-ruhen . . .	JÖRG	So, dann machen wir also ein Picknick?
HANS	Und Würstchen grillen.	ELKE	Nach der Wanderung. Ich will wandern und etwas sehen, und danach können wir irgendwo ein Picknick machen.
ELKE	Und Fussball spielen!	JÖRG	O.K.
HANS	Was hast du plötzlich gegen Fussball?		
ELKE	Nichts! Ich spiele nur Volleyball lieber.		

Part 3

You have decided to see the Hoch-Königsburg, but many details have to be settled before you can go: when to take the trip, how to get there, how much it will cost, and what food to take along. Listen to what our German friends have to say.

URSEL	Ja, wann können wir unsern Ausflug machen?	URSEL	Die Elke hat recht. Ich nehme mir ein paar Wurstbrote und Käsebrote mit und Saft zum Trinken.
JÖRG	Ich schlage vor, wir fahren im April. Da ist es nicht so warm.	HANS	Ich nehme mir auch Obst mit.
HANS	Im April regnet es oft. Ich schlage des-halb vor, wir fahren im Juni. Das Wetter ist dann meistens gut.	URSEL	Ich auch.
		JÖRG	Und was nehmen wir uns fürs Picknick mit?
ELKE	Fahren wir mit dem Zug?	ELKE	Jeder kann sich mitnehmen, was er will.
JÖRG	Ich glaube, der Bus ist billiger.	JÖRG	Ich hab' ein Kochgeschirr, und ich werde mir ein Schweineschnitzel grillen.
URSEL	Ich habe hier Preise. Eine Fahrkarte mit dem Zug kostet 28 Mark, und mit dem Bus kostet es nur 23 Mark.	URSEL	Ich nehme mir ein paar Würstchen mit. Ich esse Grillwürstchen gern.
ELKE	Der Zug ist aber schneller.	HANS	Ich bring' ein paar Kartoffeln. Die steck' ich in Aluminiumfolie und leg'sie dann in die heisse Asche.
URSEL	Mit dem Bus können wir aber direkt zur Burg fahren.		
JÖRG	Im Bus ist es auch lustiger. Wir sitzen alle zusammen, und wir können auch halten, wo wir wollen.	ELKE	Ich bring' Apfelsaft zum Trinken mit.
		HANS	Ich trinke lieber Bier.
ELKE	Und was nehmen wir uns zum Essen mit?	URSEL	Du darfst auf einem Schulausflug kein Bier trinken!
URSEL	Ich schlage vor, für die Busfahrt nur belegte Brote.	HANS	Ach so. Dann bring' ich mir eben eine Limonade mit.
JÖRG	In der Burg gibt es sicher auch ein Re-staurant, wo wir uns etwas kaufen können.	ELKE	Du, Jörg! Vergiss ja nicht den Ball, wenn wir Volleyball spielen wollen.
ELKE	Die sind gewöhnlich aber so teuer.	JÖRG	Keine Angst! Ich bringe den Volleyball und den Fussball!

LEKTION 27

3, 4 *To practice comprehension of new vocabulary*

1. Listening and Reading Exercise

In this exercise you can practice vocabulary related to putting on a school play. You will hear six statements, with a noun missing at the end of each. For each statement, you are given a choice of three nouns. Decide which one completes the statement best, and circle the appropriate letter. Let's begin.

1. Kurz nach Schulbeginn, das war Ende August, kam Frau Braun, die Deutschlehrerin, in die Klasse. Es begann folgendes _____. *(Gespräch, C)*
2. Ich hab' euch etwas Wichtiges zu erzählen. Nächsten April beginnt in Baden-Württemberg _____. *(der Schülerwettbewerb, B)*
3. Ich schlage vor, wir führen wieder ein Puppenspiel auf. Wir haben die Puppen noch vom letzten Jahr und auch _____. *(die Bühne, B)*
4. Die Schüler wollten das Stück selbst schreiben, aber das war nicht einfach. Da brachte Hans-Jörg einmal ein Buch mit in die Klasse. Ihm gefielen _____. *(die Abbildungen, A)*
5. Jeder bekam eine Rolle. Alle waren damit einverstanden, dass Ursula den Harlekin und Renate die Columbine spielen sollten. Sie waren die besten _____. *(Schauspielerinnen, C)*
6. Vom Texten bis zum Spiel war ein langer Weg. Der Wettbewerb sollte erst im nächsten April stattfinden, aber schon im September begannen die _____. *(Vorbereitungen, B)*

Now check your answers. *Repeat each item, and give the correct answer.*

1. A Stück	B Spiel	C Gespräch
2. A der Schulbeginn	B der Schülerwettbewerb	C der Schüleraustausch
3. A die Rollen	B die Bühne	C die Kommödie
4. A die Abbildungen	B die Rollen	C die Titel
5. A Quintaner	B Nachbarn	C Schauspielerinnen
6. A Schülertheater	B Vorbereitungen	C Wettbewerbe

2, 3, 4 *To practice new vocabulary*

2. Listening and Speaking Exercise

In this exercise you will hear ten incomplete sentences. Listen carefully, and say an appropriate word to complete each one. After your answer you'll hear a suggested response. Let's begin.

1. Die Müllheimer Quintaner haben ein ganz besonderes Schulahr. Sie machen sogar in der Zeitung ( ). *Schlagzeilen*
2. Frau Braun, die Klassenlehrerin, sagt: ,,Wir nehmen uns jetzt eine halbe Stunde Zeit, denn wir müssen den Theaterwettbewerb ( )." *besprechen*
3. Wir haben die Puppen und die Bühne noch vom letzten Jahr. Ich schlage deshalb vor, dass wir wieder ein Puppenspiel ( ). *aufführen*
4. Wir können alles selbst machen, aber so ein Spiel kostet viel Zeit. Wir müssen bestimmt wieder lange üben und ( ). *proben*
5. Die Quintaner diskutierten lange, und endlich, Ende September, konnten sie sich auf ein Lustspiel ( ). *einigen*
6. Die jungen Quintaner hatten viele Ideen, aber es zeigte sich bald, dass die Ideen für ein ganzes Spiel oft nicht ( ). *ausreichten*

7. Dann mussten die Schüler den Text schreiben und die einzelnen Rollen für das Spiel (   ). *aussuchen*
8. Ursel und Renate bekamen die Hauptrollen. Ursel sollte den Harlekin und Renate die Columbine (   ). *spielen*
9. Rolf sollte den Vater spielen und Hans-Jörg den „Dottore". Alle waren damit (   ). *einverstanden*
10. Jeder bekam eigentlich eine Rolle, obwohl einige Schüler gar nicht zu sprechen brauchten. Sie mussten nur hinter den Bühnenbildern stehen und sie festhalten oder (   ). *bewegen*

20, 21, 22 *To practice comprehension of new vocabulary*

3. Listening and Reading Exercise

You will hear six statements, with a noun missing at the end of each. For each statement, you are given a choice of three nouns. Decide which one completes the statement best, and circle the appropriate letter. Let's begin.

1. Die Quintaner mussten alles selbst machen: sie entwarfen und stellten die Bühnenbilder her, und sie entwarfen und nähten ihre eigenen _____. *(Kostüme, A)*
2. Anfang März war es so weit, alles war fertig: die Kostüme, die Bühnenbilder, die Musik. Jetzt begannen die _____. *(Proben, C)*
3. Im April war die Generalprobe. Die Schüler hatten einige Freunde und Lehrer eingeladen, denn sie brauchten _____. *(Zuschauer, C)*
4. Alles geht gut. Columbine spricht ihre Zeilen, klar und deutlich. Doch da! Was ist los? Der Jörg ist steckengeblieben. Da läuft Harlekin auf die Bühne und rettet die _____. *(Szene, A)*
5. Am Ende treten die Schüler im Drachenköstüm auf und tragen Harlekin und Columbine auf dem Rücken von der Bühne. Dann fällt der _____. *(Vorhang, B)*
6. Am 9. Mai erfuhren die Schüler, dass sie mit ihrem Lustspiel den ersten Preis gewonnen hatten, und am nächsten Tag stand in der Badischen Zeitung ein grosser _____. *(Artikel, C)*

Now check your answers. *Repeat each item and give the correct answer.*

1. A	Kostüme	B	Kulissen	C	Szenen
2. A	Gesten	B	Zeilen	C	Proben
3. A	Schauspieler	B	Szenen	C	Zuschauer
4. A	Szene	B	Geste	C	Jury
5. A	Gewinner	B	Vorhang	C	Ausschnitt
6. A	Anfang	B	Schauspieler	C	Artikel

20, 21, 22 *To practice new vocabulary*

4. Listening and Speaking Exercise

In this exercise you will hear ten incomplete sentences. Listen carefully, and say an appropriate verb to complete each one. After your answer you'll hear a suggested response. Let's begin.

1. Die Schüler hatten nicht geglaubt, wieviel Arbeit so ein Spiel machen konnte. Sie mussten die Bühnenbilder selbst entwerfen und (   ). *herstellen*
2. Die Quintaner mussten ihre eigene Musik schreiben, und dann musste das Schulorchester die Musik (   ). *einstudieren*
3. Als der Vorhang aufging, klatschten die Zuschauer, aber die Quintaner waren ein bisschen nervös: man hörte fast ihre Herzen (   ). *schlagen*

T66

4. Wird alles gutgehen? Columbine steht schon auf der Bühne, und jetzt muss Pantalone auf die Bühne ( ). *treten*
5. Wenn Hans-Jörg nur langsamer sprechen würde! Au weh! Ich glaube, er wird bald ( ). *steckenbleiben*
6. Doch da läuft Harlekin auf die Bühne. Er kann mit Columbine sprechen und die Szene ( ). *retten*
7. Das Schönste kommt aber am Ende, als drei Schüler im Drachenkostüm ( ). *auftreten*
8. Die beiden von der Jury klatschen. Sie sind schon seit drei Wochen unterwegs und müssen die Aufführungen für die Schülerwettbewerbe ( ). *bewerten*
9. Jetzt vergehen zwei lange Wochen, bis die Schüler das Ergebnis des Wettbewerbs ( ). *erfahren*
10. Die Aufführung war so gut und war so gut besucht; die Quintaner müssen sie in den nächsten Wochen noch einmal ( ). *wiederholen*

25 *To practice distinguishing past tense from present tense forms*

5. Listening Exercise

You will hear eight sentences, some referring to the past and some to the present. Listen carefully to each sentence, and place your check mark in the appropriate row. Let's begin.

1. Die Quintaner beschreiben ihrer Lehrerin die Aufführung. *(present)*
2. Sie besprachen die Generalprobe mit Frau Braun, ihrer Deutschlehrerin. *(past)*
3. Sie entwarfen die Bühnenbilder und auch die Kostüme selbst. *(past)*
4. Sie laden ihre Lehrer und andere Schüler zu den Proben ein. *(present)*
5. Den Zuschauern gefielen die Proben gut. *(past)*
6. Harlekin und Columbine treten auf die Bühne. *(present)*
7. Siebenundzwanzig Herzen schlugen schneller. *(past)*
8. Erst nach zwei Wochen erfuhren sie das Ergebnis des Wettbewerbs. *(past)*

Now check your answers. *Read each sentence again and give the correct answer.*

	1	2	3	4	5	6	7	8
Past								
Present								

31 *To practice for Conversation Exercise 31 in the textbook*

6. Listening Exercises

Part 1

Suppose your class wants to put on a German play at your school. There are many things that have to be done and discussed. Listen to what our friends say when they get together to plan their play.

(Stimmengewirr)

JENS So, Ruhe, bitte! Wollt ihr endlich mal herhören?! — Wenn wir wirklich Theater spielen wollen, so müssen wir uns mal überlegen, was wir spielen wollen.

TANJA Ich bin dafür, dass wir etwas Lustiges spielen.

KARL Ich auch!

HELGA Ich schlage vor, dass wir ein Puppenspiel aufführen.

JENS Nein, Puppenspiele sind langweilig.

HELGˑ Nicht immer.

KARL Oder sollen wir mal etwas Trauriges spielen?

TANJA Warum nicht?

KARL   Ich schlage vor, dass wir uns auf etwas Lustiges einigen. Wer will etwas Lustiges? Los, die Hände hoch! . . . sechs, sieben, acht. Und wer will etwas Trauriges? Nur ihr beiden. Und Helga will ihr Puppenspiel. Also, die meisten sind für etwas Lustiges.

TANJA   Nur was? Harlekin und Columbine?

KARL   Nie! Ich schlage vor, wir schreiben unser Stück selbst.

SCHÜLER   Toll! Gute Idee! Prima!

TANJA   Die Idee ist nicht schlecht, nur wer schreibt denn jetzt den Text? Wer von uns kann überhaupt gut schreiben?

JENS   Die Tini und der Bernd sind die besten in Deutsch. Die müssen uns helfen.

HELGA   Ich schlage vor, wir wählen ein Komitee für das Texten, mit Tini und Bernd, und . . . wer will noch mitmachen?

Part 2

Four weeks later, the writing committee has come up with a script. Now there are other problems: who is going to design and sew the costumes, who will design and build the sets, and so forth. Listen to our German friends.

JENS   Der Text ist wirklich toll geworden.

TANJA   Ja, die Zuschauer werden lachen.

HELGA   Was mir am besten gefällt ist, dass das Spiel einfach ist. Ich meine, wir brauchen nicht viele Kulissen.

KARL   Das stimmt, aber . . .

TANJA   An Kulissen hab' ich gar nicht gedacht!

JENS   Sollen wir wieder ein Komitee wählen?

HELGA   Das ist am besten.

JENS   So, wer will Kulissen bauen? Wer hat Werkzeug? Hammer, Nägel?

HELGA   Da muss der Herbert helfen. Schade, dass er heute nicht da ist. Er kann gut basteln.

JENS   Das stimmt. Ich schlage vor, dass der Herbert unser Kulissenteam leitet. Und wer macht noch mit?

SCHÜLER   Ich.—Ich auch.—Hier!

TANJA   Und jetzt die Kostüme. Glaubt ihr, dass wir Kostüme brauchen?

HELGA   Natürlich.

JENS   Kostüme kosten wieder Geld.

KARL   Wir können mehr Eintritt verlangen.

HELGA   Die Kostüme können ganz einfach sein, und Frau Leonhard hilft uns ganz bestimmt wieder mit den Kostümen.

JENS   Ich kann nicht nähen. Ich würde sonst helfen.

TANJA   Wie viele Kostüme brauchen wir denn?

HELGA   Du, wir können die Kostüme noch nicht nähen. Wir müssen zuerst einmal die Rollen aussuchen.

KARL   Ja, wer spielt den König?

TANJA   Den König muss der Hans spielen.

HELGA   Nein, die Renate.

JENS   Der König—ein Mädchen? Nie!

TANJA   Die Rolle vom König ist am schwersten, und der Hans ist der beste Schauspieler. Und seine Stimme ist gut.

JENS   He! Seid ihr alle einverstanden, dass der Hans den König spielt?

SCHÜLER   Klar! Prima!

HELGA   Und die Wirtin?

KARL   Uschi kann die Wirtin spielen.

TANJA   Nein, die Uschi kann die Königin spielen. Die Wirtin kann Renate besser spielen.

(Stimmengewirr)

TANJA   Jeder muss seine Rolle lernen. Wie lange wird das dauern? Wann können wir zum ersten Mal proben?

JENS   Ich schlag' vor, dass wir schon in einer Woche anfangen.

HELGA   Einverstanden.—Welchen Tag? Donnerstag?

KARL   Der Mittwoch ist besser für mich.

TANJA   Für mich auch.

JENS   Also dann jeden Mittwoch. Um vier Uhr?

SCHÜLER   Gut! O.K.

LEKTION 28

2 *To practice comprehension of new vocabulary*

1. Listening and Reading Exercise

In this exercise you can practice vocabulary related to festivals, such as the Landshut Wedding. You will hear six statements, with a noun or a verb missing at the end of each. For each statement, you have a choice of three suggested nouns or verbs. Decide which one completes the statement best, and circle the appropriate letter. Let's begin.

1. Viele Leute sind heute zur Landshuter Hochzeit gekommen. Sie stehen am Strassenrand und warten auf den _____. *(Festzug, B)*
2. Auf der Strasse sitzt ein Armbrustschütze. Er hat seine Armbrust mit Blumen wunderschön _____. *(geschmückt, C)*
3. Er spielt heuer schon das achte Mal mit. Er ist schon oft Schütze gewesen, auch Lanzenträger, und einmal war er sogar _____. *(Bettler, B)*
4. Er spielt gern mit, und es macht ihm immer Spass. Er hat sich schon so daran _____. *(gewöhnt, A)*
5. Der Armbrustschütze sagt dem Interviewer, dass er mit sieben Jahren der Sohn vom Herzog war und dass er sich auf die Hochzeit immer sehr _____. *(freut, C)*
6. Der Interviewer verabschiedet sich vom Armbrustschützen, und er sagt, er möchte ihn nicht länger _____. *(aufhalten, B)*

Now check your answers. *Repeat each item and give the correct answer.*

1. A	Herzog	B	Festzug	C	Mitspieler
2. A	gesetzt	B	gesteckt	C	geschmückt
3. A	Interviewer	B	Bettler	C	Mitspieler
4. A	gewöhnt	B	gefreut	C	gemeint
5. A	meint	B	gewöhnt	C	freut
6. A	anhalten	B	aufhalten	C	unterhalten

2, 14 *To identify photographs of the Landshuter Hochzeit*

2. Listening Exercise

You have in front of you eight pictures of the Landshut Wedding. You will hear eight statements, and you are to match each statement with a picture. Place the number of each statement next to the picture it refers to. Listen.

1. Ein junger Mitspieler sass auf der Strasse, neben seiner Armbrust. Die war mit Blumen geschmückt.
2. Die Eltern des Bräutigams, Herzog Georg der Reiche und seine Gemahlin.
3. Die Kinder der Edelleute marschieren im Umzug mit.
4. Edelmänner und Edelfrauen zu Pferd; sie reiten die Strasse entlang, an den Zuschauern vorbei.
5. Das Brautpaar: Jadwiga, die polnische Prinzessin und ihr Gemahl, Georg.
6. Ein Ritter in Rüstung.
7. Ein Falkenträger zu Pferd.
8. Spät am Nachmittag findet das Turnier statt.

Now check your answers. The numbers you wrote next to the pictures should read, from left to right: *3, 5, 7, 6, 8, 1, 4, 2.*

15 *To practice new vocabulary*

3. Listening and Speaking Exercise

You will hear ten incomplete statements. Listen carefully, and say an appropriate word to complete each one. After each answer, you will hear a suggested response. Let's begin.

1. Dieter trifft seinen Freund Werner. Er sagt: „Werner! Sag mal, wo steckst du denn? Du bist ganz rot im Gesicht. Warst du vielleicht (   )?" *beim Baden*
2. Ich war in Niederbayern, in Landshut. Im schönen Landshut an der (   ). *Isar*
3. Ich hab' einen Dokumentarfilm über Landshut im Fernsehen gesehen. Da kamen auch Ausschnitte aus der Landshuter (   ). *Hochzeit*
4. Na, wie war die Hochzeit? — Ich konnte den Umzug gut sehen, denn ich hatte einen prima (   ). *Platz*
5. Wo ich stand, war der Eintritt frei. Aber in der Innenstadt kostete der Eintritt 12 Mark. Die Leute sassen hier auf (   ). *Tribünen*
6. Am Abend wollte ich mir noch das Turnier ansehen, aber alle Sitzplätze waren (   ). *ausverkauft*
7. In der Stadt waren so viele Menschen. Alles war voll. Ich hasse so ein (   ). *Gedränge*
8. Aber der Hochzeitszug war einmalig, und die Fahrt nach Landshut hat sich (   ). *gelohnt*
9. Es gab wirklich so viel zu sehen. Ich habe viel fotografiert und mehrere Filme (   ). *verknipst*
10. Morgen bekomm' ich meine Dias, und ich bin sicher, sie sind gut (   ). *geworden*

20 *To practice time expressions with "in" and "vor"*

4. Listening and Speaking Exercise

You'll hear five pairs of statements concerning the time when events happened or are going to happen. In each pair of statements, information is given that will allow you to figure out how long ago, or how far in the future, an event is taking place. Answer the question following each pair of statements, using a time expression with "in" (for a future event) or "vor" (for a past event). After your response you'll hear the correct answer. Let's begin.

1. Es ist jetzt drei Uhr. Der Zug nach Landshut fährt um vier Uhr ab. Wann fährst du nach Landshut? (   ) *In einer Stunde.*
2. Es ist jetzt Dienstag. Du kommst in Deutschland am Mittwoch an. Wann bist du in Deutschland? (   ) *In einem Tag.*
3. Es ist jetzt Freitag. Letzten Freitag bist du von Niederbayern zurück nach Hamburg geflogen. Wann bist du aus Niederbayern zurückgekommen? (   ) *Vor einer Woche.*
4. Die Hochzeit findet am 12. Juni statt. Wir haben jetzt den 12. Mai. Wann findet die Hochzeit statt? (   ) *In einem Monat.*
5. Im Jahre 1978 bist du für eine Woche in München gewesen. Es ist jetzt 1979. Wann warst du in München? (   ) *Vor einem Jahr.*

30 *To practice time expressions for parts of the day*

5. Listening and Speaking Exercises

In front of you are five sets of cues, each one including a time and some information about activities. This exercise has three parts, using the same cues. In answering all three parts, remember to use time expressions like "heute früh, morgen nachmittag, gestern abend," rather than saying the exact time that's printed on the page. You'll hear different instructions for each part.

Part 1

Looking at each set of cues in turn, tell what you did today. After each response you'll hear the correct answer. Let's begin.

Was hast du heute alles gemacht?
1. (   ) *Heute früh bin ich mit dem Bus zur Schule gefahren.*
2. (   ) *Heute vormittag hab' ich eine Klassenarbeit geschrieben.*
3. (   ) *Heute mittag bin ich baden gegangen.*
4. (   ) *Heute nachmittag hab' ich Fussball gespielt.*
5. (   ) *Heute abend hab' ich ferngesehen.*

Part 2

Now say what you'll be doing tomorrow, using the same cues in turn.

Was wirst du morgen alles machen?
1. (   ) *Morgen früh werde ich mit dem Bus zur Schule fahren.*
2. (   ) *Morgen vormittag werde ich eine Klassenarbeit schreiben.*
3. (   ) *Morgen mittag werde ich baden gehen.*
4. (   ) *Morgen nachmittag werde ich Fussball spielen.*
5. (   ) *Morgen abend werde ich fernsehen.*

Part 3

Now say what you did yesterday, using the same cues.

Was hast du gestern alles getan?
1. (   ) *Gestern früh bin ich mit dem Bus zur Schule gefahren.*
2. (   ) *Gestern vormittag hab' ich eine Klassenarbeit geschrieben.*
3. (   ) *Gestern mittag bin ich baden gegangen.*
4. (   ) *Gestern nachmittag hab' ich Fussball gespielt.*
5. (   ) *Gestern abend hab' ich ferngesehen.*

1. (7.00 Uhr) Bus / zur Schule fahren
2. (10.30) Klassenarbeit schreiben
3. (12.30) baden gehen
4. (15.30) Fussball spielen
5. (19.30) fernsehen

34 *To practice for Conversation Exercise 34 in the textbook*

6. Listening Exercises

Part 1

Suppose a German student were to ask you all about the Fourth of July celebration in your town. What could you say? The following conversation will give you some ideas. Listen.

SCHÜLER Wann feiert ihr euern Unabhängig-keitstag?

DU Am 4. Juli.

SCHÜLER Was gibt es da zu sehen?

DU Wir haben immer einen Umzug; er dauert manchmal über eine Stunde.

SCHÜLER Wann findet der Umzug immer statt?

DU Bei uns fängt er früh um 8.30 Uhr an.

SCHÜLER Von wo aus siehst du dir den Umzug an?

DU Ich geh' gewöhnlich zu einem Schul-freund. Seine Eltern wohnen in einem Haus, direkt an der Strasse, wo der Umzug vorbeikommt. Aber manchmal geh' ich auch zur Kirche an der Haupt-strasse, und ich stell' mich auf den Zaun. Von da kann ich den Umzug auch gut sehen.

SCHÜLER Wieviel Leute machen mit?

DU Das weiss ich nicht genau; ich glaube, es sind bestimmt über tausend. Ja, ganz bestimmt.

SCHÜLER Was siehst du alles in dem Umzug?

DU Es gibt viele Kapellen, Militärkapellen und Schulkapellen.

SCHÜLER Was findet am Abend statt?

DU Am Abend haben wir immer ein Feuer-werk unten am Fluss. Das ist immer ganz toll!

SCHÜLER Was gefällt euch am besten?

DU Das Feuerwerk.

SCHÜLER Hast du Bilder von einem Umzug?

DU Mein Vater hat viele Dias. Die kannst du dir mal ansehen.

Part 2

Now, suppose you were interviewing someone who takes part in the parade in her home town every year. What could you ask her, and what might she tell you? Listen.

DU Was machst du im Umzug?

MITSPIELERIN Ich leite unsere Schulkapelle.

DU Was?

MITSPIELERIN Ja. Ich spiele auch Trompete.

DU Trägst du auch ein Kostüm im Um-zug?

MITSPIELERIN Klar! Wir alle haben Uniformen. Blau ist unsere Farbe. Hosen und Jacken in Blau, und eine weisse Bluse.

DU Wie lange machst du schon mit?

MITSPIELERIN Schon drei Jahre.

DU Und warum machst du mit?

MITSPIELERIN Weil es mir Spass macht. Und ich kann doch die andern von unserer Kapelle nicht allein lassen. Sie haben mich gewählt, die Schul-kapelle beim Umzug zu leiten.

DU Wer macht denn noch mit?

MITSPIELERIN Ach, so viele. Die meisten von meinen Klassenkameraden. Einige sind in der Kapelle, und viele marschieren auch nur so mit.

DU Wie viele Tage oder Wochen musst du für den Umzug üben?

MITSPIELERIN Dieses Jahr haben wir lange geübt,

vielleicht sechs Wochen. Wir haben neue Melodien gelernt, und das hat Zeit gebraucht.	MITSPIELERIN Warum nicht? Du spielst Zuschauer. Du stehst am Strassenrand und feuerst die andern an, wenn wir vorbeikommen.
Du Ja, schade, dass ich nicht mitmachen kann.	Du Gut! Mach' ich.

LEKTION 29

1, 5 *To practice comprehension of new vocabulary*

1. Listening and Reading Exercise

In this exercise you can practice vocabulary related to a summer vacation trip. You will hear eight statements with a word missing at the end of each. For each statement you are given a choice of three nouns or verbs. Decide which one completes the statement best, and circle the appropriate letter. Let's begin.

1. Schon lange vor dem Sommer planen die meisten deutschen Familien ihre _____. *(Sommerreise, C)*
2. Schon im Winter holen sie Reisebroschüren und Prospekte vom Reisebüro, und sie sprechen über die verschiedenen _____. *(Reiseziele, C)*
3. Die ganze Familie sitzt in der Küche, vor dem dicken Reiseatlas, und wer der beste in Mathematik ist, darf messen, wieviel Kilometer es sind von zu Hause bis zu den verschiedenen _____. *(Ferienorten, A)*
4. Ulrike möchte am liebsten nach Italien fahren, aber Matthias will an den Bodensee _____. *(reisen, A)*
5. Herr Wieland sagt, dass sie dieses Jahr nicht wieder in Deutschland herumfahren können. Das ist viel zu teuer. So eine Reise können sie sich dieses Jahr nicht _____. *(leisten, B)*
6. Christiane nennt ihren Bruder einen blöden Kerl, und die beiden fangen an zu _____. *(streiten, B)*
7. Dann geht Herr Wieland mit den Kindern in den Keller. Hier liegen alte Campingsachen. ,,Diese Fusspumpe'', sagt Ulrike, ,,brauchen wir für _____.'' *(die Luftmatratze, C)*
8. ,,Und wenn ihr das alte Schlauchboot mitnehmen wollt, dann braucht ihr auch _____.'' *(die Paddel, B)*

Now check your answers. *Repeat each item, and give the correct answer.*

1. A	Reisebroschüre	B	Reiseprospekte	C	Sommerreise
2. A	Reisebüros	B	Sommerferien	C	Reiseziele
3. A	Ferienorten	B	Reisebüros	C	Reisesachen
4. A	reisen	B	zelten	C	campen
5. A	machen	B	leisten	C	fahren
6. A	zelten	B	streiten	C	diskutieren
7. A	den Liegestuhl	B	den Schlafsack	C	die Luftmatratze
8. A	den Schlafsack	B	die Paddel	C	den Liegstuhl

10 *To practice adjective endings after* der, die, das

2. Listening and Speaking Exercise

You have four pairs of drawings in front of you, each pair consisting of a large item and a small one. Each item has a price. You will hear twelve questions about the pairs. Answer each one, being especially careful with adjective endings. After your response, you will hear the correct answer. Let's begin.

1. Wie teuer sind die Zelte? ( ) *Das grosse Zelt kostet 900 Mark, das kleine Zelt kostet 150 Mark.*

T73

2. Wie teuer sind die Schlafsäcke? (   ) *Der grosse Schlafsack kostet 160 Mark, der kleine Schlafsack kostet 100 Mark.*

3. Wie teuer sind die Luftmatratzen? (   ) *Die grosse Luftmatratze kostet 60 Mark, die kleine Luftmatratze kostet 40 Mark.*

4. Wie teuer sind die Paddel? (   ) *Die grossen Paddel kosten 70 Mark, die kleinen Paddel kosten 40 Mark.*

5. Welches Zelt möchtest du? (   ) *Ich möchte das grosse (kleine) Zelt.*

6. Welchen Schlafsack möchtest du? (   ) *Ich möchte den grossen (kleinen) Schlafsack.*

7. Welche Luftmatratze möchtest du? (   ) *Ich möchte die grosse (kleine) Luftmatratze.*

8. Welche Paddel möchtest du? (   ) *Ich möchte die grossen (kleinen) Paddel.*

9. In welchem Zelt willst du schlafen? (   ) *Ich will im grossen (kleinen) Zelt schlafen.*

10. In welchem Schlafsack willst du schlafen? (   ) *Ich will im grossen (kleinen) Schlafsack schlafen.*

11. Auf welcher Luftmatratze willst du liegen? (   ) *Ich will auf der grossen (kleinen) Luftmatratze liegen.*

12. Mit welchen Paddeln willst du paddeln? (   ) *Ich will mit den grossen (kleinen) Paddeln paddeln.*

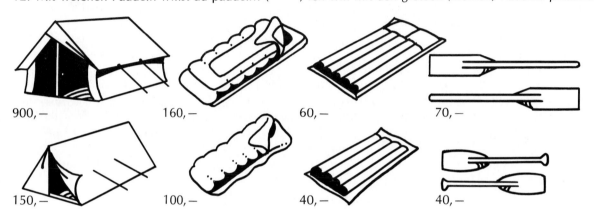

900,—   160,—   60,—   70,—

150,—   100,—   40,—   40,—

10 *To practice adjective endings after* der, die, das

3. Reading and Speaking Exercises

Part 1

Now that you have practiced with adjective endings, see if you can read the following phrases aloud, supplying the correct ending for each adjective. After your response you will hear the correct answer. Let's begin.

1. (   ) die ganz_____ Familie *(e)*
2. (   ) der dick_____ Reiseatlas *(e)*
3. (   ) in der klein_____ Reisebroschüre *(en)*
4. (   ) im alt_____ Prospekt *(en)*
5. (   ) das neu_____ Zelt *(e)*
6. (   ) den schön_____ Ferienort *(en)*

7. (   ) an den sandig_____ Strand *(en)*
8. (   ) auf der grün_____ Luftmatratze *(en)*
9. (   ) im letzt_____ Jahr *(en)*
10. (   ) das letzt_____ Jahr *(e)*
11. (   ) in den verschieden_____ Reisebüros *(en)*
12. (   ) für das alt_____ Schlauchboot *(e)*

Part 2

Now see if you can supply the correct adjective endings after dieser-words. They are the same as adjective endings after der, die, and das. Read the second group of phrases. Let's begin.

1. (   ) dieses klein_____ Zelt *(e)*
2. (   ) diesen alt_____ Schlafsack *(en)*
3. (   ) in dieser gross_____ Stadt *(en)*

4. (   ) aus diesem klein_____ Ort *(en)*
5. (   ) für diese lang_____ Reise *(e)*
6. (   ) dieses neu_____ Reiseziel *(e)*

7. (　　) dieser blöd_____ Kerl *(e)*
8. (　　) in diesem dick_____ Reiseatlas *(en)*
9. (　　) in dieses klein_____ Schlauchboot
　　　(e)

10. (　　) mit diesem alt_____ Sonnenschirm
　　　(en)
11. (　　) alle neu_____ Prospekte *(en)*
12. (　　) in allen alt_____ Prospekten *(en)*

20, 21 *To practice new vocabulary*

4. Listening and Reading Exercise

　　You will hear seven statements, with a word or words missing at the end of each. For each statement, you are given a choice of three words or phrases. Decide which one completes the statement best, and circle the appropriate letter. Let's begin.

1. Matthias nimmt seine ganzen Spiele mit. Wenn es regnet, möchte er sie _____. *(dabeihaben, C)*
2. Dann klettern die Kinder ins Auto, und sie setzen sich hinten auf den _____. *(Rücksitz, B)*
3. Die Kinder haben keine Angst, wenn ihre Mutter schnell fährt. Sie ist eine gute Fahrerin, und sie hatte noch nie _____. *(einen Unfall, B)*
4. Nur einmal hatte Frau Wieland Pech. Sie fuhr zu schnell, und sie bekam _____. *(einen Strafzettel, A)*
5. Sie war nur 10km drüber gefahren, aber an dieser Stelle war _____. *(eine Radarfalle, C)*
6. Die Kinder sehen auf alle Nummernschilder und raten, woher die Autos sind. Wenn sie steckenbleiben, schaut Herr Wieland in seinen _____. *(Taschenkalender, A)*
7. Auf der Hinfahrt zum Campingplatz überholt sie ein schneller Porsche. Er hat ein ganz anderes Nummernschild. Er kommt aus _____. *(dem Ausland, B)*

　　Now check your answers. *Repeat each item, and give the correct answer.*

1. A	abschliessen	B prüfen	C dabeihaben
2. A	Beifahrersitz	B Rücksitz	C Fahrersitz
3. A	eine Radarfalle	B einen Unfall	C eine Panne
4. A	einen Strafzettel	B eine Radarfalle	C einen Unfall
5. A	ein Unfall	B ein Strafzettel	C eine Radarfalle
6. A	Taschenkalender	B Reiseprospekt	C Beifahrersitz
7. A	Süddeutschland	B dem Ausland	C dem Ferienort

32 *To practice adjective endings after ein-words*

5. Listening and Speaking Exercise

　　You have in front of you four drawings of camping items, with a price given for each. You will hear eight questions. In your answer to each question you are to use the word neu before the noun—with the proper adjective ending, of course. After your answer, you will hear the correct response. Let's begin.

1. Wieviel hat sein Reifen gekostet? (　　) *Sein neuer Reifen hat 80 Mark gekostet.*
2. Wieviel hat seine Fusspumpe gekostet? (　　) *Seine neue Fusspumpe hat 20 Mark gekostet.*
3. Wieviel hat sein Schlauchboot gekostet? (　　) *Sein neues Schlauchboot hat 100 Mark gekostet.*
4. Wieviel haben seine Taschenkalender gekostet? (　　) *Seine neuen Taschenkalender haben 10 Mark gekostet.*
5. Wieviel hast du für deinen Reifen gezahlt? (　　) *Für meinen neuen Reifen hab' ich 80 Mark gezahlt.*
6. Wieviel hast du für deine Fusspumpe gezahlt? (　　) *Für meine neue Fusspumpe hab' ich 20 Mark gezahlt.*
7. Wieviel hast du für dein Schlauchboot gezahlt? (　　) *Für mein neues Schlauchboot hab' ich 100 Mark gezahlt.*
8. Wieviel hast du für deine Taschenkalender gezahlt? (　　) *Für meine neuen Taschenkalender hab' ich 10 Mark gezahlt.*

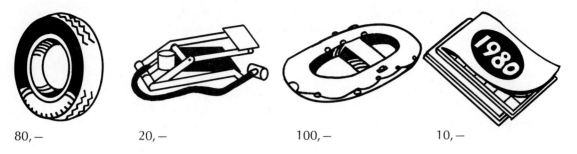

80,— 20,— 100,— 10,—

32 *To practice adjective endings after ein-words*

6. Reading and Speaking Exercise

Read each of the twelve phrases you see in front of you, supplying the correct adjective ending. After your answer, you will hear the correct response. Let's begin.

1. (   ) unser deutsch_____ Benzin *(es)*
2. (   ) ein lebensmüd_____ Bursche *(er)*
3. (   ) einen ganz_____ Liter *(en)*
4. (   ) unser neu_____ Nummernschild *(es)*
5. (   ) ihr letzt_____ Picknick *(es)*
6. (   ) euer klein_____ Porsche *(er)*
7. (   ) auf dem klein_____ Rücksitz *(en)*

8. (   ) in allen gut_____ Taschenkalendern *(en)*
9. (   ) unser einzig_____ Unfall *(er)*
10. (   ) für ihren neu_____ Wagen *(en)*
11. (   ) für sein alt_____ Auto *(es)*
12. (   ) mit dem schmutzig_____ Öl *(en)*

32 *To practice adjective endings after ein-words*

7. Listening and Speaking Exercise

In ordinary conversations it is often easier to produce correct adjective endings if you listen carefully for cues that tell you the gender of nouns. In this exercise, listen to the cues in each question, and give an answer using the adjective neu for all the items. For example, you will hear: Was wünschst du dir? einen Wagen? And you answer: Ja, einen neuen Wagen. Let's begin.

1. Was wünschst du dir? eine Fusspumpe? (   )
   Ja, eine neue Fusspumpe.
2. ein Auto? (   ) *Ja, ein neues Auto.*
3. eine Tasche? (   ) *Ja, eine neue Tasche.*
4. ein Haus? (   ) *Ja, ein neues Haus.*
5. einen Mantel? (   ) *Ja, einen neuen Mantel.*
6. eine Uhr? (   ) *Ja, eine neue Uhr.*

7. einen Hut? (   ) *Ja, einen neuen Hut.*
8. ein Zelt? (   ) *Ja, ein neues Zelt.*
9. eine Gitarre? (   ) *Ja, eine neue Gitarre.*
10. einen Ball? (   ) *Ja, einen neuen Ball.*
11. ein Fernglas? (   ) *Ja, ein neues Fernglas.*
12. einen Gürtel? (   ) *Ja, einen neuen Gürtel.*

43 *To practice adjective endings with words indicating nationality*

8. Listening and Speaking Exercises

Part 1

If you find this exercise difficult, you may want to open your textbook to page 78 and use the chart that shows the names of countries and adjectives of nationality. Try it first with your book closed. You will hear eight questions containing names of countries, and you are to answer each question using the appropriate adjective of nationality. For example, you hear: Woher kommt dieser Wagen, aus England? And you answer: Ja, das ist ein englischer Wagen. Let's begin.

T76

1. Woher kommt dieser Käse, aus Griechenland? ( ) *Ja, das ist ein griechischer Käse.*
2. Woher kommt dieses Öl, aus Italien? ( ) *Ja, das ist ein italienisches Öl.*
3. Woher kommt diese Marke, aus Frankreich? ( ) *Ja, das ist eine französische Marke.*
4. Woher kommt dieser Wein, aus Spanien? ( ) *Ja, das ist ein spanischer Wein.*
5. Woher kommt dieses Bier, aus Deutschland? ( ) *Ja, das ist ein deutsches Bier.*
6. Woher kommt diese Briefmarke, aus Schweden? ( ) *Ja, das ist eine schwedische Briefmarke.*
7. Woher kommt dieses Fernglas, aus Polen? ( ) *Ja, das ist ein polnisches Fernglas.*
8. Woher kommt diese Uhr, aus der Schweiz? ( ) *Ja, das ist eine Schweizer Uhr.*

Part 2

Now we will change the sentence pattern. You will hear: Ist dein Freund aus Holland? And you say: Ich habe keinen holländischen Freund. Let's begin.

1. Ist dein Fahrrad aus Italien? ( ) *Ich habe kein italienisches Fahrrad.*
2. Ist dein Prospekt aus Finnland? ( ) *Ich habe keinen finnischen Prospekt.*
3. Ist dein Nummernschild aus Dänemark? ( ) *Ich habe kein dänisches Nummernschild.*
4. Ist dein Schlafsack aus den USA? ( ) *Ich habe keinen amerikanischen Schlafsack.*
5. Ist dein Taschenkalender aus Russland? ( ) *Ich habe keinen russischen Taschenkalender.*
6. Sind deine Briefmarken aus Liechtenstein? ( ) *Ich habe keine Liechtensteiner Briefmarken.*
7. Ist dein Freund aus Norwegen? ( ) *Ich habe keinen norwegischen Freund.*
8. Ist deine Freundin aus der Schweiz? ( ) *Ich habe keine Schweizer Freundin.*

46 *To practice for Conversation Exercise 46 in the textbook*

9. Listening Exercises

Conversation 1

When you and your family are planning a vacation trip, there are a lot of things to consider and talk about. Listen to this family, and imagine that you are taking part in the discussion.

MUTTER   Es wird Zeit, dass wir mal Pläne für den nächsten Sommer machen. Ich möchte nicht wieder irgendwo im Zelt übernachten, und ihr wisst, die guten Campingplätze werden schnell voll!

1. BRUDER   Können wir nicht mal ein bisschen weiter fahren? Wir kennen ja schon alle Campingplätze in Süddeutschland.

SCHWESTER   Warum fahren wir nicht mal nach Norddeutschland, an die Nordsee? Dort können wir auch baden.

VATER   Das Wetter ist dort meistens nicht so gut, und das Wasser ist oft zu kalt zum Baden.

2. BRUDER   Vati hat recht. Deshalb kommen ja die Norddeutschen nach Süddeutschland und fahren weiter nach Italien, wo es warm ist.

1. BRUDER   Können wir nicht auch einmal nach Italien fahren? Wir sind noch nie im Ausland gewesen.

SCHWESTER   Was ist denn Österreich? Wir sind vor zwei Jahren in Österreich gewesen.

1. BRUDER   Die sprechen deutsch. Da merkst du gar nicht, dass du im Ausland bist.

MUTTER   In Italien ist es im Sommer viel zu heiss. Und dann triffst du zu viele Deutsche in Italien.

VATER   Und die Preise sind hoch. Das Benzin ist dort zweimal so teuer wie in Deutschland.

SCHWESTER   Dann fahren wir lieber wieder an den Bodensee.

1. BRUDER   Der blöde Bodensee! Und ich möchte nicht immer an einen See fahren.

MUTTER   Ich hab' gedacht, du fährst gern campen.

1. BRUDER   Aber nicht dieses Jahr.

SCHWESTER   Ich weiss, warum er ins Ausland will. Sein Klassenkamerad, der Dieter, fährt mit seinen Eltern nach Jugoslawien.

1. BRUDER	Das ist überhaupt nicht der Grund.
SCHWESTER	Du willst bloss in der Schule sagen, dass du in Italien gewesen bist.
1. BRUDER	Ach, sei ruhig, du dumme Kuh!
SCHWESTER	Blöder Kerl, du!
VATER	Ihr seid immer froh, wenn ihr euch streiten könnt. Furchtbar. So. Seid jetzt ruhig!
MUTTER	Ich schlage vor, dass Vati morgen nach der Arbeit beim Reisebüro vorbeigeht und ein paar Reiseprospekte mitbringt.
2. BRUDER	Prima Idee, Mutti!
VATER	Wir müssen uns schon einigen, in welche Gegend wir fahren wollen. Ich kann doch nicht Prospekte von ganz Deutschland und vom Ausland mit nach Hause bringen!
1. BRUDER	Also, dann fangen wir wieder von vorn an. Wer möchte wohin? — Ich möchte nach Italien.
MUTTER	Viel zu heiss.
VATER	Benzin zu teuer.
SCHWESTER	An den Bodensee.
VATER	In den Schwarzwald.
MUTTER	Ins Elsass.
VATER	Schluss! Genug!

Conversation 2

The family has finally decided to go camping.

VATER	So, ihr wollt zum Campen fahren. Na gut. Nur dass ihr nicht übermorgen sagt, ihr wollt nach Österreich zum Schilaufen!
1. BRUDER	Nein, wir wollen alle zum Campen fahren.
SCHWESTER	Ich schlage vor, dass wir an den Bodensee fahren. Dort können wir campen und auch baden.
MUTTER	Ich würde mal lieber ins Elsass fahren. Es soll dort sehr schön sein.
2. BRUDER	Mutti, aber dort gibt es wenig Campingplätze.
MUTTER	Wer sagt das? Hier, schau doch! In dieser Broschüre: überall Campingplätze.
1. BRUDER	Aber keine Seen. Und wir wollen baden.
VATER	Wir fahren also an einen See zum Campen. Muss es denn aber der Bodensee sein?
SCHWESTER	Wir können auch mal an den Starnberger See fahren.
1. BRUDER	Mir ist es gleich. See ist See. Ich nehm' mir mein Schlauchboot mit.
VATER	Du, ich glaub', das ist kaputt.
1. BRUDER	Kaufst du mir ein neues Boot?
VATER	Du hast Wünsche! Nee, das alte Schlauchboot können wir noch richten.
MUTTER	Ich brauche aber einen neuen Schlafsack.
VATER	Warum?
MUTTER	Warum? Weil Matthias' Hamster aus meinem alten Schlafsack einen Schweizer Käse gemacht haben. Du sollst mal die Löcher sehen!
VATER	Hm. Unser Zelt ist hoffentlich noch gut. Es wird langsam ein bisschen klein, weil ihr immer grösser werdet. Aber für dieses Jahr ist es noch gross genug für uns.
1. BRUDER	Ich brauche eine neue Fusspumpe für mein Schlauchboot.
VATER	Hast du die Paddel noch?
1. BRUDER	Ja, die Paddel sind noch gut.
MUTTER	Wir haben drei Luftmatratzen. Und wir beide sollten uns Liegestühle kaufen. Sie sind bequemer als Luftmatratzen.
SCHWESTER	Und ich brauche einen neuen Badeanzug. Mein Badeanzug ist mir zu klein.
2. BRUDER	Ich brauch' auch eine neue Badehose.
MUTTER	So, jetzt schreiben wir uns mal alles auf, was wir für unsere Reise brauchen.

Conversation 3

Now they are preparing their car for the trip.

SCHWESTER Schade, dass unser Wagen nicht grösser ist. Ich würde gern meine Freundin mitnehmen.

2. BRUDER Ja, Vati, wir brauchen wirklich einen besseren Wagen.

VATER Warum? Unser Wagen ist gut genug. Einen neuen Wagen kann ich mir jetzt nicht leisten.

SCHWESTER Lässt du ihn wenigstens waschen, bevor wir wegfahren?

VATER Wollt ihr das nicht tun?

2. BRUDER Vati, wir haben keine Zeit! Wir müssen noch packen.

VATER Na, gut! Dann fahr' ich jetzt mal zur Tankstelle. Ich brauche Benzin. Dann lass' ich auch das Öl nachsehen.

2. BRUDER Und lass' den Reifendruck prüfen, denn der Wagen wird ganz schön voll werden!

VATER Aber klar! Ich lass' alles nachsehen, und dann lass' ich den Wagen waschen. Die haben eine neue Waschanlage an der Tankstelle, und das Waschen ist gar nicht teuer.

Conversation 4

The family is ready to start the trip.

SCHWESTER Du, Vati, lass doch heute die Mutti fahren! Du weisst ja, wie gut sie fährt.

VATER Sie will ja nicht. Ich hab' sie schon gefragt.

2. BRUDER Heute sind viele Autos unterwegs. Die Strassen sind voll. Ich hab' das eben im Radio gehört.

SCHWESTER Dann kann Vati heute wenigstens nicht so schnell fahren.

2. BRUDER Und keinen Strafzettel bekommen!

VATER Ach, Kinder! Müsst ihr mich noch immer ärgern? Das war vor einem halben Jahr!

SCHWESTER Ja, du hast Pech gehabt. Diese dummen Radarfallen!

VATER Das stimmt! Und ich bin nur 12 km drüber gefahren! — Aber Schluss damit. Ich muss jetzt abschliessen, und dann können wir losfahren.

Conversation 5

And now they're on the highway.

2. BRUDER Du, Vati, überhol doch diese alte Klapperkiste da vor uns!

VATER Ich kann jetzt nicht. Hinter mir will einer überholen.

SCHWESTER Und das ist überhaupt keine alte Klapperkiste. Das ist ein netter, kleiner 2CV.

1. BRUDER Döschewo! Haha! Das kann ich auch sagen. — Trotzdem: das sind lahme Enten.

SCHWESTER Das ist nicht schön von dir. Du bist bestimmt mal froh, wenn du dir eine Ente leisten kannst.

1. BRUDER Ich geh' lieber zu Fuss!

SCHWESTER Du willst dir nur einen schnellen Flitzer kaufen, einen kleinen Porsche oder einen BMW. Aber so etwas wirst du dir nie leisten können.

1. BRUDER Am Anfang wär' ich schon mit einem gebrauchten Käfer zufrieden.

SCHWESTER He! Was ist denn das für ein Wagen, der uns eben überholt hat?

1. BRUDER Ich dachte, du kennst alle Autos.

SCHWESTER Aber nicht jede ausländische Marke.

2. BRUDER Das war ein Lancia.

VATER Nee, das war kein Lancia. Das war der neue Citroën.

2. BRUDER Ein toller Wagen!

SCHWESTER Der hatte aber ein deutsches Nummernschild.

2. BRUDER Das war einer aus Hannover. Er hatte ein HH auf dem Nummernschild.

VATER HH heisst Hansestadt Hamburg!

2. BRUDER Ach, ja! Du hast recht.

1. BRUDER So, du weiss nicht mal, was HH bedeutet.

2. BRUDER   Ich wollte Hamburg sagen.
1. BRUDER   Das kann jeder nachher sagen.
2. BRUDER   Ich kenne bestimmt mehr Nummernschilder als du. Wollen wir mal raten?
SCHWESTER   Gut! Und die Mutti hilft uns, wenn wir steckenbleiben.

LEKTION 30

1 *To practice comprehension of new vocabulary*

1. Listening and Reading Exercise

This exercise will help you practice vocabulary related to hobbies. You will hear seven statements, with a word missing at the end of each. For each statement, you are given a choice of three nouns or verbs. Decide which one completes the statement best, and circle the appropriate letter. Let's begin.

1. Viele von euch sammeln verschiedene Dinge. Vielleicht sammelt ihr Schallplatten, Bilder von Filmstars oder Autogramme. Dieses Sammeln ist für euch nur ein _____. *(Zeitvertreib, C)*
2. Ihr übt diese Tätigkeiten aus, denn das Sammeln von Platten oder Bildern ist vielleicht gerade _____. *(Mode, A)*
3. Was ist nun ein Hobby? Ein Hobby ist eine Tätigkeit für unsere _____. *(Freizeit, B)*
4. Ein Hobby ist nicht nur ein Spiel, es ist oft eine richtige Arbeit. Hobbys kosten oft viel Geld und verlangen Wissen und _____. *(Können, C)*
5. Wir können den Alltag vergessen, und wir brauchen nicht an die Schule zu denken, wenn wir unser Hobby _____. *(ausüben, A)*
6. Wir Menschen brauchen etwas anderes als nur Arbeit oder Freizeit; unser Hobby soll uns _____. *(entspannen, B)*
7. Übrigens kommt das englische Wort „Hobby" von „hobby horse", — auf deutsch „Steckenpferd" — ein hübsches _____. *(Spielzeug, C)*

Now check your answers. *Repeat each item, and give the correct answer.*

1. A   Können   B   Spielzeug   C   Zeitvertreib
2. A   Mode   B   Wissen   C   Freizeit
3. A   Beschäftigung   B   Freizeit   C   Mode
4. A   Sammeln   B   Tätigkeit   C   Können
5. A   ausüben   B   entspannen   C   begeistern
6. A   ausüben   B   entspannen   C   verlangen
7. A   Gerät   B   Autogramm   C   Spielzeng

2 *To practice using new vocabulary*

2. Listening and Speaking Exercises

Open your textbook to page 82, and look at the photographs of young people at their hobbies. This exercise has three parts, all using the photographs for cues. You'll hear different instructions for each part.

Part 1

You'll hear six questions, directed to each of the six people in the photographs. Answer each question in turn, as if you were the person being asked. After each response you'll hear the correct answer. Let's begin.

T80

1. Harry, was ist dein Hobby? (   ) *Ich fotografiere.*
2. Peter, und was ist dein Hobby? (   ) *Ich sammle Briefmarken.*
3. Babsie, was machst du in deiner Freizeit? (   ) *Ich male gern.*
4. Und was tust du noch? (   ) *Ich spiele Orgel.*
5. Was tust du, Christian? (   ) *Ich sammle Münzen.*
6. Und was machst du, Gerhard? (   ) *Ich baue elektonische Geräte.*

Part 2

Now change your answers to the conversational past. Look at the same pictures and answer the questions.

1. Harry, was hast du einmal getan? (   ) *Ich hab' einmal fotografiert.*
2. Peter, was ist dein Hobby gewesen? (   ) *Ich hab' einmal Briefmarken gesammelt.*
3. Babsie, was hast du einmal gemacht? (   ) *Ich hab' einmal gern gemalt.*
4. Und was noch? (   ) *Ich hab' einmal Orgel gespielt.*
5. Und was hast du getan, Christian? (   ) *Ich hab' einmal Münzen gesammelt.*
6. Und du, Gerhard? (   ) *Ich hab' einmal elektronische Geräte gebaut.*

5, 6 *To practice comprehension of new vocabulary*

3. Listening and Reading Exercise

You will hear eight statements, with a word missing at the end of each. For each statement, you are given a choice of three nouns or verbs. Decide which one completes the statement best, and circle the appropriate letter. Let's begin.

1. Harry ist ein Fotoamateur. Er fotografiert viel. Er hat sogar seine eigene Dunkelkammer, wo er seine Filme _____. *(entwickelt, C)*
2. Er macht fast alle Fotoarbeiten. Er entwickelt seine Schwarzweissfilme und macht _____. *(Abzüge, C)*
3. Auch Vergrösserungen kann er selber machen, weil er einen Vergrösserungsapparat _____. *(besitzt, B)*
4. Von seinen schönsten Dias lässt Harry gewöhnlich Farbbilder _____. *(machen, A)*
5. Harry sagt, dass Kinder die schwierigsten Fotomodelle sind. Kinder sind immer in Bewegung, und sie haben keine _____. *(Geduld, B)*
6. Wenn Kinder ganz natürlich aussehen sollen, fotografiert Harry sie mit einem _____. *(Teleobjektiv, C)*
7. Auch Tiere sind schwer zu fotografieren. Man muss viel Geduld haben. Man muss wissen, was die Tiere tun. Man muss sie also lange _____. *(beobachten, A)*
8. Harry sagt, er hat einmal ein Pferd ohne Kopf geknipst. Das was sein bester _____. *(Schnappschuss, C)*

Now check your answers. *Repeat each item, and give the correct answer.*

1.	A	beobachtet	B	besitzt	C	entwickelt
2.	A	Aufnahmen	B	Hobbys	C	Abzüge
3.	A	bewegt	B	besitzt	C	entwickelt
4.	A	machen	B	fotografieren	C	besitzen
5.	A	Kamera	B	Geduld	C	Aufnahme
6.	A	Fotoamateur	B	Farbfilm	C	Teleobjektiv
7.	A	beobachten	B	bewegen	C	besitzen
8.	A	Farbfilm	B	Fotograf	C	Schnappschuss

4. Listening and Speaking Exercise

For this exercise, open your textbook to page 84, and look at the photos Harry took. Also look at the adjective that is used to describe each picture. You will hear a number of questions referring to these pictures, and after each question a partial answer. Complete the answer, using the appropriate adjective and noun. After your response you will hear the correct answer. Let's begin.

1. Was sagt Harry über sein Foto „Pferd ohne Kopf"? — Es ist das (   ). *lustigste Foto*
2. Und „Geschwister"? — Das ist die (   ). *schönste Aufnahme*
3. Und was sagt er über das Foto mit den Lausbuben? — Das ist der (   ). *beste Schnappschuss*
4. Harry gibt seinen Freunden die besten Fotos. Hier ist mein „Pferd ohne Kopf". Ich gebe dir mein (   ). *lustigstes Foto*
5. Hier ist das Foto mit den Geschwistern. — Ich gebe dir meine (   ). *schönste Aufnahme*
6. Hier ist das Foto mit den Lausbuben. — Ich gebe dir meinen (   ). *besten Schnappschuss*
7. Dann sagt Harry: „Hier ist ein Foto von einem Brunnen. — Das ist unser (   ). *grösster Brunnen*
8. Hier ist ein Foto von einer Kirche. Das ist unsere (   ). *älteste Kirche*
9. Hier ist Foto von einem Wohnhaus. — Das ist unser (   ). *modernstes Wohnhaus*

5. Listening and Speaking Exercise

You have in front of you four pairs of drawings: houses, cameras, cars, and pictures. For each pair of drawings you will hear some questions with partial answers. Complete each answer, using the same adjective you hear in the question. All the adjectives are in the comparative form. Be sure you supply the correct adjective endings. After each response you'll hear the correct answer. Let's begin.

1. Welches Haus ist grösser? — Haus B ist das (   ). *grössere Haus*
   In welchem Haus möchtest du wohnen? — Ich möchte in dem (   ). *grösseren Haus wohnen*
   Was für ein Haus möchtest du? — Ich möchte ein (   ). *grösseres Haus*
2. Welche Kamera ist besser? — Kamera B ist die (   ). *bessere Kamera*
   Mit welcher Kamera möchtest du fotografieren? — Ich möchte mit der (   ). *besseren Kamera fotografieren*
   Welche Kamera möchtest du? — Ich möchte eine (   ). *bessere Kamera*
3. Welcher Wagen ist teurer? — Wagen B ist der (   ). *teurere Wagen*
   Welchen Wagen kannst du dir nicht kaufen? — Ich kann mir den (   ). *teureren Wagen nicht kaufen*
   Welchen Wagen kaufst du dir, wenn du viel Geld hast? — Ich kaufe mir den (   ). *teureren Wagen*
4. Welches Bild ist schöner? — Bild B ist das (   ). *schönere Bild*
   Was für ein Bild möchtest du haben? — Ich möchte ein (   ). *schöneres Bild haben*

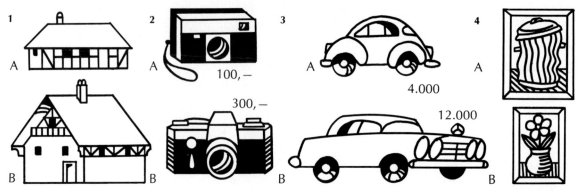

6. Listening and Reading Exercise

You will hear six statements, with a verb missing at the end of each. For each statement, you are given a choice of three verbs. Decide which one completes the statement best, and circle the appropriate letter. Let's begin.

1. Briefmarkensammeln ist nicht teuer. Schon mit ein paar Mark kann sich ein Sammler eine nette Sammlung _____. *(aufbauen, B)*
2. Sammeln hat viele Vorteile, weil es lehrreich ist und Ausdauer und Ordnungssinn _____. *(fördert, C)*
3. Ein Sammler sammelt gewöhnlich nicht alle Marken von allen Ländern. Wenn ein Sammler Marken hat, die er nicht braucht, so kann er mit einem andern Sammler _____. *(tauschen, A)*
4. Wenn ein Sammler tauschen will, so muss er jemand finden, der seine Marken haben will und der selber Marken hat, die unser Sammler braucht. Durch das Tauschen können oft viele Freundschaften _____. *(entstehen, C)*
5. Peter sagt, dass er eigentlich europäische Marken am meisten sammelt und dass er sich aber auch für andere Marken _____. *(interessiert, A)*
6. Peter sammelt Briefmarken, weil es ihm Spass macht. Er sagt, er braucht nicht zu viel Zeit dafür, und dass er sicht mit den Marken vielleicht zwei- bis dreimal in der Woche _____. *(beschäftigt, B)*

Now check your answers. *Repeat each item, and give the correct answer.*

	A		B		C	
1.	A	tauschen	B	aufbauen	C	fördern
2.	A	entsteht	B	aufbaut	C	fördert
3.	A	tauschen	B	entstehen	C	fördern
4.	A	stammen	B	fördern	C	entstehen
5.	A	interessiert	B	beschäftigt	C	entsteht
6.	A	interessiert	B	beschäftigt	C	entsteht

7. Listening and Speaking Exercises

Part 1

You have in front of you eight pictures with an adjective underneath each one. You will be asked eight questions, one for each picture. Answer the questions, using the indefinite article (ein) and the adjective given under the picture. For example, you might hear: Was für ein Katalog ist das? Using the adjective neu, you would answer: Das ist ein neuer Katalog. After your response you will hear the correct answer. Let's begin.

1. Was für ein Wagen ist das? (   ) *Das ist ein kleiner Wagen.*
2. Was für ein Wohnhaus ist das? (   ) *Das ist ein modernes Wohnhaus.*
3. Was für eine Briefmarke ist das? (   ) *Das ist eine schöne Briefmarke.*
4. Was für ein Berg ist das? (   ) *Das ist ein hoher Berg.*
5. Was für ein Schloss ist das? (   ) *Das ist ein altes Schloss.*
6. Was für eine Münze ist das? (   ) *Das ist eine grosse Münze.*
7. Was für ein Fluss ist das? (   ) *Das ist ein langer Fluss.*
8. Was für ein Zelt ist das? (   ) *Das ist ein gutes Zelt.*

Part 2

Now use the superlative forms of these adjectives in your answer. For example, you might hear: Was für ein Katalog ist das? And you would answer: Das ist der neueste Katalog. After your response you will hear the correct answer. Let's begin.

1. Was für ein Wagen ist das? (   ) *Das ist der kleinste Wagen.*
2. Was für ein Wohnhaus ist das? (   ) *Das ist das modernste Wohnhaus.*
3. Was für eine Briefmarke ist das? (   ) *Das ist die schönste Briefmarke.*
4. Was für ein Berg ist das? (   ) *Das ist der höchste Berg.*
5. Was für ein Schloss ist das? (   ) *Das ist das älteste Schloss.*
6. Was für eine Münze ist das? (   ) *Das ist die grösste Münze.*
7. Was für ein Fluss ist das? (   ) *Das ist der längste Fluss.*
8. Was für ein Zelt ist das? (   ) *Das ist das beste Zelt.*

1 klein   2 modern   3 schön   4 hoch

5 alt   6 gross   7 lang   8 gut

55 *To practice for Conversation Exercise 55 in the textbook*

8. Listening Exercises

Part 1

When you talk about hobbies with your friends, there are many things you may want to say. Listen to two German students talking about the hobby of coin-collecting.

GERD Hast du ein Hobby?

KARL Ja, ich sammle Münzen.

GERD Münzen? Hm. Nicht schlecht. Wielange sammelst du schon?

KARL Ich sammle schon sieben Jahre. Ich war acht Jahre alt, als ich angefangen habe.

GERD Warum sammelst du Münzen und nicht Briefmarken?

KARL Einfach. Mein Vater war vor sieben Jahren in Italien, und da hat er mir von dort ein paar alte Münzen mitgebracht.

GERD Ich stell' mir vor, Münzensammeln ist ein schönes Hobby.

KARL   Ja, aber auch ganz schön teuer. Dieses 5-Mark-Stück, zum Beispiel, aus dem Jahre 1957 kostet heute 13 Mark!

GERD   Was? Und du musst dir alle Münzen kaufen?

KARL   Klar. Ich bekomme aber auch Münzen zum Geburtstag, als Geburtstagsgeschenk von meinen Eltern und von Onkeln und Tanten. Dann tausche ich auch viel mit einem Klassenkameraden.

GERD   Was brauchst du denn alles als Münzensammler?

KARL   Nicht viel. Ein gutes Vordruckalbum, wo die Münzen von den verschiedenen Ländern drin sind, was sie kosten, usw. Und dann hab' ich einen Münzkatalog für die Münzen selbst.

GERD   Was gefällt dir besonders an deinem Hobby?

KARL   Ich lerne ein bisschen über die verschiedenen Länder, woher die Münzen kommen. Dann wie die Münzen heissen—du weisst schon, was ich meine. Was bei uns eine Mark ist, ist in der Schweiz ein Franken oder in den USA ein Dollar.

GERD   Deshalb bist du so gut in Erdkunde und in Geschichte.

KARL   Vielleicht.

GERD   Ist das Sammeln nicht ein bisschen langweilig?

KARL   Im Gegenteil. Es macht mir viel Spass. Und manchmal kann es ganz lustig sein. Da ist mir doch vor einer Woche . . .

Part 2

Now listen to what another student says about her hobby, painting.

Mein Hobby ist Malen. Ich male furchtbar gern, besonders draussen in der Natur. Meine Lieblingsmotive sind Bäume und Häuser, Brunnen, Berge und Seen. Wenn ich male, kann ich mich entspannen. Ich denke dann an nichts. Ich studiere dann nur, was ich malen will—ja, und dann male ich es eben.

Dieses Hobby kostet auch nicht so viel. Man braucht Papier, Ölfarben oder Wasserfarben und verschiedene Pinsel. Und meine Freunde wissen immer, was sie mir schenken können.

Mein Lehrer sagt, dass ich schon ganz gut bin, und ich male noch gar nicht lange, erst zwei Jahre. Ich hab' mit dem Malen angefangen, als ich einmal mit meinen Eltern von einem Ausflug zurückkam. Da sass nämlich ein Maler an einem See und malte den See mit Segelbooten und den Bergen dahinter. Und als ich das sah, da wollte ich plötzlich malen.

Was mir am besten an meinem Hobby gefällt ist, dass ich immer draussen in der frischen Luft sein kann, dort, wo es wenig Verkehr und wenig Leute gibt. Da ist mir einmal etwas Lustiges passiert. Ich stehe an einem kleinen Fluss und male, meine Tasche mit den Farben steht neben mir. Da kommt plötzlich ein grosser Hund. Ich denke, oje, jetzt wird er meine Farben ins Wasser stossen. Ich will also die Tasche in die Hand nehmen, und da rutsche ich aus und falle selbst ins Wasser, mit Pullover und Jeans. Ich war vielleicht böse.

LEKTION 31

1, 2, 3, 4, 5 *To practice comprehension of new vocabulary*

1. Listening and Reading Exercise

This exercise will help you practice vocabulary related to the topic of personal grooming. You will hear eight statements with a word missing at the end of each. For each statement, you are given a choice of three nouns. Decide which one completes the statement best, and circle the appropriate letter. Let's begin.

1. Peter will heute in die Tanzstunde gehen, aber er wäscht sich nicht sehr gut. Er macht nur _____. *(Katzenwäsche, C)*
2. Seine Mutter sagt: ,,Du bist doch ein richtiger Bademuffel! Willst du nicht baden? Oder geh doch wenigstens unter die _____!'' *(Dusche, C)*
3. Peter ist jetzt beim Zähneputzen. Er putzt sich die Zähne mit _____. *(Zahnpasta, A)*
4. Dann wäscht er sich die Haare. Er gebraucht dazu ein gutes _____. *(Shampoo, A)*
5. Das Gesicht wäscht er sich mit einem Waschlappen und mit Seife, und die Fingernägel reinigt er sich mit einer _____. *(Nagelbürste, C)*
6. Dann füllt er das Zahnputzglas mit Wasser und gurgelt. Dann gurgelt er mit Mundwasser. Das erfrischt den _____. *(Atem, C)*
7. Peter will sich dann rasieren. Er rasiert sich elektrisch. Bevor er sich rasiert, benutzt er ein Rasierwasser für seinen _____. *(Bart, B)*
8. Nach dem Rasieren benutzt er eine After-Shave Lotion. Sie glättet _____. *(die Haut, A)*

Now check your answers. *Repeat each item, and give the correct answer.*

1.	A	Liegestütz	B	Bademuffel	C	Katzenwäsche
2.	A	Wanne	B	Seife	C	Dusche
3.	A	Zahnpasta	B	Deodorant	C	Seife
4.	A	Shampoo	B	Haarwasser	C	Wasser
5.	A	Zahnbürste	B	Haarbürste	C	Nagelbürste
6.	A	Bart	B	Zahn	C	Atem
7.	A	Atem	B	Bart	C	Zahn
8.	A	die Haut	B	den Bart	C	den Rasierapparat

1, 2, 3, 4, 5 *To practice new vocabulary*

2. Listening and Speaking Exercise

In this exercise, you'll hear a series of incomplete statements, to which you should add an appropriate verb. After your response you'll hear a suggested answer. Let's begin.

1. Peter! Wenn du in die Wanne willst, musst du dich beeilen. Ich muss weg, und ich will auch noch ( ). *baden*
2. Ich hab' jetzt keine Zeit zum Baden. Ich werde mich jetzt nur schnell ( ). *duschen*
3. Peter duscht sich gern mit sehr warmem Wasser, weil warmes Wasser die Haut ( ). *reinigt*
4. Dann stellt er sich unter die kalte Dusche, weil kaltes Wasser die Haut ( ). *erfrischt*
5. Peter wäscht sich die Haare. Er benutzt dazu ein gutes Shampoo, weil ein gutes Shampoo die Haare ( ). *schont*

6. „Wo ist mein Haartrockner?" ruft Peter. „Ich brauche ihn. Ich will mir die Haare (   )." *trocknen*
7. Peter benutzt auch ein gutes Haarwasser, weil es so gut (   ). *riecht*
8. Dann gibt Peter Zahnpasta auf die Zahnbürste, denn er will sich die Zähne (   ). *putzen*
9. Peter spült dann seinen Mund mit Mundwasser. Das macht den Atem frisch, und es (   ). *desinfiziert*
10. Peter hat einen Bart, und er muss sich jetzt noch (   ). *rasieren*
11. Nach dem Rasieren reibt er sein Gesicht mit einer After-Shave Lotion ein, weil diese die Haut (   ). *glättet*
12. Dann gebraucht Peter noch ein Deodorant, weil es lästigen Körpergeruch (   ). *beseitigt*

2, 3, 4, 5, R *To practice listening for gender and using adjective endings*

3. Listening and Speaking Exercise

You have in front of you eight drawings of toiletry items. You'll hear how much each item costs, and you should ask how much a better one costs. Listen closely for cues that tell you the gender of each item. For example, you hear: Diese Zahnbürste kostet nur 3 Mark. And you ask: Wie teuer ist eine bessere Zahnbürste? After each response you'll hear the correct answer. Let's begin.

1. Dieser Rasierapparat kostet nur 60 Mark. (   ) *Wie teuer ist ein besserer Rasierapparat?*
2. Dieses Shampoo kostet nur 2 Mark. (   ) *Wie teuer ist ein besseres Shampoo?*
3. Dieser Haartrockner kostet nur 40 Mark. (   ) *Wie teuer ist ein besserer Haartrockner?*
4. Dieses Haarwasser kostet nur 4 Mark. (   ) *Wie teuer ist ein besseres Haarwasser?*
5. Dieser Kamm kostet nur 1 Mark. (   ) *Wie teuer ist ein besserer Kamm?*
6. Diese Zahnpasta kostet nur 2 Mark. (   ) *Wie teuer ist eine bessere Zahnpasta?*
7. Dieses Deodorant kostet nur 5 Mark. (   ) *Wie teuer ist ein besseres Deodorant?*

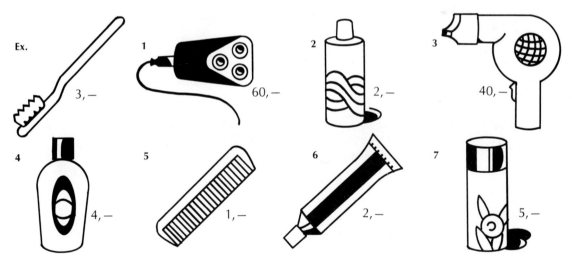

21, 22 *To practice comprehension of new vocabulary*

4. Listening and Reading Exercise

You will hear seven incomplete statements, with a word missing at the end of each. For each statement, you are given a choice of three words or phrases. Decide which one completes the statement correctly, and circle the appropriate letter. Let's begin.

1. Babsie hat langes, blondes Haar. Peter fragt sie, ob die Farbe echt ist, oder ob sie ihr Haar _____. *(färbt, B)*
2. Babsie sagt, sie hat von Natur aus welliges Haar, und nur ab und zu muss sie mit ihrem Frisierstab ein bisschen _____. *(nachhelfen, C)*
3. Nur ab und zu muss sie ihr Haar mit Lockenwicklern _____. *(eindrehen, C)*
4. Ihre Mutter hat ihr einen Frisierstab geschenkt, und jetzt kann Babsie ihre Haare auch damit _____. *(frisieren, A)*
5. Ab und zu geht Babsie zum Friseur zum Schneiden. Weil sie von Natur aus welliges Haar hat, braucht sie _____. *(keine Dauerwelle, C)*
6. Eine Dauerwelle, sagt Babsie, ist überhaupt nicht gut für die Haare. Eine Dauerwelle macht das Haar nur _____. *(spröde, B)*
7. Alle bewundern Babsies Haar, weil es immer gut aussieht, und Peter fragt sie, womit sie ihr Haar _____. *(pflegt, B)*

Now check your answers. *Repeat each item, and give the correct answer.*

1. A pflegt	B färbt	C frisiert
2. A pflegen	B färben	C nachhelfen
3. A pflegen	B frisieren	C eindrehen
4. A frisieren	B färben	C nachhelfen
5. A keinen Frisierstab	B keine Lockenwickler	C keine Dauerwelle
6. A blond	B spröde	C unnatürlich
7. A färbt	B pflegt	C eindreht

25 *To practice using* da-compounds

5. Listening and Speaking Exercise

You will hear ten pairs of sentences. The second sentence of each pair has a word missing at the end. The word is a da-compound. Listen to the first sentence carefully, and listen especially for the preposition. You must then say the appropriate da-compound at the end of the second sentence. For example, you hear: Ich wasche mein Haar mit Wella-Shampoo. — Ich wasche mein Haar auch (   ). And you say: damit. After your response you will hear the correct answer. Let's begin.

1. Ich trockne mein Haar mit dem Haartrockner. — Ich trockne es auch (   ). *damit*
2. Ich zahle vierzig Mark für die Dauerwelle. — Ich zahle auch so viel (   ). *dafür*
3. Ich gebrauche keine Seife zum Haarewaschen. — Ich gebrauche auch keine Seife (   ). *dazu*
4. Ich warte auf meine neuen elektrischen Lockenwickler. — Ich warte auch (   ). *darauf*
5. Ich frisier' mir die Haare mit einem elektrischen Frisierstab. — Ich frisier' sie mir auch (   ). *damit*
6. Ich denke nicht gern an meinen ersten Tag beim Friseur. — Ich denke auch nicht gern (   ). *daran*
7. Ich kann mich einfach an dieses Haarspray nicht gewöhnen. — Ich gewöhne mich auch nicht (   ). *daran*
8. Ich geh' morgen zum Friseur, und ich freue mich schon auf meine neue Dauerwelle. — Ich freu' mich auch (   ). *darauf*
9. Ich beschäftige mich lieber mit meiner Briefmarkensammlung als mit meiner Münzsammlung. — Ich beschäftige mich auch lieber (   ). *damit*
10. Ich interessiere mich mehr für Marken aus dem Ausland. — Ich interessiere mich auch (   ). *dafür*

6. Listening and Speaking Exercise

.You will hear ten statements. As you hear each one, pretend that you didn't understand it correctly, and ask for the information again. Listen carefully to the prepositional phrase used in the statement, because that preposition will determine which wo-compound to use in your question. For example, you hear: Ich rasier' mich mit einem elektrischen Rasierapparat. And you ask: Womit rasierst du dich? After your response, you'll hear the statement again, followed by the correct question. Let's begin.

1. Ich gebrauche das Mundwasser zum Gurgeln. (   ) *Wozu gebrauchst du das Mundwasser?*
2. Ich zahle 100 Mark für diesen elektrischen Rasierapparat. (   ) *Wofür zahlst du . . . ?*
3. Ich reinige mir die Fingernägel mit einer Nagelbürste. (   ) *Womit reinigst du . . . ?*
4. Ich wasche mir die Haare mit einem guten Shampoo. (   ) *Womit wäschst du . . . ?*
5. Ich kann mich an meinen neuen Rasierapparat nicht gewöhnen. (   ) *Woran kannst du . . . ?*
6. Ich warte auf ein besseres Fotomotiv. (   ) *Worauf wartest du?*
7. Ich beschäftige mich mit meinen Briefmarken. (   ) *Womit beschäftigst du dich?*
8. Ich interessiere mich auch für alte, amerikanische Münzen. (   ) *Wofür interessierst . . . ?*
9. Ich denke jetzt an meine Tanzstunde nächste Woche. (   ) *Woran denkst . . . ?*
10. Ich freue mich schon auf das Schilaufen im Winter. (   ) *Worauf freust du dich schon?*'

38, 39 *To practice new vocabulary*

7. Listening and Reading Exercise

You will hear ten statements, with a word missing at the end of each. For each statement, you are given a choice of three nouns or verbs. Decide which one completes the statement best, and circle the appropriate letter. Let's begin.

1. Babsie schminkt sich. Sie benutzt helles Rouge für ihre _____. *(Wangen, A)*
2. Mit schwarzer Tusche verlängert sie ihre _____. *(Augenwimpern, C)* .
3. Dann gebraucht sie einen blauen Lidschatten für ihre _____. *(Augenlider, B)*
4. Für ihre Lippen wählt Babsie einen roten Lippenstift, und hinters Ohr kommt etwas _____. *(Parfüm, C)*
5. Dann wäscht sich Babsie die Hände, denn sie möchte sich die Finger _____. *(maniküren, B)*
6. Sie reinigt ihre Fingernägel, schneidet sie kürzer, und dann will sie sie noch _____. *(feilen, A)*
7. Dann wählt sie einen dunkelroten Nagellack, denn sie möchte ihre Nägel noch _____. *(lackieren, C)*
8. Peter wartet auf Babsie, und er fragt, warum das Schminken so lange dauert. Babsie antwortet, sie hat Zeit, und Peter soll sie in Ruh' _____. *(lassen, B)*
9. Babsie sagt zu Peter: wenn du mich geschminkt siehst, wirst du mich bloss wieder _____. *(auslachen, C)*
10. Dann ist Babsie mit dem Schminken fertig. Sie kommt ins Wohnzimmer und fragt Peter, ob sie ihm so _____. *(gefällt, C)*

Now check your answers. *Repeat each item, and give the correct answer.*

1. A	Wangen	B	Wimpern	C	Augenbrauen
2. A	Augenlider	B	Augenbrauen	C	Augenwimpern
3. A	Augenwimpern	B	Augenlider	C	Augenbrauen
4. A	Make-up	B	Rouge	C	Parfüm
5. A	schminken	B	maniküren	C	lackieren
6. A	feilen	B	verlängern	C	schminken

7. A feilen	B schneiden	C lackieren
8. A bringen	B lassen	C machen
9. A verstehen	B schlagen	C auslachen
10. A gratuliert	B gehört	C gefällt

44 *To practice adjective endings for unpreceded adjectives*

8. Listening and Speaking Exercises

You will hear eight statements ending with adjectives, and you should repeat the information, placing the adjective before the noun. For example, you hear, Babsies Augen sind blau. And you say: Sie hat blaue Augen. After your response you will hear the correct answer. Let's begin.

1. Babsies Haar ist blond. (   ) *Sie hat blondes Haar.*
2. Ihre Haut ist weich. (   ) *Sie hat weiche Haut.*
3. Ihre Wimpern sind lang. (   ) *Sie hat lange Wimpern.*
4. Das Parfüm von Babsie ist teuer. (   ) *Sie hat teures Parfüm.*
5. Der Lidschatten ist blau. (   ) *Sie hat blauen Lidschatten.*
6. Die Handcreme ist fetthaltig. (   ) *Sie hat fetthaltige Handcreme.*
7. Der Nagellack ist rot. (   ) *Sie hat roten Nagellack.*
8. Ihre Wimperntusche ist schwarz. (   ) *Sie hat schwarze Wimperntusche.*

53 *To practice for Conversation Exercise 53 in the textbook*

9. Listening Exercises

Part 1

Peter is getting ready to go out. Listen to his conversation with his sister, Petra.

PETRA Peter! Du bist immer noch im Bad? Beeil dich doch!

PETER So, wenn ich einmal im Badezimmer bin, soll ich mich immer beeilen!

PETRA Du machst doch sonst immer nur Katzenwäsche! Was ist los?

PETER Ich geh' weg.

PETRA Ich will auch weggehen. Badest du vielleicht?

PETER Im Sommer bad' ich nie! – So, lass mich jetzt in Ruh! Ich dusch' mich, und ich wasch' mir die Haare.

PETRA Peter! Die Haare kannst du dir auch in deinem Zimmer trocknen. Dann kann ich schnell ins Bad.

PETER O.K. Du musst mir aber deinen Haartrockner borgen. Deiner ist stärker als meiner.

PETRA Mensch! Jetzt stehst du schon zehn Minuten vorm Spiegel, und du hast dich noch immer nicht gekämmt.

PETER Mein Haarwasser ist im Bad.

PETRA Ach so. – Jetze musst du dich aber auch noch rasieren.

PETER Das weiss ich selbst. Aber vorm Rasieren putz' ich mir erst die Zähne.

PETRA Übrigens nimmst du immer meine Zahnpasta. Du kannst dir selbst eine kaufen.

PETER Und du gebrauchst immer mein Deodorant.

PETRA Weil ich meins nicht finden kann.

PETER Typisch!

PETRA Was heisst typisch! Schau mal deine Fingernägel an! Typisch Peter!

PETER Die Nägel sind nur schmutzig, weil ich für alle die Schuhe geputzt habe, auch deine.

PETRA So? Diese Woche bist du dran zum Schuheputzen! Aber deshalb kannst du dir ruhig auch die Nägel reinigen.

PETER Tu' ich auch. So, hast du noch etwas zu sagen?

PETRA Wann warst du das letzte mal beim Friseur?

PETER Jetzt langt es mir aber! Lass mich endlich in Ruh'!

PETRA Haha! Du hast es nicht gern, wenn man dir die Wahrheit sagt.
(Tür fällt ins Schloss.)

Part 2

Now listen while Sabine tells us how she gets ready before she goes out.

Bevor ich ausgehe, wasch' ich mich. Wenn es kalt ist, oder wenn ich viel Zeit habe, bade ich. Wenn es heiss ist, oder wenn ich wenig Zeit habe, geh' ich unter die Dusche. Katzenwäsche mach' ich eigentlich nie! Ja, vielleicht ab und zu, wenn ich am Morgen zu spät aufgestanden bin und zur Schule muss. Jeden zweiten Tag wasch' ich mir die Haare. Ich gebrauche dazu ein gutes Shampoo. Nach dem Waschen trockne ich mir die Haare mit einem elektrischen Haartrockner. Dann frisier' ich mein Haar. Manchmal dreh' ich mir die Haare mit Lockenwicklern ein. Aber wenn ich mich beeilen muss, benutze ich meinen Frisierstab. Ich muss bald einmal wieder zum Friseur gehen. Ich brauche eine neue Dauerwelle.

Nach dem Frisieren putz' ich mir die Zähne. Ich benutze eine gute Zahnpasta. Die macht die Zähne schön weiss. Dann schminke ich mich ein bisschen. Ich trage helles Rouge auf die Wangen auf, ziehe die Augenbrauen mit einem Stift nach, und manchmal trag' ich auch blauen Lidschatten auf die Augenlider auf. Wenn ich ganz gut geschminkt sein will, verlängere ich die Augenwimpern mit schwarzer Wimperntusche. Gewöhnlich manikür' ich mir auch die Finger. Ich schneide die Nägel kürzer, feile sie, und manchmal lackier' ich auch die Nägel mit rotem Nagellack. Zum Schluss reib' ich mir die Hände mit einer guten, fetthaltigen Handcreme ein, denn ich habe spröde Haut. —

So, jetzt wisst ihr, was ich alles tue, um mich schön zu machen. Und was macht ihr?

LEKTION 32

1, 2, 3, 7 *To practice comprehension of new vocabulary*

1. Listening and Reading Exercise

This exercise will help you practice vocabulary related to going out and going dancing. You will hear ten statements with a noun or a verb missing at the end of each. For each statement, you are given a choice of three nouns or verbs. Decide which one completes the statement best, and circle the appropriate letter. Let's begin.

1. Tanzen wird wieder populär. Die Tanzkurse bei Steuer sind gut belegt, denn diese Tanzschule hat einen guten _____. *(Ruf, B)*

2. Peter möchte gern, dass seine Freunde mit in den Tanzkurs gehen. Er fragt sie, aber alle haben eine andere _____. *(Ausrede, C)*

3. Peter ruft Christian an. Er erzählt ihm, wie schön es im Tanzkurs ist und dass es dort viele nette Mädchen gibt. Peter versucht, seinen Freund zu _____. *(überreden, A)*

4. Peter sagt: „Christian, geh mit in den Tanzkurs. Sei kein Spielverderber. Da sind so nette Mädchen, und du wirst mal vernünftig tanzen lernen. Du wirst es nicht _____.'' (bereuen, C)

5. Peter und Christian warten auf ihre Damen, denn sie hatten sich vor der Tanzstunde mit ihnen im Garten vom Wienerwald _____. (verabredet, A)

6. Nach einer Stunde sind die beiden Mädchen noch nicht da. Peter glaubt, sie haben es sich anders _____. (überlegt, B)

7. Der Kellner vom Wienerwald sieht die beiden Jungen schon böse an. Viele Leute wollen jetzt zu Abend essen, und die beiden können die Plätze für die Mädchen nicht länger _____. (freihalten, B)

8. Viele Jungen und Mädchen besuchen Tanzkurse. Es gibt aber auch viele, die lieber Sport _____. (treiben, A)

9. Peter sagt, dass viele von seinen Freunden lieber ins Kino gehen oder sich auf einer Party _____. (amüsieren, C)

10. Peter und Christian rufen den Kellner, und sie zahlen. Sie setzen sich auf eine Bank, und hier können sie sich noch ein wenig _____. (unterhalten, B)

Now check your answers. *Repeat each item, and give the correct answer.*

1. A	Kurs	B	Ruf	C	Tanz
2. A	Tanzschule	B	Abendzeitung	C	Ausrede
3. A	überreden	B	verabreden	C	amüsieren
4. A	überlegen	B	treffen	C	bereuen
5. A	verabredet	B	amüsiert	C	hingesetzt
6. A	unterhalten	B	überlegt	C	getroffen
7. A	hinsetzen	B	freihalten	C	einladen
8. A	treiben	B	bummeln	C	ausgehen
9. A	bummeln	B	hinsetzen	C	amüsieren
10. A	überlegen	B	unterhalten	C	überreden

2, 3, 7 *To practice using new reflexive verbs*

2. Speaking Exercise

One of your friends is talking about Peter. Ask your friend if he or she is doing the same as Peter. For example, you hear: Peter verabredet sich mit Elli. And you ask: Verabredest du dich auch mit Elli? After your question you will hear the correct response. Let's begin.

1. Peter amüsiert sich im Tanzkurs. ( ) *Amüsierst du dich auch im Tanzkurs?*
2. Er setzt sich dort drüben hin. ( ) *Setz du dich auch dort drüben hin?*
3. Er hat es sich anders überlegt. ( ) *Hast du es dir auch anders überlegt?*
4. Er hat sich mit Heidi getroffen. ( ) *Hast du dich auch mit Heidi getroffen?*
5. Er hat sich mit den Mädchen gut unterhalten. ( ) *Hast du dich mit den Mädchen auch gut unterhalten?*

7 *To practice new vocabulary*

3. Reading, Listening, and Speaking Exercise

For this exercise, open your textbook to page 117, and look at the photographs in Exercise 7. You will hear one question, which you should answer six different ways, using the information contained in each photograph and caption. Be sure to use the conversational past tense in your answers. After each answer you will hear the correct response. Let's begin.

Was haben andere Jungen und Mädchen in ihrer Freizeit getan?

1. (   ) *Manche sind ins Kino oder ins Theater gegangen.*
2. (   ) *Mehrere haben Sport getrieben—im Sommer und im Winter.*
3. (   ) *Einige sind Kaffeetrinken oder Eisessen gegangen.*
4. (   ) *Sie sind spazierengegangen oder durch die Stadt gebummelt.*
5. (   ) *Viele haben sich auf einer Party amüsiert.*
6. (   ) *Andere haben einen Ausflug gemacht.*

9, R *To practice describing people and using adjective endings*

4. Listening and Speaking Exercise

You will hear eight questions about people. Answer each one, describing the person by using the adjective in its correct form before the noun. For example, you hear: Ist das Mädchen ordentlich? And you answer: Ja, das ist ein ordentliches Mädchen. Let's begin.

1. Ist der Junge schüchtern? (   ) *Ja, das ist ein schüchterner Junge.*
2. Ist die Dame eingebildet? (   ) *Ja, das ist eine eingebildete Dame.*
3. Ist der Kellner frech? (   ) *Ja, das ist ein frecher Kellner.*
4. Ist das Kind faul? (   ) *Ja, das ist ein faules Kind.*
5. Ist die Frau schlampig? (   ) *Ja, das ist eine schlampige Frau.*
6. Ist der Lehrer witzig? (   ) *Ja, das ist ein witziger Lehrer.*
7. Ist die Friseuse geschickt? (   ) *Ja, das ist eine geschickte Friseuse.*
8. Ist das Mädchen bescheiden? (   ) *Ja, das ist ein bescheidenes Mädchen.*

9, R *To practice describing people and using adjective endings*

5. Listening and Speaking Exercise

You will hear eight questions, and you are to answer each one, using the opposite of the adjective used in the question. For example, you hear: Ist das Mädchen dumm? And you say: Nein, das ist ein kluges Mädchen. After your response you will hear a suggested answer. Let's begin.

1. Ist dieser Junge eingebildet? (   ) *Nein, das ist ein natürlicher Junge.*
2. Ist diese Friseuse faul? (   ) *Nein, das ist eine fleissige Friseuse.*
3. Ist dieses Mädchen ordentlich? (   ) *Nein, das ist ein schlampiges Mädchen.*
4. Ist dieser Kerl bescheiden? (   ) *Nein, das ist ein anspruchsvoller Kerl.*
5. Ist diese Frau schüchtern? (   ) *Nein, das ist eine forsche Frau.*
6. Ist dieser Lehrling witzig? (   ) *Nein, das ist ein langweiliger Lehrling.*
7. Ist diese Person höflich? (   ) *Nein, das ist eine freche Person.*
8. Ist dieses Kind heiter? (   ) *Nein, das ist ein ernstes Kind.*

19 *To practice comprehension of new vocabulary*

6. Listening and Reading Exercise

You will hear eight statements, with a verb missing at the end of each. For each statement, you are given a choice of three verbs. Decide which one completes the statement best, and circle the appropriate letter. Let's begin.

1. In der Tanzstunde ruft Herr Steuer, der Tanzlehrer, den Jungen zu. Er sagt, sie sollen die Mädchen
   _____. *(auffordern, C)*

2. Die Jungen rennen kreuz und quer über die Tanzfläche, und Christian hat Peter dabei fast _____. (umgerannt, C)
3. Jeder muss sich eine Dame zum Tanzen suchen, und Christian will auf Elli _____. (zusteuern, A)
4. Aber ein anderer Tanzschüler ist schneller. Er grüsst Elli und sagt: ,,Darf ich _____?'' (bitten, A)
5. Herr Steuer sagt, dass sie zuerst noch einmal den langsamen Walzer üben, und er fragt die Tanzschüler, ob sie sich noch an die Schritte _____. (erinnern, B)
6. Die Damen und Herren tanzen; jetzt mit Musik. Der Tanzlehrer ruft: ,,Sehr gut, meine Herren, aber sie müssen auf Haltung _____.'' (achten, B)
7. ,,So ist es besser! Die Herren müssen immer führen. Und jetzt wollen wir mal die Partner _____.'' (wechseln, C)
8. ,,Meine Damen und Herren! Wenn Sie wollen, können Sie jetzt noch einen anderen Tanz _____.'' (hinzulernen, A)

Now check your answers. *Repeat each item, and give the correct answer.*

1. A	umrennen	B	achten	C	auffordern
2. A	aufgefordert	B	kapiert	C	umgerannt
3. A	zusteuern	B	achten	C	glauben
4. A	bitten	B	wechseln	C	überraschen
5. A	wechseln	B	erinnern	C	probieren
6. A	sorgen	B	achten	C	überraschen
7. A	achten	B	auffordern	C	wechseln
8. A	hinzulernen	B	hergeben	C	kapieren

27 *To practice listening for gender cues and using* ein-*words as pronouns*

7. Listening and Speaking Exercise

You will hear ten questions, each one containing a noun preceded by a possessive determiner. Answer each question, leaving out the noun and using the possessive as a pronoun. For example, you hear: Ist das dein Kamm? And you answer: Nein, meiner liegt hier. Let's begin.

1. Ist das deine Nagelfeile? (   ) *Nein, meine liegt hier.*
2. Ist das dein Lippenstift? (   ) *Nein, meiner liegt hier.*
3. Ist das dein Shampoo? (   ) *Nein, meins liegt hier.*
4. Ist das dein Haartrockner? (   ) *Nein, meiner liegt hier.*
5. Ist das deine Pinzette? (   ) *Nein, meine liegt hier.*
6. Ist das dein Album? (   ) *Nein, meins liegt hier.*
7. Ist das dein Katalog? (   ) *Nein, meiner liegt hier.*
8. Ist das deine Kamera? (   ) *Nein, meine liegt hier.*
9. Ist das dein Foto? (   ) *Nein, meins liegt hier.*
10. Ist das dein Farbfilm? (   ) *Nein, meiner liegt hier.*

35, 38 *To practice new vocabulary*

8. Listening and Speaking Exercise

You will hear ten statements, with a word missing at the end of each. Complete each statement by saying an appropriate word. After your response you'll hear a suggested answer. Let's begin.

1. Nach der Tanzstunde wollen Peter und Christian mit den beiden Damen in den Wienerwald gehen, denn das Tanzen macht ( ). *hungrig*
2. Dann fragt Peter die Heidi: ,,Darf ich dich dann nach Hause ( )?'' *bringen*
3. Heidi sagt, dass sie und Elli mit der Strassenbahn fahren. Und sie haben's wirklich nicht weit von der ( ). *Haltestelle*
4. Elli sagt, dass sie um elf Uhr zu Hause sein muss, weil es sonst Ärger ( ). *gibt*
5. Als Peter und Christian zusammen nach Hause fahren, erzählt Peter seinem Freund, dass er nicht mehr mit Babsie geht. ,,Wir haben Schluss ( ).'' *gemacht*
6. Christian fragt Peter: ,,Wie lange warst du überhaupt mit der Babsie ( )?'' *befreundet*
7. Peter sagt, dass jetzt ein anderer Junge der Babsie ( ). *nachläuft*
8. Dann sagt Peter, dass er pleite ist. Er fragt Christian: Kann ich mir von dir fünf Mark ( )? *borgen*
9. Peter sagt, dass Christian das Geld schon diesen Samstag ( ). *wiederkriegt*
10. Peter hat Glück. Christian gibt ihm einen Zehner, denn er hat heute viel ( ). *Taschengeld*

42 *To practice listening for gender cues and using ''was für ein'' phrases*

9. Listening and Speaking Exercise

In this exercise, you will hear eight statements. Listen to the gender cue in each one. Then suppose that you had not heard the adjective clearly, or that you wanted to ask for more information. Ask a question, using a form of the phrase: Was für ein? For example, you hear: Er macht einen guten Tanzkurs mit. And you ask: Was für einen? After your response you'll hear the correct answer. Let's begin.

1. Sie hat ein schlechtes Horoskop. ( ) *Was für eins?*
2. Das ist ein guter Tanzlehrer. ( ) *Was für einer?*
3. Das sind schlechte Platten. ( ) *Was für welche?*
4. Er hat einen guten Plan. ( ) *Was für einen?*
5. Er macht dumme Fehler. ( ) *Was für welche?*
6. Das ist ein gutes Sternzeichen. ( ) *Was für eins?*
7. Sie nehmen eine andere Linie. ( ) *Was für eine?*
8. Sie wählt ein anderes Thema. ( ) *Was für eins?*

47 *To practice colloquial words and phrases*

10. Listening, Reading and Speaking Exercise

For this exercise, open your textbook to page 127, and look at the sentences in number 47. You will now hear a number of statements or questions. Answer each one, using an appropriate remark from the ones on the page. For example, you hear: Kannst du mir fünf Mark leihen? And you may answer: Ich bin pleite; or Ich habe auch kein Taschengeld. After each answer you'll hear a suggested response. Let's begin.

1. Darf ich bitten? ( ) *Gerne.*
2. Du wolltest doch ins Kino gehen? ( ) *Ich hab's mir anders überlegt.*
3. Ein fescher Junge! ( ) *Ja, aber er hat nur Fussball im Kopf.*
4. Warum wird er so rot im Gesicht? ( ) *Der ist ein bisschen schüchtern.*
5. Glaubst du, dass die mit uns tanzen gehen? ( ) *Wir können uns mit denen verabreden.*
6. Geht sie noch mit ihm? ( ) *Sie hat mit ihm Schluss gemacht.*
7. Willst du morgen abend mit mir ins Kino gehen? ( ) *Es tut mir leid, aber ich bin schon verabredet.*
8. Glaubst du, dass er mit uns Eisessen geht? ( ) *Er hat wieder eine Ausrede.*
9. Wie sieht er aus? ( ) *Dein Typ! Er sieht gut aus.*
10. Wie lange warst du mit ihm befreundet? ( ) *Ich bin ein ganzes Jahr mit ihm gegangen.*

LEKTION 33

1, 2, 3 *To practice comprehension of new vocabulary*

1. Listening and Reading Exercise

This exercise will help you practice vocabulary related to being sick and going to the doctor's office. You will hear seven statements, with a noun or a verb missing at the end of each. For each statement, you are given a choice of three words or phrases. Decide which one completes the statement best, and circle the appropriate letter. Let's begin.

1. Annegret kann heute nicht in die Schule gehen. Der Hals tut ihr furchtbar weh, und ihre Stirn ist heiss. Sie hat _____. *(hohes Fieber, B)*
2. Weil Annegret sich wieder hinlegen muss und nicht in die Schule gehen kann, schreibt ihre Mutter _____. *(eine Entschuldigung, B)*
3. Sie schreibt: meine Tochter kann heute nicht in die Schule kommen. Sie hat hohes Fieber, und sie klagt über _____. *(Halsschmerzen, C)*
4. Der Arzt, Dr. Meier, untersucht Annegret. Sie muss den Mund schön aufmachen, und der Arzt sieht ihr in den Hals. Dann sagt er: ,,Diesmal sind es nicht deine _____.'' *(Mandeln, A)*
5. ,,Du musst ein paar Tage im Bett bleiben, bis das Fieber weg ist. Du hast nämlich eine schwere _____.'' *(Halsentzündung, C)*
6. Dann sagt Dr. Meier zu Frau Tauber: ,,Ich verschreibe Ihrer Tochter eine gute _____.'' *(Medizin, B)*
7. ,,In drei, vier Tagen ist Ihre Tochter wieder auf den Beinen. Die Medizin, die ich verschrieben habe, ist gut und wird gleich helfen. So, hier ist _____.'' *(das Rezept, A)*

Now check your answers. *Read each item, and give the correct answer.*

1. A	keine Entschuldigung	B	hohes Fieber	C	gute Medizin
2. A	ein Rezept	B	eine Entschuldigung	C	einen Krankenschein
3. A	eine Medizin	B	eine Entschuldigung	C	Halsschmerzen
4. A	Mandeln	B	Schmerzen	C	Augen
5. A	Entschuldigung	B	Gesundheit	C	Halsentzündung
6. A	Entzündung	B	Medizin	C	Entschuldigung
7. A	das Rezept	B	die Entschuldigung	C	der Krankenschein

1, 2, 3 *To practice new vocabulary*

2. Listening and Speaking Exercise

You will hear ten incomplete sentences. Listen carefully, and say an appropriate word to complete each one. After your answer you will hear a suggested response. Let's begin.

1. Annegret kann heute nicht in die Schule gehen. Sie muss im Bett bleiben, denn sie hat sich ( ). *erkältet*
2. Der Hals tut ihr furchtbar weh, und sie kann kaum ( ). *schlucken*
3. Ihre Stirn ist ganz schön heiss, ihr Fieber ist hoch, und ihre Mutter sagt ihr, sie soll sich lieber wieder ( ). *hinlegen*
4. Ihre Mutter hat gesagt, dass sie nicht in die Schule gehen soll, weil sie dort bloss die andern Schüler ( ). *ansteckt*
5. Die Mutter ruft Dr. Meier an, und der Doktor sagt, dass sie mit Annegret kurz vor zwölf Uhr in die Praxis kommen soll. Er wird Annegret dann sofort ( ). *untersuchen*

6. Frau Tauber schreibt eine Entschuldigung. Sie schreibt der Lehrerin, dass Annegret hohes Fieber hat und über Halsschmerzen (   ). *klagt*
7. Dr. Maier fragt Annegret, wo es weh tut, und sie sagt ihm, dass sie sich gar nicht wohl (   ). *fühlt*
8. Sie sagt Dr. Meier, dass sie kaum schlucken kann, weil ihr der Hals so weh (   ). *tut*
9. Dr. Meier untersucht Annegret. Sie muss den Mund schön aufmachen, und der Arzt sagt: ,,Ja, deine Mandeln sind diesmal nicht (   )." *geschwollen*
10. Dann gibt er Frau Tauber ein Rezept, und er sagt, er hat Annegret eine gute Medizin (   ). *verschrieben*

18 *To practice new vocabulary*

3. Listening and Speaking Exercise

You will hear six incomplete sentences. Listen carefully, and say an appropriate word to complete each one. After your answer you will hear a suggested response. Let's begin.

1. Dr. Meier hat Frau Tauber das Rezept gegeben. Sie muss jetzt die Medizin kaufen, und sie geht deshalb in die (   ). *Apotheke*
2. Herr von Lehmann, der Apotheker, sagt: ,,Guten Tag, Frau Tauber! Womit kann ich (   )?" *dienen*
3. Der Apotheker sagt: ,,Dr. Meier hat ihrer Tochter etwas Gutes gegen Halsentzündung (   )." *verschrieben*
4. Dann holt er eine kleine, braune Flasche von hinten und gibt sie Frau Tauber. ,,Dreimal täglich einen Esslöffel. Es steht hier auf dem (   )." *Etikett*
5. Weil Frau Tauber gerade in der Apotheke ist, kauft sie noch Kopfschmerztabletten. Der Apotheker fragt sie: ,,Möchten Sie nur eine oder gleich zwei (   )?" *Schachteln*
6. ,,Diese Tabletten sind gut. Ich kann sie sehr (   )." *empfehlen*

20 *To practice comprehension of new vocabulary*

4. Listening and Reading Exercise

You will hear seven statements, each one describing a different sickness or injury. In front of you is a list of remedies. Decide which remedy is good for each ailment, and write the number of the statement next to the appropriate remedy. Let's begin.

1. Mein Husten geht überhaupt nicht mehr weg. Nachts ist er besonders stark, und ich kann gar nicht schlafen. *(Hustensaft)*
2. Wir hatten heute nachmittag ein Picknick, und wir haben Würstchen gegrillt. Und da hab' ich mir den Finger verbrannt. *(Brandsalbe)*
3. Mein Hals ist furchtbar entzündet, und ich kann kaum schlucken. *(Halstabletten)*
4. Ich bin auf ein Stück Glas getreten und hab' mich in den Fuss geschnitten. Ich brauche etwas, was die Wunde reinigt. *(Jodtinktur)*
5. Sehen Sie, mein rechtes Auge ist ganz rot. Es ist entzündet. Ich möchte das Auge waschen. *(Borwasser)*
6. Ich hab' die ganze Nacht nicht geschlafen; ich habe furchtbare Schmerzen. *(Schmerztabletten)*
7. Ich hab' mich beim Basteln in den Finger geschnitten. Ich hab' schon Jodtinktur auf die Wunde gegeben; ich brauche jetzt etwas zum Draufkleben. *(Heftpflaster)*

Now check your answers. *Read each sentence again, and give the correct answer.*

| _____ Borwasser | _____ Halstabletten | _____ Hustensaft | _____ Schmerztabletten |
| _____ Brandsalbe | _____ Heftpflaster | _____ Jodtinktur | |

5. Listening and Reading Exercise

You will hear five short commands, each one containing two object pronouns. For each command, you have in front of you three suggested statements. Decide which of the statements matches the command, and circle the appropriate letter. For example, you hear: Gib sie ihm! And you see three sentences: A Sie möchte die Medizin. B Er möchte das Rezept. C Er möchte die Tabletten. The correct choice is C: Er möchte die Tabletten. Gib sie ihm! Let's begin.

1. Gib es ihm! _____ (Er möchte das Fieberthermometer. Gib es ihm! B)
2. Gib sie ihr! _____ (Sie möchte die Medizin. Gib sie ihr! C)
3. Gib ihn ihr! _____ (Sie möchte den Krankenschein. Gib ihn ihr! A)
4. Gib sie ihm! _____ (Er möchte die Entschuldigung. Gib sie ihm! A)
5. Gib es ihr! _____ (Sie möchte das Rezept. Gib es ihr! C)

Now check your answers. *Read each command again, and give the appropriate answer.*

1. A Er möchte die Tabletten.
   B Er möchte das Fieberthermometer.
   C Sie möchte das Rezept.

2. A Sie möchte den Hustensaft.
   B Er möchte die Brandsalbe.
   C Sie möchte die Medizin.

3. A Sie möchte den Krankenschein.
   B Sie möchte die Tabletten.
   C Er möchte das Borwasser.

4. A Er möchte die Entschuldigung.
   B Er möchte das Heftpflaster.
   C Sie möchte die Halstabletten.

5. A Sie möchte die Brandsalbe.
   B Er möchte das Borwasser.
   C Sie möchte das Rezept.

6. Listening and Speaking Exercise

Listen to different boys and girls talking about times when they were sick or injured. You will hear eight incomplete statements, with a noun or a verb missing at the end. Listen carefully, and say an appropriate word to complete each one. After your answer you will hear a suggested response. Let's begin.

1. Vor drei Jahren hatte ich einmal heftige Bauchschmerzen. Als die Schmerzen immer schlimmer wurden, brachte mich mein Vater ins ( ). *Krankenhaus*
2. Der Arzt untersuchte mich. Ich hatte eine Blinddarmentzündung, und schon zwei Stunden später war die ( ). *Operation*
3. Ich kann heute nicht in die Schule. Ich bin schwer erkältet und habe Husten und ( ). *Schnupfen*
4. Wenn ich erkältet bin, muss ich immer eine Schwitzkur machen. Dann muss ich heissen Tee mit Honig trinken und Hustensaft ( ). *einnehmen*
5. Als ich jung war, hab' ich immer Unfälle gehabt. Ich bin einmal vom Rad gefallen und hab' mich schwer ( ). *verletzt*
6. Ich hatte eine schlimme Wunde am Knie, und mein Arm war sechs Wochen in Gips. Ich hatte mir den Arm ( ). *gebrochen*
7. Mein Knie sah schlimm aus. Der Arzt hat die Wunde gereinigt und ein grosses Heftpflaster darauf getan. Siehst du, hier am Knie hab' ich noch immer die ( ). *Narbe*
8. Ich bin einmal gefallen und dachte, dass ich mir den Fuss gebrochen habe. Aber, Gott sei Dank, hatt' ich ihn mir nur ( ). *verstaucht*

7. Listening and Speaking Exercise

This exercise will give you practice with the double infinitive construction. You will hear six sentences, each with a modal verb in the past tense. Repeat each sentence, using the double infinitive construction. For example, you hear: Ich konnte nicht schlucken. And you say: Ich hab' auch nicht schlucken können. After your response, you will hear the correct answer. Let's begin.

1. Ich musste im Bett bleiben. (   ) *Ich hab' auch im Bett bleiben müssen.*
2. Ich konnte nichts essen. (   ) *Ich hab' auch nichts essen können.*
3. Ich sollte eine Schwitzkur machen. (   ) *Ich hab' auch eine Schwitzkur machen sollen.*
4. Ich wollte die bittren Tabletten nicht schlucken. (   ) *Ich hab' die bittren Tabletten auch nicht schlucken wollen.*
5. Ich durfte Tee mit Honig trinken. (   ) *Ich hab' auch Tee mit Honig trinken dürfen.*
6. Ich mochte nicht zum Arzt gehen. (   ) *Ich hab' auch nicht zum Arzt gehen mögen.*

8. Listening Exercises

Suppose you want to talk to friends about an illness or injury you've had. What could you say? Several of our German friends are talking about their experiences with doctors and hospitals, as well as the routine colds and children's diseases that nearly everybody gets. Listen to what they have to say.

1. Bist du auch schon einmal krank gewesen? Was hast du gehabt? Erzähle etwas von deiner Krankheit!
   Ich bin erst einmal richtig krank gewesen. Ich war damals elf Jahre alt. Ich hatte eine schwere Grippe, einen schlimmen Husten und Schnupfen. Meine Eltern wollten mich schon ins Krankenhaus bringen. Meine Mutter rief aber dann unsern Hausarzt, Dr. Wolf, an. Er kam sofort und untersuchte mich. Mein Fieber war sehr hoch, ich glaube 40,2, und Dr. Wolf sagte, es ist besser, wenn ich zu Hause bleibe und nicht ins Krankenhaus gehe. Er hat mir Tabletten verschrieben—bäh, die waren bitter! Und dann hat meine Mutter einen Hustensaft aus der Apotheke mitgebracht. Die Tabletten haben geholfen. Schon am nächsten Tag hatte ich fast kein Fieber mehr, und mein Husten war auch nicht mehr so schlimm. Drei Tage später habe ich schon wieder aufstehen können, und in der folgenden Woche war ich wieder gesund und in der Schule.

2. Bist du schon einmal im Krankenhaus gewesen?
   Ja. Das ist aber schon sehr lange her. Ich hatte hohes Fieber und furchtbare Schmerzen in den Ohren und im Hals. Mein Vater hat mich zu unserm Hausarzt gebracht. Der sagte, dass ich eine schwere Mandelentzündung habe, und dass es besser ist, wenn die Mandeln rauskommen. Am folgenden Tag musste ich ins Krankenhaus. Dort hat mich ein anderer Arzt untersucht. In der folgenden Woche war schon die Operation. Nach der Operation konnte ich eine Zeit lang nichts essen, das heisst weiche Sachen schon, wie Eiskrem. Und seit dieser Zeit hab' ich fast keine Halsschmerzen mehr gehabt.

3. Wann musst du ins Krankenhaus? Bei einer Erkältung?
   Wenn man eine Erkältung hat, muss man nicht ins Krankenhaus—nur, vielleicht, wenn die Erkältung sehr schlimm wird und das Fieber sehr hoch ist. Bei einer Erkältung bleibt man am besten im Bett, macht eine Schwitzkur, trinkt heissen Tee mit Honig oder Milch und schläft. Wenn man Fieber hat, kann man auch Tabletten einnehmen. Aber die Tabletten muss ein Arzt verschreiben. Ins Krankenhaus muss man, wenn man etwas Schlimmes hat, wie eine Blinddarmentzündung. Auch wenn man sich etwas gebrochen hat, geht man am besten ins Krankenhaus. In einem Krankenhaus gibt es Ärzte für alle Krankheiten, und man kann dort, am Tag wie in der Nacht, einen Arzt finden.

4. Was nimmst du gegen Kopfschmerzen? Oder was machst du, wenn du die Grippe hast?

Wenn die Kopfschmerzen nicht schlimm sind, nehme ich überhaupt nichts. Ich gehe vielleicht an die frische Luft und atme tief. Dann wird es besser. Nur wenn die Kopfschmerzen sehr stark sind, nehme ich Kopfschmerztabletten. Gewöhnlich eine oder zwei, wie es auf dem Etikett steht. Wenn ich Grippe habe, dann bleibe ich gewöhnlich im Bett. Bei einer Grippe hab' ich immer Fieber, und da ist es am besten, wenn man im Bett bleibt und sich ausruht. Wenn ich Husten habe, nehme ich auch einen Hustensaft. Als ich klein war, musste ich immer eine Schwitzkur machen. Da musste ich zuerst heiss baden und dann schnell ins warme Bett gehen. Dann hat meine Mutter vier oder fünf Decken aufs Bett gelegt, und die waren immer so schwer. Dann musste ich heissen Tee trinken, und dann habe ich geschwitzt. Furchtbar!

5. Hast du dir schon einmal etwas gebrochen?

Ich hab' mir einmal die Hand gebrochen. Wir haben in der Schule Fussball gespielt, und ich schiesse gerade den Ball. Da falle ich nach hinten, auf die rechte Hand. Au! Hat das weh getan! Ich hatte gehofft, dass ich mir die Hand nur verstaucht habe. Aber mein Turnlehrer hat mich sofort zum Arzt gebracht. Der sagte, ja, die Hand ist gebrochen. Sie muss in Gips! Dann bin ich sechs Wochen mit einem Gipsarm herumgelaufen. In dieser Zeit hab' ich gelernt, mit der linken Hand zu schreiben. Aber wie! Das kann keiner lesen!

LEKTION 34

1, 2, 4, 5, 6 *To practice new vocabulary*

1. Listening and Speaking Exercise

This exercise will help you practice vocabulary related to winter sports. You will hear nine incomplete sentences. Listen carefully, and say an appropriate word to complete each one. After each response you will hear a suggested answer. Let's begin.

1. In den letzten drei Tagen ist in den Alpen über ein Meter Schnee (   ). *gefallen*
2. Der Verkehr steht still. Niemand kann die Strassen benutzen. Alle warten auf die (   ). *Schneepflüge*
3. Wenn die Strassen geräumt sind, kommen die Schifahrer. Überall sieht man Schneewalzen. Sie präparieren die (   ). *Hänge*
4. Viele Kinder gehen rodeln. Rodeln ist nicht so teuer wie das Schilaufen, denn zum Rodeln braucht man nur einen (   ). *Schlitten*
5. Eishockeyspielen macht auch Spass. Franzl hat eine Hockeyausrüstung: Schlittschuhe, einen Sturzhelm, einen Puck und natürlich auch einen (   ). *Eishockeyschläger*
6. Sein Eishockeyschläger ist nicht aus Holz; er ist aus (   ). *Kunststoff*
7. Alois hat neue Schistiefel bekommen, Schistiefel aus Plastik, mit Schnallen. Aber jetzt braucht er eine neue Bindung. Sein Vater sagt: „Du brauchst eine neue Bindung; dann kauf' ich dir gleich neue (   )." *Schier*
8. Die alten Schier waren aus Holz, und sie waren ziemlich schwer. Die neuen Schier sind viel leichter; sie sind aus (   ). *Leichtmetall*
9. Alois und Franzl tragen einen Anorak aus Nylon und Schihandschuhe aus Wolle. Auf dem Kopf tragen sie eine (   ). *Schimütze*

2. Listening Exercise

You have in front of you six drawings of equipment used for skiing or skating. You will hear six sentences, each referring to one of these things. Decide which item each sentence refers to, and write the number of the sentence below the appropriate drawing.

1. Für die hab' ich 120 Mark ausgegeben. Tolle Farbe, was? Und sie passen ausgezeichnet. Aber jetzt brauch' ich eine neue Bindung, denn die alte passt nicht mehr. *(Schistiefel)*
2. Die brauchst du unbedingt, wenn du in einem Schneesturm etwas sehen willst. Und auch bei Sonnenschein ist sie gut für die Augen. *(Schneebrille)*
3. Ich würde mir einen kaufen. Wenn du Eishockey spielen willst und du dir nicht den Kopf verletzen willst, brauchst du unbedingt einen. Wie schnell kann dir jemand mit dem Schläger auf den Kopf schlagen? *(Sturzhelm)*
4. Das hier ist prima. Gut für jeden Schnee, nass oder trocken. Und du brauchst es bestimmt, weil du noch Holzschier hast und keine aus Metall. *(Wachs)*
5. Die ist aus Wolle, und die hält meine Ohren warm. Gefällt sie dir nicht? *(Schimütze)*
6. Dieser ist aus Nylon, und er ist so schön warm. Er ist auch gross genug, und du kannst noch einen Pullover darunter anziehen. *(Anorak)*

Now check your answers. Read each item again with the correct answer.

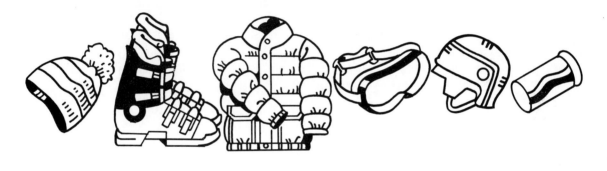

_____   _____   _____   _____   _____   _____

17 *To practice comprehension of new vocabulary*

3. Listening and Speaking Exercise

In this exercise you will hear four short passages from the textbook, each followed by some incomplete statements. The word missing at the end of each statement comes from the passage, so listen carefully, and then say the word that completes the statement. After your answer you will hear a suggested response. Let's begin.

Part 1
Hört zu! *(Read page 150, lines 1–11.)*
Sagt jetzt das fehlende Wort am Ende des Satzes!
1. Herr Schaaff, der Sportlehrer, und seine Schüler sind vor dem Schiausflug zusammengekommen, und sie besprechen alle (   ). *Einzelheiten*
2. Damit die Schüler nichts vergessen, müssen sie alles (   ). *aufschreiben*
3. Handschuhtragen ist Pflicht, sagt Herr Schaaff. Keiner darf ohne Handschuh Schi (   ). *fahren*

Part 2

Hört zu! *(Read page 150, lines 12–24.)*

Sagt das fehlende Wort am Ende des Satzes!

1. Drei Tage später müssen sich die Jungen und Mädchen früh um 7.30 Uhr vor dem Bahnhof (   ). *versammeln*
2. Sie warten hier auf ihren (   ). *Sonderbus*
3. Der Bus fährt mit 90 km/Std. auf der Autobahn. Einige Schüler spielen Karten oder lesen, andere schauen aus dem Fenster und bewundern die Alpen. Die Alpen sind ganz (   ). *verschneit*
4. Bald kommen sie nach Kufstein an die Grenze, wo die österreichische Fahne (   ). *weht*

Part 3

Hört zu! *(Read page 150, lines 25–37.)*

Sagt das fehlende Wort am Ende des Satzes!

1. Herr Schaaff zeigt seinen Schülern den Fotoladen, wo sie die Fotos für ihre Schipässe bekommen. ,,Und dort drüben ist die Bank, dort könnt ihr euer Geld (   )!'' *wechseln*
2. ,,Ich beabsichtige, um 1 Uhr auf unserer Hütte zu sein. Beeilt euch deshalb und kommt an den Bus zurück. Und so schnell wie (   )!'' *möglich*

Part 4

Hört zu! *(Read pages 150–51, lines 38–47.)*

Sagt das fehlende Wort am Ende des Satzes!

1. Das Fotografieren geht schnell, aber die letzten Schüler müssen vom Fotoladen direkt wieder zum Bus zurück. Sie können sich kaum im Dorf (   ). *umsehen*
2. Pünktlich um 11 Uhr sind die Schüler wieder am Bus. Keiner fehlt. Die Schüler wissen, dass Herr Schaaff sich darüber (   ). *freut*
3. An der Liftstation laden sie ihr Gepäck aus dem Bus. Jeder nimmt sich seine Schier. Jetzt müssen sich die Schüler an der Liftkasse (   ). *anstellen*

20 *To practice using infinitives with and without* zu

4. Listening and Speaking Exercise

You will hear ten questions, each followed by an incomplete statement. The missing word in each statement is the infinitive of one of the verbs in the question. Listen carefully to each statement, and notice what kind of verb or phrase introduces the infinitive. Then say the missing infinitive, with or without the preposition zu. After your response you will hear the correct answer. Let's begin.

1. Herr Schaaff! Wann besprechen Sie mit uns den Ausflug? — Ich werd' ihn heute nachmittag mit euch (   ). *besprechen*
2. Müssen wir alle Einzelheiten aufschreiben? — Ja, ich empfehle euch, alle Einzelheiten (   ). *aufzuschreiben*
3. Werden wir um 1 Uhr auf unserer Hütte sein? — Ja, ich möchte gern um 1 Uhr auf unserer Hütte (   ). *sein*
4. Sollen wir um elf Uhr wieder am Bus sein? — Ja, versucht bitte, um elf Uhr wieder am Bus (   ). *zu sein*
5. Können wir uns im Dorf ein wenig umsehen? — Natürlich! Aber ich glaube, dass ihr wenig Zeit habt, euch im Dorf (   ). *umzusehen*
6. Können wir jetzt unser Gepäck abladen, Herr Schaaff? — Ja, jetzt dürft ihr euer Gepäck (   ). *abladen*

7. Schnallt sich Eva schon ihre Schier an? —Ja, sie ist gerade dabei, ihre Schier (   ). *anzuschnallen*
8. Wann schnallen Sie sich Ihre Schier an, Herr Schaaff? —Ach, ich kann sie mir jetzt noch nicht (   ). *anschnallen*
9. Herr Schaaff, wann bringen Sie uns das Schifahren bei? —Ich bin nicht sicher. Kann ich euch denn überhaupt etwas (   )? *beibringen*
10. Ach, bitte, Herr Schaaff! Wann bringen Sie uns das Schifahren bei? —Ich beabsichtige, euch das Schifahren nach dem Essen (   ). *beizubringen*

1, 17, 31, 41 *To practice comprehension of new vocabulary*

5. Listening Exercise

You have in front of you eight pictures. You will hear eight statements referring to the pictures. Write the number of each statement below the picture it matches. Let's begin.

1. Auf den Hängen liegt über ein Meter Neuschnee, und die Schneewalzen präparieren die Hänge für die Schifahrer.
2. Eva will ihre Schier anschnallen, aber sie kommt nicht in die Bindung. Sie hat zu viel Schnee an den Schistiefeln.
3. Die Jungen und Mädchen schweben auf der Sesselbahn hinauf zum Gipfel.
4. In den Bergen fangen die Kinder früh an mit dem Schifahren.
5. Wer nicht Schi laufen kann, kann auch Spass haben. Man kann sich einen Schlitten mieten und den Abhang hinunterrodeln.
6. Oder man kann auch anderen Wintersport treiben. Man kann zum Beispiel Schlittschuh laufen.
7. Die Anfängergruppe ist am Hang und lernt den Schneepflug.
8. Man kann jetzt auch im Sommer Schi laufen: Grasschilaufen wird populär.

Now check your answers. The numbers next to the photographs should read, from left to right: *2, 5, 6, 8, 7, 1, 4, 3.*

———   ———   ———   ———

———   ———   ———   ———

6. Listening Exercise

Two American friends are talking about winter sports. One of them lives in snow country. Listen to what they are saying.

A   Du wohnst in einer Gegend, wo es viele Berge gibt und viel Schnee im Winter. Treibst du einen Wintersport?

B   Klar! Du weisst doch, ich bin doch schon immer Schlittschuh gelaufen. Wo wir jetzt wohnen, gibt es viele Seen, und da gibt es auch viel mehr Möglichkeiten, Schlittschuh zu laufen. Ich spiel' jetzt sogar in einem Eishockeyteam mit.

A   Was! Du spielst Eishockey? Das ist kaum zu glauben.

B   Na, so gut bin ich auch noch nicht. Zur Zeit spiel' ich noch in der Anfängergruppe. Aber, du, das macht wirklich Spass!

A   Und hast du Schilaufen gelernt?

B   Ich fahr' schon ganz gut.

A   Wo läufst du denn Schi?

B   Oh, da gibt es viele Orte, wo wir Schi laufen. Ich fahr' ab und zu mit meinen Eltern und Geschwistern nach Kleinberg. Wenn ich mit der Schule fahre, dann fahren wir manchmal sogar weiter, bis nach Riesenberg. Es kommt ganz darauf an, wo der Schnee am besten ist.

A   Wie kommt ihr denn zum Schihang?

B   Mit einem Sonderbus von der Schule. Und wenn ich mit meinen Eltern Schilaufen gehe, dann fahren wir mit unserm VW. Wir haben Winterreifen, und da kommen wir ganz gut durch.

A   Wie lange bleibst du gewöhnlich beim Schilaufen?

B   Wir kommen gewöhnlich am Abend wieder zurück. Die Motels sind so teuer. Nur einmal, nein zwei Mal, sind wir das ganze Wochenende weggewesen. Das eine Mal hatte meine Mutter eine Schireise gewonnen, drei Tage in einem Superhotel in einem tollen Schigebiet, im Wolfstal.

A   Was? Davon hab' ich schon in der Zeitung gelesen. Dort muss es wirklich toll sein.

B   Und wie! Da möcht' ich wieder mal hin.

A   Du hast gesagt, dass du schon ganz gut bist im Schilaufen. Hast du Schiunterricht genommen?

B   Ich hab' mal einen Anfängerkurs mitgemacht. Aber das meiste hab' ich von meinen Freunden gelernt und von meinen Eltern. Mein Vater war einmal gut im Abfahrtslauf, und meine Mutter war eine gute Slalomläuferin. Sie war sogar einmal Jugendmeisterin! Und sie fährt heute immer noch ganz toll. Du sollst mal sehen, wie sie die Steilhänge hinunterwedelt.

A   Du hast jetzt bestimmt deine eigene Ausrüstung.

B   Natürlich. Es kommt viel zu teuer, wenn du dir die Schiausrüstung am Schihang leihst. Oh, ab und zu muss ich mir mal etwas leihen. Das letzte Mal, zum Beispiel, hatte ich meine Stöcke zu Hause in der Garage stehenlassen.

A   Hast du eine gute Ausrüstung?

B   Ja, ich hab' alles, was dazu gehört. Und alles ist neu. Ich hab' tolle Metallschier. Die brauchst du nicht mehr wachsen. Und meine Schistiefel solltest du sehen! Aus Plastik. Grün, grasgrün. Die Stiefel haben Schnallen, und das ist ganz bequem.

A   Hast du dir die Ausrüstung selbst gekauft? Die muss doch wahnsinnig teuer sein?

B   Die Schistiefel hab' ich mir von meinem Taschengeld gekauft. Ich hab' fleissig sparen müssen. Aber die waren gar nicht mal so teuer. So um die 70 Dollar. Die Schier und die Stöcke hab' ich von meinen Eltern zum Geburtstag bekommen.

A   Du, hast du übrigens am Sonntag Nachmittag im Fernsehen die Sportsendung gesehen?

B   Ich hab' mir den ganzen Slalomlauf angesehen. Der war toll! Aber am liebsten seh' ich mir jetzt die Eishockeyspiele an.

A   Ich hab' mir das Schispringen angesehen. Das war auch prima. Der Gilbert, oder wie er heisst, ist einfach klasse. Der hat das Springen gewonnen. 73 Meter!

B   Ist das nicht ein Kanadier?

A   Ja. Die Kanadier sind dieses Jahr überhaupt gut. Im Eishockeyspielen . . .

B   Ja, da waren sie schon immer gut. Ich möchte aber jetzt sehen, wie gut unsere Schiläufer in Österreich sein werden. Ich glaube, dass der Miller in Innsbruck beim Slalomlauf bestimmt gewinnen wird.

A   Ja, der ist schon gut. Ob er aber gegen die Österreicher, die Deutschen, die Italiener und die anderen guten, europäischen Schiläufer gewinnen kann? Die Italiener sind heuer ausgezeichnet.

B   Stimmt. Aber beim Schifahren gibt es immer Überraschungen.

38, 39, R *To practice adjective endings; to identify national flags*

7. Listening and Speaking Exercise

For this exercise, open your textbook to page 158 and look at the flags of the different European countries. You will hear ten sentences, such as: Ist diese Schibrille aus Frankreich? And you will answer: Nein, das ist keine französische Schibrille. After each response you will hear the correct answer. Let's begin.

1. Ist diese Flagge aus Norwegen? (   ) *Nein, das ist keine norwegische Flagge.*
2. Ist dieser Schipullover aus Österreich? (   ) *Nein, das ist kein österreichischer Schipullover.*
3. Ist dieses Leder aus Spanien? (   ) *Nein, das ist kein spanisches Leder.*
4. Ist diese Wolle aus England? (   ) *Nein, das ist keine englische Wolle.*
5. Ist dieser Schlitten aus Italien? (   ) *Nein, das ist kein italienischer Schlitten.*
6. Ist dieses Material aus der Schweiz? (   ) *Nein, das ist kein Schweizer Material.*
7. Ist dieses Wachs aus Schweden? (   ) *Nein, das ist kein schwedisches Wachs.*
8. Ist diese Mütze aus Frankreich? (   ) *Nein, das ist keine französische Mütze.*
9. Ist dieses Nylon aus Deutschland? (   ) *Nein, das ist kein deutsches Nylon.*
10. Ist diese Polka aus Liechtenstein? (   ) *Nein, das ist keine Liechtensteiner Polka!*

LEKTION 35

1, 2 *To practice comprehension of new vocabulary*

1. Listening and Speaking Exercise

This exercise will help you practice vocabulary related to sailing and other water sports. You will hear six statements, with a word missing at the end of each. For each statement, say the missing word at the end. After your response you will hear a suggested answer. Let's begin.

1. In Bayern gibt es die Berge, und in Schleswig-Holstein gibt es viele Seen und das (   ). *Meer*
2. Die Jungen und Mädchen aus der 4. Hauptschulklasse in Kiel wollen segeln lernen, und sie haben einmal in der Woche (   ). *Segelunterricht*
3. Die Kinder sind gut ausgerüstet. Jeder trägt eine gelbe (   ). *Öljacke*
4. Bevor der Unterricht beginnt, gibt der Segellehrer jedem einen Zettel, und die Kinder müssen einige Fragen beantworten. Es ist eine kleine (   ). *Prüfung*
5. Damit den Kindern nichts passiert, und bevor sie ins Boot dürfen, verteilt der Lehrer die (   ). *Schwimmwesten*
6. Wer segeln will, muss alles allein können. Die Kinder setzen den Mast ins Boot und befestigen das (   ). *Segel*

2. Listening and Speaking Exercise

In this exercise you will hear twelve incomplete statements, with a word missing at the end of each. For each statement, say the missing word. After your response you will hear a suggested answer. Let's begin.

1. Herr Wüstenberg unterrichtet an einem Mädchengymnasium Latein und Sport. Jetzt haben die Mädchen Lateinunterricht. Herr Wüstenberg fragt Sabine, was „caedere" auf deutsch heisst. Sie weiss es nicht. Herr Wüstenberg fragt die anderen: „Wer kennt dieses (   )?" *Verb*
2. Keiner weiss die Antwort. „Kinder! Was ist denn los?" fragt Herr Wüstenberg. „Wir haben dieses Verb schon gehabt. Ich bin ganz (   )." *enttäuscht*
3. Dann fragt er sie: „Habt ihr denn für Latein überhaupt kein (   )?" *Gefühl*
4. „Ihr habt also kein Gefühl für Latein. Könnt ihr mir sagen, woran das (   )?" *liegt*
5. „Ich kann euch sagen, woran das liegt. Ihr seid einfach ein bisschen faul und lernt nicht eure (   )." *Vokabeln*
6. Sabine sagt, dass sie nichts dafür kann und dass sie einfach kein Talent für Sprachen (   ). *hat*
7. „Das ist auch wieder nicht wahr", antwortet Herr Wüstenberg. „Ihr habt genug Talent für Sprachen. Ihr seid nur nicht bereit, genügend Zeit für dieses Fach (   )." *zu opfern*
8. „Ich bin überhaupt dafür, dass wir heute keinen Ruderunterricht machen. Ich gebe euch lieber in Latein eine (   )." *Nachhilfestunde*
9. „Bitte nicht!" rufen die Mädchen. „Wir haben uns auf heute nachmittag schon so gefreut. Herr Wüstenberg, wir sind gar nicht einverstanden mit Ihrem (   )." *Vorschlag*
10. „Na, gut!" sagt Herr Wüstenberg. „Ich mache ja nur (   )." *Spass*
11. „Aber jetzt im Ernst. Das Wetter sieht gar nicht gut aus. Wir sollten vielleicht doch unser Training auf einen anderen Tag (   )." *verschieben*
12. „Wir ziehen uns warm an!" rufen die Mädchen. „Und wir bringen unser Regenzeug mit." — Was kann Herr Wüstenberg sagen? „Na, gut", sagt er. „Ihr könnt doch euern Lehrer wahnsinnig gut (   )." *überreden*

3. Listening and Reading Exercise

You will hear six statements, with a verb missing at the end of each. For each statement, you are given a choice of three verbs. Decide which one completes the statement best, and circle the appropriate letter. Let's begin.

1. Die Jungen und Mädchen haben alles, was sie zum Segeln brauchen. Sie haben sogar ihre Schwimmwesten an. Wir können also sagen, sie sind zum Segeln gut _____. *(ausgerüstet, B)*
2. Bevor die Kinder heute segeln dürfen, gibt der Segellehrer jedem einen Zettel. Jeder bekommt eine kleine Prüfung. Wir können sagen, das der Segellehrer die Zettel an jeden einzelnen _____. *(verteilt, C)*
3. Der kleine Henning bittet den Segellehrer um Hilfe. Er möchte sich die Schwimmweste ausziehen, aber die Schnur hat einen festen Knoten. Henning kann den Knoten nicht _____. *(aufkriegen, C)*
4. Henning segelt dann hinaus zur Boje. Kurz hinter der Boje stösst er das Segel auf die andere Seite, und er segelt wieder zurück zum Steg. Henning hat an der Boje _____. *(gewendet, A)*
5. Die Mädchen in Herrn Wüstenbergs Klasse sind mit den Vorschlägen ihres Lehrers gar nicht einverstanden. Sie versuchen, seine Meinung zu ändern. Das heisst, sie wollen ihren Lehrer _____. *(überreden, B)*

6. Der Lehrer sagt, er möchte den Mädchen heute lieber eine Nachhilfestunde in Latein geben. Den Unterricht im Rudern können sie dann morgen haben. Das heisst, der Lehrer möchte den Ruderunterricht auf morgen _____. *(verschieben, C)*

Now check your answers. Repeat each item, and give the correct answer.

1. A	befestigt	B	ausgerüstet	C	enttäuscht
2. A	einsammelt	B	kriegt	C	verteilt
3. A	machen	B	befestigen	C	aufkriegen
4. A	gewendet	B	gewartet	C	gedreht
5. A	überholen	B	überreden	C	versuchen
6. A	verstehen	B	verteilen	C	verschieben

27 *To practice comprehension of new vocabulary*

4. Listening Exercise

You have in front of you eight pictures. You will hear eight statements referring to these pictures. Write the number of each statement next to the picture it matches. Let's begin.

1. Die Schüler in Kiel haben es gut. Sie haben ihr eigenes Bootshaus. Sie kommen nach der Schule hierher und lernen rudern.
2. Der Lehrer, Herr Wüstenberg, und seine Schülerinnen tragen den Vierer zum Wasser.
3. Die Mädchen halten das Boot fest und warten, bis die andern die Ruder bringen.
4. Jetzt üben sie das Einsteigen. Linker Fuss in die Mitte vom Schiff: Eintreten! — Abstossen! — Los!
5. Die Mädchen rudern den Vierer. Es geht schon ganz gut.
6. Herr Wüstenberg gibt Anweisungen durchs Sprachrohr. Die Mädchen sollen zurückkommen.
7. Sie tragen jetzt den Vierer vors Bootshaus und legen ihn auf Blöcke.
8. Dann stellt Herr Wüstenberg die Ruder ins Bootshaus.

Now check your answers. The numbers you wrote next to the pictures should read, from left to right: 6, 4, 7, 2, 1, 8, 3, 5.

5. Listening Exercise

Two friends are talking about boats and boating. Listen to what they say.

A Hast du ein Boot?

B Nein, leider nicht. Ich möchte gern eins, aber Boote sind sehr teuer.

A Woher weisst du denn so viel über Boote?

B Ich interessiere mich sehr für Boote, und ich lese viel über Boote.

A Kennst du jemand mit einem Boot?

B Mein Onkel hat ein Boot, und ich darf ab und zu mitfahren.

A Was für ein Boot hat er?

B Ein Segelboot. Das Boot hat auch einen kleinen Motor.

A Wo liegt es?

B Das Boot ist ziemlich schwer, und im Frühjahr bringt es mein Onkel an den See. Ich helf' ihm dabei. Da ist ein Bootshafen, und mein Onkel mietet eine Boje. Manchmal holt er das Boot aus dem Wasser, und im Urlaub nimmt er das Boot immer mit.

A Lässt dich dein Onkel mit dem Boot fahren?

B Ja, sobald wir aus dem Hafen sind. Im Hafen benutzen wir nämlich den Motor. Und dann segelt mein Onkel oder meine Tante gewöhnlich das erste Stück. Und dann darf ich ab und zu segeln.

A Was müsst ihr denn überhaupt alles tun, bevor ihr segeln könnt?

B Da gibt es nicht so viel zu tun: das Segel am Mast befestigen, und dabei helf' ich meinem Onkel. Und ich muss immer das Ruder und die Pinne einsetzen. Die lässt mein Onkel nie im Boot.

A So ein Boot ist doch viel Arbeit. Bevor man fahren kann und hinterher.

B Natürlich. Alles muss wieder an seinen Platz zurück. Es ist ja noch schlimmer, wenn das Boot im Salzwasser ist. Dann musst du es hinterher immer mit Süsswasser abwaschen und trocknen. Gott sei Dank, das brauchen wir am See nicht zu tun.

A Ich möchte auch gern mal segeln.

B Wenn du willst, frag' ich meinen Onkel. Der nimmt dich bestimmt einmal mit.

A Wirklich?

B Klar!

A Das ist toll!

6. Listening Exercise

You will hear six brief statements, with a word missing at the end of each. For each statement, say the missing word at the end. After your response you will hear the correct answer. Let's begin.

1. Flüsse, Seen, Kanäle, usw. nennt man (   ). *Gewässer*
2. Ein Wasserweg, der von Menschen gebaut wurde, ist ein (   ). *Kanal*
3. In den Rhein fliessen viele andere Flüsse. Man nennt diese (   ). *Nebenflüsse*
4. Wir haben auf der Karte gesehen, dass die Donau im Schwarzwald (   ). *entspringt*
5. Wir haben auch gesehen, dass die Ems bei Emden in die Nordsee (   ). *fliesst*
6. Und wir haben gelernt, dass der Nord-Ostsee-Kanal die Nordsee mit der Ostsee (   ). *verbindet*

7. Listening and Speaking Exercise

For this exercise, open your textbook to page 124 and look at the map of German waterways. You will be asked a number of questions about this map, and you should answer each with as few words as possible. After each response you will hear the correct answer. Let's begin.

1. Wie heisst der längste Fluss, der von Süden nach Norden fliesst? (   ) *der Rhein*
2. Wie heisst der einzige Fluss, der von Westen nach Osten fliesst? (   ) *die Donau*
3. Wo entspringt die Donau? (   ) *im Schwarzwald*
4. Die Donau fliesst nach Osten. Die „rechte" Seite von der Donau ist also die südliche Seite. Wie heissen die rechten Nebenflüsse von der Donau? (   ) *Iller, Lech, Isar, Inn*
5. Wie heisst die Stadt, an der die Donau Deutschland verlässt? (   ) *Passau*
6. Wo liegt Regensburg? (   ) *an der Donau*
7. Wo liegt München? (   ) *an der Isar*
8. Und wo liegt Augsburg? (   ) *am Lech*
9. Und Innsbruck? (   ) *am Inn*
10. Wo liegt der Bodensee? (   ) *zwischen Deutschland und der Schweiz*
11. Der Rhein fliesst nach Norden. Die rechte Seite vom Rhein ist also die östliche Seite. Wie heissen die rechten Nebenflüsse vom Rhein? (   ) *Neckar, Main, Lahn, Sieg, Ruhr, Lippe*
12. Welche Städte liegen am Neckar? (   ) *Stuttgart, Heidelberg, Mannheim*
13. Wo entspringt die Ems? (   ) *im Teutoburger Wald*
14. Wohin fliesst die Ems? (   ) *in die Nordsee*
15. Wie heisst der Kanal, der die Ems mit der Weser verbindet? (   ) *der Küsten-Kanal*
16. Wo liegt Bremen? (   ) *an der Weser*
17. Und Hamburg? (   ) *an der Elbe*
18. Was verbindet der Nord-Ostsee-Kanal? (   ) *die Nordsee mit der Ostsee*
19. Welcher Fluss fliesst durch Berlin? (   ) *die Havel*
20. Wo liegt Dresden? (   ) *an der Elbe*

LEKTION 36

1, 2 *To practice new vocabulary*

1. Listening and Speaking Exercise

This exercise will help you practice vocabulary related to fairs and festivals. You will hear twelve statements, with a word missing at the end of each. Listen carefully, and say an appropriate word to complete each one. After your answer you will hear a suggested response. Let's begin.

1. „Hereinspaziert, meine Damen und Herren", brüllt der Ausrufer durch das Sprachrohr. „Kommen Sie herein! In zehn Minuten beginnt die (   )." *Vorstellung*
2. Viele Leute kommen auf den Rummelplatz. Der Rummelplatz ist für alle da; er ist für jeden ein (   ). *Vergnügen*
3. Das Oktoberfest, das jedes Jahr in der letzten Septemberwoche und in der ersten Oktoberwoche in München stattfindet, ist Europas grösstes (   ). *Volksfest*

4. Millionen von Besuchern aus Deutschland und aus anderen Ländern kommen jedes Jahr nach München, wo sie gemeinsam, beim Essen und beim Trinken, Jahr für Jahr neue Rekorde (   ). *aufstellen*

5. Sie kommen hier auf die Festwiese, wo sie in den zwei Wochen einige Millionen Mass Bier trinken und Dutzende von Ochsen (   ). *verzehren*

6. Sie fahren mit der Achterbahn, der Berg- und Talbahn und mit den vielen Karussells. Ja, überall können sie sich gut (   ). *amüsieren*

7. Beir der Rutschbahn ist es am lautesten. Die Leute schreien, es klingelt und bimmelt. Man kann sein eigenes Wort kaum verstehen. Was für ein (   )! *Lärm*

8. Das Fest beginnt immer mit dem traditionellen Festzug. Musikkapellen und Trachtengruppen ziehen an den Besuchern vorbei, auf die Festwiese zu, und tausende von Münchnern stehen auf den (   ). *Bürgersteigen*

9. Einen Höhepunkt bieten jedes Jahr die festlich geschmückten Bierwagen der Münchner (   ). *Brauereien*

10. Der Hansi ist mit der Pia aufs Oktoberfest gekommen. Sie fahren mit dem Rotor, und danach kauft Hansi der Pia eine grosse Brezel. Pia hat Hunger. Sie sagt, sie könnte die Brezel ganz alleine (   ). *aufessen*

11. Pia möchte den ganzen Abend auf der Festwiese bleiben, aber es geht heute nicht, denn ihre Familie bekommt heute abend noch (   ). *Besuch*

12. Pias Onkel kommt aus Köln. Er möchte auch aufs Oktoberfest gehen. Da hat Pia eine Idee! Sie schlägt dem Hansi vor, dass er sie und ihren Onkel aufs Oktoberfest (   ). *begleitet*

1, 2 *To practice new vocabulary*

2. Listening and Speaking Exercise

You will hear six pairs of sentences. The second sentence of each pair says the same thing as the first sentence, but in a different way. You must supply the last word of the second sentence, using vocabulary you have learned in this unit. After your response you'll hear the correct answer. Let's begin.

1. Hansi geht mit Pia aufs Oktoberfest. Wir können auch sagen, dass er sie aufs Oktoberfest (   ). *begleitet*

2. Pia ist sehr hungrig, und sie isst eine grosse Brezel. Wir können auch sagen, dass sie die grosse Brezel (   ). *verzehrt*

3. Die Pferde, die die Bierwagen zur Festwiese ziehen, sind sehr stark. Wir können auch sagen, die Pferde sind (   ). *kräftig*

4. Hansi und Pia gehen zusammen aufs Oktoberfest. Wir können auch sagen, sie gehen (   ). *gemeinsam*

5. Pia soll noch einmal mit Hansi aufs Oktoberfest gehen. Aber Pia sagt, das ist nicht möglich. Wir können auch sagen, dass das nicht (   ). *geht*

6. Die beiden haben auf dem Oktoberfest grossen Spass. Wir können auch sagen, dass sie sich gut (   ). *amüsieren*

6 *To practice producing conditional sentences*

3. Speaking Exercise

You have in front of you eight numbered photographs, showing different activities. Below each one is a pronoun and a verb. When you hear the number of a photograph, make up a conditional sentence using the picture and word cues. For example: Wenn ich könnte, würde ich auf den Rummelplatz gehen. After your response you will hear a suggested answer. Let's begin.

1. (   ) *Wenn ich könnte, würde ich Schach spielen.*
2. (   ) *Wenn wir dürften, würden wir zelten fahren.*
3. (   ) *Wenn sie wollte, würde sie tanzen.*
4. (   ) *Wenn er könnte, würde er Tennis spielen.*
5. (   ) *Wenn sie könnten, würden sie Schi laufen.*
6. (   ) *Wenn sie wollte, würde sie Orgel spielen.*
7. (   ) *Wenn er könnte, würde er fotografieren.*
8. (   ) *Wenn wir dürften, würden wir segeln.*

ich / können

wir / dürfen

sie (*sing.*) / wollen

er / können

sie (*pl.*) / können

sie (*sing.*) / wollen

er / können

wir / dürfen.

13 *To practice expressing wishes, using conditional sentences*

4. Speaking Exercise

Look again at the pictures for Exercise 3. Using the same cues, you are to express polite wishes, introduced by the phrase: Es wäre schön. For example: Es wäre schön, wenn ich auf den Rummelplatz gehen könnte. After each response you will hear a suggested answer. Let's begin.

1. (   ) *Es wäre schön, wenn ich Schach spielen könnte.*
2. (   ) *Er wäre schön, wenn wir zelten (fahren) dürften.*
3. (   ) *Es wäre schön, wenn sie tanzen wollte.*
4. (   ) *Es wäre schön, wenn er Tennis spielen könnte.*
5. (   ) *Es wäre schön, wenn sie Schi laufen könnten.*
6. (   ) *Es wäre schön, wenn sie Orgel spielen wollte.*
7. (   ) *Es wäre schön, wenn er fotografieren könnte.*
8. (   ) *Es wäre schön, wenn wir segeln dürften.*

5. Listening and Speaking Exercise

You will hear eight statements, with a word missing at the end of each. Listen carefully, and say an appropriate word to complete each one. After your answer you will hear a suggested response. Let's begin.

1. Gabi, Elke und Monika gehen auf den Rummelplatz in Geretsried. Die Mädchen fahren mit den elektrischen Autos. Wie sie flitzen und einander rammen! Elke ruft: „Gabi, halt dich (   )!" *fest*
2. Monika kauft sich beim Roten Kreuz ein Los. Aber sie gewinnt nichts. Es war eine (   ). *Niete*
3. Wie wär's mit einer Fahrt mit der Spinne? Oder hättest du Lust, mit der Schiffsschaukel zu (   )? *schaukeln*
4. Elke schaukelt nicht gern mit der Schiffsschaukel. Sie sagt, ihr wird immer so leicht (   ). *schwindlig*
5. Monika steht an der Schiessbude. Sie möchte eine Runde schiessen, und der Mann gibt ihr ein (   ). *Gewehr*
6. Sie ist ein Glückspilz, und sie schiesst ausgezeichnet: sechs Schuss, fünf (   ). *Treffer*
7. Gabi ist ein Pechvogel. Sie schiesst überhaupt nicht gut. Sie schiesst sechs mal, aber fünf Schuss gehen (   ). *daneben*
8. Und die Elke ist noch schlechter. Sie hat auch sechs Schuss gekauft, sechs Mal gezielt und sechs Mal daneben-(   ). *geschossen*

6. Speaking Exercises

Part 1

You have in front of you eight numbered photographs. When you hear the number of each one, ask a question, using the phrase: Hättest du Lust auf . . . ? and naming the item in the photograph. After each response you will hear the correct answer. Let's begin.

1. (   ) *Hättest du Lust auf eine Brezel?*
2. (   ) *Hättest du Lust auf eine Semmel?*
3. (   ) *Hättest du Lust auf ein Stück Kuchen?*
4. (   ) *Hättest du Lust auf ein Eis?*
5. (   ) *Hättest du Lust auf eine Tasse Kaffee?*
6. (   ) *Hättest du Lust auf Zuckerwatte?*
7. (   ) *Hättest du Lust auf ein Stück Käse?*
8. (   ) *Hättest du Lust auf Aufschnitt?*

Part 2

Now make eight more suggestions, this time using the introductory phrase: Wie wär's mit . . . ? After each response you will hear the correct answer.

1. (   ) *Wie wär's mit einer Brezel?*
2. (   ) *Wie wär's mit einem Brötchen?*
3. (   ) *Wie wär's mit einem Stück Kuchen?*
4. (   ) *Wie wär's mit einem Eis?*
5. (   ) *Wie wär's mit einer Tasse Kaffee?*
6. (   ) *Wie wär's mit Zuckerwatte?*
7. (   ) *Wie wär's mit einem Stück Käse?*
8. (   ) *Wie wär's mit Aufschnitt?*

30 To practice comprehension of new vocabulary

7. Listening Exercise

You have in front of you eight pictures. You'll hear eight statements referring to these pictures. Write the number of each statement next to the photograph it matches. Let's begin.

1. Am Faschingsdienstag ist ein grosser Umzug, und ganz München ist auf der Strasse. Die Leute schunkeln und singen, und der Lärm ist ohrenbetäubend.
2. Unsere Freunde wollen sich den Umzug ansehen. Einige brauchen ein Kostüm, und sie sind deshalb zu Eva gekommen. Die hat einen grossen Karton mit vielen alten Sachen.
3. Eva schminkt den Ralph. Wie wär's mit Stoppeln im Gesicht oder mit einem blauen Auge?
4. Dann näht sie ihm ein Kostüm, ein Kostüm ganz nach ihrer Fantasie.
5. Ralph und Marzi machen den Starnberger Faschingsumzug mit. Sie gehen als Piraten. Sie sitzen auf dem geschmückten Wagen und begrüssen ihre Freunde.
6. Der Umzug beginnt. Ein Soldat, ein römischer Legionär, bläst in die Trompete.
7. Eva hat Konfetti in der Hand und wirft es auf die Leute, die vorbeigehen.
8. Und der Flori sieht so lustig aus mit seinen Papierschlangen auf dem Kopf.

Now check your answers. The numbers you wrote next to the pictures should read, from left to right: 8, 6, 1, 4, 3, 7, 5, 2.

34 *To practice for Conversation Exercise 34 in the textbook*

8. Listening Exercise

Let's say that you want to plan a costume party, and you talk with your friends about all the things that have to be done. Listen to how our German friends talk about their plans.

(Stimmen)

KLAUS   Ich weiss nicht, ob wir die Party bei mir haben können. Meine Eltern haben unseren Hobbyraum eben neu dekoriert.

JUTTA   Und zu uns können wir auch nicht gehen. Das letzte Mal haben wir überhaupt nicht aufgeräumt, und mein Vater war sehr böse.

JÖRG   Wir haben einen Hobbyraum im Keller. Er ist nicht sehr gross, aber er ist sehr schön. Ich glaub' nicht, dass meine Eltern etwas dagegen haben.

EVA   Du kannst ihnen versprechen, dass wir nichts kaputtmachen und dass wir hinterher auch alles aufräumen.

KLAUS   Du, Eva! Als was gehst du denn überhaupt?

EVA   Das sag' ich dir nicht. Ich hab' ein ganz tolles Kostüm. Du wirst mich gar nicht erkennen.

JÖRG   Ich geh' als Bettler. Das ist am einfachsten. Ich hab' viele alte Hemden und Hosen mit Löchern.

KLAUS   Wer hat denn eine Idee für mich?

JÖRG   Du brauchst kein Kostüm. Du kannst so kommen, wie du bist! Haha!

EVA   Vielleicht kann ich dir helfen, Klaus. Wir haben zu Hause einen grossen Karton mit alten Sachen. Da passt dir bestimmt etwas.

KLAUS   Toll! Dann geh' ich gleich mit dir nach Hause und such' mir etwas aus.

JUTTA   Der Peter geht bestimmt wieder als Spanier.

EVA   Das ist ein tolles Kostüm. Das hat er sich gekauft, hat er mir gesagt.

KLAUS   Das war bestimmt teuer. Die engen, schwarzen Hosen und das weisse Hemd.

JÖRG   Und der tolle Hut, der Sombrero!

T114

JUTTA	Ich würde mir gern auch ein Kostüm kaufen, aber die sind so teuer.
EVA	Ich mach' mir meine selbst. Das heisst, die Mutti hilft mir ein bisschen. Sie kann besser nähen.
KLAUS	Was essen wir denn überhaupt?
JÖRG	Meine Mutter hat bestimmt nichts dagegen, wenn wir ihre Küche benutzen.
JUTTA	Ich schlage vor, dass jeder etwas von zu Hause mitbringt. — Du, Jörg, wie wär's denn mit Kartoffel-salat? Deine Mutter macht ihn so gut.
JÖRG	Kein Problem.
EVA	Und wie wär's mit Würstchen? Die brauchen wir nur ins heisse Wasser zu werfen.
JUTTA	Prima Idee! Aber so wie ich euch kenne, brauchen wir noch mehr zu essen. Ich schlag' deshalb vor, dass jeder von uns einen Teller mit belegten Broten mitbringt.
JÖRG	Und etwas zum Naschen, Nüsse und Kartoffelchips.
KLAUS	Und was trinken wir?
JÖRG	Ich frag' meinen Vater, ob er uns eine Bowle machen kann.
KLAUS	Und die keine Bowle trinken?
EVA	Das einfachste ist, wenn jeder ein oder zwei Flaschen Cola oder irgendeinen Saft mitbringt.
JÖRG	Und für die Musik sorge ich. Wir haben so viele Platten, und wir können auch Cassetten spielen.
JUTTA	Ich hab' eine lustige Platte. Die hast du bestimmt nicht.
JÖRG	Dann bring' sie ruhig mit.
EVA	So, was brauchen wir noch? — Fehlt uns noch etwas?
KLAUS	Die Jutta kann jetzt mal alles aufschreiben, was wir geplant haben. Damit die andern wissen, was sie mitbringen müssen.
JUTTA	Hast du ein Stück Papier?
	(Stimmen)

LEKTION 37

1, 4, 6 *To practice new vocabulary*

1. Listening and Speaking Exercise

This exercise will help you practice vocabulary that's related to jobs. You will hear ten statements, with a word missing at the end of each. Listen carefully, and say an appropriate word to complete each one. After your answer, you'll hear a suggested response. Let's begin.

1. Peter arbeitet in einem amerikanischen Billig-Restaurant in München. Er trägt einen blauen Kittel, und er hat ein fesches Käppi auf. Das ist seine (   ). *Uniform*
2. Peter hatte vorher einen anderen Job. Er hat bei Wertkauf gearbeitet, als Arbeiter im Warenlager. Aber er hat dort aufgehört, denn er hat nicht viel Geld (   ). *verdient*
3. Peter hätte als Fahrer mehr verdient, aber leider hat er noch keinen (   ). *Führerschein*
4. Wenn er seinen Führerschein schon gehabt hätte, hätte man ihn als Fahrer (   ). *eingestellt*
5. Einen Führerschein machen kostet viel Geld. Deshalb schuftet Peter so viel, und er macht oft (   ). *Überstunden*
6. Babsie sucht auch einen Ferienjob. Peter sagt ihr, dass sie durchs Arbeitsamt keinen Job bekommt. Dorthin zu gehen hat gar keinen (   ). *Zweck*
7. Peter sagt ihr, dass sie dort keinen Ferienjob findet, weil das Arbeitsamt nur längere Jobs (   ). *vermittelt*
8. Er sagt ihr auch, dass es keinen Zweck hat, in die Zeitung zu schauen, denn da stehen zu viele (   ). *Anzeigen*

9. Babsie sagt, dass sie gestern eine tolle Anzeige für einen Ferienjob gelesen hat, und sie möchte sich auf diese Anzeige (   ). *bewerben*
10. Dann erzählt Babsie dem Peter, die Ute ist in einem Spielzeugladen als Verkäuferin (   ). *beschäftigt*

12 *To practice expressing unreal conditions referring to the past*

2. Speaking Exercise

You have in front of you eight numbered photographs, showing different activities. When you hear the number of each photograph, make up a sentence referring to the past. Introduce each sentence with Wenn ich Zeit gehabt hätte. . . . For example: Wenn ich Zeit gehabt hätte, hätte ich den Führerschein gemacht. After your response you will hear a suggested answer. Let's begin.

1. (   ) *Wenn ich Zeit gehabt hätte, hätte ich angerufen.*
2. (   ) *Wenn ich Zeit gehabt hätte, hätte ich ein Taxi genommen.*
3. (   ) *Wenn ich Zeit gehabt hätte, wäre ich zum Friseur gegangen.*
4. (   ) *Wenn ich Zeit gehabt hätte, hätte ich Theater gespielt.*
5. (   ) *Wenn ich Zeit gehabt hätte, wäre ich baden gegangen.*
6. (   ) *Wenn ich Zeit gehabt hätte, hätte ich meine Hausaufgaben gemacht.*
7. (   ) *Wenn ich Zeit gehabt hätte, hätte ich einen Kuchen gebacken.*
8. (   ) *Wenn ich Zeit gehabt hätte, hätte ich mir die Landshuter Hochzeit angesehen.*

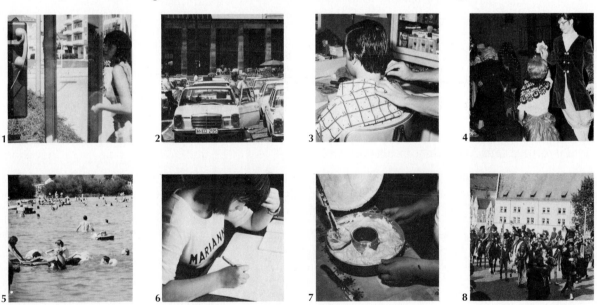

20 *To practice expressing "if only" circumstances in the past*

3. Speaking Exercise

Using the same picture cues as in Exercise 2, make up eight "if only" sentences. For example: Wenn ich doch nur den Führerschein gemacht hätte! After your response you will hear the correct answer. Let's begin.

1. (   ) *Wenn ich doch nur angerufen hätte!*
2. (   ) *Wenn ich doch nur ein Taxi genommen hätte!*
3. (   ) *Wenn ich doch nur zum Friseur gegangen wäre!*
4. (   ) *Wenn ich doch nur Theater gespielt hätte!*
5. (   ) *Wenn ich doch nur baden gegangen wäre!*
6. (   ) *Wenn ich doch nur meine Hausaufgaben gemacht hätte!*
7. (   ) *Wenn ich doch nur einen Kuchen gebacken hätte!*
8. (   ) *Wenn ich mir doch nur die Landshuter Hochzeit angesehen hätte!*

23, 27, 28 *To practice comprehension of new vocabulary*

4. Listening and Speaking Exercise

In this exercise you will hear eight sentences, with a word missing at the end of each. Listen carefully, and say an appropriate word to complete each one. After your answer you will hear a suggested response. Let's begin.

1. Peter macht seinen Führerschein in der Fahrschule Betz. Einmal in der Woche hat er theoretischen Unterricht, und einmal hat er (   ). *Fahrunterricht*
2. Heute hat er es leicht im theoretischen Unterricht, weil Herr Weiser, der Fahrlehrer, die Verkehrszeichen (   ). *durchnimmt*
3. Peter hätte einen Schulwagen mit Automatik wählen können, aber er hat sich für einen BMW mit Gangschaltung (   ). *entschieden*
4. Peter hat jetzt eine Fahrstunde. Der Fahrlehrer sitzt neben ihm und sagt: „Herr Niebisch, Sie hätten eben an der Kreuzung ein wenig mehr Gas geben müssen. Der Motor wäre Ihnen fast (   )." *stehengeblieben*
5. „Und Sie vergessen wohl immer, dass dieser Wagen eine Gangschaltung hat. Sie müssen mehr (   )." *schalten*
6. Dann muss Peter halten. „So, jetzt fahren Sie mal rückwärts und parken Sie in dieser (   )!" *Parklücke*
7. Dann erzählt uns Peter, was er alles braucht, wenn er sich zur Prüfung (   ). *anmeldet*
8. Er braucht ein ausgefülltes Anmeldeformular, zwei Passbilder und ein Führungszeugnis. Das bekommt er bei der (   ). *Polizei*

31 *To practice past conditional sentences with modals*

5. Reading and Speaking Exercise

You have in front of you eight numbered photographs, with a pronoun and two verbs printed below each one. When you hear the number of each photograph, make up a past conditional sentence using the word cues given, a sentence such as *Er hätte Schach spielen sollen*, or *Du hättest zu Hause bleiben müssen.* After each response you will hear a suggested answer. Let's begin.

1. (   ) *Du hättest in den Tierpark gehen sollen.*
2. (   ) *Er hätte den Zug nehmen müssen.*
3. (   ) *Ihr hättet eine Radtour machen können.*
4. (   ) *Du hättest dir die Hände waschen sollen.*
5. (   ) *Wir hätten die Kirche besichtigen können.*
6. (   ) *Du hättest segeln sollen.*
7. (   ) *Er hätte zum Friseur gehen können.*
8. (   ) *Du hättest dich kämmen dürfen.*

1
du / gehen / sollen

2
er / nehmen / müssen

3
ihr / machen / können

4
du / s. waschen / sollen

5
wir / besichtigen / können

6
du / segeln / sollen

7
er / gehen / können

8
du / s. kämmen / dürfen

35 *To practice for Conversation Exercise 35 in the textbook*

6. Listening Exercise

Suppose you want to talk with some friends about driver's education. What might you say? Listen to the following conversation.

OLIVER Wenn du einen guten Sommerjob haben willst, brauchst du unbedingt den Führerschein!

ANJA Es ist nur blöd, dass unsere Schule nur im Sommer Fahrunterricht gibt, im Sommer, wenn ich arbeiten muss.

HANS Dann musst du eben in eine Fahrschule gehen.

ANJA Aber die Fahrstunden kosten so viel Geld.

OLIVER Kannst du dir nicht Geld von deinen Eltern borgen?

ANJA Schon, aber ich hatte vor, den Führerschein ohne Geld zu machen. Wisst ihr, wieviel eine Fahrstunde in der Fahrschule kostet?

HANS Nein, keine Ahnung. Aber wir können mal anrufen.

ANJA Wie viele Fahrstunden hast du denn gehabt?

OLIVER Ich glaub', ich hab' zwölf Fahrstunden gehabt. Aber ich konnte schon ziemlich gut fahren.

ANJA Ich brauch' bestimmt mehr Fahrstunden als du. — Wo hast du denn deine Fahrprüfung gemacht?

OLIVER Die theoretische Prüfung war hier bei uns im Rathaus. Da ist doch so ein Büro, wo man auch die Nummernschilder bekommt. Und meine Fahrprüfung war gar nicht weit weg von unserer Schule. Ich würde sagen, in den Strassen zwischen der Schule und der Kirche.

ANJA War die Prüfung schwer?

OLIVER Überhaupt nicht. Ich hatte alle Fragen richtig, und in der Fahrprüfung hab' ich auch keine Fehler gemacht. Ich muss sagen, dass uns der Fahrlehrer gut vorbereitet hat. Alle andern haben die Prüfung auch geschafft.

ANJA Was hast du denn alles im theoretischen Unterricht lernen müssen?

OLIVER Da nimmst du die Verkehrszeichen durch, und dann erzählt dir der Fahrlehrer alles, was du wissen musst über das Verhalten im Verkehr, wie Rückwärtsfahren, Parken, Halten, usw. Und dann lernst du auch etwas über die Technik von Fahrzeugen.

ANJA	Was ist denn das?
OLIVER	Die Bremsen, Licht, usw.
ANJA	Und im Fahrunterricht?
OLIVER	Da musst du alles tun und beachten, was du im theoretischen Unterricht gelernt hast. Ich hab' so oft parken müssen, weil ich beim Parken nicht sehr gut war.
HANS	Und ich hab' bestimmt die ersten drei oder vier Fahrstunden das Schalten lernen müssen. Ich hab' entweder immer zu viel oder zu wenig Gas gegeben, und der Motor ist oft stehengeblieben. Und einmal hab' ich gedacht, dass ich die Gangschaltung kaputtgemacht habe. Ihr hättet den Fahrlehrer hören sollen!
OLIVER	Und dann lernst du viel über die Gefahren im Verkehr und was du tun musst oder nicht tun sollst. Aber das meiste ist nur Theorie. Ich hab', zum Beispiel, gelernt, wie man sich bei Schnee und Eis verhalten soll — und das im Sommer!

LEKTION 38

1, 2, 3, 4 *To practice comprehension of new vocabulary*

1. Listening and Reading Exercise

This exercise will help you practice vocabulary related to life on a farm. You will hear eight statements, with a word missing at the end of each. For each statement, you have a choice of three suggested words. Decide which one completes the sentence best, and circle the appropriate letter. Let's begin.

1. Die Bergbauern in den Alpen sind hauptsächlich auf die Viehwirtschaft _____. *(angewiesen, C)*
2. In den Talwiesen kann das Gras oft dreimal im Jahr gemäht werden, denn die Wiesen sind hier besonders _____. *(saftig, C)*
3. Der Reiter-Hof ist verhältnismässig gross. Vierzig bis fünfzig Kühe stehen hier im Winter _____. *(im Stall, B)*
4. Wenn seine ganze Familie, seine Frau und die Kinder, nicht mithelfen würden, so könnte Herr Reiter die viele Arbeit allein nicht _____. *(schaffen, B)*
5. Zweimal am Tag müssen sie den Stall reinigen, die Kühe füttern und _____. *(melken, A)*
6. Die Milch wird mit dem Milchauto in die Molkerei gebracht. Hier wird sie zuerst untersucht, dann gereinigt und zu einem Teil _____. *(entrahmt, C)*
7. Dann wird die Milch erhitzt, und bevor sie in Flaschen oder Tüten kommt, wird sie auf fünf Grad _____. *(abgekühlt, A)*
8. Auf dem Bauernhof bei Reiters gibt es auch viele andere Tiere; und jedes Tier ist nützlich. Die Wolle, zum Beispiel, kommt von den _____. *(Schafen, A)*

Now check your answers. *Repeat each item, and give the correct answer.*

	A	B	C
1.	geschafft	erhalten	angewiesen
2.	typisch	gross	saftig
3.	in der Molkerei	im Stall	im Heu
4.	melken	schaffen	halten
5.	melken	halten	muhen
6.	verkauft	erhitzt	entrahmt
7.	abgekühlt	verkauft	erhitzt
8.	Schafen	Gänsen	Enten

2. Listening and Reading Exercise

This exercise is just for fun. See if you can identify several animal noises. You'll hear ten different sounds that animals make, and you should place the number for each sound next to the name of the appropriate animal. Let's begin.

1. *(horse)* _____ *(ein Pferd; Pferde wiehern)*
2. *(chick)* _____ *(ein Küken; Küken piepsen)*
3. *(dog)* _____ *(ein Hund; Hunde bellen)*
4. *(goose)* _____ *(eine Gans; Gänse schnattern)*
5. *(cow)* _____ *(eine Kuh; Kühe muhen)*
6. *(cat)* _____ *(eine Katze; Katzen miauen)*
7. *(goat)* _____ *(eine Ziege; Ziegen meckern)*
8. *(pig)* _____ *(ein Schwein; Schweine grunzen)*
9. *(sheep)* _____ *(ein Schaf; Schafe bähen)*
10. *(duck)* _____ *(eine Ente; Enten quaken)*

Now listen to the sounds again, and we'll give you the answers. *Give each sound again, identifying the animal and describing the noise it makes.*

| _____ Kuh | _____ Ziege | _____ Schaf | _____ Katze | _____ Ente |
| _____ Pferd | _____ Küken | _____ Hund | _____ Ziege | _____ Schwein |

3. Speaking Exercises

Part 1

You have in front of you eight pictures showing something being done by somebody. When you hear the number of each picture, make up a sentence to say what is being done, using the passive construction. For example: Der Stall wird eben gereinigt. After each response you will hear the correct answer. Let's begin.

1. (   ) *Die Kuh wird eben gemelkt.*
2. (   ) *Der Hamster wird eben gefüttert.*
3. (   ) *Die Würste werden eben gegrillt.*
4. (   ) *Der Tisch wird eben gedeckt.*
5. (   ) *Die Blumen werden eben gegossen.*
6. (   ) *Das Auto wird eben gewaschen.*
7. (   ) *Der Eingang wird eben gekehrt.*
8. (   ) *Der Rasen wird eben gemäht.*

Part 2

Using the same pictures as cues, make up eight passive sentences in the conversational past. For example: Der Stall ist eben gereinigt worden. After each response you will hear the correct answer. Let's begin.

1. (   ) *Die Kuh ist eben gemelkt worden.*
2. (   ) *Der Hamster ist eben gefüttert worden.*
3. (   ) *Die Würste sind eben gegrillt worden.*
4. (   ) *Der Tisch ist eben gedeckt worden.*
5. (   ) *Die Blumen sind eben gegossen worden.*
6. (   ) *Das Auto ist eben gewaschen worden.*
7. (   ) *Der Eingang ist eben gekehrt worden.*
8. (   ) *Der Rasen ist eben gemäht worden.*

18, 19, 20 *To practice new vocabulary*

4. Listening and Speaking Exercise

In this exercise you will hear seven incomplete sentences. Listen carefully, and say an appropriate word to complete each one. After your answer you will hear a suggested response. Let's begin.

1. Im Sommer haben es die Reiters etwas leichter: das Vieh ist auf der Alm, und sie brauchen sich darum nicht zu (   ). *kümmern*
2. Sie brauchen sich um das Vieh auf der Alm nicht zu kümmern, weil sie jeden Sommer dafür einen Senner (   ). *anstellen*
3. Die Reiters müssen aber im Tal das Gras mähen. Wo Herr Reiter mit seinem Traktor nicht hinkann, mäht der Alois das Gras mit der (   ). *Sense / Hand*
4. Das Gras auf der grossen Wiese soll heute gewendet werden. Der Franzl hilft: er hängt den Heuwender an den (   ). *Traktor*
5. Wenn das Heu trocken ist, wird es (   ). *zusammengerecht*
6. Ein Teil vom Heu kommt in den Heustadel, den andern Teil fährt Herr Reiter in die (   ). *Scheune*
7. In der Scheune wird das Heu (   ). *abgeladen*

23 *To practice sentences with the passive infinitive*

5. Speaking Exercises

Part 1

You have in front of you eight numbered photographs showing things that must be done by somebody. When you hear the number of each photograph, make up a sentence to say what must be done, using the passive voice. For example: Der Stall muss noch gereinigt werden. After each response you will hear the correct answer. Let's begin.

1. (   ) *Das Auto muss noch gewaschen werden.*
2. (   ) *Die Kühe müssen noch gefüttert werden.*
3. (   ) *Die Blumen müssen noch gegossen werden.*
4. (   ) *Das Bild muss noch gemalt werden.*

5. (   ) *Das Gras muss noch gemäht werden.*
6. (   ) *Das Essen muss noch gegessen werden.*
7. (   ) *Der Scheinwerfer muss noch gerichtet werden.*

8. (   ) *Der Kuchen muss noch gebacken werden.*

Part 2

Using the same pictures as cues, make up eight more sentences, using the past tense of sollen together with the passive infinitive. For example: Der Stall sollte noch gereinigt werden. After each response you will hear the correct answer. Let's begin.

1. (   ) *Das Auto sollte noch gewaschen werden.*
2. (   ) *Die Kühe sollten noch gefüttert werden.*
3. (   ) *Die Blumen sollten noch gegossen werden.*
4. (   ) *Das Bild sollte noch gemalt werden.*

5. (   ) *Das Gras sollte noch gemäht werden.*
6. (   ) *Das Essen sollte noch gegessen werden.*
7. (   ) *Der Scheinwerfer sollte noch gerichtet werden.*
8. (   ) *Der Kuchen sollte noch gebacken werden.*

33 *To practice for Conversation Exercise 33 in the textbook*

6. Listening Exercises

Part 1

You may never have worked on a farm, but by now you have some idea of how things are done on the Reiter farm in the Tyrol. To get the hay into the barn, or to get the milk to the dairy, the farmer has to go through many different steps. Could you describe the tasks and processes involved in haying? Listen to what Alois has to say.

Wenn das Grass hoch ist, muss es gemäht werden. Im Tal kann das Gras gewöhnlich mit einer Mähmaschine gemäht werden. Aber viele Bergwiesen müssen mit der Hand gemäht werden, weil dort der Traktor mit der Mähmaschine nicht hinkann.

Das Gras wird gewöhnlich gemäht, wenn der Bauer glaubt, dass das Wetter schön bleibt. Das Gras muss nämlich trocknen. Es trocknet schneller, wenn ein leichter Wind geht.

Um das Gras richtig zu trocknen, muss man es wenden. Auf einer flachen Wiese kann es mit einem Heuwender gewendet werden. Dann, wenn es trocken ist, muss es zusammengerecht werden. Wo der Heurechen nicht hinkann, muss es mit der Hand gerecht werden.

Der Heurechen legt das Heu in Zeilen. Dann kann der automatische Ladewagen die Zeilen entlangfahren, und das Heu wird automatisch auf den Ladewagen geladen.

Der Ladewagen wird mit dem Traktor zur Scheune gefahren. Hier wird der Ladewagen abgeladen, und das Heu wird mit dem Gebläse auf den Heuboden geschossen.

Part 2

Now listen again, while Alois describes what has to be done in milking, and what happens to the milk before it can be sold in the store.

Die Kühe werden zweimal am Tag gemelkt, am Morgen und am Abend. Wenn der Bauer nur ein paar Kühe hat, melkt er sie mit der Hand. Hat der Bauer viele Kühe, so braucht er Melkmaschinen.

Die Milch kommt beim Bauern zuerst ins Milchhaus. Hier bleibt sie, bis sie vom Milchwagen abgeholt wird. Wenn der Milchwagen von der Molkerei kommt, so wird zuerst die Milchmenge gemessen und der Fettgehalt geprüft. Das ist notwendig, denn der Bauer wird danach bezahlt: wieviel Milch er verkauft und wie fett die Milch ist.

Dann wird die Milch zur Molkerei gebracht. Hier wird sie zuerst untersucht. Nur gesunde Milch darf verkauft werden. Dann wird die Milch gereinigt und zu einem Teil entrahmt. Die Milch darf nur einen ganz bestimmten Fettgehalt haben. Dann wird die Milch erhitzt und danach abgekühlt. Dann kommt sie in Flaschen oder Tüten, wird dann zu den verschiedenen Milchgeschäften und Supermärkten gebracht, wo sie verkauft wird und dann in unsern Kühlschrank kommt.

38, 39 *To practice reading and interpreting a map of Germany showing products*

7. Speaking Exercise

For this exercise, open your textbook to page 222 and look at the map. You will hear ten questions about products from different parts of Germany. Answer each question as quickly as possible. After your response you will hear a suggested answer.

1. Was wird in Ostfriesland gezüchtet und erzeugt? (   ) *In Ostfriesland wird Vieh gezüchtet und Butter erzeugt.*
2. Was wird in Kiel gebaut? (   ) *In Kiel werden Maschinen und Schiffe gebaut.*
3. Was wird alles in Berlin hergestellt? (   ) *In Berlin werden Chemikalien, Textilien und Porzellan hergestellt, Maschinen werden gebaut und Bier wird gebraut.*
4. Was wird in der Westfälischen Buch angebaut? (   ) *In der Westfälischen Bucht wird Getreide angebaut.*
5. Was wird in Dortmund hergestellt? (   ) *In Dortmund werden Stahl und Chemikalien hergestellt, und Bier wird gebraut.*
6. Was wird an der Mosel angebaut? (   ) *An der Mosel wird Wein angebaut.*
7. Was kannst du alles über Frankfurt sagen? (   ) *In Frankfurt werden Autos und Maschinen gebaut, Chemikalien werden hergestellt und Obst wird angebaut.*
8. Was wird im Schwarzwald hergestellt? (   ) *Im Schwarzwald werden Textilien und Uhren hergestellt.*

9. Was weisst du von Oberammergau? (   ) *In Oberammergau werden Holzfiguren geschnitzt.*
10. Und was weisst du vom Allgäu? (   ) *Im Allgäu wird Vieh gezüchtet, und Butter und Käse werden hergestellt.*

LEKTION 39

1 *To practice comprehension of new vocabulary*

1. Listening and Reading Exercise

This exercise will help you practice some of the vocabulary related to jobs and job-hunting. You will hear three paragraphs from the textbook, each one followed by two incomplete sentences. For each incomplete sentence, you are given three suggested completions. Decide which one completes the sentence best, and circle the appropriate letter. Let's begin.

Hört zu! *(Read p. 229, lines 1–6.)*
1. Fünfzig Prozent aller Jugendlichen verlassen jedes Jahr die Schule mit 14 oder 15 Jahren und beginnen eine _____. *(Berufsausbildung, B)*
2. In der letzten Klasse wird im Unterricht viel über die verschiedenen Berufe gesprochen, und die Schüler haben viele Wünsche und _____. *(Meinungen, C)*

Hört zu! *(Read lines 15–22.)*
3. Viele Jungen und Mädchen können nach der Schule gleich Geld verdienen, und das ist für sie sehr _____. *(verlockend, A)*
4. Aber viele überlegen sich lange, ob sie einen Job nehmen oder eine Lehre beginnen sollen. Diese Wahl ist für ihre Zukunft von grösster _____. *(Bedeutung, B)*

Hört zu! *(Read lines 24–35.)*
5. Viele Jugendliche wissen nicht, was für einen Beruf sie lernen können. Sie müssen sich deshalb Information über die einzelnen Berufe _____. *(verschaffen, C)*
6. Es ist am besten, wenn man zu einem Berufsberater geht. Dieser testet im Gespräch mit dem Jugendlichen die Interessen und die _____. *(Fähigkeiten, A)*

Now check your answers. *Repeat each sentence, and give the correct answer.*

1. A	Beschreibung	B Berufsausbildung	C Bedeutung
2. A	Stellen	B Nachteile	C Meinungen
3. A	verlockend	B gering	C unabhängig
4. A	Betrieb	B Bedeutung	C Beschreibung
5. A	vorschlagen	B erhalten	C verschaffen
6. A	Fähigkeiten	B Zukunft	C Berufe

1 *To practice new vocabulary*

2. Listening and Speaking Exercise

In this exercise, you will hear ten incomplete sentences. Listen carefully, and say an appropriate word to complete each one. After your answer you will hear a suggested response. Let's begin.

1. In Deutschland suchen sich viele Jugendliche im Alter von 15 Jahren einen Job, oder sie beginnen irgendwo eine (   ). *Lehre / Berufsausbildung*
2. Manche Jungen sagen, ich brauche erst mal ein Mofa, und ich suche mir einen Job, um Geld zu verdienen. Was ich arbeite, ist mir (   ). *gleich*
3. Aber es zeigt sich bald, dass sie als „Ungelernte" weniger Chancen haben, am Arbeitsplatz (   ). *voranzukommen*
4. Es ist wirklich nicht leicht, sich für einen der über 500 Lehrberufe zu entscheiden. Es ist deshalb notwendig, sich über die verschiedenen Berufe genug Information zu (   ). *verschaffen*
5. Die Arbeitsämter schicken auch Informationsblätter an die Schulen, und diese Informationsblätter sind sehr (   ). *ausführlich*
6. Viele Jugendliche gehen mit ihren Eltern zum Arbeitsamt und besuchen dort einen (   ). *Berufsberater*
7. Dieser kann im Gespräch die Interessen und Fähigkeiten des Jugendlichen (   ). *testen*
8. Manche Jugendliche wissen genau, was sie lernen wollen. Aber trotzdem fragen sie den Berufsberater: wo finde ich eine (   )? *Lehrstelle*
9. Sie können Freunde, Verwandte und Bekannte fragen, ob sie wissen, wo es eine Lehrstelle gibt. Viele Jugendliche aber gehen selbst in die verschiedenen (   ). *Betriebe*
10. Man kann auch die Inserate in den verschiedenen Tageszeitungen lesen, oder man kann selbst in den Zeitungen (   ). *inserieren*

4 *To practice new vocabulary*

3. Listening and Speaking Exercise

You will hear eight incomplete sentences. Listen carefully, and say an appropriate word to complete each one. After your answer you will hear a suggested response. Let's begin.

1. Im Raum Karlsruhe-Stuttgart-Freiburg kann man den grossen Lastwagen der Firma Pfannkuch (   ). *begegnen*
2. Diese Lastwagen sind Tag und Nacht unterwegs zu den verschiedenen Filialen und versorgen sie mit Lebensmitteln und anderen (   ). *Waren*
3. Wir haben gehört, dass die Firma über 2 000 Mitarbeiter beschäftigt und schon seit 1896 (   ). *besteht*
4. Die Firma ist sehr fortschrittlich. 1952, zum Beispiel, hat sie in Karlsruhe den ersten Selbstbedienungs-laden (   ). *eröffnet*
5. Die Firma hat ihre eigene Betriebsschule. Diese besuchen die Lehrlinge neben der normalen (   ). *Berufsschule*
6. Martina Lankow ist im ersten Ausbildungsjahr. Sie sagt, sie wird gut unterrichtet, und sie ist sicher, dass sie am Ende ihrer Lehrzeit etwas (   ). *kann*
7. Peter Holzer sagt, es gefällt ihm jetzt gut und er bekommt während des ersten Lehrjahres schon 250 Mark (   ). *monatlich*
8. Wohin er nach der Ausbildung bei Pfannkuch geht, weiss er noch nicht. Vielleicht kommt er wieder zu Pfannkuch zurück. Zuerst muss er nämlich zur (   ). *Bundeswehr*

7 *To practice recognizing gender cues and using correct genitive forms*

4. Listening and Speaking Exercise

You will hear ten brief questions, each one containing a noun. Listen for the gender of each noun, be-cause it will be important for your answer. Answer the questions, using correct genitive case forms. Your answers should all begin: Ich kenne die Geschichte. . . . For example, you hear: Was wissen Sie über diese Firma? And you answer: Ich kenne die Geschichte dieser Firma. After each response you will hear the correct answer. Let's begin.

1. Was wissen Sie über dieses Land? (   ) *Ich kenne die Geschichte dieses Landes.*
2. Was wissen Sie über diese Städte? (   ) *Ich kenne die Geschichte dieser Städte.*
3. Was wissen Sie über diesen Park? (   ) *Ich kenne die Geschichte dieses Parks.*
4. Was wissen Sie über diese Gegend? (   ) *Ich kenne die Geschichte dieser Gegend.*
5. Was wissen Sie über dieses Gebiet? (   ) *Ich kenne die Geschichte dieses Gebiets.*
6. Was wissen Sie über diesen Ort? (   ) *Ich kenne die Geschichte dieses Ortes.*
7. Was wissen Sie über diese Dörfer? (   ) *Ich kenne die Geschichte dieser Dörfer.*
8. Was wissen Sie über diese Gebirge? (   ) *Ich kenne die Geschichte dieser Gebirge.*
9. Was wissen Sie über diesen Flughafen? (   ) *Ich kenne die Geschichte dieses Flughafens.*
10. Was wissen Sie über diese Kirche? (   ) *Ich kenne die Geschichte dieser Kirche.*

20, 21 *To practice new vocabulary*

5. Listening and Speaking Exercise

You will hear six incomplete sentences. Listen carefully, and say an appropriate word to complete each one. After your answer you will hear a suggested response. Let's begin.

1. In einer Filiale der Firma gibt es besonders viel Arbeit, wenn Ware von der Zentrale (   ). *eintrifft*
2. Sigrid muss die Ware mit dem Lieferschein vergleichen und auspacken. Die Ware bekommt einen Preis, und dann stellt Sigrid die Ware in die (   ). *Regale*
3. Werners Arbeitsplatz ist in einem Disco-Markt; seine Kolleginnen Sigrid und Martina arbeiten in einem SB-Laden. Die Lehrpläne für die verschiedenen Läden sind aber gleich, und Werner wird auch nach demselben Lehrplan (   ). *ausgebildet*
4. Werner verrichtet schon viele Arbeiten. Er ist, zum Beispiel, für die leeren Flaschen (   ). *verantwortlich*
5. Er muss auch die Preisschilder schreiben und sie im Geschäft (   ). *aufhängen*
6. Werner ist Mitglied der Jugendvertretung. Diese achtet darauf, dass die Firma die Bestimmungen des Jugendschutzgesetzes (   ). *einhält*

28 *To practice comprehension of new vocabulary*

6. Listening and Reading Exercise

You will hear eight statements, with a verb missing at the end of each. For each statement, you are given a choice of three verbs. Decide which one completes the statement best, and circle the appropriate letter. Let's begin.

1. Die jungen Menschen sollen eine gute Ausbildung bekommen. Daran ist auch die Firma sehr _____. *(interessiert, C)*
2. Einmal im Jahr hat die Firma einen Tag der offenen Tür. Sie lädt dann die Bevölkerung ein, die verschiedenen Abteilungen der Zentrale _____. *(zu besichtigen, B)*
3. Martina hatte eine Anzeige der Firma Pfannkuch in der Karlsruher Zeitung gelesen, und sie hat sich daraufhin bei der Firma um eine Lehrstelle _____. *(beworben, C)*
4. Sie hat ein Bewerbungsschreiben an die Firma geschickt und einen Lebenslauf _____. *(beigelegt, C)*
5. Martina wurde dann eingeladen, mit einem Elternteil zu einem Vorstellungsgespräch zu kommen. Der Berufsberater der Firma möchte die einzelnen Bewerber kennenlernen und gewisse Fähigkeiten der Bewerber _____. *(feststellen, A)*

6. Die Firma will wissen, ob sich die Bewerber wirklich für den gewählten Beruf interessieren und sich dafür auch _____. (eignen, C)

7. Dann findet eine ärztlich Untersuchung statt, und als letztes bekommt der Lehrling einen Ausbildungsvertrag. Dieser wird vom Lehrling, von den Eltern und von der Firma _____. (unterschrieben, B)

Now check your answers. *Repeat each item, and give the correct response.*

1.	A	beschäftigt	B	ausgebildet	C	interessiert
2.	A	beizulegen	B	zu besichtigen	C	zu erwähnen
3.	A	besichtigt	B	beigelegt	C	beworben
4.	A	erwähnt	B	beworben	C	beigelegt
5.	A	feststellen	B	erwähnen	C	beilegen
6.	A	bewerben	B	erwähnen	C	eignen
7.	A	festgestellt	B	unterschrieben	C	beigelegt

29 *To practice talking about a letter of application*

7. Listening, Reading, and Speaking Exercise

For this exercise, open your textbook to page 237 and look at the letter of application. You will hear nine questions. Answer each one, using the information contained in the letter. After each response you will hear a suggested answer. Let's begin.

1. Was hat Martina Lankow geschrieben? (   ) *Sie hat eine Bewerbung geschrieben.*
2. Wann hat sie die Bewerbung geschrieben? (   ) *Am 27. April, 1978.*
3. Wo wohnt Martina? (   ) *In Karlsruhe; auf der Bismarckstrasse.*
4. An wen schreibt sie die Bewerbung? (   ) *An die Firma Pfannkuch.*
5. Worum bewirbt sie sich? (   ) *Um eine Lehrstelle als Verkäuferin.*
6. Woher weiss sie, dass die Firma Lehrlinge sucht? (   ) *Sie hat das in der Karlsruher Zeitung gelesen.*
7. Was tut Martina noch zu der Zeit, als sie die Bewerbung schreibt? (   ) *Sie besucht noch die 9. Klasse der Hauptschule.*
8. In welchen Fächern ist sie gut? (   ) *In Mathematik und in Deutsch.*
9. Was legt Martina dem Bewerbungsschreiben bei? (   ) *Einen handgeschriebenen Lebenslauf und eine Abschrift ihres letzten Schulzeugnisses.*

30 *To practice talking about a résumé*

8. Listening, Reading and Speaking Exercise

For this exercise, open your textbook to page 238 and look at the résumé. You will hear ten questions. Answer each one, using the information contained in the résumé. After each response you will hear the correct answer.

1. Wann wurde Martina geboren? (   ) *Am 3. März 1964.*
2. Wo wurde sie geboren? (   ) *Sie wurde in Mannheim geboren.*
3. Was ist ihr Vater von Beruf? (   ) *Er ist Bäckermeister.*
4. Wie hiess Martinas Mutter früher? (   ) *Sie hiess Bauer.*
5. Arbeitet Martinas Mutter? (   ) *Nein, sie ist nicht berufstätig.*
6. Wie lange besucht Martina die Schule? (   ) *Seit 1970.*
7. In welche Schule geht sie? (   ) *Sie geht in die Hauptschule in Karlsruhe.*
8. In welcher Klasse ist sie jetzt? (   ) *Sie ist jetzt in der 9. Klasse.*

9. Wann möchte sie Verkäuferin werden? (   ) *Nach ihrer Schulentlassung.*
10. Warum möchte sie Verkäuferin werden? (   ) *Sie glaubt, dass sie für diesen Beruf gut geeignet ist.*

33 *To practice for Conversation Exercise 33 in the textbook*

9. Listening Exercise

Listen to the following dialog between two apprentices. One is already through with his apprenticeship, and the other one is just starting.

LEHRLING 1   He, toll! Ich hab' gehört, du hast eine Lehrstelle gefunden. Wo denn?

LEHRLING 2   Ich werde bei Meiers in der Hauptstrasse arbeiten, als Automechaniker.

LEHRLING 1   Die Firma ist gut. Wann fängst du denn an?

LEHRLING 2   Ich hab' heute die ärztliche Untersuchung gehabt; dann muss ich nur noch den Lehrvertrag unterschreiben, und dann geht's wohl gleich los.

LEHRLING 1   Wie hast du denn die Stelle gefunden?

LEHRLING 2   Ich hab' sie durch einen Bekannten von meinem Vater bekommen.

LEHRLING 1   Du wirst lachen, ich auch. Das heisst, mein Vater ist ein guter Kunde meiner Firma, und das hat geholfen.

LEHRLING 2   Bei wem hast du dich denn vorstellen müssen? Ich hatte eine nette, ältere Dame. Sie ist die Berufsberaterin der Firma.

LEHRLING 1   Ach, das weiss ich gar nicht mehr. Das ist schon so lange her.

LEHRLING 2   Was für eine Arbeitszeit hattest du? Ich muss schon um halb sieben dort sein, bis halb fünf am Nachmittag.

LEHRLING 1   Das ist lange. Das sind ja zehn Stunden am Tag, minus eine Stunde Mittag, also neun Stunden. 45 Stunden in der Woche? Das gibt es ja nicht. Nach dem Jugendschutzgesetz darfst du nicht länger als acht Stunden täglich arbeiten! Ich hab' am Anfang nie länger als acht Stunden gearbeitet. Da musst du mal nachsehen, ob das mit deiner Arbeitszeit stimmt.

LEHRLING 2   Das tu' ich. Gut, dass du mir das gesagt hast. Was hast du übrigens verdient?

LEHRLING 1   Im ersten Jahr hab' ich mit 150 Mark angefangen. Dann 200 Mark, und im letzten Jahr gab es 300 Mark.

LEHRLING 2   Wie bist du immer zum Arbeitsplatz gekommen?

LEHRLING 1   Bei schönem Wetter bin ich mit dem Mofa gefahren. Bei schlechtem Wetter und im Winter hab' ich den Bus genommen.

LEHRLING 2   Wer hat dir alles gezeigt, was du tun musst?

LEHRLING 1   Da brauchst du keine Angst zu haben. Du arbeitest ja nicht allein. Du arbeitest mit jemand, der für dich und deine Ausbildung verantwortlich ist. Und dann lernst du viel von den andern. Du musst immer nur schön fragen und die Augen und Ohren offenhalten.

LEHRLING 2   Hattest du viele Kollegen?

LEHRLING 1   Wir waren zehn Lehrlinge, und alle haben zur selben Zeit angefangen. Und nur einer von den zehn ist nach dem ersten Lehrjahr verschwunden. Zusammen waren wir bestimmt 25–30 Lehrlinge. Ach, wir hatten immer viel Spass gehabt. Da war der Hansi, ein ganz gemütlicher Kerl. Nichts hat ihn aus der Ruhe bringen können. Alle haben ihn gern gehabt.

LEHRLING 2   Was habt ihr alles im Betrieb tun müssen?

LEHRLING 1   Ach, am Anfang müssen die Lehrlinge immer aufräumen. Das Gesetz sagt zwar, das Lehrlinge das nicht mehr tun brauchen, aber im Betrieb wird ein bisschen von diesen Kleinarbeiten noch erwartet. Ich musste einmal den Wagen vom Chef waschen. Der Fahrer war krank. Na, zum Chef kannst du doch nicht neinsagen.

LEHRLING 2   Wie ist so ein Chef überhaupt, streng?

LEHRLING 1	Unser Chef ist ein ganz einfacher Mann. Ich hab' noch nie gehört, dass er einmal einen Lehrling vor anderen kritisiert hat. Ein guter Mann. Wir haben ihn alle gern.
LEHRLING 2	Wie lange hast du dort gearbeitet?
LEHRLING 1	Ich arbeite noch immer dort.
LEHRLING 2	Ich meine als Lehrling.
LEHRLING 1	Ich war genau drei Jahre Lehrling. Ich hab' viel gelernt, hab' eine gute Ausbildung gehabt, und ich verdiene jetzt ein schönes Geld und kann mir etwas leisten. *(Autohupe)* — Klingt gut, was?

LEKTION 40

1 *To practice comprehension of new vocabulary*

1. Listening and Reading Exercise

This exercise will help you practice some of the vocabulary related to talking about the environment. You will hear three short paragraphs from the textbook, each one followed by two incomplete statements. For each incomplete statement, you are given a choice of three words. Decide which one completes the statement best, and circle the appropriate letter. Let's begin.

Hört zu! *(Read p. 242, lines 1–8.)*
1. Mit dem Beginn des Industriezeitalters fing der Mensch an, die Ordnung in der Natur zu _____. *(zerstören, C)*
2. Wissenschaftliche und technische Erfindungen hatten den Menschen gezeigt, sich das Leben zu _____. *(erleichtern, B)*

Hört zu! *(Read p. 242, lines 9–17.)*
3. Aber erst in den letzten 30 Jahren hat der Mensch die Gefahren, die seine Umwelt drohen, _____. *(erkannt, B)*
4. Schlechte Luft, verseuchtes Wasser und der Lärm von Fahrzeugen machen das Leben in den Grossstädten, besonders für alte und kranke Leute, sogar _____. *(lebensgefährlich, C)*

Hört zu! *(Read p. 242, lines 17–24.)*
5. An jedem Wochenende verlassen die Stadtbewohner ihre Wohnungen, um in die Natur zu _____. *(flüchten, A)*
6. Die Leute vom Ruhrgebiet fahren in die Eifel, die Hamburger an die Ostsee und die Münchner in die Berge, wo sie Ruhe und Erholung _____. *(suchen, C)*

Now check your answers. *Repeat each item, and give the correct answer.*

	A		B		C	
1.	A	erkennen	B	erleichtern	C	zerstören
2.	A	beeinflussen	B	erleichtern	C	zerstören
3.	A	erleichtert	B	erkannt	C	zerstört
4.	A	ungesund	B	kränklich	C	lebensgefährlich
5.	A	flüchten	B	erleichtern	C	drohen
6.	A	flüchten	B	erkennen	C	suchen

2. Listening and Reading Exercise

In this exercise you will again hear three paragraphs, each followed by two incomplete statements. For each incomplete statement, you are given three possible completions. Decide which one completes the statement best, and circle the appropriate letter. Let's begin.

Hört zu! *(Read p. 242, lines 1–5.)*
1. Die Luft, die wir atmen, ist ungesund. Der Mensch hat sie _____. *(vergiftet, B)*
2. Eine verschmutzte Luft erhält 30% weniger Sonnenlicht als die ländliche _____. *(Umgebung, C)*

Hört zu! *(Read p. 243, lines 6–10.)*
3. Unsere Luft ist ein Gasgemisch, das aus Sauerstoff, Stickstoff und anderen Gasen _____. *(besteht, A)*
4. Wir wissen aber, dass der Mensch dieses Gasgemisch mit Dreck, Staub und anderen Giften _____. *(verändert, C)*

Hört zu! *(Read p. 243, lines 17–26.)*
5. Wir wissen, dass Industriebetriebe, Motorfahrzeuge und natürlich alle Lebewesen ständig Sauerstoff _____. *(verbrauchen, C)*
6. Ein Mensch verbraucht so viel Sauerstoff, wie ein einziger Baum produziert. Leider aber sind zwei Drittel der Wälder auf unserer Erde nicht mehr _____. *(vorhanden, B)*

Now check your answers. *Repeat each item, and give the correct answer.*

1. A geatmet	B vergiftet	C verbraucht
2. A Grünanlage	B Nähe	C Umgebung
3. A besteht	B atmet	C vergiftet
4. A besteht	B zerstört	C verändert
5. A produzieren	B atmen	C verbrauchen
6. A verschmutzt	B vorhanden	C zerstört

3. Listening and Speaking Exercise

In this exercise, you will hear ten incomplete sentences. Listen carefully, and say an appropriate word at the end of each one. After your answer you will hear a suggested response. Let's begin.

1. Schon seit vielen hundert Jahren begann der Mensch, die Ordnung in der Natur zu verändern, ja sie vielleicht sogar zu (   ). *zerstören*
2. Der Mensch hatte gelernt, sich mit Hilfe von wissenschaftlichen und technischen Erfindungen, das Leben zu (   ). *erleichtern*
3. Erst in den letzten Jahren begann der Mensch, die Gefahren der Umweltverschmutzung zu (   ). *erkennen*
4. An jedem Wochenende verlassen viele Stadtbewohner ihre verschmutzten Städte und fahren in die Natur. Man könnte fast sagen, dass sie aus ihren Städten (   ). *flüchten*
5. Die Luft in vielen Grossstädten ist schmutzig; man kann oft sogar sagen, sie ist vergiftet. Und diese Luft brauchen wir zum Leben; wir müssen sie (   ). *atmen*
6. Unsere Luft ist ein Gasgemisch, das aus Stickstoff, Sauerstoff und anderen Gasen (   ). *besteht*
7. Industriebetriebe, Motorfahrzeuge und natürlich alle Lebewesen sind auf Sauerstoff angewiesen. Wir wissen, dass sie alle grosse Mengen Sauerstoff (   ). *verbrauchen*

8. Ein Mensch, zum Beispiel, verbraucht so viel Sauerstoff, wie ein einziger Baum (   ). *produziert*
9. Auf unserer Erde aber sind heute zwei Drittel der Wälder nicht mehr (   ). *vorhanden*
10. Mehr Strassen, mehr Häuser und mehr Industriegebiete werden gebaut, und täglich gehen in der Bundesrepublik 50–70 Hektar Grünland (   ). *verloren*

6, 10, 11 *To practice comprehension of new vocabulary*

4. Listening and Reading Exercise

You will hear ten statements, with a verb missing at the end of each. For each statement, you are given a choice of three verbs. Decide which one completes the statement best, and circle the appropriate letter. Let's begin.

1. Wir verbrauchen heute viel mehr Wasser als, sagen wir, vor 15 oder 20 Jahren. Der Wasserverbrauch ist in dieser Zeit rapide _____. *(angestiegen, B)*
2. Das Wasser kann im Kreislauf der Natur auch nicht beliebig vermehrt werden. Wir wissen heute, dass unser Wasservorrat _____. *(begrenzt ist, A)*
3. Wir verbrauchen Wasser im Haushalt für unsere Waschmaschinen und Geschirrspülmaschinen. Wir waschen unsere Autos, wir bewässern unseren Rasen. Und riesige Wassermengen werden auch von der Landwirtschaft und von der Industrie _____. *(benötigt, C)*
4. Wir müssen mit unserm Wasser sparsam umgehen, denn wir können unsern Wasservorrat nicht beliebig _____. *(vermehren, C)*
5. Wir verbrauchen heute viel mehr Wasser als früher, denn unser Lebensstandard ist in den letzten Jahren rapide _____. *(angestiegen, A)*
6. Auch der Lärm ist eine Gefahr für unsere Gesundheit. Starker Lärm beeinflusst unser Nervensystem. Wir fühlen, dass wir uns weniger konzentrieren können und dass sich unsere Arbeitskraft _____. *(verringert, C)*
7. Der Strassenverkehr ist seit 1950 um das 15fache angestiegen, und der Flugverkehr hat um das 30- bis 40fache _____. *(zugenommen, B)*
8. Und wie sehen unsere Städte aus? Ihr müsst euch mal an eine Strassenecke stellen und eure Mitmenschen beobachten, was sie alles wegwerfen, wie sie unsere Stadt _____. *(verschmutzen, A)*
9. Warum muss einer seine Zigarette auf die Strasse werfen oder eine leere Packung oder eine Streichholzschachtel? Warum sagen wir nichts, wenn einer seine Zeitung auf einer Bank oder Wiese _____? *(liegenlässt, C)*
10. Es gibt einfach zu viel Abfall. Wir verbrauchen mehr Dinge als früher. Wir reparieren fast nichts mehr, sondern werfen alles weg. Und alles, was wir kaufen, ist immer gut _____. *(verpackt, B)*

Now check your answers. *Repeat each item, and give the correct answer.*

1.	A verschmutzt	B angestiegen	C gefallen
2.	A begrenzt ist	B vergiftet ist	C angestiegen ist
3.	A produziert	B begrenzt	C benötigt
4.	A verringern	B verbrauchen	C vermehren
5.	A angestiegen	B gefallen	C begrenzt
6.	A verbraucht	B vermehrt	C verringert
7.	A fortgesetzt	B zugenommen	C aufgetrieben
8.	A verschmutzen	B verbrauchen	C zerstören
9.	A liest	B verschmutzt	C liegenlässt
10.	A verschmutzt	B verpackt	C vergiftet

5. Listening and Reading Exercise

You will hear seven statements, with a verb missing at the end of each. For each statement, you are given a choice of three verbs. Decide which one completes the statement best, and circle the corresponding letter. Let's begin.

1. Es gibt aber heute schon viele Leute, die sich um unsere Umwelt sorgen und die sich fragen, was sie tun können, um unsere Umwelt zu _____. *(verbessern, B)*
2. In vielen Ländern gibt es auch Gesetze, die sich mit der Verschmutzung der Luft und des Wassers und mit der Bekämpfung des Lärms _____. *(befassen, B)*
3. Wenn man sieht, wie wenige Menschen sich darum sorgen, ob die Luft und das Wasser verschmutzt werden, dann fragt man sich, ob all die Gesetze, die sich mit unserer Umwelt befassen, etwas _____. *(nützen, A)*
4. Viele Leute hört man sagen: ,,Was nützt es, wenn ich mein Auto verkaufe und den Bus benutze, oder ob ich das Wasser verschmutze? Ich weiss, dass es auf mich gar nicht _____.'' *(ankommt, C)*
5. Nun, im Lande Bayern ist es heute ruhiger, als es einmal war, denn hier ist viel getan worden, um den Lärm in den Städten zu _____. *(bekämpfen, C)*
6. So gibt es heute, zum Beispiel, auf vielen Seen keine Motorboote mehr, und auf anderen Seen wurde die Zahl der Motorboote stark _____. *(verringert, B)*
7. Der Strassenlärm wurde durch Geschwindigkeitsbeschränkungen in der Nähe von Wohnhäusern stark _____. *(herabgesetzt, A)*

Now check your answers. *Repeat each item, and give the correct answer.*

1. A	bekämpfen	B	verbessern	C	gefährden
2. A	beitragen	B	befassen	C	bekämpfen
3. A	nützen	B	verbieten	C	gefährden
4. A	benötigt	B	beiträgt	C	ankommt
5. A	verbessern	B	vermehren	C	bekämpfen
6. A	verbessert	B	verringert	C	gefährdet
7. A	herabgesetzt	B	verbessert	C	vermehrt

6. Speaking Exercise

You have in front of you six pictures, each one representing an area of environmental protection. Look at each picture in turn, and make whatever suggestions you can think of, based on the material in the textbook, telling what we can do to make a better environment. After each response you will hear a suggested answer. Let's begin.

1. (   ) *Wir können öffentliche Verkehrsmittel benutzen. Sie sind billiger, und die Luft wird dann nicht so schmutzig.*
2. (   ) *Wir sollten unsere Abfälle wieder mit nach Hause nehmen, wenn wir im Wald picknicken.*
3. (   ) *Wir brauchen nicht so viele elektrische Geräte. Sie verbrauchen Energie!*
4. (   ) *Wir sollten auch keinen Abfall ins Wasser werfen, wenn wir spazierengehen.*
5. (   ) *Wir können unsere Abfälle in Abfalltonnen werfen!*
6. (   ) *Wir sollten auch den Motor abstellen, wenn wir im Verkehr warten müssen. Damit sparen wir Benzin und machen die Luft nicht schmutzig.*

25 *To practice for Conversation Exercise 25 in the textbook*

7. Listening Exercise

Our friends have gotten together after school for a talk about the environment, in preparation for a class project. They'll be discussing their personal reaction to problems of air, water, and noise pollution, and to the garbage problem. Listen to what they have to say, and perhaps take some notes. The expressions they use will be useful for your class discussion of these topics.

(Stimmengewirr)

GISELA   Wir sollten mit der schmutzigen Luft anfangen. Schaut euch mal meine neue Bluse an! Die hab' ich mir vorhin erst angezogen, und wie sie jetzt schon aussieht: ganz schmutzig um den Kragen!

FRANK   Das ist doch nicht so schlimm. Die Bluse kannst du waschen.

OTTO   Wir haben ja wieder genug Wasser. Es hat so viel geregnet.

GISELA   Mein Vater hat es überhaupt nicht gern, wenn ich so viel Wasser verbrauche. Er ist immer böse, wenn ich lange dusche. Er sagt, wir müssen Wasser sparen.

OTTO   Meiner auch. Aber ich erinnere ihn immer daran, dass er beim Autowaschen vielleicht mehr Wasser verbraucht als ich beim Duschen.

NICOLE   Wäscht dein Vater das Auto auch jedes Wochenende?

OTTO   Klar! Der Wagen muss doch sauber sein.

FRANK   Aber warum sprechen wir denn überhaupt übers Wagenwaschen?

GISELA   Es hat mit meiner schmutzigen Bluse angefangen.

FRANK   Ach, ja! Die „Luftfrage" hat uns zur „Wasserfrage" gebracht!

NICOLE   Die Gisi wohnt eben zu nahe an der Hauptstrasse. Da ist die Luft viel schmutziger, weil da so viele Autos entlangfahren.

OTTO   Du hast es schön. Du wohnst gleich hinter dem Stadtpark.

NICOLE   Ja, unsere Luft ist relativ sauber.

FRANK   Und der Sauerstoff, den die Bäume produzieren und den du einatmest . . . jetzt weiss ich auch, warum du so schlau bist!

GISELA   Schon gut, aber wir wohnen alle in derselben Stadt. Und Autos und Flugzeuge und Fabriken vergiften die Luft in der ganzen Stadt—nicht nur an der Hauptstrasse.

OTTO	Aber wenigstens ist das Wasser bei uns gut. Ich hab' erst gestern in der Zeitung gelesen, dass ein Teil des Rheins so verschmutzt ist, dass dort keine Fische mehr leben können.
GISELA	Kein Wunder! Denk doch an das Ruhrgebiet, an die vielen Fabriken, die Wasser benutzen und schmutziges Wasser wieder in die Flüsse leiten.
OTTO	Und das Abwasser von einer Fabrik ist oft so warm, dass die Temperatur des Flusses an dieser Stelle höher wird. Das ist auch schlimm.
FRANK	Ich war mal in Hamburg. Da hättet ihr mal das Öl auf dem Wasser sehen sollen! Diese grossen Tanker verseuchen vielleicht das Wasser!
NICOLE	Wo war denn jetzt das grosse Unglück?
FRANK	Das war in Frankreich. Der ganze Strand war mit Öl bedeckt, und die vielen Fische und Vögel, die gestorben sind!
GISELA	Ja, ich hab' die Bilder in der Zeitung gesehen. Furchtbar!
	(Sirene)
FRANK	Was für einen Lärm die machen!
OTTO	Mach doch das Fenster zu!
	(Sirene)
GISELA	Schon wieder.
FRANK	Die Polizei, dein Freund und Helfer!
NICOLE	Das geht ja noch, die sausen schnell vorbei. Aber ihr solltet mal den Lärm bei meiner Tante hören! Sie wohnt in Frankfurt, in der Nähe vom Flughafen und auch nicht weit von der Autobahn entfernt. An manchen Tagen — es kommt auf den Wind an — ist der Lärm ohrenbetäubend. Auch in der Nacht.
FRANK	Aber so einen grossen Flughafen wie Frankfurt kann man nicht in der Nacht schliessen. Das können nur die Münchner.
NICOLE	Die lieben ihre bayerische Ruhe!
FRANK	Warum nicht? Auf den Seen in Bayern hört man jetzt fast keinen Lärm von Motorbooten mehr.
GISELA	Übrigens ist es bei dir so furchtbar ruhig.
OTTO	Ich kann mein Stereo anstellen, wenn du willst. *(Musik, laut)* Besser?
FRANK	Ausmachen! Ruhe! Wegwerfen!
OTTO	Wegwerfen? Du spinnst wohl! Bei uns wird nichts weggeworfen. Wir sammeln alles.
NICOLE	Ihr habt ein grosses Haus. Wir haben eine kleine Wohnung, und was wir nicht mehr gebrauchen können, wird weggeworfen.
FRANK	Deshalb wächst unser Müllberg so schnell, weil ihr alles wegwerft.
NICOLE	Was sollen wir denn mit dem alten Zeug? Reparieren? Manchmal kostet das fast soviel wie etwas Neues kaufen.
OTTO	Mein Vater repariert alles. Letzte Woche hat er unsere Waschmaschine repariert.
GISELA	Ja, wir reparieren auch vieles — das Auto, die Waschmaschine. Aber wir werfen trotzdem vieles weg — Pappbecher, Verpackungen, allerlei Flaschen und Dosen und Sachen aus Plastik, meistens von der Küche. Meine Mutter sagt, die Supermärkte sind dafür verantwortlich. Sie verpacken alles in Papier, und dann geben sie uns immer Plastiktaschen. Und die kann man nicht wieder verwerten. Man muss sie wegwerfen.
FRANK	Bist du mal auf unserem Müllplatz gewesen? Da kannst du sehen, was die Leute alles wegwerfen. Kein Wunder, dass unser Müll von Jahr zu Jahr wächst.
NICOLE	Ich hab' in der Zeitung gelesen, dass alle Einwegflaschen abgeschafft werden sollen.
FRANK	Dann wird die Limo im Supermarkt wieder teurer!
NICOLE	Nein, billiger! Der Supermarkt nimmt die Flaschen wieder zurück, und du bekommst dein Pfand zurück.
FRANK	Aber glaubst du, die Märkte machen das umsonst? Nein, die Supermärkte haben es gar nicht gern, denn es macht Arbeit für sie. Ich meine, die Limo wird jetzt teurer.

NICOLE	Aber wenigstens wirst du dann keine Flaschen mehr am Strassenrand sehen.
GISELA	Ja, dann werden die Leute plötzlich fleissig werden und die leeren Flaschen einsammeln, bloss um das Pfand zu bekommen.
FRANK	Du, weil wir gerade von Limonade reden: hast du eine im Haus? Ich hab' Durst.
OTTO	Ich auch!
	(Stimmen)

Scope and Sequence Chart

Unit 25   SOMMERBALL IM GYMNASIUM BESIGHEIM

Learning Objectives	Basic Material	Grammar	Activities, Realia, and Supplementary Readings	Areas for Cultural Awareness[1]
1. To talk about planning a school dance	Sommerball im Gymnasium Besigheim 1			the Gymnasium; the Abitur; a school dance for all ages, honoring graduates
—choosing a planning committee and assigning teams	Das Organisationskomitee plante den Ball 2			teamwork; community involvement; use of proceeds for class trip
—decorating the school	Die Schüler dekorierten die Schule 3			
—using tools and supplies	Was für Werkzeuge brauchen die Zwölftklässler? 4			names of tools and craft supplies
—using the narrative past tense (weak verbs)		Talking About the Past —The Narrative Past of Weak Verbs 4		
—learning some German party songs			Was für Musik wird das Orchester spielen? 6	favorite old songs often sung at parties
2. To talk about the night of the party; preparing food	Die Schüler bereiteten das Essen vor 7			
—greeting and serving the guests	Der Sommerball begann pünktlich 7			
—reading a party beverage list			Die Getränkekarte 8	typical food and drink at a German school party
—telling the time	Die Uhrzeit—Different Ways to Tell Time 9			colloquial idioms for telling the time
—using colloquial idioms for telling time	Wieviel Uhr ist es? Wie spät ist es? Was sagen wir? 9			

3. To talk about the success of the dance —cleaning up afterwards; counting the proceeds —using the narrative past tense of strong verbs —contrasting uses of narrative and conversational past tenses —saying how you liked the party	Der Ball war ein Erfolg! 10 Was geschah am nächsten Tag? Aufräumen und Geld zählen 11 Talking About the Past —The Narrative Past of Strong Verbs 12 Using the Narrative Past 13 Wortschatz 15	Wie war denn die Party? 15	music, entertainment, and speeches at the party summary of idioms for describing parties; expressions of enthusiasm and boredom

¹ This column, "Areas for Cultural Awareness," is a reference list of specific elements in the units of **Die Welt der Jugend** which should provide raw material for a further discussion of German culture. It by no means exhausts the possibilities for cultural awareness in the program. A general discussion of cultural content begins on page T3 and continues on page T9 in the introduction to this Teacher's Edition. In addition, the themes and cultural content of the individual units are discussed in the section titled "Teaching Suggestions for Each Unit," which begins on page T12.

UNSER AUSFLUG INS ELSASS

Learning Objectives	Basic Material	Grammar	Activities, Realia, and Supplementary Readings	Areas for Cultural Awareness
1. To talk about a class trip to a castle in the Alsace; to read a longer narrative —reviewing past participles and learning narrative past forms of more strong verbs —using the word als to introduce past tense clauses	1. Teil: Hoch-Königsburg 18	Principal Parts of Strong Verbs 23 Past Tense Clauses with als 24		students and teachers taking a bus trip into the Alsace region; the castle Hoch-Königsburg custom of taking class trips; student participation in planning and arranging trips; France as a popular place for German students to visit
2. To talk about visiting the "monkey forest" and seeing a demonstration of falconry; to read a longer narrative —reviewing past participles and learning narrative past forms of more strong verbs —learning names of plants and trees that grow wild —becoming familiar with expressions popular among German students	2. Teil: Affenwald und Kintzheim 24 Wortschatz 31	More Principal Parts of Strong Verbs 29	Bäume und Feldblumen, Pilze und Beeren 30 Schülerdeutsch 30	language used by students; informal "instruction" in natural science; singing songs in the bus going home names of wildflowers, trees, mushrooms, berries summary of expressions and idioms often used by German students

Learning Objectives	Basic Material	Grammar	Activities, Realia, and Supplementary Readings	Areas for Cultural Awareness
1. To talk about a student theater competition —preparing to put on a play —writing the script and assigning the roles	Ein ganz besonderes Schuljahr! 34 Die Vorbereitungen begannen schon im September 34 Das Texten fand in den Wintermonaten statt 35			school theater competition; student exchange with a school in France; class discussion about putting on a play *commedia dell'arte*, its history and stock characters
2. To read the plot of a *commedia dell'arte* play —reading Latin terms for Gymnasium classes —using adverbial phrases referring to time —using phrases referring to dates and seasons —expressing "how often"		Some Time Expressions 38 More Time Expressions —Seasons, Months, and Days 39 How Many Times? 40	Die Geschichte von Harlekin und Columbine 37 Was sind Quintaner? 38	a typical *commedia dell'arte* plot: "Harlequin and Columbine" Latin names for classes and class members at a Gymnasium
3. To talk about putting on the play —performing before an audience and judges —talking about winning the competition —reviewing past participles and learning narrative past forms of more strong verbs —using the past perfect tense —learning some vocabulary of discussion	Kostüme, Bühnenbilder und Musik 41 Die Aufführung vor der Jury 42 Die Quinta wird berühmt 44 Wortschatz 47	Principal Parts of Strong Verbs 45 Talking about the Past —The Past Perfect Tense 46	Wir diskutieren 47	student participation in producing the play: making costumes and scenery; practicing music summary of phrases and idioms often used in discussions

Unit 28

DIE LANDSHUTER HOCHZEIT

Eine ganze Stadt spielt Mittelalter

Learning Objectives	Basic Material	Grammar	Activities, Realia, and Supplementary Readings	Areas for Cultural Awareness
1. To talk about participating in a historical pageant; interviewing a participant —expressing the idea that something has been going on for a length of time	Vor dem Festzug: Ein Interview mit einem Mitspieler 50	Time Phrases with erst, schon, and seit 52		popularity of local and regional festivals; the Landshut Wedding; participation of townspeople in reenactment of a historic event
2. To learn about the Landshuter Hochzeit and the town festival that commemorates it —talking about the pageant and the medieval society it depicts			500 Jahre Landshuter Hochzeit 53 Eine ganze Stadt spielt Mittelalter 54	the meaning and importance of the Landshut Wedding celebration a four-page photo essay on the Landshut Wedding variety of roles and costumes for a medieval pageant; involvement of all generations
3. To talk about visiting a town where a festival is going on —using time expressions with "in" and "vor" —using determiners of quantity	Ein junger Zuschauer erzählt 58	in and vor in Time Expressions 59 Determiners of Quantity—alle, andere,		observations by a visitor to the festival; popularity of the event

		tendency to view the day as being divided into parts with specific durations
	Zeitleisten 62	
	einige, ein paar, mehrere, viele, wenige 60 Time Expressions for Parts of the Day 61	
Wortschatz 64		
—referring to parts of the day —practicing parts of the day by describing a sequence of drawings		

MIT DEM AUTO IN DEN URLAUB

Learning Objectives	Basic Material	Grammar	Activities, Realia, and Supplementary Readings	Areas for Cultural Awareness
1. To have a family discussion about vacation plans —discussing places the family has been before —discussing places it would be nice to see again —learning the names of camping equipment —identifying picture symbols useful to vacationers and campers —using adjective endings	Planen ist die halbe Reise! 66 Was hat den Wielands im letzten Jahr gefallen 67 Was möchte Matthias wieder sehen? 67 Wem gehören diese Campingsachen? 67	Adjective Endings—Following the Definite article and dieser-words 68	Wichtige Schilder für den Urlauber. Was bedeuten sie? 68	family participation in making vacation plans popularity of camping; Baggerseen typical vacation sights popular in Germany: old cities, castles, mountain villages, lakes names of camping equipment some picture symbols of interest to vacationers and campers in Germany
2. To talk about making a car trip; stopping at the gas station beforehand —packing the car and starting the trip —driving on the Autobahn —identifying makes of cars	Wielands müssen tanken, bevor sie Wegfahren 70 Vor der Abfahrt 71 Auf der Hinfahrt 72 Was ist das für ein Wagen? Ich glaub' das ist . . . 73			expressions useful at a gas station the German Autobahn identification of foreign cars by license plates and oval insignia

HOBBYS

Learning Objectives	Basic Material	Grammar	Activities, Realia, and Supplementary Readings	Areas for Cultural Awareness
1. To talk about hobbies —discussing hobbies popular among German young people	Was ist ein Hobby? 82 Was für Hobbys haben die deutschen Jungen und Mädchen? 82			popularity of hobbies hobbies popular with German-speaking young people
2. To talk about photography as a hobby —meeting a young photographer —talking about his best photographs —seeing his favorite subjects —discussing the most difficult subjects to photograph —using the verb lassen to mean "to have done" —using comparative and superlative forms of adjectives with endings —reading some world records to practice adjective endings with superlatives	Fotografieren, das schönste Familien-Hobby 83 Harry Braun, unser Fotograf 83 Meine besten Fotos 84 Was für Motive knipst Harry am liebsten? 89 Welche Motive sind am schwersten zu fotografieren? 84	A Special Use of the Verb lassen—To Have Something Done: lassen + Infinitive 85 Adjective Endings—Comparative and Superlative Forms 86	Habt ihr das gewusst? 89	photography as a hobby miscellaneous world records

—practicing superlatives by playing a game —practicing and reviewing forms of adjectives by comparing and commenting on drawings			Ratespiel: Superlative 89 Was könnt ihr über diese Zeichnungen sagen? 89	guessing game with world records
3. To talk about collecting stamps	Briefmarkensammeln, ein Hobby für das ganze Leben 89			stamp collecting as a hobby
—interviewing a young stamp collector	Peter Niebisch, unser Briefmarkensammler 90			
—discussing stamp collecting supplies and equipment	Was braucht der Briefmarkensammler? 90			equipment and supplies for stamp collecting
—learning about stamps from different countries	Woher stammen diese Briefmarken? 91			stamps from non-European countries
—learning about commemorative stamps			Peter sammelt auch Sondermarken 91	German commemorative stamps
—using the ordinal numbers		The Ordinal Numbers 92		
—practicing the ordinal numbers and reviewing dates by preparing a birthday calendar			Ein Geburtstagskalender 92	
—using adjective endings after numerals		Adjectives after Numerals 92		
—using adjective endings after determiners of quantity		Determiners of Quantity—Followed by Adjectives 93		
	Wortschatz 96			

Learning Objectives	Basic Material	Grammar	Activities, Realia, and Supplementary Readings	Areas for Cultural Awareness
1. To talk about a boy getting ready to go out —saying what you need for washing —saying what you use when you brush your teeth —saying what you use to shave —saying what a boy uses for his hair —learning some special uses of the word ja —learning a special use of the word dass —learning two uses of the word doch —using infinitives as nouns —using infinitives as nouns in phrases with beim and zum	Peter mach sich fertig 98 Was braucht Peter zum Waschen? 99 Was braucht er zum Zähneputzen? 99 Was braucht er zum Rasieren? 99 Was braucht er für sein Haar? 99	Using the Word ja 100 A Special Use of dass 101 Using the Word doch 101 Infinitives Used as Nouns 101 Infinitives Used as Nouns—Following beim and zum 102		a boy's grooming; "Katzen-wäsche" things used for washing things used for brushing the teeth things used for shaving things a boy uses for his hair
2. To talk about a girl getting ready to go out: fixing her hair —saying what a girl uses for her hair —using da-compounds —using wo-compounds	Babsie frisiert sich? 103 Womit pflegt Babsie ihr Haar? 103	da-Compounds 104 wo-Compounds 105		a girl's grooming things a girl uses for her hair

Learning Objectives	Basic Material	Grammar	Activities, Realia, and Supplementary Readings	Areas for Cultural Awareness
1. To talk about a dancing school	Die Tanzschule Wolfgang Steuer 114			increased popularity of social dancing among young people in Germany; names of dances
—persuading a friend to join the dance class; planning to invite dates	Vor der Tanzstunde 114			vocabulary of making a date
—waiting for the dates to arrive before the class	Peter und Christian warten auf ihre Damen 115			
—introducing people to each other	Peter stellt Christian vor 116			vocabulary of introduction
—discussing other social events and leisure time activities	Was tun andere Jungen und Mädchen in ihrer Freizeit? 117			special events at the dancing school
—describing the personalities of friends	Wie beschreiben wir andere Leute? 117			various activities popular with German young people
—practicing new vocabulary by playing a guessing game			Ratespiel: Wer ist das? 117	vocabulary of describing personalities
—using the definite article as a demonstrative pronoun		The Definite Article as a Demonstrative Pronoun 118		
2. To talk about a class at the dancing school			In der Tanzstunde 119	young people learning to dance in a class; vocabulary of dancing
—talking about horoscopes	Peter ist ein Fisch 120			

astrological signs	Du und Deine Sterne 121	ein-Words Used as Pronouns 122	—reading a newspaper horoscope for young people —using ein-words as pronouns
vocabulary of dating and breaking up vocabulary of lending and borrowing money from a friend			**3.** To go out to eat after the dance class —talking about breaking up with someone; borrowing money from a friend
		welcher? and was für ein? Used as Pronouns 126	—using welcher and was für ein as pronouns
summary of dating vocabulary	Ein „Ausgeh-Vokabular" 127		—reviewing and using the idioms for going out on dates, meeting people, breaking up, etc.

Nach der Tanzstunde 124

Was ist mit Peter und Babsie los? 125

Wortschatz 128

Unit 33

UNSERE GESUNDHEIT

Learning Objectives	Basic Material	Grammar	Activities, Realia, and Supplementary Readings	Areas for Cultural Awareness
1. To talk about being sick and calling the doctor —writing an excuse note for school —visiting the doctor's office; talking with the doctor —using the word "schön" in certain idioms —using the word "ob" to mean "I wonder. . . ."	Annegret hat sich erkältet 130 Annegret ist krank. Ihre Mutter schreibt eine Entschuldigung 130 Beim Arzt	Special Uses of the Word schön 132 A Special Use of ob 133		a parent's note to the teacher excusing a child's absence from school conversation with a doctor in his office German medical and dental insurance system
2. To talk about visiting the pharmacy —learning names of common first-aid supplies —using correct word order in sentences with both a direct and an indirect object —learning order of adverbial elements in the sentence —practicing word order by playing a game	In der Apotheke 134	Order of Objects 135 Expressions of Time and Place 137	Was haben wir alles in unserer Hausapotheke? 134 Spiel: Verrückte Sätze 137	conversation with pharmacist the contents of a typical medicine chest

Objectives	Dialogues / Readings	Grammar	Notes
3. To talk about common ailments —discussing childhood sicknesses and accidents —using modal verbs in the conversational past tense	Was fehlt den Kindern? 138 Unsere Freunde erzählen von ihren Unfällen und Krankheiten 138	The Conversational Past of Modals 140	vocabulary and idioms related to ordinary illnesses and injuries some typical German remedies; the "sweat cure"
4. To talk about going to the dentist —learning dental terms; talking about proper dental hygiene —using idioms and vocabulary related to sickness and health	Christian geht zum Zahnarzt 142 Gesunde Zähne sind wichtig! 143 Ein kleines Krankheitsvokabular 143		conversation with the dentist vocabulary of dental hygiene summary of phrases relating to sickness and health
	Wortschatz 144		

Unit 34

WINTERSPORT

Learning Objectives	Basic Material	Grammar	Activities, Realia, and Supplementary Readings	Areas for Cultural Awareness
1. To talk about snowfall and skiing	Bei unseren Freunden in St. Jakob 146			skiing as Germany's most popular winter sport; skiing in the Austrian Alps
—discussing other winter sports	Was für einen Wintersport treiben andere Jugendliche? 147			
—learning names for ski equipment	Unsere Schiausrüstung 147			vocabulary of winter sports equipment
—learning names for ice hockey equipment	Was können unsere Sportler noch gebrauchen? 147			
—discussing what materials are used for ski equipment	Aus was für Material ist unsere Schiausrüstung? 148			vocabulary to describe what things are made of
—practicing new vocabulary by playing a game —talking about buying new skis			Ratespiel: Woran denke ich? 148	
—using da-compounds; using der and dieser-words as pronouns	Wir teuer waren deine Schier? 148	da-Compounds; der and dieser-Words Used as Pronouns 148		
2. To talk about a class ski trip to the Alps; to read a longer narrative	Auf zum Schilager nach Westendorf! 150			custom of class ski trips; some rules and routines of skiing; a family-run ski lodge
—using infinitive constructions with "zu"		Infinitive Constructions with zu 152		

Unit 35

WASSERSPORT

Learning Objectives	Basic Material	Grammar	Activities, Realia, and Supplementary Readings	Areas for Cultural Awareness
1. To talk about learning to sail —naming other water sports —asking questions using woher and wohin —using indefinite personal pronouns	Segelunterricht für die Zehnjährigen 162 Was für einen Wassersport treibt ihr? 163	woher and wohin 164 Indefinite Personal Pronouns 165		popularity of water sports in Schleswig-Holstein vocabulary of sailing and other water sports
2. To talk about school work and rowing practice —reading some German classroom jokes —beginning questions with prepositions and with wo-compounds; reviewing verbs used with prepositions	Was hat Rudern mit Latein zu tun? 166	Forming Questions Using Prepositional Phrases 168	Klassenwitze 167	a Latin class; some vocabulary of language study jokes about school and Latin class
3. To talk about learning to row a racing shell —using phrases with da-compounds —learning folk songs about the sea		Certain Phrases with da-Compounds 172	Schüler-Segelklub Kiel 170 Lieder für die Schiffsfahrt 173	vocabulary of rowing a racing shell familiar songs of the sea
4. To read a map of German waterways —learning the names and lengths of German rivers and canals; learning about the major German lakes	Wortschatz 176		Gewässer und Wasserwege 174 Flüsse, Kanäle und Seen 175	map of West German lakes, canals, and rivers statistics on the largest German waterways

Unit 36

HINEIN INS VERGNÜGEN!

Learning Objectives	Basic Material	Grammar	Activities, Realia, and Supplementary Readings	Areas for Cultural Awareness
1. To talk about fairs and fairgrounds —learning about the Munich Oktoberfest; seeing two young people at the Oktoberfest —using conditional sentences; learning the subjunctive forms of modal verbs —using conditional sentences to express wishes	Auf dem Rummelplatz 178 Das Münchner Oktoberfest 178	Conditional Sentences —Subjunctive Forms of Modals 180 Expressing Wishes Using Conditional Sentences 183		vocabulary of a carnival the Munich Oktoberfest: history, music, foods
2. To talk about visiting a carnival —expressing polite requests and making suggestions —using the word daneben	Auf dem Rummelplatz in Geretsried 184	Using Subjunctive Forms—Polite Requests and Suggestions 186 A Special Use of the Word daneben 187		a small town carnival with rides
3. To read about celebrating Fasching —learning typical Fasching and carnival songs —practicing vocabulary by describing photographs of a student fair —using typical fairground expressions	Auf geht's in den Fasching! 188 Wortschatz 192		Lieder für den Fasching und für andere Feste 190 Was ist auf diesem Schulfest alles los? 191 Was hören wir alles auf dem Rummelplatz? 191	Fasching (Karneval): history, costumes, regional celebrations songs sung at Fasching and other festivals photographs of a student fair summary of expressions heard on the fairground

Unit 37

PETERS SOMMERJOB

Learning Objectives	Basic Material	Grammar	Activities, Realia, and Supplementary Readings	Areas for Cultural Awareness
1. To talk about a summer job in a fast-food restaurant	Peters Ferienjob 194			working in an American fast-food restaurant in Munich
2. To talk about finding a summer job	Eine bekannte Kundin 195			young people's views on summer jobs and how to get them
—mentioning several possible jobs	Wo können sich unsere Freunde in den Ferien Geld verdienen? 196			various other summer jobs
—talking about different reasons for earning money in the summer	Was machen sie mit dem Geld, das sie verdient haben? 197			what young people do with the money they earn
—expressing unreal conditions referring to the past		Conditional Sentences —Unreal Conditions Referring to the Past 198		importance of summer jobs to Gymnasium students; availability of jobs in the service industries
—playing a game using past tense conditional sentences			Denk- und Sprech-Fix 199	
—expressing "if only" circumstances in the past		"If Only" Circumstances in the Past 200		
3. To talk about taking a driving lesson	In der Fahrschule 200			German driving school; vocabulary of a driving lesson
—talking about categories of driver's license			Was für Führerscheine gibt es? 202	different kinds of driver's license
—talking about documents needed for a driving test			Was brauchst du, wenn du dich zur Prüfung anmeldest? 203	requirements for a German driving test; costs of learning to drive

			official documents required for German residents; registration with local police
		Ein Spiel mit Verkehrs-zeichen 205	road signs and traffic signals familiar to German motorists
	Modals in Past Conditional Sentences 203	Wie gut kennt ihr euch aus? 206	a page from a German driver's manual
—using modals in past conditional sentences		Auf Utes Geburtstags-party 207	
—practicing vocabulary by playing a game with road signs			
—practicing vocabulary by discussing traffic situations from a driver's manual			
—practicing vocabulary by describing photographs of a birthday party	Wortschatz 208		

Learning Objectives	Basic Material	Grammar	Activities, Realia, and Supplementary Readings	Areas for Cultural Awareness
1. To talk about dairy farming in Germany	Wo wird Viehwirtschaft getrieben? 210			regions in Germany where dairy farming is important
—learning about a typical dairy farm in the Tyrol	Bei den Reiters in St. Jakob 210			farming in the Tyrol
—talking about farm animals	Was für Tiere gibt es auf einem Bauernhof? 212			farm animals, their products, and their young
—identifying some of the products of farm animals	Was geben uns die Tiere? 213			
—learning what some baby animals are called				
—expressing sentences in the passive voice		The Passive: werden and the Past Participle 213	Wie heissen die Jungen von . . .? 213	
2. To talk about the summer pastures in the Alps			Auf der Alm 216	the Alm (summer pasture in the Alps)
—talking about mowing the hay	Beim Grasmähen 217			terms for haying
—learning how the hay is harvested	Beim Heuen 217			
—using the passive infinitive construction		The Passive Infinitive 218		
3. To read about Germany as an industrial and as an agricultural nation			Die Bundesrepublik Deutschland: Agrarland oder Industriestaat? 221	industry and agriculture in Germany

—discussing a map of agri-cultural and industrial products and population density —practicing the passive voice by playing a game	Wortschatz 223	BRD: Bevölkerung, Bodennutzung und Industrie 222 Ratespiel mit Zahlen 223	population, manufactured products, and crops in Germany

LEHRLINGE

Learning Objectives	Basic Material	Grammar	Activities, Realia, and Supplementary Readings	Areas for Cultural Awareness
1. To read about German apprenticeships; discussing advantages and disadvantages of becoming an apprentice —reading employment ads from a German newspaper	Vor der Wahl eines Berufes 226		Stellenangebote, Stellengesuche 226	young people choosing between apprenticeship and unskilled labor; ways of finding an apprenticeship German newspaper "help wanted" and "position wanted" ads
2. To learn about the training program at a large retail firm and to meet three apprentices in the firm —learning genitive case forms —using the genitive case	Eine Ausbildung bei Pfannkuch 227	The Genitive Case 230 Uses of the Genitive 231		apprentices in a large company; variety of study and work experience in a training program; hardships and rewards of being an apprentice
3. To read about two apprentices in a self-service store —seeing another apprentice in a discount store —using the demonstratives derselbe, dieselbe, dasselbe —using the determiner irgendein	In einem SB-Laden 234 In einem Disco-Markt 235	The Demonstratives derselbe, dieselbe, dasselbe 235	The Determiner irgendein 236	apprentices working a self-service store an apprentice working in a discount store

4. To talk about finding an apprentice position —writing a letter of application —writing a résumé	Wie ist Martina zu Pfannkuch gekommen? 236	Martina Lankow bewirbt sich. Sie schreibt eine Bewerbung 237 Martina schreibt einen Lebenslauf 238	how firms advertise for apprentices; how apprentices look for a positions; newspaper ads a letter of application a résumé
5. To read about a young woman's apprenticeship as a dental technician	Wortschatz 240	Gerda lernt Zahntechnikerin 239	a Gymnasium graduate studying to be a dental technician

UNSERE UMWELT

Learning Objectives	Basic Material	Grammar	Activities, Realia, and Supplementary Readings	Areas for Cultural Awareness
1. To discuss how people harm the environment	Der Mensch und seine Umwelt 242			pollution, ecology; concern for environment
2. To discuss the causes of air pollution —talking about the uses of water and the causes of water pollution	Unsere Luft 242 Unser Wasser 244			scientific terms for discussion of air and water pollution
3. To talk about noise pollution —garbage and waste problems —using relative clauses	Lärm: Gefahr für die Gesundheit 246 Unsere Abfälle 246	Relative Pronouns der, die, das in Relative Clauses 247		a "noise barometer," showing decibel levels for various kinds of urban noise humorous advertisements for environmental protection, published by the German federal government
4. To examine possible ways of improving the environment —learning how some German cities fight noise —using relative clauses introduced by was —discussing suggestions for making the environment more attractive —reading some ecological "rules" illustrated by German cartoons	Was können wir tun, um unsere Umwelt zu berbessern? 248 Was wird getan, um den Lärm zu bekämpfen? 250 Wie können wir unsere Umwelt schöner machen? 251 Wortschatz 255	was in Relative Clauses 251	Im Wald finden wir Ruhe und Erholung. Beachtet diese Regeln! 254	discussion of what the individual can do; laws for environmental protection in Germany beautification efforts in some German cities; examples of individual efforts German cartoons about the treatment of forests and streams

Die Welt der Jugend

WRITING AND CONSULTING STAFF
CENTER FOR CURRICULUM DEVELOPMENT

RESEARCH AND WRITING

Writer	GEORGE WINKLER
Contributing Editor	MARGRIT MEINEL DIEHL
Consulting Editor	MARINA LIAPUNOV
Consulting Linguist	ALFRED S. HAYES, Takoma Park, Md.
Editor	ANN CONRAD LAMMERS

CONSULTANTS

General Consultants	NELSON BROOKS, New Haven, Conn.
	PIERRE J. CAPRETZ, Yale University
Culture Consultant	EDELTRAUT EHRLICH, Markgräfliches Gymnasium
	Müllheim, Baden-Württemberg

TEACHER CONSULTANTS   DOROTHEA BRUSCHKE, Maplewood-Richmond Senior High School
Maplewood, Mo.
JOHN HENNINGER, Bridgewater Raritan High School West
Bridgewater Township, N.J.
GISELA SCHWAB, Ramapo High School
Franklin Lakes, N.J.
ALBERT WEAVER, Bridgewater Raritan High School West
Bridgewater Township, N.J.

Die Welt der Jugend

GERMAN 2

 HARCOURT BRACE JOVANOVICH

New York Chicago San Francisco Atlanta Dallas *and* London

PICTURE CREDITS   Positions are shown in abbreviated form, as follows: *t*, top; *b*, bottom; *l*, left; *r*, right.

TEXT PHOTOS   All photos by George Winkler/HBJ Photo except: Page 3 #3 Oscar Buitrago/HBJ Photo; 49 round inset, 53 #3, #4, #5, 57 #22, #23, #24, #25, 58 Courtesy of Gemeinnütziger Verein die Förderer E. V. Landshut; 73 *t* #1 Courtesy of Peugeot Motors of America; #2 Courtesy of Chinetti International Motors; #3 Courtesy of Lincoln-Mercury Division, Ford Motor Company; *b* #1 Courtesy of Volkswagen of America, Inc.; 74 Oscar Buitrago/HBJ Photo; 84 *t* #3, *b* #1 Gerhard Gscheidle/HBJ Photo; 91 Oscar Buitrago/HBJ Photo; 117 #1, #3, #4 Robin Forbes/HBJ Photo; #2 Gerhard Gscheidle/HBJ Photo; 145 Gerhard Gscheidle/HBJ Photo; 147 #2 Gerhard Gscheidle/HBJ Photo; #3 Oscar Buitrago/HBJ Photo; 148, 150, 151, 155, 156 Gerhard Gscheidle/HBJ Photo; 177 *tl* Robin Forbes/HBJ Photo; *tr, bl* Gerhard Gscheidle/HBJ Photo; 178, 179 Robin Forbes/HBJ Photo; 188, 189, 197 #8 Gerhard Gscheidle/HBJ Photo; 193 *bl, br* Oscar Buitrago/HBJ Photo; 197 #6, #7, #8 Gerhard Gscheidle/HBJ Photo; 227 #4, #5, #6, #7, 236 Courtesy of Firma Pfannkuch, Karlsruhe; 242 Bruce Coleman, Inc.; 243 Werner H. Müller/Peter Arnold Archive; 249 #1 Oscar Buitrago/HBJ Photo.

PLATES   All photos by George Winkler/HBJ Photo except: Plate 4 #1 Joachim Messerschmidt/Bruce Coleman, Inc.; Pl. 5 #2 Eduard Dietl/Bruce Coleman, Inc.; Pl. 8 #2, #3 Joachim Messerschmidt/Bruce Coleman, Inc.; Pl. 13 #2 Toni Schneiders/Bruce Coleman, Inc.; Pl. 14 #3 Edith Reichman/Monkmeyer; Pl. 15 #2 Joachim Messerschmidt/Bruce Coleman, Inc.; Pl. 16 #1 Joachim Messerschmidt/Bruce Coleman, Inc.; #2, #3 Toni Schneiders/Bruce Coleman, Inc.; Pl. 17 Gallery of Modern Art, Munich/ Editorial Photocolor Archives; Pl. 19 #4 German Information Center; Pl. 22 #1 Fritz Henle/Photo Researchers, Inc.; #2 Lufthansa German Airlines; Pl. 23 #1, #2 Joachim Messerschmidt/Bruce Coleman, Inc.; #4 The Bettmann Archive; Pl. 24 #1 Gerhard Gscheidle/HBJ Photo; #2 Frederic Olson/Shostal Associates; #3 Dore Bartcky/Bruce Coleman, Inc.; #4 The Bettmann Archive; #5 Gerhard Gscheidle/HBJ Photo; #6 Dore Bartcky/Leo de Wys, Inc.; Pl. 30 #4 Robin Forbes/HBJ Photo; Pl. 32 #1, #4 Robin Forbes/HBJ Photo; #6 Helmut Gritscher/Peter Arnold, Inc.

ART CREDITS   All art by Denman Hampson except: Pages 3 and 113 illustrations by Don Crew; 37 Courtesy of Germanisches Nationalmuseum, Nürnberg; 241, 243, 244, 246, 247, 249 environment decals Courtesy of Bundesministerium des Innern, Federal Republic of Germany; Plate 9 map illustrations by Manny Haller. Maps and mechanical art by HBJ Art.

Special Acknowledgments

We wish to express our gratitude to the boys and girls pictured in this textbook, to their parents for their cooperation, to the merchants who let us use their premises, and to the many people who assisted us in making this project possible.

Young People: The students of the twelfth grade at the Besigheimer Gymnasium, especially Rolf, Renate, Brigitte, and Gerhard (Unit 25); the boys and girls of the eighth grade at the Markgräfler Gymnasium in Müllheim, especially Veronika, Ursel, Rainer, and Gert (Unit 26); the girls and boys of the sixth grade at the Markgräfler Gymnasium in Müllheim, especially Ursula, Renate, Rolf, and Hans-Jörg (Unit 27); the Wieland children, Ulrike, Matthias, and Christiane (Unit 29); Harry Braun (Unit 30); Christian Böhmer (Units 30, 32); Peter Niebisch and Babsie Buresch (Units 30, 31, 32, 33, 37); Heidi and Elli (Unit 32); Alois and Franz Reiter (Units 34, 38); the girls and boys of the tenth grade at the Gymnasium in Starnberg, especially Rainer Marcinek, called Marzi (Units 34, 36); Katrin von Lehmann (Unit 34); the boys and girls of the sailing course at Schilksee, and the students of the eighth grade at the Mädchengymnasium in Kiel, especially Sabine and Anke (Unit 35); also Pia Koeller, Hans Niedermayer, Gabi Radler, Gabi Baumgartl, and Elke Weber (Unit 36); Sigrid Knöll, Martina Lankow, Werner Holzer, and Gerda Manthey (Unit 39).

Teachers: Erika Benz, Besigheim; Frau Braun, Müllheim; Fritz and Marianne Brunner, Dornbirn; Edeltraut Ehrlich, Müllheim; Herr Mohr, Müllheim; Herr Schaaff, Starnberg; Henning Schwarz, Kiel; Renate Sprick, Hamburg; Max Strack, Geretsried; Herr Wüstenberg, Kiel.

Our special thanks to Familie Funk, Berlin; Gerhard Lehmann, Karlsruhe; Lore Meinel, Bissingen; Gertrud Meinel, Hamburg; Familie Meyer-Böhringer, Bissingen; Familie Niebisch, München; Dieter von Lehmann, Berlin; Robert Pätzold, Karlsruhe; Familie Wieland, Besigheim; Familie Winkler, München.

Contents

● *basic material*
▲ *grammar*
■ *material for fun and cultural awareness*
▼ *reference*

Contents   vii

LEKTION 40

Unsere Umwelt

Seite **241**

PHOTO ESSAY **Regions of Germany, Part II** Plates 25 – 32

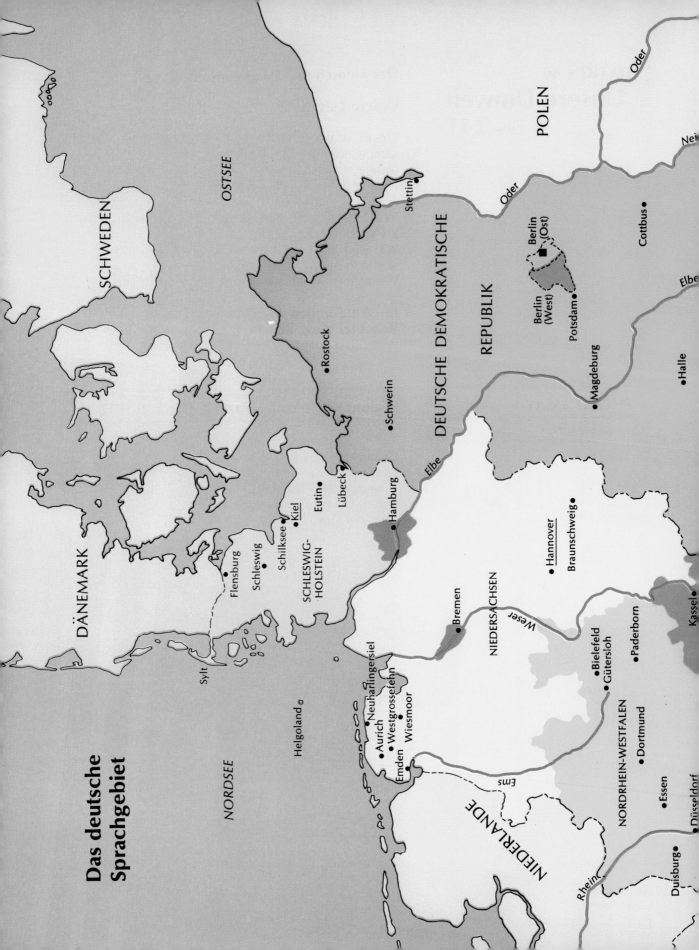

Das deutsche Sprachgebiet

Sommerball im Gymnasium Besigheim

Der Sommerball im Gymnasium von Besigheim ist ein Ereignis! Schüler, Eltern, ehemalige Schüler, Freunde und Bekannte kommen hier einmal im Jahr zusammen und feiern. Jung und alt vergnügt sich, plaudert und tanzt, isst und trinkt. Wer gibt diesen Ball? Für wen ist der Ball? Die folgenden Seiten erzählen euch alles.

2 *In German-speaking countries, one kind of secondary school is called* das Gymnasium. *Students at the Gymnasium have an intensive academic schedule; they are usually planning to go to college. At the end of their last year they take* das Abitur, *a comprehensive examination that they have to pass to graduate. After this examination there is often a big party for the new* Abiturienten, *the students who have passed the Abitur.*

At the Gymnasium in Besigheim, a town not far from Stuttgart, this summer party is always organized by the Zwölftklässler, *the students one year behind the graduating class. They do everything—plan the food, decorations, and music, send out invitations, run the party, and clean up afterwards. Everyone connected with the Gymnasium is invited, as well as former students and local business people. The twelfth graders have a special interest in making the* Sommerball *a success each year, as you'll see from their conversation below.*

3 ## Das Organisationskomitee plante den Ball. ⊗

The narrative past of weak verbs is introduced in this section.

Schon im März wählten° die Zwölftklässler ihr Komitee: zehn Jungen und Mädchen. Diese Schüler waren das Organisationskomitee für den Sommerball. Sie planten alles für dieses Ereignis°: die Einladungen, das Essen und Trinken, die Dekorationen, die Musik, die Preise° für die Tombola° und die Aufräumearbeiten nach dem Ball. Sie schickten Einladungen an die Eltern, an ehemalige° Schüler, an Freunde, Bekannte° und Geschäftsleute. Sie dachten an alles.	wählen: *to elect, choose* das Ereignis: *event* der Preis: *prize* die Tombola: *raffle* ehemalig: *former* Bekannte: *acquaintances*
Rolf, der Leiter vom Organisationskomitee, erklärte den Eintrittspreis°: „Der Eintritt kostet sechs Mark, und wir brauchen 400 bis 500 Gäste, wenn wir einen Profit machen wollen. Und die Gäste müssen viel essen und trinken!"	der Eintrittspreis: *cost of admission*
„Die Tombola wird ein Erfolg°", sagte Renate. „Viele Geschäftsleute waren grosszügig und spendeten° tolle Geschenke. Ein Los° kostet ja nur 50 Pfennig, und wenn jeder Gast nur vier Lose kauft, dann kommt Geld in die Kasse."	der Erfolg: *success* spenden: *to donate* das Los: *chance*
„Und wir brauchen dieses Jahr eine Menge° Geld für unsere Reise nach Berlin!" sagte Brigitte, eine andere Schülerin.	eine Menge: *a lot*
Das war im März. Drei Monate später, an einem Samstag im Juni, war der Sommerball. Und jetzt lesen wir, was an diesem Samstag alles passierte°.	passieren: *to happen*

4 ## Beantwortet die Fragen!

1. Wie oft hat das Gymnasium in Besigheim einen Ball?
2. Wer plant immer den Sommerball?
3. Wen wählten die Zwölftklässler?
4. Warum musste das Organisationskomitee schon im März zusammenkommen?
5. Was plante das Komitee alles?
6. An wen schickte das Komitee Einladungen?
7. Warum brauchten sie 400 bis 500 Gäste?
8. Warum brauchten die Zwölftklässler so viel Geld?

Q7: Do not elicit an answer with um . . . zu. This construction will be taught later.

5 Die Schüler dekorierten die Schule. ⊗

1 Früh um halb neun lieferte der Blumenhändler die Blumen ab.

2 Er zeigte Renate, wie man die Blumen als
Tischdekoration steckt.

3 Bernd und Hans dekorierten die Aula und
die Schulräume.

4 Brigitte und Ursel malten alle Schilder und
Plakate.

5 Sibylle und ihr Team stellten die Blumen und
die Aschenbecher auf die Tische.

6 Rolf redete mit Hausmeister Schmid über
die Beleuchtung.

6 Beantwortet die Fragen!

1. Was machte der Blumenhändler schon
   um halb neun in der Schule?
2. Was zeigte er Renate?
3. Was machten Bernd und Hans?

4. Was machten Brigitte und Ursel?
5. Und was machte Sibylle und ihr Team?
6. Über was redete Rolf mit Hausmeister
   Schmid?

7 Was für Werkzeuge brauchen die Zwölftklässler? ⊗

a. Renate macht die Tischdekorationen.

  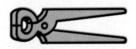

Mit einer Schere schneidet sie die Blumen kürzer.

Sie bindet die Blumen mit Draht zusammen.

Mit einer Zange schneidet sie den Draht.

Dann stellt sie die Blumen in eine Vase.

b. Brigitte und Ursel machen Schilder und Plakate aus Pappe.

Sie beschriften sie mit einem Filzschreiber.

Sie tauchen einen Pinsel in die Tusche und bemalen sie.

Mit Klebstoff kleben sie Dekorationen auf die Plakate.

Sie heften die Plakate mit Reisszwecken ans schwarze Brett.

c. Bernd und Hans dekorieren die Aula.

Mit einer Heftmaschine heftet Bernd die Dekorationen zusammen.

Hans bindet seine Dekorationen mit Schnur fest.

Bernd braucht einen Hammer und Nägel. Er baut den Tisch für die Tombola.

Mit Tesafilm kleben sie gelbes Papier über die Deckenleuchten.

8 Frag deine Klassenkameraden!

1. Was kannst du alles mit einer Schere schneiden?
2. Was machst du mit Tusche?
3. Was kannst du mit Klebstoff kleben?
4. Was brauchst du, wenn du ein Schild ans schwarze Brett hängen willst?
5. Was machst du mit der Heftmaschine?
6. Wann brauchst du einen Filzschreiber?

9 MÜNDLICHE ÜBUNG ⊗

10

TALKING ABOUT THE PAST
The Narrative Past of Weak Verbs

Lest die Beispiele und beantwortet die folgenden Fragen! ⊗

Die Schüler **planen** den Ball.   Die Schüler **planten** den Ball.
Sie **dekorieren** die Aula.   Sie **dekorierten** die Aula.
Ursel **malt** die Schilder.   Ursel **malte** die Schilder.
Rolf **redet** über die Beleuchtung.   Rolf **redete** über die Beleuchtung.

What is the difference between the sentences on the right and those on the left? Which sentences do you think are in the present tense and which in the past?

11 Lest die folgende Zusammenfassung!

1. The narrative past tense—also called simply the past tense—is used a great deal in writing and story-telling. You have already learned the narrative past tense forms of the modal verbs, and of **haben, sein,** and **werden.**

2. All verbs whose past participle ends in **-t** (**geplant, gemalt,** etc.) are weak. The narrative past tense forms of weak verbs are marked by the addition of **-te** to the verb stem. (**Ursel malte; die Schüler planten.**)

3. The **ich-**form and the **er-**form are the same in the narrative past; they have no additional ending. The forms used with the other persons do add endings, as shown below.

	Narrative Past Tense Forms of Weak Verbs			
Person	*Verb Stem*	*Past Tense Marker*	*Ending*	*Verb Form*
ich	plan-	**te**	—	ich plante
du	plan-	**te**	**st**	du plantest
er, sie, es	plan-	**te**	—	er plante
wir	plan-	**te**	**n**	wir planten
ihr	plan-	**te**	**t**	ihr plantet
sie, Sie	plan-	**te**	**n**	sie planten

4. Verbs with stems ending in **-t, -d,** or sometimes **-n** have an extra **-e-** between the verb stem and the past tense marker. For these verbs, therefore, the past tense marker is **-ete.**

Infinitive	*Verb Stem*	*Past Tense Marker*	*Verb Form*
warten	wart-	**-ete-**	er wartete
reden	red-	**-ete-**	wir redeten
öffnen	öffn-	**-ete-**	sie öffneten

5. A few irregular weak verbs have a stem vowel and/or consonant change in the past tense forms. You have learned the following verbs of this kind:

Infinitive	*Past Tense*	*Past Participle*
brennen	brannte	gebrannt
bringen	brachte	gebracht
denken	dachte	gedacht
haben	hatte	gehabt
kennen	kannte	gekannt
nennen	nannte	genannt
rennen	rannte	ist gerannt
wissen	wusste	gewusst

6. It is also possible to use the present tense when writing or talking about past events. This is often done to make the events seem especially vivid.

Lektion 25   Sommerball im Gymnasium Besigheim   5

12 Was machten die Zwölftklässler alles? ⊗

den Sommerball planen?
die Schule dekorieren?
die Blumen stecken?
die Schilder malen?
mit dem Hausmeister reden?

Ja, sie planten den Sommerball.
Ja, sie dekorierten die Schule.
Ja, sie steckten die Blumen.
Ja, sie malten die Schilder.
Ja, sie redeten mit dem Hausmeister.

13 Und was machte Brigitte alles? ⊗

eine Vase holen?
den Blumenhändler fragen?
eine Schnur benutzen?
mit Ursula plaudern?
die Aschenbecher auf die Tische stellen?

Ja, sie holte eine Vase.
Ja, sie fragte den Blumenhändler.
Ja, sie benutzte eine Schnur.
Ja, sie plauderte mit Ursula.
Ja, sie stellte die Aschenbecher . . .

14 Jetzt fragt ihr den Rolf. ⊗ Do not extend this exercise beyond these verbs and modals. The narrative past is seldom used in the 2nd person singular with other verbs.

Er hat etwas gesagt.

geholt / gefragt / gebracht / gewusst

Was sagtest du?

Was holtest du? Was fragtest du? Was brachtest du?
Was wusstest du?

15 SCHRIFTLICHE ÜBUNGEN

a. Schreibt die Antworten für Übungen 12, 13 und 14!

b. Schreibt das folgende Lesestück in der Vergangenheit! *(Use past tense verb forms.)*

Die Schüler vom Gymnasium in Besigheim feiern ihren Sommerball. Jung und alt vergnügt sich, plaudert und tanzt. Die Tombola ist ein Erfolg. Ein Los kostet nur 50 Pfennig, und die Gäste kaufen viele Lose. Die Geschäftsleute spenden die Geschenke, und sie sind dieses Jahr sehr grosszügig.

Die Schüler planen den Ball. Sie denken an alles. Sie schicken die Einladungen an Eltern und Freunde, dekorieren die Schule, kaufen das Essen und die Getränke. Sie bedienen die Gäste, plaudern mit ihnen und räumen nach dem Ball wieder alles auf.

. . . feierten . . . vergnügte sich, plauderte und tanzte . . . war . . . kostete . . . kauften . . . spendeten . . . waren . . . planten . . . dachten . . . schickten . . . dekorierten . . . kauften . . . bedienten . . . plauderten . . .

16 Was für Musik wird das Orchester spielen? ⊗ räumten . . . auf.

Walzer, Tangos, Foxtrotts, Cha-Cha-Chas, Schlager von heute und beliebte Melodien, die jeder kennt und beim Tanzen mitsingt.

Gehn wir mal rüber

Gehn wir mal rüber, gehn wir mal rüber,
Gehn wir mal rüber zum Schmidt seiner
  Frau! :|
Der Schmidt, der hat drei Töchterlein,
Die möchten so gerne verheiratet sein!
Gehn wir mal rüber, gehn wir mal rüber,
Gehn wir mal rüber zum Schmidt!

Trinkn wir noch ein Tröpfchen

Trinkn wir noch ein Tröpfchen,
Trinkn wir noch ein Tröpfchen,
Aus dem kleinen Henkeltöpfchen! :|
Oh, Susannah, wie ist das Leben ach so
  schön!
Oh, Susannah, wie ist das Leben schön!

Ein Prosit der Gemütlichkeit

Ein Prosit, ein Prosit der Gemütlichkeit,
Ein Prosit, ein Prosit der Gemütlichkeit!

17 Die Schüler bereiteten das Essen vor. ⊗

um drei
Viertel
sieben

1 Willi und Gerhard sahen noch einmal in den Kühlschrank. „Haben wir alles?"

2 Susi schnitt das Brot mit der Brotmaschine. Kurt half ihr.

18 Der Sommerball begann pünktlich. ⊗

um
Viertel
neun

1 Um Viertel neun kamen die ersten Gäste. Sie kauften ihre Eintrittskarten an der Kasse.

2 Sie bestellten bei Helga belegte Brote und Getränke.

3 Die Gäste assen Schinken-, Salami-, und Käsebrote und tranken Bier, Wein oder alkoholfreie Getränke.

4 Wolf sprach so lange mit den Mädchen, bis er vergass, was sie essen und trinken wollten.

Lektion 25 Sommerball im Gymnasium Besigheim   7

Helga bestellte alles in der Küche. „Zwei Glas Besigheimer und ein Käsebrot!"

Und Kurt schrieb alles auf, was die Küche verliess.

19 Die Getränkekarte

GETRÄNKEKARTE
Besigheimer Gymnasium

OFFENE WEINE

73er Walheimer Neckarberg	DM 2,50
Kerner, weiss	
73er Besigheimer Neckarberg	DM 2,50
Trollinger Römerblut, rot	
. . . und für die Dame:	
73er Gemmrigheimer	
Neckarberg	DM 2,50
Riesling mit Silvaner	
Neckarperle, weiss	
Schorle rot, weiss	DM 1,50

FLASCHENWEINE

73er Besigheimer Neckarberg	DM 10,00
0,7 Ltr Riesling, weiss	
Kastellan Kabinett,	
mit Prädikat	
71er Hessigheimer	
Katzenöhrle	DM 11,00
0,7 Ltr Schwarzriesling, rot	
Spätlese Gr. Preis DLG 73	
Sekt *Rüttgers Club*	DM 11,00

BIER

Stuttgarter Hofbräu, 0,3 Ltr	DM 2,00
Herrenpils	

ALKOHOLFREIE GETRÄNKE

Fanta	DM 1,20
Coca-Cola	DM 1,20
Spezi	DM 1,20
Orangensaft	DM 2,00
Mineralwasser	DM −,70
Tasse Kaffee (ab 23.00 Uhr)	DM 1,50

KLEINER IMBISS

Schinkenbrot	DM 2,50
Salamibrot	DM 2,50
Käsebrot	DM 2,50
Ripple mit Brot (garniert)	DM 4,80

Ripple are smoked pork chops. They are usually eaten cold, garnished with parsley.

20 Beantwortet die Fragen!

1. Was machten die Schüler alles um drei Viertel sieben?
2. Wann kamen die ersten Gäste?
3. Was machten sie zuerst?
4. Was bestellten sie bei Helga?
5. Was assen sie? Was tranken sie?
6. Was vergass Wolf? Warum?
7. Was machte Helga? Und Kurt?

21

Die Uhrzeit
Different Ways to Tell Time

1. In Unit 4 of **Unsere Freunde** you learned one way to tell time, while talking about Marianne's school schedule: **Deutsch um 8 Uhr 10, Erdkunde um 9 Uhr 35,** and so forth.

2. You learned about the 24-hour clock in Unit 22, when you practiced reading a railroad schedule: **an 13.10, ab 13.15; an 18.32, ab 18.34; an 22.41, ab 22.47,** and so forth.

3. There is another way to say what time it is, different from both of these. It expresses the time in terms of quarter-hours and half-hours. This is the way most German-speakers tell the time in ordinary conversation.

22 **Wieviel Uhr ist es? Wie spät ist es? Was sagen wir?** ⊗

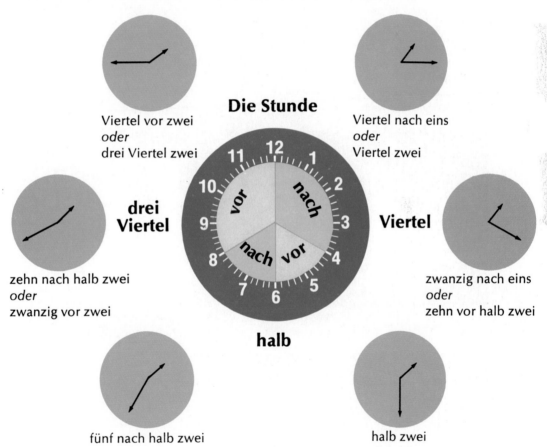

Viertel vor zwei
oder
drei Viertel zwei

Die Stunde

Viertel nach eins
oder
Viertel zwei

drei Viertel

Viertel

zehn nach halb zwei
oder
zwanzig vor zwei

zwanzig nach eins
oder
zehn vor halb zwei

halb

fünf nach halb zwei

halb zwei

23 **Jetzt sagt ihr, wie spät es ist!** ⊗

Students should say the time in terms of quarter-hours and half-hours as taught above. Do the exercise once from the printed page, and once from the students' clock faces.

Malt eine Uhr für jede Uhrzeit, und sagt dann, wieviel Uhr es ist! Eure Uhren müssen die folgenden Uhrzeiten zeigen:

1. 4.10 Uhr	4. 4.25 Uhr	7. 4.45 Uhr	10. 8.22 Uhr	13. 11.59 Uhr
2. 4.15 Uhr	5. 4.30 Uhr	8. 4.55 Uhr	11. 9.37 Uhr	14. 12.40 Uhr
3. 4.20 Uhr	6. 4.35 Uhr	9. 7.12 Uhr	12. 10.48 Uhr	15. 12.50 Uhr

um
Viertel
zwölf

24 Der Ball war ein Erfolg! ⊗

Schon um zehn Uhr wussten die Zwölftklässler, dass ihre Feier° ein Erfolg wurde. Die Stimmung° war gut. Das Orchester unter Werner Randecker brachte die Gäste mit Melodien von gestern und heute in Schwung°.

Die Gäste vergnügten sich, sie tanzten, plauderten, assen belegte Brote und tranken Bier, Wein und andere Getränke.

Um Viertel zwölf hielt Rektor° Weil eine Rede°. Sie war kurz. Er verlas° die Namen von den Abiturienten und wünschte ihnen Glück und Erfolg im Leben°. Er dankte Hausmeister Schmid für seine Hilfe mit dem Ball. Dann dankte er den Zwölftklässlern: „Ich hoffe, ihr habt jetzt eine Menge Geld in der Kasse, und ich wünsche euch eine gute Reise nach Berlin! Und wenn ihr alle im nächsten Jahr so fleissig° arbeitet wie für diesen Ball, so werdet ihr bestimmt auch das Abitur bestehen°!''

Dann begann der Verkauf von Losen für die Tombola. Die Verlosung° sollte um Mitternacht stattfinden. Der Verkauf war aber so gut, dass die Schüler die Verlosung um eine halbe Stunde verschieben° mussten. Alle Gäste kauften Lose, denn sie wussten, dass die Preise gut waren. Punkt halb eins° begann die Verlosung. Fast jeder Gast gewann einen Preis.

die Feier: *celebration, fest, party*
die Stimmung: *atmosphere, mood*
in Schwung bringen: *to put in the mood for a party*

der Rektor: *principal*
eine Rede halten: *to make a speech*
verlesen: *to read off*
das Leben: *life*

fleissig: *industrious(ly)*
das Abitur bestehen: *to pass the Abitur*

die Verlosung: *drawing*

um eine halbe Stunde verschieben: *to postpone for half an hour*
punkt halb eins: *at 12:30 on the dot*

1 Renate und Helga verkauften Lose für die Tombola.

2 Als Preise gab es Wein, Gläser, Konfekt, Turnschuhe, sogar einen Hasen.

3 Werner Randecker und sein Orchester unterhielt die Gäste.

4 Jung und alt tanzte bis zwei Uhr morgens.

25 Was geschah am nächsten Tag?
Aufräumen und Geld zählen° ⊗

zählen: *to count*

Am nächsten Tag arbeiteten zwei Komitees fleissig. Die Jungen und Mädchen vom Aufräumedienst° bauten die Tische und Stühle ab°, nahmen die Dekorationen herunter und räumten die Schule auf. Sie wuschen das Geschirr und brachten es zurück. Sie sammelten die leeren Flaschen ein° und brachten sie zum Supermarkt zurück, wo sie ihr Pfand° zurückbekamen. „DM 118,40 — das kommt gleich in die Kasse!"

Die Jungen und Mädchen vom Finanzkomitee zählten das Geld. Sie wussten schon, wieviel sie für Lebensmittel und Getränke ausgegeben° hatten. Es zeigte sich bald, dass die Kasse positiv war. Die Reise war gesichert° — eine Woche in Berlin!

der Aufräumedienst: *clean-up crew*
abbauen: *to fold up, put away*

einsammeln: *to collect*
das Pfand: *deposit*

ausgeben: *to spend*
s. zeigen: *to become apparent*
gesichert: *assured*

The past perfect tense is taught in Unit 27. It appears here for recognition only.

26 MÜNDLICHE ÜBUNG ⊗

27 Erzählt jetzt, was nach Viertel zwölf alles passiert! ⊗

Gebraucht die folgenden Satzstücke im Präsens!
1. der Sommerball / ein Erfolg werden
2. die Stimmung / gut sein
3. das Orchester / die Gäste in Schwung bringen
4. die Gäste / s. vergnügen
5. sie / belegte Brote essen / Wein und Bier trinken
6. der Rektor / eine Rede halten
7. er / die Namen von den Abiturienten verlesen
8. er / den Zwölftklässlern danken
9. dann / der Verkauf von Losen / beginnen
10. alle Gäste / Lose kaufen

Der Sommerball wird ein Erfolg.
Die Stimmung ist gut.
Das Orchester bringt die Gäste in Schwung.
Die Gäste vergnügen sich.
Sie essen . . . und trinken Wein und Bier.
Der Direktor hält eine Rede.
Er verliest die Namen von den Abiturienten.
Er dankt den Zwölftklässlern.
Dann beginnt der Verkauf von Losen.
Alle Gäste kaufen Lose.

28 Erzählt, was am nächsten Tag alles passiert! ⊗

Gebraucht das Präsens! Fangt so an: Zwei Komitees arbeiten fleissig. Sie bauen . . .

29 SCHRIFTLICHE ÜBUNGEN

Schreibt die Antworten für Übungen 27 and 28!

30 HÖRÜBUNG ⊗

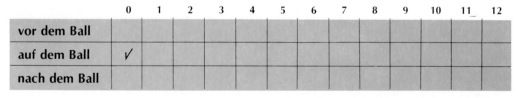

	0	1	2	3	4	5	6	7	8	9	10	11	12
vor dem Ball													
auf dem Ball	✓												
nach dem Ball													

TALKING ABOUT THE PAST
The Narrative Past of Strong Verbs

Lest die Beispiele und beantwortet die folgenden Fragen! ☺

| Die Schüler **sehen** | Die Schüler **sahen** | Willi **sah** |
| im Kühlschrank **nach.** | im Kühlschrank **nach.** | im Kühlschrank **nach.** |

The first sentence refers to present time; the second and third refer to the past. Say the verb form in all three sentences. How does the sound of the stem vowel differ in these three verb forms? Does the third-person verb form have an ending?

| Die Gäste **trinken** Wein. | Die Gäste **tranken** Wein. | Ich **trank** auch Wein. |

Say the verb form in all three sentences. How does the sound of the stem vowel differ in these three verb forms? Does the **ich**-form have an ending?

32 ## Lest die folgende Zusammenfassung!

1. Strong verbs have a stem vowel change in the past tense: **sehen—sah; trinken—trank.**

2. The **ich**-form and the **er-, sie-, es**-forms of strong verbs have no personal endings; the other verb forms have the same endings as in the present tense.

sehen					
ich	sah	—	wir	sah	**-en**
du	sah	**-st**	ihr	sah	**-t**
er, sie, es	sah	—	sie, Sie	sah	**-en**

3. There is no sure way of predicting the past tense of strong verbs. For each new strong verb, you should learn the past tense along with the infinitive and the past participle. These three forms—infinitive, past tense form, and past participle—are called the principal parts of a verb. From now on, you will be given the three principal parts of each new strong verb.

4. The table below lists the principal parts of the strong verbs appearing in this unit. You should review the past participles and learn the past tense forms of these verbs. In subsequent units you will learn the past tense of other strong verbs you have had.

Infinitive	Past Tense	Past Participle	Infinitive	Past Tense	Past Participle
beginnen	begann	begonnen	sehen	sah	gesehen
bekommen	bekam	bekommen	sein	war	ist gewesen
bestehen	bestand	bestanden	sprechen	sprach	gesprochen
essen	ass	gegessen	stattfinden	fand statt	stattgefunden
geben	gab	gegeben	trinken	trank	getrunken
geschehen	geschah	ist geschehen	unterhalten	unterhielt	unterhalten
gewinnen	gewann	gewonnen	vergessen	vergass	vergessen
halten	hielt	gehalten	verlassen	verliess	verlassen
helfen	half	geholfen	verlesen	verlas	verlesen
kommen	kam	ist gekommen	verschieben	verschob	verschoben
lesen	las	gelesen	waschen	wusch	gewaschen
nehmen	nahm	genommen	werden	wurde	ist geworden
schneiden	schnitt	geschnitten	zusammen-binden	band zusammen	zusammenge-bunden
schreiben	schrieb	geschrieben			

5. The presence or absence of a prefix does not affect the stem vowel changes in a strong verb. For example, vowel changes in the verb **mithelfen** are the same as in the verb **helfen.**

Willi **hilft.**	Willi **half.**	Willi **hat geholfen.**
Willi **hilft mit.**	Willi **half mit.**	Willi **hat mitgeholfen.**

This rule applies also when the prefix is inseparable, as in the verb **unterhalten.**

Sie **hält** eine Rede.	Sie **hielt** eine Rede.	Sie **hat** eine Rede **gehalten.**
Sie **unterhält** die Gäste.	Sie **unterhielt** die Gäste.	Sie **hat** die Gäste **unterhalten.**

The guidelines suggested in this section are very much simplified. In fact, tense usage is fairly individual among German-speakers. You may read or hear instances where the narrative past, the conversational past, and the present tense are used in successive sentences, all referring to past events.

33   USING THE NARRATIVE PAST

1. In general, the narrative past tense is used mostly in writing. It is sometimes used in conversation, too, but with regional variations; one hears it more often in the North than in the South. Both in conversation and in writing, the narrative past tense is used to tell about a sequence of events. It produces a clearer style than the conversational past tense when there are many verbs in succession.

> Das Orchester **spielte,** und die Gäste **vergnügten** sich.
> Sie **plauderten** und **tanzten.** Sie **assen** belegte Brote
> und **tranken** Bier und Wein. Dann **hielt** der Rektor eine
> Rede. Er **verlas** die Namen von den Abiturienten, und
> er **wünschte** ihnen Glück und Erfolg im Leben. Er **dankte**
> Hausmeister Schmid für seine Hilfe mit dem Ball.

2. The narrative past is usually not used with the second-person pronouns **du** and **ihr,** especially in speaking. It is more common to say **"Was hast du getrunken?"** or **"Habt ihr eure Lehrerin gefragt?"** than to use past tense forms (**"Was trankst du?"** or **"Fragtet ihr eure Lehrerin?"**). Also, since most story-telling is done in the first and third persons, the second-person forms of the narrative past occur less often.

3. Certain verbs, however, are almost always used in the narrative past, rather than the conversational past, regardless of the personal pronoun. The past tense forms of **haben, sein, werden,** and the modals (and sometimes **wissen**) are usually preferred to the conversational past forms of those verbs, both in speech and in writing. This preference also applies to several common strong verbs, such as: kam, ging, sprach, gab, etc.

> Wo **warst** du gestern? – Ich **war** auf dem Sommerball.
> Du **wolltest** doch wegfahren? – Ja, aber ich **konnte** nicht.
> **Hattest** du gestern keine Zeit? – Nein, ich **musste** die Schule aufräumen.
> **Konntest** du nicht anrufen? – Ich **hatte** kein Geld.

34   Übt eure Verben!   This exercise is for practice only. Not all parts of the reading passage will be appropriate or sound natural in the conversational past.

The narrative past is used a great deal in the basic readings of this unit. Read the whole story again, changing all narrative past verb forms to the conversational past. The story will sound more like a conversation, and less like a written account. Begin like this: Schon im März haben die Zwölftklässler ihr Komitee gewählt: zehn Jungen und Mädchen. Diese Schüler sind . . .

35 Wie war das nun alles? ⊗ For answers, see p. T46.

Eure Klasse plante einen Sommerball. Sagt jetzt, wie das alles war! (Fangt so an: Wir wählten . . .)

1. a. wir / ein Komitee wählen   b. das Komitee / an alles denken   c. wir / Einladungen an Geschäftsleute schicken   d. die Geschäftsleute / Geschenke für die Tombola spenden   e. jeder Gast / viele Lose kaufen   f. viel Geld / in die Kasse kommen   g. wir / einen Profit machen

2. a. um 9.30 Uhr / wir / mit der Arbeit beginnen   b. der Blumenhändler / die Blumen abliefern   c. (Renate) / die Blumen stecken   d. (Bernd und Hans) / die Aula dekorieren   e. (Brigitte und Ursel) / alle Plakate malen   f. (Sibylles) Team / Blumen und Aschenbecher auf die Tische stellen   g. (Rolf) / mit dem Hausmeister reden

3. a. um 8.15 Uhr / die ersten Gäste / kommen   b. sie / die Eintrittskarten an der Kasse kaufen   c. sie / belegte Brote und Getränke bestellen   d. (Susi und Kurt) / in der Küche sein   e. sie / das Brot mit der Brotmaschine schneiden   f. (Willi) / den Schinken aus dem Kühlschrank holen   g. (Wolf) / die Gäste bedienen   h. er / mit den Mädchen sprechen   i. (Kurt) / alles aufschreiben

4. a. am nächsten Tag / zwei Komitees / fleissig arbeiten   b. ein Team / Aufräumedienst haben   c. die Jungen und Mädchen / die Tische und Stühle abbauen   d. sie / die Dekorationen herunternehmen   e. sie / die Schule aufräumen   f. sie / das Geschirr waschen und es zurückbringen   g. sie / die leeren Flaschen einsammeln   h. sie / die Flaschen zum Supermarkt zurückbringen   i. sie / ihr Pfand zurückbekommen

36 SCHRIFTLICHE ÜBUNG

Schreibt zwei von den Aufgaben in Übung 35!

37 KONVERSATIONSÜBUNG For suggestions, see Exercise 11 in Listening Comprehension Program, p. T57.

Ihr habt eine Feier oder einen Ball in euerm Deutschklub.
1. Ihr wählt vier Teams. Wer sorgt für:
   a. die Einladungen?   b. Essen und Getränke?   c. Musik und Beleuchtung?   d. Dekorationen?
2. Jedes Team plant, was es machen muss.
   a. Wer kauft und schreibt Einladungen? / bringt sie zur Post? / telefoniert?
   b. Was essen und trinken sie? / Wer kauft die Lebensmittel und Getränke? / bäckt? / bereitet das Essen vor? / bedient?
   c. Wer hat einen Plattenspieler? / einen Cassetten-Recorder? / Platten? / Cassetten?
   d. Wer bringt Werkzeuge? / malt Plakate? / stellt Stühle und Tische auf? / steckt Blumen? / macht Tischdekorationen?
3. Ihr wählt ein Finanzkomitee—einen Schüler von jedem Team.
   a. Preise / Tombola / Einladungen   b. Wieviel Geld braucht jedes Team?
4. Ihr wählt ein Aufräumeteam.

38 SCHRIFTLICHE ÜBUNG For more detailed cues, see the appropriate exercise in the Arbeitsheft.

Jeder von euch bereitet einen Partyplan vor. Diskutiert eure Pläne in der Klasse und schreibt dann, in Teamarbeit, einen Plan, der euch allen gefällt. Und dann viel Spass auf eurer Party!

39 Wie war denn die Party? ⊗

Die Musik war zum Einschlafen!

Was für ein Ereignis!

So etwas Langweiliges!

Was für ein Erfolg!

Nie wieder!

Fast niemand hat getanzt.

Schon um 9 Uhr war das Cola weg.

Wie fad!

Fantastisch! Die Musik war erstklassig!

Das Essen sieht toll aus!

Eine klasse Party! Grossartig!

Keine Phantasie!

Die Fete war Spitze!

Eine miese Party!

Furchtbare Musik — so laut!

Das Essen war schrecklich!

Die Dekorationen sind sauber!

Die Stimmung war prima!

40 Wie hat dir die Party gefallen? Use this exercise as a conversation stimulus.

Du bist bei einer Party oder einer Feier gewesen. Am nächsten Tag fragen dich deine Freunde: „Wie hat dir die Party gefallen? Erzähl uns alles!" Was sagst du?

41 WORTSCHATZ

1–6
die **Aula, –s** *auditorium*
der **Ball, ⸚e** *dance, prom*
der **Bekannte, –n** (den **– n**) *acquaintance*
die **Beleuchtung** *lighting*
die **Dekoration, –en** *decoration*
der **Eintritt** *admission*
das **Ereignis, –se** *event, occasion*
der **Erfolg, –e** *success*
das **Gymnasium, –ien** *academic secondary school*
der **Hausmeister, –** *custodian*
das **Komitee, –s** *committee*
das **Los, –e** *(lottery) chance*
das **Plakat, –e** *poster*
der **Preis, –e** *prize*
der **Profit, –e** *profit*
das **Team, –s** *team*
die **Tombola, –s** *raffle, lottery*

der **Aschenbecher, –** *ashtray*
die **Aufräumearbeit, –en** *clean-up chores*
der **Blumenhändler, –** *florist*

der **Eintrittspreis, –e** *cost of admission*
die **Geschäftsleute** (pl) *business people*
der **Leiter, –** *leader*
das **Organisationskomitee, – s** *organizing committee*
der **Schulraum, ⸚e** *schoolroom*
der **Sommerball, ⸚e** *summer dance*
die **Tischdekoration, – en** *table decoration*
das **Trinken** *drinking; drinks*
der **Zwölftklässler, –** *twelfth grader*

abliefern sep *to deliver*
denken an A (hat gedacht) *to think of*
feiern *to celebrate*
passieren (ist passiert) *to happen*
plaudern *to chat*
reden über A *to talk about*
schicken an A *to send to*

spenden *to donate*
stecken *to stick, put*
s. **vergnügen** *to enjoy o.s.*
wählen *to elect; to choose*

zusammenkommen (ist zusammengekommen) sep *to meet, get together*

ehemalig *former*
einmal *once*
folgend- *following*
über *about*

Blumen stecken *to arrange flowers*
eine Menge (Geld) *a lot of (money)*
einmal im Jahr *once a year*
halb neun *8:30*
im März *in March*
in die Kasse kommen *to go into the fund*

7–15

die **Deckenleuchte, –n** ceiling lighting fixture
der **Draht, ⸚e** wire
der **Filzschreiber, –** felt-tipped pen
der **Hammer, ⸚** hammer
die **Heftmaschine, –n** stapler
der **Klebstoff, –e** glue, paste
der **Nagel, ⸚** nail
die **Pappe** cardboard, posterboard
der **Pinsel, –** paintbrush
die **Reisszwecke, –n** thumbtack

die **Schere, –n** scissors
die **Schnur, ⸚e** string
der **Tesafilm** transparent tape
die **Tusche, –n** India ink
die **Vase, –n** vase
das **Werkzeug, –e** tool, equipment
die **Zange, –n** wire cutters

bauen to build
bemalen to paint on, draw on
beschriften to write on
heften to fasten, attach
kleben to glue, stick
tauchen to dip

zusammenbinden (hat zusammengebunden) sep to tie together

ans schwarze Brett on the bulletin board

16

das Henkeltöpfchen, – little mug
das Leben life
der Schlager, – hit tune
das Töchterlein, – little daughter
das Tröpfchen, – little drop

beliebt popular
verheiratet married

beim Tanzen while dancing
ein Prosit der Gemütlichkeit! let's drink to good company and good times!
gehn wir mal rüber! let's go over

17–38

das **Abitur** (see note, p. 2)
der **Abiturient, –en** (den – en) (see note, p. 2)
das **Brot, –e** sandwich
die **Eintrittskarte, –n** admission ticket
die **Feier, –n** celebration, party
das **Glück** happiness; good luck
die **Hilfe** help
das **Konfekt** candy
der **Kühlschrank, ⸚e** refrigerator
das **Leben, –** life
das **Orchester, –** orchestra
die **Rede, –n** speech
der **Rektor, –en** principal, director
die **Stimmung** atmosphere, mood
der **Verkauf** sale
die **Verlosung, –en** drawing (in a lottery)

der Aufräumedienst, – e clean-up crew
die Brotmaschine, – n bread-slicing machine
das Finanzkomitee, – s committee in charge of finances
die Getränkekarte, – n beverage list
die Melodie, – n melody
das Pfand, ⸚er deposit
die Uhrzeit, – en time by the clock

abbauen sep to fold up, put away
einsammeln sep to collect
verkaufen to sell
vorbereiten sep to prepare
zählen to count
s. **zeigen** to appear, become apparent

ausgeben (gab aus, hat ausgegeben) sep to spend (money)
bestehen (bestand, hat bestanden) to pass (a test)
herunternehmen (nahm herunter, hat heruntergenommen) sep to take down
verlesen (verlas, hat verlesen) to read off
verschieben (verschob, hat verschoben) to postpone

alkoholfrei nonalcoholic
bis until
fleissig industrious, hard-working
gesichert assured, guaranteed
herunter- down
nächst- next
spät late

an der Kasse at the ticket table
belegte Brote open-faced sandwiches
die Kasse war positiv we came out ahead (financially)
eine Rede halten (hält, hielt, hat gehalten) to give a speech
im Leben in life
im nächsten Jahr next year
in die Kasse kommen to go into the fund
in Schwung bringen (brachte, hat gebracht) to put in the mood for a party
sie bestellten bei Helga they ordered from Helga
um eine halbe Stunde verschieben to postpone for half an hour
zwei Glas Besigheimer two glasses of Besigheim wine

drei Viertel sieben 6:45
Viertel nach eins 1:15
Viertel neun 8:15
Viertel vor zwei 1:45
punkt halb eins at 12:30 on the dot
um Mitternacht at midnight
wie spät ist es? what time is it?; how late is it?
wieviel Uhr ist es? what time is it?

39

erstklassig first-rate
fantastisch fantastic
furchtbar terrible, awful
grossartig terrific
klasse marvelous, great
mies bad, lousy

das Cola war weg the cola was all gone
die Fete war Spitze the party was terrific
die Musik war zum Einschlafen the music was so bad, you could have fallen asleep

keine Phantasie no imagination
wie fad! how dull!

The word Fete is not pronounced as in French but in two syllables, "fäte."

26
Unser Ausflug ins Elsass

1. Teil: Hoch-Königsburg ⊛

Gestern regnete es noch, aber als ich heute aufwachte° – was für eine Überraschung°! Die Sonne schien, keine Wolke am Himmel. Ein herrlicher Tag für unsern Schulaus-
5 flug!

Als ich um Viertel vor acht an die Schule kam, stand die ganze Klasse schon vor der Schule. Nicht nur meine Klasse, die 8c, sondern auch alle anderen Klassen von der
10 fünften aufwärts machten an diesem Tage ihren Ausflug. Und die meisten Klassen fuhren mit dem Bus weg.

Ich brauchte meine Klassenkameraden gar nicht lange zu suchen: ich hörte sie schon
15 von weitem. Was für ein Krach! ,,Schau mal, Veronika!" rief Ursel, als sie mich sah. ,,Was der Bus mit meiner Tasche gemacht hat – einfach platt gefahren°!" ,,Der Busfahrer hat sie nicht gesehen", meinte Ursula.
20 ,,Du kannst meine Brote haben", rief Christian. ,,Ein Fasttag für Ursel!" brüllte Gert, und alle lachten.

Da endlich kam Frau Ehrlich, unsere Klassenlehrerin. Jeder wollte ihr die Geschichte°
25 noch einmal erzählen. ,,Kommt, Schluss damit°! Steigt ein, damit wir losfahren° können!" ,,Aber der Herr Mohr ist noch nicht da", rief einer von hinten. ,,Das macht nichts", sagte Frau Ehrlich, ,,ich muss

sowieso zuerst sehen, wer von euch fehlt. So, 30 Ruhe bitte! Bender!" – ,,Hier!" – ,,Engler!" – ,,Hier!" – ,,Fischer! – Fischer! Ja, wo ist denn die Daniela? Sie fehlt also. Hofmann . . .''

Frau Ehrlich war gerade fertig, als Herr Mohr ankam. Er war in der Turnhalle und 35 hatte zwei Bälle geholt. Frau Ehrlich stellte uns dann den Fahrer vor, und es ging los. Müllheim war schnell hinter uns. Fünf Minuten später überquerten wir die Autobahn Basel-Frankfurt, und dann hielten wir an. 40 Wir waren an der Grenze nach Frankreich°. Ein Grenzpolizist kam. Er wollte nur wissen, wieviel wir waren und wohin wir fuhren – 27 Schüler, 2 Lehrer und der Fahrer auf dem Weg zur Hoch-Königsburg – und wir durften 45 weiterfahren.

Wir überquerten den Rhein und fuhren jetzt durch eine hübsche° Gegend, die viele von uns noch nicht kannten: Apfel- und Kirschbäume, Felder, kleine Dörfer.   50

,,Du, was heisst denn *Boulangerie* auf deutsch?" fragte mich Rainer, der hinter mir sass. Ich war nicht sicher. Bevor ich antworten konnte, rief Frau Ehrlich: ,,*Boulangerie* heisst Bäckerei!" – ,,Danke!" – ,,Keine 55 Ursache!°"

Frau Ehrlich sass vorn im Bus neben Herrn Mohr, unserm Sportlehrer. Sie hielt das Mikrofon in der Hand und sagte uns, wenn es etwas zu sehen gab.   60

,,Wir fahren jetzt auf der Elsässischen Weinstrasse", sagte Frau Ehrlich, ,,und bald kommen wir nach Colmar."

Each region where wine is grown has its own

LEXIKON: Frankreich: *France;* hübsch: *pretty;* keine Ursache!: *don't mention it!* "Weinstrasse" with wine-sampling stands, sometimes right beside the road.

LEXIKON: aufwachen: *to wake up;* die Überraschung: *surprise;* einfach platt gefahren: *simply drove over it and squashed it;* die Geschichte: *story;* Schluss damit!: *that's enough!;* losfahren: *to start driving*

Point out the half-timbered houses of this Alsatian village, and the vineyards in the background.

"Schaut mal nach rechts!" brüllte Gert von
65 hinten. "Ich sehe nur einen Misthaufen¹",
erwiderte° Ursula. Und sie hatte recht°, denn
wir fuhren eben an einem Bauernhof° vorbei.

Wir kamen durch die Stadt Colmar. Colmar hat viele schöne Fachwerkhäuser². Eine
70 nette, alte Stadt. Kaum hatten wir Colmar
verlassen, rief Gert schon wieder von hinten:
"Frau Ehrlich, können wir mal anhalten? Der
Marita ist schlecht°."

Der Bus hielt an, Marita stieg aus. Sie war
75 ganz blass° im Gesicht. "Lauf ein bisschen!
Ihr andern bleibt im Bus—" rief Frau Ehrlich,
als einige aussteigen wollten.

Marita kam bald zurück, und wir fuhren
weiter. Die Landschaft wurde bergiger, denn
wir näherten° uns den Vogesen°. "Schaut 80
nach vorn!" sagte Frau Ehrlich durchs Mikrofon. "Ihr könnt jetzt die Hoch-Königsburg
sehen. Ja, oben auf dem Berg." Alle schauten
nach vorn. Die Burg° verschwand aber bald
wieder hinter Bäumen. Der Bus bog jetzt 85
links ab. "Ht. Koenigsbourg³, 2,2 Kilometer", lasen wir auf dem Strassenschild. Die
Strasse wurde steil, eine Kurve nach der
andern, immer höher ging es. Da endlich lag
die Burg vor uns, und der Fahrer hielt auf 90
dem Parkplatz für Busse.

"Einen Moment, bitte!" sagte Frau Ehr-
lich, als wir aus dem Bus aussteigen wollten.
"Ihr habt jetzt 15 Minuten Zeit, bis wir alle
zusammen zur Burg gehen. Nehmt eure 95
Fotoapparate mit! Alles andre könnt ihr im
Bus lassen."

LEXIKON: erwidern: *to reply;* recht haben: *to be right;*
der Bauernhof: *farm;* der Marita ist schlecht: *Marita
feels sick;* blass: *pale*

¹ Almost any German farm that has livestock also has a
Misthaufen, *manure pile,* which is used as fertilizer.

² **Fachwerkhäuser,** *half-timbered houses,* are built with
the structural beams exposed. The spaces between the
beams are filled with plaster, brick, or other materials. This method of building was used throughout
northern Europe until the 17th century.

LEXIKON: s. nähern: *to approach;* die Vogesen: *the
Vosges Mountains;* die Burg: *fortress, castle*

³ *Haut Koenigsbourg* is the French spelling of *Hoch-Königsburg.*

4

5

Es dauerte nicht lange, und der Bus war leer. 27 Schüler rannten auf die Ausssichts-
100 terrasse. Die Aussicht war herrlich. Weit unter uns kleine Dörfer und Städte. Die Kirchtürme glänzten in der Sonne. Zwischen den Dörfern Felder und Wälder, Wiesen, Obstgärten, Weinberge. In der Ferne° konn-
105 ten wir sogar den Rhein sehen und dahinter, ganz klein, den Schwarzwald°.

„Wer hat denn französisches Geld mit?" rief Gert ganz laut und unterbrach° die Ruhe

LEXIKON: in der Ferne: *in the distance;* der Schwarzwald: *Black Forest;* unterbrechen: *to interrupt*

hier oben auf der Terrasse. „Ich möchte mir ein Andenken° kaufen." 110

„Die nehmen auch deutsches Geld", meinte Ursel. „Schau! Ich hab' mir eine Menge Ansichtskarten° gekauft."

„Mensch, an wen schreibst du denn? Hast du so viele Freunde, he? — Du kannst schrei-115 ben, wenn wir essen", hänselte° Gert.

„Das geht dich nichts an°'", sagte Ursel, als sie sich an den Tisch zwischen Katrin und Antje setzte.

LEXIKON: das Andenken: *souvenir;* die Ansichtskarte: *picture post card;* hänseln: *to tease;* das geht dich nichts an: *that's none of your business*

6

7

8

120 „Kommt jetzt!" winkte Frau Ehrlich. „Wir gehen jetzt hinauf zur Burg und machen die Führung mit°. Und du, Veronika", sagte sie zu mir, „stell dich bitte oben hin und sammle das Eintrittsgeld ein!"

125 Ein Fussweg führte zur Burg hinauf. An der Seite standen Bänke, wo sich ältere Leute ausruhten. Fünf Minuten später gingen wir durch ein Tor° in den Burghof. Während alle das Wappen° über dem Tor bewunderten,

130 ging ich mit Frau Ehrlich zur Kasse. Eintrittspreis für Schüler in Gruppen: 50 Pfennig. Ich sammelte das Geld ein, ging zur Kasse zurück und bekam die Entrittskarten.

Wir bekamen einen Führer, und wir

135 folgten ihm in die Burg. In dem grossen Waffensaal° sprach er zu uns, zuerst auf französisch, dann auf deutsch. Ich verstand nicht sehr viel. <u>Sein Französisch kam mir Spanisch vor°, und sein Deutsch klang auch</u>

140 <u>merkwürdig°.</u> Aber so sprechen die Leute im Elsass wohl°. Ich stand ganz hinten, und ich hörte nur einige Jahreszahlen wie 1147 und 1192, und ich hörte viele Namen von Kaisern°, Königen° und Herzögen°.

Several colloquial idioms used in the unit are grouped together in the "Schülerdeutsch" section on p. 30. You may want to point them out as you go along. A few of them, like this one, are

LEXIKON: die Führung mitmachen: *to take the guided tour;* das Tor: *gate;* das Wappen: *coat-of-arms;* der Waffensaal: *armor hall;* sein Französisch kam mir Spanisch vor: *his French was Greek to me;* merkwürdig: *strange;* wohl: *probably;* der Kaiser: *emperor;* der König: *king;* der Herzog: *duke*

listed in the Wortschatz as active vocabulary.

Die Gruppe zog in einen anderen Raum. 145 „Macht hier ja keine Faxen°", ermahnte° Herr Mohr den Gert und den Rainer. Die beiden standen bei den Waffen, und es sah so aus, als ob sie ein Schwert von der Wand nehmen wollten. 150

Wir zogen von Raum zu Raum: mehr Namen, mehr Jahreszahlen. Dann marschierten wir alle durch den Burggarten, über eine Zugbrücke°, und wir stiegen hinauf in den Turm. Die Aussicht von hier oben war noch 155 besser. Vor einer riesigen° Kanone setzte unser Führer seine Rede fort°. Als er fertig war, sagte Gert ganz laut und deutlich°: „Die Rede war unter aller Kanone°!" Wir mussten natürlich alle lachen, und der arme° Führer 160 stand da und verstand bestimmt nicht warum. Frau Ehrlich sah uns vorwurfsvoll° an und flüsterte°: „Benehmt euch°!"

„Die Führung ist jetzt zu Ende", sagte unser Mann in Blau. „Ich bringe Sie nach 165 unten." Er war wohl froh°.

Unser nächstes Ziel war der Affenwald. Wir wollten von der Hoch-Königsburg aus dorthin laufen. Wir holten unsere Taschen aus dem Bus, und Herr Mohr sagte dem Fah- 170 rer, dass er mit dem Bus pünktlich um Viertel nach drei auf dem Parkplatz am Affenwald sein sollte.

LEXIKON: macht hier ja keine Faxen!: *don't play any silly pranks here!;* ermahnen: *to warn, admonish;* die Zugbrücke: *drawbridge;* riesig: *huge;* fortsetzen: *to continue;* deutlich: *clear;* unter aller Kanone: *very bad;* arm: *poor;* vorwurfsvoll: *reproachfully;* flüstern: *to whisper;* s. benehmen: *to behave o.s.;* froh: *glad*

9

Lektion 26   Unser Ausflug ins Elsass   21

2 LESEÜBUNG This exercise is for practice only. Skip any sections that may sound awkward in the present tense.

Jetzt lest ihr diese Geschichte noch einmal, aber diesmal in der Gegenwart, *present tense!* Vielleicht liest jeder von euch einen Satz. Ihr fangt so an: Es regnet, aber als ich heute aufwache—was für eine Überraschung! Die Sonne . . .

3 MÜNDLICHE ÜBUNG ⊗

4 Beantwortet die Fragen!

1. Warum ist dieser Tag eine Überraschung für Veronika?
2. Was sah und hörte Veronika, als sie zur Schule kam?
3. Was machte Frau Ehrlich, bevor Herr Mohr kam?
4. Was passierte dann alles, bis der Bus über die Grenze war?
5. Beschreibt die Gegend auf der anderen Seite vom Rhein!
6. Wo sass Frau Ehrlich, und was machte sie?
7. Warum hielt der Bus schon kurz nach Colmar an? Was passierte dort?
8. Beschreibt die Gegend, bevor der Bus zur Hoch-Königsburg kam!
9. Was sagte Frau Ehrlich, bevor die Schüler den Bus verlassen konnten?
10. Was sahen die Schüler alles von der Aussichtsterrasse?
11. Warum hänselte Gert die Ursel?
12. Was musste Veronika tun, bevor die Schüler die Führung mitmachen konnten?
13. Beschreibt, wie der Burgführer sprach!
14. Warum musste Herr Mohr den Gert und den Rainer ermahnen?
15. Was sahen die Schüler alles in der Burg?
16. Wohin wollte die Gruppe dann laufen?

5 SCHRIFTLICHE ÜBUNG

Schreibt eine Antwort zu den Fragen in Übung 4! Ihr dürft die Gegenwart benutzen.

6 Fragt eure Mitschüler!

1. Wer hat dieses Jahr oder letztes Jahr einen Klassenausflug mitgemacht? Wohin?
2. Wie seid ihr gefahren? Wer ist mitgefahren?
3. Wer hat den Ausflug geplant, und wieviel hat er gekostet?

7

The castle Hoch-Königsburg is located in the Vosges Mountains on a beautiful spot 755 meters above sea level. A fortress was first built there in the early twelfth century. It was burned down and rebuilt, then burned a second time in 1633, during the Thirty Years' War. After that it stood in ruins until the early twentieth century, when Emperor Wilhelm II of Prussia had it reconstructed in fifteenth-century style.

Alsace, where the castle is situated, was part of Germany at the time of Wilhelm II's reign, but it became part of France at the end of the first World War. The areas of Elsass and Lothringen (in French, "Alsace-Lorraine"), located between France and Germany, have changed hands several times in the course of history, and their local language and customs show the influence of both countries.

The young people taking this bus trip are students at the Gymnasium in Müllheim, a town in the Schwarzwald, Black Forest, not far from the French border (see map p. 17).

8   **PRINCIPAL PARTS OF STRONG VERBS**

Listed below are the principal parts of the strong verbs from the first section of this lesson. You should review the past participles and learn the narrative past forms.

Infinitive	Past Tense	Part Participle	Infinitive	Past Tense	Past Participle
abbiegen	bog ab	ist abgebogen	rufen	rief	gerufen
s. benehmen	benahm	benommen	scheinen	schien	geschienen
bleiben	blieb	ist geblieben	sitzen	sass	gesessen
fahren	fuhr	ist gefahren	stehen	stand	gestanden
gehen	ging	ist gegangen	steigen	stieg	ist gestiegen
heissen	hiess	geheissen	unterbrechen	unterbrach	unterbrochen
klingen	klang	geklungen	verschwinden	verschwand	ist verschwunden
lassen	liess	gelassen	verstehen	verstand	verstanden
laufen	lief	ist gelaufen	ziehen	zog	ist gezogen
liegen	lag	gelegen			

The verb ziehen appears in this unit as "to move," conjugated with sein. In Unit 33 it is introduced as "to pull," with haben.

9   **Wie war das nun alles?** ⊗

Erzählt, und benutzt die Vergangenheit, *past tense!*

1. Die Sonne scheint; es regnet nicht mehr.
   Ich komme um Viertel vor acht an die Schule.

   Die ganze Klasse steht vor der Schule.
   Die meisten Klassen fahren mit dem Bus weg.

   „Veronika!" ruft Ursel, als sie mich sieht.
   Wir steigen in den Bus und fahren los.

   > Die Sonne schien; es regnete nicht mehr.
   > Ich kam um Viertel vor acht an die Schule.
   >
   > Die ganze Klasse stand vor der Schule.
   > Die meisten Klassen fuhren mit dem Bus weg.
   >
   > „Veronika!" rief Ursel, als sie mich sah.
   > Wir stiegen in den Bus und fuhren los.

2. An der Grenze halten wir an.
   Ein Grenzpolizist spricht mit dem Fahrer.
   Dann fahren wir weiter.
   Frau Ehrlich sitzt neben Herrn Mohr.
   Sie hält das Mikrofon in der Hand.
   Wie heisst diese Stadt?
   Das ist Colmar.

   > An der Grenze hielten wir an.
   > Ein Grenzpolizist sprach mit dem Fahrer.
   > Dann fuhren wir weiter.
   > Frau Ehrlich sass neben Herrn Mohr.
   > Sie hielt das Mikrofon in der Hand.
   > Wie hiess diese Stadt?
   > Das war Colmar.

3. Wir verlassen Colmar.
   Plötzlich hält der Bus.
   Der Marita ist schlecht.
   Sie steigt aus und verschwindet hinter dem Bus.
   Wir bleiben im Bus.
   Marita läuft ein bisschen und kommt zurück.

   > Wir verliessen Colmar.
   > Plötzlich hielt der Bus.
   > Der Marita war schlecht.
   > Sie stieg aus und verschwand hinter dem Bus.
   > Wir blieben im Bus.
   > Marita lief ein bisschen und kam zurück.

4. Es geht wieder los.
   Der Bus biegt links ab.
   An der Burg unterbrechen wir unsere Reise.
   Wir bekommen einen Führer.
   Wir ziehen mit ihm von Raum zu Raum.
   Wir verstehen ihn nicht gut.
   Sein Deutsch klingt merkwürdig.

   > Es ging wieder los.
   > Der Bus bog links ab.
   > An der Burg unterbrachen wir unsere Reise.
   > Wir bekamen einen Führer.
   > Wir zogen mit ihm von Raum zu Raum.
   > Wir verstanden ihn nicht gut.
   > Sein Deutsch klang merkwürdig.

You may also want to assign this exercise as a Schriftliche Übung.

10 PAST TENSE CLAUSES WITH als

The narrative past tense is normally used after **als,** meaning *when.* **Als** generally indicates one single event in the past. A clause with **als** requires verb-last word order.

Als ich heute **aufwachte,** schien die Sonne.

The **als**-clause can also follow the main clause.

Die Sonne schien, als ich heute **aufwachte.**

11 SCHRIFTLICHE ÜBUNGEN For answers, see p. T46.

a. Schreibt zwei Sätze mit ,,als'', wie im Beispiel!
Beispiel: Veronika wachte auf. Es war schon sieben Uhr.
Als Veronika aufwachte, war es schon sieben Uhr.
Es war schon sieben Uhr, als Veronika aufwachte.

1. Veronika kam an die Schule. Die andern warteten schon.
2. Wir erreichten die Grenze. Der Bus hielt an.
3. Der Bus überquerte den Rhein. Wir waren in Frankreich.
4. Wir kamen nach Colmar. Der Marita wurde schlecht.
5. Marita stieg aus. Wir mussten im Bus bleiben.
6. Sie kam zurück. Wir fuhren weiter.

b. Jetzt schreibt ihr noch sechs andere als-Sätze!

12

2. Teil: Affenwald und Kintzheim

Wir marschierten nun die Strasse hinunter, im Gänsemarsch° an der linken Strassenseite, dem Verkehr entgegen°. ,,Hier ist ein Pfad°!'' rief Gert, und bevor Frau Ehrlich
5 etwas sagen konnte, rannte und rutschte die Klasse den Abhang hinunter und verschwand auf einem kleinen Pfad im Wald. Eine andere Klasse kam uns entgegen. Wir fragten, wo sie herkamen. Vom Affenwald. Wir waren also ganz richtig. 10

Unser Pfad hörte bald auf, und wir kamen auf einen richtigen° Weg. Hier standen Ursel, Katrin und Silvia. Ursel zeigte auf etwas, und Gert rief: ,,Was macht ihr denn da? Macht ihr vielleicht Waldkunde°?'' 15

Herr Mohr kam näher. ,,Ich wette, dass die meisten von euch nicht einmal° die Bäume kennen, die hier im Walde wachsen.'' Und jetzt begann das Raten. ,,Das ist eine Tanne°!'' — ,,Tannen kennt jeder'', meinte 20 Frau Ehrlich. ,,Aber was ist das für ein Baum dort drüben?'' Niemand sagte etwas. ,,Was, Schweigen° im Walde?'' — ,,Eine Buche°'', riet Gert. ,,Nein! Ach, du meine Güte! Ihr habt ja keine Ahnung!'' — ,,Der Gert hat 25 sowieso ein Spatzenhirn°'', rief einer von hinten. Alle lachten. ,,Ihr habt alle Spatzenhirne — das ist eine Eiche°! Seht euch doch

LEXIKON: im Gänsemarsch: *single file;* dem Verkehr entgegen: *against the traffic;* der Pfad: *path*

Point out the use of pictorial language: "lined up like geese."

LEXIKON: richtig: *real;* Waldkunde machen: *to study nature;* nicht einmal: *not even;* die Tanne: *fir;* das Schweigen: *silence;* die Buche: *beech;* das Spatzenhirn: *birdbrain;* die Eiche: *oak*

2

mal die Blätter an!" sagte Herr Mohr.

30 Und weiter ging's. Herr Mohr an der Spitze°. Als wir aus dem Wald kamen, was für ein schöner Anblick°! Vor uns eine grosse Wiese mit hohen, hellroten Blumen. „Das sind Fingerhüte°", erklärte Frau Ehrlich.
35 „Die sind aber giftig°."

„Können wir nicht mal eine Pause machen?" fragte Silvia. „Ich möchte gern ein paar Bilder machen." – „Alle herkommen!" rief Rainer. „Die Silvia will uns fotogra-
40 fieren!"

„Mensch, Gert, streich dir doch deine Simpelfransen° aus dem Gesicht!" rief Katrin.

„Du musst reden°", grinste Gert. „Wenn du im Bild bleibst, zerreisst° es bestimmt den
45 Film!"

„Wo steht denn unser Schönster?" wollte Rainer wissen. „Ja, zeig mal deine Zähne°, Jörg! – Ja, sooo . . ."

„Knips° doch endlich!"
50 Dann ging's weiter. Einige liefen mit

LEXIKON: an der Spitze: *in front;* der Anblick: *sight;* der Fingerhut: *foxglove;* giftig: *poisonous;* die Simpelfransen: *simpleton's bangs;* du musst reden: *you should talk;* zerreissen: *to tear up;* der Zahn: *tooth;* knipsen: *to snap (a picture)*

Herrn Mohr voraus, die anderen folgten mit Frau Ehrlich.

„Herr Mohr! Ich hab' ein paar Pilze° gefunden!" Rainer kam aus dem Wald gelaufen, zwei Pilze in der Hand. „Das sind 55 Steinpilze. Die kann man essen", meinte Herr Mohr. „Aber man soll die Pilze nie herausreissen°! Man soll sie mit dem Messer abschneiden. Dann wachsen wieder neue."

„Kommt hierher!" rief Gert. „Hier gibt's 60 was zu essen. Blaubeeren!" Alle stürzten auf° die Beeren. Sie schmeckten herrlich!

Nach dieser Pause erreichten wir endlich den Affenwald. „MONTAGNE DES SINGES" stand auf einem Schild, und jeder versuchte 65 sein Französisch. Ich musste wieder das Geld für den Eintritt einsammeln, und Gert hänselte mich: „Da ist unsere Klassenmutti wieder bei der Arbeit!"

Am Eingang zum Affenwald bekam jeder 70 von uns eine grosse Handvoll Popcorn, und der Mann ermahnte uns, die Anweisungen° auf dem Schild zu beachten. Wir durften die Affen nur mit Popcorn füttern.

LEXIKON: der Pilz: *mushroom;* herausreissen: *to pull up by the roots;* stürzen auf: *to rush to;* die Anweisungen: *instructions*

3

4

75 „Ich führ' dich an der Hand, Veronika",
sagte Gert zu mir. Er wollte mich wohl über-
zeugen°, dass er lesen kann.

Die Affen waren wirklich süss. Da war
eine Affenmutter mit einem Kleinen auf dem
80 Rücken. Rainer fütterte sie. Dann lief sie
davon°, das Kleine noch immer auf dem
Rücken.

„He! Wen soll ich huckepack tragen°?"
rief Rainer, und er schaute auf mich. Ich
85 lachte. „Du bist viel zu schwach dazu°!"
„Meinst du?" fragte er, aber er versuchte
es nicht!

Die Affen machten uns Spass, aber leider
konnten wir nicht so lange bleiben. Es war
90 Viertel nach drei, und unser Bus wartete
schon auf uns.

LEXIKON: überzeugen: *to convince;* davonlaufen: *to
run away;* huckepack tragen: *to carry piggyback;* du bist
viel zu schwach dazu: *you're much too weak for that*

Wir fuhren jetzt nach Schloss° Kintzheim.
Um vier Uhr fand dort die letzte Raubvogel-
Vorführung° statt. Kintzheim ist eine alte
Schlossruine, wo man Raubvögel – Geier° 95
und Adler° – züchtet und abrichtet°.

Als wir ankamen, gab es auf den Bänken
keine Plätze mehr, und wir setzten uns auf
die Mauer°, die um das Schloss geht. Von
hier aus konnten wir die Vorführung gut 100
sehen. Der Wärter°, die linke Hand in einem
dicken Lederhandschuh°, stand im Hof. Da
flog ein Kaiseradler aus dem Wald, die
Flügel° weit ausgestreckt, und landete auf
dem Lederhandschuh. Dann flog der grosse 105
Raubvogel zu uns und setzte sich nicht weit
von uns entfernt auf die Mauer. Alle bewunderten das schöne Tier.

LEXIKON: das Schloss: *castle;* die Vorführung: *demonstration, show;* der Geier: *hawk:* der Adler: *eagle;*
abrichten: *to train;* die Mauer: *wall;* der Wärter: *keeper;*
das Leder: *leather;* der Flügel: *wing*

5

6

Der Wärter stellte uns drei Geier und drei Adler vor. Jedes Tier flog eine Runde° und bekam eine Maus dafür.

„Ich würde auch bald eine Maus fressen, so einen Hunger hab' ich'', meinte Gert. Als die Vorführung zu Ende war, liefen wir alle
115 schnell zum Parkplatz zurück, wo der Bus auf uns wartete. Wir wollten ja noch ein Picknick machen.

Unser Fahrer hatte schon auf dem Weg nach Schloss Kintzheim einen Picknickplatz gesehen, und dorthin fuhren wir jetzt. Zuerst mussten wir alle Holz° sammeln. Es dauerte ja nicht lange, bis wir genug hatten. Herr Mohr und Rainer machten ein Feuer, und bald spiesste° jeder seine Wurst auf einen
125 Stock° und hielt sie ins Feuer. Antje hatte zwei Kartoffeln mit, in Aluminiumfolie eingepackt, und legte sie in die heisse Asche.

LEXIKON: die Runde: *loop;* das Holz: *wood;* spiessen: *to spear;* der Stock: *stick*

„Aua!'' brüllte Gert plötzlich. „Ich hab' mir die Zunge° verbrannt.'' – „Das geschieht dir recht°!'' erwiderte Silvia. „Jetzt wirst du 130 endlich mal deinen Mund halten!''

Für den Jörg waren die Würstchen wohl nicht gut genug. Er hatte sein Kochgeschirr mit und grillte sich ein grosses Schweine-schnitzel. 135

Antje holte jetzt ihre Kartoffeln aus der Asche; sie waren schnell weich° geworden. „Lass mich mal kosten°!'' bat Rainer. Antje liess ihn beissen. Jetzt wollte Christian auch etwas. „Selber essen macht fett°!'' rief Antje, 140 und sie schob das letzte Stück Kartoffel in den Mund.

Während einige noch assen, spielten andere Volleyball. Frau Ehrlich schlug vor°, dass ich dem Busfahrer jetzt das Trinkgeld 145 geben sollte, und ich holte den Umschlag mit 15 Mark aus meiner Tasche. Ich hatte eine Karte geschrieben: „Vielen Dank. Die 8c vom Markgräfler Gymnasium in Müll-heim.'' 150

Herr Mohr rief dann ein paar Jungen her-bei: wir mussten das Feuer ausmachen, und dann ging's leider nach Hause. Es war schon Viertel nach sechs und schon zu spät, um pünktlich nach Hause zu kommen. Unser 155 Fahrer fuhr einen anderen Weg zurück, wieder durch eine ganz schöne Landschaft.

LEXIKON: die Zunge: *tongue;* das geschieht dir recht: *that serves you right;* weich: *soft;* kosten: *to taste;* selber essen macht fett: *I don't get fat on what you eat;* vorschlagen: *to suggest*

7

8

9

10

Wir waren alle müde°. Manche schliefen schon. Da weckte Gert sie auf: „Sie, Herr 160 Fahrer! Können Sie nicht die Blechkutsche° da vor Ihnen überholen? Meine Mutter wartet schon mit dem Abendessen auf mich!"— „Pst, Gert!" winkte Jörg. „Veronika schont sich die Augen°!" Der Fahrer liess sich aber 165 nicht aus der Ruhe bringen°.

Jemand stimmte jetzt leise ein Lied an°. Zuerst klang nur eine Stimme, dann zwei; und bald sang die ganze Klasse mit. „Ein Heller und ein Batzen . . ."⁴ Jetzt wurden 170 alle wieder wach. „Grün, ja grün sind alle meine Kleider . . ." Silvia kannte eine

neue Strophe°: „Darum lieb' ich alles, was so blau ist, weil mein Schatz ein Aral-Tankwart° ist."⁵

Mit dem Singen verging die Zeit schnell. 175 Weil wir Verspätung hatten, machte unser Fahrer einen Umweg° und liess einige Schüler vor Müllheim aus dem Bus. Der Rest stieg vor der Schule aus. Da war es jetzt ruhig. Wir waren wohl die letzte Klasse, 180 die vom Ausflug zurückkam.

LEXIKON: müde: *tired*; die Blechkutsche: *old heap*; sie schont sich die Augen: *she's resting her eyes*; er liess sich nicht aus der Ruhe bringen: *he paid no attention*; ein Lied anstimmen: *to start up a song*

⁴ **"Ein Heller und ein Batzen"** is a German folk song. **Heller** and **Batzen** refer to old coins no longer in circulation.

LEXIKON: die Strophe: *stanza*; der Tankwart: *gas station attendant*; der Umweg: *detour*

⁵ **Aral** is a brand of German gasoline. Aral gas stations are blue and white. The attendants usually wear blue uniforms.

13 LESEÜBUNG For practice only. Omit sections that may be awkward in the present.

Jetzt lest ihr den zweiten Teil der Geschichte noch einmal, aber diesmal in der Gegenwart, *present tense!* Vielleicht liest jeder von euch einen Satz. Ihr fangt so an: Wir marschieren nun die Strasse hinunter . . .

14 MÜNDLICHE ÜBUNG ⊛

15 Beantwortet die Fragen!

1. Wie marschiert die Klasse die Strasse hinunter?
2. Warum bleiben die Schüler nicht auf der Strasse? Wohin kommen sie?
3. Drei Schüler „machen Waldkunde". Beschreibt diese Szene!
4. Was für einen Anblick haben die Schüler, als sie aus dem Wald herauskommen?
5. Beschreibt die Szene, als Silvia fotografieren will!
6. Was hat Rainer im Wald gefunden, und was sagt Herr Mohr?
7. Was hat Gert gefunden?
8. Warum sagt Gert: „Unsere Klassenmutti bei der Arbeit!"?
9. Was, glaubt ihr, steht auf dem Schild?
10. Beschreibt, was die Schüler im Affenwald sehen!
11. Was sehen sich die Schüler dann an?
12. Beschreibt, was die Schüler alles in der Schlossruine sehen!
13. Beschreibt, was die Schüler alles auf dem Picknickplatz tun!
14. Was ist im Umschlag?
15. Beschreibt die Busfahrt zurück zur Schule!

16 SCHRIFTLICHE ÜBUNG

Schreibt eine Antwort zu den Fragen in Übung 15!

17 MORE PRINCIPAL PARTS OF STRONG VERBS

Listed below are the principal parts of the strong verbs from the second section of this lesson. You should review the past participles and learn the narrative past forms.

Infinitive	Past Tense	Past Participle	Infinitive	Past Tense	Past Particple
beissen	biss	gebissen	schlafen	schlief	geschlafen
bitten	bat	gebeten	singen	sang	gesungen
finden	fand	gefunden	tragen	trug	getragen
fliegen	flog	ist geflogen	tun	tat	getan
fressen	frass	gefressen	vergehen	verging	ist vergangen
herausreissen	riss heraus	herausgerissen	vorschlagen	schlug vor	vorgeschlagen
raten	riet	geraten	wachsen	wuchs	ist gewachsen
schieben	schob	geschoben	zerreissen	zerriss	zerrissen

18 SCHRIFTLICHE ÜBUNG

For each verb in the chart above, write a sentence in the narrative past. You may want to check the text to see how these verbs were used, but make your sentences different from the ones in the story.

19 HÖRÜBUNG ⊗

	0	1	2	3	4	5	6	7	8	9	10	11	12
auf der Hoch-Königsburg													
im Affenwald													
in Kintzheim													
beim Picknick	✓												

20 SCHRIFTLICHE ÜBUNG For more detailed cues, see the Arbeitsheft.

Prepare a written summary on one or two of the following topics. Use narrative past tense verb forms as much as possible.
1. vor der Abfahrt 2. im Bus zur Burg 3. auf der Hoch-Königsburg 4. auf dem Weg zum Affenwald 5. im Affenwald 6. in Kintzheim 7. das Picknick 8. im Bus nach Hause

21 KONVERSATIONSÜBUNGEN For suggestions, see Exercise 8 in the Listening Comprehension Program, p. T62.

a. Eure Klasse will einen Klassenausflug machen. Einige von euch wollen zur Hoch-Königsburg fahren, andere zum Affenwald, andere nach Kintzheim. Versucht, die anderen Klassenkameraden zu überzeugen, warum sie mit euch fahren sollen!

b. Einige von euch wollen eine Wanderung machen, andere haben ein Picknick lieber. Was wollt ihr alle tun? Versucht, die anderen zu überzeugen!

c. Jetzt plant ihr euren eigenen Ausflug! Wann könnt ihr den Ausflug machen? Wohin wollt ihr fahren? Wie fahrt ihr dorthin? Wie teuer wird alles? Wollt ihr euch etwas zu essen mitnehmen? Macht ihr ein Picknick? Was nehmt ihr mit?

22 Bäume und Feldblumen, Pilze und Beeren ⊗

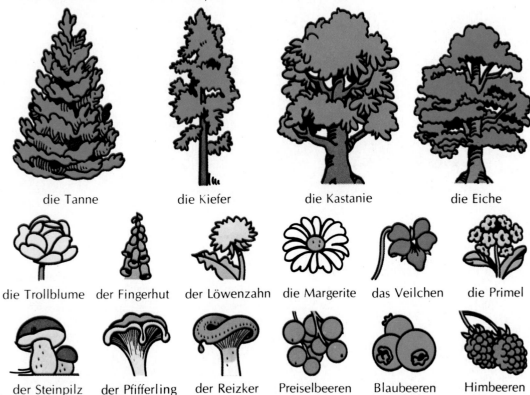

die Tanne — die Kiefer — die Kastanie — die Eiche

die Trollblume — der Fingerhut — der Löwenzahn — die Margerite — das Veilchen — die Primel

der Steinpilz — der Pfifferling — der Reizker — Preiselbeeren — Blaubeeren — Himbeeren

23 Schülerdeutsch ⊗

Like all students, students in Germany have their own special language. It includes not only familiar colloquial expressions, but also Schülerdeutsch — words and expressions used only by students. See if you can match the following with the standard German on the next page.

Das war unter aller Kanone! Wenn du im Bild bleibst, zerreisst es den Film!

Streich dir deine Simpelfransen aus dem Gesicht! **Das kommt mir Spanisch vor.**

So'ne Blechkutsche!

Halt deinen Mund! **Das geschieht dir recht!**

Sie schont sich die Augen. Du hast ein Spatzenhirn!

Das geht dich nichts an!

Schweigen im Walde!

Das ist unser Schönster! Selber essen macht fett!

Du musst reden! Im Gänsemarsch

Unsere Klassenmutti! Mach ja keine Faxen!

1. Sie schläft.
2. hintereinander
3. Du vergisst sehr viel.
4. Sei still!
5. unsere Klassensprecherin
6. Das ist nicht deine Sache.
7. Mach keine Dummheiten!
8. Das versteh' ich nicht.
9. Die Haare fallen dir in die Augen.
10. Das war sehr schlecht.
11. ein altes Auto
12. Niemand antwortet.
13. Der sieht gut aus!
14. Dich will ich nicht fotografieren!
15. Ich esse lieber alles selbst.
16. Das kann man auch von dir sagen.
17. So musste es kommen.

24

WORTSCHATZ

1–10
das **Andenken,** − *souvenir*
die **Ansichtskarte, −n** *picture post card*
die **Aussichtsterrasse, −n** *observation deck*
die **Autobahn, −en** *superhighway*
der **Bauernhof, ⁼e** *farm*
die **Burg, −en** *fortress, castle*
der **Fahrer, −** *driver*
das **Französisch** *French (language)*
der **Führer, −** *guide*
die **Führung, −en** *guided tour*
die **Geschichte, −n** *story*
die **Kasse, −n** *ticket window*
die **Klassenlehrerin, −nen** *homeroom teacher*
der **König, −e** *king*
der **Moment, −e** *moment*
der **Raum, ⁼e** *room*
der **Schulausflug, ⁼e** *school excursion*
das **Tor, −e** *gate*
die **Turnhalle, −n** *gymnasium*
die **Überraschung, −en** *surprise*
die **Ursache, −n** *cause*
die **Waffe, −n** *weapon*
die **Wiese, −n** *meadow*

der **Affenwald** *monkey forest*
der **Burghof, ⁼e** *castle courtyard*
das **Eintrittsgeld** *admission money*
der **Eintrittspreis, − e** *cost of admission*
das **Fachwerkhaus, ⁼er** *half-timbered house*
der **Fasttag, − e** *day of fasting*
der **Grenzpolizist, − en** (den − en) *border guard*
der **Herzog, ⁼e** *duke*
die **Jahreszahl, − en** *date (by year)*
der **Kaiser, −** *emperor*
die **Kanone, − n** *cannon*
der **Kirchturm, ⁼e** *church steeple*
der **Kirschbaum, ⁼e** *cherry tree*
der **Misthaufen, −** *manure pile*
der **Obstgarten, ⁼** *orchard*
das **Schwert, − er** *sword*
der **Waffensaal, ⁼säle** *armor hall*
das **Wappen, −** *coat of arms*
der **Weinberg, − e** *vineyard*
die **Zugbrücke, − n** *drawbridge*

aufwachen *sep* *to wake up*
bewundern *to admire*
brüllen *to yell*
ermahnen *to warn, admonish*
erwidern *to reply*
flüstern *to whisper*
folgen D *to follow*
fortsetzen *sep* *to continue*
glänzen *to sparkle, shine*
hänseln *to tease*
hinauffahren *sep* *to lead upward, upstairs*
s. **hinstellen** *sep* *to go and stand, to place o.s.*
lachen *to laugh*
marschieren (ist marschiert) *to march*
mitmachen *sep* *to participate*
s. **nähern** D *to approach*

s. **benehmen** (benimmt sich, benahm sich, hat sich benommen) *to behave o.s.*
halten (hält, hielt, hat gehalten) *to hold*
klingen (klang, hat geklungen) *to sound*
kommen nach (kam, ist gekommen) *to get to*
losfahren (fährt los, fuhr los, ist losgefahren) *sep* *to start driving*
schreiben an A (schrieb, hat geschrieben) *to write to*
unterbrechen (unterbricht, unterbrach, hat unterbrochen) *to interrupt*
ziehen (zog, ist gezogen) *to move, go*

arm (ärmer) *poor*
bergig *mountainous*
blass *pale*
deutlich *clear, distinct*
französisch *French*
froh *glad*
hübsch *pretty*
merkwürdig *strange*
riesig *gigantic, huge*
vorwurfsvoll *reproachful(ly)*

als *when*
aufwärts *up, upward*
dahinter *behind it, that*
einfach *simply*
jeder *each one, everyone*
vorn *up front*
während *while*
wohl *probably*

an etwas vorbeifahren D *to drive by s.th.*
auf deutsch *in German*
das kam mir Spanisch vor *it was Greek to me*
das geht dich nichts an! *that's none of your business!*
der Marita ist schlecht *Marita feels sick*
dort (hier) oben *up there (here)*
einen Moment *just a moment*
es ging los *it started, we started*
es sah so aus, als ob *it looked as if*
ganz hinten *all the way in the back*
immer höher *higher and higher*
in der Ferne *in the distance*
keine Ursache! *don't mention it!; you're welcome!*
nicht nur . . . sondern auch *not only . . . but also*
recht haben *to be right*
Schluss damit! *that's enough!*
von weitem *from far away*
weiter ging's *onward; we went on, we continued*
zu Ende *over, finished*

alles andre *everything else*
ältere Leute *elderly people*
einfach platt gefahren *simply drove over it and squashed it*
Faxen machen *to play silly pranks*
he? huh?
ihr andern *the rest of you*
unter aller Kanone *very bad*
von der fünften aufwärts *from the fifth (grade) up*

11–19

der Adler, – *eagle*
der Anblick, –e *view, sight*
die Anweisung, –en *instruction*
die Beere, –n *berry*
die Blaubeere, –n *blueberry*
die Buche, –n *beech tree*
die Eiche, –n *oak tree*
das Feuer, – *fire*
der Film, –e *roll of film*
der Flügel, – *wing*
der Geier, – *hawk*
der Hof, ⸚e *courtyard*
das Holz *wood*
das Lied, –er *song*
die Mauer, –n *wall*
die Maus, ⸚e *mouse*
der Mund, ⸚er *mouth*
die Pause, –n *pause, break*
der Pfad, –e *path*
das Picknick, –s *picnic*
der Picknickplatz, ⸚e *picnic area*
der Pilz, –e *mushroom*
das Popcorn *popcorn*
der Raubvogel, ⸚ *bird of prey*
das Schloss, ⸚er *castle*
die Schlossruine, –n *castle ruin*
das Schweigen *silence*
die Tanne, –n *fir tree*
der Umweg, –e *detour*
der Verkehr *traffic*
die Vorführung, –en *show, demonstration*
der Wärter, – *keeper*

die Aluminiumfolie *aluminum foil*
die Asche *ashes*
der Fingerhut, ⸚e *foxglove*
der Kaiseradler, – *imperial eagle*
die Karte, –n *card, note*
die Kleider (pl) *clothing*
das Kleine, –n *baby, little one*
das Kochgeschirr *cooking utensils*
der Lederhandschuh, –e *leather glove, gauntlet*
die Runde, –n *loop, circle*
der Schatz, ⸚e *sweetheart*
der Stock, ⸚e *stick*
die Strophe, –n *verse, stanza*
der Tankwart, –e *gas station attendant*
der Zahn, ⸚e *tooth*
die Zunge, –n *tongue*

abrichten sep *to train (animals)*
anstimmen sep *to start up (a song)*
aufwecken sep *to wake (s.o.) up*
ausmachen sep *to put out*
einpacken sep *to wrap, to pack up*
führen *to lead*
grillen *to grill*
hinunterrutschen (ist hinuntergerutscht) sep *to slip, slide down*
knipsen *to snap (a picture)*
kosten *to taste*
landen auf A *to land on*
sammeln *to collect*
schauen auf A *to look at*
spiessen *to spear*
stürzen auf A *to rush to, fall on*
überzeugen *to convince*
s. verbrennen (verbrannte sich, hat sich verbrannt) *to burn o.s.*
zeigen auf A *to point to*

davonlaufen (läuft davon, lief davon, ist davongelaufen) sep *to run away*
entgegenkommen D (kam entgegen, ist entgegengekommen) sep *to come forward*
herausreissen (riss heraus, hat herausgerissen) sep *to tear out*
herbeirufen (rief herbei, hat herbeigerufen) sep *to call over*
herkommen (kam her, ist hergekommen) sep *to come from; to come here*
kommen auf A (kam, ist gekommen) *to come to, to come upon*
lassen (lässt, liess, hat gelassen) *to let*
vergehen (verging, ist vergangen) *to pass, go by (time)*
vorschlagen (schlägt vor, schlug vor, hat vorgeschlagen) sep *to suggest*
zerreissen (zerriss, hat zerrissen) *to tear up*

ausgestreckt *stretched out*
dick *thick*
giftig *poisonous*
hoch (höher) *tall*
letzt- *last*
müde *tired*
richtig *real, proper*
schwach (schwächer) *weak*
weich *soft*

darum *therefore*
entgegen D *toward, against*

ach, du meine Güte! *oh, my goodness!*
an der Hand führen *to lead by the hand*
an der Spitze *at the head, in front*
bei der Arbeit *at work*
Bilder machen *to take pictures*
dem Verkehr entgegen *against the traffic*
die Affen machten uns Spass *the monkeys were fun*
du bist zu schwach dazu *you're too weak for that*
ein Lied anstimmen *to start up a song*
ein Picknick machen *to have a picnic*
er kam gelaufen *he came running*
er liess sich nicht aus der Ruhe bringen *he paid no attention*
huckepack tragen *to carry piggyback*
im Gänsemarsch *single file*
lass mich mal kosten! *let me have a taste!*
mit einem Kleinen *with a baby*
nicht einmal *not even*
Pause machen *to take a break*
Sie, Herr Fahrer! *hey, driver!*
sie kamen vom Affenwald her *they were coming from the monkey forest*
um . . . zu . . . *in order to*
Waldkunde machen *to study nature*

Schülerdeutsch *student slang*
das geschieht dir recht! *it serves you right!*
die Blechkutsche *old heap*
du hast ein Spatzenhirn! *you birdbrain!*
du musst reden! *you should talk!*
halt den Mund! *shut up! be quiet!*
selber essen macht fett *I don't get fat on what you eat*
sie schont sich die Augen *she's sleeping (resting her eyes)*
streich dir deine Simpelfransen aus dem Gesicht! *brush your (simpleton's) bangs out of your face*
unser Schönster! *our most handsome!*
unsere Klassenmutti! *our class mommy!*

20–25

die Feldblume, –n *wild flower*
die Himbeere, –n *raspberry*
die Kastanie, –n *chestnut*
die Kiefer, –n *pine*
der Löwenzahn, ⸚e *dandelion*

die Margerite, –n *daisy*
der Pfifferling, –e *(type of mushroom)*
die Preiselbeere, –n *cranberry*
die Primel, –n *primrose*

der Reizker, – *(type of mushroom)*
der Steinpilz, –e *(type of mushroom)*
die Trollblume, –n *globe flower*
das Veilchen, – *violet*

Schülertheater ²⁷

Wir stellen vor:

1 For the Quintaner, *sixth graders,* of the Markgräfler Gymnasium in *Müllheim,* this school year promises to be especially exciting. To begin with, they are participating in an exchange program with a class of sixth graders in the town of Chauny, France. The Müllheimer students will go to Chauny for two weeks, living in the homes of the French students and going to their school. Then the French students will come to Müllheim.

The Quintaner also have another project. They are writing and producing their own play, so they can take part in a state theater competition. The town of Müllheim is located in the state of Baden-Württemberg, which sponsors a school theater competition every year for students at different grade levels. The winners this year will perform their play in the city of Freiburg, and will also have a chance to appear on regional TV.

2 Ein ganz besonderes Schuljahr! ⊗

Wer in diesem Frühling die *Badische Zeitung* aufgeschlagen hat, hat folgende Schlagzeilen gelesen:

Mit „Harlekin und Columbine" in den Theaterwettbewerb	**Schülertheater im Fernsehen**
Schulpartnerschaft mit Chauny für die 6. Klasse	**Die Quintaner aus Müllheim lernen die Nachbarn kennen**

Die Müllheimer lesen diese Schlagzeilen mit Stolz: ihre Söhne und Töchter in der Quinta sind in diesem Jahr sehr fleissig gewesen. Die Freude auf den Schüleraustausch mit Frankreich und die Vorbereitungen für das Theaterstück haben die Schultage in diesem Jahr besonders interessant gemacht.

3 Die Vorbereitungen begannen schon im September. ⊗

Ende August, kurz nach dem Schulbeginn, kam Frau Braun, die Deutschlehrerin, in die Klasse, und folgendes Gespräch° begann: das Gespräch: *conversation*

„Bitte einmal herhören! Ich hab' euch etwas Wichtiges zu sagen. Nächsten April finden die Schülertheaterwettbewerbe statt. Wollt
5 ihr mitmachen?"

„Natürlich!" – „Selbstverständlich!" riefen alle begeistert° durcheinander°.   begeistert: *enthusiastically*
durcheinander: *all at the same time*

„Wir nehmen uns jetzt eine halbe Stunde Zeit und besprechen, was wir alles tun müssen, wenn wir wieder Theater spielen. Nun,
10 was für ein Theaterstück wollt ihr diesmal aufführen?"

„Ich schlage vor, dass wir wieder ein Puppenspiel°aufführen",   das Puppenspiel: *puppet show*
meinte Ursula. „Wir haben die Bühne° und die Puppen noch vom   die Bühne: *stage*
letzten Jahr."

The compounds derselbe, dieselbe, dasselbe are treated in Unit 39.

„Wir können doch nicht wieder ein Puppenspiel aufführen.
15 Immer dasselbe° ist langweilig!" erwiderte Hans-Jörg.

„Ich bin dafür", sagte Renate, „dass wir das Spiel selbst° schreiben. Das wird viel lebendiger° und lustiger."

„Das stimmt°", meinte Rolf. „Wir können alles selbst machen."

„Zu viel Arbeit!" rief Bärbel. „Wie lange wir wieder üben° und
20 proben° müssen, und dann . . ."

„Gar nicht wahr!"—„Renate hat recht!" riefen Heino und Inge.
„Wir machen alles selbst." Und so einigten° sich die Quintaner
auf die Idee, ihr eigenes° Spiel zu schreiben.

dasselbe: *the same*	
selbst: *ourselves*	
lebendig: *lively*	
das stimmt: *that's right*	
üben: *to practice*	
proben: *to rehearse*	
s. einigen auf: *to agree to*	
eigen: *own*	

1

4 Das Texten fand in den Wintermonaten statt. ⊗

„Wir machen alles selbst", hatten die Schüler gesagt, aber von
der Idee bis zum Text war ein langer Weg. Die jungen Quintaner
hatten viele Ideen, aber für ein ganzes Spiel reichten manche Ideen
nicht aus°. Zweimal in der Woche diskutierten die Jungen und
5 Mädchen und machten Pläne: einmal am Montag in der Deutschstunde° und einmal Donnerstag nachmittags nach der Schule.

Dann endlich—es war schon Mitte November—brachte Hans-Jörg ein Lustspiel° mit in die Klasse, „Harlekin und Columbine".
Er hatte diese Komödie in einem Buch zu Hause gefunden, und
10 ihm hatten die Abbildungen° so gut gefallen.

„Das Stück ist toll! Wir müssen nur den Text neu schreiben",
meinte Hans-Jörg, und er erzählte seinen Klassenkameraden die
Geschichte von Harlekin und Columbine.

„Prima!"—„Toll!"—„Jetzt haben wir ein Spiel."—„Ein Lust-
15 spiel!"—„Wir haben schon den Titel: Harlekin und Columbine!"

Frau Braun unterbrach jetzt: „Wisst ihr alle, was ‚commedia
dell'arte'¹ bedeutet? Nein? Da habt ihr etwas Schönes zu lernen.
Hans-Jörg, du hast ein gutes Spiel gefunden."

ausreichen: *to be enough*

die Deutschstunde: *German class*

das Lustspiel: *comedy*

die Abbildung: *illustration*

The commedia dell'arte derived from ancient Roman plays of the same style, which had been
suppressed by the Church since the third century and were rediscovered in the Italian Renaissance.

¹ Commedia dell'arte is a style of comedy that developed in Italy in the sixteenth to the eighteenth centuries with
companies of actors trained to improvise dialog and stage business from a written plot. The plots are standardized,
built around certain stock characters and situations, and depending on broad farce and pantomime for their humor.
The actors not only make up lines to fit the scenes, but may even add political jokes and comments about well-
known local people. Sometimes they talk directly to the audience as if asking for advice or telling a secret. ("Shall I
hit him again?" The audience is likely to yell back: "Yes!")

Der nächste Schritt war: den Text schreiben und die einzelnen°
20 Rollen aussuchen°. Alle waren damit einverstanden°, dass Ursula
den Harlekin² und Renate die Columbine³ spielen sollten. Sie hatten

einzeln: *individual*
aussuchen: *to select*
einverstanden sein mit: *to be in agreement with*

1

die besten Sprechstimmen, und beide waren gute Schauspielerin-
nen°. Mit den beiden in den Hauptrollen hatten sie im letzten Jahr
mit ihrem Puppenspiel einen grossen Erfolg gehabt. Rolf sollte
25 den Vater spielen, und Hans-Jörg den „Dottore". Jeder bekam
eigentlich eine Rolle, obwohl° einige Schüler gar nicht zu sprechen
brauchten. Sie mussten nur hinter den Bühnenbildern° stehen und
sie festhalten oder bewegen°. Das war auch wichtig.

die Schauspielerin: *actress*

obwohl: *although*
das Bühnenbild: *stage set, scenery*
bewegen: *to move (s.th.)*

Infinitives with zu are taught in Unit 34.

5 Beantwortet die Fragen!

1. Welche Schlagzeilen lasen die Müllheimer mit Stolz?
2. Warum war es ein ganz besonderes Schuljahr für die Quintaner?
3. Was für ein Gespräch hatten sie kurz nach dem Schulbeginn?
4. Was schlug Ursula vor? Warum?
5. Was meinte Hans-Jörg? und Renate? und Rolf? und Bärbel?
6. Wie endete das Gespräch?
7. Warum war das Texten gar nicht so leicht?
8. Wie oft kamen die Schüler zusammen?
9. Was passierte dann Mitte November?
10. Was für ein Spiel fand Hans-Jörg?
11. Was hat Hans-Jörg so gut gefallen?
12. Was mussten die Schüler dann tun?
13. Wer bekam welche Rollen?
14. Warum bekamen Ursula und Renate die Hauptrollen?

6 MÜNDLICHE ÜBUNG ⊗

² **Harlekin** (in English "Harlequin") is one of the stock characters of the *commedia*. He is a quick-witted, zany servant, in love with **Columbine.** He usually wears a mask and particolored clothing.

³ **Columbine,** another of the stock characters, is the daughter of the old miser **Pantalone** ("Pantaloon" in English). She is a pert young girl, in love with Harlequin, and her problem is to outwit her father and the undesirable suitors he chooses for her—the rich, old doctor and the bombastic army captain.

7 Die Geschichte von Harlekin und Columbine ⊗

Harlekin liebt Columbine und möchte sie heiraten°. Aber ihr Vater, Pantalone, hat einen anderen Mann° für sie, den alten, doch° reichen „Dottore". Und da ist noch ein dritter Kandidat, der eingebildete° „Capitano". Harlekin kämpft mit List° gegen seine beiden Rivalen. Schliesslich° fliehen er und Columbine in den Wald. Sie bitten dort zwei Zauberer° um Hilfe. Harlekin bekommt einen Zaubertrunk° und kann damit Pantalone und die beiden Rivalen in Tiere verwandeln°. Dann reitet das Liebespaar auf einem riesigen Drachen in die Freiheit.

heiraten: *to marry*
der Mann: *husband*
doch: *but*

eingebildet: *conceited*
die List: *cunning*
schliesslich: *finally*
der Zauberer: *magician*
der Zaubertrunk: *magic potion*
verwandeln: *to transform*

8   Was sind Quintaner?

In the **Gymnasium,** *academic secondary school,* classes and students are often referred to by Latin names. This practice goes back to a time when Latin was used as the language of instruction. Today, Latin is still a required subject for nearly all **Gymnasium** students.

Wie alt sind die Schüler?	In welche Klasse gehen sie?	Wie heisst die Klasse in einem Gymnasium?	Wie heissen die Gymnasiasten?
6 Jahre	in die erste Klasse	—	—
7 Jahre	in die zweite Klasse	—	—
8 Jahre	in die dritte Klasse	—	—
9 Jahre	in die vierte Klasse	—	—
10 Jahre	in die fünfte Klasse	die Sexta	Sextaner
11 Jahre	in die sechste Klasse	die Quinta	Quintaner
12 Jahre	in die siebte Klasse	die Quarta	Quartaner
13 Jahre	in die achte Klasse	die Untertertia	Untertertianer
14 Jahre	in die neunte Klasse	die Obertertia	Obertertianer
15 Jahre	in die zehnte Klasse	die Untersekunda	Untersekundaner
16 Jahre	in die elfte Klasse	die Obersekunda	Obersekundaner
17 Jahre	in die zwölfte Klasse	die Unterprima	Unterprimaner
18 Jahre	in die dreizehnte Klasse	die Oberprima	Oberprimaner

9   SOME TIME EXPRESSIONS

1. Certain time expressions can be used to answer the questions **wann?, wie oft?,** and **wie lange?.** These expressions consist of a noun phrase in the accusative case.

> **Wann?** — **Nächsten April** spielen wir Theater.
> **Wie oft?** — Wir diskutieren **jeden Montag.**
> **Wie lange?** — Wir müssen **den ganzen Winter** üben.

2. The question **wann?** can also be answered by a prepositional phrase with **am: am Nachmittag, am Abend,** etc., or by an adverb ending in **-s: nachmittags, abends,** etc. These expressions usually indicate repeated events, events occurring regularly.

> **Wann** üben die Quintaner gewöhnlich? — **Am Nachmittag.** *or* **Nachmittags.**

A single, specific event is usually indicated by a phrase with **am.**

> **Wann** fährst du in die Stadt? — **Am Abend.**

3. The following chart summarizes common time expressions referring to parts of the day. Note the two exceptions to the pattern: **in der Nacht** and **tagsüber.**

der Morgen	am Morgen	jeden Morgen	morgens
der Vormittag	am Vormittag	jeden Vormittag	vormittags
der Mittag	am Mittag	jeden Mittag	mittags
der Nachmittag	am Nachmittag	jeden Nachmittag	nachmittags
der Abend	am Abend	jeden Abend	abends
die Nacht	in der Nacht	jede Nacht	nachts
der Tag	am Tag(e)	jeden Tag	tagsüber
der Montag	am Montag	jeden Montag	montags

Point out that the words in the fourth column are not capitalized, because they are used as adverbs.

10 Was machen die Quintaner jeden Tag? ⊗

Habt ihr jeden Morgen Deutsch?
Habt ihr jeden Vormittag eine Pause?
Geht ihr jeden Mittag nach Hause?
Kommt ihr jeden Nachmittag zusammen?
Macht ihr jeden Abend Pläne?

Ja, morgens haben wir immer Deutsch.
Ja, vormittags haben wir eine Pause.
Ja, mittags gehen wir nach Hause.
Ja, nachmittags kommen wir zusammen.
Ja, abends machen wir Pläne.

11 Frag deine Klassenkameraden!

1. Was machst du tagsüber?
2. Wo bist du gewöhnlich vormittags?
3. Was hast du alles am Morgen? am Nachmittag?
4. Was tust du am Nachmittag? am Abend?
5. Spielst du ein Instrument? Wann übst du?
6. Wie oft hast du in Mathe eine Klassenarbeit?
7. Wie lange darfst du gewöhnlich am Abend fernsehen?

12

MORE TIME EXPRESSIONS
Seasons, Months, and Days

1. In time expressions answering the question **wann?, in** with the dative case is used before the names of the seasons and months.

   Wann schrieben die Schüler ihr Stück? — **In den Wintermonaten; im Dezember.**
   Wann führten sie das Stück auf? — **Im Frühling; im April.**

2. For the beginning, the middle, and the end of the month, the words **Anfang, Mitte,** and **Ende** are used, together with the name of the month. No articles are used.

   Anfang September
   Anfang September begannen die Vorbereitungen.
   At the beginning of September the preparations began.

   Mitte November
   Mitte November fand Hans-Jörg ein Lustspiel.
   In the middle of November Hans-Jörg found a comedy.

   Ende Dezember
   Ende Dezember war der Text fertig.
   At the end of December the script was finished.

3. In time expressions answering the question **wann?, an** with the dative case is used before the days of the week and before specific dates.

   Wann fand das Gespräch statt? — **Am Montag; am 10. September**[1].
   Wann suchten sie die Rollen aus? — **Am Donnerstag; am 3. Januar**[2].

[1] *Read:* **am zehnten September.**
[2] *Read:* **am dritten Januar.**

13 Anfang, Mitte oder Ende? ⊗

Am 2. September kam Frau Braun in die Klasse.

Am 16. November fand Hans-Jörg ein altes Lustspiel.

Am 30. Januar war das Texten fertig.

Am 4. März fahren die Quintaner nach Frankreich.

Vom 19. bis zum 30. April sind die Theaterwettbewerbe.

Am 13. Juni kommt unsere Partnerschaftsklasse aus Chauny.

Anfang September kam Frau Braun in die Klasse.

Mitte November fand . . .

Ende Januar . . .
Anfang März . . .

Von Mitte bis Ende April sind . . .

Mitte Juni . . .

14 Frag deine Klassenkameraden! Elicit seasons, dates, parts of the month.

1. Wann hast du Geburtstag? dein Bruder? deine Schwester? deine Eltern?
2. Wann bist du im Theater gewesen? Wann hast du Theater gespielt?
3. Wann hast du deine Ferien? Was machst du alles im Winter? im Frühling? im Sommer?

Q1 is usually answered in one of these ways:
im März;
Anfang März;
am 3. März

15 HOW MANY TIMES?

To express the idea of "how many times" (**wie oft? wievielmal?**), the word **mal** can be added to a number, as shown in the table below.

Zweimal in der Stunde	fragt er den Lehrer.
Einmal am Tag	haben sie Deutsch.
Zweimal in der Woche	kamen sie zusammen.
Dreimal im Monat	gibt sie ein Konzert.
Einmal im Jahr	spielen wir Theater.
Wievielmal	führt ihr das Spiel auf?

16 Wievielmal, bitte? ⊗

Der Wettbewerb findet immer im Frühling statt.

Am Montag und am Donnerstag kommen die Schüler zusammen.

Jeden Tag von 9 bis 10 Uhr haben sie Deutsch.

Am siebten, am vierzehnten und am einundzwanzigsten spielen sie Theater.

Einmal im Jahr findet der Wettbewerb statt.

Zweimal in der Woche . . .

Einmal am Tag . . .

Dreimal im Monat . . .

17 Frag deine Klassenkameraden!

1. Wievielmal in der Woche haben wir Deutsch?
2. Wievielmal im Monat schreiben wir eine Klassenarbeit?
3. Wie oft bekommen wir unsere Noten?
4. Wievielmal in der Woche haben wir Turnen?

18 SCHRIFTLICHE ÜBUNGEN

a. Schreibt die Antworten für Übungen 13 und 16!

b. Schreibt Sätze nach folgendem Beispiel! For answers, see p. T46.

Beispiel: Anfang / Mai / wir / Theaterspiel / aufführen
Anfang Mai führen wir ein Theaterspiel auf.

1. Anfang / Oktober / Schüler / mit den Vorbereitungen / anfangen
2. einmal / Tag / sie *(pl.)* / Deutschlehrerin / sehen
3. vormittags / sie *(pl.)* / Theaterstück / in der Deutschstunde / diskutieren
4. Mitte / Dezember / sie *(pl.)* / Rollen / aussuchen
5. zweimal / Woche / sie *(pl.)* / nach der Schule / zusammenkommen
6. Ende / April / Schülertheaterwettbewerbe / stattfinden

19 Sagt wann und wie oft!

1. Seht auf euren Stundenplan und beschreibt, wann ihr die einzelnen Fächer habt! Wie oft in der Woche habt ihr jedes Fach?
2. Seht euch euer Fernsehprogramm an und sagt, wann die einzelnen Sendungen kommen! Wie oft in der Woche oder im Monat seht ihr eure Lieblingsprogramme?

20 Kostüme, Bühnenbilder und Musik ⊗

Die Schüler hatten vorher° nicht geglaubt, wieviel Arbeit so ein Spiel machen konnte. Sie mussten ihre Bühnenbilder selbst entwerfen° und herstellen°. Die Bilder durften nicht zu gross und nicht zu schwer sein; die Kinder mussten sie ja auf der Bühne herum-
5 tragen. Auch mussten die Schüler ihre Kostüme entwerfen und selbst nähen—und hier hat wohl manche¹ Mutter ein bisschen mitgeholfen.

vorher: *before*

entwerfen: *to design*
herstellen: *to build, produce*

1

¹ **Mancher, -e, -es,** *many, many a,* is a **dieser**-word with forms like those of **dieser, jeder,** and **welcher.**

Lektion 27   Schülertheater   **41**

Und dann mussten die Quintaner ihre eigene Musik schreiben.
10 Der Musiklehrer half ihnen, und
das Schulorchester mit drei Quin-
tanern in der Gruppe studierte
die Musik ein.

Dann endlich—es war schon
15 Anfang März—war es so weit°.
Die ersten Theaterproben° konn-
ten jetzt anfangen mit Kostümen, mit Bühnenbildern, mit Musik.
Die Quintaner waren wieder ganz begeistert, wie am Anfang: „Wir
haben's geschafft°! Ein richtiges Lustspiel!"—„Echt *commedia*
20 *dell'arte!*" lachte Frau Braun, als die Schauspieler den Text ver-
gassen und ihre eigenen Worte sprachen. Manchmal waren die
neuen Worte und Gesten° so lustig, dass man die Probe mit Lachen
unterbrach und Frau Braun um Ruhe bitten musste.

Anfang April war die Generalprobe°. Die Quintaner hatten einige
25 Lehrer und Freunde als Zuschauer° eingeladen. Man wollte sicher
sein, das alles gutging, denn am 22. April fand die Aufführung vor
einer Jury statt. Diese Jury war schon seit[2] einigen Wochen° unterwegs: sie musste alle Aufführungen für die Schülertheaterwettbewerbe bewerten°.

so weit sein: *to be ready*
die Probe: *rehearsal*

wir haben's geschafft!:
 we did it!

die Geste: *gesture*

die Generalprobe: *dress
 rehearsal*
der Zuschauer: *spectator,
 audience*
seit einigen Wochen: *for
 several weeks*

bewerten: *to rate, judge*

21 Die Aufführung vor der Jury ⊛

Freitag Abend, den 22. April, fast acht Uhr. Die Aula im Markgräfler Gymnasium ist voll: Eltern, Lehrer, Gymnasiasten, Freunde
—und zwei Fremde°, ein Mann und eine Frau°, die Jury für den
Wettbewerb.
5   Die Quintaner haben sich die Kostüme schon um sieben angezogen. Ursula trägt ihren Harlekinhut; Hans-Jörg hat sich die
weisse Perücke° vom „Dottore" aufgesetzt. Renate hat sich ge-
schminkt° und gepudert; ihre Augen lachen, wenn sie sich im
Spiegel sieht: Columbine! Die Schüler flüstern und lachen hinter
10 den Kulissen°: es ist fast Zeit zu beginnen. „Meine ganze Familie
ist da!"—„Die Jury ist da!"

der Fremde: *stranger*
die Frau: *woman*

die Perücke: *wig*
s. schminken: *to put on
 make-up*

die Kulisse: *set, scenery*

[2] **Seit,** *since*, is a preposition followed by dative case forms.

Der Vorhang° geht auf. Man hört die Zuschauer leise flüstern . . . dann klatschen sie, als sie die Bühnenbilder sehen. „Da ist mein Sohn!" hört man einen stolzen Vater sagen. Achtundzwanzig
15 Herzen° schlagen schneller, als Columbine auf die Bühne tritt°. Wird alles gutgehen? Sie spricht die ersten Zeilen°, klar und nicht zu schnell.

der Vorhang: *curtain*

das Herz: *heart*
treten: *to step*
die Zeile: *line*

Pantalone tritt auf die Bühne mit dem alten „Dottore" und dem „Capitano". Wenn Hans-Jörg nur langsamer sprechen würde! Eben
20 spricht er mit dem „Capitano". Man merkt° sofort, dass er nervös ist. „Au weh! Jetzt ist er steckengeblieben°!" Doch da—Harlekin läuft jetzt auf die Bühne und rettet° den „Dottore." Die Zuschauer

merken: *to notice*
steckenbleiben: *to get stuck*
retten: *to save, rescue*

3

lachen und klatschen. Sie glauben wohl, dass das alles geplant war! Diese Szene ist schnell vorbei, und die nächsten auch. Das
25 Schönste kommt am Ende: drei Schüler im Drachenkostüm treten

auf° und tragen Harlekin und Columbine auf dem Rücken von der Bühne. Der Vorhang fällt, aber die Zuschauer klatschen so laut und so lange, bis die Schauspieler wieder auftreten. Das Spiel ist ein grosser Erfolg.

auftreten: to enter, appear

5

30 Nach der Aufführung laufen alle Quintaner zusammen und lachen und rufen: „Du hast fantastisch gespielt!" — „Du auch!" — „Ursula, du hast die Szene ge-
35 rettet!" — „Hast du gesehen, wie begeistert die beiden von der Jury geklatscht haben?"

6

These genitive phrases appear only for recognition here. The genitive case is taught formally in Unit 39.

22 Die Quinta wird berühmt°. ⊗

berühmt: famous

Jetzt vergingen zwei lange Wochen, bis die Schüler das Ergebnis des Wettbewerbs erfahren° konnten. Am Montag, am. 9. Mai, erfuhren sie es endlich: sie hatten mit ihrem Lustspiel „Harlekin und Columbine" den ersten Preis in der Altersgruppe II (Klassen
5 5 bis 10) gewonnen! In der Badischen Zeitung stand ein grosser Artikel: „Müllheimer Quintaner gewinnen den Schülertheaterwettbewerb".

erfahren: to learn, find out

Eine Woche später führten die Quintaner ihr Lustspiel noch einmal für ihre Eltern und Freunde des Gymnasiums auf. Die Auf-
10 führung war so gut besucht°, dass sie sie eine Woche später wiederholen mussten. Am. 12. Juni kamen Ausschnitte° aus dieser Aufführung im Fernsehen des Südwestfunks Stuttgart. Und am. 18. Juni führte die Quinta das Stück vor ihren französischen Gästen aus Chauny auf.

gut besucht: well-attended
der Ausschnitt: excerpt, portion

15 Für die Quintaner aber fand „die grosse Aufführung" am 20. Juni statt. Als Gewinner des ersten Preises durften die Schüler ihr Stück im Städtischen Theater von Freiburg aufführen.

23 Beantwortet die Fragen!

1. Was für Arbeiten mussten die Schüler nach dem Texten tun?
2. Was fand im März statt?
3. Warum sagte Frau Braun: „Echt *commedia dell'arte!*"?
4. Warum war die Generalprobe wichtig?
5. Was musste die Jury tun?
6. Wie benehmen sich die Quintaner, bevor die Aufführung beginnt?
7. Was passiert alles auf der Bühne?
8. Was wissen die Zuschauer wohl nicht?
9. Was ist „das Schönste" an der Aufführung?
10. Glauben die Quintaner am Ende, dass sie einen Preis gewinnen? Warum?
11. Wie wurde die Quinta berühmt? Was fand alles im Mai und Juni statt?
12. Was war „die grosse Aufführung"?

24 MÜNDLICHE ÜBUNG ⊗

25 PRINCIPAL PARTS OF STRONG VERBS

Listed below are the principal parts of the strong verbs from this lesson. Included also are the principal parts of the remaining verbs taught in **Unsere Freunde** that have not yet appeared in this book.

Infinitive	Past Tense	Past Participle	Infinitive	Past Tense	Past Participle
anfangen	fing an	angefangen	messen	mass	gemessen
s. anziehen	zog an	angezogen	reiben	rieb	gerieben
beschreiben	beschrieb	beschrieben	reiten	ritt	ist geritten
besprechen	besprach	besprochen	schlagen	schlug	geschlagen
bieten	bot	geboten	schliessen	schloss	geschlossen
einladen	lud ein	eingeladen	schwimmen	schwamm	ist geschwommen
entwerfen	entwarf	entworfen	springen	sprang	ist gesprungen
erfahren	erfuhr	erfahren	stechen	stach	gestochen
fallen	fiel	ist gefallen	treten	trat	ist getreten
gefallen	gefiel	gefallen	vergleichen	verglich	verglichen
gefrieren	gefror	ist gefroren	verlieren	verlor	verloren
giessen	goss	gegossen	werfen	warf	geworfen
hängen	hing	gehangen	wiegen	wog	gewogen
heben	hob	gehoben			

26 SCHRIFTLICHE ÜBUNGEN

a. *For each verb in the chart above, write a sentence in the narrative past. You may want to check the text to see how these verbs were used, but make your sentences different from the ones in the story.*

b. *Rewrite the following paragraphs, using the narrative past tense.* ⊗ For answers, see p. T47.

Wer in diesen Tagen die *Badische Zeitung* aufschlägt, kann viele Schlagzeilen über die Quintaner lesen. Die Quintaner haben ein ganz besonderes Schuljahr! Sie lernen eine Partnerschaftsklasse aus Frankreich kennen, und sie führen ihr eigenes Theaterstück auf.

(continued)

Schon im September planen die Schüler ihr Lustspiel. Zweimal in der Woche kommen sie zusammen und besprechen ihre Ideen. Sie finden eine Geschichte, und dann beginnen sie mit der Arbeit. Sie schreiben den Text und suchen die Rollen aus. Sie entwerfen die Bühnenbilder und die Kostüme und stellen sie selbst her.

Dann finden die Theaterproben statt. Die Schüler wissen, dass alles gutgeht, denn die Generalprobe gefällt den Lehrern. Im April führen sie ihr Spiel vor einer Jury auf.

Zwei Wochen vergehen. Endlich erfahren sie das Ergebnis: sie gewinnen den Theaterwettbewerb und bekommen den ersten Preis! Ausschnitte aus dem Lustspiel kommen im Badischen Fernsehen, und die Stadt Freiburg lädt die Quintaner ein. Sie sollen ihr Spiel im Städtischen Theater aufführen.

27
TALKING ABOUT THE PAST
The Past Perfect Tense

Sometimes, in English or in German, we want to talk about something that happened before some other event in the past. For example, if the train leaves before you get there, you might say, "I ran to the station, but the train had already left." The first part of your statement is in the past tense. The second part is in the "past perfect." The past perfect tense works the same in German as in English. It is formed in the same way as the conversational past, except that **haben** and **sein** are used in their past tense forms.

Earlier Past Event (Past Perfect Tense)				Past Event (Narrative Past)
Die Schüler	**hatten**	einen Titel	**gefunden;**	der Plan war jetzt fertig.
Frau Braun	**war**	zu Hause	**geblieben,**	und sie konnten nicht üben.
Das Stück	**hatte**	schon	**begonnen,**	als wir ankamen.

28
Sie hatten schon alles vorher getan. ⊗

Wann machten sie die Pläne?
Wann schrieben sie den Text?
Wann suchten sie die Rollen aus?
Wann entwarfen sie die Bühnenbilder?
Wann nähten sie die Kostüme?
Wann studierten sie die Musik ein?
Wann führten sie das Spiel auf?

Sie hatten sie schon vorher gemacht!
Sie hatten ihn schon vorher geschrieben.
Sie hatten sie schon vorher ausgesucht.
Sie hatten sie schon vorher entworfen.
Sie hatten sie schon vorher genäht.
Sie hatten sie schon vorher einstudiert.
Sie hatten es schon vorher aufgeführt.

29
SCHRIFTLICHE ÜBUNGEN

a. Schreibt die Antworten für Übung 28!
b. Schreibt Sätze nach folgendem Beispiel! For answers, see p. T47.
   Beispiel: den Text schreiben / Rollen aussuchen
      Als wir den Text geschrieben hatten, suchten wir die Rollen aus.

1. die Bühnenbilder entwerfen / sie herstellen
2. die Musik schreiben / sie einstudieren
3. die Kostüme nähen / die Theaterproben stattfinden
4. zwei Wochen / vergehen / die Schüler das Ergebnis erfahren
5. sie / das Ergebnis hören / die Eltern stolz sein

30 HÖRÜBUNG ⊗

	0	1	2	3	4	5	6	7	8	9	10	11	12
richtig	√												
falsch													

31 KONVERSATIONSÜBUNG

For suggestions, see Exercise 6 in the Listening Comprehension Program, p. T67.

Ihr plant ein Theaterstück. Was müsst ihr alles tun? Diskutiert miteinander!

1. Was wollt ihr spielen? (Puppenspiel, Lustspiel, etwas Trauriges)
2. Wer tut was?
   a. den Text schreiben
   b. die Bühnenbilder entwerfen, herstellen, bemalen
   c. die Kostüme entwerfen und nähen
   d. die Musik schreiben
3. Wann kommt ihr gewöhnlich zusammen?
4. Wer bekommt welche Rollen?
5. Wann habt ihr die Theaterproben?
6. Wen ladet ihr zur Aufführung ein?
7. Wo findet die Aufführung statt?
8. Wie kommt eure Aufführung in die Zeitung? in welche Zeitung?
9. Welche Lehrer helfen euch?

32 SCHRIFTLICHE ÜBUNG

In German, write your own outline of all the things that have to be considered in preparing for a play.

33 Wir diskutieren. ⊗

Ich schlage vor, dass . . .   Ihr habt mich falsch verstanden.

Du hast recht.

Nein, das stimmt nicht.   Ich bin dagegen.

Meiner Meinung nach . . .

Ich bin damit einverstanden.

Was schlägst du vor?

Wir einigen uns auf (ein) . . .   Ich bin dafür, dass . . .

Wofür bist du?   Ich bin sicher, dass . . .   Ja, das stimmt.

34 WORTSCHATZ

1–6 die **Abbildung, –en** illustration
die **Badische Zeitung** (a newspaper in Baden)
die **Bühne, –n** stage
das **Bühnenbild, –er** stage set, scenery
die **Deutschstunde, –n** German class period
das **Gespräch, –e** conversation
die **Komödie, –n** comedy
das **Lustspiel, –e** comedy
die **Mitte, –n** middle
der **Nachbar, –n** (den –n) neighbor

der **Plan, –̈e** plan
die **Puppe, –n** puppet
das **Puppenspiel, –e** puppet show
die **Quinta** sixth grade (at a Gymnasium)
der **Quintaner, –** sixth grader (at a Gymnasium)
die **Rolle, –n** role, part
die **Schauspielerin, –nen** actress
die **Schlagzeile, –n** headline
der **Schulbeginn** beginning of school

der **Schüleraustausch** student exchange program
das **Schülertheater, –** student theater
das **Schuljahr, –e** school year
die **Schulpartnerschaft** partnership between schools
der **Schultag, –e** school day
das **Spiel, –e** play
die **Sprechstimme, –n** speaking voice
der **Stolz** pride
das **Stück, –e** play

der **Text, −e** *script*
das **Texten** *script-writing*
das **Theaterstück, −e** *play (for the theater)*
der **Titel, −** *title*
die **Vorbereitung, −en** *preparation*
der **Wettbewerb, −e** *contest, competition*

aufführen sep *to perform*
ausreichen sep *to be enough*
aussuchen sep *to select*
bewegen *to move (s.th.)*
diskutieren *to discuss*
s. **einigen auf** A *to agree on*
proben *to rehearse*
spielen *to act*
üben *to practice*

aufschlagen (schlägt auf, schlug auf, hat aufgeschlagen) sep *to open (a book, newspaper, etc.)*
besprechen (bespricht, besprach, hat besprochen) *to discuss*

begeistert *enthusiastic(ally)*
besonder- *special*
best- *best*
eigen *own*
einzeln *individual*
lebendig *lively*
damit *with it, with that*
dasselbe *the same thing*
diesmal *this time*
durcheinander *all together, mixed up*
obwohl *although*
selbst *myself, yourself, himself, herself, ourselves, yourselves, themselves*
wer *whoever*
wievielmal? *how many times?*

am Montag *on Monday*
Ende August *at the end of August*
Donnerstag nachmittags *on Thursday afternoon(s)*
im September *in September*

in diesem Jahr *this year*
Mitte November *in the middle of November*
nächsten April *next April*
tagsüber *during the day*
zweimal in der Woche *twice a week (see also time expressions, pp. 38, 39, 40)*

bitte einmal herhören! *pay attention; listen, please!*
dafür sein *to be in favor of*
das stimmt *that's right*
die Freude auf A *the anticipation of*
eine halbe Stunde *half an hour*
einverstanden sein mit *to be in agreement with, to agree to*
etwas Schönes *something nice*
etwas Wichtiges *something important*
im Fernsehen *on television*
neu schreiben *to write over*
Theater spielen *to put on a play*
vom letzten Jahr *from last year*
von . . . bis zu . . . *from . . . to . . .*

7

der **Drache, −n** (den − n) *dragon*
die **Freiheit** *freedom*
der **Kandidat, −en** (den − en) *candidate*
das **Liebespaar, − e** *pair of lovers*
die **List** *cunning*
der **Mann, ⁼er** *husband*
der **Rivale, −n** (den − n) *rival*

der **Zauberer, −** *magician*
der **Zaubertrunk, ⁼e** *magic potion*

heiraten *to marry*
verwandeln *to transform*

fliehen (floh, ist geflohen) *to flee*

dritt- *third*
eingebildet *conceited*
reich *rich*

doch *but*
gegen A *against*
schliesslich *finally*

8−33

die **Altersgruppe, −n** *age group*
der **Anfang, ⁼e** *beginning, start*
der **Artikel, −** *article*
die **Aufführung, −en** *performance*
der **Ausschnitt, −e** *portion, excerpt*
das **Drachenkostüm, − e** *dragon costume*
der **Fremde, −n** (den − n) *stranger*
die **Frau, −en** *woman*
die **Generalprobe, −n** *dress rehearsal*
die **Geste, −n** *gesture*
der **Gewinner, −** *winner*
der **Gymnasiast, −n** (den − en) *student (at a Gymnasium)*
das **Herz, −en** *heart*
die **Jury, −s** *jury*
das **Kostüm, −e** *costume*
die **Kulisse, −n** *set, scenery*
das **Lachen** *laughter*
die **Perücke, −n** *wig*
die **Probe, −n** *rehearsal*
der **Schauspieler, −** *actor*
das **Schulorchester, −** *school orchestra*
das **Städtische Theater** *City Theater*
der **Südwestfunk Stuttgart** *southwestern TV network, broadcasting from Stuttgart*
die **Szene, −n** *scene*
der **Vorhang, ⁼e** *curtain*

die **Worte** (pl) *words (in context)*
die **Zeile, − n** *line (of a text)*
der **Zuschauer, −** *spectator, audience*

bewerten *to rate, judge*
einstudieren sep *to learn, study (a part, music)*
herstellen sep *to build, produce*
merken *to notice*
s. **pudern** *to put on powder*
retten *to save, rescue*
s. **schminken** *to put on make-up*
wiederholen *to repeat*

auftreten (tritt auf, trat auf, ist aufgetreten) sep *to enter (the stage)*
aufgehen (ging auf, ist aufgegangen) sep *to go up, rise*
entwerfen (entwirft, entwarf, hat entworfen) *to design*
erfahren (erfährt, erfuhr, hat erfahren) *to learn, find out*
gutgehen (ging gut, ist gutgegangen) sep *to go well*
steckenbleiben (blieb stecken, ist steckengeblieben) sep *to get stuck*
treten (tritt, trat, ist getreten) *to step*
schlagen (schlägt, schlug, hat geschlagen) *to beat, pound*

berühmt *famous*
echt *real, genuine, authentic*
erst- *first*
fantastisch *fantastic(ally)*
nervös *nervous*

einander *each other*
herum- (prefix) *around*
mancher, −e, −es *many a*
seit D *since*
vorher *before*

am Anfang *in the beginning*
am Ende *at the end*
Anfang März *at the beginning of March*
au weh! *oh, no!*
das Schönste *the best part*
die Jury war seit einigen Wochen unterwegs *the jury had been traveling around for a few weeks*
die nächsten *the next ones*
gut besucht *well-attended*
ich bin dagegen *I'm against it*
im Fernsehen kommen *to be on television*
meiner Meinung nach *in my opinion*
so weit sein *to be ready*
vorbei sein *to be over*
wir haben's geschafft! *we did it!*

48 DIE WELT DER JUGEND

Die Landshuter Hochzeit

Eine ganze Stadt spielt Mittelalter

1 *When you look at a German calendar of festivals, you could get the impression that Germans do nothing but celebrate! Almost all towns, large and small, have festivals during the year. There are historical pageants, beer and wine festivals, music festivals, and religious celebrations. The festivities usually begin with a costumed procession through the town. Then there are all kinds of carnival activities, exhibitions, and of course, plenty to eat and drink. One of the most famous festivals is Karneval, or Fasching, celebrated each spring in Catholic regions with weeks of parades, parties, and dances.* Refer to basic material and notes, Unit 36, for a description of Karneval and other festivals.*

Every three years the city of Landshut in Bavaria stages an impressive pageant to reenact the wedding in 1475 of Jadwiga, daughter of the Polish king, to Georg, son of an extremely wealthy Bavarian duke. The whole town takes part in the festival. The citizens dress up to act out the parts of the bridal party, the clergy, servants, knights, soldiers, workers, musicians, clowns, beggars, and children — the whole population of medieval Landshut!

The Landshuter Hochzeit is an elaborate and costly event, but the city benefits from it in important ways. The festival is put on not only for national and international publicity, but for very simple, human reasons. It brings the people of the town closer together. Young and old cooperate, work, and have fun. They discover things they have in common. Their love of Heimat, "home," deepens, and they develop respect for and pride in their past. Young people become part of their town through this experience and look forward to carrying on the tradition.

**2 Vor dem Festzug:
Ein Interview mit einem Mitspieler** ⊗

1

Ein Mitspieler mit seiner Armbrust. Sie ist mit Blumen geschmückt.

INTERVIEWER	Grüss Gott!
MITSPIELER	Grüss Gott!
INTERVIEWER	Sie sitzen hier so bequem auf der Strasse. Müde?
MITSPIELER	Ich ruh' mich aus. Ja.
INTERVIEWER	Was sind Sie denn in diesem Festzug°?
MITSPIELER	Ich bin ein Schütze°. Ein Armbrustschütze.
INTERVIEWER	Ach ja! Jetzt seh' ich erst Ihre Armbrust°. Sie haben sie ja so wunderschön geschmückt°!

der Festzug: *procession*
der Schütze: *marksman*
die Armbrust: *crossbow*
schmücken: *to decorate*

MITSPIELER	Gell?[1] Sie sieht schön aus!
INTERVIEWER	Wunderbar! Ihr Kostüm gefällt mir aber auch. Ist es echt? Ich meine°, so wie Sie hat ein Armbrust- schütze damals° ausgesehen?
MITSPIELER	Ich glaub' schon. Alles ist echt. Alle Kostüme.
INTERVIEWER	Wie lange machen Sie schon mit?
MITSPIELER	Schon siebenmal. Heuer° ist es schon das achte Mal.
INTERVIEWER	Immer als Schütze?
MITSPIELER	Nein, nein. Ich bin erst das zweite Mal Schütze. Einmal war ich Lanzenträger°, und einmal Bettler°.
INTERVIEWER	Und als Junge?
MITSPIELER	Ja, da war's eigentlich am schönsten. Ich war sie- ben, als ich das erste Mal mitgespielt hab'. Da war ich ein Sohn vom Herzog.
INTERVIEWER	Wieviel Leute spielen eigentlich mit?
MITSPIELER	Heuer sind es über 1 300 Mitspieler.
INTERVIEWER	Und Sie spielen gern mit?
MITSPIELER	Ja. Es macht immer Spass. Man gewöhnt sich so daran°. Ich freu' mich° immer auf den Tag, wo es wieder losgeht.
INTERVIEWER	Was sind Sie eigentlich von Beruf?
MITSPIELER	Ich bin Tankwart°.
INTERVIEWER	Nun, ich möchte Sie nicht länger aufhalten°. Vielen Dank!
MITSPIELER	Bitte schön!

meinen: *to mean*

damals: *in those days, at that time*

heuer: *this year*

der Lanzenträger: *lancer*
der Bettler: *beggar*

Note that no article is used in this phrase, meaning "as a boy."

2

man gewöhnt sich daran: *you get used to it*

s. freuen auf: *to look forward to*

der Tankwart: *gas station at- tendant*
aufhalten: *to hold up, take up a person's time*

3 Beantwortet die Fragen!

1. Warum sitzt der Mitspieler auf der Strasse?
2. Was ist er im Festzug?
3. Warum hat der Interviewer die Arm- brust nicht sofort gesehen?
4. Was sagt der Schütze über die Kostüme?
5. Wie lange macht er schon mit?
6. Ist er immer Schütze?
7. Was hat er als Junge gespielt?
8. Wieviel Leute spielen heuer mit?
9. Spielt der Schütze gern mit?
10. Was ist er von Beruf?

4 Frag deine Mitschüler!

Supply extra vocabulary as needed, depending on the nature of the festivities or parades students want to discuss.

1. Hast du schon einmal in einem Spiel mitgespielt oder in einem Festzug mit- gemacht? Wann war das?
2. War das von der Schule? Kirche? Stadt?
3. Was bist du gewesen? deine Freunde?
4. Was für ein Kostüm hast du getragen?
5. Wievielmal hast du schon mitgemacht?
6. Was hast du am liebsten gespielt?

5 MÜNDLICHE ÜBUNG ⊗

6 SCHRIFTLICHE ÜBUNG

Beschreibe den Mitspieler! Was weisst du alles über ihn?

[1] The words **gell?** or **gelt?** are used often, especially in southern Germany and Austria, to mean "isn't that right?" The standard phrase is **nicht?** or **nicht wahr?** "Gell?" and "gelt?" are used by some speakers to the point of becoming a mannerism, similar to the habit of saying "right?" or "you know?" at the end of every sentence.

7 TIME PHRASES WITH erst, schon, AND seit

Lest die Beispiele und beantwortet die folgenden Fragen! ⊗

Wie lange spielen Sie schon mit?

What does this sentence mean? Is the event expressed here completed in the past, or does it continue into the present? What tense is used? Name the word which shows that the event began in the past.

Ich spiele schon einen Monat mit.

What does this sentence mean? Is the event expressed here completed in the past, or does it continue into the present? What tense is used? Name the word which shows that the event began in the past. What noun phrase answers the question **wie lange?** What case is it in?

Ich spiele erst seit einem Jahr mit.

What does this sentence mean? Is the event expressed here completed in the past, or does it continue into the present? What tense is used? Name the word which shows that the event began in the past. What prepositional phrase answers the question **wie lange?** What case is used after **seit?** What do you think **erst** suggests here?

8 Lest die folgende Zusammenfassung!

To express the idea that an event began in the past and continues into the present, English uses the past tense: "I've been taking part in this for a month." German, on the other hand, uses the present tense, together with an adverb or adverbial phrase: **Ich spiele schon einen Monat mit.** The following phrases are commonly used to indicate that an event began in the past and continues into the present or future:

1. The adverb **schon,** *already,* may be used together with a word or phrase answering the question **wie lange?** The noun phrase following **schon** is in the accusative case.

Wie lange spielen Sie schon mit? *How long have you been taking part?*	Ich spiele schon einen Monat mit. *I've been taking part for a month.*

Present Tense		wie lange?	
Ich mache	schon	24 Jahre	mit.
Er wartet	schon	einen Tag	hier.
Wir sind	schon	ein Jahr	in Landshut.
Ich warte	schon	lange	auf den Festzug.
Er macht	schon	siebenmal	mit.

2. A prepositional phrase beginning with the word **seit,** *since,* may be used. **Seit** is always followed by the dative case.

Wie lange machst du schon mit? — Ich mache seit einem Jahr mit.

When a prepositional phrase with **seit** is used to indicate that the event started in the past, the word **schon** may be added for emphasis.

Ich mache	schon	seit einem Monat	mit.
Sie warten	schon	seit einer Stunde	auf uns.

3. The word **erst**, *only,* may be used with a word or phrase answering the question **wie lange?** or with a prepositional phrase beginning with **seit**. **Erst** suggests that the event that began in the past has not been going on too long and that it will probably continue into the future.

> Er wartet erst ein paar Minuten. (Er wird wahrscheinlich noch länger warten.)
> Wir sind erst seit gestern hier. (Und wir werden noch ein paar Tage bleiben.)

9 Der Interviewer fragt: ⊗

Wie lange sind Sie schon hier? eine Stunde?   Ja, ich bin schon eine Stunde hier.
Wie lange ruhen Sie sich schon aus? fünf Minuten?   Ja, ich bin schon 5 Minuten hier.
Wie lange sind Sie schon Schütze? einen Monat?   Ja, ich bin schon einen Monat Schütze.
Wie lange spielen Sie schon mit? zehn Jahre?   Ja, ich spiele schon 10 Jahre mit.
Wie lange sind Sie schon Tankwart? ein Jahr?   Ja, ich bin schon ein Jahr Tankwart.

10 Der Interviewer fragt weiter: ⊗

Wie lange üben Sie schon? einen Monat?   Ja, erst seit einem Monat.
Wie lange kennen Sie die Mitspieler schon? vier Tage?   Ja, erst seit vier Tagen.
Wie lange haben Sie dieses Kostüm schon? ein Jahr?   Ja, erst seit einem Jahr.
Wie lange warten Sie schon auf den Festzug? eine Stunde?   Ja, erst seit einer Stunde.
Wie lange sitzen Sie schon hier? zehn Minuten?   Ja, erst seit zehn Minuten.

11 Frag deine Klassenkameraden!

Wie lange gehst du schon zur Schule?   Suggested answers:
Wie lange lernst du schon Deutsch?   Ich gehe schon . . . Jahre zur Schule.
Wie lange kennst du mich schon?   Ich lerne erst seit einem Jahr Deutsch.
Wie lange spielst du schon (Klavier)?   Ich kenne Sie schon drei Jahre.
Wie lange lernst du schon diese Lektion?   Ich spiele schon . . . Jahre Klavier.
     Ich lerne sie schon eine Woche.

12 SCHRIFTLICHE ÜBUNGEN

Schreibt die Antworten für Übungen 9, 10 und 11!

13 500 Jahre Landshuter Hochzeit ⊗

Seit 1903 feiert die Stadt Landshut alle drei Jahre° ein grosses Fest°: die Landshuter Hochzeit. Die „Landshuter Hochzeit 1475" ist das grösste historische Fest Deutschlands. Die ganze Stadt Landshut spielt Mittelalter°. Dann ziehen° über 1 300 Landshuter, Männer, Frauen und Kinder, in bunten Kostümen durch die Strassen. Sie feiern die Hochzeit von 1475 von Georg Herzog von Bayern mit Hedwig[1], einer Tochter des Königs von Polen°. Und heute wie damals hört man sie rufen: „Himmel Landshut! Tausend Landshut!"

Im Jahre 1975 fand die 500-Jahr-Feier statt. Fast eine Million Besucher kamen nach Landshut und sahen sich das Spektakel an.

alle drei Jahre: *every three years*
das Fest: *festival*

das Mittelalter: *Middle Ages*
ziehen: *to move, go*

Polen: *Poland*
These cheers have no exact meaning except "hurray for Landshut!" They may suggest the idea "heaven bless Landshut for a thousand years."

[1] **Hedwig** is the German equivalent of the Polish name **Jadwiga**.

Die gotische Altstadt von Landshut ist die Kulisse für den Hochzeitszug.

Der Kirchturm ist der höchste Backsteinturm der Welt.

14 Eine ganze Stadt spielt Mittelalter ⊛

Das Brautpaar:
Jadwiga
Prinzessin von Polen
und Georg
Herzog von Bayern

Nach dem Festmahl am Abend versammeln sich Fürsten und Edeldamen zum Tanz.

Eine Gruppe von Musikanten unterhält die noblen Gäste.

Das Volk kommt in die Stadt, und die Gaukler belustigen die Gäste.

Ein polnischer Fürst

Die Eltern des Bräuti-gams

Kinder der Edelleute

Die Fanfaren ertönen: der Festzug setzt sich in Bewegung.

13
Die Fahnenschwinger schwingen ihre Fahnen: die Fahne des Herzogtums von Bayern
und die Fahne des Königreichs von Polen.

14
,,Himmel Landshut! Tausend Landshut!'' rufen die
Lanzenträger.

Nobelmänner und Edelfrauen zu Fuss oder   zu Pferd

Ein Falkenträger   Ein Ritter in Rüstung   Stadtknechte und Soldaten

20

Das gewöhnliche Volk in bunten Kostümen . . .
auf Pferdewagen

21

Bettler und ihre Kinder

22

Der Hochzeitszug endet auf dem Turnierplatz. Die „hohen Gäste" sitzen im Fürstenzelt und verfolgen das Geschehen.

23

Das Fest dauerte damals über eine Woche. Zehntausend Gäste waren da, und der Herzog bewirtete alle.

Dudelsack-
pfeifer   24

25

Das Stechen auf das Ringlein

15 Ein junger Zuschauer erzählt. ⊗

DIETER	Sag mal, Werner, wo steckst du denn°? Warst du gestern beim Baden? Du siehst so rot aus im Gesicht.
WERNER	Ja, weisst du, wo ich war? In Landshut.
DIETER	Am Lech¹?
WERNER	Nee, das ist Landsberg am Lech. Ich meine Landshut. An der Isar. In Niederbayern².
DIETER	Jaa! Da war doch, glaub' ich, ein Dokumentarfilm über Landshut im Fernsehen.
WERNER	Ja, das war vor einer Woche°. Ich hab' mir gestern mit meinen Eltern die Landshuter Hochzeit angesehen.
DIETER	Ach so! Wie war's?
WERNER	Toll! Ich konnte den Umzug° gut sehen. Ich hatte einen prima Platz!
DIETER	Wie teuer war der Eintritt?
WERNER	Wo wir standen, war es frei. Nur in der Altstadt³ waren Tribünen°. Da war der Eintritt 12 Mark.
DIETER	Eine Menge Geld!
WERNER	Fand ich auch! Da war mir mein Stehplatz lieber. Ich wollte mir dann das Turnier° am Abend ansehen, aber alle Sitzplätze waren ausverkauft°.
DIETER	Es waren bestimmt viele Leute da.
WERNER	Mensch, die Stadt war voll. Wir mussten vor der Stadt parken, auf einer Wiese, und mussten zu Fuss in die Stadt gehen.
DIETER	Ach, ich hasse so ein Gedränge°.
WERNER	Ich auch. Aber es hat sich gelohnt°. Der Hochzeitszug war einmalig.
DIETER	Hast du viel fotografiert?
WERNER	Ich hab' mehrere Filme verknipst°.
DIETER	Hast du die Bilder schon?
WERNER	Ich mach' Dias°. Und einige sind sehr gut geworden°. Komm doch mal vorbei! Dann zeig' ich sie dir.
DIETER	Schön°, das tu' ich.

wo steckst du denn?: *where have you been keeping yourself?*

vor einer Woche: *a week ago*

der Umzug: *parade*

die Tribüne: *grandstand, bleachers*

das Turnier: *jousting*
ausverkauft: *sold out*

das Gedränge: *pushing and shoving crowd*
es hat sich gelohnt: *it was worth it*

verknipsen: *to use up film*

das Dia: *slide*
gut werden: *to turn out well*

schön: *okay, fine, good*

¹ Cities are often identified with a body of water, as **Frankfurt am Main, Landsberg am Lech, Landshut an der Isar,** etc.
² **Niederbayern** is one of the seven administrative districts of the State of Bavaria. Landshut is the capital city of **Niederbayern.**
³ **Eine Altstadt** is the central and oldest part of a city. In the Middle Ages, most European cities were surrounded by walls for protection. Today the cities have expanded beyond their original areas, but **die Altstadt** remains the heart of the city. It is here that the church, marketplace, fountain, town hall, and twisting streets of the medieval town can still be seen.

This custom prevents confusion between towns of the same name.

16 **Beantwortet die Fragen!**

1. Warum ist Werner wohl rot im Gesicht?
2. Wo liegt Landshut?
3. Woher kennt Dieter Landshut?
4. Warum konnte Werner den Hochzeitszug so gut sehen?
5. Wie teuer war der Eintritt?
6. Was wollte sich Werner am Abend ansehen?
7. Warum hat er sich das Turnier nicht angesehen?
8. Wie war der Verkehr in Landshut?
9. Was sagt Werner über das Gedränge? Warum?
10. Warum lädt Werner seinen Freund Dieter ein?

17 **MÜNDLICHE ÜBUNG** ⊗

18 **Frag deinen Klassenkameraden!** Supply extra vocabulary as needed, so students can discuss the event.

1. Wann hast du einen Umzug gesehen?
2. Was für ein Umzug war es?
3. Hattest du einen Sitzplatz?
4. Gab es auch Tribünen?
5. Wie teuer war der Eintritt?
6. Wie war der Verkehr?
7. Hat dir der Umzug gefallen?
8. Hast du viel fotografiert?

19 **SCHRIFTLICHE ÜBUNG**

Beschreibe Werners Ausflug mit seinen Eltern nach Landshut!

20 # in AND vor IN TIME EXPRESSIONS

The prepositions **in**, *in*, and **vor**, *ago*, are followed by dative case forms when used in time expressions.

	Dative Case		*Dative Case*
Der Umzug ist	**in einer Woche.**	Der Umzug war	**vor einer Woche.**
Das Fest ist	**in einem Monat.**	Das Fest war	**vor einem Monat.**
Die Hochzeit ist	**in zwei Jahren.**	Die Hochzeit war	**vor zwei Jahren.**

21 **Wann fährst du nach Landshut?** ⊗

Tag / Stunde / Monat / Woche / Jahr

In einem Tag. In einer Stunde. In einem Monat. In einer Woche. In einem Jahr.

22 **Wann warst du in Landshut?** ⊗

Woche / zwei Tage / Monat / Jahr / drei Jahre

Vor einer Woche. Vor zwei Tagen. Vor einem Monat. Vor einem Jahr. Vor drei Jahren.

23 **KONVERSATIONSÜBUNG**

Seht euch einen Kalender oder ein Fernsehprogramm an und sagt, wann alles war oder sein wird! Gebraucht dabei Ausdrücke mit „in" und „vor"!

24 DETERMINERS OF QUANTITY
alle, andere, einige, ein paar, mehrere, viele, wenige

The following expressions indicate quantity and may be used as plural determiners or as plural pronouns. When used as determiners, they have the same endings as **dieser**-words and are followed by plural nouns. Note that **ein paar** does not take endings.

These determiners are introduced here to teach their meanings. They will be discussed again in Unit 30 with the treatment of adjective endings.

alle	*all*	**mehrere**	*several*
andere	*other*	**viele**	*many*
ein paar	*a few*	**wenige**	*few (not many)*
einige	*some*		

Plural Determiner	*Plural Pronoun*
Einige Dias sind gut geworden.	**Einige** sind gut geworden.
Er hat **mehrere Filme** verknipst.	Er hat **mehrere** verknipst.
Ich habe **mit vielen Mitspielern** gesprochen.	Ich habe **mit vielen** gesprochen.

25 Wer sieht sich den Umzug an? ⊗

many people	Viele Leute.
all children	Alle Kinder.
some parents	Einige Eltern.
several actors	Mehrere Mitspieler.

26 Wer spielt das erste Mal mit? ⊗

a few children	Ein paar Kinder.
few parents	Wenige Eltern.
other people	Andere Leute.
some friends	Einige Freunde.

27 Fragt eure Klassenkameraden!

Wann hast du Geburtstag?	(in zwei Monaten, in ein paar Tagen, usw.)
Wann hattest du Geburtstag?	(vor zwei Wochen, vor einigen Tagen, usw.)
Wann hast du Ferien?	
Wann bist du mit der Schule fertig?	

28 SCHRIFTLICHE ÜBUNGEN

Schreibt die Antworten für Übungen 21, 22, 25 und 26!

29 HÖRÜBUNG ⊗

	0	1	2	3	4	5	6	7	8	9	10
Mitspieler											
Zuschauer	√										

30   TIME EXPRESSIONS FOR PARTS OF THE DAY

1. Certain nouns, such as **Vormittag, Abend,** and **Nacht,** function as adverbs when they occur in time expressions with the words **heute, gestern,** and **morgen.** In these expressions they are not capitalized.

heute	
heute früh	*early this morning*
heute morgen	*this morning*
heute vormittag	*this morning*
heute mittag	*today at noon*
heute nachmittag	*this afternoon*
heute abend	*this evening, tonight*
heute nacht	*tonight*

morgen	
morgen früh	*early tomorrow morning*
morgen vormittag	*tomorrow morning*
morgen mittag	*tomorrow at noon*
morgen nachmittag	*tomorrow afternoon*
morgen abend	*tomorrow evening*
morgen nacht	*tomorrow night*

gestern	
gestern früh	*early yesterday morning*
gestern morgen	*yesterday morning*
gestern vormittag	*yesterday morning*
gestern mittag	*yesterday at noon*
gestern nachmittag	*yesterday afternoon*
gestern abend	*last night*
gestern nacht	*last night*

2. German-speakers tend to divide the parts of the day a little more precisely than English-speakers do. English-speakers usually refer to morning, afternoon, and evening. German-speakers distinguish between early morning, late morning, midday, afternoon, etc. The following diagram shows approximately which hours of the day are meant by the various German expressions.

	MORGEN	VORMITTAG	MITTAG
	früh		

5.00   7.00   9.00   11.30   13.30

NACHMITTAG	ABEND	NACHT

13.30   17.00   23.00   5.00

Answers should include reference to parts of the day, as taught on p. 61. Variations: Do exercise a again, answering the
questions: Was hast du gestern getan? and Was wirst du morgen alles tun? Vary tenses of exercises b and
c also. For answers, see p. T47. The first answer in exercise a must be in the past; the
others are in the present.

31 Zeitleisten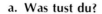

a. Was tust du?

b. Was hast du gestern alles getan?

c. Was wirst du am Samstag alles tun?

a. 7 Uhr / 10 Uhr / 13 Uhr / 15 Uhr / 18 Uhr / 21.30 Uhr

b. 8.30 Uhr / 9.10 Uhr / 12.45 Uhr / 14.30 Uhr / 18.20 Uhr / 21 Uhr

c. 8 Uhr / 9.30 Uhr / 12.15 Uhr / 15.45 Uhr / 19 Uhr / 22.30 Uhr

To review time expressions taught in Unit 27, do the exercises again, asking: Was tust du gewöhnlich?

32 Frag deine Klassenkameraden! Elicit sentences with time expressions in first position.

1. Was hast du gestern abend gemacht?
2. Was tust du morgen nachmittag?
3. Was machst du heute abend?

4. Wann gehst du zu deinem Freund?
5. Wann hast du deinen (Onkel) besucht?
6. Wann wirst du dir (den Umzug) ansehen?

Variation: use this exercise to review other expressions of time. Ask "Um wieviel Uhr . . .?" Also elicit seasons, dates,
parts of the month, etc.

33 SCHRIFTLICHE ÜBUNG

Schreibt die Antworten für Übung 31a, b und c!

34 KONVERSATIONSÜBUNG

For suggestions, see Exercise 6 in the Listening Comprehension Program, p. T72.

Jeder von euch hat schon Umzüge oder Festzüge gesehen oder vielleicht sogar in einem Umzug mitgemacht. Den Unabhängigkeitstag, *Independence Day*, feiern alle in den USA. Sprecht über diesen Tag mit euren Klassenkameraden!

Have students take turns conducting interviews. Answers should be in the past tense. The rest of the class can take notes. Supply vocabulary as needed

1. Interview mit einem Zuschauer:
   a. Wann ist der Unabhängigkeitstag?
   b. Was siehst du dir an diesem Tag an?
   c. Wann findet der Umzug statt?
   d. Von wo aus siehst du dir den Umzug an? Wo stehst du gewöhnlich?
   e. Wieviel Leute machen mit?
   f. Was siehst du alles im Umzug? (Feuerwerk, Feuerwehr, Kapelle, etc.).
   g. Was findet am Abend statt?
   h. Was gefällt dir am besten?
   i. Hast du Andenken von einem Umzug? Dias?

2. Interview mit einer Mitspielerin:
   a. Was bist du oder was machst du im Umzug?
   b. Trägst du ein Kostüm?
   c. Wie lange machst du schon mit?
   d. Warum machst du mit?
   e. Wie hast du diese Rolle bekommen?
   f. Sag, wer im Umzug alles mitmacht!
   g. Wieviel Tage oder Wochen musst du für diesen Umzug üben?

35 SCHRIFTLICHE ÜBUNG

Note that both Festzug and Umzug can mean "parade." But while Festzug suggests a procession, Umzug suggests a march.

Schreibt einen Aufsatz mit dem Thema „Unser Unabhängigkeitstag" oder „Unser Festzug"!

Fußweg zur **Burg Trausnitz**

1–12

die **Armbrust**, ⸗e *crossbow*
der **Armbrustschütze**, –n *crossbowman*
der **Bettler**, – *beggar*
der **Festzug**, ⸗e *procession*
der **Herzog**, ⸗e *duke*
die **Hochzeit**, –en *wedding*
das **Interview**, –s *interview*
der **Interviewer**, – *interviewer*
der **Lanzenträger**, – *lancer*
das **Mal**, –e *time, instance*
der **Mitspieler**, – *participant*
der **Schütze**, –n (den – n) *marksman*
der **Tankwart**, –e *gas station attendant*

s. **freuen auf** A *to look forward to*
s. **gewöhnen an** A *to get used to*
meinen *to mean*
schmücken *to decorate*

aufhalten (hält auf, hielt auf, hat aufgehalten) sep *to hold up, take up a person's time*
losgehen (ging los, ist losgegangen) sep *to start, get started*

damals *in those days, at that time*
heuer *this year*
wunderbar *wonderful*
wunderschön *beautiful(ly)*
zweit- *second*

als Junge *as a boy*
am schönsten *nicest of all*
das achte Mal *the eighth time*
die Landshuter Hochzeit *the Landshut Wedding*
gell? *right?*
ich bin erst das zweite Mal Schütze *this is only the second time that I've been a marksman*
ich glaub' schon *I think so*
man gewöhnt sich daran *you get used to it*
von Beruf *by profession*
wie lange machen Sie schon mit? *how long have you been taking part, participating?*

13–14

die **Altstadt**, ⸗e *old part of the city*
der **Backsteinturm**, ⸗e *brick tower*
der **Besucher**, – *visitor*
die **Bewegung**, –en *movement, motion*
der **Bräutigam**, –e *bridegroom*
das **Brautpaar**, –e *bridal pair*
der **Dudelsackpfeifer**, – *bagpiper*
die **Edeldame**, –n *noble lady*
die **Edelfrau**, –en *noblewoman*
die **Edelleute** (pl) *nobles, nobility*
die **Ehre**, –n *honor*
die **Fahne**, –n *flag, banner*
der **Fahnenschwinger**, – *bannerwaver*
der **Falkenträger**, – *falconer*
die **Fanfare**, –n *fanfare*
das **Fest**, –e *celebration*
das **Festmahl**, –e *banquet*
der **Fürst**, –en (den – en) *prince*
das **Fürstenzelt**, –e *royal tent*
der **Gaukler**, – *juggler*
die **Gemahlin**, – nen *wife*
das **Geschehen** *event(s)*
das **Herzogtum**, ⸗er *dukedom*
der **Hochzeitszug**, ⸗e *wedding procession*
der **Höhepunkt**, ⸗e *high point*
der **Kirchturm**, ⸗e *church steeple*
das **Königreich**, –e *kingdom*
die **Million**, –en *million*

das **Mittelalter** *Middle Ages*
der **Musikant**, –en (den – en) *musician*
der **Nobelmann**, ⸗er *nobleman*
das **Pferd**, –e *horse*
der **Pferdewagen**, – *horse-drawn wagon*
(das) **Polen** *Poland*
die **Prinzessin**, –nen *princess*
das **Ringlein**, – *little ring*
der **Ritter**, – *knight*
die **Rüstung**, –en *armor, suit of armor*
der **Soldat**, –en (den – en) *soldier*
das **Spektakel**, – *spectacle*
der **Stadtknecht**, –e *city guard*
das **Turnier**, –e *jousting tournament*
der **Turnierplatz**, ⸗e *tournament grounds*
das **Volk**, ⸗er *people, folk*
die **Welt**, –en *world*

belustigen *to amuse*
bewirten *to entertain, serve with food and drink*
enden *to end*
ertönen *to sound*
verfolgen *to follow, watch*
s. **versammeln** *to gather*

schwingen (schwang, hat geschwungen) *to swing, wave*

eisern *iron*
gotisch *Gothic*
grösst- *largest*
historisch *historical*
höchst- *highest*
nobel (nobler) *noble*
unterhalb *below*

alle drei Jahre *every three years*
das Stechen auf das Ringlein *tilting for the ring*
500-Jahr-Feier *500th anniversary celebration*
Herzog Ludwig der Reiche *Duke Ludwig the Rich*
im Jahre 1975 *in 1975*
sich in Bewegung setzen *to begin to move*
zu Fuss *on foot*
zu Pferd *on horseback*
sich zum Tanz versammeln *to gather for the dancing*

15–35

das **Dia**, –s *color slide*
der **Dokumentarfilm**, –e *documentary film*
das **Gedränge** *pushing and shoving crowd*
(das) **Niederbayern** *Lower Bavaria*
der **Sitzplatz**, ⸗e *seat*
die **Tribüne**, –n *grandstand, bleacher*
der **Umzug**, ⸗e *parade*

hassen *to hate*
parken *to park*
verknipsen *to use up film*

ausverkauft *sold out*
einmalig *terrific, fantastic*
mehrere *several*

beim Baden *swimming, at the beach*
da war mir mein Stehplatz lieber *so I preferred standing*
ein prima Platz *a great spot*
es hat sich gelohnt *it was worth it*
gut werden *to turn out well*
komm doch mal vorbei! *come over sometime!*

nee! (colloquial speech) *no*
sag mal *say*
schön *okay, good, fine*
so ein *such a*
vor der Stadt *outside the city limits, on the outskirts of the city*
vor einer Woche *a week ago*
wo steckst du denn? *where have you been keeping yourself?*
zu Fuss gehen *to walk*

Historic Landmarks

links oben: Porta Nigra, Trier
rechts oben: Dom in Worms
links unten: Freiburger Münster
rechts unten: Holstentor, Lübeck

Plate 1

The city of Trier was founded in 15 A.D. by Caesar Augustus, first Roman Emperor. Treviris, as it was then called, was the largest city north of the Alps. Between 286 and 395 it was a favored residence of the Roman emperors.

Built before 200 A.D., the Porta Nigra is the best-preserved example of Roman architecture in Germany.

The central part of the Dom dates back to the 4th century.

The towers of the Dom were added much later, in the 11th and 12th centuries. They are examples of Romanesque architecture.

Another remnant of Roman architecture is the Imperial Baths, built in the early 4th century.

Remains of Roman architecture have also been found in Cologne and other places.

Plate 2

The Dom in Worms is considered the most harmonious example of Romanesque architecture in Germany.

The Klosterkirche Maria Laach is another beautiful example of Romanesque architecture. This basilica was completed around 1200.

"Romanesque" is the style of building that developed from Roman principles of architecture. This style prevailed between 770 and 1250 and is characterized by round arches and a general massiveness of the building.

The 11th-century tower of the Dom in Paderborn is Romanesque.

The 13th-century nave of the church is in Gothic style.

The "Hasenfenster," designed by an unknown 16th-century stonemason, depicts three running rabbits whose six ears appear as only three. This window is one of the landmarks of the city of Paderborn.

Plate 3

Built in the 12th–16th centuries, the Münster of Freiburg harmoniously combines Romanesque and Gothic elements.

Medieval stained-glass windows, unequaled for their colors, depict Bible stories and sacred symbols.

Gothic architecture prevailed in Europe from about 1200 to 1500. This style emphasizes height, with pointed arches, tall slender columns, and ribbed vaulting. Flying buttresses, or stone supports built against the outside walls, give support and permit almost unlimited height with great lightness.

The Münster of Ulm, begun in 1377 but not completed until 1890, is a beautiful example of Gothic style.

The steeple of the Ulmer Münster is the highest in the world, 161 meters. Now one can take an elevator to the platform; in earlier times people had to climb the 768 steps.
The cathedral was the focal point of medieval life. Even the market was held within the shadows of its walls. Inside, the rituals of life took place, from birth to death.

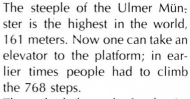

Plate 4

The Renaissance style of architecture began in Italy in the 14th century and gradually spread to other countries. It took nearly one hundred years before the Italian Renaissance came to Southern Germany, brought via trade routes by the merchants of Augsburg and Nürnberg.

The Renaissance marks the transition from medieval to modern history. This period is marked by the invention of movable type (1450), the discovery of America (1492), and the Protestant Reformation (1517).

Renaissance style is influenced by the clear lines of the classic Roman style. In Germany, this period lasted roughly through the 16th century.

Beginning around 1550, the North German Renaissance moved through Holland to Bremen and the Weser area.

links oben: Heidelberger Schloss
rechts oben: Schloss Aschaffenburg
rechts unten: Rathaus, Paderborn

Plate 5

The baroque style of architecture developed in the late 16th century and prevailed throughout the 17th century. It is characterized by extravagantly contorted classical forms, and ornamentation full of movement and color. Many palaces and lavish homes were built in this colorful and ornamental style.

Schloss Schleissheim, near Munich, was once a summer palace for Bavarian kings, but is now a museum. It is a fine example of German baroque style.

The palace chapel.

Window detail.

The Theatinerkirche in Munich was built between 1666 and 1688 in Italian baroque style.

Plate 6

The Klosterkirche Ettal was originally a Gothic structure. Between 1710 and 1753 this church received baroque towers, a baroque cupola, and a beautiful baroque façade.

This Benedictine cloister is in a beautiful rural area near Garmisch-Partenkirchen.

The rococo style, an elaboration and refinement of baroque, came from France. Prevalent in the 18th century, rococo is characterized by an overelaborate style and by ornamental stone carvings in the form of shells, foliage, and scrolls.

The 18th-century Wieskirche is considered Europe's most beautiful rococo-style church. It is located in a meadow near Steingaden.

In the 19th century a neo-classic style developed, based upon Greek principles of architecture. This style was used mostly in Berlin and in Munich.
The Glyptothek in Munich, which houses a precious collection of antique sculptures, was built by Klenze between 1816 and 1830, and is a good example of this style of architecture.
This period was followed by a return to older styles — Romanesque, Renaissance, and Gothic. A good example of neo-Gothic style is the Neues Rathaus in Munich, built between 1867 and 1908.
In the 20th century, after World War I, the famous Bauhaus School of Weimar began to exert its influence with modern, geometric design that is still used today.

rechts oben: Neues Rathaus, München
links unten: Neue Nationalgalerie, Berlin
rechts unten: Glyptothek, München

Plate 8

Mit dem Auto in den Urlaub

29

1 Planen ist die halbe Reise! ⊗

Die meisten deutschen Familien—und so auch die Wielands—planen ihre Sommerreise schon lange vor dem Sommer. Schon im Winter holen sie Reisebroschüren und Prospekte vom Reisebüro, und sie diskutieren über die verschiedenen° Reiseziele. Die ganze Familie sitzt um den dicken Reiseatlas. Mit einem Lineal und einer Schnur messen die Kinder, wieviel Kilometer es sind von zu Hause bis zu den verschiedenen Ferienorten.

verschieden: *various*

Note the position of the inflected verb in this dependent clause. In modern colloquial German, word order is somewhat flexible. In a situation like this, where the dependent clause is long and has many elements, early placement of the inflected verb makes for easier comprehension of the clause.

ULRIKE	Warum fahren wir denn nicht mal nach Jugoslawien oder wenigstens° nach Italien? Die Brigitte fährt mit ihren Eltern jedes Jahr ins Ausland°!
FRAU WIELAND	Die sind ja nur drei in der ganzen Familie. Wir sind fünf!
HERR WIELAND	Das ist auch viel zu weit mit unserem kleinen Wagen.
MATTHIAS	Ich möchte am liebsten an den Bodensee¹ reisen.
CHRISTIANE	Bloss weil du dort baden kannst. Da fahr' ich lieber wieder in Süddeutschland herum, wie im letzten Jahr. Die alte Stadt Landshut hat dir doch auch gut gefallen.
HERR WIELAND	Diese Reise war sehr teuer! So eine Reise können wir uns dieses Jahr nicht leisten°.
CHRISTIANE	Ich hab' eine prima Idee!
MATTHIAS	Bei dir ist immer alles prima!
CHRISTIANE	Sei doch ruhig, du blöder Kerl!
FRAU WIELAND	Müsst ihr denn schon wieder streiten°?
CHRISTIANE	Aber der Matthias fängt immer wieder an!
HERR WIELAND	Ruhe jetzt!
CHRISTIANE	Du Vati, hör mal! Du hast doch noch das alte Zelt°. Da fahren wir zelten, an den Baggersee in Germersheim².
HERR WIELAND	Das können wir machen.
FRAU WIELAND	Das sind aber keine Ferien für mich. Ich muss dann wieder kochen und spülen.
CHRISTIANE	Ihr beide könnt doch bei Tante Gertrud wohnen, und wir drei bleiben allein im Zelt.
MATTHIAS	Toll!
HERR WIELAND	Na, gut! Gehen wir mal in den Keller und sehen nach, was für Campingsachen wir noch haben!

wenigstens: *at least*

das Ausland: *foreign country*

s. leisten: *to afford*

streiten: *to fight*

das Zelt: *tent*

2

Camping is very popular in Germany, especially near lakes and rivers. Good sites are hard to get because it is so crowded, and in very scenic locations they are often quite expensive. Some people rent a site permanently. In fact, that is why Wielands are going to the Baggersee in Germersheim, a small town near Speyer. Frau Wieland's brother has a permanent campsite there which they can use.

¹ **Der Bodensee**, *Lake Constance*, is Germany's largest lake. It belongs to Germany, Austria, and Switzerland.
² A **Baggersee** is a lake created by sand excavations. Many have been landscaped and have become popular for swimming and boating. The water is very clear, since most of these lakes are fed by underground springs.

3 Was hat den Wielands im letzten Jahr gefallen? ⊗

1 der kleine Ort in den Alpen
Saulgrub, Oberbayern

2 die alte Stadt Landshut

3 das malerische Dorf in Bayern
Rottach am Tegernsee

4 Was möchte Matthias wieder sehen? ⊗

1 den sandigen Strand

2 die hohe Burg Trausnitz[1]

3 das schöne Schloss Linderhof[2]

5 Wem gehören diese Campingsachen? ⊗

1

Das gelbe Zelt gehört Herrn Wieland.

Das weisse Schlauchboot gehört den Kindern.

Die rote Luftmatratze gehört Christiane.

Der neue Liegestuhl gehört Mutti.

Der grüne Schlafsack gehört Ulrike.

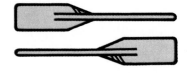

Die Fusspumpe gehört Matthias.

Die zwei Paddel sind fürs Boot.

Der Sonnenschirm ist für den Strand.

[1] **Burg Trausnitz** is located in Landshut. See p. 63.
[2] **Schloss Linderhof** is a castle in the Bavarian Alps. It was built in the rococo style in the 1870's by Ludwig II, King of Bavaria. The rococo period in architecture was the early 18th century. Ludwig II liked the florid style, and used it for this castle. Besides Linderhof, he built two other castles, Neuschwanstein and Herrenchiemsee. (See the fourth photo essay, "Regions of Germany, Part 2," the section on Bavaria.)

Lektion 29   Mit dem Auto in den Urlaub   67

6 Beantwortet die Fragen!

1. Wie planen Wielands für ihre Reise?
2. Wohin möchte Ulrike fahren? Warum?
3. Warum fahren sie nicht ins Ausland?
4. Wohin möchte Matthias? Warum?
5. Und wohin möchte Christiane wieder?
6. Warum geht das dieses Jahr nicht?
7. Was schlägt Christiane vor?
8. Warum gefällt das der Mutti nicht?
9. Was schlägt Christiane noch vor?
10. Was sagt Herr Wieland dann?

7 Fragt eure Klassenkameraden!

1. Wie plant deine Familie eine Reise?
2. Wohin fahrt ihr? Wann? Warum?
3. Streitet ihr über die Reiseziele?
4. Was für Campingsachen habt ihr?
5. Hat dein Vater Campen gern? deine Mutter? Warum oder warum nicht?
6. Wo kann man in Nordamerika gut zelten gehen?

8 MÜNDLICHE ÜBUNG ⊙

9 Wichtige Schilder für den Urlauber. Was bedeuten sie?

Zeltplatz Camping   Zimmer und Essen   Baden verboten   Anfang der Autobahn   Benzin

10 ADJECTIVE ENDINGS
Following the Definite Article and dieser-Words

Lest die Beispiele und beantwortet die folgenden Fragen! ⊙

> **Dieser kleine Ort** heisst Germersheim.
> **Diese alte Stadt** heisst Landshut.
> **Dieses malerische Dorf** liegt in Bayern.

Name the determiner in each noun phrase. Name the adjective. What is the adjective ending after each determiner? What case are all three noun phrases in?

> Matthias mag **den sandigen Strand.**
> Er besucht **die hohe Burg Trausnitz.**
> Ich möchte **das schöne Schloss Linderhof** sehen.

Name the determiner in each noun phrase. Name the adjective. What are the adjective endings after each determiner? What case are all three noun phrases in?

> Es sind nur drei **in der ganzen Familie.**
> Das ist zu weit **mit diesem kleinen Wagen.**
> Sie diskutieren **über die verschiedenen Reiseziele.**

Name the noun phrase following the preposition in each sentence. Name the determiner in each noun phrase. What is the adjective ending after each determiner? In what case are the first two noun phrases? Is the third noun phrase singular or plural? What case is it in?

11 Lest die Folgende Zusammenfassung!

1. Adjectives that follow the definite article (**der, die, das**) or a **dieser**-word (**dieser, jeder, mancher, welcher**) end in either **-e** or **-en:**
   a. **-e:** nominative singular, all genders
      accusative singular, feminine and neuter
   b. **-en:** all other cases and genders

masculine	Nominative	Was gefällt Wielands?	**Der schöne Ort.**
	Accusative	Was möchten sie sehen?	**Den sandigen Strand.**
	Dative	Wem gefällt das Dorf?	**Dem kleinen Matthias.**
feminine	Nominative	Was gefällt Wielands?	**Die hübsche Stadt.**
	Accusative	Was möchten sie sehen?	**Diese hohe Burg.**
	Dative	Wem gefällt die Burg?	**Der kleinen Tochter.**
neuter	Nominative	Was gefällt Wielands?	**Das malerische Dorf.**
	Accusative	Was möchten sie sehen?	**Jedes alte Schloss.**
	Dative	Wem gefällt das Schloss?	**Diesem kleinen Mädchen.**
plural	Nominative	Was gefällt Wielands?	**Diese ganzen Campingsachen.**
	Accusative	Was nehmen sie mit?	**Diese roten Liegestühle.**
	Dative	Wem gefällt der See?	**Allen jungen Leuten.**

Here is a summary of the adjective endings following the definite article and **dieser**-words:

	masculine		feminine		neuter		plural	
Nominative	**der**	**-e**	**die**	**-e**	**das**	**-e**	die	-en
Accusative	den	-en	**die**	**-e**	**das**	**-e**	die	-en
Dative	dem	-en	der	-en	dem	-en	den	-en

2. a. Adjectives such as **teuer (dunkel, sauber)** usually omit the stem **-e: eine teure Reise.**
   b. The adjective **hoch** changes its form to **hoh-** when used before a noun: **die hohe Burg.**

Mention also that a series of adjectives following a determiner all take the same ending: das kleine, alte, grüne Zelt.

12 Was seht ihr euch alles an? ⊗

Hier ist das alte Schloss!	Ich seh' mir das alte Schloss an.
Hier ist der schöne Strand!	Ich seh' mir den schönen Strand an.
Hier ist die berühmte Burg!	Ich seh' mir die berühmte Burg an.
Hier ist das kleine Dorf!	Ich seh' mir das kleine Dorf an.
Hier ist der neue Prospekt!	Ich seh' mir den neuen Prospekt an.
Hier ist die historische Stadt!	Ich seh' mir die historische Stadt an.

13 Matthias und Ulrike streiten. ⊗

Dieses Dorf ist so alt.	Aber mir gefällt dieses alte Dorf.
Diese Stadt ist so modern.	Aber mir gefällt diese moderne Stadt.
Dieser Ort ist so ruhig.	Aber mir gefällt dieser ruhige Ort.
Diese Burg ist so klein.	Aber mir gefällt diese kleine Burg.
Dieser Strand ist so sandig.	Aber mir gefällt dieser sandige Strand.
Dieses Schloss ist so neu.	Aber mir gefällt dieses neue Schloss.

14 Herr Wieland und Matthias suchen die alten Campingsachen. ⊗

Suchst du das Zelt?
den Sonnenschirm? / die Luftmatratze? / das Schlauchboot? /
den Liegestuhl? / den Schlafsack?

Ja, wo ist das alte Zelt?
. . . der alte Sonnenschirm? . . . die alte Luftmatratze? das alte Schlauchboot? . . . der alte Liegstuhl? der alte Schlafsack?

15 Matthias, hast du das? ⊗

Matthias, hast du die Pumpe?
das Schlauchboot? / den Liegestuhl? / das Zelt? /
den Sonnenschirm? / den Reiseatlas?

Nein, ich hab' die blöde Pumpe nicht.
. . . das blöde Schlauchboot / den blöden Liegestuhl / das blöde Zelt / den blöden Sonnenschirm / den blöden Reiseatlas

16 Wie war das Wetter? ⊗

In der letzten Zeit?
Im letzten Monat?
In der letzten Woche?
Im letzten Sommer?
Am letzten Wochenende?
Am letzten Tag?

Es hat die ganze Zeit geregnet.
Es hat den ganzen Monat geregnet.
Es hat die ganze Woche geregnet.
Es hat den ganzen Sommer geregnet.
Es hat das ganze Wochenende geregnet.
Es hat den ganzen Tag geregnet.

17 SCHRIFTLICHE ÜBUNGEN

a. Schreibt die Antworten für Übungen 13 bis 16!

b. Schreibt das folgende Lesestück ab, und setzt die fehlenden Adjektivendungen ein!

Die ganz_e_ Familie Wieland sitzt um den dick_en_ Reiseatlas. Matthias hat das gelb_e_ Lineal in der Hand und misst die Entfernungen zu den verschieden_en_ Ferienorten. Ulrike möchte an den sonnig_en_ Strand von Italien fahren, aber das ist zu weit mit der ganz_en_ Familie in dem klein_en_ Auto. Christiane möchte sich die schön_e_ Stadt Landshut ansehen, aber Matthias fährt lieber an den klar_en_ Baggersee bei Germersheim.

Herr Wieland geht mit Matthias in den dunkl_en_ Keller. Sie wollen sich die alt_en_ Campingsachen ansehen. Das gelb_e_ Zelt ist noch gut, aber die rot_e_ Luftmatratze ist kaputt. Den alt_en_ Sonnenschirm können sie auch nicht mitnehmen; sieh dir doch das gross_e_ Loch an!

18 Wielands müssen tanken, bevor sie wegfahren. ⊗

Frau Wieland fährt zur Tankstelle. Der Tankwart füllt Benzin in den Tank.

TANKWART Normal oder Super?
FRAU WIELAND Super, bitte.
TANKWART Voll?
FRAU WIELAND Ja. Und schauen Sie doch bitte mal das Öl nach! Und auch die Reifen. Wir fahren in Urlaub.
TANKWART Sie brauchen einen Liter Öl.
FRAU WIELAND Wie lange dauert das Wagenwaschen?
TANKWART Etwa zehn Minuten. Und er sieht wieder wie neu aus!

2 Der Tankwart prüft den Ölstand.

3 Er prüft den Reifendruck.

Ein Sonderangebot: 6 Mark fürs Wagen-waschen! Frau Wieland lässt den Wagen waschen.

4

6

19 Frag deinen Mitschüler!

1. Wie heissen einige Tankstellen in deinem Ort?
2. Was tut ein Tankwart alles?
3. Was kannst du noch alles an der Tank-stelle kaufen?
4. Was machen deine Eltern mit dem Auto, bevor ihr in Urlaub fahrt?

5. Wohin fährt dein Vater, wenn er Benzin braucht?
6. Zu welcher Tankstelle fährt er am lieb-sten? Warum?
7. Habt ihr einen guten Mechaniker für euern Wagen? Warum geht ihr zu ihm?
8. Wie oft kommt euer Wagen zum Service?

20 Vor der Abfahrt ⊗

FRAU WIELAND   Sag mal, hast du den Matthias gesehen?

ULRIKE   Da kommt er. Er will wieder seine ganzen Spiele° mitnehmen.

seine ganzen Spiele: all his games

| HERR WIELAND | Aber Matthias! In den Kofferraum geht kein einziges° Stück mehr rein! | einzig: *single* |
| MATTHIAS | Wenn es die ganze Zeit regnet, werdet ihr froh sein, dass ich meine Spiele dabeihabe. | |

Weil Wielands zum Campen fahren, darf Christiane auch ihre Freundin Elsa einladen. Die vier Kinder klettern in den Wagen und nehmen auf dem Rücksitz° Platz. Herr Wieland schliesst die Haustür und die Gartentür ab° und setzt sich auf den Beifahrersitz°. Seine Frau fährt heute. „Ruh dich schön aus!" meint Frau Wieland. „Es ist dein erster Urlaubstag."

der Rücksitz: *back seat*
abschliessen: *to lock*
der Beifahrersitz: *passenger's seat*

21 Auf der Hinfahrt° ⊗

die Hinfahrt: *trip (to)*

CHRISTIANE	Mutti, fahr doch nicht so schnell!	
FRAU WIELAND	Ich fahr' nur 120[1].	
HERR WIELAND	Nur keine Angst! Eure Mutti ist eine gute Fahrerin. Sie hat noch keinen einzigen Unfall° gehabt.	der Unfall: *accident*
MATTHIAS	Aber vor einem halben Jahr hat sie doch einen Strafzettel° bekommen.	der Strafzettel: *ticket*
FRAU WIELAND	Da war eine Radarfalle°. Pech° gehabt! Ich bin aber nur zehn Kilometer drüber° gefahren!	die Radarfalle: *radar trap* das Pech: *bad luck* drüber: *over (the speed limit)*
HERR WIELAND	Dreht euch mal um! Da kommt ein lebensmüder° Bursche° hinter uns. Husch!	lebensmüde: *tired of living* der Bursche: *guy*
MATTHIAS	Ein grüner Porsche. Ein klasse Wagen!	
HERR WIELAND	Er hat bestimmt 180 Sachen drauf°.	. . . 180 Sachen drauf: *he must be doing 180 km/h*
ULRIKE	Er hat so ein komisches° Nummernschild°.	komisch: *strange, funny* das Nummernschild: *license plate*
HERR WIELAND	Ein ausländischer Wagen. Siehst du das ovale Schild?	
CHRISTIANE	Woher° kommt er denn? Was bedeutet FL?	woher: *from where*
HERR WIELAND	Fürstentum° Liechtenstein.	das Fürstentum: *principality*
MATTHIAS	He! Wollt ihr raten, woher die Autos kommen?	Liechtenstein is a so-called miniature state, located between Austria and Switzerland, with a population of about 25,000. The
ULRIKE	Das ist besser als mit dir „Mensch ärgere dich nicht"[2] spielen.	
MATTHIAS	Vati, hast du deinen Taschenkalender°[3] mit? Du musst uns helfen, wenn wir steckenbleiben.	der Taschenkalender: *pocket* state, *calendar* and its capital city, Vaduz, are tourist attractions.
CHRISTIANE	Vor uns: NL.	
ULRIKE	Niederlande. Ein Holländer. Das war einfach°!	Liechtenstein also issues einfach: *easy* beautiful stamps.

Und so vergeht die Zeit schnell. Unterwegs halten sie einmal an. Sie machen ein bisschen Gymnastik im Wald, und sie haben ein kleines Picknick[4]. Und schon geht es weiter.

---

[1] German **Autobahnen,** *superhighways*, have no speed limits; however a limit of 130 km/h is recommended (about 80 miles per hour).

[2] **Mensch ärgere dich nicht** is a popular board game, something like Parcheesi.

[3] **Taschenkalender** usually contain all sorts of useful information, such as weights and measures, geographical data, zip codes, and the code letters used on license plates to identify cities and countries.

[4] The **ADAC** (**Allgemeiner Deutscher Automobil-Club** — the German equivalent of the AAA) urges drivers to pause frequently when taking long car trips. They recommend stopping every few hours to have a snack and perhaps do some calisthenics. Along the **Autobahn** there are many rest areas, and some even have exercising facilities.

M for München;
HH for Hansestadt
Hamburg

72

22 Beantwortet die Fragen!

1. Was will Matthias unbedingt mitnehmen?
2. Ist im Kofferraum noch Platz?
3. Warum will er die Spiele mitnehmen?
4. Warum fahren vier Kinder mit?
5. Warum fährt Frau Wieland heute?
6. Wie fährt Frau Wieland Auto?
7. Wann hat sie einen Strafzettel bekommen? Warum?
8. Wer überholt sie plötzlich?
9. Wie schnell fährt dieser Wagen wohl?
10. Woher kommt dieser Wagen? Wie kann man sehen, woher er kommt?
11. Was will Matthias jetzt tun?
12. Macht Ulrike gern mit?
13. Was soll Herr Wieland tun?
14. Was machen die Wielands unterwegs, als sie einmal anhalten?

23 Fragt eure Klassenkameraden!

Eine Schnellstrasse is a major road other than a superhighway. On a German Schnellstrasse the speed limit might be 100 or 110 km/h. In a town the limit is 40-60. There is no speed limit on the Autobahn, except for construction sites or other hazardous areas.

1. Was nehmt ihr alles mit, wenn ihr in Urlaub fahrt?
2. Wer fährt euern Wagen?
3. Fährt dein Vater oder deine Mutter gut?
4. Haben sie schon einmal einen Unfall gehabt oder einen Strafzettel bekommen? Warum?
5. Wie schnell dürft ihr fahren? Durch einen Ort? Auf einer Schnellstrasse? Wieviel Kilometer sind das?
6. Welche Buchstaben und Zahlen stehen auf euerm Nummernschild?
7. Was für Spiele spielt ihr im Auto?
8. Haltet ihr unterwegs oft an? Oder fahrt ihr immer durch? Warum?

24 MÜNDLICHE ÜBUNG ⊗

25 Was ist das für ein Wagen? Ich glaub', das ist . . . ⊗

| 1 ein französischer Wagen (Peugeot) | 2 eine italienische Marke (Ferrari) | 3 ein amerikanisches Auto (Ford) |

26 Was für einen Wagen möchtest du? Ich möchte . . . ⊗

| 1 einen neuen Volkswagen (Rabbit) | 2 eine lahme Ente (2CV) | 3 ein kleines Auto (Austin) |

Lektion 29   Mit dem Auto in den Urlaub   73

The little French 2CV (Deux Chevaux) is still seen on the road, although it is no longer being built.

27 Kennt ihr diese bekannten Automarken? ⊗

Aus Deutschland kommen der

Mercedes   Volkswagen   BMW   Audi

Opel   Ford   Porsche

Aus Italien kommen der

Fiat   Ferrarri

Lancia   Alfa-Romeo

Aus Frankreich kommen der

Renault   Peugeot   Citroën

Aus Grossbritannien kommen der

Austin   Rolls-Royce   MG

28 Wie können wir Autotypen vergleichen? ⊗

Autos sind:
gross – klein	gut – schlecht	bequem – unbequem
schnell – langsam	teuer – billig	geräumig – eng
schwer – leicht	neu – gebraucht	schön – hässlich

Have students produce sentences, such as: Wir haben einen geräumigen Wagen.
Mein Bruder hat ein gebrauchtes Auto.

29 Wagen haben auch Kosenamen. ⊗

Eine (alte) Klapperkiste	ist ein altes, kaputtes Auto.
Eine (alte) Blechkutsche	ist auch ein altes, kaputtes Auto.
Ein Strassenkreuzer	ist ein grosser, schwerer PKW.
Ein Flitzer	ist ein kleiner, schneller, sportlicher Wagen.
Eine Ente	ist der kleine, französische 2CV. Deux Chevaux
Eine lahme Ente	ist ein langsamer 2CV. (2 horsepower)

For correct pronunciation of the French name, refer to recorded material. Germans sometimes jokingly spell the name "Döschewo."

30 Fragt eure Klassenkameraden!

1. Was für einen Wagen habt ihr? Was für eine Marke? Farbe?
2. Ist es ein guter Wagen oder eine alte Klapperkiste?
3. Wer hat einen ausländischen Wagen?
4. Was für ein Wagen ist das?
5. Was für einen Wagen möchtest du gern fahren? Warum?
6. Was wird wohl dein erster Wagen sein?

31 MÜNDLICHE ÜBUNG ⊗

74   DIE WELT DER JUGEND

32

ADJECTIVE ENDINGS
Following ein-Words

Lest die Beispiele und beantwortet die folgenden Fragen! ⊗

Das ist **ein französischer Wagen.**
Das ist **eine italienische Marke.**
Das ist **ein amerikanisches Auto.**

Name the determiner in each noun phrase. Name the adjective. What are the adjective endings after each determiner? What case are all three noun phrases in? Why do you think the adjective endings are different in the three sentences?

Ich habe **einen neuen Wagen.**
Er möchte **eine lahme Ente.**
Sie fährt **ein kleines Auto.**

Name the determiner in each noun phrase. Name the adjective. What are the adjective endings after each determiner? What case are all three noun phrases in?

Matthias holt **seine ganzen Spiele.**
Er streitet **mit seinen älteren Schwestern.**

Name the noun phrase in each sentence. Name the determiner. What is the adjective ending after each determiner? Are these noun phrases singular or plural? What case is each one in?

33 ## Lest die folgende Zusammenfassung!

1. Adjectives that follow **ein-**words (**ein, kein, mein, dein,** etc.) have these endings:

	masculine		feminine		neuter		plural	
Nominative	**ein**	-er	**eine**	-e	**ein**	-es	seine	-en
Accusative	einen	-en	**eine**	-e	**ein**	-es	keine	-en
Dative	einem	-en	einer	-en	einem	-en	unsern	-en

2. When you compare these endings with the ones in the chart on page 69, you will notice that the adjective endings are the same, with the exception of the masculine nominative and the neuter nominative and accusative. Since the determiners **ein, mein, dein,** etc. do not show gender when used before a masculine or a neuter noun, the adjective which follows must show gender by taking **dieser**-word endings.

masculine, nominative: **dieser** Wagen—**Ein schöner** Wagen ist das!
neuter, nominative: **dieses** Auto—**Ein neues** Auto ist das!
neuter, accusative: **dieses** Schloss—**Ein altes** Schloss sehe ich!

34 ## So viele Fragen unterwegs! ⊗

Ist dieses Auto gebraucht?   Ja, das ist ein gebrauchtes Auto.
Ist diese Marke bekannt?   Ja, das ist eine bekannte Marke.
Ist dieser Porsche teuer?   Ja, das ist ein teurer Porsche.
Ist dieses Nummernschild neu?   Ja, das ist ein neues Nummernschild.
Ist dieser BMW schnell?   Ja, das ist ein schneller BMW.

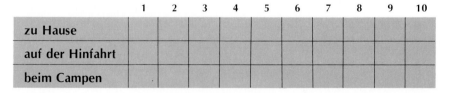

35 Wem gehört das alles? ⊗

Wem gehört der neue Reiseatlas?   Das ist mein neuer Reiseatlas.
Wem gehört das alte Zelt?   Das ist mein altes Zelt.
Wem gehört die weisse Fusspumpe?   Das ist meine weisse Fusspumpe.
Wem gehört der alte Liegestuhl?   Das ist mein alter Liegestuhl.
Wem gehört das neue Schlauchboot?   Das ist mein neues Schlauchboot.

Variation: Wo ist der neue Reiseatlas?   Ich habe ihren neuen Reiseatlas.

36 Du möchtest schon wieder etwas Neues? ⊗

Der alte VW gefällt dir nicht?   Nein, ich möchte einen neuen VW.
Das alte Schlauchboot gefällt dir nicht?   Nein, ich möchte ein neues Schlauchboot.
Die alte Luftmatratze gefällt dir nicht?   Nein, ich möchte eine neue Luftmatratze.
Das alte Fahrrad gefällt dir nicht?   Nein, ich möchte ein neues Fahrrad.
Der alte Mercedes gefällt dir nicht?   Nein, ich möchte einen neuen Mercedes.

Variation: Der alte VW gefällt dir nicht?   Ihr neuer VW gefällt mir besser.

37 Alles ist kaputt! ⊗

Die Pumpe ist kaputt.   Was? Unsere schöne Pumpe!
das Zelt / der Liegestuhl / das Schlauchboot /   unser schönes Zelt / unser schöner Liegestuhl / unser
die Luftmatratze / der Wagen / das Auto   schönes Schlauchboot / unsere schöne L. / unser
    schöner Wagen / unser schönes Auto

38 Ulrike sucht und findet nichts. ⊗

Sie sucht ein Spiel.   Ich finde kein einziges Spiel.
einen Prospekt / ein Lineal / einen Atlas /   . . . keinen einzigen Prospekt / kein einziges L. / keinen
eine Broschüre / eine Schnur   einzigen Atlas / keine einzige Broschüre / keine einzige
    Schnur

39 SCHRIFTLICHE ÜBUNGEN

a. Schreibt die Antworten für Übungen 35 bis 38!
.b. Schreibt das folgende Lesestück ab und setzt die fehlenden Adjektivendungen ein!

Vor einem halb_en_ Jahr haben wir einen schön_en_ Ausflug gemacht. Wir sind mit unserm neu_en_ Wagen nach Süddeutschland gefahren. Mutti ist die ganz_e_ Zeit gefahren; sie ist eine gut_e_ Autofahrerin. Sie hat erst einen einzig_en_ Strafzettel bekommen. Das war, als sie mit unserm neu_en_ Wagen zu schnell gefahren ist.

Unsere klein_e_ Reise hat uns durch manche schöne Orte gebracht. Ein nett_es_ Dorf, das werde ich nie vergessen! Es war das malerisch_e_ Dorf Holzhausen. Und die berühmt_e_ historisch_e_ Stadt Landshut hat der ganz_en_ Familie gefallen. Das nächst_e_ Mal wollen wir nach Österreich fahren.

In modern usage, the dieser-word mancher acts like a determiner of quantity in the plural: "manche schöne (not schönen) Orte."

40 HÖRÜBUNG ⊗

	1	2	3	4	5	6	7	8	9	10
zu Hause										
auf der Hinfahrt										
beim Campen										

41 Wohin fahren die Urlauber? Woher kommen sie? ⊛

Sie fahren . . .   Sie kommen . . .

nach Frankreich	in die Schweiz	aus Frankreich	aus der Schweiz
nach Deutschland	in die Bundesrepublik	aus Deutschland	aus der Bundesrepublik
nach Belgien	in die DDR	aus Belgien	aus der DDR
nach Russland	in die Sowjetunion	aus Russland	aus der Sowjetunion
nach Portugal	in die Tschechoslowakei	aus Portugal	aus der Tschechoslowakei
nach Holland	in die Niederlande	aus Holland	aus den Niederlanden
nach Amerika	in die Vereinigten Staaten	aus Amerika	aus den Vereinigten Staaten

NOTE that the definite article **die** is used with the following countries: **die Schweiz, die Bundesrepublik (Deutschland), die DDR (Deutsche Demokratische Republik), die Sowjetunion, die Tschechoslowakei, die Niederlande** (plural), and **die Vereinigten Staaten** (plural). The names of most countries are neuter, and are used without the definite article.

42 Nationalitätszeichen

A for Austria (Österreich)
CH for Confoederatio Helvetica (Schweiz)
E for España (Spanien)

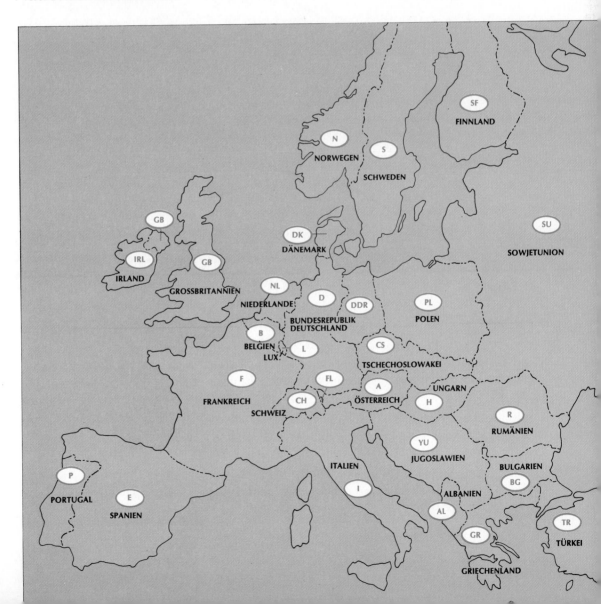

43 Was bedeuten die Nationalitätszeichen? ⊗

das internationale Autokennzeichen	das Land	das Adjektiv
A	Österreich	österreichisch
B	Belgien	belgisch
BG	Bulgarien	bulgarisch
CH	Schweiz	Schweizer
CS	Tschechoslowakei	tschechoslowakisch
D	Bundesrepublik Deutschland	deutsch
DDR	Deutsche Demokratische Republik	deutsch
DK	Dänemark	dänisch
E	Spanien	spanisch
F	Frankreich	französisch
FL	Fürstentum Liechtenstein	Liechtensteiner
GB	Grossbritannien	englisch
GR	Griechenland	griechisch
H	Ungarn	ungarisch
I	Italien	italienisch
IRL	Irland	irisch
L	Luxemburg	Luxemburger
N	Norwegen	norwegisch
NL	Niederlande	holländisch
P	Portugal	portugiesisch
PL	Polen	polnisch
R	Rumänien	rumänisch
S	Schweden	schwedisch
SF	Finnland	finnisch
SU	Sowjetunion	russisch
TR	Türkei	türkisch
USA	Vereinigte Staaten von Amerika	amerikanisch
YU	Jugoslawien	jugoslawisch

NOTE that adjectives derived from names of countries have regular adjective endings: **der ungarische Wagen, das dänische Auto,** etc. However, if the adjective formed from the name of a country ends in **-er (Schweizer, Luxemburger),** it is always capitalized and takes no additional ending: **Woher kommt der Schweizer Wagen?**

44 Wer kennt die Nationalitätszeichen? ⊗ For answers, see p. T47.

1. Was steht auf dem ovalen Schild?
   ein F: Dann kommt der Wagen aus Frankreich. Es ist ein französischer Wagen.
   CH: Dann kommt der Wagen aus der Schweiz. Es ist ein Schweizer Wagen.
   ein E / ein L / GR / YU / DDR / ein B / ein N / ein S / SF / ein H

2. Was siehst du auf dem internationalen Kennzeichen?
   ein R: Das ist ein rumänisches Auto. Es kommt aus Rumänien.
   ein P / TR / GB / CS / ein I / USA / BG / ein A / ein D / IRL

3. Was für einen Wagen fährt er?
   Er hat ein D auf dem internationalen Kennzeichen. Er fährt einen deutschen Wagen.
   ein F / SU / ein S / NL / DK / CH / ein I

45 Für Christiane ist immer alles prima oder klasse. ⊗

Christiane's favorite adjectives are **prima** and **klasse,** but they do not tell us very much. Can you replace her adjectives with some more descriptive ones? (Remember that although **prima** and **klasse** don't take adjective endings, other adjectives do.)

Wir haben einen klasse Wagen.
Meine Mutter ist eine prima Autofahrerin.
Wir fahren an einen prima Campingplatz.
Mein Vater hat ein klasse Zelt.
Und ich habe ein prima Schlauchboot.
Ist das nicht klasse?

Wir haben einen schnellen / guten Wagen.
eine tolle / gute / vorsichtige Autofahrerin
an einen schönen / sauberen Campingplatz
ein tolles / geräumiges / modernes Zelt
ein neues / grosses / bequemes Schlauchboot
Ist das nicht toll? / schön? / wunderbar?

46 KONVERSATIONSÜBUNG

For suggestions, see Exercise 9 in Listening Comprehension Program, p. T77.

Deine Familie oder eine Familie, die du kennst, macht Urlaub.
1. Ihr plant die Reise.
   a. Ihr holt Reisebroschüren.   b. Ihr besprecht Reiseziele.   c. Ihr streitet.
2. Ihr wollt zum Campen fahren.
   a. Wohin fahrt ihr?   b. Was für Campingsachen braucht ihr?
3. Ihr bereitet euer Auto für die Reise vor.
   a. Was für ein Auto habt ihr?   b. Was macht ihr an der Tankstelle?
4. Ihr seid auf der Hinfahrt.
   a. Wer fährt? Warum?   b. Was für andere Autos seht ihr unterwegs?   c. Was für Autospiele spielt ihr?   d. Was für Autos gefallen euch?

47 SCHRIFTLICHE ÜBUNGEN

a. Schreibt so viele Antworten wie möglich für Übung 45!
b. Schreibt einen Aufsatz mit dem Thema: Unsere Ferienreise.

Have students produce sentences that may precede or follow each of the statements below. Students may also illustrate each situation with a photograph or drawing, or act out brief dramatic scenes using some of these phrases.

48 Ein kleines Auto-Vokabular ⊗

Du kannst hier nicht weiterfahren.   Fahr doch schneller!

Der ist wohl verrückt!   Mensch, der hat einen Vogel!

Eine lahme Ente!   Der hat Vorfahrt.   Mensch, eine Radarfalle!

Nein, PL heisst Polen, nicht Portugal!   Ein klasse Wagen!

So ein blöder Kerl!   Fahr doch nicht so schnell!

Der hat bestimmt 150 Sachen drauf!   Da will einer überholen.

Kreisverkehr hat Vorfahrt.

Der Porsche braucht Super!   Fahr doch endlich zu!

1–17

die **Alpen** (pl) *Alps*
das **Ausland** *foreign country*
der **Baggersee**, –n (see fn p. 66)
der **Bodensee** *Lake Constance*
die **Campingsachen** (pl) *camping supplies, equipment*
die **Ferien** (pl) *vacation*
der **Ferienort**, –e *vacation spot*
die **Fusspumpe**, –n *foot, pump*
(das) **Jugoslawien** *Yugoslavia*
der **Kerl**, –e *guy*
das **Paddel**, – *paddle*
das **Planen** *planning*
der **Prospekt**, –e *pamphlet, (travel) folder*
der **Reiseatlas**, –se *atlas*
die **Reisebroschüre**, –n *travel brochure*
das **Reisebüro**, –s *travel bureau*
das **Reiseziel**, –e *destination*
der **Schlafsack**, –e *sleeping bag*

das **Schlauchboot**, –e *rubber boat*
die **Sommerreise**, –n *summer trip*
der **Sonnenschirm**, –e *beach umbrella*
(das) **Süddeutschland** *Southern Germany*
das **Zelt**, –e *tent*

campen *to camp out*
diskutieren über A *to discuss*
s. **leisten** *to afford*
reisen (ist gereist) *to travel*

campen fahren (fährt campen, fuhr campen, ist campen gefahren) *to go camping*
streiten (stritt, hat gestritten) *to fight, quarrel*
zelten fahren (fährt zelten, fuhr zelten, ist zelten gefahren) *to go camping*

dick *thick, fat*
halb *half*
malerisch *picturesque*
sandig *sandy*
verschieden *various, different*
wenigstens *at least*

bei dir *with you*
du blöder Kerl! *you jerk!*
eine prima Idee *a great idea*
im letzten Jahr *last year*
in den Urlaub *(going) on vacation*
ins Ausland *to a foreign country*

18–24

der **Beifahrersitz**, –e *passenger seat*
das **Benzin** *gasoline*
der **Bursche**, –n (den –n) *young guy*
das **Campen** *camping*
die **Fahrerin**, –nen *driver*
das **Fürstentum**, –er *principality*
die **Gymnastik** *gymnastics, exercises*
die **Haustür**, –en *front door*
die **Hinfahrt**, –en *trip (to)*
der **Holländer**, – *Dutchman*
der **Liter**, – *liter*
die **Niederlande** (pl) *the Netherlands*
das **Normal(benzin)** *regular gas*
das **Nummernschild**, –er *license plate*
das **Öl** *oil*
der **Ölstand** *oil level*
das **Pech** *bad luck*
das **Picknick**, –s *picnic*
der **Porsche**, – *Porsche (German sports car)*
die **Radarfalle**, –n *radar trap*
der **Reifen**, – *tire*
der **Reifendruck** *tire pressure*
der **Rücksitz**, –e *back seat*
der **Strafzettel**, – *traffic ticket*
das **Super(benzin)** *super gas*

der **Tank**, –s *tank*
der **Taschenkalender**, – *pocket calender*
der **Unfall**, –e *accident*
der **Urlaubstag**, –e *day of vacation*
das **Wagenwaschen** *car wash*

dabeihaben sep *to have along*
füllen *to fill*
nachschauen sep *to check*
prüfen *to test, check*
tanken *to fill up, buy gas*
s. **umdrehen** sep *to turn around*

abschliessen (schloss ab, hat abgeschlossen) sep *to lock*
reingehen (ging rein, ist reingegangen) sep *to go in, fit in*

ausländisch *foreign*
drüber *over (s.th.)*
einfach *easy, simple*
einzig *single, only*
etwa *about, approximately*
klasse *great, terrific*
komisch *funny, strange*
lebensmüde *tired of living*
oval *oval*
woher? *from where?*

den Ölstand (Reifendruck) prüfen *to check the oil level (tire pressure)*
ein klasse Wagen *a great car*
Gymnastik machen *to exercise, do exercises or gymnastics*
he! *hey!*
180 Sachen draufhaben sep *to be driving 180 km/h*
husch! *whiz!*
in Urlaub fahren *to go on vacation*
kein einziges Stück mehr *not one single thing more*
Mensch, ärgere dich nicht! *hey, don't get mad!* (see fn p. 72)
nur keine Angst! *don't be afraid!*
Platz nehmen *to take a seat, sit down*
Pech haben *to have bad luck*
seine ganzen Spiele *all of his games*
(waschen) lassen *to have (washed)*
zum Campen fahren *to go camping*

25–48

das **Autokennzeichen**, –n *auto identification on license plate*
der **Autotyp**, –en *type of car*
die **Blechkiste**, –n *tin crate*
die **Ente**, –n *duck*
der **Flitzer**, – *small, fast car*
(das) **Grossbritannien** *Great Britain* (see also p 78)
das **Kennzeichen**, – *identifying numbers, letters, or symbols*
die **Klapperkiste**, –n *rattletrap*
der **Kosename**, –n *nickname*
die **Marke**, –n *brand*
das **Nationalitätszeichen**, – *emblem identifying nationality*

der **PKW**, – (Personenkraftwagen) *car*
der **Strassenkreuzer**, – *very big car*

fahren nach (fährt, fuhr, ist gefahren) *to go to*
kommen aus (kam, ist gekommen) *to come from*

bekannt *well-known*
eng *narrow, cramped*
gebraucht *used*
hässlich *ugly*
international *international*
italienisch *Italian* (see p 78)

lahm *lame*
kaputt *broken, broken-down*
sportlich *sporty*
unbequem *uncomfortable*

aus (der Schweiz) *from (Switzerland*
aus (Frankreich) *from (France)*
fahr doch endlich zu! *go ahead!*
in (die Schweiz) *to (Switzerland)*
nach (Frankreich) *to (France)*
woher kommen sie? *where are they from?*
wohin fahren sie? *where are they going?*

Hobbys

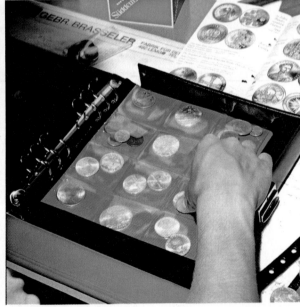

30

1 Was ist ein Hobby? ⊗

Viele von euch sammeln vielleicht Baseballkarten, Schallplatten, Bilder von Filmstars oder Autogramme. Können wir dieses Sammeln ein Hobby nennen? — Nein, eigentlich nicht, denn diese Tätigkeiten° sind nur ein Zeitvertreib° für euch. Ihr sammelt diese Dinge, weil es vielleicht gerade Mode ist°, weil es eure Freunde auch tun.

die Tätigkeit: activity
der Zeitvertreib: pastime
Mode sein: to be in style

Was ist nun ein Hobby? Ein Hobby ist eine Tätigkeit für unsere Freizeit, eine Freizeitbeschäftigung°. Es ist etwas, was wir gern tun. Es ist nicht nur ein Spiel — es kann eine richtige Arbeit sein. Hobbys verlangen oft Wissen° und Können°, und manche Hobbys kosten sogar viel Geld.

die Freizeitbeschäftigung: leisure-time activity
das Wissen: knowledge
das Können: ability

Warum brauchen wir ein Hobby? Ein Hobby soll uns entspannen°. Wenn wir unser Hobby ausüben°, können wir den Alltag° vergessen. Wir brauchen nicht an die Arbeit oder an die Schule zu denken.

entspannen: to relax
ausüben: to pursue
der Alltag: daily routine

Übrigens°, das englische Wort „hobby" kommt vom Wort „hobby horse". Es hat ein deutsches Gegenstück°: das Steckenpferd, das hübsche Spielzeug°, das die kleinen Kinder begeistert, wenn sie auf ihm glücklich° durch die Wohnung galoppieren.

übrigens: by the way
das Gegenstück: counterpart
das Spielzeug: toy
glücklich: happily

2 Was für Hobbys haben die deutschen Jungen und Mädchen? ⊗

1 Harry fotografiert.

2 Peter sammelt Briefmarken.

3 Babsie malt und zeichnet gern.

4 Und sie spielt Orgel.

5 Christian sammelt Münzen.

6 Gerhard baut elektronische Geräte.

3 Fragt eure Klassenkameraden!

1. Was ist ein Hobby?
2. Warum ist das Sammeln von Baseball-karten kein Hobby?
3. Was für ein Hobby hast du?
4. Ist es ein teures Hobby? Gibst du viel Geld aus?
5. Warum hast du dieses Hobby?
6. Was für Hobbys haben deine Freunde?

4 MÜNDLICHE ÜBUNG ⊗

5 Fotografieren, das schönste Familien-Hobby ⊗

Fotografieren wird immer beliebter. Es ist ein Hobby für jung und alt. Deutschlands Foto-amateure gaben im vergangenen Jahr rund 4 Milliarden Mark für ihr Hobby aus. Damit steht Fotografieren von allen Hobbys an erster Stelle!

6 Harry Braun, unser Fotograf ⊗

,,Mein Vater hat mir zum zwölften Geburts-tag einen einfachen Fotoapparat geschenkt, und damit hab' ich angefangen'', erzählte uns Harry. ,,Das ist jetzt sechs Jahre her°. Heute hab' ich eine bessere Kamera. Sie ist komplizierter, und ich kann mit ihr die schönsten Fotos machen.''

1

,,Ich hab' meine eigene Dunkelkammer°. Hier entwickle° ich meine Schwarzweiss-filme und mache Abzüge°. Die Farbfilme bring' ich ins Fotolabor zum Entwickeln. Ich besitze° auch einen Vergrösserungsapparat°. Von allen Fotoarbeiten mach' ich Vergrösse-rungen am liebsten.''

2

,,Ich mach' aber nicht nur Schwarzweiss-aufnahmen°. Ich fotografiere auch farbig. Ich hab' schon einige tausend Dias. Und von den schönsten Dias lass' ich Farbbilder machen°. Wollt ihr meine Bilder sehen?''

LEXIKON: her: *ago;* die Dunkelkammer: *darkroom;* entwickeln: *to develop;* der Abzug: *print, copy;* besit-zen: *to own;* der Vergrösserungsapparat: *enlarger;* die Aufnahme: *photo;* machen lassen: *to have made*

3

7 Meine besten Fotos ⊗

Mein lustigstes Foto:
ein Pferd ohne Kopf

1

Meine schönste Aufnahme:
Geschwister

2

Mein bester Schnappschuss:
Lausbuben

3

8 Was für Motive knipst Harry am liebsten? ⊗

Die einfachsten Motive: sie bewegen sich nicht.

1

Brunnen: der grösste Brunnen
in München
Wittelsbach-Brunnen

2

Kirchen: die älteste Kirche
in Paderborn[1] Background:
Dom tower. Foreground: die
Abdinghofkirche

3

Häuser: das modernste
Wohnhaus in München
das Pharao-Haus (shaped like a
pyramid)

9 Welche Motive sind am schwersten zu fotografieren? ⊗

Kinder: Kinder sind die schwierigsten° Fotomodelle, weil sie immer in Bewegung sind
und keine Geduld° haben. Es ist am besten,
wenn man sie mit einem Teleobjektiv fotografiert. Sie merken dann nicht, dass man
sie fotografiert, und sie sehen im Foto ganz
natürlich aus.

1

Tiere: Wer gute Tierfotos machen will, muss
viel Geduld haben. Man muss die Tiere be-
obachten° und erst fotografieren, wenn man
weiss, was sie tun.

LEXIKON: schwierig: *difficult;* die Geduld: *patience;*
beobachten: *to observe*

[1] Paderborn is a city in **Nordrhein-Westfalen.** The
cathedral, built from the 11th to the 13th century, is a
famous example of Romanesque architecture.

2

10 Beantwortet die Fragen!

1. Was wisst ihr alles über Deutschlands Lieblingshobby?
2. Wie hat Harry als Fotograf angefangen?
3. Was macht er in seiner Dunkelkammer?
4. Warum besitzt er einen Vergrösserungs-apparat?
5. Wohin bringt er seine Farbfilme?
6. Wie viele Dias hat er schon?
7. Hat er auch Farbbilder?
8. Was sind seine besten Fotos?
9. Was sind Harrys Lieblingsmotive?
10. Was ist am schwersten zu fotografieren? Warum?

11 Fragt eure Mitschüler!

1. Welches Hobby steht in den USA an erster Stelle?
2. Ist dieses Hobby teuer?
3. Hast du eine Kamera? Was für eine?
4. Wann hast du deinen ersten Fotoapparat bekommen?
5. Möchtest du jetzt eine bessere Kamera haben? Warum?
6. Ist deine Kamera kompliziert?
7. Was sind deine Lieblingsmotive? Warum?
8. Fotografierst du lieber mit Farbfilm oder mit Schwarzweissfilm?
9. Entwickelst du deine Filme selbst, oder bringst du sie ins Labor?
10. Beschreibe dein Lieblingsfoto!

12 MÜNDLICHE ÜBUNG ⊗

13

A recent survey in West Germany looked into how Germans spend their leisure time. The results showed that the most popular leisure-time activities are walking, hiking, gardening, watching television, and participating in sports, especially soccer, gymnastics, and swimming. The West German Sports Federation (Deutscher Sportbund) states that 65% of the young people in West Germany between the ages of 14 and 18 belong to sports or gymnastics associations.

About one German in three regularly pursues a hobby. The most popular include photography, stamp collecting, do-it-yourself projects, painting, music, tennis, skiing, and sailing.

14 A SPECIAL USE OF THE VERB lassen
To Have Something Done: lassen + Infinitive

The idea of having something done is expressed in German by the verb **lassen,** together with an infinitive.

Ich	**lasse**	Farbbilder	**machen.**	*I'm having color prints made.*
Sie	**lässt**	den Wagen	**waschen.**	*She's having the car washed.*

15 Du lässt das alles machen? ⊗

Machst du die Abzüge selbst?
Entwickelst du den Film selbst?
Reparierst du die Kamera selbst?
Fotografierst du die Kinder selbst?
Machst du die Vergrösserungen selbst?

Nein, ich lasse die Abzüge machen.
Nein, ich lasse den Film entwickeln.
Nein, ich lasse die Kamera reparieren.
Nein, ich lasse die Kinder fotografieren.
Nein, ich lasse die Vergrösserungen machen.

16

ADJECTIVE ENDINGS
Comparative and Superlative Forms

Lest die Beispiele und beantwortet die folgenden Fragen! ⊗

> Woher hast du **dieses schöne Foto?**
> Gib mir **das schönere Foto!**
> Er hat **das schönste Foto** gemacht.

Name the adjective in each sentence. What is the meaning of each adjective in the entire noun phrase? What is the ending? What kind of determiner precedes these adjectives?

> Das ist **ein guter Fotoapparat.**
> Aber das ist **ein besserer Fotoapparat.**
> Das ist **sein bester Fotoapparat.**

Name the adjective in each sentence. What is the meaning of each adjective in the entire noun phrase? What is the ending? What kind of determiner precedes these adjectives?

17 Lest die folgende Zusammenfassung!

1. In German, most comparative forms are made by adding **-er** (and sometimes an umlaut) to the positive form of the adjective or adverb: **schnell, schneller; gross, grösser.**

2. There are also superlative forms in German, similar to the English superlative forms "fastest," "smallest," "most expensive," "best." The superlative form in German is made by adding **-st** to the positive form. (For adjectives or adverbs ending in **-t, -d, -ss, -z,** or **-sch,** the superlative ending is **-est.**)

Positive	Comparative	Superlative
schnell	schneller	**schnellst-**
lustig	lustiger	**lustigst-**
hübsch	hübscher	**hübschest-**

3. Most one-syllable adjectives take an umlaut in the comparative and the superlative. The following is a summary of adjectives in this group.

Positive	Comparative	Superlative	Positive	Comparative	Superlative
alt	älter	**ältest-**	oft	öfter	**öftest-**
arm	ärmer	**ärmst-**	scharf	schärfer	**schärfst-**
hart	härter	**härtest-**	schwach	schwächer	**schwächst-**
jung	jünger	**jüngst-**	schwarz	schwärzer	**schwärzest-**
kalt	kälter	**kältest-**	stärk	stärker	**stärkst-**
kurz	kürzer	**kürzest-**	warm	wärmer	**wärmst-**
lang	länger	**längst-**			

NOTE: **a.** The comparative and superlative forms of some adjectives and adverbs can be used either with or without the umlaut: **blass, blasser, blassest- (blässer, blässest-); gesund, gesunder, gesundest- (gesünder, gesündest-); glatt, glatter, glattest- (glätter, glättest-); nass, nasser, nassest- (nässer, nässest-); rot, roter, rotest- (röter, rötest-).**

b. There are some one-syllable adjectives that never take an umlaut in the comparative or superlative: **blond, braun, froh, klar, laut, stolz, toll, voll, wahr.**

4. Several adjectives have irregular comparative and superlative forms.

Positive	Comparative	Superlative	Positive	Comparative	Superlative
gern	lieber	**liebst-**	hoch	höher	**höchst-**
gross	grösser	**grösst-**	nah	näher	**nächst-**
gut	besser	**best-**	viel	mehr	**meist-**

5. Superlative forms are often used in the following phrase:

am	*superlative form*	**+**	**en**

Ulrike läuft (ist) **am schnellsten.**   *Ulrike runs (is) fastest.*

6. When used before nouns, both comparative and superlative forms add regular adjectives endings. For a review of adjective endings, see pages 69 and 75.

	Comparative Marker	Adjective Ending	
(der) klein	**+ er**	**+ e**	der **kleinere** Apparat
(ein) schön	**+ er**	**+ es**	ein **schöneres** Foto
	Superlative Marker	Adjective Ending	
(diese) klein	**+ st**	**+ e**	diese **kleinste** Kamera
(sein) lustig	**+ st**	**+ es**	sein **lustigstes** Foto

18 Alles ist schöner und besser! ☻

Ist das eine einfache Kamera?   Das hier ist eine einfachere Kamera.
Ist das ein schönes Motiv?   Das hier ist ein schöneres Motiv.
Ist das ein lustiges Bild?   Das hier ist ein lustigeres Bild.
Ist das ein guter Schnappschuss?   Das hier ist ein besserer Schnappschuss.
Ist das eine grosse Arbeit?   Das hier ist eine grössere Arbeit.

19 Ja, du hast recht. ☻

Das Bild ist schöner!   Ja, das ist ein schöneres Bild.
Der Apparat ist besser!   Ja, das ist ein besserer Apparat.
Die Aufnahme ist älter!   Ja, das ist eine ältere Aufnahme.
Das Hobby ist teurer!   Ja, das ist ein teureres Hobby.
Die Vergrösserung ist schärfer!   Ja, das ist eine schärfere Vergrösserung.

20 Du hast alles billiger und besser! ☻

Ich habe ein billiges Hobby.   Und ich habe ein billigeres Hobby!
Ich brauche eine schöne Beschäftigung.   Und ich brauche eine bessere B.
Ich habe eine alte Kamera.   Und ich habe eine ältere K.
Ich sehe ein interessantes Motiv.   Und ich sehe ein interessanteres M.
Ich kenne einen guten Fotografen.   Und ich kenne einen besseren F.

21 Was gefällt dir? Immer das Gegenteil! ⊗

das neue Modell?
die kleine Aufnahme?
der alte Film?
das kurze Teleobjektiv?
die schwere Arbeit?
der teure Fotoapparat?

Nein, mir gefällt das ältere Modell!
Nein, mir gefällt die grössere A.
Nein, mir gefällt der neuere F.
Nein, mir gefällt das längere T.
Nein, mir gefällt die leichtere A.
Nein, mir gefällt der billigere F.

22 Was möchtest du haben? ⊗

diese alte Kamera?
dieses kleine Foto? / diesen teuren Film? /
diese langweilige Schallplatte? / dieses grosse Farbbild? /
dieses neue Spielzeug?

Nein, diese neuere Kamera.
Nein, dieses grössere Foto. / diesen billigeren Film /
diese interessantere Platte / dieses kleinere
Farbbild / dieses ältere Spielzeug

23 Was gefällt dir? ⊗

diese kleine Kamera?
dieser grosse Apparat? / dieses alte Modell? /
diese gute Aufnahme? / dieses scharfe Dia? /
dieser neue Film?

Nein, die kleinste Kamera.
Nein, der grösste A. / das älteste M. /
die beste A. / das schärfste D. /
der neuste F.

24 Was hast du dir gekauft? ⊗

eine gute Kamera?
ein teures Auto? / einen schnellen Wagen? /
einen grossen Fotoapparat? / eine neue Schallplatte? /
ein billiges Spielzeug?

Ja, die beste Kamera!
das teuerste Auto / den schnellsten W. /
den grössten F. / die neuste Sch. /
das billigste S.

25 Wir vergleichen! ⊗

Was ist die Stadt Hamburg?
Was ist der Rhein?
Was ist die Zugspitze?
Was ist der Mercedes?
Und was ist der Porsche?

Die grösste Stadt in der Bundesrepublik.
Der längste Fluss in Deutschland.
Der höchste Berg in der Bundesrepublik.
Der teuerste Wagen.
Der schnellste Wagen.

26 SCHRIFTLICHE ÜBUNGEN

a. Schreibt die Antworten für Übungen 19 bis 25!
b. Schreibt Sätze nach folgendem Beispiel!   For answers, see p. T48.
Beispiel: Peter, Christian und Harry haben (eine grosse Kamera).
Peter hat eine grosse Kamera. Christian hat eine grössere Kamera. Harry hat die grösste Kamera.

1. Peter, Christian und Harry haben (ein interessantes Hobby).
2. Christian, Babsie und Gerhard haben (eine schöne Freizeitbeschäftigung).
3. Harry, Peter und Babsie haben (viel Geld).
4. Babsie, Gerhard und Peter haben (einen alten Fotoapparat).
5. Peter, Gerhard und Harry sind (gute Fotografen).

27 Habt ihr das gewusst? ⊗

1. Die kleinste Kirche der Welt steht in Grundy Center in den USA. Sie ist nur 2 m lang und 1,30 m hoch.
2. Das längste Telefongespräch, 724 Stunden lang, hat 1974 stattgefunden. Studenten und Studentinnen in Kentucky haben vom 21. Januar bis zum 20. Februar am Telefon gesprochen.
3. Der grösste Bahnhof der Welt ist Grand Central Station in New York.
4. Die schnellste Schwimmerin über den <u>Ärmelkanal</u>, August 1973, war Lynne Cox aus den USA. Ihre Zeit: 9 Stunden, 36 Minuten. Sie war damals sechszehn. Der Ärmelkanal is the English Channel.

28 Jetzt dürft ihr Rekorde suchen! Encourage students to find humorous as well as serious facts and to express them in German. Supply extra vocabulary as needed.
Schreibt eine Liste mit Weltrekorden! Seht auch im <u>Guinness Lexikon der Superlative</u> nach!

(Guiness Book of World Records)

29 RATESPIEL: Superlative

Wie heisst der längste Fluss in Südamerika? in Nordamerika? der Amazonas / der Mississippi-
Wie heisst der höchste Berg der Welt? der höchste Berg in Europa? Missouri-Red Rock
Wer die Antwort weiss, darf die nächste Frage stellen! der Mount Everest / der Montblanc
(Zum Beispiel: Wie heisst die grösste Insel der Welt? Grönland.)

30 Was könnt ihr über diese Zeichnungen sagen? ⊗ For suggestions, see p. T48.

31 Briefmarkensammeln, ein Hobby für das ganze Leben ⊗

Das Briefmarkensammeln ist ein schönes und billiges Hobby für Jungen und Mädchen. Die meisten Hobbys kosten Geld. Fotoamateure müssen viel Geld für Kameras und Filme ausgeben. Klavier- oder Orgelspieler geben einige tausend Mark aus für ein Instrument und für Musikstunden. Briefmarkensammler haben es besser. Schon mit ein paar Mark können sie eine nette Sammlung aufbauen.

Das Sammeln hat viele Vorteile°: es fördert° Ausdauer° und Ordnungssinn°. Es ist auch lehrreich. „Aus welchem Land kommt diese Marke?" — „Wie heisst denn dieser Mann?" — „Was ist denn das für eine komische Schrift°?" Und jeder Sammler muss tauschen°, und durch das Tauschen entstehen° oft viele Freundschaften.

der Vorteil: *advantage*
fördern: *to promote*
die Ausdauer: *perseverance*
der Ordnungssinn: *sense of organization*
die Schrift: *writing*
tauschen: *to exchange, trade*
entstehen: *to develop*

32 Peter Niebisch, unser Briefmarkensammler ⊗

INTERVIEWER	Peter, warum sammelst du Briefmarken?
PETER	Ich sammle, weil es mir Spass macht.
INTERVIEWER	Beschäftigst° du dich oft mit deinen Briefmarken?
PETER	So zwei- bis dreimal in der Woche.
INTERVIEWER	Für welche Marken interessierst du dich am meisten?
PETER	Ich sammle eigentlich alles, am meisten aber Europa. Ich habe viele europäische Marken.

33 Was braucht der Briefmarkensammler? ⊗

Als erstes braucht der Sammler ein Album für seine Briefmarken. Die meisten Sammler haben Vordruckalben°. Dann braucht er eine Lupe° und eine Pinzette°. Jeder ernsthafte° Sammler braucht auch einen Briefmarkenkatalog. Es gibt viele Kataloge: Deutschland-Kataloge, Europa-Kataloge, usw.

LEXIKON: s. beschäftigen mit: *to occupy o.s. with;* das Vordruckalbum: *pre-printed stamp album;* die Lupe: *magnifying glass;* die Pinzette: *tweezers;* ernsthaft: *serious*

34 Beantwortet die Fragen!

1. Warum ist Briefmarkensammeln ein billiges Hobby?
2. Was für Vorteile hat das Sammeln?
3. Warum sammelt Peter Briefmarken?
4. Wie oft beschäftigt er sich mit seinen Marken?
5. Für welche Marken interessiert er sich am meisten?
6. Was braucht ein Sammler für seine Marken?
7. Was für Dinge braucht er noch?
8. Was braucht der ernsthafte Sammler?

35 Fragt eure Mitschüler!

1. Was für Briefmarken sammelst du?
2. Erzähle etwas über deine Sammlung!
3. Beschreibe einige Briefmarken!

36 MÜNDLICHE ÜBUNG ⊗

The pictures of stamps on this page can be used as cues for grammar practice, as a continuation of Exercise 30. For suggestions, see p. T00.

37 Woher stammen diese Briefmarken? ⊗

Peter hat viele europäische Marken. Er hat auch andere.

38 Aus welchem Land stammen diese Marken? ⊗

Woher stammt die erste Marke?   Die erste Marke stammt aus .Italien.
die zweite? / die dritte? / die vierte? / die fünfte? / die sechste? aus Griechenland / aus der Schweiz / aus England / Österreich / Frankreich

39 Was für eine Marke ist das? ⊗

Was für eine Marke ist die erste Marke?   Die erste Marke ist eine italienische Marke.
die zweite? / die dritte? / die vierte? / die fünfte? / die sechste?
eine griechische / eine Schweizer / eine englische / eine österreichische / eine französische

40 Peter sammelt auch Sondermarken. ⊗

Sondermarken sind schöner als die gewöhnlichen Marken. Und dann gibt es die sogenannten Wohlfahrtsmarken. Für diese zahlt man einen extra Preis, einen Zuschlag. Diesen Zuschlag bekommt die Organisation, <u>für die</u> die Wohlfahrtsmarke wirbt. Relative pronouns are taught in Unit 40. Translate here as "for which," and teach for recognition only.

Jugend trainiert für Olympia. (Jugendmarken)

eine 30iger (+ 15)   eine 40iger (+ 20)   eine 50iger (+ 25)   eine 70iger (+ 35)

Städtemarken

Andere schöne Marken

41   THE ORDINAL NUMBERS ⊗

1. The ordinal numbers are:

	1.	2.	3.	4.	5.	6.	7.	8.	9.	10.
der die das	erste,	zweite,	dritte,	vierte,	fünfte,	sechste,	siebte,	achte,	neunte,	zehnte,

	11.	12.	13.		21.		32.
der die das	elfte,	zwölfte,	dreizehnte, usw.		einundzwanzigste,		zweiunddreissigste, usw.

2. Ordinal numbers, corresponding to English "first," "second," "twentieth," etc. are adjectives and take regular adjective endings. Above, they are shown following the definite article in the nominative case, but they can follow determiners in any case.

> Heute haben wir **den achtzehnten Dezember.** (accusative)
> **Mein zweiter Film** ist gut geworden. (nominative)

3. To form the ordinals, **-t-** is added to the cardinal numbers 1 through 19, and **-st-** to the cardinal numbers from 20 on. Note the exceptions: **der erste, der dritte, der siebte.**

42   Lest die folgenden Sätze! ⊗

1. Das ist sein (1.) Foto.   erstes
2. Das ist seine (5.) Kamera.   fünfte
3. Wir haben den 12. März.   zwölften
4. Ich habe am 7. April Geburtstag.   siebten
5. Der (3.) Katalog ist besser.   dritte
6. Das war seine (1.) Freundschaft.   erste
7. Ich kenne ihre (2.) Schwester nicht.   zweite
8. Das war ihr (1.) Farbbild.   erstes

43   Ein Geburtstagskalender

Zusammen mit anderen Klassenkameraden bereitet einen Geburtstagskalender vor! Fragt, wann jeder Geburtstag hat! Schaut dann in einen Kalender und seht nach, was für ein Tag das ist! Fangt so an: Michael hat am 6. Juni Geburtstag. Der 6. Juni ist ein Donnerstag. Andrea hat am . . .

44   ADJECTIVES AFTER NUMERALS

Lest die Beispiele und beantwortet die folgenden Fragen! ⊗

> Peter hat **zwei schöne Briefmarken.**
> Harry hat **drei gute Aufnahmen.**

Name the adjective in each of these two sentences. What is the ending of each adjective? What kind of word precedes these adjectives?

> Wo hat Peter **seine zwei schönen Briefmarken?**
> Woher hat Harry **diese drei guten Aufnahmen?**

Name the adjective in each of these two sentences. What is the ending of each adjective? Name the words that determine the adjective endings. Does the numeral affect the ending here?

45 Lest die folgende Zusammenfassung!

1. An adjective following a numeral other than **ein** has the plural ending of a **dieser**-word. In the nominative and accusative case, this ending is **-e;** in the dative, it is **-en.**

> Er hat **diese** Briefmarken.
> Sie hat **zwei schöne** Briefmarken.
> Er fotografiert **mit zwei guten** Kameras.

Note that **ein** may indicate either the indefinite article or the numeral *one.*

> Ich habe **ein schönes Album.** *I have a nice album.*
> Ich habe nur **ein schönes Album.** *I only have one nice album.*

2. When the numeral follows the definite article, a **dieser**-word, or an **ein**-word, the adjective has the usual ending. The numeral remains unchanged.

	Definite Article, **dieser**-*Word,* **ein**-*Word*	*Numeral*	*Adjective*	
Woher hat er Wo sind	**diese** **meine**	**drei** **zwei**	**guten** **schönen**	Aufnahmen? Briefmarken?

46 Alles liegt hier. ☺

Wo sind meine zwei schönen Marken?
Wo sind meine drei alten Fotoalben?
Wo sind meine zwei kleinen Pinzetten?
Wo sind meine drei neuen Kataloge?
Wo sind meine zwei grossen Lupen?

Hier liegen zwei schöne Marken!
. . . drei alte Fotoalben.
. . . zwei kleine Pinzetten.
. . . drei neue Kataloge.
. . . zwei grosse Lupen.

47 SCHRIFTLICHE ÜBUNGEN

a. Schreibt die Antworten für Übung 46!
b. Schreibt die folgenden Sätze ab, und setzt die Endungen ein!

Peter hat zwei neu__e__ Vordruckalben. Seine zwei alt__en__ Alben sind schon voll. Peter hat auch drei europäisch__e__ Kataloge; seine zwei amerikanisch__en__ Kataloge gehören eigentlich seinem Vater. Sein Vater hat drei voll__e__ Sammlungen: seine zwei best__en__ Sammlungen möchte er gern verkaufen.

48 DETERMINERS OF QUANTITY
Followed by Adjectives

1. You have already learned that the words **andere, einige, mehrere, viele, wenige, alle,** and the expression **ein paar** are called determiners of quantity. To this list you should add **beide,** *both.*

(continued)

2. When these determiners of quantity are not preceded by any other determiner, they, and adjectives following them, take the plural endings of a **dieser**-word: **-e** in the nominative and accusative case, **-en** in the dative case. Note that the expression **ein paar**, *a few*, has no ending.

		Determiner of Quantity	Adjective	
Nominative	In Peters Sammlung sind Mir gefallen	**wenige** **einige**	**teure** **deutsche**	Briefmarken. Kameras.
Accusative	Harry hat Ich kenne auch	**mehrere** **andere**	**lustige** **gute**	Fotos. Fotoamateure.
Dative	Inge kauft Film von Ihre Aufnahmen gefallen	**ein paar** **vielen**	**jungen** **guten**	Schülern. Fotografen.

3. The words **alle**, *all*, and **beide**, *both*, are exceptions. When they are not preceded by another determiner, adjectives following them end in **-en**, the regular adjective ending.

		Determiner of Quantity	Adjective	
Nominative	Meinem Bruder gefallen In Peters Sammlung sind	**beide** **alle**	**amerikanischen** **deutschen**	Filme. Marken.
Accusative	Harry gab ihm Er zeigt uns	**beide** **alle**	**guten** **neuen**	Bilder. Aufnahmen.
Dative	Das Bild ist in Sie bekommt Geld von	**beiden** **allen**	**deutschen** **europäischen**	Sammlungen. Zeitungen.

4. Determiners of quantity preceded by other determiners (**dieser**-words, **ein**-words, and the definite article) are treated like adjectives and take regular adjective endings. Adjectives following them also take regular adjective endings.

		Other Determiner	Determiner of Quantity	Adjective	
Nom.	Wo sind	**die** **Diese**	**anderen** **beiden**	**französischen** **lustigen**	Briefmarken? Fotos sind toll!
Acc.	Ich kenne Sie beschreibt	**seine** **ihre**	**vielen** **wenigen**	**berühmten** **guten**	Aufnahmen. Dias.
Dat.	Was hältst du von Peter tauscht mit	**den** **seinen**	**anderen** **vielen**	**deutschen** **amerikanischen**	Hobbys? Freunden.

49 Was, du hast so viele? ⊗

Das ist ein schlechtes Foto. Ach, ich hab' viele schlechte Fotos!

eine gute Briefmarke / ein amerikanischer Katalog / ... viele gute Briefmarken ... viele
ein besseres Album / ein teurer Film / eine lustige Aufnahme amerikanische Kataloge ... viele
bessere Alben ... viele teure Filme ... viele lustige Aufnahmen

50 Hast du nur eine oder mehrere? ⊗

Hast du nur eine italienische Marke? Ich hab' mehrere italienische Marken.

einen deutschen Fotoapparat? / eine gutes Foto? / ... mehrere deutsche Fotoapparate ... mehrere
einen neuen Farbfilm? / ein altes Teleobjektiv? gute Fotos ... mehrere neue Farbfilme ... mehrere
alte Teleobjektive

51 Harry fotografiert alles. ⊗

Du fotografierst jede grosse Kirche? Ja, alle grossen Kirchen.

jeden alten Brunnen? / jedes moderne Wohnhaus? / alle alten Brunnen / alle modernen
jeden hohen Berg? / jedes gute Motiv? / jede kleine Stadt? Wohnhäuser / alle hohen Berge / alle
guten Motive / alle kleinen Städte

52 Was für Fotos hat Christian? ⊗

Hast du Fotos von jedem alten Brunnen? Ja, von vielen alten Brunnen.

aus jedem europäischen Land? / aus jeder deutschen Stadt? / ... aus vielen europäischen Ländern /
von jedem bayrischen Dorf? / von jeder berühmten Kirche? ... aus vielen deutschen Städten / von
vielen bayrischen Dörfern / von vielen
berühmten Kirchen

53 Dem Peter gefällt alles! ⊗

Ich hab' viele schöne Marken. Ja, mir gefallen diese vielen schönen
Marken.

viele alte Münzen / viele tolle Fotos / diese vielen alten Münzen / diese vielen tollen Fotos /
viele gute Dias / viele neue Bilder diese vielen guten Dias / diese vielen neuen Bilder

54 HÖRÜBUNG ⊗

	1	2	3	4	5	6	7	8	9	10
Fotografieren										
Briefmarken sammeln										

55 KONVERSATIONSÜBUNG For suggestions, see Exercise 8 in the Listening Comprehension Program, p. T84.

Erzählt, was für Hobbys ihr habt! Was für Hobbys haben eure Freunde?
1. Ist dein Hobby überhaupt ein Hobby?
2. Wie lange hast du dein Hobby schon?
3. Wie hast du mit dem Hobby angefangen?
4. Wie oft beschäftigst du dich mit deinem Hobby?
5. Was brauchst du alles für dein Hobby?
6. Was gefällt dir besonders an deinem Hobby?
7. Kannst du etwas Lustiges über dein Hobby erzählen?

Also, have students bring in their own coin or stamp collections and describe them to the class. Here and at other points during the year, students would probably enjoy this sort of German "show and tell" as a chance to talk about their own interests.

56 SCHRIFTLICHE ÜBUNGEN

a. Schreibt die Antworten für Übungen 49 bis 53!
b. Schreibt einen Aufsatz mit dem Thema: Mein Hobby.

Another writing exercise would be a brief photo essay about a class event, illustrated with photographs taken by the students.

1–4

der Alltag   *daily routine*
das Autogramm, – e   *autograph*
die Baseballkarte, – n   *baseball card*
die Beschäftigung, –en   *activity*
das Ding, –e   *thing*
der Filmstar, –s   *movie star*
die Freizeit   *leisure time*
die Freizeitbeschäftigung, –en   *leisure-time activity*
das Gegenstück, – e   *counterpart*
das Gerät, –e   *gadget*
das Können   *ability*
die Mode, –n   *fashion, style*
die Orgel, –n   *organ*
das Sammeln   *collecting*

die Schallplatte, –n   *record*
das Spielzeug, –e   *toy*
das Steckenpferd, – e   *hobby horse; hobby*
die Tätigkeit, –en   *activity*
das Wissen   *knowledge*
der Zeitvertreib   *pastime*

ausüben sep   *to pursue*
begeistern   *to delight*
entspannen   *to relax*
galoppieren (ist galoppiert)   *to gallop*
verlangen   *to demand, require*
zeichnen   *to draw*

elektronisch   *electronic*
englisch   *English*
gerade   *at the moment, right now*
glücklich   *happy, happily*
hübsch   *cute, pretty*
übrigens   *by the way*

brauchen . . . zu   *to need to*
Mode sein   *to be in style*

5–30

der Abzug, ⸚e   *print, copy*
die Aufnahme, –n   *photo, picture*
die Dunkelkammer, – n   *darkroom*
das Familien-Hobby, –s   *family hobby*
das Farbbild, –er   *color picture; color print*
der Farbfilm, –e   *color film*
das Foto, –s   *photo*
der Fotoamateur, –e   *amateur photographer*
die Fotoarbeit, –en   *photography work, chores*
der Fotograf, –en (den – en)   *photographer*
das Fotografieren   *photography*
das Fotolabor, –s   *photo lab*
das Fotomodell, –e   *photographer's model, subject*
die Geduld   *patience*
die Kamera, –s   *camera*
der Kopf, ⸚e   *head*
der Lausbub, –en   *rascal,*
die Milliarde, –n   *billion*
das Modell, –e   *model*
das Motiv, –e   *subject*
der Schnappschuss, ⸚e   *snapshot*

die Schwarzweissaufnahme, –n   *black-and-white photo*
der Schwarzweissfilm, –e   *black-and-white film*
das Teleobjektiv, –e   *telephoto lens*
das Tierfoto, –s   *animal picture*
die Vergrösserung, –en   *enlargement*
der Vergrösserungsapparat, – e   *enlarger*
das Wohnhaus, ⸚er   *apartment house*

beobachten   *to watch, observe*
s. bewegen   *to move*
entwickeln   *to develop*

besitzen (besass, hat besessen)   *to own, possess*
machen lassen (lässt machen, liess machen, hat machen lassen)   *to have done*

beliebt   *popular*
farbig   *in color*
kompliziert   *complicated*
modern   *modern*

natürlich   *natural(ly)*
rund   *around, about, approximately*
schwierig   *difficult*
zwölft-   *twelfth*

am besten   *best*
am schwersten   *hardest*
am schwierigsten   *most difficult*
an erster Stelle stehen   *to be in first place*
das ist jetzt 6 Jahre her   *that was 6 years ago*
eine Aufnahme, ein Foto machen   *to take a picture*
farbig fotografieren   *to photograph in color*
ich lasse Farbbilder machen   *I have color pictures, prints made*
im vergangenen Jahr   *in the past year*
immer beliebter   *more and more popular*
in Bewegung sein   *to be in motion*
von allen Hobbys   *out of all hobbies*
zum Entwickeln bringen   *to bring for developing*

31–56

das Album, Alben   *album*
die Ausdauer   *perserverance*
der Briefmarkenkatalog, –e   *stamp catalog*
das Briefmarkensammeln   *stamp collecting*
der Briefmarkensammler, –   *stamp collector*
das Europa   *Europe*
die Freundschaft, –en   *friendship*
die Jugendmarke, – n   *stamp for the benefit of youth organizations*
der Katalog, –e   *catalog*
der Klavierspieler, –   *piano player*
die Lupe, –n   *magnifying glass*
die Marke, –n   *stamp*
die Musikstunde, –n   *music lesson*
Olympia   *Olympics*
der Ordnungssinn   *sense of organization*
die Organisation, – en   *organization*
der Orgelspieler, –   *organist*
die Pinzette, –n   *tweezers*
der Sammler, –   *collector*

die Schrift, –en   *writing*
die Sondermarke, –n   *special-issue stamp*
die Städtemarke, – n   *stamp commemorating cities*
das Tauschen   *exchanging, trading*
das Vordruckalbum, – alben   *pre-printed stamp album*
der Vorteil, –e   *advantage*
die Wohlfahrtsmarke, – n   *stamp for the benefit of a worthy cause*
der Zuschlag   *additional price*

aufbauen sep   *to build up*
s. beschäftigen mit   *to occupy o.s. with*
fördern   *to encourage, promote*
s. interessieren für   *to be interested in*
stammen aus   *to come from*
tauschen   *to exchange; trade*
trainieren   *to train*

entstehen (entstand, ist entstanden)   *to develop, come into being*
werben für (wirbt, warb, hat geworben)   *to advertise for*

ernsthaft   *serious(ly)*
europäisch   *European*
gewöhnlich   *ordinary*
so   *about, approximately*
sogenannt   *so-called*

als erstes   *first of all, the first thing*
am meisten   *most of all*
eine 30iger   *30-Pfennig stamp*
erste, zweite, dritte, usw.   (see p. 92)

31
Mach Dich schön!

1 Peter macht sich fertig. ⊙

MUTTER   Du bist doch ein fauler Kerl!
         Jetzt schläfst du schon den ganzen
         Nachmittag!
PETER   Na und? Ich war hundemüde!
MUTTER   Ja, sag mal, gehst du denn heute
         nicht in die Tanzstunde?
PETER   Doch! Ich steh' ja schon auf.

PETER   . . . dreizehn, vierzehn . . . ha,
         vierzehn Liegestütze—mehr kann
         ich heute nicht.
MUTTER   Peter! Wenn du in die Wanne
         willst, musst du dich beeilen. Ich
         will auch noch baden; ich muss
         weg.
PETER   Bei mir dauert's ja nicht lange.
         Ich dusch' mich, wenn ich nach
         Hause komme.

MUTTER   Was? Du bist doch ein richtiger
         Bademuffel! Du gehst tanzen und
         machst Katzenwäsche! Gell, dass
         du dich ja rasierst!
PETER   Jaja!

Nimmt Peter ein Bad, oder geht er unter
die Dusche?—Nein, heute macht er nur
Katzenwäsche. Er wäscht sich: einmal warm
und einmal kalt. Warmes Wasser reinigt,
kaltes Wasser erfrischt.

Peter beim Zähneputzen

Peter rasiert sich elektrisch.
Er hat einen elektrischen Rasierapparat.

Zuletzt trocknet und kämmt
er sich die Haare.

2 Was braucht Peter zum Waschen? ⊗

Seife. Er wäscht sich damit die Hände.

Einen Waschlappen. Er wäscht sich damit das Gesicht.

Eine Nagelbürste. Er reinigt sich damit die Fingernägel.

Ein Deodorant. Es beseitigt lästigen Körpergeruch.

3 Was braucht er zum Zähneputzen? ⊗

Eine Zahnbürste. Er putzt sich damit die Zähne.

Zahnpasta. Er nimmt die Zahnbürste und gibt Zahnpasta darauf.

Ein Zahnputzglas. Er füllt es mit Wasser und gurgelt.

Mundwasser. Es desinfiziert, und es macht den Atem frisch.

4 Was braucht er zum Rasieren? ⊗

Rasierwasser. Es macht den Bart weich.

Einen elektrischen Rasierapparat

oder einen Rasierapparat mit Rasierklingen.

Eine After-Shave Lotion. Sie glättet die Haut.

5 Was braucht er für sein Haar? ⊗

Gutes Shampoo. Es schont die Haare.

Einen Haartrockner. Er trocknet damit die Haare.

Einen Kamm und eine Haarbürste.

Haarwasser. Es riecht gut.

6 Beantwortet die Fragen!

1. Warum sagt die Mutter: „Du bist doch ein fauler Kerl!"?
2. Warum hat Peter geschlafen?
3. Was macht er, als er aufsteht?
4. Warum will Peter nicht baden?
5. Warum sagt die Mutter: „Du bist doch ein richtiger Bademuffel!"?
6. Wie wäscht sich Peter?
7. Was macht er nach der Katzenwäsche?
8. Womit rasiert er sich?
9. Was macht er zuletzt?

7 Frag deine Mitschüler!

1. Schläfst du manchmal nachmittags? Warum?
2. Wie oft duschst du dich?
3. Duschst du dich kalt oder warm?
4. Wie oft badest du?
5. Machst du manchmal Katzenwäsche?
6. Was brauchst du alles zum Waschen?
7. Wann brauchst du eine Zahnbürste?
8. Warum brauchst du Mundwasser?
9. Wie oft rasierst du dich?
10. Womit rasierst du dich?
11. Warum brauchst du Rasierwasser?
12. Was brauchst du zum Haarewaschen?
13. Wie trocknest du dir das Haar?
14. Womit kämmst du dir die Haare?

Both singular and plural are correct, but the singular is more formal. In mentioning one's own hair, one would more often say "die Haare."

8 MÜNDLICHE ÜBUNG ⊗

9 USING THE WORD ja

In colloquial German the word **ja** is used often.

1. The primary meaning of the word **ja** is "yes," as in answers to questions.

> Bist du müde?   Ja, ich bin müde.

2. The word **ja** can also be used like the English word "well, . . ."

> Ja, sag mal, gehst du heute nicht in die Tanzstunde?
>
> *Well, tell me, aren't you going to your dancing class today?*

3. **Ja** is also used in statements that express facts known to both speaker and listener, or to lend emphasis to a sentence.

> Bei mir dauert's ja nicht lange.
> Ich steh' ja schon auf.
>
> *It won't take me long, you know.*
> *I __am__ getting up!*

10 Peter sagt, dass er alles tun wird. ⊗

Peter, wann badest du?
Peter, wann rasierst du dich?
Peter, wann wäschst du dir die Haare?
Peter, wann trocknest du dich ab?
Peter, wann ziehst du dich an?
Peter, wann gehst du?

Ich bade ja schon!
Ich rasier' mich ja schon.
Ich wasch' mir ja schon die Haare.
Ich trockne mich ja schon ab.
Ich zieh' mich ja schon an.
Ich geh' ja schon.

11 A SPECIAL USE OF dass

A **dass-**clause can be used to express an urgent request or to lend emphasis to a request.

Dass du dich ja rasierst!   *Be sure you shave!*

12 Was Peter alles tun soll! ⊗

Er soll sich rasieren.
Er soll sich baden.
Er soll sich duschen.
Er soll sich waschen.
Er soll sich umziehen.
Er soll sich beeilen.

Dass du dich ja rasierst!
Dass du dich ja badest!
Dass du dich ja duschst!
Dass du dich ja wäschst!
Dass du dich ja umziehst!
Dass du dich ja beeilst!

13 USING THE WORD doch

1. As an unstressed word in the sentence, **doch** often suggests the emphasis that English expresses by raising the voice or by using an expression like ''really.''

Du bist doch ein fauler Kerl.   *You're really a lazy guy!*

2. The word **doch** is also used to respond affirmatively to a negative statement or question, that is, one containing a negative word like **nicht, kein, niemand,** etc. Used in this way it means ''but yes'' or ''on the contrary.'' When used this way, doch is a stressed word in the sentence.

Gehst du heute nicht in die Tanzstunde?   Doch! (Doch, ich gehe!)

14 Peter antwortet mit „ja" oder mit „doch". ⊗

Peter, willst du nicht baden?
Badest du?
Gehst du tanzen?
Geht niemand mit zum Tanzen?
Wäschst du dir nicht die Haare?
Hast du kein Geld?

Doch, ich will baden.
Ja, ich bade.
Ja, ich geh' tanzen.
Doch. (Doch, Christian geht mit.)
Doch, ich wasch' mir die Haare.
Doch. (Doch, ich hab' Geld.)

15 INFINITIVES USED AS NOUNS

1. Infinitives can be used as nouns.

Puzzeln ist langweilig.   **Schwimmen** ist gesund.

2. Such nouns are always neuter, and can be used with or without the definite article.

Das Rasieren dauert bei mir nicht lange.

3. Sometimes the infinitive form is added to another word to make a compound noun. Such compound nouns are always neuter.

Das Zähneputzen geht schnell.   Dann kommt **das Haaretrocknen** dran.

16 Peter, mach dich fertig! ⊛

Hast du dich schon gewaschen?
Hast du dich schon rasiert?
Hast du dich schon gebadet?
Hast du dir schon die Haare getrocknet?
Hast du dir schon die Zähne geputzt?

Das Waschen dauert nicht lange.
Das Rasieren dauert nicht lange.
Das Baden dauert nicht lange.
Das Haaretrocknen dauert nicht lange.
Das Zähneputzen dauert nicht lange.

17 INFINITIVES USED AS NOUNS
Following beim and zum

1. When **beim (bei dem)** precedes an infinitive used as a noun, it expresses the idea of "in the process of" or "while."

Peter ist gerade **beim Waschen.**   *Right now Peter is washing.*
Beim Waschen hört er Radio.   *While he washes he listens to the radio.*

2. When **zum (zu dem)** precedes such nouns, it expresses the idea of "for," or "in order to."

Wozu gebraucht Peter die Seife?   *What does Peter use the soap for?*
Zum Waschen.   *For washing.*

18 Was Peter alles tut, bevor er weggeht ⊛

Peter, wäschst du dich?
Rasierst du dich?
Badest du dich?
Putzt du dir jetzt die Zähne?

Ja, ich bin beim Waschen.
Ja, ich bin beim Rasieren.
Ja, ich bin beim Baden.
Ja, ich bin beim Zähneputzen.

19 Peter, wozu gebrauchst du das alles? ⊛

Wozu gebrauchst du die Seife?   Zum Waschen.
und den Rasierapparat? / die Zahnbürste? / den Haartrockner?
zum Rasieren / zum Zähneputzen / zum Haaretrocknen

20 Was ist ein Muffel? ⊛

Peters Mutter sagt: „Du bist ein richtiger Bademuffel." Sie sagt das, weil sich Peter nicht gern badet. Was für ein Muffel kann Peter sein?

Er badet nicht gern.
Er wäscht sich nicht gern.
Er trägt nicht gern Krawatten.
Er geht nicht gern ins Wasser.

. . . Waschmuffel
. . . Krawattenmuffel
. . . Wassermuffel

Er ist ein richtiger Bademuffel.

21 Babsie frisiert sich.

Babsie hat schönes Haar. Sie trägt es lang und natürlich. Färbt sie ihr Haar? Sie sagt: „Nein, gefärbtes Haar ist unnatürlich. Es macht das Haar spröde, und ich hab' von Natur aus weiches Haar. Ich wasch' aber mein Haar alle zwei Tage."

„Babsie, gehst du oft zum Friseur?"
„Nein. Nur ab und zu zum Schneiden."
„Du hast keine Dauerwelle?"
„Nein. Ich hab' welliges Haar, und dann helfe ich ein bisschen nach mit meinem Frisierstab."

22 Womit pflegt Babsie ihr Haar?

Sie frisiert ihr Haar mit einem Frisierstab.

Sie dreht ihr Haar mit Lockenwicklern ein.

Sie hat auch einen elektrischen Kamm.

Sie benutzt ein Haarspray.

23 Frag deine Mitschüler!

1. Wie trägst du dein Haar?
2. Färbst du dein Haar?
3. Hast du sprödes oder weiches Haar?
4. Wie oft wäschst du dir die Haare?
5. Wie oft gehst du zum Friseur?
6. Hast du welliges Haar?
7. Hast du lockiges Haar? Was tust du, damit es lockig wird?
8. Womit frisierst du dir die Haare?
9. Benutzt du ein Haarspray?

24 MÜNDLICHE ÜBUNG

da-COMPOUNDS

Lest die Beispiele und beantwortet die folgenden Fragen! ⊗

> Babsie wäscht sich **mit dieser Seife.**
> Ich wasch' mich auch **damit.**

What does **damit** mean in the second sentence? What does **damit** refer to?

> Er tut Zahnpasta **auf die Zahnbürste.**
> Ich tu' auch Zahnpasta **darauf.**

What does **darauf** mean in the second sentence? What does **darauf** refer to?

26 Lest die folgende Zusammenfassung!

1. As you have learned, the personal pronouns may refer either to persons or to things.

> Brauchst du **ihn?**   ihn ⟨ **deinen Bruder** (person)
>   **den Kamm** (thing)

2. However, a personal pronoun following a preposition can refer only to persons.

> Ich fahre mit **ihm.**   **ihm: meinem Bruder** (person)

3. When the object of the preposition is a thing, the prefix **da-** is used with the preposition instead of a personal pronoun. (**dar-** is used when the preposition begins with a vowel.)

> Ich wasche mich **mit dieser Seife.**   Ich wasche mich **damit.**
> Ich tu' Zahnpasta **auf die Zahnbürste.**   Ich tu' Zahnpasta **darauf.**

4. **Da**-compounds do not reflect differences in gender, number, or case, as can be seen in the following examples:

> Was machst du **mit dem Haartrockner?** ⎫
> Was machst du **mit der Seife?** ⎪
> Was machst du **mit dem Haar?** ⎬   Was machst du **damit?**
> Was machst du **mit den Lockenwicklern?** ⎭

27 Babsie, was machst du damit? ⊗

Was machst du mit dem Frisierstab?	Ich frisier' damit mein Haar.
Was machst du mit dem Shampoo?	Ich wasch' damit mein Haar.
Was machst du mit dem Haartrockner?	Ich trockne damit mein Haar.
Was machst du mit dem Kamm?	Ich kämm' damit mein Haar.
Was machst du mit den Lockenwicklern?	Ich dreh' damit mein Haar ein.

28 Wieviel zahlst du dafür? ⊗

Du zahlst 10 Mark für das Haarspray?   Ja, ich zahl' 10 Mark dafür.
30 Mark für die Dauerwelle? / 26 Mark für den Frisierstab? /
6 Mark für das Shampoo? /   20 Mark für den Kamm und die Bürste?
Ja, ich zahl' 30 Mark (26 Mark, 6 Mark, 20 Mark) dafür.

29 **Du hast keine Lust dazu?** ⊗

Hast du Lust zum Radfahren?   Nein, ich habe keine Lust dazu.
zum Baden? / zum Essen? / zum Tanzen? / zum Ausgehen?
all responses: Nein, ich habe keine Lust dazu.

30 **SCHRIFTLICHE ÜBUNG**

Schreibt die Antworten für Übungen 28 und 29!

31   **wo-COMPOUNDS**

Lest die Beispiele und beantwortet die folgenden Fragen! ⊗

Peter wäscht sich **mit dieser Seife.**
Womit wäschst du dich, Babsie?
What does **womit** mean in the question? What does **womit** refer to?

Peter braucht den Haartrockner **zum Trocknen.**
Wozu brauchst du den Haartrockner, Babsie?
What does **wozu** mean in the question? What does **wozu** refer to?

32 **Lest die folgende Zusammenfassung!**

1. As you have learned, the interrogative pronoun **was** can be used at the beginning of questions referring to things.
   Was benutzt du? **die Seife?**
   Was brauchst du? **den Haartrockner?**

2. When the question involves a preposition, the prefix **wo-** is usually added to the preposition. (**wor-** is used when the preposition begins with a vowel.)
   Womit wäschst du dich? **mit dieser Seife?**
   Worauf tust du die Zahnpasta? **auf die Zahnbürste?**

3. In questions referring to people and beginning with a preposition, the interrogative pronoun **wen** or **wem** must be used. The prefix **wo-** (**wor-**) can refer only to things. Compare the two columns of questions in the chart below:

Referring to Things		Referring to People	
wo(r) + Preposition		Preposition + Interrogative	
Woran	denkst du?	**An wen**	denkst du?
Worauf	wartest du?	**Auf wen**	wartest du?
Worüber	sprechen Sie?	**Über wen**	sprechen Sie?
Wofür	ist diese Bürste?	**Für wen**	ist diese Bürste?
Womit	spielst du?	**Mit wem**	spielst du?
Wovon	erzählt sie?	**Von wem**	erzählt sie?
Wozu	sagen Sie das?	**Zu wem**	sagen Sie das?

33 Babsie, wozu brauchst du das alles? ⊗

Wozu brauchst du den Frisierstab?　　Zum Frisieren.
die Zahnbürste?　　　　　　　　　　　Zum Zähneputzen.
das Shampoo?　　　　　　　　　　　　Zum Haarewaschen.
die Nagelbürste?　　　　　　　　　　Zum Fingernägelputzen.
den Haartrockner?　　　　　　　　　　Zum Haaretrocknen.
den Waschlappen?　　　　　　　　　　Zum Waschen.

34 So, jetzt fragt ihr die Babsie! ⊗

Sie wäscht ihr Haar mit Shampoo.　　　Womit wäschst du dein Haar?
Sie braucht den Frisierstab zum Frisieren.　Wozu brauchst du den Frisierstab?
Sie spricht über ihre Dauerwelle.　　　Worüber sprichst du?
Sie wartet auf ihre elektrischen Locken-　Worauf wartest du?
　wickler.
Sie erzählt von ihrem guten Haarspray.　Wovon erzählst du?
Sie denkt an ihre Hausaufgaben.　　　Woran denkst du?

35 Peter, was ist heute nur mit dir los! ⊗

Ich hab' mir mit dem Haartrockner die　Womit hast du dir die Hose getrocknet?
　Hose getrocknet.
Ich hab' mit der Nagelbürste die Schuhe　Womit hast du dir die Schuhe gereinigt?
　gereinigt.
Ich hab' das Mundwasser für die Haare　Wozu hast du das Mundwasser benutzt?
　benutzt.
Ich hab' die Sonnencreme zum Zähneput-　Wozu hast du die Sonnencreme benutzt?
　zen benutzt.
Ich hab' das Rasierwasser zum Gurgeln　Wozu hast du das Rasierwasser verwendet?
　genommen.
Ich hab' das Shampoo zum Spülen benutzt.　Wozu hast du das Shampoo benutzt?

36 Was tut Peter? Ihr fragt. ⊗

Er denkt an die Tanzstunde.　　　　　Woran denkt er?
Er denkt an Babsie.　　　　　　　　　An wen denkt er?
Er wartet auf das Bad.　　　　　　　Worauf wartet er?
Er wartet auf seine Freundin.　　　　Auf wen wartet er?
Er spricht über das Zähneputzen.　　Worüber spricht er?
Er spricht über seine Schulkameraden.　Über wen spricht er?
Er interessiert sich für Briefmarken.　Wofür interessiert er sich?
Er interessiert sich für Mädchen.　　Für wen interessiert er sich?
Er spielt mit seinem Haartrockner.　　Womit spielt er?
Er spielt mit seinen Freunden.　　　Mit wem spielt er?

37 SCHRIFTLICHE ÜBUNG

Schreibt die Antworten für Übungen 34 bis 36!

38 Babsie schminkt sich. ⊗

PETER   Mach dich schön, Kind!

BABSIE Du bist gemein!

PETER   Wieso? Das war nur ein Kompliment!

BABSIE Du lachst mich wieder aus, wenn du mich geschminkt siehst.

PETER   Nur, wenn du dir wieder blaue Augen malst. Dann denkt jeder, ich hab' dich geschlagen!

BABSIE Ach, du! Du verstehst überhaupt nichts vom Schminken. Es macht mir Spass, Make-up zu tragen. So, lass mich jetzt in Ruh'!

1

Babsie trägt zuerst etwas helles Rouge auf ihre Wangen auf. Dann zieht sie ihre Augenbrauen nach. Sie verlängert ihre Augenwimpern mit schwarzer Wimperntusche. Dann trägt sie blauen Lidschatten auf ihre Augenlider auf. Für ihre Lippen wählt sie einen dunkelroten Lippenstift. Dann kommt noch etwas Parfüm hinters Ohr, und sie ist fertig. — „Wie gefall' ich dir jetzt?"

2

39 Welche Kosmetikartikel benutzt Babsie? ⊗

eine Compact-Kassette mit Rouge für ihre Wangen

ein Augenbrauenstift

schwarze Wimperntusche für lange Augenwimpern

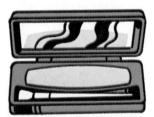

blauer Lidschatten für die Augenlider

roter Lippenstift für die Lippen

40 Babsie manikürt sich die Hände. ⊗

Zuerst wäscht sie sich die Hände mit warmem Wasser. Dann reinigt sie ihre Fingernägel und schneidet sie kürzer. Danach feilt sie die Nägel. Dann lackiert sie ihre Nägel noch mit einem dunkelroten Nagellack. Babsie hat trockene Hände. Sie reibt sie deshalb mit einer guten, fetthaltigen Handcreme ein.

41 Was braucht Babsie, wenn sie sich die Hände manikürt? ⊗

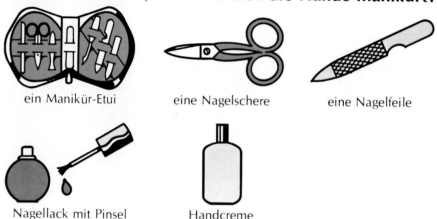

ein Manikür-Etui   eine Nagelschere   eine Nagelfeile

Nagellack mit Pinsel   Handcreme

42 Fragt eure Klassenkameradinnen!

1. Beschreibe, wie sich Babsie schminkt! (Wangen, Augenbrauen, Wimpern, Augenlider, Lippen)
2. Erzähle, wie du dich schminkst!
3. Welche Kosmetikartikel hast du?
4. Erzähle, wie du dich manikürst!

43 MÜNDLICHE ÜBUNG ⊗

44 ADJECTIVES NOT PRECEDED BY A DETERMINER

Lest die Beispiele und beantwortet die folgenden Fragen! ⊗

Dieses Wasser erfrischt.   **Kaltes** Wasser erfrischt.
Ich brauche **diesen** Lippenstift.   Ich brauche **roten** Lippenstift.

In each pair of sentences, compare the form of the **dieser**-word in the left-hand sentence with the form of the adjective that replaces it in the right-hand sentence. Is the ending of the adjective in the right-hand sentence different from the ending of the **dieser**-word in the left-hand sentence?

45 Lest die folgende Zusammenfassung!

1. When the adjective is used before a noun and not preceded by a determiner, the adjective has the ending a **dieser**-word would have in its place.

Dieses Wasser erfrischt.   **Kaltes** Wasser erfrischt.
Ich brauche **diesen** Lippenstift.   Ich brauche **roten** Lippenstift.

2. When there are two or more such adjectives, they both have the same ending.

Babsie hat **langes, welliges** Haar.

3. The following is a review of the endings of **dieser** and a summary of adjective endings not preceded by a determiner.

	masculine	feminine	neuter	plural
Nominative	**dieser** Lippenstift	**diese** Tusche	**dieses** Haar	**diese** Augen
	roter Lippenstift	**blaue** Tusche	**welliges** Haar	**grosse** Augen
Accusative	**diesen** Lippenstift	**diese** Tusche	**dieses** Haar	**diese** Augen
	roten Lippenstift	**blaue** Tusche	**welliges** Haar	**grosse** Augen
Dative	**diesem** Lippenstift	**dieser** Tusche	**diesem** Haar	**diesen** Augen
	rotem Lippenstift	**blauer** Tusche	**welligem** Haar	**grossen** Augen

46 Wofür sind diese Kosmetikartikel? ⊗

Dieser rote Lippenstift?   Roter Lippenstift ist für die Lippen.
dieses helle Rouge? / diese schwarze Tusche? / dieser blaue Lidschatten? /
diese gute Handcreme? / dieser rote Nagellack? Helles Rouge ist für die Wangen. / Schwarze Tusche ist für die Augenwimpern. / Blauer Lidschatten ist für die Augenlider. / Gute Handcreme ist für die Hände. / Roter Nagellack ist für die Fingernägel.

47 Womit schminkt sich Babsie? ⊗

Womit schminkt sie sich die Lippen?   Mit rotem Lippenstift.
die Wimpern? / die Augen? / die Wangen? Mit schwarzer Tusche. / Mit blauem Lidschatten. / Mit hellem Rouge.

48 Jetzt beschreibt ihr Babsie. Wie sieht sie aus? ⊗

Ihre Augen sind blau.   Sie hat blaue Augen.
Ihre Wimpern sind lang.   Sie hat lange Wimpern.
Ihr Haar ist lang und blond.   Sie hat langes, blondes Haar.
Ihre Haut ist schön.   Sie hat schöne Haut.

49 HÖRÜBUNG ⊗

Wie heisst das Wort am Ende des Satzes?

1. _____   3. _____   5. _____   7. _____   9. _____
2. _____   4. _____   6. _____   8. _____   10. _____

50 Jetzt beschreibt ihr eure Klassenkameraden! ⊗

Jeder hat andres Haar:
schön
blond   braun   schwarz   rot

Jeder hat andre Haut:
weich   glatt   trocken
spröde   hell   dunkel

dicht – dünn   kurz – lang   glatt – lockig, wellig

natürlich – gefärbt   weich – spröde

Have your students use these adjectives in describing their classmates. For example: Irene hat langes, schwarzes Haar. Sie hat blaue Augen. Use careful judgment, however, about students who may be sensitive regarding their looks. In some classes, it may be better to use these adjectives to describe other well-known people.

51 RATESPIEL: Wer ist das? ⊗

Sie hat schwarzes Haar. Sie hat blaue Augen. – Die Anita? – Nein!
Sie hat kurzes, lockiges Haar. – Die Danny? – Ja!

52 SCHRIFTLICHE ÜBUNG

Schreibt die folgenden Stücke ab und setzt die richtigen Endungen ein!

1. Peter nimmt gewöhnlich ein warm_es_ Bad oder eine kalt_e_ Dusche, bevor er in die Tanzstunde geht. Aber heute ist er ein richtig_er_ Bademuffel. Er wäscht sich nur, einmal kalt, einmal warm. Warm_es_ Wasser reinigt, kalt_es_ Wasser erfrischt. Dann putzt er sich die Zähne. Er hat schön_e_ weiss_e_ Zähne. Er füllt das Zahnputzglas mit warm_em_ Wasser und gurgelt.
2. Babsie hat schön_es_ Haar. Sie wäscht es alle zwei Tage mit warm_em_ Wasser und gut_em_ Shampoo. Sie trocknet ihr Haar mit einem Haartrockner, aber ohne lang_es_, heiss_es_ Trocknen. Heiss_es_ Trocknen macht das Haar spröde. Dann schminkt sie sich. Sie benutzt hell_es_ Rouge, blau_en_ Lidschatten, schwarz_e_ Wimperntusche und rot_en_ Lippenstift. Babsie hat trocken_e_ Hände, und sie reibt sie mit gut_er_, fetthaltig_er_ Handcreme ein.

53 KONVERSATIONSÜBUNGEN

For suggestions, see Exercise 9 in the Listening Comprehension Program, p. T00

a. Du bist ein Junge. Was tust du alles, bevor du ausgehst? Erzähle!
1. baden / duschen / Katzenwäsche
2. Haar waschen / trocknen / kämmen / Haarwasser (auch: Haarspray)
3. Zähneputzen / gurgeln / Mundwasser
4. rasieren / After-Shave Lotion
5. Fingernägel reinigen

b. Du bist ein Mädchen. Was tust du alles, bevor du ausgehst? Erzähle!
1. waschen / baden / duschen
2. Haar waschen / Haartrockner / frisieren / Lockenwickler / Haarspray
3. Zähneputzen
4. schminken: Wangen / Augen
5. maniküren: Nägel / Nagellack (auch: Deodorant, Parfüm)

54 SCHRIFTLICHE ÜBUNG

Schreib einen Aufsatz mit dem Thema: Was ich alles tue, bevor ich ausgehe.

55 Beim Friseur

KUNDE	Tag!
FRISEUR	Guten Tag! Wie geht's?
KUNDE	Danke. So la la.
FRISEUR	Einen Haarschnitt?
KUNDE	Ja, bitte.
FRISEUR	Wie immer? Façon?
KUNDE	Bitte!
FRISEUR	Etwas kürzer an den Seiten?
KUNDE	Ein bisschen.
FRISEUR	Recht so?
KUNDE	Ja, gut.
FRISEUR	Anfeuchten?
KUNDE	Nein, danke.
FRISEUR	Sieben zwanzig, bitte.
KUNDE	Stimmt.
FRISEUR	Vielen Dank. Auf Wiederseh'n!

This dialog shows how few words people sometimes use to communicate. We seldom say:
Ich wünsche Ihnen einen guten Tag, *but that is what we mean when we say* guten Tag! *or*
Tag! *There are several examples of abbreviated speech in this dialog. For each one you find,
write out the complete thought that is meant by the short expression.* Although the sentence
particles in this dialog are briefer than the "complete thought" behind each one, they actually represent a more
sophisticated level of communication. Being able to use such words and phrases correctly is one of the

56 Ihr dürft nicht alles wörtlich nehmen! ⊛ greatest challenges in learning a foreign language.

Nenne die Redewendungen, die in den Bildern dargestellt sind! Was bedeuten diese Redewendungen eigentlich? (Siehe ganz unten!)

Geh immer der Nase nach!
Halt den Mund!
Er hat ein Auge auf sie geworfen.

Sie hat ihm den Kopf verdreht.
Ich bin ganz Ohr.
Die Zuhörer hingen an seinen Lippen.

Sie hörten ganz genau zu.
Er ist verliebt in sie.
Ich höre aufmerksam zu.

Geh immer geradeaus!
Sei still!
Er hat sie gern.

WORTSCHATZ

1–20

die **After-Shave Lotion, –s** after-shave lotion
der **Atem** breath
das **Bad, ⸚er** bath
der **Bademuffel, –** person who does not like to take a bath
der **Bart, ⸚e** beard
das **Deodorant, –s** deodorant
die **Dusche, –n** shower
der **Fingernagel, ⸚** fingernail
die **Haarbürste, –n** hairbrush
der **Haartrockner, –** hair dryer
das **Haarwasser** hair tonic
die **Haut, ⸚e** skin
die **Katzenwäsche** washing quickly at the sink
der **Körpergeruch, ⸚e** body odor
der **Liegestütz, –e** push-up
das **Mundwasser** mouthwash
die **Nagelbürste, –n** nailbrush
der **Rasierapparat, –e** shaver
die **Rasierklinge, –n** razor blade
das **Rasierwasser** shaving lotion
die **Seife, –n** soap
das **Shampoo, –s** shampoo

die **Tanzstunde, –n** (ballroom) dancing class
die **Wanne, –n** bathtub
der **Waschlappen, –** washcloth
der **Zahn, ⸚e** tooth
die **Zahnbürste, –n** toothbrush
die **Zahnpasta, –sten** toothpaste
das **Zahnputzglas, ⸚er** bathroom cup, water glass

(s.) **baden** to bathe, take a bath
beseitigen to do away with
desinfizieren to disinfect
(s.) **duschen** to shower, take a shower
erfrischen to refresh
s. **fertigmachen** sep to get ready
gebrauchen (zu) to use (for)
glätten to smooth
gurgeln to gargle
(s.) **rasieren** to shave (o.s.)
(s.) **reinigen** to clean (o.s.)
schonen to protect
(s.) **trocknen** to dry (o.s.)

riechen (roch, hat gerochen) to smell

elektrisch electric
faul lazy
frisch fresh
hundemüde dead tired
lästig annoying, unpleasant

bei mir dauert's nicht lange it doesn't take me long
beim Zähneputzen (in the process of, while) brushing one's teeth
dass du dich ja rasierst! be sure you shave!
sich die Zähne putzen to brush one's teeth
ich muss weg I have to go out
na und? so what?
unter die Dusche gehen to take a shower
zum Rasieren for shaving

21–37

die **Dauerwelle, –n** permanent wave
der **Friseur, –e** hairdresser
der **Frisierstab, ⸚e** curling iron
das **Haarspray, –s** hair spray
der **Lockenwickler, –** curler

eindrehen sep to roll up (hair)
färben to tint, dye
(s.) **frisieren** to do, fix one's hair
pflegen to take care of

nachhelfen D (hilft nach, half nach, hat nachgeholfen) sep to help along

gefärbt colored, dyed
spröde coarse, brittle
unnatürlich unnatural
wellig wavy
womit? with what?

ab und zu now and then
alle zwei Tage every two days
von Natur aus naturally
zum Friseur gehen to go to the hairdresser

38–54

die **Augenbraue, –n** eyebrow
der **Augenbrauenstift, –e** eyebrow pencil
das **Augenlid, –er** eyelid
die **Augenwimper, –n** eyelash
die **Compact-Kassette, –n** compact
die **Handcreme, –s** hand cream
das **Kompliment, –e** compliment
der **Kosmetikartikel, –** cosmetic article
der **Lidschatten, –** eye shadow
der **Lippenstift, –e** lipstick
das **Make-up** make-up
das **Manikür-Etui, –s** manicure set
die **Nagelfeile, –n** nail file
der **Nagellack** nail polish
die **Nagelschere, –n** nail scissors
das **Ohr, –en** ear
das **Parfüm, –s** perfume
der **Pinsel, –** (small) brush
das **Rouge** rouge
das **Schminken** making up
die **Wange, –n** cheek
die **Wimperntusche, –n** mascara

auslachen sep to laugh at, make fun of
feilen to file
lackieren to polish, paint
(s.) **maniküren** to manicure
(s.) **schminken** to put on make-up
verlängern to lengthen

auftragen auf A (trägt auf trug auf, hat aufgetragen) sep to put on, apply
nachziehen (zog nach, hat nachgezogen) sep to trace
schlagen (schlägt, schlug, hat geschlagen) to hit
verstehen von (verstand, hat verstanden) to understand, know about

danach after that
darin in it, in that
dicht thick
dünn thin
fetthaltig containing fats and oils
geschminkt made-up
glatt smooth
trocken dry
wieso? why? how come?

lass mich in Ruh'! leave me alone!
überhaupt nichts nothing at all

55–56

Façon (a style of haircut)
der **Haarschnitt, –e** haircut
die **Redewendung, –en** expression, idiom
der **Zuhörer, –** listener

anfeuchten sep to dampen
verdrehen to turn

nachgehen D (ging nach, ist nachgegangen) sep to follow

aufmerksam attentive(ly)
dargestellt represented
wörtlich literal(ly)

beim Friseur at the barber's
recht so? okay like this?
so la la so-so

32

Ausgehen und Tanzen

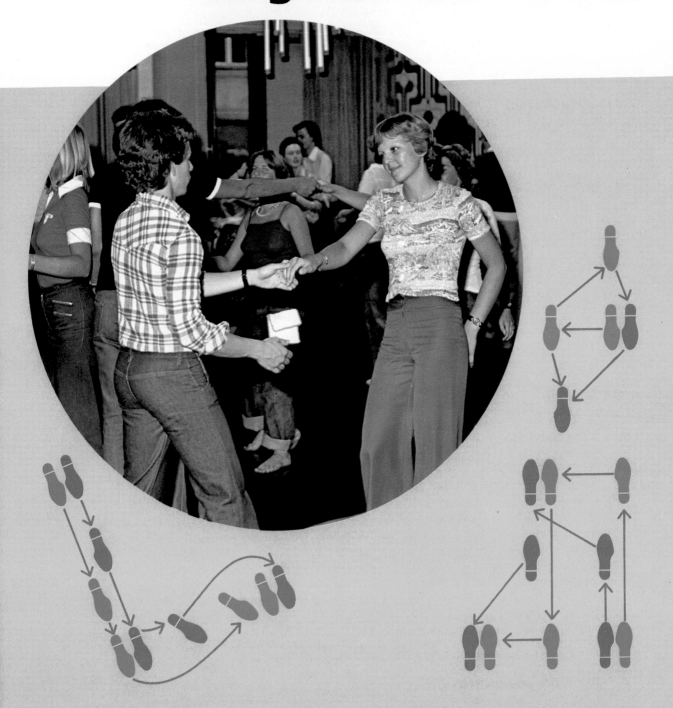

1 Die Tanzschule Wolfgang Steuer ⊗

Tanzen wird wieder populär. Jung und alt besucht Tanzkurse. Man will die Standardtänze lernen, den Walzer, den Tango, den Foxtrott, die Rumba und viele andere.

Die Tanzkurse bei Steuer sind gut belegt°. Diese Tanzschule hat einen guten Ruf°, und die Jungen und Mädchen kommen gern hierher. Wolfgang Steuer und seine Frau Brigitte waren 1975 das Prinzenpaar im Münchner Fasching[1]. Sie wurden damals in der ganzen Stadt bekannt, und seitdem geht das Geschäft° besonders gut.

Was für Kurse bieten die Steuers? Es gibt Grundkurse°, Kurse für Fortgeschrittene° und Sonderkurse°.

gut belegt: *well attended*
der Ruf: *reputation*

das Geschäft: *business*
Grund-: *basic*
Fortgeschrittene: *advanced students*
Sonder-: *special*

The promotional piece below is recorded with the basic material for the unit. You may want to read it aloud or have students read sections aloud, and discuss.

Grundkurse (Abend)

Berufstätige	Fr	24. 9.	19.00	10×	90.—	
und	Do	7. 10.	18.30	10×	90.—	
Studenten	Mo	11. 10.	19.00	10×	90.—	
Ehepaare u.	Di	28. 9.	20.45	10×	170.-[1]	
jg. Paare	Mo	4. 10.	20.45	10×	170.-[1]	
ab 25 Jahre	Do	14. 10.	20.45	10×	170.-[1]	

Fortschrittskurse

F I	Schüler	Di	21. 9.	17.30	10×	80.—
F I	Beruf./Stud.	Do	23. 9.	19.00	10×	90.—
F II	Schül./Beruf.	Di	21. 9.	19.00	10×	90.—
F III	Schül./Beruf.	Mo	20. 9.	20.15	8×	80.—
Goldstar	Schül. Beruf.	Mo	20. 9.	18.30	jeden Mo	80.-[2]
F I	Paare	Do	30. 9.	20.15	10×	170.-[1]
F II	Paare	Mi	6. 10.	20.45	10×	170.-[1]
Tanzkreis	Paare	Fr	17. 9.	21.00	jeden Fr	170.-[1]

Vieles spricht für uns

- Münchens Tanzschule im neuen Stil in 2 Stockwerken
- moderne, vollklimatisierte Räume
- Welttanzprogramm in erfolgreicher Unterrichtsmethode
- angenehme Unterrichtsdauer 10× 1½ Stunden
- maximale Übungsmöglichkeit
- festliche Abschlußbälle in großem Rahmen, als bleibendes Erlebnis, im Festsaal des Hotel Bayer. Hof
- Tanzschiffahrt auf dem Starnberger See
- Faschingsveranstaltungen
- TWS-Ralley
- Nikolausparty
- Silvesterparty
- Maitanz

Party Center TWS
Treffpunkt der Jugend

2 Vor der Tanzstunde ⊗

The word Ausrede has the understood meaning of "talking one's way out" of something. Compare to the word Entschuldigung (Unit 33), which signifies a legitimate excuse or explanation, as well as an apology for not doing something.

In der letzten Tanzstunde waren mehr Mädchen als Jungen. Das sollte dem Peter eigentlich recht sein°. Aber nein, das hat ihn gestört.

„Du, Christian, es wird Zeit, dass du mal vernünftig tanzen° lernst! Sei kein Spielverderber° und mach mit!"

Sieben oder acht Freunde hat Peter schon angerufen. Alle hatten eine andere Ausrede°. „Ich hab' kein Geld!" — „Ich hab' keine Zeit und muss zuviel pauken°." — „Mein Vater sagt, ich kann auch ohne Tanzkurs tanzen lernen. Das ist billiger."

Peter versucht, seinen Freund Christian zu überreden°. „Du wirst es nicht bereuen°, Christian. Da sind ein paar ganz nette Mädchen im Kurs. Ich hab' die Telefonnummer von einer. Und die

dem Peter ist das recht: *that's okay with Peter*

vernünftig tanzen: *to dance properly*
der Spielverderber: *spoilsport*

die Ausrede: *excuse*
pauken: *to cram, study*

überreden: *to persuade*
bereuen: *to regret*

[1] **Der Münchner Fasching** is celebrated with hundreds of masquerade balls during the period between January 7th and the beginning of Lent, six weeks before Easter. Along the Rhine this period is known as **Karneval**. For each **Fasching** or **Karneval** season, a prince and princess are selected to reign over the festivities.

hat 'ne hübsche Freundin. Dein Typ! Und wenn du willst, können wir uns mit denen vor dem Kurs verabreden°."

„Na gut! Wann treffen° wir uns? Und wo?"

„Treffen wir uns um sechs am Stachus[1]. Im Garten vom Wiener-wald[2]."

„Abgemacht°!"

s. verabreden mit: *to make a date with*
s. treffen: *to meet*

abgemacht: *agreed*

3 Peter und Christian warten auf ihre Damen. ⊗

CHRISTIAN	Wo bleiben die beiden bloss?
PETER	Der Kellner sieht uns schon böse an. Wir können die Plätze nicht länger freihalten!
CHRISTIAN	Die haben es sich anders über-legt.
PETER	Die kommen schon noch. Die eine lernt Friseuse, und die Läden machen erst um 6 Uhr zu.
CHRISTIAN	Und die Lehrlinge müssen dann immer erst aufräumen.
PETER	Ich möcht' kein Lehrling sein.
CHRISTIAN	Gehen wir! — Wir können uns dort drüben hinsetzen und auf sie warten.
PETER	Schon gut! Und ich kauf' mir jetzt die *Abendzeitung*[3].

Die beiden Jungen unterhalten sich.

CHRISTIAN	Wie sehen unsre Damen aus?
PETER	Ja, wie sollen die schon aus-sehen? Hübsch sind sie. Und Heidi, die Friseuse, ist wirklich nett.
CHRISTIAN	Und die andre? Was tut die?
PETER	Weiss ich nicht. Die ist auch sehr nett. Ein bisschen schüch-tern vielleicht.
CHRISTIAN	Du meinst, dann passt sie zu mir. Ich bin ja auch so schüch-tern!
PETER	Mit der hab' ich erst ein paar-mal getanzt. Ich hab' mit ihr geredet. Du, die kann so herrlich rot werden!
CHRISTIAN	Jetzt bin ich aber neugierig.
PETER	Da kommen sie ja!

[1] **Der Stachus,** more formally known as **der Karlsplatz,** is a square in Munich where major traffic arteries cross: sub-way and railroad underground; street cars, buses, and other vehicular traffic on the surface.
[2] **Der Wienerwald** is a chain of moderately-priced restaurants found all over Germany and in many cities abroad. One of the specialties is **Brathähnchen,** chicken roasted on a spit.
[3] **Die Abendzeitung** is one of Bavaria's most widely read evening papers.

4 Peter stellt Christian vor. ⊛

PETER   Ja, guten Abend! Wie geht's?

MÄDCHEN   Guten Abend!

PETER   Das ist Christian. Ein Klassen-kamerad von mir.

CHRISTIAN   Guten Abend!

PETER   Und das ist . . . äh . . . ja, so was! Jetzt hab' ich doch deinen Namen vergessen.

ELLI   Ich heisse Elisabeth. Sagt doch aber Elli zu mir. So nennen mich alle.

CHRISTIAN   Servus, Elli!

PETER   Und das ist Heidi.

HEIDI   Es tut mir leid, dass wir so spät kommen. Ich hatte heute im Geschäft viel zu tun.

PETER   Macht doch nichts!

CHRISTIAN   Dann trinken wir eben nach der Tanzstunde zusammen ein Cola. O.K.?

5 Beantwortet die Fragen!

1. Warum ruft Peter viele Freunde an?
2. Was hat er zu Christian gesagt?
3. Was für Ausreden haben die Freunde?
4. Wie überredet Peter den Christian?
5. Was antwortet Christian?
6. Wo treffen sich die beiden?
7. Warum können die Jungen die Plätze nicht länger freihalten?
8. Warum kommen die Mädchen vielleicht so spät?
9. Was will Christian tun?
10. Was möchte Christian alles wissen?
11. Was erzählt ihm Peter über die Mädchen?
12. Was passiert, als Peter den Christian vorstellt?
13. Was sagt Elisabeth zu den Jungen? Warum?
14. Warum sind die Mädchen so spät gekommen?
15. Was schlägt Christian vor?

6

Ballroom dancing has always been popular in Germany. Dance courses are well attended by young people from all educational and social backgrounds. Often a group of apprentices, or a group of university students, or a whole Gymnasium class will take Tanzstunde together.

Die Tanzschule Wolfgang Steuer offers many opportunities for dancing and socializing. In addition to the dance classes that provide formal instruction for beginners and advanced students, there are also special dance courses, parties, formal balls, tournaments, and competitions. For example, there are regular informal parties for practicing, dance parties for prospective students to get a look at the school, and every Wednesday there is a "Rock'n Roll-Club-Abend." Special activities include Christmas and New Year's dances, Fasching parties, a boat ride with dancing on Lake Starnberg, a big dance tournament, and even a disc jockey competition. One of the highlights of the Tanzschule is the Abschlussball, a festive, semi-formal ball held for students at the completion of each dance course.

7 Was tun andere Jungen und Mädchen in ihrer Freizeit? ⊗

1 Manche gehen ins Kino oder ins Theater.

2 Mehrere treiben Sport — im Sommer und im Winter.

3 Einige gehen Kaffeetrinken oder Eisessen.

4 Sie gehen spazieren oder bummeln durch die Stadt.

5 Viele amüsieren sich auf einer Party.

6 Andere machen einen Ausflug.

8 Fragt eure Klassenkameraden!

1. Was macht ihr in eurer Freizeit?
2. Du möchtest, dass einige Freunde mit dir (ins Kino) gehen. Was sagst du?

3. Was für Ausreden haben sie?
4. Wie überredest du deine Freunde?

9 Wie beschreiben wir andere Leute? ⊗

schüchtern — forsch

natürlich — eingebildet

höflich — frech

klug — dumm

witzig — langweilig

geschickt — ungeschickt

ordentlich — schlampig

bescheiden — anspruchsvoll

heiter — ernst

fleissig — faul

Have your students use these adjectives in describing their classmates. At the same time, review the adjectives of Exercise 50 in the preceding unit.

10 MÜNDLICHE ÜBUNG ⊗

11 RATESPIEL: Wer ist das? ⊗

Mit dem geh' ich oft ins Kino. — Der Paul! — Nein. Er ist bescheiden, nicht eingebildet. — Der Robert! — Nein. Mit dem fahr' ich am Samstag zum Schilaufen. — Der Peter! — Ja!

12 THE DEFINITE ARTICLE AS A DEMONSTRATIVE PRONOUN

Lest die Beispiele und beantwortet die folgenden Fragen! ⊗

Die Mädchen kommen nicht.　　**Die** haben es sich anders überlegt.
Which word in the second sentence refers to **die Mädchen?** What does this word mean?

Hast du **mit der Dame** viel getanzt?　　**Mit der** hab' ich erst einmal getanzt.
Which word in the second sentence refers to **der Dame?** What does this word mean? What case is it in?

Wir treffen uns **mit den Mädchen.**　　**Mit denen** trinken wir ein Cola.
Which word in the second sentence refers to **den Mädchen?** What does this word mean? What case is it in?

13 Lest die folgende Zusammenfassung!

1. Demonstrative pronouns are used like personal pronouns in a sentence, but they carry more emphasis. In English the demonstrative pronouns are "this," "these," "that," "those." In German the definite article is often used as a demonstrative pronoun, especially in conversation. Read the following sentences aloud, observing the shift in emphasis as indicated by the underscores.

Sie haben es sich <u>anders</u> überlegt.　　<u>Die</u> haben es sich anders überlegt.
They changed their minds.　　*Those (people) changed their minds.*
Mit ihr <u>tanz'</u> ich gern.　　Mit <u>der</u> tanz' ich gern.
I like to dance with her.　　*She is the one I like to dance with.*

2. The demonstrative pronouns are the same as the definite articles, with one exception: the demonstrative pronoun in the dative plural is **denen,** not **den.**

	masculine	feminine	neuter	plural
Nominative	der	die	das	die
Accusative	den	die	das	die
Dative	dem	der	dem	denen

14 Christian kennt überhaupt nichts. ⊗

In this and the following exercises, be sure to stress the definite articles, as underscores indicate.

Kennst du <u>die</u> Tanzschule?　　Nein, <u>die</u> kenn' ich nicht.
Kennst du <u>den</u> Walzer?　　Nein, <u>den</u> kenn' ich nicht.
Kennst du <u>das</u> Geschäft?　　Nein, <u>das</u> kenn' ich nicht.
Kennst du <u>die</u> Stadt?　　Nein, <u>die</u> kenn' ich nicht.
Kennst du <u>den</u> Tanzlehrer?　　Nein, <u>den</u> kenn' ich nicht.
Kennst du <u>die</u> Telefonnummer?　　Nein, <u>die</u> kenn' ich nicht.

Note: Use vocabulary from preceding units to practice using definite articles as pronouns.

15 Der Heidi gefällt alles. ⊗

Gefällt dir <u>der</u> Tanz?　　Ja, <u>der</u> gefällt mir.
<u>die</u> Musik? / <u>der</u> Kurs? /　　Ja, <u>die</u> gefällt mir. / Ja, <u>der</u> gefällt mir.
<u>der</u> Junge? / <u>die</u> Zeitung? /　　Ja, <u>der</u> gefällt mir. / Ja, <u>die</u> gefällt mir.
<u>der</u> Platz?　　Ja, <u>der</u> gefällt mir.

16 Christian tut alles gern, was Peter gern tut. ⊗

In <u>den</u> Tanzkurs geh' ich gern.
Mit <u>der</u> Dame tanz' ich gern.
Auf <u>die</u> Friseuse wart' ich gern.
Mit <u>den</u> Mädchen geh' ich gern aus.
Für <u>die</u> Leute halt' ich gern die Plätze frei.

In <u>den</u> geh' ich auch gern.
Mit <u>der</u> tanz' ich auch gern.
Auf <u>die</u> wart' ich auch gern.
Mit <u>denen</u> geh' ich auch gern aus.
Für <u>die</u> halt' ich auch gern die Plätze frei.

17 Was erzählt uns die Elli alles? ⊗

Mit <u>Christian</u> geht sie tanzen.
Mit <u>Peter und Heidi</u> geht sie ins Kino.
Auf <u>Gretl</u> wartet sie nach der Arbeit.
Bei <u>Hans</u> ist heute eine Party.
Von <u>Hans</u> hat sie die Einladung bekommen.
Zu den <u>Bekannten</u> fährt sie am Abend.

Mit <u>dem</u> geh' ich tanzen.
Mit <u>denen</u> geht sie ins Kino.
Auf <u>die</u> wartet sie nach der Arbeit.
Bei <u>dem</u> ist heute eine Party.
Von <u>dem</u> hat sie die Einladung bekommen.
Zu <u>denen</u> fährt sie am Abend.

18 SCHRIFTLICHE ÜBUNGEN

Schreibt die Antworten für Übungen 14 bis 17!

19 In der Tanzstunde ⊗

,,Auffordern°, meine Herren!'' ruft Wolfgang Steuer den Jungen zu, und 25 Ober-
schüler° und Lehrlinge rennen kreuz und
quer° über die Tanzfläche° und suchen sich
eine Tanzdame. Christian rennt den Peter
fast um°. Er steuert auf Elli zu°. ,,Darf ich
bitten?°''

,,Da sitzen noch Damen'', ruft Herr Steuer
ins Mikrofon. ,,Bitte auffordern! — Wir üben
jetzt noch einmal den langsamen Walzer.
Erinnern Sie sich noch daran°, meine Damen
und Herren? Letzten Dienstag ging es doch
ganz gut. Wir zeigen Ihnen jetzt noch einmal die Grundschritte. Für den Herrn: rechter Fuss vorwärts, linker Fuss seitwärts,
rechter Fuss schliessen. Dann linker Fuss
rückwärts, rechter Fuss seitwärts und linker
Fuss schliessen. So, und jetzt zeigen wir es
Ihnen noch einmal: eins, zwei vor und drei
zur Seite, zurück vier, fünf zur Seite und
sechs schliessen. Und jetzt mit Musik. Schön
langsam, ja?

1

2

LEXIKON: auffordern: *to ask to dance;* der Oberschüler: *secondary school student;* kreuz und quer: *every which way;*
die Tanzfläche: *dance floor;* umrennen: *to knock down;* zusteuern auf: *to head in the direction of;* darf ich bitten?:
may I have this dance?; s. erinnern an: *to remember*

„Gut! Aber auf Haltung achten°, meine Herren! Ja, so sieht es besser aus. Die Herren müssen führen. Es wird immer besser. – So, und jetzt wechseln° wir den Partner. Achtung! Jetzt . . . und eins, zwei, drei, vier, fünf und sechs.

„So, und jetzt lernen wir noch etwas andres hinzu: den Cha-Cha-Cha. Das ist der Grundschritt. Hören Sie gut zu! Die Musik ist im Viervierteltakt. In diesem Zeitraum müssen Sie aber fünf Schritte tanzen, zwei langsame: Schritt, Schritt und dann noch drei schnelle: Cha-Cha-Cha. Also, versuchen wir's! Für den Herrn: links vorwärts und rechts auf dem Platz etwas zurück und drehen, und jetzt den Cha-Cha-Cha; links zurück und drehen, schliessen, rechts zurück und drehen.

„Ja, kapiert°? Prima! Probieren wir's mal! Ja, eins, zwei Cha-Cha-Cha. Ja, so ist's gut. Und jetzt mit Musik! Aber die Damen fordern jetzt auf. – Sind wir wieder so weit? Wo bleibt denn die Musik? Und eins, zwei, Cha-Cha-Cha, vier, fünf, Cha-Cha-Cha, und eins, zwei . . .

LEXIKON: auf Haltung achten: *watch your posture;* wechseln: *to change;* kapiert?: *got it?*

20 SCHRIFTLICHE ÜBUNG

Beschreibe einen Tanz, den du gern hast oder selbst gern tanzt. Es gibt viele Bücher, in denen die einzelnen Tänze gut erklärt sind! In preparation for these conversation exercises, students should review the dancing teacher's description of the waltz and the cha-cha-cha. They can also practice a dance that they happen to like, saying each step in German (linker Fuss seitwärts, schliessen, rechts, rückwärts . . . and so forth) until they

21 KONVERSATIONSÜBUNGEN

can teach the steps to each other in class. Because the visual

a. Beschreibe die Tanzschritte für einen Tanz, den langsamen Walzer oder den Cha-Cha-Cha!
b. Erkläre deinen Klassenkameraden die Tanzschritte für einen anderen Tanz! element is so important, we have not attempted to record practice conversations for this exercise in the Listening Comprehension Program.

22 Peter ist ein Fisch. ⊗

(In der Tanzpause)

ELLI   Du, Peter, lass mal sehen! – Du bist ein Fisch?

PETER   Ja. Die Fische sind die besten Tänzer.

ELLI   Wer hat dir denn das gesagt?

PETER   Der Floh in meinem Ohr.

ELLI   Das stimmt so ungefähr. Fische sind sportliche Menschen. Sie reisen gern.

PETER Ja, das tu' ich gern. — Sag mal, glaubst du denn an so einen Quatsch?

ELLI Sternkunde ist mein Hobby.

PETER Du, dann les' ich gleich mal mein Horoskop für diese Woche. — Du, Christian, gib mal eben die *Abendzeitung* her! — Was? Das ist ja sagenhaft! Ich lach' mich kaputt! Hört mal zu: „Dein Körper ist jetzt schwach. Lebe vernünftig. Kein Nikotin! Du machst diese Woche eine Bekanntschaft. Kühlen Kopf behalten." — Und jetzt les' ich deins, Elli. Was bist du?

ELLI Waage.

PETER Lass mal sehen, Waage.

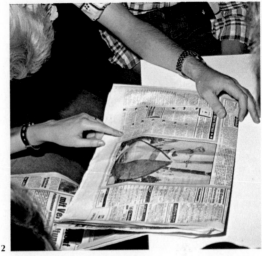

2

Peters Sternzeichen: Fische

To ask "what sign are you?" students might also say: Was ist dein Sternzeichen?

23 Du und Deine Sterne ⊗

Dein Horoskop für die Woche vom 3.2 – 10.2.

 Widder 21.3. – 20.4.
Dinge in der Schule und zu Hause gehen nicht gut. Du brauchst Mut und viel Energie.

 Stier 21.4. – 20.5.
Dieser Monat kann Erfolg bringen, besonders finanziellen Erfolg. Vielleicht bekommst du mehr Taschengeld.

 Zwillinge 21.5. – 21.6.
Deine Wünsche gehen bald in Erfüllung. Aber Vorsicht mit Geld. Du verlierst etwas, bekommst es aber zurück.

 Krebs 22.6. – 22.7.
Eine schlechte Zeit liegt hinter Dir. Du hast aus Deinen Fehlern gelernt. Jetzt kannst Du neue Pläne machen.

 Löwe 23.7. – 23.8.
Nicht viel Geld ausgeben! Das Geschenk für Deinen Freund braucht nicht so teuer zu sein.

 Jungfrau 24.8. – 23.9.
Deine Gesundheit ist schwach. Iss regelmässig, besonders ein gutes Frühstück!

 Waage 24.9. – 23.10.
Hab Geduld! Bald beginnt eine bessere Zeit für Dich. Der 8.2. ist ein besonders guter Tag.

 Skorpion 24.10. – 22.11.
Viel Neues kommt auf Dich zu — in Schule, Beruf, aber auch in Freundschaft. Du lernst Deinen Typ kennen.

 Schütze 23.11. – 21.12.
Du hast jetzt tausend Dinge im Kopf. Bringe sie nicht durcheinander! Hast Du eine Ausrede für den 9.2.?

 Steinbock 22.12. – 20.1.
Viele glauben, Du hast Dich verändert. Das überrascht Dich, weil Du mit Dir selbst unzufrieden bist.

 Wassermann 21.1. – 18.2
Am 7.2. bekommst Du ein Geschenk. Aber die Person, die Dir das Geschenk bringt, gefällt Dir besser als das Geschenk.

 Fische 19.2. – 20.3.
Dein Körper ist jetzt schwach. Lebe vernünftig! Kein Nikotin! Du machst diese Woche eine Bekanntschaft. Kühlen Kopf behalten!

24 Frag deine Klassenkameraden!

1. Wann hast du Geburtstag?
2. Liest du dein Horoskop? Was bist du?
3. Glaubst du ans Horoskop? Warum oder warum nicht?

25 MÜNDLICHE ÜBUNG ⊗

26 SCHRIFTLICHE ÜBUNGEN

a. Lies das Horoskop in der Zeitung und schreib dein eigenes Horoskop für diese Woche!
b. Schreib ein Horoskop für einen Klassenkameraden oder für eine Klassenkameradin!
c. Lies das Horoskop von deinen Freunden für ein paar Tage! Schreib ein paar Stichwörter auf! Dann sprich mit deinen Freunden darüber! Stimmt das Horoskop?

27

ein-WORDS USED AS PRONOUNS

Lest die Beispiele und beantwortet die folgenden Fragen! ⊗

> Wie heisst **dein** Tanzpartner?   **Meiner** heisst Peter.

Say the noun phrase and the pronoun in both the question and the answer. Which word is stressed in the noun phrase? Which word is used to refer to this noun phrase? What gender does **meiner** signal?

> Wie heisst **seine** Tanzpartnerin?   **Seine** heisst Elli.

Which word is stressed in the noun phrase? Which word is used to refer to this noun phrase? What gender does **seine** signal?

> Wie ist **dein** Horoskop?   **Meins** ist gut!

Which word is stressed in the noun phrase? Which word is used to refer to this noun phrase? What gender does **meins** signal?

> Hast du **unsere** Tanzplatten?   Nein, ich hab' **eure** nicht.

Which word is stressed in the noun phrase? Which word is used to refer to this noun phrase? What does **eure** signal here?

28 Lest die folgende Zusammenfassung!

1. **Ein**-words (**ein, kein,** and the possessives) can be used as pronouns. They are usually used when the **ein**-word in the preceding noun phrase is emphasized or stressed; otherwise, personal pronouns are used.

> Wie heisst seine Tanzpartnerin?   **Sie** heisst Elli. *(personal pronoun)*
> Wie heisst seine Tanzpartnerin?   **Seine** heisst Elli. (**ein**-*word used as a pronoun*)

2. When used as pronouns, **ein**-words must show gender, number, and case. They have the same endings as **ein**-words used as determiners, except:
   a. the masculine nominative, which adds **-er**
   b. the neuter nominative and accusative, which add **-s**
   The following table summarizes the use of **ein**-words as pronouns and reviews their use as determiners.

		ein-Words as Determiners	**ein**-Words as Pronouns
Nom.	masculine	**Mein Partner** heisst Peter.	**Meiner** heisst Christian.
	feminine	**Meine Partnerin** heisst Elli.	**Meine** heisst Heidi.
	neuter	**Mein Horoskop** ist gut.	**Ihrs** ist schlecht.
	plural	**Seine Platten** gefallen mir.	**Ihre** gefallen mir besser.
Acc.	masculine	Du fragst **deinen Vater**.	Und ich trag' **meinen**.
	feminine	Kaufst du **eine Abendzeitung**?	Ja, ich kauf' auch **eine**.
	neuter	Hast du **ihr Horoskop** gelesen?	Ich hab' **seins** gelesen.
	plural	Hast du **Tanzplatten**?	Nein, ich habe **keine**.
Dat.	masculine	**Meinem Partner** gefällt der Walzer.	**Meinem** gefällt der Tango besser.
	feminine	Hörst du oft von **deiner Kusine**?	Von **meiner** hör' ich selten.
	neuter	Folgst du **deinem Horoskop**?	Nein, ich folge **keinem**.
	plural	Mit **ihren Freunden** streit' ich.	Aber mit **seinen** hab' ich Spass.

In this and the following exercises, be sure to stress the underscored words.

29 Peter antwortet, und du antwortest für Christian. ⊗

Peter, wo wartet deine <u>Tanzpartnerin</u>?
Und wo wartet <u>deine</u>, Christian?
Peter, wie ist dein <u>Tanzkurs</u>?
Und wie ist <u>deiner</u>, Christian?
Peter, wie ist dein <u>Horoskop</u>?
Und wie ist <u>deins</u>, Christian?
Peter, kenne ich deinen <u>Tanzlehrer</u>?
Und kenne ich <u>deinen</u>, Christian?

Sie wartet am Stachus.
Meine wartet auch am Stachus.
Er ist toll.
Meiner ist auch toll.
Es ist sehr schlecht.
Meins ist auch sehr schlecht.
Nein, du kennst ihn nicht.
Nein, meinen kennst du auch nicht.

30 Heidi antwortet „nein". ⊗

Kennst du <u>ihren</u> Tanzpartner?
Gehst du in <u>seinen</u> Kurs?
Hast du <u>ihre</u> Telefonnumer?
Hältst du <u>seinen</u> Platz frei?
Liest du <u>seine</u> Zeitung?
Möchtest du <u>ihr</u> Geld?

Nein, ihren kenn' ich nicht.
Nein, in seinen geh' ich nicht.
Nein, ihre hab' ich nicht.
Nein, seinen halt' ich nicht frei.
Nein, seine les' ich nicht.
Nein, ihrs möchte ich nicht.

31 Christian antwortet auch „nein". ⊗

Christian! Ist das <u>dein</u> Geld?
Christian! Ist das <u>deine</u> Zeitung?
Christian! Ist das <u>dein</u> Typ?
Christian! Ist das <u>dein</u> Cola?
Christian! Ist das <u>dein</u> Lehrer?
Christian! Ist das <u>deine</u> Platte?

Meins? Nein.
Meine? Nein.
Meiner? Nein.
Meins? Nein.
Meiner? Nein.
Meine? Nein.

Note: Use appropriate nouns from preceding units and practice using possessives as pronouns with the pattern suggested in Exercise 31 and 32.

32 Wem gehört das alles? ⊗

Das ist nicht <u>mein</u> Horoskop.
<u>mein</u> Platz / <u>meine</u> Telefonnummer /
<u>meine</u> Party / <u>mein</u> Tanz
<u>mein</u> Rad / <u>meine</u> Zeitung

Das ist deins!
Das ist deiner! / Das ist deine! /
Das ist deine! / Das ist deiner! /
Das ist deins! / Das ist deine!

33 SCHRIFTLICHE ÜBUNGEN

Schreibt die Antworten für Übungen 29 bis 32!

34 HÖRÜBUNG ⊗

Welches Wort gebraucht ihr in eurer Antwort?

er, sie, es — der, die, das — meiner, meine, meins

0. _meiner_   1. _____   3. _____   5. _____   7. _____   9. _____
                2. _____   4. _____   6. _____   8. _____   10. _____

35 Nach der Tanzstunde ⊗

Nach der Tanzstunde gehen Peter und Christian mit ihren beiden Damen in den Wienerwald. Sie gehen unten in den „Bayern Keller" und bestellen sich etwas zu essen. Das Tanzen hat hungrig gemacht.

PETER   Du, Heidi, soll ich dich nach Hause bringen?

HEIDI   Das brauchst du nicht, Peter. Wir fahren zusammen mit der Strassenbahn, und wir haben's wirklich nicht weit von der Haltestelle.

PETER   Mit welcher Linie fahrt ihr?

HEIDI   Mit der Acht. — Und mit welcher fährst du?

PETER   Ich fahr' mit der U-Bahn. Der Christian auch.

ELLI   Du, Heidi, wir müssen überhaupt gehen.

CHRISTIAN   Was, so früh?

ELLI   Ich muss um elf Uhr zu Hause sein. Sonst gibt's Ärger.

PETER   Na gut. Dann geh'n wir auch. Wir bringen euch aber zur Strassenbahn.

36 Beantwortet die Fragen!

1. Wohin gehen die vier nach der Tanzstunde? Warum?
2. Wie fahren Heidi und Elli nach Hause? Und die beiden Jungen?
3. Warum sagt Elli: „Wir müssen überhaupt gehen."?
4. Stört das den Christian? Was sagt er?

37 Frag deine Klassenkameraden!

1. Was machst du nach (dem Kino)?
2. Wie kommst du nach Hause?
3. Wann musst du zu Hause sein, wenn du ausgehst? Warum?

38 Was ist mit Peter und Babsie los? ⊗

Ihr werdet euch vielleicht schon gewundert haben, warum Peter nicht mit Babsie zum Tanzkurs geht. Nun, Peter geht nicht mehr mit Babsie; sie haben Schluss gemacht. Peter und Christian unterhalten sich darüber, als sie zusammen nach Hause fahren.

CHRISTIAN He, sag mal, wie lange warst du denn mit der Babsie befreundet?

PETER Ich bin ein ganzes Jahr mit ihr gegangen.

CHRISTIAN Und wer läuft ihr jetzt nach?

PETER Der Holzer. Ich weiss nicht, ob du den kennst.

CHRISTIAN Ich kenne zwei Holzer. Ich weiss nicht, welchen du meinst.

PETER Der geht, glaub' ich, ins Gymnasium am Elisabethplatz.

CHRISTIAN Ja, den kenn' ich. — Soso. Die Babsie hat einen anderen!

PETER Du, jetzt zu einem andern Thema. Mein Taschengeld ist alle. Ich bin pleite. Kann ich mir von dir fünf Mark borgen? Du kriegst sie am Samstag wieder.

CHRISTIAN Du hast Glück. Ich hab' heute Taschengeld für zwei Wochen bekommen. Hier, ich leih' dir einen Zehner.

1

Students should be able to understand the idiom "das Thema wechseln" but are not required to learn it. The verb wechseln appears in a different context earlier in the unit.

39 Beantwortet die Fragen!

1. Warum geht Peter nicht mit Babsie in den Tanzkurs?
2. Wie lange ist er mit Babsie gegangen?
3. Mit wem geht Babsie jetzt?
4. Warum wechselt Peter das Thema?
5. Was will er von Christian borgen?
6. Warum kann Christian dem Peter zehn Mark leihen?

40 Fragt eure Klassenkameraden!

1. Mit wem bist du befreundet?
2. Wie lange kennst du ihn (sie) schon?
3. Wieviel Taschengeld kriegst du?
4. Womit verdienst du dein Taschengeld?
5. Was machst du damit?
6. Was machst du, wenn du pleite bist?
7. Und wenn du Geld hast und dein Freund pleite ist?

41 MÜNDLICHE ÜBUNG ⊗

42   welcher? AND was für ein? USED AS PRONOUNS

1. **Welcher** is used in questions about a definite person or thing. It can be used with or without a noun. In an answer to a question with **welcher,** the definite article or a **dieser**-word is usually used before the noun.

welcher *as Determiner*		welcher *as Pronoun*
Welchen Tanzschüler kennst du?	Den Peter.	Und **welchen** kennst du?
Mit welcher Linie fährst du?	Mit der Linie 8.	Und **mit welcher** fährst du?

2. **Was für ein** is used in questions about categories of persons or things.

    Was für eine Tanzschule ist das?   *What kind of dancing school is that?*

In answer to questions with **was für ein,** the indefinite article is usually used.

    Das ist **eine sehr gute Tanzschule.**   *It's a very good dancing school.*

When **was für ein** is used as a pronoun, the **ein**-form must show gender.

    Ich habe **ein gutes Horoskop.**   **Was für eins** hast du?
    Sie hat **einen jungen Tanzlehrer.**   **Was für einen** hast du?

In the plural, **was für welche** is used.

    Ich lerne **moderne Tänze.**   **Was für welche** lernst du?

This chart summarizes **was für ein** as a determiner (green) and as a pronoun (orange).

	masculine	feminine	neuter	plural
Nom.	Was für ein . . .	Was für eine . . .	Was für ein . . .	Was für . . .?
	Was für einer?	**Was für eine?**	**Was für eins?**	**Was für welche?**
Acc.	Was für einen . . .?	Was für eine . . .?	Was für ein . . .?	Was für . . .?
	Was für einen?	**Was für eine?**	**Was für eins?**	**Was für welche?**
Dat.	Mit was für einem . . .?	Mit was für einer . . .?	Mit was für einem . . .?	Mit was für . . .?
	Mit was für einem?	**Mit was für einer?**	**Mit was für einem?**	**Mit was für welchen?**

43   Peter sagt, was er tut, und er fragt Christian. ⊗

Ich geh' in den Grundkurs.
Ich kenn' diesen Kellner.
Ich kauf' die Abendzeitung.
Ich geh' in dieses Lokal.
Ich warte vor diesem Laden.

In welchen gehst du?
Welchen . . . kennst du?
Welche kaufst du?
In welches gehst du?
Vor welchem wartest du?

44   Wir möchten etwas über Elli wissen, und wir fragen. ⊗

Sie macht einen guten Tanzkurs mit.
Sie hat eine junge Tanzlehrerin.
Sie nimmt einen Fortschrittskurs.
Sie hat ein schlechtes Horoskop.
Sie hat gute Pläne.

Was für einen macht sie mit?
Was für eine hat sie?
Was für einen nimmt sie?
Was für eins hat sie?
Was für welche hat sie?

45 Christian fragt seinen Freund Peter. ⊗

Ich kenne die Tanzschule Steuer.
Ich mache einen Grundkurs mit.
Ich habe den Sonderkurs lieber.
Ich lerne moderne Tänze.
Ich mag diesen Tanz nicht.
Ich habe eine gute Ausrede.
Ich will in dieses Lokal gehen.
Ich bestelle ein kaltes Getränk.

Und welche kennst du?
Und was für einen machst du mit?
Und was für einen hast du lieber?
Und was für welche lernst du?
Und welchen magst du?
Und was für eine hast du?
Und in welches willst du gehen?
Und was für eins bestellst du?

46 SCHRIFTLICHE ÜBUNGEN

a. Schreibt die Antworten für Übungen 43, 44 und 45!
b. Schreibe einen Aufsatz mit dem Titel: Peter und seine Tanzstunde. Der Aufsatz soll folgende Fragen beantworten: 1. In welche Tanzschule geht Peter? Warum? 2. Warum will er Christian für den Tanzkurs gewinnen? 3. Wie überredet er seinen Freund? 4. Wo warten Peter und Christian auf ihre Damen? 5. Wie stellt Peter den Christian vor? 6. Worüber sprechen sie in der Tanzpause? 7. Was tun sie nach der Tanzstunde? 8. Wie kommen die beiden Mädchen nach Hause?

47 Ein „Ausgeh-Vokabular" ⊗

Students may want to use these expressions in brief dialogs, which can then be acted out.

Sie hat mit ihm Schluss gemacht.
Es tut mir leid, aber ich bin schon verabredet.
Er war mit ihr lange befreundet.
Gehst du heute abend aus?
Darf ich bitten?
Er hat wieder eine Ausrede.
Hast du morgen etwas vor?
Ich bin ein ganzes Jahr mit ihm gegangen.
Er hat nur Fussball im Kopf!
GERNE!
Abgemacht!
Mit wem geht sie jetzt?
Ein fescher Junge!
Wo treffen wir uns?
Wir können uns mit denen verabreden.
Ich hab's mir anders überlegt.
Dein Typ!
Hast du Lust, ins Kino zu gehen?
Er sieht gut aus!

48 WORTSCHATZ

1–18

die Abendzeitung (see fn p. 115)
die **Ausrede, −n** excuse
die **Dame, −n** date, partner
der **Foxtrott** fox trot
die **Friseuse, −n** hairdresser
das **Geschäft, −e** business; work
der **Kellner, −** waiter
das **Kino, −s** movies, movie theater

der **Kurs, −e** course
der **Lausbub, −en** (den −en) rascal
der **Lehrling, −e** apprentice
der **Ruf** reputation
die **Rumba** rumba
der **Spielverderber, −** spoilsport
der **Standardtanz, ⸗e** standard dance

der **Tango** tango
der **Tanz, ⸗e** dance
der **Tanzkurs, −e** dance course
die **Tanzschule, −n** dancing school
die **Telefonnummer, −n** telephone number
der **Typ, −en** type
der **Walzer, −** waltz

Lektion 32 Ausgehen und tanzen 127

s. **amüsieren** *to have fun*
bereuen *to regret*
bummeln (ist gebummelt) *to stroll, walk leisurely*
s. **hinsetzen** sep *to sit down*
pauken *to cram, study (colloquial)*
s. **überlegen** *to think over*
überreden *to persuade*
s. **verabreden mit** *to make a date with*

ausgehen (ging aus, ist ausgegangen) sep *to go out*
freihalten (hält frei, hielt frei, hat freigehalten) sep *to save, keep open*
s. **treffen** (trifft sich, traf sich, hat sich getroffen) *to meet*
s. **unterhalten (mit)** (unterhält sich, unterhielt sich, hat sich unterhalten) *to converse (with)*

Fortschritts- *advanced*
Grund- *basic*
Sonder- *special*

anspruchsvoll *demanding*
belegt *filled*
bescheiden *modest*
böse *mad, angry*
dumm *dumb*
eingebildet *conceited*
ernst *serious*
frech *fresh*
forsch *outspoken, energetic*
geschickt *skillful, handy*
heiter *cheerful*
höflich *polite*
klug *smart*
ordentlich *neat, orderly*
schlampig *sloppy*
schüchtern *shy*
ungeschickt *clumsy*
witzig *witty, funny*

also *okay then*
einer *one (of them)*
erst *not until*
seitdem *since then*

abgemacht! *agreed!*
auf einer Party *at a party*

da sind *there are*
dem Peter ist das recht *that's okay with Peter*
die andre *the other one*
die kommen schon noch *don't worry, they'll come*
ein paarmal *a few times*
Eisessen gehen *to go for ice cream*
er sieht uns böse an *he's giving us a dirty look*
es wird Zeit *it's time*
etwas/nichts dagegen haben *to have something/nothing against it*
Friseuse lernen *to train to become a hairdresser*
im Geschäft *at work*
ins Kino gehen *to go to the movies*
ja, so was! *well, can you beat that!*
Kaffeetrinken gehen *to go for a cup of coffee*
mit denen *with them*
na gut! *well then, okay*
sie haben es sich anders überlegt *they changed their minds*
schon gut! *okay!*
Sport treiben (trieb, hat getrieben) *to go in for sports*
vernünftig tanzen lernen *to learn to dance properly*
wo bleiben sie bloss? *where can they be?*

19–34

die **Bekanntschaft, –en** *acquaintance*
der **Cha-cha-cha** *cha-cha-cha*
die **Dame, –n** *lady*
die **Energie** *energy*
der **Fehler, –** *mistake, shortcoming*
der **Floh, ⁼e** *flea*
die **Gesundheit** *health*
der **Grundschritt, –e** *basic step*
die **Haltung** *position, posture*
der **Herr, –en** (den – n) *gentleman*
das **Horoskop, –e** *horoscope*
das **Mikrofon, – e** *microphone*
der **Mut** *courage*
das **Nikotin** *nicotine*
der **Oberschüler, –** *secondary school student*
der **Partner, –** *partner*
der **Quatsch** *nonsense*
der **Stern, –e** *star*
die **Sternkunde** *astrology*
das **Sternzeichen, –** *astrological sign*
der **Tänzer, –** *dancer*
die **Tanzfläche, –n** *dance floor*
das **Taschengeld** *allowance*
der **Viervierteltakt** *4/4 time*
der **Zeitraum** *time span*

achten auf A *to pay attention to*
auffordern sep *to ask (to dance)*
s. **erinnern an** A *to remember*
glauben an A *to believe in*
kapieren *to understand (colloquial)*
s. **kaputtlachen** sep *to laugh o.s. sick*
leben *to live*
probieren *to try*
überraschen *to surprise*
umrennen (rannte um, hat umgerannt) sep *to knock down*
s. **verändern** *to change, be changed*
wechseln *to change, exchange*
zusteuern auf A sep *to head in the direction of*

hergeben (gab her, hat hergegeben) sep *to give (away), hand over*
zurufen D (rief zu, hat zugerufen) (sep) *to call to*

finanziell *financial*
link- *left*
meins, deins, usw. *mine, yours, etc.*

recht- *right*
regelmässig *regular(ly)*
rückwärts *backwards*
sagenhaft *incredible, fabulous*
seitwärts *sideways*
ungefähr *about, approximately*
unzufrieden *dissatisfied*
vernünftig *reasonable, sensible; reasonably, sensibly*
vor *forward*
vorwärts *forward*

auf dem Platz *in place*
darf ich bitten? *may I have this dance?*
etwas hinzulernen *to learn s.th. in addition to what you already know*
gib mal eben her! *give it to me a minute, will you?*
in Erfüllung gehen *to be fulfilled*
kapiert? *got it?; understand?*
kreuz und quer *every which way*
meine Herren *gentlemen*
viel Neues kommt auf dich zu *many new things are coming your way*

35–47

der **Ärger** *trouble*
die **Haltestelle, –n** *(bus, streetcar) stop*
die **Linie, –n** *line*
das **Thema, –men** *subject, topic*
der **Zehner, –** *10-Mark bill*

s. **borgen** *to borrow*
wiederkriegen sep *to get back*
s. **wundern** *to wonder*

leihen (lieh, hat geliehen) *to lend*
nachlaufen D (läuft nach, lief nach, ist nachgelaufen) sep *to run after, chase*

hungrig *hungry*
sonst *otherwise*
überhaupt *really, in any case*

alle sein *to be all gone, used up*
befreundet sein mit *to be going with; to be friends with*
ein fescher Junge! *a sharp guy!*
er sieht gut aus! *he's good-looking*
es gibt Ärger *there'll be trouble*
pleite sein *to be broke*
Schluss machen *to break up*
soso! *well, what do you know!*

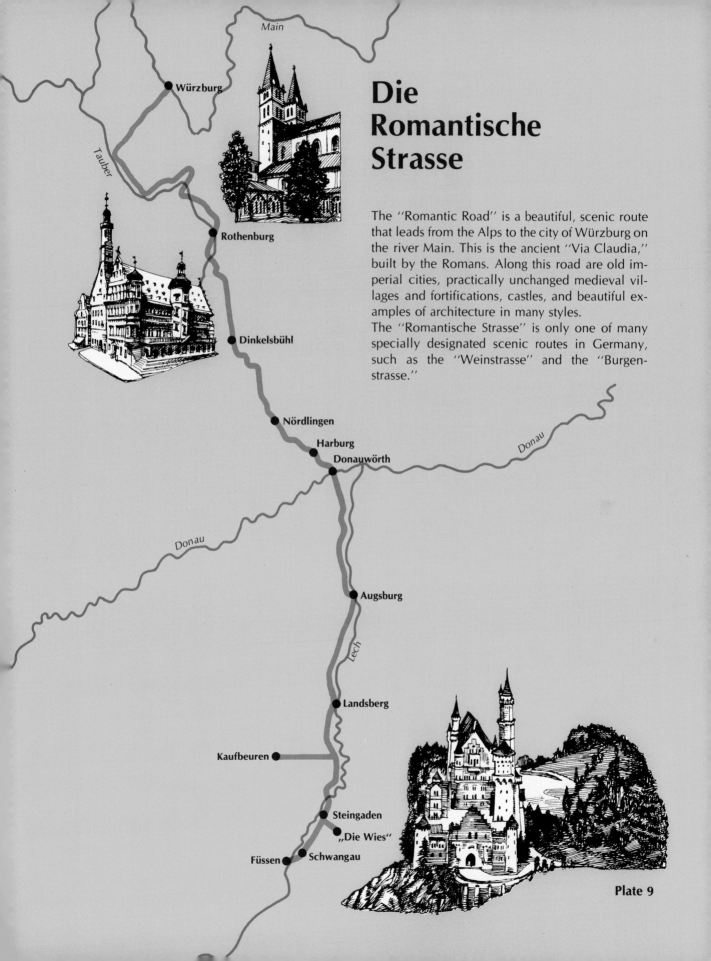

Die Romantische Strasse

The "Romantic Road" is a beautiful, scenic route that leads from the Alps to the city of Würzburg on the river Main. This is the ancient "Via Claudia," built by the Romans. Along this road are old imperial cities, practically unchanged medieval villages and fortifications, castles, and beautiful examples of architecture in many styles.

The "Romantische Strasse" is only one of many specially designated scenic routes in Germany, such as the "Weinstrasse" and the "Burgenstrasse."

Würzburg

Rothenburg

Dinkelsbühl

Nördlingen

Harburg

Donauwörth

Augsburg

Landsberg

Kaufbeuren

Steingaden

"Die Wies"

Füssen   Schwangau

Main

Tauber

Donau

Donau

Lech

Plate 9

The lovely town of Füssen on the river Lech is only 500 meters away from the Austrian border. This town, once a summer residence of the bishops of Augsburg, is a popular health spa and a center for winter sports.

The castle Neuschwanstein is one of the three romantic castles built by King Ludwig II of Bavaria. Built between 1869 and 1886 in a neo-Gothic style, it is modeled after medieval Wartburg castle. The castle is decorated in the romantic style with themes from German mythology, made popular by the operas of Wagner.

Plate 10

On a mountain directly across from Neuschwanstein is the castle Hohenschwangau, built in neo-Gothic style between 1832 and 1837 by Ludwig's father, Maximilian II of Bavaria. It is built on the site of the ancestral home of the Hohenstaufen, medieval rulers of Germany and Italy.

Ludwig II grew up in this castle, and his romantic nature was deeply influenced by the history and legends surrounding it, such as the story of Lohengrin, the Swan Prince, who is said to have originated here.

Plate 11

"Die Wies," a spectacular rococo church, was built in a beautiful setting, surrounded by green meadows at the foothills of the Alps.

Kaufbeuren is a medieval town with beautiful, well-preserved buildings.

St. Martin, a 15th-century church.

Landsberg, a medieval town, was founded by Henry the Lion, Duke of Bavaria, in the 12th century. In early times the town was an important center of commerce.

Baroque-style houses, the Marienbrunnen (1783), and the Schmalzturm make this market square one of the most beautiful and harmonious sites. The Schmalzturm ("lard tower"), an early Gothic structure, was part of the inner ring of fortifications. It is so named because farmers sold their products in this tower.

Plate 12

The Dom, begun in 807, incorporates many architectural styles, but its predominant style is Romanesque.

One of the oldest German cities, Augsburg was founded by Augustus in 15 B.C. and was named Augusta Vindilicorum in his honor. In the 15th and 16th centuries the city was a major commercial, banking, and cultural center. Its architectural treasures were heavily damaged in World War II, but have been largely restored.

Elias Holl, one of the greatest German architects, built this Rathaus between 1615 and 1620. It is one of the largest and most beautiful city halls in central Europe.

The richest merchant family in Augsburg was that of the Fuggers, who held a virtual monopoly in the mining and trading of silver, copper, and mercury. They owned their own merchant fleets and palaces throughout Europe, and financed the wars of many emperors.

In 1519 the Fuggers established the first social-housing complex in history. The rent was 1 Gulden per year. To this day, people who live in the Fuggerei pay only DM 1,71 a year. (They also pay for utilities.) The only stipulations for tenants were and still are that they have a good reputation, and that they be poor, married, Catholic, and born in Augsburg.

The gates to this complex close, as they always have, at 10 P.M. After that hour, one can enter through the Ochsentor by paying 10 Pfennig.

The Katholische Stadtpfarrkirche in Donauwörth was built between 1444 and 1467. It contains precious Gothic wall paintings. Its tower houses the "Pummerin," one of the largest bells in Bavaria, weighing nearly seven tons.

Harburg Castle dates back to the year 800, but it was rebuilt and enlarged many times between the 12th and the 16th centuries.

Nördlingen, still surrounded by city walls built in the 14th century, is accessible only through its five city gates.

Dinkelsbühl is a thousand-year-old city surrounded by a wall with many towers. It lies at the intersection of the once vital North-South and East-West merchant trade routes. The "Deutsches Haus," built around 1600, richly carved and painted, is one of the most beautiful half-timbered houses in Franken. Today it is a hotel and a restaurant.

Rothenburg on the Tauber was founded in the 11th century. It was saved from destruction during the second World War and is now considered the ideal medieval German fairytale village.

The Rathaus has a Gothic section with its steeple (1240), and a Renaissance addition.

The so-called Plönlein ("little place"), with the Kobolzeller Tor, is a famous Rothenburg landmark.

One of the many attractions of Rothenburg is the Heiligblutaltar (Altar of the Holy Blood) in the St. Jakob church. The altarpiece was carved from wood by Tilman Riemenschneider between 1500 and 1504.

Plate 15

The "Romantic Road" culminates at Würzburg, one of Europe's most splendid baroque and rococo cities.

The medieval fortress Marienberg was the seat of the prince-bishops until the 18th century. Today, part of the fortress houses a priceless art collection, with many works by Riemenschneider.

The new episcopal residence, die Residenz (1720–1744), is considered one of the most magnificent works of baroque architecture. It is the work of the leading baroque architect, Balthasar Neumann (1687–1753).

The "Haus zum Falken" is one of Germany's loveliest examples of the rococo. Heavily damaged during the second World War, this building was later restored to its original beauty. It houses a museum today.

oben links: Festung Marienberg
oben rechts: Die Residenz
unten links: Haus zum Falken

Plate 16

33

Unsere Gesundheit

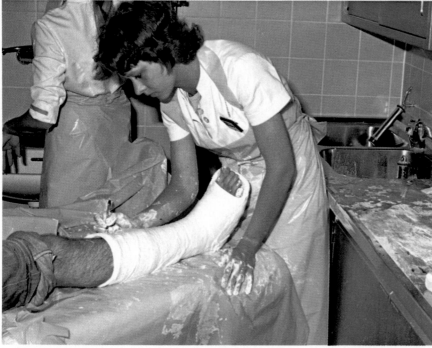

1 Annegret hat sich erkältet. ⊗

ANNEGRET Mutti, mir ist nicht gut. Mein Hals tut furchtbar weh. Ich kann kaum schlucken.

MUTTER Du hast Fieber, mein Kind. Deine Stirn ist ganz schön heiss. Leg dich mal lieber wieder hin!

ANNEGRET Ich hab' aber heute eine Klassenarbeit.

MUTTER Wenn du in die Schule gehst, steckst du bloss die andern Schüler an.

ANNEGRET Das stimmt.

MUTTER Ich hol' das Fieberthermometer und mess' mal, wie hoch dein Fieber ist.

ANNEGRET Ob es vielleicht wieder meine Mandeln sind?

MUTTER Siehst du, 38,9. Das ist ziemlich hoch. Ich ruf' mal lieber Dr. Meier an.

Normal body temperature in Celsius is 37°. See Unit 18 in **Unsere Freunde.**

Dr. Meier kann erst am Abend einen Hausbesuch machen. Er hat schon viele Patienten in seiner Praxis, und er kann nicht weg. Dr. Meier schlägt vor, dass Frau Tauber mit Annegret kurz vor zwölf in seine Praxis kommt. Er wird Annegret dann sofort untersuchen.

2 Annegret ist krank. Ihre Mutter schreibt eine Entschuldigung. ⊗

Sie gibt die Entschuldigung einem Klassenkameraden mit.

See note on the words Ausrede and Entschuldigung, p. 114.

Note also the use of the letter "sz" in the note. Many adults still use this letter when writing by hand, and children learn it at school. In printed German, however, it is gradually being replaced by "ss." Swiss publications use "ss" exclusively.

> *den 17.2.*
>
> *Liebe Frau Pösel!*
>
> *Entschuldigen Sie bitte, daß meine Tochter Annegret nicht zur Schule kommen kann. Sie hat hohes Fieber und klagt über Halsschmerzen.*
>
> *Mit freundlichen Grüßen*
>
> *Ursula Tauber*

Students should note the differences between German and English cursive writing. The note reads: den 17.2.
Liebe Frau Pösel! Entschuldigen Sie bitte, dass meine Tochter Annegret nicht zur Schule kommen kann. Sie hat hohes Fieber und klagt über Halsschmerzen. Mit freundlichen Grüssen   Ursula Tauber

3 Beim Arzt ⊗

DR. MEIER   Na, wo tut's denn weh, Annegret?

ANNEGRET   Im Hals. Ich kann jetzt kaum schlucken.

DR. MEIER   So, der Hals tut dir weh. Dann mach mal schön den Mund auf!

ANNEGRET   Aaaaaaa . . .!

DR. MEIER   Die Mandeln sind diesmal nicht geschwollen. Du hast aber eine schwere Halsentzündung. Du musst schön im Bett bleiben, bis das Fieber weg ist. Frau Tauber, ich verschreibe ihr eine gute Medizin. — So, hier ist das Rezept. In drei, vier Tagen bist du wieder auf den Beinen, Annegret.

ANNEGRET   Danke, Herr Doktor[1].

FRAU TAUBER   Den Krankenschein[2] bring' ich Ihnen morgen.

DR. MEIER   Schon gut, Frau Tauber.

Annegret fühlt sich nicht wohl.

4 Beantwortet die Fragen!

1. Warum kann Annegret nicht zur Schule gehen? Was sagt sie?
2. Was antwortet ihre Mutter?
3. Warum soll Annegret lieber nicht in die Schule gehen?
4. Was holt die Mutter? Warum?
5. Warum ruft die Mutter Dr. Meier an?
6. Warum kann der Doktor erst am Abend einen Hausbesuch machen?
7. Was schlägt Dr. Meier vor?
8. Wie erfährt die Klassenlehrerin, dass Annegret krank ist?
9. Was muss Annegret tun, als der Arzt sie untersucht?
10. Was sagt Dr. Meier alles?

5 Frag deine Klassenkameraden!

1. Was tust du, wenn du Fieber hast?
2. Warum gehst du dann nicht zur Schule?
3. Wann gehst du zum Doktor?
4. Was sagst du zum Doktor, wenn dir der Hals (der Kopf, usw.) weh tut?
5. Was tut der Doktor, damit die Halsentzündung wieder besser wird?
6. Was gibt er dir mit? Wem bringst du es?
7. Hast du deine Mandeln noch?

[1] People are often addressed as **Herr** or **Frau** and their title or profession: **Frau Doktor, Herr Lehrer,** etc.

[2] All employees in Germany who earn up to a certain salary are required to have medical and dental insurance. Insurance payments are deducted from each paycheck. The insurance company provides **Krankenscheine,** *medical slips,* and **Zahnscheine,** *dental slips,* which the employee or one of his or her family submits when visiting the doctor or dentist. The doctor or dentist sends the slips to the insurance company and receives payment.

6 MÜNDLICHE ÜBUNG ⊗

7 Annegret fühlt sich krank. Ihr ist nicht gut. ⊗

Annegret fühlt sich krank.
Klaus fühlt sich auch krank.
Wir fühlen uns auch krank.
Die Kinder fühlen sich auch krank.
Ich fühle mich auch krank.

Ihr ist nicht gut.
Ihm ist auch nicht gut.
Uns ist auch nicht gut.
Ihnen ist auch nicht gut.
Mir ist auch nicht gut.

8 Was tut dir alles weh? ⊗

dein Hals?

Ja, mir tut der Hals weh.

dein Kopf? / deine Mandeln? / dein Mund? / deine Beine?

Ja, mir tut der Kopf weh. / Mir tun die Mandeln weh. / Mir tut der Mund weh. / Mir tun die Beine weh.

9 Tut euch allen etwas weh?

Was tut dem (Robert) weh?
Und der (Barbara)?

Dem (Robert) tut . . .

10 SCHRIFTLICHE ÜBUNGEN

a. Schreibt die Antworten für Übungen 7 und 8!

b. Schreibt einen Aufsatz mit dem Thema: Annegret hatte sich erkältet. Lest die Seiten 130 und 131 noch einmal und fangt so an: ,,Annegret fühlte sich nicht wohl. Ihr Hals tat weh . . .''

11   SPECIAL USES OF THE WORD schön

1. You have been using the word **schön** as an adjective, meaning *pretty, beautiful.*
     Das ist eine schöne Briefmarke.

2. The word **schön** can also be used with other adjectives. When used this way it functions like an adverb, meaning about the same thing as **ganz,** *very, quite,* and suggesting an attitude of appreciation or approval.
     Deine Hände sind schön warm.
     Your hands are very (nice and) warm.

3. When the phrase **ganz schön** is used with an adjective, concern is expressed.
     Deine Stirn ist ganz schön heiss.
     Your forehead is really pretty hot (and it shouldn't be).

4. The word **schön** can also be used with verbs. It then suggests that something is being done, or should be done, according to expectations.
     Du musst schön im Bett bleiben.
     You must stay in bed (the way you're supposed to when you're sick).
     Mach mal schön den Mund auf!
     Open your mouth nice and wide (the way you always do when the doctor asks you to).

12 Wie sieht Annegret aus? ⊗

Hat Annegret lockige Haare?
Hat sie weisse Zähne?
Hat sie rote Wangen?
Hat sie blaue Augen?
Hat sie lange Wimpern?

Ja, ihre Haare sind schön lockig.
Ja, ihre Zähne sind schön weiss.
Ja, ihre Wangen sind schön rot.
Ja, ihre Augen sind schön blau.
Ja, ihre Wimpern sind schön lang.

13 Dr. Meier macht sich Sorgen. Was sagt er? ⊗

Annegrets Stirn ist ganz heiss.
Ihr Fieber ist ziemlich hoch.
Ihr Hals ist sehr rot.
Ihre Mandeln sind ganz geschwollen.

Deine Stirn ist ganz schön heiss.
Dein Fieber ist ganz schön hoch.
Dein Hals ist ganz schön rot.
Deine Mandeln sind ganz schön geschwollen.

14 Was Annegret alles tun soll. Was sagt Dr. Meier? ⊗

Sie soll den Mund aufmachen.
Sie soll sich hinlegen.
Sie soll im Bett bleiben.
Sie soll die Medizin nehmen.

Mach mal schön den Mund auf!
Leg dich mal schön hin!
Bleib mal schön im Bett!
Nimm mal schön die Medizin!

15 A SPECIAL USE OF ob

1. You have been using **ob**-clauses in sentences that imply a question, such as:

   Ich weiss nicht, ob sie krank ist.   I don't know if she's sick.
   Ich möchte wissen, ob sie krank ist.   I'd like to know if she's sick.

2. Sometimes the first part of such a sentence is omitted, and the **ob**-clause becomes a question by itself. When used this way, the group of words beginning with **ob** is still a dependent clause, with the inflected verb in last position.

> **Ob sie krank ist?**   *Is she sick (I wonder)?*

16 Annegret glaubt, sie ist krank. ⊗

Habe ich mich erkältet?
Habe ich hohes Fieber?
Sind es meine Mandeln?
Soll ich den Arzt anrufen?
Wird er mir etwas verschreiben?
Muss ich im Bett bleiben?

Ob ich mich erkältet habe?
Ob ich hohes Fieber habe?
Ob es meine Mandeln sind?
Ob ich den Arzt anrufen soll?
Ob er mir etwas verschreiben wird?
Ob ich im Bett bleiben muss?

17 SCHRIFTLICHE ÜBUNGEN

Schreibt die Antworten für Übungen 12, 13, 14 und 16!

18 In der Apotheke ⊗

Die Apotheke is a pharmacy where prescription drugs are sold. Nonprescription items like soap, cosmetics, and first-aid equipment are bought at die Drogerie.

APOTHEKER   Guten Tag, Frau Tauber!

FRAU TAUBER   Guten Tag, Herr von Lehmann!

APOTHEKER   Womit kann ich dienen?

FRAU TAUBER   Ich hab' hier ein Rezept für meine Tochter.

APOTHEKER   Dr. Meier hat ihr etwas Gutes gegen Halsentzündung verschrieben. Moment, bitte!

Frau Tauber in der Apotheke

Herr von Lehmann geht nach hinten. Nach zwei Minuten kommt er wieder. Er hat eine kleine, braune Flasche in der Hand und gibt sie ihr.

APOTHEKER   Dreimal täglich einen Esslöffel, wie es auf dem Etikett steht. — Und darf es noch etwas sein?

FRAU TAUBER   Weil ich grad' hier bin, können Sie mir eine Schachtel Kopfschmerztabletten geben?

APOTHEKER   Diese empfehle ich sehr.

FRAU TAUBER   Gut, danke.

Der Chef mit seinen Apothekern

19 Beantwortet die Fragen!

1. Was gibt Frau Tauber dem Apotheker?
2. Was sagt der Apotheker über die Medizin?
3. Worin ist die Medizin?
4. Was steht auf dem Etikett?
5. Was kauft Frau Tauber noch?

Die Hausapotheke is a large, portable storage chest for medicine and supplies. Recessed bathroom cabinets are seldom seen in German houses.

20 Was haben wir alles in unserer Hausapotheke? ⊗

Hustensaft: Er ist gegen Husten.
Borwasser: Es reinigt die Augen.
Jodtinktur: Sie reinigt Wunden.
Heftpflaster: Zum Draufkleben, wenn du dich geschnitten hast.
Brandsalbe: Zum Einschmieren, wenn du dich verbrannt hast.
Schmerztabletten: Du nimmst sie, wenn du Schmerzen hast.
Halstabletten: Du nimmst sie, wenn du eine Halsentzündung hast.

21 Wozu brauchen wir diese Medikamente? ⊗

1. Wer Husten hat, soll . . .   Hustensaft trinken.
2. Wer die Augen reinigen will, soll . . . usw.   Borwasser nehmen.

22 **Und wozu nehmen wir . . .?** ⊗

Wozu nehmen wir Hustensaft?   Gegen den Husten.
Wozu nehmen wir Borwasser?   Wenn wir etwas im Auge haben.
Jodtinktur? / Heftpflaster? /   Wenn wir eine Wunde reinigen wollen.
Brandsalbe? / Schmerztabletten? /   Wenn wir uns geschnitten haben, kleben wir es auf
Halstabletten?   die Wunde.
                                                     Wenn wir uns verbrannt haben, schmieren wir uns
                                                        damit ein.
23 **MÜNDLICHE ÜBUNG** ⊗   Gegen Schmerzen.
                                                     Gegen Halsentzündungen.

24   **ORDER OF OBJECTS**

1. In sentences containing both direct and indirect objects, the direct object noun phrase
    usually follows the indirect object noun phrase or pronoun.

Frau Tauber schreibt	**der Lehrerin** **ihr**	eine Entschuldigung.
Dr. Meier gibt	**dem Patienten** **ihm**	das Rezept.

2. When both the direct and the indirect objects are noun phrases, this order may be reversed
    for emphasis.

Dr. Meier gibt	**das Rezept**	dem Patienten (nicht der Mutter).

3. When the direct object is a pronoun, the usual order is direct object followed by indirect
    object.

Dr. Meier gibt	**es**	dem Patienten. **ihm.**
Frau Tauber schreibt	**sie**	der Lehrerin. **ihr.**

Exception: The direct object pronoun **es** can follow the indirect object pronouns **dir** and **mir**.
When this happens, the **e-** of **es** is dropped and indicated in writing by an apostrophe.

Er gibt **es mir.** — Er gibt **mir's.**
Ich sag' **es dir** nicht. — Ich sag' **dir's** nicht.

25 **Annegret fragt, und ihre Mutter antwortet.** ⊗

Wer holt mir das Fieberthermometer?   Ich hol' es dir.
Wer kauft mir die Medizin?   Ich kauf' sie dir.
Wer gibt mir den Krankenschein?   Ich geb' ihn dir.
Wer bringt mir das Rezept mit?   Ich bring' es dir mit.
Wer holt mir die Tabletten?   Ich hol' sie dir.
Note: Use vocabulary from other
     units to elicit two object
     pronouns.

26 Was Annegret alles möchte: ⊗

Sie möchte die Medizin.

Sie möchte das Rezept.

Sie möchte den Hustensaft.

Sie möchte die Schmerztabletten.

Sie möchte das Borwasser.

Gib sie mir, bitte!

Gib es mir, bitte! (Gib mir's, bitte!)

Gib ihn mir, bitte!

Gib sie mir, bitte!

Gib es mir, bitte! (Gib mir's bitte!)

Note: You may also want to make use of vocabulary cards to elicit two object pronouns.

27 Herr Tauber fragt seine Frau. ⊗

Wann gibst du dem Apotheker das Rezept?

Wann kaufst du der Annegret den Hustensaft?

Wann bringst du dem Doktor den Krankenschein?

Wann zeigst du dem Doktor die Tabletten?

Wann holst du der Annegret das Thermometer?

Ich geb' es ihm morgen.

Ich kauf' ihn ihr morgen.

Ich bring' ihn ihm morgen.

Ich zeig' sie ihm morgen.

Ich hol' es ihr morgen.

28 Was unsere Patientin alles möchte: ⊗

Sie möchte den Hustensaft.

Sie möchte das Heftpflaster.

Sie möchte die Halstabletten.

Sie möchte die Medizin.

Sie möchte den Tee.

Gib ihn ihr doch!

Gib es ihr doch!

Gib sie ihr doch!

Gib sie ihr doch!

Gib ihn ihr doch!

29 SCHRIFTLICHE ÜBUNGEN

a. Schreibt die Antworten für Übungen 25, 26, 27 und 28!

b. Schreibt folgende Sätze noch einmal wie im Beispiel!

Beispiel: Der Arzt gibt der Frau *das Rezept*.   *Der Arzt gibt es der Frau*.

1. Dr. Meier verschreibt dem Mädchen *eine gute Medizin*.
2. Der Apotheker holt der Frau *eine braune Flasche*.
3. Der Apotheker gibt dem Kunden *den Hustensaft*.
4. Der Arzt zeigt der Patientin *das Fieberthermometer*.
5. Der Arzt bringt den Patienten *die Rezepte*.
6. Die Mutter kauft dem Kind *die Tabletten*.

Dr. Meier verschreibt sie der Frau.

Der Apotheker holt sie der Frau.

Der Apotheker gibt ihn dem Kunden.

Der Arzt zeigt es der Patientin.

Der Arzt bringt sie den Patienten.

Die Mutter kauft sie dem Kind.

c. *Rewrite each of the following sentences, using a pronoun for the noun phrase in italics. When you use a pronoun, the word order also changes.*

1. Ich ruf' mal lieber *Dr. Meier* an.
2. Du steckst bloss *die anderen Schüler* an.
3. Sie holt jetzt *das Fieberthermometer*.
4. Sie schreibt noch schnell *die Entschuldigung*.
5. Dann mach mal schön *den Mund* auf!
6. Ich bring' Ihnen *den Krankenschein* morgen.

Ich ruf' ihn mal lieber an.

Du steckst sie bloss an.

Sie holt es jetzt.

Sie schreibt sie noch schnell.

Dann mach ihn mal schön auf!

Ich bring' ihn Ihnen morgen.

30 EXPRESSIONS OF TIME AND PLACE

1. When both a time expression and an expression of place are used in a sentence, the time expression comes first. When the sentence also has an adverb of "manner," telling how something is done, that element usually goes between the other two: time—manner—place. For example: Annegret soll kurz vor zwölf mit dem Auto in seine Praxis kommen.

	Time	*Place*	
Annegret soll	**kurz vor zwölf**	**in seiner Praxis**	sein.

2. A single time expression is usually placed before other nonsubject elements.

	Time		
Dr. Meier kann	**erst am Abend**	einen Hausbesuch	machen.

A single place expression is usually placed after other nonsubject elements.

	Place
Er hat viele Patienten	**in seiner Praxis.**

3. Single time or place expressions may, however, occupy different positions in the sentence, depending on how much emphasis they are being given. They are given the most emphasis when they are in first position:

> **Erst am Abend** kann Dr. Meier einen Hausbesuch machen.
> **In seiner Praxis** hat er viele Patienten.

A single time expression has moderate emphasis when it is placed late in the sentence:

> Dr. Meier kann einen Hausbesuch **erst am Abend** machen.

A single place expression has moderate emphasis when it is placed early in the sentence:

> Er hat **in seiner Praxis** viele Patienten.

31 SCHRIFTLICHE ÜBUNG   For answers, see p. T49.

Schreibt Sätze mit folgenden Satzteilen!
1. Frau Tauber / Medizin / Apotheke / holen   2. Annegret / Dr. Meier / um 12 Uhr / gehen   3. Dr. Meier / viele Patienten / immer / haben   4. Annegret / Bett / zwei Tage / bleiben müssen   5. sie / eine Klassenarbeit / heute / haben   6. ihre Mutter / morgen / Krankenschein / Arzt / bringen   7. Herr von Lehmann / braune Flasche / nach fünf Minuten / wiederkommen   8. Frau Tauber / Schmerztabletten / Hausapotheke / stellen

32 SPIEL: Verrückte Sätze   For suggested German words and phrases that may be useful in playing this game, see p. T27.

Take out a piece of paper. Then choose a moderator. The moderator comes to the front of the class, thinks of a sample sentence, and writes his or her sentence and the cue words (wer? wem? wann? wo? was?) on the board. The order of the cue words will vary according to the sample sentence. On your piece of paper, write something for the first cue word. Then fold the paper and pass it to the person behind you. On the folded paper passed to you, write something for the next cue word, fold the paper again, and pass it. After this has been done for all cue words, the moderator collects the papers and reads the sentences to the class.

33 Was fehlt den Kindern?

Hans hat Kopfschmerzen.

Ilse hat Ohrenschmerzen.

Kurt hat Bauchschmerzen.

34 Unsere Freunde erzählen von ihren Unfällen und Krankheiten. ⊗

Andrea: Vor drei Jahren musste ich zu einer Operation ins Krankenhaus. Ich hatte heftige° Bauchschmerzen, und die Schmerzen wurden immer schlimmer. Meine Mutter rief den Arzt an, und der kam sofort. Er untersuchte mich und sagte: ,,Du musst ins Krankenhaus. Du hast Blinddarmentzündung°." Vier Stunden später war der Blinddarm raus.

Point out the Rettungswagen (ambulance) in the photograph.

Peter: So, jetzt bitte nicht lachen! Ich hab' mir beim Tanzen den Knöchel° gebrochen! Ich dachte zuerst, ich hab' mir den Fuss nur verstaucht°. Aber am nächsten Morgen hab' ich nicht aufstehen können. Mein Vater hat mich zum Arzt fahren müssen. So was Blödes! Jetzt hab' ich ein Gipsbein° und kann nicht zum Baden gehen.

Alois: Wenn ich schwer erkältet bin und Husten und Schnupfen° habe, muss ich immer eine Schwitzkur machen. Dann gibt mir die Mutter heissen Tee mit Honig zu trinken, und ich nehm' Hustensaft ein°. Die Erkältung ist dann in ein paar Tagen wieder weg.

Two old home remedies for colds, tea and honey and the "sweat cure," are still popular. The "sweat cure" requires lying still under many blankets and sweating as much as possible. This method is supposed to purify the body and get rid of the illness.

LEXIKON: heftig: *severe;* die Blinddarmentzündung: *appendicitis;* der Knöchel: *ankle;* verstauchen: *to sprain;* das Gipsbein: *cast;* der Schnupfen: *sniffles;* einnehmen: *to take (medicine)*

Babsie: Ich bin einmal vom Rad gefallen und hab' mich verletzt°. Ich war vielleicht sieben oder acht. Ich hatte eine Wunde am Knie und den linken Arm gebrochen. Mein Vater brachte mich zum Arzt. Der Arzt hat den Arm in Gips gelegt und die Kniewunde gereinigt. Ich sah vielleicht lustig aus! Jeder hat gefragt, was mir passiert ist. Die Narbe° am Knie hab' ich immer noch.

Marianne: Als ich jünger war, hatte ich fast jeden Winter die Grippe. Ich war überhaupt° sehr oft krank. Ich glaube, dass ich fast alle Kinderkrankheiten gehabt habe – die Masern°, den Mumps, sogar den Keuchhusten°. Aber im Krankenhaus war ich, Gott sei dank, noch nie. Heute werde ich kaum mehr krank.

Annegret: Ich hab' im Februar eine schwere Halsentzündung gehabt. Ich hab' kaum schlucken können. Drei Tage lang hab' ich im Bett bleiben müssen, weil ich hohes Fieber hatte. Ich hab' bittere Medizin schlucken müssen. Aber die hat geholfen. Erst nach einer Woche hab' ich wieder in die Schule gehen können.

LEXIKON: s. verletzen: *to injure o.s.;* die Narbe: *scar;* überhaupt: *in general;* die Masern (pl.): *measles;* der Keuchhusten: *whooping cough*

35 Beantwortet die Fragen!

1. Erzählt, was mit den einzelnen Schülern los war!
2. Wie erzählt Andrea ihre Geschichte? und Annegret? Hört ihr den Unterschied?

36 MÜNDLICHE ÜBUNG ⊗

37 Was ist mit unseren Freunden alles passiert? ⊗

Andrea hatte heftige Bauchschmerzen.
Jörg hatte heftige Kopfschmerzen.
Inge hatte heftige Zahnschmerzen.
Die Kinder hatten heftige Ohrenschmerzen.

Der Andrea hat der Bauch weh getan.
Dem Jörg hat der Kopf weh getan.
Der Inge haben die Zähne (hat der Zahn) weh getan.
Den Kindern haben die Ohren weh getan.

38 Was ist dem Peter und der Babsie passiert? ⊗

1. Was hat sich Peter beim Tanzen gebrochen?
2. Was hat sich Babsie beim Radfahren gebrochen?
3. Was hat sich (Robert) beim Laufen verstaucht?

39 Fragt eure Klassenkameraden!

1. Was hat dir weh getan?
2. Was ist dir einmal passiert?
The verb passieren takes the dative case.

3. Was hast du dir einmal gebrochen?
4. Was hast du dir einmal verstaucht?

40 THE CONVERSATIONAL PAST OF MODALS

Lest die Beispiele und beantwortet die folgenden Fragen! ⊗

Ich **kann** nicht **schlucken.**   Ich **hab'** nicht **schlucken können.**

What time is expressed in the first sentence? in the second? Name the verb that functions as a past participle. What form does it have? What is it preceded by?

Sie **muss** im Bett **bleiben.**   Sie **hat** gestern im Bett **bleiben müssen.**

What time is expressed in the first sentence? in the second? Name the verb that functions as a past participle. What form does it have? What is it preceded by?

Sie **hat** nicht **schlucken können.**
Sie hat gesagt, dass sie nicht **hat schlucken können.**

Name the three verbs in the first sentence. What is the position of the inflected verb? Name the three verbs in the **dass**-clause. In what position is the inflected verb? Is it in last position, as it usually is in a **dass**-clause?

Sie **hat** es nicht **gekonnt.**

Name the past participle in this sentence. Is there another infinitive in this sentence? Why do you think the past participle has the regular **ge**-form in this sentence?

41 Lest die folgende Zusammenfassung!

1. The modal verbs have a past participle which is identical with the infinitive. This form is used whenever there is another infinitive in the sentence. A sequence such as **schlucken können, bleiben müssen,** etc., is often called a double infinitive.

Sie **hat** nicht	schlucken können.
Sie **hat** im Bett	bleiben müssen.

2. If no infinitive precedes the modal, its past participle has the regular **ge**-form.

Ich **habe** das nicht **gekonnt.**   *I wasn't able to do that.*

The **ge**-forms of the modal past participles are:

dürfen	**gedurft**	mögen	**gemocht**	sollen	**gesollt**
können	**gekonnt**	müssen	**gemusst**	wollen	**gewollt**

3. The conversational past of modals is always formed with **haben. Haben** appears in verb-second position in main clauses. However, when the double infinitive is used in a dependent clause, such as a **dass**-clause, **haben** is not in last position, as it would normally be. Instead, it precedes the double infinitive. Usually, but not always, haben precedes it immediately. In modern colloquial German there is a trend toward putting the inflected verb earlier in the dependent clause, as in the example noted on p. 66. Note also the first sentence in the second chart, this page.

| Sie | **hat** | nicht in die Schule **gehen können.** |
| Sie | **hat** | im Bett **bleiben müssen.** |

| Ich habe gehört, dass sie nicht | **hat** | in die Schule **gehen können.** |
| Ich habe gehört, dass sie im Bett | **hat** | **bleiben müssen.** |

4. In spoken German the narrative past tense of the modals is usually preferred, especially in dependent clauses, to avoid the accumulation of so many verbs at the end.

Double Infinitive	*Narrative Past*
Sie **hat** nicht **schlucken können.** Ich habe gehört, dass sie im Bett **hat bleiben müssen.**	Sie **konnte** nicht **schlucken.** Ich habe gehört, dass sie im Bett **bleiben musste.**

42 Annegret antwortet. ⊗

Konntest du in die Schule gehen?

Musstest du beim Arzt bleiben?
Wolltest du ins Krankenhaus gehen?
Durftest du nach Hause fahren?
Solltest du die Apotheke anrufen?

Nein, ich hab' nicht in die Schule gehen können.
Nein, ich hab' nicht beim Arzt bleiben müssen.
Nein, ich hab' nicht ins Krankenhaus gehen wollen.
Nein, ich hab' nicht nach Hause fahren dürfen.
Nein, ich hab' die Apotheke nicht anrufen sollen.

43 Zuerst spricht Peter, dann Annegret. ⊗ For answers, see p. T00.

Ich muss zum Arzt gehen.

Er will mich untersuchen.
Er kann bei mir nichts finden.
Ich soll Tabletten nehmen.
Ich darf in die Schule gehen.
Ich mag nicht zu Hause bleiben.

P: Ich musste auch zum Arzt gehen.
A: Ich hab' auch zum Arzt gehen müssen.

44 Was sagt Alois? ⊗

Ich hab' im Bett bleiben müssen.
Ich hab' eine Schwitzkur machen sollen.
Ich hab' keine Tabletten schlucken dürfen.
Ich hab' keinen Tee trinken mögen.
Ich hab' in die Schule gehen wollen.
Ich hab' nach ein paar Tagen wieder aufstehen können.

Er sagt, dass er im Bett bleiben musste.
dass er eine S. machen sollte.
dass er keine T. schlucken durfte.
dass er keinen Tee trinken mochte.
dass er in die Schule gehen wollte.
dass er nach ein paar Tagen wieder aufstehen konnte.

45 SCHRIFTLICHE ÜBUNGEN For answers to question b, see p. T49.

a. Schreibt die Antworten für Übungen 42, 43 und 44!

b. *Rewrite each of the following questions in the conversational and in the narrative past.*
1. Kann er sie zum Arzt bringen? Kann er das?
2. Willst du eine Schwitzkur machen? Willst du das?
3. Musst du Tee mit Honig trinken? Musst du das?
4. Magst du den Hustensaft einnehmen? Magst du ihn?
5. Darfst du zu Hause bleiben? Darfst du das?

46 KONVERSATIONSÜBUNG For suggestions, see Exercise 8 in the Listening Comprehension Program, p. T99.

Unterhaltet euch über eure Krankheiten!
1. Bist du auch schon mal krank gewesen? Was hast du gehabt? Erzähle von deiner Krankheit!
2. Bist du schon einmal im Krankenhaus gewesen? Erzähle davon!
3. Bei einer Erkältung musst du nicht ins Krankenhaus. Wann musst du ins Krankenhaus?
4. Was nimmst du gegen Kopfschmerzen? Was machst du, wenn du Grippe hast?
5. Hast du dir schon einmal den Arm gebrochen? das Bein? den Finger? Wie ist das passiert?

47 SCHRIFTLICHE ÜBUNG

Schreibe einen Aufsatz mit dem Thema: Ich war krank.

48 HÖRÜBUNG ⊗

	0	1	2	3	4	5	6	7	8	9	10
Present											
Conversational Past	√										

49 Christian geht zum Zahnarzt. ⊗

1 Christian geht zum Zahnarzt, zu Dr. Winsauer.

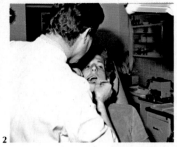

2 Er muss den Mund weit aufmachen.

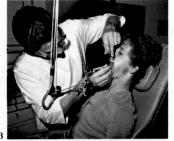

3 Der Zahnarzt bohrt in dem Zahn und plombiert ihn.

Christian hat Zahnschmerzen. Ein Backenzahn° auf der linken Seite tut ihm weh. Er geht gleich zum Zahnarzt, zu Dr. Winsauer.

    Christian muss den Mund weit aufmachen. Dr. Winsauer sieht alle Zähne nach. „Christian, es ist der Weisheitszahn°. Er hat ein grosses Loch°. Ich sollte ihn eigentlich ziehen°. Aber versuchen wir's mal, ob wir den Zahn noch retten können."

der Backenzahn: *molar*

der Weisheitszahn: *wisdom tooth*
das Loch: *cavity*
ziehen: *to pull*

In the first photo above, note the abbreviation "Dr. med dent." before the name Winsauer, indicating that Dr. Winsauer has a doctorate in dental medicine. It is customary for German professionals to display their university degree as well as their title (Dr.).

Christian ist froh. Dr. Winsauer bohrt in dem Zahn. „Aua!" stöhnt° Christian.

stöhnen: *to groan*

„Ich bin gleich fertig mit dem Bohren. — So, jetzt spül mal den Mund gut aus°!"

ausspülen: *to rinse out*

Dr. Winsauer plombiert° den Zahn. „Du darfst bis zum Abendbrot nichts essen", warnt ihn Dr. Winsauer.

plombieren: *to fill*

„Ich soll Ihnen sagen, dass mein Vater den Krankenschein morgen oder übermorgen vorbeibringt."

„Geht in Ordnung, Christian. Grüss schön zu Hause!"

50 Gesunde Zähne sind wichtig! ⊗

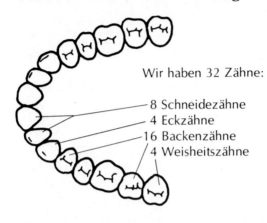

Wir haben 32 Zähne:

8 Schneidezähne
4 Eckzähne
16 Backenzähne
4 Weisheitszähne

Deshalb:
1. Putz dir nach dem Essen die Zähne!
2. Geh regelmässig zum Zahnarzt!
3. Iss wenig Süssigkeiten!

51 Fragt eure Klassenkameraden!

1. Was machst du, wenn du Zahnschmerzen hast?
2. Welche Zähne haben dir schon weh getan?
3. Hat dir der Zahnarzt schon einmal einen Zahn gezogen?

4. Was macht der Zahnarzt gewöhnlich, wenn dir ein Zahn weh tut?
5. Was hast du nicht gern beim Zahnarzt?
6. Wie pflegst du deine Zähne? Was sollst du alles tun?

52 Ein kleines Krankheitsvokabular ⊗

Ist dir nicht gut?

Ich hab' mir (den Fuss) verstaucht.

Ich hab' mir (den Finger) gebrochen.

Wie ist das passiert?

Sie klagt über (Ohren)schmerzen.

Mir ist schlecht!

Aua!

Fühlst du dich nicht wohl?

Was tut dir weh?

Sie hat (den Arm) in Gips.

Ich habe furchtbare Kopfschmerzen!

Du steckst die andern bloss an.

Es tut weh!

WORTSCHATZ

1–17

der **Arzt,** ⸚e *doctor*
der **Doktor, Doktoren** *doctor*
die **Entschuldigung,** −en *excuse*
die **Entzündung,** −en *infection*
das **Fieber** *fever*
das **Fieberthermometer,** − *thermometer (for measuring body temperature)*
die **Gesundheit** *health*
die **Halsschmerzen** (pl) *sore throat*
die **Halsentzündung,** −en *throat infection*
der **Hausbesuch,** −e *house call*
der **Krankenschein,** −e *(see fn p. 131)*
die **Mandeln** (pl) *tonsils*
die **Medizin** *medicine*
der **Patient,** −en (den −en) *patient*
die **Praxis** *doctor's office*
das **Rezept,** −e *prescription*
der **Schmerz,** −en *pain*

anstecken sep *to infect, pass along (an illness)*
entschuldigen *to excuse*
s. **erkälten** *to catch cold*
s. **hinlegen** sep *to lie down*
klagen über A *to complain about*
schlucken *to swallow*
untersuchen *to examine*
s. **(wohl) fühlen** *to feel (well)*

mitgeben (gibt mit, gab mit, hat mitgegeben) sep *to give, send along with*
verschreiben (verschrieb, hat verschrieben) *to prescribe*
weh tun D (tat weh, hat weh getan) *to hurt*

furchtbar *terrible, awful*
geschwollen *swollen*
krank *sick*
schwer *bad, severe*

weg *gone*
wohl *well*

auf den Beinen *on your feet*
beim Arzt *at the doctor's*
das Fieber messen (misst, mass, hat gemessen) *to take one's temperature*
er kann nicht weg *he can't get away*
es tut mir weh *it hurts me*
ganz schön heiss *quite hot; really pretty hot*
Herr Doktor *Doctor*
in die Praxis kommen *to come to the doctor's office*
mir ist nicht gut *I don't feel well*
mit freundlichen Grüssen *sincerely; very truly yours*
ob es vielleicht wieder meine Mandeln sind? *I wonder if it's my tonsils again?*
schon gut *that's fine*

18–32

die **Apotheke,** −n *pharmacy*
das **Borwasser** *boric acid*
die **Brandsalbe,** −n *burn ointment*
der **Chef,** −s *boss*
der **Esslöffel,** − *tablespoon*
das **Etikett,** −e *label*
die **Halstablette,** −n *throat lozenge*
die **Hausapotheke,** −n *portable medicine chest*
das **Heftpflaster,** − *Band-Aid*
der **Husten** *cough*
der **Hustensaft,** ⸚e *cough syrup*

die **Jodtinktur** *iodine*
die **Kopfschmerzen** (pl) *headache*
die **Kopfschmerztablette,** − n *headache pill*
die **Medikament,** −e *medication*
die **Schachtel,** −n *box*
die **Schmerztablette,** −n *analgesic*
die **Tablette,** −n *tablet, pill*
die **Wunde,** −n *wound*

empfehlen (empfiehlt, empfahl, hat empfohlen) *to recommend*

täglich *daily*

er gibt sie ihr *he gives it to her*
etwas (Gutes) gegen *something (good) for*
weil ich grad hier bin *as long as I'm here*
wie es auf dem Etikett steht *as it says on the label*
womit kann ich dienen? *may I help you?*

33–48

die **Bauchschmerzen** (pl) *stomachache*
der **Blinddarm** *appendix*
die **Blinddarmentzündung** *appendicitis*
die **Erkältung,** −en *cold*
der **Gips** *plaster (cast)*
das **Gipsbein,** −e *leg cast*
die **Grippe** *flu*
der **Honig** *honey*
der **Keuchhusten** *whooping cough*
die **Kinderkrankheit,** −en *childhood disease*
das **Knie,** − *knee*
die **Kniewunde,** −n *knee injury*
der **Knöchel,** − *ankle*
das **Krankenhaus,** ⸚er *hospital*
die **Krankheit,** −en *sickness*
die **Masern** (pl) *measles*
der **Mumps** *mumps*
die **Narbe,** −n *scar*

die **Ohrenschmerzen** (pl) *earache*
die **Operation,** −en *operation*
der **Schnupfen** *head cold*
die **Schwitzkur,** −en *sweat cure*

erzählen von *to tell about*
s. **verletzen** *to injure o.s.*
verstauchen *to sprain*

brechen (bricht, brach, hat gebrochen) *to break*
einnehmen (nimmt ein, nahm ein, hat eingenommen) sep *to take (medicine)*

bitter *bitter*
heftig *severe, bad*
raus *out*
schlimm *bad*
überhaupt *in general*

Gott sei Dank! *thank God!*
immer noch *still*
ich sah vielleicht lustig aus! *boy, did I ever look funny!*
in Gips legen *to put in a cast*
sich (den Fuss) verstauchen *to sprain one's (foot)*
sich (den Knöchel) brechen *to break one's (ankle)*
so was Blödes! *how stupid!*
vom Rad fallen (fällt, fiel, ist gefallen) *to fall off a bike*
was fehlt den Kindern? *what's the matter with the children? (what sickness do they have?)*
was ist dir passiert? *what happened to you?*
wenn ich schwer erkältet bin *when I have a bad cold*

49–52

das **Abendbrot** *supper*
der **Backenzahn,** ⸚e *molar*
das **Bohren** *drilling*
der **Eckzahn,** ⸚e *eyetooth*
das **Loch,** ⸚er *cavity*
der **Schneidezahn,** ⸚e *incisor*
die **Süssigkeit,** −en *candy, sweets*
der **Weisheitszahn,** ⸚e *wisdom tooth*
der **Zahnarzt,** ⸚e *dentist*
die **Zahnschmerzen** (pl) *toothache*

ausspülen sep *to rinse out*
bohren *to drill*
plombieren *to fill (a cavity)*
stöhnen *to groan*
vorbeibringen (brachte vorbei, hat vorbeigebracht) sep *to bring by, drop off*
warnen *to warn*

ziehen (zog, hat gezogen) *to pull*

aua! *ouch!*
geht in Ordnung! *that's fine*
grüss schön zu Hause! *give my regards to your parents*

34

Wintersport

1 Bei unseren Freunden in St. Jakob ⊗

Der Schneesturm ist vorbei. In den letzten drei Tagen ist in den Alpen über ein Meter Schnee gefallen. Aber heute scheint die Sonne wieder in St. Jakob im Pillerseetal.

1

Die Schneepflüge räumen die Strassen für den Verkehr. Und die Schneewalzen präparieren die Hänge für die <u>Schifahrer</u>.

The words Schifahrer and Schiläufer may be used interchangeably.

Ein kleiner Schihase. Vielleicht ein künftiges Schi-Ass bei einer Olympiade?

2

Unsere Freunde, Alois und Franzl, haben es nicht weit zum Schihang. Sie laufen auf ihren eigenen Wiesen Schi.

3

2 Was für einen Wintersport treiben andere Jugendliche?

1 Gabi und Elke laufen Schlitt-schuh.

2 Andreas fährt Schlitten; er rodelt.

3 Die Jungen spielen Eishockey.

3 Fragt eure Klassenkameraden!

1. Wieviel Schnee fällt hier im Winter?
2. Wozu braucht man Schneepflüge und Schneewalzen?
3. Was für einen Wintersport treibst du?

4. Kennst du die Namen von einigen guten amerikanischen Schiläufern?
5. Wo kann man in den USA Schi laufen? Wie kommt man dorthin?

4 Unsere Schiausrüstung

Schier 97,—

22,50 Stöcke

ab 59,—

19,50

die Schibrille

4,60

das Wachs

die Bindung

ab 89,—

Schistiefel mit Schnallen

19,95

die Schihandschuhe

95,—

der Anorak

9,95

die Schimütze

5 Was können unsere Sportler noch gebrauchen?

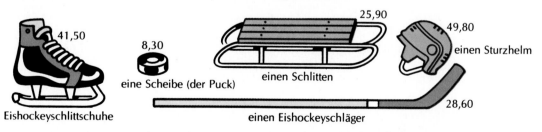

41,50

Eishockeyschlittschuhe

8,30

eine Scheibe (der Puck)

25,90

einen Schlitten

49,80

einen Sturzhelm

28,60

einen Eishockeyschläger

6 Aus was für Material ist unsere Schiausrüstung? ⊛

Die Schier sind	**aus Metall (Leichtmetall).**
Die Schistöcke sind	**aus Aluminium.**
Die Schistiefel sind	**aus Leder oder aus Plastik.**
Der Anorak ist	**aus Nylon.**
Der Sturzhelm ist	**aus Kunststoff (Plastik).**
Die Schimütze ist	**aus Wolle.**
Der Hockeyschläger ist	**aus Holz oder aus Kunststoff.**
Der Puck ist	**aus Gummi (Hartgummi).**

7 Fragt eure Klassenkameraden!

1. Was braucht man alles für eine Schiausrüstung?
2. Wieviel kostet eine Schiausrüstung?
3. Was braucht man zum Rodeln?
4. Was braucht man zum Hockeyspielen?
5. Aus was für Material sind Schistiefel? Schier? Stöcke? eine Schimütze? ein Anorak?

8 MÜNDLICHE ÜBUNG ⊛

9 RATESPIEL: Woran denke ich? ⊛

„Ist es lang oder kurz?" — „Lang." — „Ist es dick oder dünn?" — „Dünn." — „Ist es aus Holz oder aus Metall?" — „Aus Metall." — „Ein Schistock." — „Richtig! Jetzt darfst *du* an etwas denken, und *ich* rate."

10 Wie teuer waren deine Schier? ⊛

— Tolle Schier!
— Ja, aber mit denen kann ich noch nicht gut fahren. Mir waren meine alten Schier ⋅lieber.
— Was hast du denn damit gemacht?
— Die hab' ich meinem Bruder gegeben.
— Wieviel hast du für diese Schier gezahlt?
— Ich glaub', mein Vater hat im Sportgeschäft neunzig Mark dafür bezahlt.
— Nicht schlecht! Für die hab' ich hundertzwanzig Mark ausgegeben. Die sind aus Metall.

1

11 da-COMPOUNDS; der AND dieser-WORDS AS PRONOUNS

Lest die Beispiele und beantwortet die folgenden Fragen! ⊛

Wieviel hast du **für diese Schuhe** ausgegeben?
Ich hab' 85 Mark **dafür** ausgegeben.
Which word in the answer refers to **diese Schuhe** in the question?

Wieviel hast du **für diese** Schuhe ausgegeben?

Für die hab' ich 85 Mark ausgegeben.

Which word in the answer refers to **diese Schuhe** in the question? Why do you think **für die** is used instead of **dafür?**

12 Lest die folgende Zusammenfassung!

1. In Unit 31 you learned that when the object of a preposition is a thing rather than a person, the prefix **da-** (**dar-** before a vowel) is used with the preposition instead of a personal pronoun.

   Ich gebe 85 Mark **für diese Schuhe** aus.   Und ich gebe nur 60 Mark **dafür** aus.

2. In Unit 32 you learned that demonstrative pronouns give extra emphasis (stress) to the person or thing they refer to.

   Für diese Schuhe hab' ich 85 Mark ausgegeben.

   Für die (diese) hab' ich auch 85 Mark ausgegeben.

   Auf deinen Bruder wart' ich nicht mehr.

   Nein, **auf den** wart' ich auch nicht.

3. When the object of the preposition is a thing, it may be referred to with a **da-**compound or a demonstrative pronoun. **Da-**compounds are used when no particular stress is intended.

   normal stress: Ich hab' 35 Mark **dafür** ausgegeben. (dafür: für die Schuhe)

   more emphasis: **Für die** hab' ich 35 Mark ausgegeben. (für die: für diese Schuhe,
   nicht ein anderes Paar)

13 Wieviel gibst du aus? ⊗

Wieviel gibst du für diese <u>Schier</u> aus?   Dafür geb' ich 120 Mark aus.

Und für <u>diese</u> Schier?   Für die geb' ich . . .

für diesen <u>Schlitten</u>? / für <u>diesen</u> Schlitten? /   Dafür geb' ich . . . / Für den geb' ich . . .

für das <u>Wachs</u>? / für <u>dieses</u> Wachs?   Dafür geb' ich . . . / Für das geb' ich . . .

14 Was soll ich denn damit? ⊗ For variation, use item posters as much as possible.

Kaufst du diese <u>Schistiefel</u>?   Was soll ich denn damit?

Kaufst du <u>diese</u> Schistiefel?   Was soll ich denn mit denen?

diesen <u>Hockeyschläger</u>? / <u>diesen</u> Hockeyschläger? /   . . . damit? / . . . . mit dem?

diese <u>Schibrille</u>? / <u>diese</u> Schibrille?   . . . damit? / . . . . mit der?

15 Was hast du für den bezahlt? ⊗

Was hast du für <u>den</u> Sturzhelm bezahlt?   Ich weiss nicht, wieviel ich für den bezahlt
habe.

für <u>die</u> Bindung? / für <u>den</u> Anorak? / für <u>den</u> Hockeyschläger? / für die / für den / für den

für <u>die</u> Stöcke? / für <u>den</u> Puck? / für <u>die</u> Schier?   für die / für den / für die

16 SCHRIFTLICHE ÜBUNGEN

Schreibt die Antworten für Übungen 13, 14 und 15!

17 Auf zum Schilager° nach Westendorf! ⊗

Jeden Winter fahren die Klassen von der neunten aufwärts für eine Woche in die Berge zum Schilaufen. Oberstudienrat[1] Schaaff, Sportlehrer am Gymnasium in Starnberg, ist gerade dabei, alle Ein-
5 zelheiten° mit den Schülern zu besprechen. „Ich les' euch jetzt vor, was ihr alles mitbringen müsst. Ich empfehle euch, alles aufzuschreiben, damit ihr nichts vergesst! Also: wollene Strumpfhosen, Socken, einen Schipullover, eine Schibrille und
10 Handschuhe. Keiner darf ohne Handschuhe Schi fahren. Handschuhtragen[2] ist Pflicht°!"

Drei Tage später, früh um 7.30 Uhr, versammeln sich° die Jungen und Mädchen vor dem Bahnhof. Sie warten hier auf ihren Sonderbus. Der bringt
15 sie nach Westendorf in Tirol. Bald sind sie auf dem Weg. Der Bus fährt mit 90 km/Std.[3] auf der Autobahn. Ralph spielt auf seiner Gitarre, Hans-Peter, Marzi und Klaus spielen Karten. Einige Schüler sehen aus den Fenstern, um die verschnei-
20 ten Alpen zu bewundern. An der Grenze in Kufstein weht die österreichische Fahne. Der Bus hält für die Passkontrolle. Eine knappe Stunde später sind sie an ihrem Ziel, in einem kleinen Tiroler Dorf: in Westendorf. See Unit 29, p. 78, for note on
25 „Ich bitte euch, einmal herzuhören!" ruft Herr adjectives Schaaff. „Ich hatte euch gesagt, dass jeder ein tives Foto für den Schipass braucht. Wir parken jetzt derived gegenüber von dem Laden, wo ihr die Fotos be- place kommt. Ihr könnt hier auch Geld wechseln, wenn names
30 ihr Schilling braucht. Dort drüben ist eine Bank. ending Ihr könnt aber die 7-Tage Karte am Lift auch mit in -er. D-Mark kaufen. Und jetzt noch etwas Wichtiges: ich beabsichtige°, noch vor ein Uhr auf unserer Hütte zu sein. Versucht bitte, so schnell wie
35 möglich°, bis spätestens aber um elf Uhr, wieder am Bus zu sein. Ich habe keine Lust, auf euch zu warten. Seid pünktlich!"

Die Schüler stürmen in den Fotoladen, denn jeder will der erste sein. Armer Fotograf! Das

LEXIKON: das Schilager: *ski lodge;* die Einzelheit: *detail;* Pflicht sein: *to be mandatory;* s. versammeln: *to gather;* beabsichtigen: *to intend;* möglich: *possible*

[1] Secondary-school teachers in Germany have titles: **Studienreferendar, Studienassessor, Studienrat, Oberstudienrat, Studiendirektor,** and **Oberstudiendirektor.**

[2] The steel edges of skis can cause severe cuts. Therefore it is important to wear ski gloves.

[3] Lies: mit neunzig Stundenkilometern.

40 Fotografieren geht schnell, doch bleibt für den letzten kaum Zeit, sich ein wenig im Dorf umzusehen.

Alle sind pünktlich um 11 Uhr wieder am Bus, und Herr Schaaff freut sich darüber. Jetzt ist es 45 nur ein kurzes Stück bis zur Liftstation. Hier laden° sie ihr Gepäck und ihre Schier aus dem Bus. Dann muss sich jeder an der Kasse anstellen, um sich seine Liftkarte zu kaufen.

Ein Kleinbus bringt das Gepäck zum Berggast50 hof, und wer sich nicht traut°, mit dem Lift zu fahren, darf mitfahren. Eva ist gerade dabei, ihre Schier anzuschnallen. Aber sie kommt nicht in die Bindung. Sie hat so viel Schnee an den Schuhen. „Kann mir jemand helfen?"

55 Der Kontrolleur am Schilift schaut jedem auf den Schipass. Er hilft jedem Schüler in den Sessel, und bald schweben 32 Mädchen und Jungen durch die stille Bergwelt, immer höher den Hang hinauf, zur ersten Station. Von hier aus ist es nur 60 ein kurzes Stück zum Maierhof.

Frau Maier, die Wirtin, begrüsst ihre jungen Gäste herzlich. Sie zeigt ihnen die Zimmer und sagt ihnen, wann sie zum Essen da sein müssen.

„Beeilt euch jetzt mit dem Mittagessen, Kinder!" 65 ruft Marzi. „Der Herr Schaaff beabsichtigt, den Anfängern gleich nach dem Essen das Schifahren beizubringen°. Die andern können mit mir fahren oder mit der Eva." The verb *beibringen* is more colloquial than *lehren*, and suggests a very thorough, laborious kind of teaching. It is sometimes used humorously.

LEXIKON: laden: *to load;* s. trauen: *to dare;* beibringen: *to teach*

18 Beantwortet die Fragen!

1. Was tun viele deutsche Schulklassen im Winter?
2. Was macht Oberstudienrat Schaaff gerade?
3. Was sollen die Schüler alles mitbringen?
4. Wann und wo warten die Schüler auf den Bus?
5. Beschreibt die Busfahrt nach Westendorf!
6. Was müssen die Schüler in Westendorf zuerst tun? Warum?
7. Warum sollen sie bis spätestens um 11 Uhr wieder am Bus sein?
8. Was machen die Schüler alles an der Liftstation?
9. Warum erscheint der Kleinbus?
10. Was macht der Kontrolleur?
11. Wer ist Frau Maier? Was macht sie, als die Schüler ankommen?
12. Was sagt Marzi zu seinen Klassenkameraden?

19 MÜNDLICHE ÜBUNG ⊙

20 INFINITIVE CONSTRUCTION WITH zu

Lest die Beispiele und beantwortet die folgenden Fragen! ⊗

> Herr Schaaff **möchte sprechen.**
> Herr Schaaff **beabsichtigt zu sprechen.**

How does the infinitive construction in the second sentence differ from the infinitive construction in the first sentence?

> Herr Schaaff **möchte alles besprechen.**
> Herr Schaaff **beabsichtigt, alles zu besprechen.**

How does the infinitive construction in the second sentence differ from the infinitive construction in the first sentence? How does the punctuation differ in the second sentence?

> Die Schüler **sollen alles aufschreiben.**
> Die Schüler **versuchen, alles aufzuschreiben.**

What type of verb is **aufschreiben?** Where is **zu** placed in the infinitive of this type of verb?

> Ich bitte euch, **dass ihr mir zuhört.**
> Ich bitte euch, **mir zuzuhören.**

Name the **dass**-clause. Name the infinitive phrase. Do these two convey the same meaning?

> Sie schauen aus den Fenstern, **um die Alpen zu bewundern.**

Name the infinitive phrase. Name the word that introduces this phase. Name the infinitive. What does **um . . . zu bewundern** mean?

21 Lest die folgende Zusammenfassung!

The infinitive in English may be used with or without the word "to." We say "I can go," "I must go," but also "I want to go," "I'm trying to sleep." Similarly, the infinitive in German may be used with or without **zu.** The use of **zu** before an infinitive in a German sentence does not always correspond to the use of "to" before the infinitive in English.

1. The infinitive is used without **zu** following the modals. Most other verbs that take an infinitive require the use of **zu.**

Infinitive without **zu**	Infinitive with **zu**
Herr Schaaff **möchte sprechen.**	Herr Schaaff **versucht zu sprechen.**
Wir **wollen nicht warten.**	Wir **haben keine Lust zu warten.**

2. A phrase consisting of **zu** plus an infinitive is called an infinitive phrase. Such a phrase sometimes contains other elements—for example, an object or an expression of time or place. In that case, the entire infinitive phrase must be separated from the main clause by a comma. In the sentences that follow, note that the infinitive construction can refer either to present or to future time.

		Infinitive Phrase
Present	Wir haben keine Lust	**zu warten.**
Present	Herr Schaaff ist dabei,	**alles zu besprechen.**
Future	Ich beabsichtige,	**um 1 Uhr auf dem Berg zu sein.**

3. When the infinitive has a separable prefix, **zu** is placed between the prefix and the verb, and the infinitive is written as a single word.

| Die Schüler versuchen, | alles aufzuschreiben. |
| Sie haben kaum Zeit, | sich im Dorf umzusehen. |

4. The infinitive phrase may be used instead of a **dass**-clause, when:
   a. subject of the main clause and subject of the **dass**-clause refer to the same person.

| dass-*Clause* | Herr Schaaff hofft, | dass er um ein Uhr auf dem Berg ist. |
| *Infinitive Phrase* | Herr Schaaff hofft, | um ein Uhr auf dem Berg zu sein. |

   b. object of the main clause and subject of the **dass**-clause refer to the same person.

| dass-*Clause* | Ich bitte euch, | dass ihr mir zuhört. |
| *Infinitive Phrase* | Ich bitte euch, | mir zuzuhören. |

Not every infinitive phrase can be expressed as a **dass**-clause. Infinitive phrases must follow certain expressions, such as: **Er ist dabei . . .; Ich habe keine Lust . . . .**

5. The word **um** is used with infinitive phrases to mean "in order to."

| Sie schauen aus den Fenstern, | um die Alpen zu sehen. |

22 Was die Schüler alles vorhaben! ⊗

Sie möchten rodeln.   Sie haben vor zu rodeln.
fotografieren / Eishockey spielen / Schi fahren / Schlittschuh laufen
zu fotografieren / Eishockey zu spielen / Schi zu fahren / Schlittschuh zu laufen

23 Wozu haben die Schüler keine Lust? ⊗

Sie wollen nicht weiterfahren.   Sie haben keine Lust weiterzufahren.
zuschauen / herhören / sich anstellen / zurückfahren
zuzuschauen / herzuhören / sich anzustellen / zurückzufahren

24 Was macht der Marzi? ⊗

Er wechselt Geld.   Er ist dabei, Geld zu wechseln.
Er fährt den Hang hinauf. / Er begrüsst die Wirtin. / Er bringt allen das Schifahren bei.
, den Hang hinaufzufahren. / , die Wirtin zu begrüssen. / , allen das Schifahren beizubringen.

25 He, Marzi! Was machst du? — Was sagt Marzi? ⊗

Er sieht sich im Dorf um.   Ich bin dabei, mich im Dorf umzusehen.
Er schnallt sich die Schier an.   Ich bin dabei, mir die Schier anzuschnallen.
Er stellt sich an der Kasse an.   Ich bin dabei, mich an der Kasse anzustellen.
Er kauft sich einen Schipass.   Ich bin dabei, mir einen Schipass zu kaufen.
Er ruht sich in der Hütte aus.   Ich bin dabei, mich in der Hütte auszuruhen.
Er holt sich etwas zu essen.   Ich bin dabei, mir etwas zu essen zu holen.

26 Herr Schaaff bittet seine Schüler. ⊗

Ich bitte euch, dass ihr einmal herhört.
Ich bitte euch, dass ihr alles mitbringt.
Ich bitte euch, dass ihr pünktlich seid.
Ich bitte euch, dass ihr etwas Geld wechselt.
Ich bitte euch, dass ihr mit Eva fahrt.

Ich bitte euch, einmal herzuhören.

Ich bitte euch. alles mitzubringen.
Ich bitte euch, pünktlich zu sein.
Ich bitte euch, etwas Geld zu wechseln.
Ich bitte euch, mit Eva zu fahren.

27 Was tut Eva alles? Was sagt sie? ⊗

Sie geht auf die Bank. Sie will Geld wechseln.
Sie geht an die Kasse. Sie will sich einen Schipass kaufen.
Sie fährt zum Schilift. Sie will sich anstellen.
Sie geht in den Gasthof. Sie will zu Mittag essen.
Sie setzt sich die Brille auf. Sie will die Speisekarte lesen.

Ich geh' auf die Bank, um Geld zu wechseln.

Ich geh' an die Kasse, um mir einen Schipass zu kaufen.
Ich fahr' zum Schilift, um mich anzustellen.

Ich geh' in den Gasthof, um zu Mittag zu essen.

Ich setz' mir eine Brille auf, um die Speisekarte zu lesen.

28 HÖRÜBUNG ⊗

Wie heisst der Infinitiv am Ende?

0. *zu besprechen*
1. _____   3. _____   5. _____   7. _____   9. _____
2. _____   4. _____   6. _____   8. _____   10. _____

29 SCHRIFTLICHE ÜBUNGEN

a. Lest die Geschichte auf S. 150 noch einmal, und schreibt alle Infinitivsätze in euer Heft!
b. Schreibt die Antworten für Übungen 22 bis 27!
c. Schreibt Infinitivsätze wie im Beispiel!   For answers, see p. T49.

Beispiel: Er schnallt sich die Schier an. (gerade dabei sein)
Er ist gerade dabei, sich die Schier anzuschnallen.
1. Ich wechsle mir Geld im Dorf. (keine Lust haben)
2. Er bringt ihnen das Schifahren bei. (beginnen)
3. Ulrike reibt sich mit Sonnencreme ein. (vorhaben)
4. Er fährt den Hang allein hinunter. (sich nicht trauen)
5. Du hörst dem Marzi und der Eva zu. (ich / dich bitten)
6. Wir fahren erst nächste Woche zurück. (beabsichtigen)

30 Fragt eure Klassenkameraden!

1. Was beabsichtigst du, nächsten Winter zu tun?
2. Ich möchte mir eine Schiausrüstung kaufen. Was empfiehlst du?
3. Ich weiss nicht, wohin ich fahren soll. Was schlägst du vor? Warum?

31 Am Hang ⊗

1 Der Maierhof steht mitten in einem herrlichen Schigelände.

2 Die Anfängergruppe übt den Schneepflug. „Ursel, du kannst jetzt versuchen, einen Bogen zu fahren."

4 Eva schiesst elegant den Steilhang hinunter. Sie hat einen guten Fahrstil.

5 „Was ist los, Herr Schaaff? So eine leichte Abfahrt! Sie müssen den Talschi belasten!"

6 „Den hat's erwischt! Armer Herr Schaaff!"

7 Der Slalom macht mehr Spass. Es ist eine schwerere Abfahrt. Flori wedelt schräg durch die Tore.

8 Der Schnee ist heute nass. Er klebt. Ralph muss seine Schier wachsen.

32 Fragt eure Klassenkameraden!

1. Wie fährst du den Hang hinunter?
2. Was macht dir am meisten Spass?
3. Welchen Schi musst du belasten, wenn du schräg den Berg hinunterfährst?

33 Die Hüttenabende ⊗

Nass und müde sind die Schüler vom Slalomhang zurückgekehrt. Sie sitzen in der gemütlichen Gaststube herum und besprechen noch einmal den Slalomlauf. Keiner hatte erwartet, dass der
5 Flori die beste Zeit fahren würde.

„Wer will jetzt eine Jause¹ essen?" fragt Marzi. „Hört mal, wie er angibt°", erwidert Eva. „Er hat wieder ein neues Wort gelernt, und jetzt denkt er schon, er ist ein richtiger Österreicher." Alle
10 lachen. Aber eine Jause ist keine schlechte Idee. Der Slalomlauf hat Hunger gemacht.

Herr Schaaff kommt jetzt auch in die Gaststube. „Habt ihr gehört, wer den Abfahrtslauf in Val d'Isere² gewonnen hat?" — „Bestimmt wieder ein
15 Franzose. Die sind heuer gut." — „Nein, ein anderer. Ratet mal!" — „Der Italiener, na, wie heisst er denn? Der Thoeni." — „Nein, und der ist heuer gar nicht so gut." — „Dann war's eben wieder der Klammer." — „Quatsch! Der hat doch bei diesem
20 Rennen überhaupt nicht mitgemacht." — „Dann war's ein Schweizer, der Russi." — „Ja, aber nur zwei Hundertstel Sekunden vor dem Fischer."

Am Abend ist Siegerehrung°. Alle ehren den Flori, den Sieger im Slalom. Er muss sich auf einen
25 Stuhl stellen, und als ersten Preis bekommt er eine bunte Schimütze. Dann machen die Jungen und Mädchen noch ein paar Gesellschaftsspiele°, und später tanzt die Bina in ihrem USA-Hemd allen etwas vor.

30 Um halb zehn gehen alle zu Bett. Sie haben morgen wieder viel vor, und sie wollen ausgeruht sein. Nur der Marzi will noch nicht schlafen. Er hat noch zu viele Witze° auf Lager°. Die müssen seine Spezis³ noch unbedingt hören. „Jetzt erzähl'
35 ich euch noch einen ganz blöden Witz. Der Lehrer sagt: Du, Meier, du hast dieselben vierzehn Fehler° im Englischdiktat wie dein Nachbar. Kannst du das erklären? — Wir haben denselben Englischlehrer!"

40 „Au! Das tut weh! Deine dummen Witze werden immer blöder, Marzi. Gute Nacht!"

LEXIKON: angeben: *to brag;* die Siegerehrung: *honoring the winner;* das Gesellschaftsspiel: *party game;* der Witz: *joke;* auf Lager haben: *to have a supply of;* der Fehler: *mistake*

¹ **Die Jause** is Austrian for a snack — either coffee and cake or something like bread, cheese, and cold cuts.
² *Val d'Isere* is a famous French ski resort in the Alps.
³ **Der Spezi,** short for **Spezialfreund,** is southern German and Austrian for *best friend.*

34 Beantwortet die Fragen!

1. Was machen die Schüler nach dem Slalomlauf?
2. Was hatte niemand erwartet?
3. Was meint Eva über Marzi? Warum?
4. Was lässt Herr Schaaff die Schüler raten?
5. Wie ehren die Klassenkameraden den Flori am Abend?
6. Was tun sie nach der Siegerehrung?
7. Warum können Marzis Freunde nicht schlafen?

35 MÜNDLICHE ÜBUNG ⊗

36 KONVERSATIONSÜBUNG
For suggestions, see Exercise 6 in the Listening Comprehension Program, p. T104.

Unterhaltet euch in der Klasse über den Wintersport, und fragt eure Klassenkameraden:
1. was für einen Wintersport sie treiben
2. wo sie (Schi laufen)
3. wie sie dorthin kommen
4. wie lange sie bleiben
5. wie gut sie sind, oder ob sie Unterricht nehmen
6. ob sie ihre eigene Ausrüstung haben, oder ob sie sich etwas leihen müssen, und wieviel das kostet
7. was zur Ausrüstung gehört
8. aus welchem Material sie ist
9. wo sie alles gekauft haben, und wie teuer alles war
10. ob sie sich Wintersportprogramme im Fernsehen ansehen, und was sie am liebsten sehen
11. welche bekannten Wintersportler sie kennen
12. welche Länder besonders gut im Wintersport sind

37 SCHRIFTLICHE ÜBUNG

Wählt ein Thema und schreibt einen Aufsatz!
1. Unser Schiausflug
2. Meine neue Schiausrüstung
3. Ich treibe gern (nicht gern) Wintersport.
4. Wenn ich Geld hätte, würde ich mir eine neue Schiausrüstung kaufen.

38 Nationalitäten ☺

das Land	der Mann	die Frau	das Land	der Mann	die Frau
Belgien	der Belgier	die Belgierin	Luxemburg	der Luxemburger	die Luxemburgerin
Dänemark	der Däne	die Dänin	Niederlande	der Niederländer	die Niederländerin
Deutschland	der Deutsche	die Deutsche		der Holländer	die Holländerin
	ein Deutscher	eine Deutsche	Norwegen	der Norweger	die Norwegerin
England	der Engländer	die Engländerin	Österreich	der Österreicher	die Österreicherin
Finnland	der Finne	die Finnin	Portugal	der Portugiese	die Portugiesin
Frankreich	der Franzose	die Französin	Schweden	der Schwede	die Schwedin
Italien	der Italiener	die Italienerin	Schweiz	der Schweizer	die Schweizerin
Liechtenstein	der Liechten-steiner	die Liechten-steinerin	Spanien	der Spanier	die Spanierin

NOTE that **der/die** and **ein/eine** can be used interchangeably before nouns referring to people by their nationality: **der (ein) Franzose, die (eine) Schwedin.** An exception is **der Deutsche, ein Deutscher.** Plural forms follow regular patterns and must be learned for each noun; **der Schwede, −n; die Französin, −nen;** etc.

39 Flaggen von verschiedenen europäischen Ländern

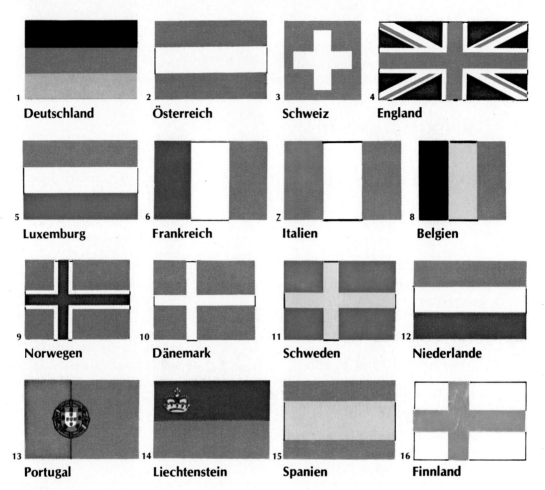

1 Deutschland	2 Österreich	3 Schweiz	4 England
5 Luxemburg	6 Frankreich	7 Italien	8 Belgien
9 Norwegen	10 Dänemark	11 Schweden	12 Niederlande
13 Portugal	14 Liechtenstein	15 Spanien	16 Finnland

40 Ein Flaggen-Spiel ⊗

1. Welches Land hat den Abfahrtslauf gewonnen?
   Nummer 5 / Nummer 9 / Nummer 14, usw.   Luxemburg.
2. Wer hat den Slalom für Herren gewonnen?
   Nummer 3 / Nummer 7 / Nummer 16, usw.   Ein Schweizer.
3. Wer hat den Slalom für Damen gewonnen?
   Nummer 1 / Nummer 11 / Nummer 15, usw.   Eine Deutsche.
4. Wer hatte die besten Zeiten bei den Herren?
   Nummer 9 / Nummer 4, usw.   Der Norweger.
5. Wer hatte die besten Zeiten bei den Damen?
   Nummer 16 / Nummer 1, usw.   Die Finnin.
6. Was für Farben haben die Flaggen?
   Die deutsche Flagge?   schwarz-weiss-rot
7. Welche Fahne weht jetzt?
   Ein Österreicher hat gewonnen.   Die österreichische Fahne weht.
   Die rot-weiss-rote Fahne weht.

41 Der neue Sport: Grasschilaufen ⊗

Berlin hatte im letzten Sommer zehn Grasschi-Rennen. Neben den Berliner Meisterschaften° war das grösste Ereignis wieder der Berlin-Cup. Über 150 Läufer aus Berlin, der Bundesrepublik und aus Frankreich nahmen daran teil°. Den Cup gewann Elke Koch vom Grasschi-Club Bischofsgrün.

1

2

Das Grasschi Team Berlin versammelt sich zum Slalomlauf auf dem Teufelsberg. Der Teufelsberg is the official name of the hill in Berlin, nicknamed der Trümmerberg, which was formed out of the rubble of buildings bombed in World War II.

3

Die Grasschier rollen auf Ketten°, wie Panzer°.

4

Katrin zieht ihre Schistiefel an.

5

Am Start

6

Der Slalomhang am Teufelsberg

7

In Schussfahrt°, den grünen Hang hinunter

LEXIKON: die Meisterschaft: *championship;* teilnehmen an: *to participate in;* die Ketten (pl): *treads;* der Panzer: *tank;* die Schussfahrt: *straight downhill run at full speed*

1–16

das **Aluminium** *aluminum*
der **Anorak, –s** *parka*
die **Bindung, –en** *binding*
das **Eishockey** *ice hockey*
der **Eishockeyschläger, –** *ice-hockey stick*
der **Gummi** *rubber*
der **Hang, ⁼e** *slope*
der **Hartgummi** *hard rubber*
der **Jugendliche, –n** (den – n) *young person*
der **Kunststoff, –e** *synthetic material*
das **Leder** *leather*
das **Leichtmetall, –e** *lightweight metal*
das **Material, –ien** *material*
das **Metall, –e** *metal*
das **Nylon** *nylon*
die **Olympiade** *Olympics*

das **Plastik, –s** *plastic*
der **Puck, –s** *puck*
die **Scheibe, –n** *puck*
der **Schi, –er** *ski*
das **Schi-Ass** *ski ace*
die **Schiausrüstung, –en** *ski outfit and equipment*
die **Schibrille, –n** *ski goggles*
der **Schifahrer, –** *skier*
der **Schihang, ⁼e** *ski slope*
die **Schimütze, –n** *ski hat, cap*
der **Schistiefel, –** *ski boot*
der **Schlitten, –** *sled*
der **Schlittschuh, –e** *ice skate*
die **Schnalle, –n** *buckle*
der **Schneepflug, ⁼e** *snowplow*
der **Schneewalze, – n** *machine for packing snow on ski slopes*
das **Sportgeschäft, –e** *sporting-goods store*

der **Sportler, –** *athlete*
der **Stock, ⁼e** *(ski) pole*
der **Sturzhelm, –e** *helmet*
das **Wachs** *wax*
der **Wintersport** *winter sport*
die **Wolle** *wool*

präparieren *to prepare*
räumen *to clear*
rodeln *to go sledding*

künftig *future*

aus Metall *(made) out of metal*
mir waren meine alten Schier lieber *I preferred my old skis*
Schlitten fahren *to go sledding*
Schlittschuh laufen *to ice-skate*
sie haben es nicht weit *they don't have far to go*

17–30

die **Bank, –en** *bank*
der **Berggasthof, ⁼e** *mountain inn*
die **Bergwelt** *mountain world*
die **D-Mark (Deutsche Mark)** *German mark*
die **Einzelheit, –en** *detail*
der **Fotoladen, ⁼** *camera store*
die **Hütte, –n** *cabin, lodge*
die **Karte, –n** *ticket*
der **Kleinbus, –se** *mini-bus*
der **Lift, –s** *ski lift*
die **Liftkarte, –n** *lift ticket*
die **Liftstation, –en** *lift station*
der **Oberstudienrat, ⁼e** *(see fn p. 150)*
das **Schilager, –** *ski lodge*
der **Schilling, –** *shilling (Austrian monetary unit)*
der **Schipass, ⁼e** *lift ticket*
der **Schipullover, –** *ski sweater*
der **Sessel, –** *seat (of chair lift)*
der **Sonderbus, –se** *charter bus*
die **Station, –en** *station*
die **Strumpfhosen (pl)** *tights*
die **Wirtin, –nen** *innkeeper*

anschnallen sep *to fasten*
s. **anstellen** sep *to stand in line*
beabsichtigen *to intend*
beibringen (brachte bei, hat beigebracht) sep *to teach*
s. **freuen über** A *to be happy about*
schweben *to float (in the air)*
stürmen *to storm*
s. **trauen** *to dare, have confidence*
s. **versammeln** *to gather*
wehen *to fly, wave*

laden (lädt, lud, hat geladen) *to load*
s. **umsehen** (sieht sich um, sah sich um, hat sich umgesehen) sep *to look around*
vorlesen (liest vor, las vor, hat vorgelesen) sep *to read aloud*

bis *by*
entlang *along*

gegenüber (von) *across (from)*
keiner *no one*
möglich *possible*
spätestens *at the latest*
still *still, quiet*
verschneit *snow-covered*

auf zum Schilager! *off we go to the ski lodge!*
bis spätestens um 11 Uhr *by 11 o'clock at the latest*
der Bus fährt mit 90 km/Std. *the bus is going 90 km an hour*
ein kurzes Stück *a short way*
eine knappe Stunde *barely an hour*
er ist gerade dabei *he is just now (doing . . .)*
er schaut jedem auf den Schipass *he looks at everyone's lift ticket*
Geld wechseln *to exchange money (from one currency to another)*
Handschuhtragen ist Pflicht *wearing gloves is mandatory*
Schi fahren *to ski*

31–40

die **Abfahrt, –en** *descent*
der **Abfahrtslauf, ⁼e** *downhill race*
die **Anfängergruppe, –n** *group of beginners*
der **Bogen, –** *turn*
das **Englischdiktat, –e** *English dictation*
der **Fahrstil, –e** *(skiing) style*
die **Flagge, –n** *flag*
der **Franzose, –n** (den – n) *Frenchman*
die **Gaststube, –n** *main room (of a restaurant or lodge)*
das **Gesellschaftsspiel, –e** *party game*
der **Hüttenabend, –e** *evening of activities at a lodge*
der **Italiener, –** *Italian*
die **Jause, – n** *(see fn p. 156)*
das **Rennen, –** *race*
das **Schigelände, –** *ski area*
der **Schweizer, –** *Swiss*
der **Sieger, –** *winner, victor*

die **Siegerehrung, –en** *honoring the winner*
der **Slalom, – s** *slalom race, course*
der **Slalomlauf, ⁼e** *slalom (race)*
der **Spezi, – s** (Spezialfreund) *best friend*
der **Steilhang, ⁼e** *steep slope*
das **Tor, –e** *slalom gate*
der **Witz, –e** *joke*

ehren *to honor*
wachsen *to wax*
wedeln *to wedeln*
zurückkehren sep *to go back*

angeben (gibt an, gab an, hat angegeben) sep *to brag*
hinunterschiessen (schoss hinunter, ist hinuntergeschossen) sep *to shoot down (a slope)*

ausgeruht *rested*
denselben (dieselben) *the same*
dumm *dumb*
elegant *elegant*
gemütlich *cozy, warm*
mitten (in) *in the middle of*
schräg *diagonal(ly)*

am Hang *on the slope*
auf Lager haben *to have a supply*
den hat's erwischt! *he got it!; he caught it!*
den Talschi belasten *to put weight on the downhill ski*
einen Bogen fahren *to make a turn*
es hat Hunger gemacht *it made (us) hungry*
etwas vortanzen *to perform a dance*
na *well*
überhaupt nicht *not even, not at all*
zwei Hundertstel *two hundredths*

35

Wassersport

1 Segelunterricht für die Zehnjährigen ⊗

Was für die Bayern die Berge sind, sind für die Schleswig-Holsteiner die Seen und das Meer.

Unsere jungen Freunde aus der vierten <u>Hauptschulklasse</u> in Kiel haben einmal in der Woche Segelunterricht. Gut ausgerüstet mit ihren gelben Öljacken warten sie hier in Schilksee auf ihren Segellehrer. Die Hauptschule is the second level of elementary school, from 5th through 9th grade.

Vor dem Unterricht gibt der Lehrer jedem einen Zettel. Es ist eine kleine Prüfung. Jeder soll zeigen, was er sich vom letzten Mal noch gemerkt hat. ,,So, hat noch jemand eine Frage?''

Dann verteilt der Lehrer die Schwimmwesten. Keiner darf ohne Schwimmweste ins Boot. Jeder muss sich seine Weste selbst anziehen. ,,Kann mir einer helfen? Ich krieg' den Knoten nicht mehr auf.''

Die kleinen Einmannjollen liegen am Strand. Die Kinder setzen den Mast ein und befestigen das Segel. Niemand hilft ihnen heute. Wenn man segeln will, muss man alles allein können.

Der Lehrer zieht das Segelboot den Steg entlang.

Der kleine Henning setzt das Schwert ein.

Dann setzt er das Ruder mit der Pinne ein.

—He, Henning! Wo segelst du denn hin? Hast du vergessen, wo der Wind herkommt? So wirst du die Boje nie erreichen!
—Ja, du musst wenden!
—Du musst mit dem Wind segeln. Du kannst doch noch nicht kreuzen.

2 Was für einen Wassersport treibt ihr? ⊗

Heidi rudert gern.

Die beiden fahren Tretboot.

Windsurfing ist ein neuer Sport.

Gabriele fährt Kajak.

Klaus fährt Paddelboot.

Für müde Wassersportler: eine Flossfahrt auf der Isar.
Raft trips are usually company-sponsored events, often complete with a band.

3 Fragt eure Mitschüler!

1. Was für einen Wassersport treibst du?
2. Was für ein Boot habt ihr oder hat ein Bekannter von euch?
3. Was gehört zu einem Segelboot?
4. Was trägt man alles, wenn man segelt? Beschreibt die Ausrüstung!

Possible answers, besides those suggested above, include Ruderboot and Motorboot.

4 MÜNDLICHE ÜBUNG ⊗

5

Sports are mandatory in German schools. Sports programs usually include gymnastics, track and field sports, handball, volleyball, etc. When facilities and teachers are available, schools may offer their students the opportunity to take sports such as sailing, sculling, skiing, and swimming.

Schilksee, a little village belonging to the city of Kiel, is located directly on the Ostsee. The Olympic Sailing Competitions were held here in 1972. It is also the site of the famous Kieler Woche, the annual international sailing regatta, which every year attracts sailboats from all over the world. Students from Kiel use the facilities at Schilksee.

6 woher AND wohin

In general, **her** indicates motion toward the speaker, while **hin** indicates motion away from the speaker. **Hin** and **her** are used with **wo** in questions concerning motion or direction.

1. There are two ways of asking "**woher**-questions." You may begin with **woher**, or you may start with **wo** and use **her** as a separable prefix at the end.

Woher	kommst du?	
Wo	kommst du	**her?**

2. Similarly, there are two ways of asking "**wohin**-questions."

Wohin	segelt ihr?	
Wo	segelt ihr	**hin?**

3. **Wohin** and **woher** can also be split in clauses. **Hin** and **her** are then considered verb prefixes. They combine with the verb and are written as one word.

Weisst du,	**woher**	er	**kommt?**
Weisst du,	**wo**	er	**herkommt?**

7 Der Lehrer fragt den kleinen Henning. ⊗

Henning segelt in die falsche Richtung.
Er kommt aus der falschen Richtung.
Er sieht in die falsche Richtung.
Er läuft in die falsche Richtung.
Er will in die falsche Richtung.

Henning, wo segelst du denn hin?
Wo kommst du denn her?
Wo siehst du denn hin?
Wo läufst du denn hin?
Wo willst du denn hin?

8 Jetzt fragt er Uschi. ⊗

Uschi segelt falsch.
Sie fährt falsch.
Sie geht in die falsche Richtung.
Sie schwimmt in die falsche Richtung.

Wo willst du denn hinsegeln?
Wo willst du denn hinfahren?
Wo willst du denn hingehen?
Wo willst du denn hinschwimmen?

9 Henning weiss heute gar nichts. ⊗

Wo kommt der Wind her?
Wo ziehen die Wolken hin?
Wo segeln die Kinder hin?
Wo kommen die Wolken her?

Ich weiss nicht, wo der Wind herkommt.
Ich weiss nicht, wo die Wolken hinziehen.
Ich weiss nicht, wo die Kinder hinsegeln.
Ich weiss nicht, wo die Wolken herkommen.

10 SCHRIFTLICHE ÜBUNGEN

Schreibt die Antworten für Übungen 7, 8 und 9!

11

INDEFINITE PERSONAL PRONOUNS
man, einer, keiner, jeder, jemand, niemand, wer

1. Some of the more common indefinite pronouns are:

Einer also means "anyone."
Keiner also means "none."
The plural of jeder is alle.

man	*one, they, people*	**jemand**	*somebody*
einer	*somebody*	**niemand**	*nobody*
keiner	*nobody*	**wer**	*whoever*
jeder	*everybody*		

Keiner and niemand can also mean "not anybody." "Ich kenne keinen (niemand).—I don't know anybody."

2. These indefinite pronouns are commonly used in the following forms:

In the accusative and dative forms of jemand and niemand, modern usage no longer requires endings; but they are still sometimes used; jemanden, jemandem, niemanden, niemandem.

Nominative	man, einer	keiner	jeder	jemand	niemand	wer
Accusative	einen	keinen	jeden	jemand	niemand	wen
Dative	einem	keinem	jedem	jemand	niemand	wem

3. The form **einer** is more specific than the very general impersonal pronoun **man. Man** is often used where English uses "you," meaning not the person addressed, but people in general.

Kann mir **einer** (von euch) helfen?   *Can somebody (one of you) help me?*

Wenn **man** segeln will, . . .   *If you want to sail, . . .*

4. The form **man** is used only in the nominative case. In the accusative case **einen** must be used; in the dative, **einem.**

Das stört **einen** nicht.   *That doesn't bother anybody.*

Das tut **einem** weh!   *That hurts!*

5. **Einer** and **jemand** can often be used interchangeably, as can **keiner** and **niemand.**

Kann mir **einer (jemand)** helfen?
Keiner (niemand) darf ohne Schwimmweste ins Boot.

12 Was kann Uschi auch sagen? ⊗

Kann mir jemand helfen?
Kann mir jemand den Knoten aufmachen?
Kann mir jemand den Mast einsetzen?
Kann mir jemand das Segel befestigen?
Kann mir jemand das Boot bringen?

Kann mir einer helfen?
Kann mir einer den Knoten aufmachen?
Kann mir einer den Mast einsetzen?
Kann mir einer das Segel befestigen?
Kann mir einer das Boot bringen?

13 Was kann der Segellehrer noch sagen? ⊗

Niemand darf ohne Öljacke kommen.
Niemand darf ohne Prüfung segeln.
Niemand darf ohne Schwimmweste ins Boot.
Niemand darf ohne mich auf den Steg gehen.
Niemand darf ohne mich ins Boot steigen.

Keiner darf ohne Öljacke kommen.
Keiner darf ohne Prüfung segeln.
Keiner darf ohne Schwimmweste ins Boot.
Keiner darf ohne mich auf den Steg gehen.
Keiner darf ohne mich ins Boot steigen.

14 SCHRIFTLICHE ÜBUNGEN

a. Schreibt die Antworten für Übungen 12 and 13!

b. Setzt eine Form von „jeder" ein!

1. Er fragt _jeden_ .
2. Wir antworten _jedem (allen)_
3. Ich unterrichte _jeden_ .
4. Sie hilft _jedem (allen)_
5. Wir sehen _jeden_ .

6. Er dankt _jedem_ .
7. Wir denken an _jeden_ .
8. Sie interessiert sich für _jeden_ .
9. Er knipst _jeden_ .
10. Wir gewöhnen uns an _jeden_ .

15 Was hat Rudern mit Latein zu tun? ⊗

Herr Wüstenberg ist Studienassessor am Mädchengymnasium in Kiel. Er unterrichtet Latein und Sport. Und einmal in der Woche, am Donnerstag, gibt er den Mädchen von der Untertertia Unterricht im Rudern.

LEHRER   Aber Sabine! Was heisst den *cae-dere* auf deutsch?

SABINE   Hm . . . ich weiss es nicht. Ich hab's vergessen.

LEHRER   Nun, wer weiss es? Niemand? Aber wir haben doch dieses Verb schon gehabt. Kinder, was ist denn los? Ich bin ganz enttäuscht. Habt ihr denn kein Gefühl für Latein? Woran liegt das?

SABINE   Latein ist schwer, Herr Wüstenberg.

LEHRER   Ach, komm! Ihr seid einfach ein bisschen faul und lernt eure Vokabeln nicht.

SABINE   Ich kann nichts dafür, dass ich kein Talent für Sprachen habe.

LEHRER   Das ist nun auch wieder nicht wahr. Ihr seid nur nicht bereit, genügend Zeit für dieses Fach zu opfern. Ihr beschäftigt euch zu viel mit anderen Dingen.

ANKE   Mit Rudern, zum Beispiel.

LEHRER   Kann sein. Ich bin überhaupt dafür, dass wir heute nachmittag nicht rudern, sondern eine Nachhilfestunde in Latein haben.

SCHÜLER   Ach, nein! – Bitte nicht!

SIGRID   Ich hab' mich schon die ganze Woche auf heute nachmittag gefreut.

ANKE   Ach, Herr Wüstenberg, wir sind mit Ihrem Vorschlag gar nicht einverstanden. Bitte!

| LEHRER | Na, gut. Ich hab' nur Spass gemacht. Aber jetzt im Ernst. Das Wetter ist heute nicht gut. Vielleicht sollten wir unser Training doch auf einen anderen Tag verschieben. |

LEHRER Na, gut. Ich hab' nur Spass gemacht. Aber jetzt im Ernst. Das Wetter ist heute nicht gut. Vielleicht sollten wir unser Training doch auf einen anderen Tag verschieben.

SIGRID Nein, bitte nicht. Wir ziehen uns warm an und bringen unser Regenzeug mit.

LEHRER Ihr könnt doch euern Lehrer wahnsinnig gut überreden. Dann treffen wir uns also, wie immer, vor dem Bootshaus. Nun aber zurück zum Latein! *Caedere:* „schneiden" — stimmt das, Sabine?

SABINE Ja, das stimmt, Herr Wüstenberg.

16 Beantwortet die Fragen!

1. Was ist Herr Wüstenberg, und was unterrichtet er?
2. Was hat Sabine vergessen?
3. Warum sollte sie wissen, was dieses Verb auf deutsch heisst?
4. Was antwortet Herr Wüstenberg?
5. Was für eine Ausrede hat Sabine?
6. Woran liegt es, dass die Mädchen nicht alles so gut wissen?
7. Wofür kann Sabine nichts?
8. Wozu sind die Mädchen nicht bereit? Warum nicht?
9. Womit beschäftigen sie sich?
10. Was schlägt Herr Wüstenberg vor?
11. Worauf hat sich Sigrid gefreut?
12. Womit sind die Mädchen nicht einverstanden?
13. Warum hat Herr Wüstenberg diesen Vorschlag gemacht? Was meint er?
14. Wo wollen sie sich treffen?

17 Fragt eure Klassenkameraden!

1. Was für eine Ausrede gebrauchst du, wenn du im Deutschunterricht etwas nicht weisst?
2. Warum lernst du eine Sprache?
3. Was muss man tun, um eine Sprache zu lernen?
4. Bekommst du in einem Fach Nachhilfeunterricht? Warum? Warum nicht?

18 MÜNDLICHE ÜBUNG ⊗

19 Klassenwitze ⊗

Der Lehrer fragt: „Wer kann mir sagen, was die alten Römer besser hatten als wir?" Katrin hebt die Hand: „Sie brauchten kein Latein zu lernen."

Vater zum Lateinlehrer: „Herr Studienrat, warum haben Sie meinem Klaus in Latein eine Sechs gegeben?" Lateinlehrer, lächelnd: „Eine schlechtere Note gibt es leider nicht."

Lateinlehrer: „Ich hab' geträumt, dass ich Cicero einen Fünfer in Latein gegeben hab'!"

Der Lehrer stöhnt: „Christoph, seit dreissig Jahren bin ich jetzt Lehrer. Rate mal, welche Wörter ich wohl am meisten von den Schülern gehört habe!" — „Ich weiss es nicht." — „Richtig!"

20 FORMING QUESTIONS USING PREPOSITIONAL PHRASES

1. In German there are many verbs that are used with prepositions: **warten auf, s. interessieren für,** etc. There are two ways to form questions with such verb phrases.
   a. If the expected answer refers to a person, the preposition is used together with **wen** or **wem,** depending on what case normally follows the preposition.

Verb Phrase	Preposition + Interrogative	Expected Answer: a Person
warten auf A sprechen von D	**Auf wen** wartest du? **Von wem** sprechen Sie?	Auf meinen Bruder. Von ihrem Lehrer.

   b. If the expected answer refers to a thing, a **wo-**compound is used.

Verb Phrase	wo-Compound	Expected Answer: a Thing
warten auf A sprechen von D	**Worauf** wartest du? **Wovon** sprechen Sie?	Aufs Boot. Vom Rudern.

2. In colloquial German, the word **was** is frequently used after the preposition (for example, **auf was),** instead of the **wo-**compound (for example, **worauf).** Note that the form of **was** is the same, whether the preposition is followed by the accusative or the dative case.
   > **Auf was** wartest du? Aufs Boot.
   > **Von was** sprechen Sie? Vom Rudern.

3. In a clause, either the **wo-**compound or the preposition with **was** can be used.
   > Ich weiss nicht, **worauf** ihr noch wartet.
   > Ich weiss nicht, **auf was** ihr noch wartet.

4. The following tables list idiomatic expressions in which familiar verbs are followed by certain prepositions to express a particular meaning. In learning the expressions on this list, be sure to learn which case follows each preposition.
   a. **Verbs with a preposition followed by the accusative case:**
   > Beispiel: Die Schüler erinnern sich gern an den Ausflug.

denken an *to think of*	warten auf *to wait for*
s. erinnern an *to remember*	zeigen auf *to point to*
s. gewöhnen an *to get used to*	zusteuern auf *to head in the direction of*
glauben an *to believe in*	danken für *to thank for*
schicken an *to send to*	s. interessieren für *to be interested in*
schreiben an *to write to*	sorgen für *to care for, take care of*
vermieten an *to rent to*	diskutieren über *to discuss*
achten auf *to pay attention to*	s. freuen über *to be happy about*
s. einigen auf *to agree on*	klagen über *to complain about*
s. freuen auf *to look forward to*	reden über *to talk about*
schauen auf *to look at*	s. unterhalten über *to talk, converse about*
sehen auf *to look at*	bitten um *to ask for*
verschieben auf *to postpone until*	kämpfen um *to fight for*

b. Verbs with a preposition followed by the dative case:

Beispiel: Sie beschäftigen sich mit ihrem Ruderboot.

liegen an *to depend on*	erzählen von *to tell about*
anfangen mit *to start with*	halten von *to have an opinion about*
s. beschäftigen mit *to busy o.s. with*	s. verabschieden von *to say good-by to*
sprechen mit *to talk with*	verstehen von *to know about*
s. treffen mit *to meet with*	gebrauchen zu *to use for*
s. verabreden mit *to make a date with*	passen zu *to go with, fit*

21 Herr Wüstenberg kennt seine Schülerinnen, aber er fragt: ⊗

Er weiss, dass sie . . .

an den Segelunterricht denken.	Woran denkt ihr?
auf gutes Wetter warten.	Worauf wartet ihr?
über den Regen klagen.	Worüber klagt ihr?
über das Training reden.	Worüber redet ihr?
vom Nachhilfeunterricht nichts halten.	Wovon haltet ihr nichts?

22 Susanne kennt ihre Klassenkameradinnen, aber sie fragt: ⊗

Sie weiss, dass sie sich . . .

mit anderen Dingen beschäftigen.	Mit was beschäftigt ihr euch? (womit)
für Wassersport interessieren.	Für was interessiert ihr euch? (wofür)
auf den Ruderunterricht freuen.	Auf was freut ihr euch? (worauf)
an letzten Donnerstag erinnern.	An was erinnert ihr euch? (woran)
über das schlechte Wetter unterhalten.	Über was unterhaltet ihr euch? (worüber)

Variation: Do these sentences again, eliciting wo-compounds.

23 Sabine hat Anke nicht verstanden, und sie fragt sie. ⊗

Ich halte nichts von Rudern.	Wovon hältst du nichts?
Ich halte nichts von seinem Freund.	Von wem hältst du nichts?
Ich achte auf die Zeit.	Worauf achtest du?
Ich achte auf meine Schwester.	Auf wen achtest du?
Ich warte auf mein Segelboot.	Worauf wartest du?
Ich warte auf meine Freundin.	Auf wen wartest du?
Ich beschäftige mich mit anderen Dingen.	Womit beschäftigst du dich?
Ich beschäftige mich mit den Segelschülern.	Mit wem beschäftigst du dich?

24 Herr Wüstenberg fragt seine Schülerinnen, und sie antworten. ⊗

Worüber diskutiert ihr?	Wir können Ihnen nicht sagen, worüber wir diskutieren.
Wofür interessiert ihr euch?	. . ., wofür wir uns interessieren.
Woran liegt das?	. . ., woran das liegt.
Wovon sprecht ihr?	. . ., wovon wir sprechen.
Womit fangt ihr an?	. . ., womit wir anfangen.
Worauf habt ihr euch geeinigt?	. . ., worauf wir uns geeinigt haben.

25 SCHRIFTLICHE ÜBUNGEN

a. Schreibt die Antworten für Übungen 21, 22, 23, und 24!

b. Schreibt die folgenden Sätze mit den richtigen Präpositionen! *(The blanks marked with an asterisk (*) require the use of a contraction, such as am, ans, etc.)*

1. Die Stadt Kiel vermietet das Bootshaus ___an___ die Schüler. Die Schüler bitten Herrn Wüstenberg ___um___ eine Nachhilfestunde im Rudern. Herr Wüstenberg sorgt ___für___ seine Untertertia. Die Mädchen verstehen nichts ___vom___ * Rudern. Langsam gewöhnen sie sich ___ans___ * Ruderboot. Sie achten ___auf___ den Verkehr im Wasser. Nächste Woche möchte er den Unterricht ___auf___ einen anderen Tag verschieben.

2. Rolf wohnt in Hannover, und er versteht gar nichts ___vom___ * Wassersport. Er schreibt ___an___ seinen Freund Henning in Kiel, dass er sich ___fürs___ * Segeln interessiert. Henning redet ___mit___ seinem Segellehrer und lädt seinen Freund ein. Rolf verabschiedet sich ___von___ seinen Eltern und fährt nach Kiel. Beim Segelunterricht erklärt ihm Henning: ,,Es liegt ___am___ * Wind, wie schnell man segeln kann." Rolf zeigt ___auf___ das Schwert. ,,Gebraucht man das ___zum___ * Rudern?" Er sieht auch ___auf___ die Boje: ,,Wozu ist die Boje da?" Henning fängt ___mit___ dem Mast an und erklärt ihm alles. Rolf dankt seinem Freund ___für___ die Erklärung. Er schickt einen Brief ___an___ seine Eltern: ,,Ich freue mich ___auf___ meine erste Segelfahrt!"

26 HÖRÜBUNG ⊗

Complete each sentence with a prepositional phrase or a wo-compound.

0. *worüber*   1. _____   3. _____   5. _____   7. _____
0. *über wen*   2. _____   4. _____   6. _____   8. _____

27 Schüler-Segelklub Kiel ⊗

Wer rudern will, muss das Boot selbst wässern. Sabine, Sigrid, Susanne und Herr Wüstenberg tragen den Vierer zum Wasser.

Die Schüler in Kiel haben es gut. Sie haben ihr eigenes Bootshaus. Die verschiedenen Klassen kommen mit ihren Lehrern hierher, um Rudern zu lernen.

Der Vierer is a boat for four rowers and a coxswain. Boats for six and eight rowers are called der Sechser and der Achter. Der Einer is for a single rower and no coxswain.

5

Die Rollsitze sind im Schiff. Susanne und Sabine halten es fest. „Wer bringt die Ruder?" „Wir üben jetzt das Einsteigen", sagt Herr Wüstenberg.

„Den linken Fuss in die Mitte vom Schiff, ja? Und dann mit dem rechten Bein abstossen. Also: Eintreten! – Abstossen! – Los!"

7

8

9

„So, jetzt fahrt ihr eine Wende. Die Blätter bitte auf gleicher Höhe halten!" Herr Wüstenberg gibt Anweisungen durch ein Sprachrohr. „Zurückkommen! Mannschaftswechsel!"

10

Schwarze Regenwolken ziehen über den Hafen, und der Vierer kehrt zum Schwimmsteg zurück. Schade!

11

Es hat sich kaum gelohnt, das Boot zu wässern. Sie nehmen es aus dem Wasser und tragen es zum Bootshaus zurück.

12

Sie drehen das Boot um und legen es auf Blöcke. Sigrid spült es mit Süsswasser ab. Salzwasser frisst den Lack.

13

Dann wischen es die Mädchen mit Tüchern ab und tragen es ins Bootshaus.

28 Beantwortet die Fragen!

1. Warum haben es die Kieler Schüler gut?
2. Wie wässern die Mädchen das Boot?
3. Was üben sie zuerst?
4. Was ruft der Lehrer beim Einsteigen?
5. Was tun die Mädchen zuerst?
6. Wie gibt der Lehrer die Anweisungen?
7. Warum müssen die Mädchen zum Schwimmsteg zurückkehren?
8. Was müssen sie jetzt alles tun, bevor sie das Boot ins Bootshaus bringen?

29 MÜNDLICHE ÜBUNG ⊗

30 CERTAIN PHRASES WITH da-COMPOUNDS

Da-compounds are often used in certain set phrases.

> **Ich kann nichts dafür,** dass ich kein Gefühl für Sprachen habe.
> **Ich bin dafür,** dass wir heute nicht rudern.

31 Sabine, was ist denn? ⊗

Du kennst dieses Verb nicht?

Du hast kein Gefühl für Sprachen?
Du hast keine Zeit zum Lernen?
Du brauchst eine Nachhilfestunde?
Du magst diesen Vorschlag nicht?

Ich kann nichts dafür, dass ich dieses Verb nicht kenne.
. . ., dass ich kein Gefühl für Sprachen habe.
. . ., dass ich keine Zeit zum Lernen habe.
. . ., dass ich eine Nachhilfestunde brauche.
. . ., dass ich diesen Vorschlag nicht mag.

Infinitives used as nouns are always neuter and capitalized. See Unit 31.

32 Sigrid sagt etwas, und Anke ist auch dafür. ⊗

Ich bin fürs Rudern.
Ich bin fürs Segeln.
Ich bin fürs Lernen.
Ich bin fürs Nichtstun.

Ich bin auch dafür, dass wir rudern.
Ich bin auch dafür, dass wir segeln.
Ich bin auch dafür, dass wir lernen.
Ich bin auch dafür, dass wir nichts tun.

33 SCHRIFTLICHE ÜBUNGEN

Schreibt die Antworten für Übungen 31 und 32!

34 KONVERSATIONSÜBUNG

For suggestions, see Exercise 5 in the Listening Comprehension Program, p. T108.

Unterhaltet euch über Boote!
1. Hast du ein Boot, oder kennst du jemand mit einem Boot?
2. Was für ein Boot? ein Segel-, Ruder-, Motorboot?
3. Wo liegt das Boot, oder wie bringst du das Boot zum Wasser?
4. Wo benutzt du das Boot? Wie kommst du dorthin?
5. Was musst du alles tun, bevor du segeln oder rudern kannst?
   (Mast, Segel, Schwert, Ruder, Pinne, Schwimmweste, usw.)
6. Was machst du, wenn du mit dem Segeln oder Rudern fertig bist?

35 SCHRIFTLICHE ÜBUNG

Wählt ein Thema und schreibt einen Aufsatz!

1. Ich gehe segeln.
2. Ich gehe rudern.

3. Unser Boot.
4. Ich hätte gern ein Boot.

36 Lieder für die Schiffsfahrt

Eine Seefahrt, die ist lustig

Ein - ne See - fahrt, die ist lu - stig, ei - ne See - fahrt, die ist schön, denn da kann man frem - de Län - der und noch man - ches and - re sehn. Hol - la - hi, ho - la - ho, hol - la hi - a, hi - a, hi - a hol - la hi - a hol - la - ho, hol - la - hi, hol - la - ho, hol - la hi - a hi - a hi - a, hol - la - ho.

Wenn die bunten Fahnen wehen

Wenn die bun - ten Fah - nen we - hen, geht die Fahrt wohl ü - bers Meer. Wolln wir fer - ne Lan - de se - hen, fällt der Ab - schied uns nicht schwer. Leuch - tet die Son - ne, zieh - hen die Wol - ken, klin - gen die Lie - der weit ü - bers Meer.

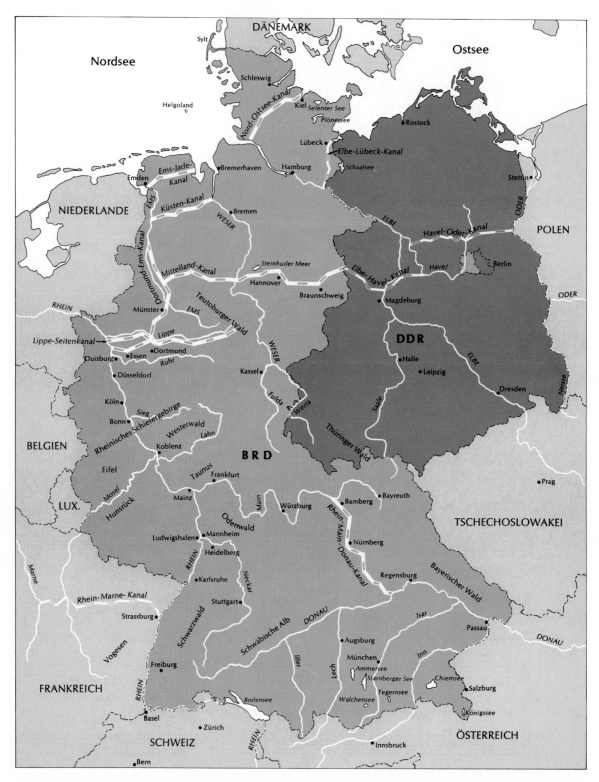

DÄNEMARK

Ostsee

Nordsee

Sylt

Helgoland

Schleswig

Nord-Ostsee-Kanal

Kiel

Selenter See

Plönersee

Rostock

Lübeck

Elbe-Lübeck-Kanal

Schaalsee

Emden

Ems-Jade-Kanal

Bremerhaven

Hamburg

Stettin

NIEDERLANDE

EMS

Küsten-Kanal

WESER

Bremen

ODER

Dortmund-Ems-Kanal

ELBE

Havel-Oder-Kanal

POLEN

RHEIN

Mittelland-Kanal

Steinhuder Meer

Elbe-Havel-Kanal

Havel

Berlin

Münster

EMS

Hannover

ODER

Lippe-Seitenkanal

Lippe

Teutoburger Wald

Braunschweig

Magdeburg

Duisburg

Essen

Dortmund

Ruhr

Kassel

WESER

DDR

Halle

ELBE

Düsseldorf

Fulda

Werra

Leipzig

Neisse

Köln

Sieg

Rheinisches Schiefergebirge

Bonn

Westerwald

Lahn

Thüringer Wald

Dresden

BELGIEN

Eifel

Koblenz

BRD

LUX.

Mosel

Taunus

Frankfurt

Mainz

Prag

Hunsrück

Main

Würzburg

Bamberg

Bayreuth

TSCHECHOSLOWAKEI

Odenwald

Rhein-Main-Donau-Kanal

Nürnberg

Ludwigshafen

Mannheim

Heidelberg

Neckar

Regensburg

Bayerischer Wald

Marne

Karlsruhe

Rhein-Marne-Kanal

RHEIN

Stuttgart

Schwäbische Alb

DONAU

Isar

Strassburg

Schwarzwald

Passau

DONAU

Vogesen

Iller

Augsburg

Inn

München

Lech

Freiburg

Bodensee

Ammersee

Starnberger See

Chiemsee

Salzburg

RHEIN

Tegernsee

Walchensee

Königsee

FRANKREICH

Basel

Zürich

RHEIN

ÖSTERREICH

SCHWEIZ

Bern

Innsbruck

In addition to the canals listed below, the map includes the Elbe-Lübeck, the Elbe-Havel, the Havel-Oder and the Rhein-Marne canals.

38 Flüsse, Kanäle und Seen

The major rivers are those listed in heavy type. Tributaries, in light type, are listed after the rivers into which they flow.

Flüsse mit Nebenflüssen		
der **Rhein**	1 320 km	(865)[1]
der Neckar	367	
der Main	524	
die Lahn	245	
die Mosel	545	(242)
die Sieg	130	
die Ruhr	235	
die Lippe	237	
die **Ems**	371	
die **Weser**	440	
die Werra	293	
die Fulda	218	
die **Elbe**	1 144	(748)
die Saale	427	
die Havel	337	
die **Oder**	912	(169)
die Neisse	256	(188)
die **Donau**	2 850	(647)
die Iller	147	
der Lech	263	(167)
die Isar	295	(263)
der Inn	510	(218)

Die grössten Kanäle	
der Mittelland-Kanal	357 km
Dortmund-Ems-Kanal	269
Rhein-Main-Donau-Kanal[2]	etwa 250
Lippe-Seitenkanal	106
Nord-Ostsee-Kanal	99
Ems-Jade-Kanal	70
Küsten-Kanal	71

Die grössten Seen[3]	
der Bodensee	539 km² (305)
der Chiemsee	80
der Starnberger See	57
der Ammersee	48
das Steinhuder Meer	30
der Plönersee	29
der Schaalsee	23
der Selenter See	22
der Walchensee	16
der Tegernsee	9
der Königssee	5

The Oder and the Neisse form the border between Poland and the DDR.

39 Wer kennt sich gut in Deutschland aus? ⊗

Have students question each other about the map, as suggested below. For questions and answers, see exercise 7 in the Listening Comprehension Program, p. T109.

1. Wie heissen die grössten Flüsse?
2. Wie heissen die Nebenflüsse von der (vom) . . . ?
3. Wo ist die (der) . . . ?
4. Welche Städte liegen an der (am) . . . ?
5. Wie heissen die Hafenstädte? Wo liegen sie?
6. Wie heissen die rechten (linken) Nebenflüsse von der (vom) . . . ?
7. Wie lang ist die (der) . . . ?
8. Wo entspringt die (der) . . . ?
9. In welche Richtung fliesst die (der) . . . ?
10. Wohin fliesst die (der) . . . ?
11. Wie heissen die Kanäle?
12. Wie lang ist der . . . ?
13. Welche Flüsse verbindet der . . . ?
14. Du möchtest mit dem Boot von Kassel nach Frankfurt fahren. Wie fährst du?
15. Wie heissen die grossen Seen?
16. Wieviel Quadratmeter hat der . . . ?
17. Wo liegt der . . . ?

[1] The numbers in parentheses indicate length (or area) in Germany.
[2] The **Rhein-Main-Donau-Kanal**, to be completed by 1985, will allow navigation between the North Sea and the Black Sea.
[3] Measurements for lakes are given in km² (**Quadratkilometer**, *square kilometers*).

WORTSCHATZ

1–14
der **Bayer, –n** *Bavarian*
die Boje, –n *buoy*
das **Boot, –e** *boat*
die Einmannjolle, –n *small boat for one person*
die Flossfahrt, –en *ride on a raft*
die Hauptschulklasse, –n *elementary school class*
die Isar *Isar River*
der Kajak, –s *kayak*
der Knoten, – *knot*
der Mast, –en *mast*
das Meer, –e *sea*
die Öljacke, –n *slicker*
das Paddelboot, –e *paddle boat*
die Pinne, –n *tiller*
die Prüfung, –en *test*
das Ruder, – *rudder*
Schilksee (see note p. 163)
Schleswig-Holstein (a state in northern Germany)

das Schwert, –er *centerboard*
die **Schwimmweste, –n** *life jacket*
das Segelboot, –e *sailboat*
der **Segellehrer, –** *sailing instructor*
der **Segelunterricht** *sailing instruction, lesson*
der **Steg, –e** *pier*
das Tretboot, –e *pedalo*
der **Wassersport** *water sport*
der **Wassersportler, –** *athlete (in water sports)*
die Weste, –n *vest, jacket*
das Windsurfing *wind-surfing*
der **Zehnjährige, –n** (den –n) *10-year-old (child)*
der **Zettel, –** *small piece of paper*

befestigen *to fasten, secure*
einsetzen sep *to put in*
kreuzen *to tack*
kriegen *to get*
s. **merken** *to remember*
rudern *to row*
segeln *to sail*
verteilen *to distribute*
wenden *to turn; to come about*

auf *open*
ausgerüstet *outfitted, equipped*
her *here (motion toward speaker)*
hin *there (motion away from speaker)*

he! *hey!*
ich krieg' den Knoten nicht mehr auf *I can't get the knot out*
Boot fahren *to go boating*
noch jemand *anyone else*

15–26
das Beispiel, –e *example*
das Bootshaus, ⸚er *boathouse*
das Gefühl, –e *feeling*
das Latein *Latin*
das Mädchengymnasium, –gymnasien *secondary school for girls*
die Nachhilfestunde, –n *extra help after school*
das Regenzeug *raingear*
das Rudern *rowing*
die Sprache, –n *language*
der Studienassessor, –en (see fn p. 150)
das Talent, –e *talent*
das Training *practice*
die Untertertia *8th grade (at a Gymnasium)*
das Verb, –en *verb*
die Vokabel, –n *vocabulary word*
der Vorschlag, ⸚e *suggestion*

opfern *to sacrifice*

liegen an A (lag, hat gelegen) *to depend on, be caused by*
verschieben auf A (verschob, hat verschoben) *to postpone until*

bereit *ready*
enttäuscht *disappointed*
genügend *enough*
sondern *but, on the contrary*

ach, komm! *oh, come on!*
bereit sein zu *to be prepared to*
bitte nicht! *please don't!*
ich hab' nur Spass gemacht *I was only kidding*
ich kann nichts dafür *I can't help it*
ich weiss es nicht *I don't know*
im Ernst *seriously*
kann sein *could be, may be*
wahnsinnig gut *awfully well*
woran liegt das? *what's the reason for that?*
zu tun haben mit *to have to do with*
zum Beispiel *for example*

27–35
das Blatt, ⸚er *blade (of an oar)*
der Block, ⸚e *sawhorse*
das Einsteigen *climbing aboard*
der **Hafen, ⸚** *harbor*
die Höhe *height, level*
der Lack *lacquer finish*
die **Mannschaft, –en** *team, crew*
der Mannschaftswechsel *crew change*
die Regenwolke, –n *raincloud*
der Rollsitz, –e *sliding seat*
das Ruder, – *oar*
das Salzwasser *salt water*
der Schwimmsteg, –e *floating pier*
der Segelklub, –s *sailing club*
das Sprachrohr, –e *megaphone*
das Süsswasser *fresh water*

das Tuch, ⸚er *rag*
der Vierer, – *four-seater (boat)*
die Wende, –n *turn*

abspülen sep *to rinse off*
abwischen sep *to wipe off*
zurückkehren sep *to return*

abstossen (stösst ab, stiess ab, hat abgestossen) sep *to push off*
eintreten (tritt ein, trat ein, ist eingetreten) sep *to step into*
fressen (frisst, frass, hat gefressen) *to eat away*

gleich- *same*

auf gleicher Höhe *at the same level*
das Boot wässern *to put the boat in the water*
die Wolken ziehen *the clouds are moving*
eine Wende fahren *to come about (in boating)*
im Schiff *amidships*
in die Mitte vom Schiff *into the middle of the boat, amidships*
ja? *OK?, right?*
Zugang verboten *no admittance*

37–39
das Gewässer, – *body of water*
der Kanal, Kanäle *canal*
der Nebenfluss, ⸚e *tributary*
der Quadratmeter, – *square meter*
der **Wasserweg, –e** *waterway*

entspringen (entsprang, ist entsprungen) *to rise, originate*
fliessen (floss, ist geflossen) *to flow*
verbinden (verband, hat verbunden) *to connect*

36

Hinein ins Vergnügen!

1 Auf dem Rummelplatz ⊗

This is a good place to mention the distinction between Schüler and Student: the former applies to grade-school students, the latter to university students.

„Hereinspaziert, meine Damen und Herren!" brüllt der Ausrufer hinter seinem Sprachrohr. „Sie sehen Oskar, den Kraftmenschen, den stärksten Mann der Welt.
5 Und den einmaligen neuen Houdini, Ahmet, den Entfesslungskünstler aus der Türkei. Kommen Sie herein! Die Vorstellung beginnt in zehn Minuten."

In Scharen strömen die Menschen auf
10 den Rummelplatz: jung und alt, Väter und Mütter mit Kindern fest an der Hand, ganze Schulklassen, Studentengruppen, Arbeiter, Angestellte, Geschäftsleute. Der Rummelplatz ist für alle da, und einen Rummelplatz gibt es überall. In manchen Orten hat man 15 einen anderen Namen dafür: Jahrmarkt, Volksfest, Kirmes, Messe oder Dult. Ganz gleich was man dazu sagt: der Rummelplatz ist ein Vergnügen. Man freut sich lange vorher darauf, und man spart dafür, denn 20 jedes Vergnügen kostet auch Geld.

2 Das Münchner Oktoberfest ⊗

Point out that city names used as adjectives have the ending -er. As students have seen with some country names (Schweizer, etc.), such adjectives never take any additional endings.

Das Oktoberfest ist das grösste Volksfest Europas. Es findet jedes Jahr in der letzten Septemberwoche und in der ersten Oktoberwoche statt. Sechzehn Tage voller Spass
5 und Vergnügen!

Wenn es das Oktoberfest nicht geben würde, wäre das Leben für viele Münchner nur halb so schön. „Is dös a Gaudi!" sagen sie, und das Vergnügen ist nicht nur für sie al
10 lein. Millionen von Besuchern aus ganz Deutschland und aus anderen Ländern kommen jedes Jahr hierher, und gemeinsam stellen sie Jahr für Jahr neue Rekorde auf. Im letzten Jahr tranken sie fünf Millionen Mass Bier, assen eine halbe Million „Brathendl", 15 über 600 Tausend „Schweinswürstl" und verzehrten Dutzende von Ochsen.[1]

Und wie sie sich amüsieren! Sie fahren mit der Achterbahn, der Berg- und Talbahn und mit den vielen Karussells. Bei den Ka- 20 russells ist die Musik am lautesten. Es klingelt und bimmelt, und von drüben, von der Rutschbahn, hört man die Leute am lautesten schreien. Man kann sein eigenes Wort kaum verstehen. Überall ein toller Lärm! 25

Das Fest beginnt immer mit dem traditionnellen Festzug. Tausende stehen auf den Bürgersteigen: Musikkapellen und Trachtengruppen ziehen vorbei, auf die Festwiese zu.

Einen Höhepunkt bieten jedes Jahr die Münchner Brauereien mit ihren festlich geschmückten Bierwagen und den stolzen, kräftigen Pferden.

1

2

3 Zwei Mass Bier, bitte!   4 Das Zelt vom Löwenbräu   5 Hier finden 6 000 Leute Platz.

Der Hansi ist mit der Pia da. „Wenn du Lust hättest, könnten wir mal mit dem Rotor fahren. Oder würdest du lieber mit der Achterbahn fahren?"

6 „Ich könnte die Brezel ganz alleine aufessen. So einen Hunger hab' ich!"

7 „Hansi, wenn du besser zielen würdest, müsstest du bald mal etwas treffen!"

PIA   Wenn ich dürfte, würd' ich den ganzen Abend hierbleiben.

HANSI Könntest du nicht deine Eltern anrufen? Es wäre schön, wenn du noch länger bleiben könntest.

PIA   Nee, das geht nicht. Wir kriegen heute abend Besuch. Ein Onkel aus Köln. Der will auch aufs Oktoberfest. — Du, ich hab' eine Idee! Es wäre lieb von dir, wenn du uns begleiten könntest.

HANSI Ja, freilich. Sag mir aber bald an welchem Tag. — Aber jetzt kaufen wir uns erst ein Los. Wenn ich doch nur zwanzig Mark gewinnen würde! Dann könnten wir noch einmal herkommen. Aber allein!

8

9

¹ Beer at the **Oktoberfest** is served in a large stein called a **Masskrug,** which holds one liter, or a little more than a quart. When ordering; you request **eine Mass Bier.** Traditional **Oktoberfest** foods include **Schweinswürstl,** *linked pairs of pork sausages,* **Brathendl,** *roasted chickens,* and oxen roasted whole on a spit.

3

Folk festivals and fairs have always been an important part of life in European towns and cities. Throughout history, people looked forward to market days and holidays as a chance to gather in the town square, where they could eat, drink, watch musicians and clowns, buy knickknacks from peddlers, and enjoy the noise and excitement. The Jahrmarkt was an especially important fair in each region to which people came from miles around. In German towns and cities today, people still look forward to the festivals and take pride in making their local fair a success.

The Munich Oktoberfest is probably Europe's largest and most famous folk festival. It was first held in 1810 as a wedding celebration for King Ludwig I of Bavaria. It was such a success that it became a yearly Volksfest. At the Oktoberfest each of the seven major Munich breweries has its own beer tent, which can hold up to 6,000 people. There are rides of all kinds and innumerable attractions, from a "flea circus" to a "lady with two heads." Hundreds of stands sell fried sausages, smoked fish, candied almonds, and fresh pretzels. Brass bands perform in the beer tents each day from noon until 11 PM, when the fair closes for the night.

4   **Beantwortet die Fragen!**

1. Was für Namen hat der Rummelplatz?
2. Was ist der Rummelplatz für die Leute? Wer geht alles hin?
3. Was schreien die Ausrufer?
4. Was ist das Münchner Oktoberfest, und wann findet es statt?
5. Was sagen die Münchner über dieses Fest?
6. Ist es nur ein Fest für die Münchner?
7. Was isst und trinkt man alles dort?
8. Womit beginnt das Fest?
9. Was ist der Höhepunkt im Festzug?
10. Was schlägt Hansi vor?
11. Ist Pia sehr hungrig? Was sagt sie?
12. Warum trifft der Hansi nichts?
13. Was würde Pia gern tun?
14. Was schlägt Hansi vor? Was sagt er?
15. Warum muss Pia nach Hause?
16. Was für eine Idee hat sie?
17. Was will Hansi erst noch tun? Warum?

5   MÜNDLICHE ÜBUNG ⊗

6

CONDITIONAL SENTENCES
Subjunctive Forms of Modals

Lest die Beispiele und beantwortet die folgenden Fragen! ⊗

    Wenn ich **dürfte, würde** ich **hierbleiben.**

What is the meaning of the entire sentence? What time does this sentence refer to? Name the verb form in the condition. What other verb form does **dürfte** look like? How does it differ from that form?

    Wenn du Lust **hättest, könnten** wir mit dem Rotor **fahren.**

What does this sentence mean? What time does it refer to? Name the verb form in the conclusion. What other verb form does **könnten** look like? How does it differ from that form?

    Wenn ich aufs Oktoberfest **gehen könnte,** so **müsste** ich
       mir viel Geld **mitnehmen.**

What does this sentence mean? What time does it refer to? Name the verb forms in both the condition and the conclusion. What other verb form does **könnte** look like? How does it differ from that form? How does **müsste** differ from **musste?**

7 **Lest die folgende Zusammenfassung!** Also review the section on the conditional, Unsere Freunde, p. 241.

1. In Unit 23 of **Unsere Freunde** you learned to use conditional sentences, expressing real and unreal conditions, with **haben, sein,** and **werden.**

   Real: Wenn wir in den Bergen **sind, wandern** wir viel.

   Unreal: Wenn wir in den Bergen **wären, würden** wir viel **wandern.**

2. Like the subjunctive forms of **haben, sein,** and **werden (hätte, wäre, würde),** the subjunctive forms of the modals are based on past tense verb forms, and have the same endings. Except for **sollen** and **wollen,** all the modals take an umlaut in the subjunctive.

Infinitive:	dürfen	können	mögen	müssen	sollen	wollen
Past Tense Form:	durfte	konnte	mochte	musste	sollte	wollte
Subjunctive: ich	dürfte	könnte	möchte	müsste	sollte	wollte
du	dürftest	könntest	möchtest	müsstest	solltest	wolltest
er, sie, es	dürfte	könnte	möchte	müsste	sollte	wollte
wir	dürften	könnten	möchten	müssten	sollten	wollten
ihr	dürftet	könntet	möchtet	müsstet	solltet	wolltet
sie, Sie	dürften	könnten	möchten	müssten	sollten	wollten

3. The subjunctive forms of the modals are also used to express unreal conditions. Subjunctive forms may appear in the condition, in the conclusion, or in both.

   Real: Wenn ich **darf, bleibe** ich **hier.**
   If I may, I'll stay here.

   Unreal: Wenn ich **dürfte, würde** ich **hierbleiben.**
   If I could (were permitted to), I'd stay here.

4. Modals used in unreal conditional clauses often convey a feeling of uncertainty or doubt on the part of the speaker. Sometimes modals used in this way express a suggestion, wish, or desire, but they always imply that the speaker is not sure how things will turn out.

   Wenn du **dürftest,** so **würde** ich mit dir aufs Oktoberfest **gehen.**
   If you were allowed to, I'd go with you to the Oktoberfest.

   Wenn du **wolltest,** so **könnten** wir **wiederkommen.**
   If you wanted to, we could come back.

8 **Was sagt Hansi zu Pia?** ⊗

Hansi says a number of things to Pia before they go to the Oktoberfest and while they are there. He uses "real" conditional sentences. What would he say if he were less sure about all these things?

Wenn ich heute abend gehen kann, rufe ich dich an.

Wenn ich das Motorrad nehmen darf, hole ich dich ab.

Wenn du etwas essen magst, kaufe ich dir eine Brezel.

Wenn du länger bleiben kannst, setzen wir uns in ein Bierzelt.

Wenn ich heute abend gehen könnte, würde ich dich anrufen.

Wenn ich das Motorrad nehmen dürfte, würde ich dich abholen.

Wenn du etwas essen möchtest, würde ich dir eine Brezel kaufen.

Wenn du länger bleiben könntest, würden wir uns in ein Bierzelt setzen.

9 Was sagt Pia zu Hansi? ⊗

Sie möchte aufs Oktoberfest gehen, aber sie darf nicht.

Sie möchte mit dem Rotor fahren, aber sie kann nicht.

Sie könnte die Brezel aufessen, aber sie will nicht.

Sie möchte ein Bier trinken, aber sie darf nicht.

Sie möchte noch einmal herkommen, aber sie kann nicht.

Wenn ich dürfte, würde ich aufs Oktoberfest gehen.

Wenn ich könnte, würde ich mit dem Rotor fahren.

Wenn ich wollte, könnte ich die Brezel aufessen.

Wenn ich dürfte, würde ich ein Bier trinken.

Wenn ich könnte, würde ich noch einmal herkommen.

10 Was schlägt Hansi alles vor? ⊗

Er möchte sich mit Pia den Festzug ansehen.

Er möchte sich mit ihr um 10 Uhr treffen.

Er möchte sich mit ihr ein Eis kaufen.

Er möchte sich mit ihr in ein Bierzelt setzen.

Wenn du Lust hättest, könnten wir uns den Festzug ansehen.

. . ., könnten wir uns um 10 Uhr treffen.
. . ., könnten wir uns ein Eis kaufen.
. . ., könnten wir uns in ein Bierzelt setzen.

11 Und was schlägt nun Pia vor? ⊗

Pia is looking forward to the Oktoberfest. She talks about it, using "real" conditional sentences. What would she say if she wanted her statements to sound more like suggestions?

Wenn wir aufs Oktoberfest gehen wollen, müssen wir uns viel Geld mitnehmen.

Wenn wir den Wagen nehmen dürfen, können wir schneller hinkommen.

Wenn wir den Festzug sehen wollen, müssen wir früher fahren.

Wenn wir nicht zu früh nach Hause müssen, können wir auch etwas essen.

Wenn wir noch einmal kommen können, sollen wir meinen Onkel mitbringen.

Wenn wir aufs Oktoberfest gehen wollten, müssten wir uns viel Geld mitnehmen.

Wenn wir den Wagen nehmen dürften, könnten wir schneller hinkommen.

Wenn wir den Festzug sehen wollten, müssten wir früher fahren.

Wenn wir nicht zu früh nach Hause müssten, könnten wir auch etwas essen.

Wenn wir noch einmal herkommen könnten, sollten wir meinen Onkel mitbringen.

12 SCHRIFTLICHE ÜBUNGEN

a. Schreibt die Antworten für Übungen 8, 9, 10 und 11!

b. Schreibt Sätze nach folgendem Beispiel! For answers, see p. T50.

Beispiel: Er hat Zeit. Er kann seine Eltern anrufen.
Wenn er Zeit hätte, könnte er seine Eltern anrufen.

1. Sie hat keine Zeit. Sie muss mit dem Taxi fahren.
2. Wir sind krank. Wir dürfen nicht aufs Oktoberfest gehen.
3. Ich habe genug Geld. Ich kann mir ein Brathendl kaufen.
4. Du willst dich amüsieren. Du wirst mit der Rutschbahn fahren.
5. Er soll früh zu Hause sein. Er muss das Bierzelt schon jetzt verlassen.
6. Die Kinder können gut zielen. Sie werden bald mal etwas treffen.

13   EXPRESSING WISHES USING CONDITIONAL SENTENCES

Lest die Beispiele und beantwortet die folgenden Fragen! ☺

Es wäre nett, wenn du mich **anrufen würdest.**

What does this sentence mean? What does it express? How is this idea introduced? What kind of sentence is it? Name the subjunctive form in the **wenn**-clause.

Es wäre lieb, wenn du mich aufs Oktoberfest **begleiten könntest.**

What does this sentence mean? What does it express? How is this idea introduced? What kind of sentence is it? Name the subjunctive form in the condition.

Wenn ich doch nur besser **zielen könnte!**

What does this **wenn**-clause mean? What does it express? Is it a complete conditional sentence? What part is missing? Name the subjunctive form used.

14   Lest die folgende Zusammenfassung!

1. As in English, conditional sentences can be used to express polite wishes. Often a phrase such as **es wäre nett (schön, lieb)** is used to introduce the whole sentence. Subjunctive forms are used in the **wenn**-clause (condition clause), as they are in unreal conditions.

> Es wäre nett, wenn du mich anrufen würdest.
> Es wäre lieb, wenn du mich aufs Oktoberfest begleiten könntest.

2. "If only . . ." wishes are expressed by using the **wenn**-clause alone, with the verb in the subjunctive. For emphasis, words like **nur, doch,** or **doch nur** are added.

> Wenn ich doch nur besser zielen könnte!
> Wenn sie mich doch nur anrufen würde!

15   Pia möchte, dass Hansi Folgendes tut. Was sagt sie? ☺

Variation: substitute "Es wäre gut" (schön, vernünftig) for "Es wäre nett."

Hansi soll sie anrufen.

Es wäre nett, wenn du mich anrufen würdest (könntest)!

Er soll sie abholen.
Er soll früher kommen.
Er soll sich beeilen.
Er soll ihr eine Brezel kaufen.
Er soll ihr etwas Geld leihen.

Es wäre nett, wenn du mich abholen würdest.
. . ., wenn du früher kommen würdest.
. . ., wenn du dich beeilen würdest.
. . ., wenn du mir eine Brezel kaufen würdest.
. . ., wenn du mir etwas Geld leihen würdest.

16   Hansi ist mit sich unzufrieden. Er ruft: ☺

Er trifft nicht gut.
Er zielt nicht gut.
Er tanzt nicht gut.
Er fährt nicht gut.
Er spricht nicht gut Englisch.

Wenn ich nur besser treffen könnte!
Wenn ich nur besser zielen könnte!
Wenn ich nur besser tanzen könnte!
Wenn ich nur besser fahren könnte!
Wenn ich nur besser Englisch (sprechen) könnte!

17 SCHRIFTLICHE ÜBUNGEN

Schreibt die Antworten für Übungen 15 und 16!

18 HÖRÜBUNG ⊗

	0	1	2	3	4	5	6	7	8	9	10
Real Conditional Sentence											
Unreal Conditional Sentence	✓										

19 ## Auf dem Rummelplatz in Geretsried ⊗

„Wie wär's mit einer Runde? Die Fahrchips bitte an der Kasse kaufen!"

1 Gabi und Elke fahren mit dem elektrischen Auto. Toll, wie sie flitzen und einander rammen! „Halt dich fest!"

2 Monika hat sich beim Roten Kreuz ein Los gekauft. Sie könnte fünf Mark gut gebrauchen. Aber – eine Niete! Schade!

3 „Wie wär's mit Zuckerwatte? Oder hättest du Lust auf einen geräucherten Fisch? Sieht ja auch lecker aus!"

4 „He, wie wär's mit einer Fahrt in der Spinne?" – „Du willst wohl, dass mir wieder schlecht wird!"

5

„Wie wär's mit einem Wurf?"

6

7

„Pech gehabt! Danebengeworfen."

8

„Hättest du Lust, mit der Schiffsschaukel zu schaukeln?" – „Ich werde so leicht schwindlig!"

9

An der Schiessbude. Jeder Schuss ein Treffer! Monika hat geschossen. Sie ist ein Glückspilz: sechs Schuss, fünf Treffer!

10

Ihr Preis: ein süsses Häschen.

Lektion 36   Hinein ins Vergnügen!   185

11

12

Jetzt versucht Gabi ihr Glück. „Wie wär's mit einem Teddybären?" Aber sie hält das Gewehr zu hoch. „Du hast das Schiessen gelernt, als das Treffen noch nicht Mode war!" Fünf Schuss gehen daneben!

Sie hat nur eine Plastikrose geschossen. Und Elke, der Pechvogel, hat gar nichts getroffen. Arme Elke! Monika tröstet sie. „Das macht nichts, Elke. Ich geb' dir das Häschen für deine kleine Schwester."

20 Fragt eure Klassenkameraden!

1. Womit fährst du, wenn du auf dem Rummelplatz bist?
2. Was möchtest du gern essen? Worauf hättest du Lust?
3. Bist du an der Schiessbude ein Pechvogel oder ein Glückspilz? Warum?

4. Fährst du gern mit den elektrischen Autos? Warum?
5. Hast du schon einmal Geld gewonnen? Erzähle, wann!
6. Was gefällt dir am besten auf dem Rummelplatz?

21 MÜNDLICHE ÜBUNG ☉

22 USING SUBJUNCTIVE FORMS
To Express Polite Requests and to Make Suggestions

Subjunctive forms are used to express polite requests and to make suggestions.

Hättest du Lust auf ein Eis?	*Would you like an ice cream?*
Wie wär's mit Zuckerwatte?	*How about some cotton candy?*
Könnte ich ein Los haben?	*Could I have a raffle ticket?*
Möchtest du mit dem Karussell fahren?	*Would you like to go on the carousel?*

23 Worauf Monika wohl Lust hätte: ☉

Will sie eine Brezel?
Will sie Zuckerwatte?
Will sie ein Brathendl?
Will sie einen geräucherten Fisch?
Will sie ein Cola?

Hättest du Lust auf eine Brezel?
Hättest du Lust auf Zuckerwatte?
Hättest du Lust auf ein Brathendl?
Hättest du Lust auf einen geräucherten Fisch?
Hättest du Lust auf ein Cola?

Variation: Will sie eine Brezel?   Wie wär's mit einer Brezel? (mit einem Brathendl! / mit einem geräucherten Fisch? / mit einem Cola?)

186   **DIE WELT DER JUGEND**

24 **Elke sagt, worauf sie Lust hätte.** ⊗

Sie will mit der Schiffsschaukel schaukeln.

Sie will mit der Achterbahn fahren.
Sie will mit der Spinne fahren.
Sie will einen Teddybären schiessen.
Sie will die Pyramide vom Brett werfen.
  (see photos 6 and 7, p. 185)

Ich hätte Lust, mit der Schiffsschaukel zu schaukeln.
. . ., mit der Achterbahn zu fahren.
. . ., mit der Spinne zu fahren.
. . ., einen Teddybären zu schiessen.
. . ., die Pyramide vom Brett zu werfen.

25 **Wie wär's damit, Gabi?** ⊗

Sie soll mit der Berg- und Talbahn fahren.

Sie soll mit der Spinne fahren.
Sie soll mit den elektrischen Autos fahren.
Sie soll mit dem Karussell fahren.
Sie soll mit der Schiffsschaukel fahren.

Wie wär's mit einer Fahrt mit der Berg- und Talbahn?
Wie wär's mit einer Fahrt mit der Spinne?
Wie wär's mit einer Fahrt mit den elekt. Autos?
Wie wär's mit einer Fahrt mit dem Karussel?
Wie wär's mit einer Fahrt mit der Schiffsschaukel?

26 **Monika fragt sehr höflich.** ⊗

Sie will ein Los haben.
Sie will ein Gewehr haben.
Sie will einen Fahrchip haben.
Sie will das blaue Häschen haben.
Sie will einen geräucherten Fisch haben.

Könnte ich bitte ein Los haben?
Könnte ich ein Gewehr haben?
Könnte ich einen Fahrchip haben?
Könnte ich das blaue Häschen haben?
Könnte ich einen geräucherten Fisch haben?

27 **SCHRIFTLICHE ÜBUNGEN**

a. Schreibt die Antworten für Übungen 23, 24, 25 und 26!
b. Du bist mit Freunden auf dem Rummelplatz. Was seht und tut ihr alles? Was sagt ihr? Schreib einen Dialog! (Siehe Seiten 179, 184, 185 und 186!)

28 **A SPECIAL USE OF THE WORD daneben**

When the word **daneben,** *beside it,* is used as a separable prefix, it conveys the idea of missing something, of failing to hit the mark.

  Ich habe danebengeworfen. *I threw and missed.*

29 **Elke, du Pechvogel! Alles geht daneben!** ⊗

Sie schiesst und trifft nichts.
Sie wirft und trifft nichts.
Sie rät, aber sie rät nicht richtig.
Sie schlägt den Nagel und trifft ihn nicht.

Du hast danebengeschossen.
Du hast danebengeworfen.
Du hast danebengeraten.
Du hast danebengetroffen.

30 Auf geht's in den Fasching! ⊗

1

Der Fasching ist kein Rummelplatz, aber im Fasching herrscht Rummelplatz-Atmosphäre. Der Fasching dauert ja auch viel länger, und man kann sich um so mehr amüsieren.

Der Fasching beginnt eigentlich schon am 11.11, um 11.11 Uhr. Zu dieser Zeit wählen die Faschingskomitees in den Dörfern und Städten ihr Prinzenpaar, den Faschingsprinzen und seine Prinzessin. Dieses Paar „regiert" vom 7. Januar, wenn die ersten Faschingsbälle beginnen, bis Aschermittwoch, wenn der Fasching zu Ende geht und die Fastenzeit beginnt.

2

Die Obertertianer vom Gymnasium in Starnberg bereiten sich auf den Starnberger Faschingsumzug vor. Einige sind zur Eva gekommen. Sie hat viele alte Sachen in einem grossen Karton.

„Und jetzt schmink' ich dich. Wie wär's mit falschen Zähnen oder Stoppeln im Gesicht?" — „Mach mir doch ein blaues Auge!" — „Toll!"

3

Sie hat auch eine Nähmaschine. „Als was wolltest du denn gehen, Ralph?" — „Ach, als ‚Garnichts'! Du könntest mir irgendein Kostüm nähen, ganz nach deiner Fantasie."

4

Eviva is Italian for "long live"; España is the Spanish name for Spain. In Spanish, the correct phrase would be "qu'eviva España!"

,,Hallo, Ralph! Hallo, Marzi!'' Wie zwei richtige Piraten sitzen sie auf dem geschmückten Wagen. Aus einem Lautsprecher ertönt Musik: Die Sonne scheint am Firmament, eviva, España! . . .

6

7

Eine Woche später fahren unsere Freunde nach München. Am Faschingsdienstag ist ein grosser Umzug. Keiner arbeitet. Ganz München ist auf der Strasse.

Alles ist geschmückt. Der Lärm ist ohrenbetäubend. Die Leute schunkeln und singen: Wir kommen alle, alle, alle in den Himmel, weil wir so brav sind . . .

8

9

,,Gib mir auch Konfetti, Eva. Das werf' ich dem Flori auf den Kopf.''

,,Der sieht sowieso schon so lustig aus mit seinen Papierschlangen.''

Lektion 36   Hinein ins Vergnügen!   189

31 The origin of the word Karneval, by folk etymology, is "carne, vale!" (meat, farewell!). Fastnacht and Fasching are derived from the verb fasten (to fast). The day before Faschingsdienstag is Rosenmontag, a high point of the

The carnival season, called Karneval along the Rhine and Fasching in southern Germany and Austria, is celebrated in Catholic areas during the weeks preceding Lent. In the cities of Cologne, Mainz, and Munich, the celebrations include elaborate parades and weeks of parties, dances, and formal costume balls. The final day of carnival is Faschingsdienstag, Shrove Tuesday. On this day businesses close at noon, and the streets are filled with revelers in the last celebration of the Fasching season. carnival celebration, especially in Cologne. For a study project, students might compare the celebration of Karneval with that of Mardi gras in French-speaking areas, including New Orleans.

32 ## Beantwortet die Fragen!

1. Wann beginnt der Fasching, und wie lange dauert er?
2. Warum sind einige Schüler zur Eva gekommen?
3. Was soll Eva für Ralph tun?
4. Als was gehen Ralph und Marzi?
5. Wann fahren unsere Freunde nach München?
6. Was sieht und hört man alles auf der Strasse?

33 ## MÜNDLICHE ÜBUNG ⊗

34 ## KONVERSATIONSÜBUNG
For suggestions, see Exercise 8 in the Listening Comprehension Program, p. T114.

Diskutiert, wie ihr euch für eine Kostümparty oder eine Faschingsparty vorbereitet!
1. Wer von euch gibt eine Faschingsparty?
2. Als was möchtest du am liebsten gehen? (als Superman? als Mexikaner? als Filmstar? als Indianer? als Mensch vom Mars? als Kleopatra? im Fantasiekostüm?)
3. Beschreibe dein Kostüm!
4. Woher bekommst du dein Kostüm? (Kaufst du es dir? Machst du es selbst? Tust du das alleine? Hilft dir jemand dabei?)
5. Wer sorgt für das Essen? fürs Trinken? für die Musik? (Wer bringt was? Wer kocht oder bäckt etwas? Wer wählt die Platten oder Cassetten aus?)
6. Was für Artikel könntet ihr noch für eure Party gebrauchen?

35 ## SCHRIFTLICHE ÜBUNG

Schreibt einen Aufsatz mit dem Thema: Unsere Kostümparty.

36 ## Lieder für den Fasching und für andere Feste ⊗

Wir kommen alle, alle, alle in den Himmel

Wir kommen alle, alle, alle in den Himmel,
Weil wir so brav sind,
Weil wir so brav sind!
Das sieht selbst der Petrus ein.
Er sagt, ich lass gern euch rein!
Ihr ward auf Erden schon die reinsten Enge-
lein!

Du kannst nicht treu sein

Du kannst nicht treu sein.
Nein, nein, das kannst du nicht,
Wenn auch dein Mund mir wahre Liebe ver-
spricht.
In deinem Herzen hast du für viele Platz.
Drum bist du auch nicht für mich der
richt'ge Schatz.

Wer soll das bezahlen?

Wer soll das bezahlen, wer hat das bestellt?
Wer hat so viel Pinkepinke, wer hat so viel Geld?

37 Was ist auf diesem Schulfest alles los? For suggestions, see p. T50.

BITTE NOCH NICHT BERÜHREN!

3 WÜRFE! 10 Pf.

EIN SCHWAMM WURF 5 Pf.

NASS-SPASS

ALLE MIT MACHT

LEHRER ALS ZIELPERSON ERWÜNSCHT

38 Was hören wir alles auf dem Rummelplatz? ⊗

Wie wär's mit Zuckerwatte?

Jeder Schuss ein Treffer!   PECH GEHABT!

Du bist ein Glückspilz!   So einen Hunger hab' ich!

Hereinspaziert, meine Damen und Herren!

Zwei Mass Bier, bitte!

Drei Paar Schweinswürstl und ein Brathendl!

Fahren wir mal mit dem Rotor!   Wie wär's mit einem Wurf?

HALT DICH FEST!   Mir wird schwindlig!   Mir wird schlecht!

Among the expressions above, the phrase "Zwei Mass Bier, bitte!" and the reference to Schweinswürstl and Brathendl are heard mainly in Bavaria. The rest could be heard anywhere in Germany.

1–18

die Achterbahn, −en (carnival ride)
der Angestellte, −n (den −n) white-collar worker
der Ausrufer, − carnival barker
die Berg- und Talbahn, −en roller coaster
der Besuch company, visitor
der Bierwagen, − beer wagon
das Brathendl, − roast chicken
die Brauerei, −n brewery
der Bürgersteig, −e sidewalk
die Dult, −en carnival, fair
das Dutzend dozen
der Entfesslungskünstler, − escape artist
die Festwiese, −n fairgrounds
die Geschäftsleute (pl) business people
der Jahrmarkt, ⁼e fair
das Karussell, −s carousel
die Kirmes, − carnival, fair
der Kraftmensch, −en muscle man
der Lärm noise
das Löwenbräu (a brewery in Munich)
die Mass (see fn p. 179)
die Messe, −n fair
die Musikkapelle, −n band
der Ochse, −n ox
das Oktoberfest (see note p. 180)
der Rotor (carnival ride)
der Rummelplatz, ⁼e amusement park

die Rutschbahn, −en (carnival ride)
das Schweinswürstl, − pork sausage
die Studentengruppe, −n student group
die Trachtengruppe, −n group dressed in traditional costumes
das Vergnügen pleasure, enjoyment
das Volksfest, −e folk festival
die Vorstellung, −en performance, show

begleiten to accompany
bimmeln to jingle
sparen für to save for
strömen auf A to stream to
verzehren to devour
zielen to aim

aufessen (isst auf, ass auf, hat aufgegessen) sep to eat up
schreien (schrie, hat geschrien) to scream
treffen (trifft, traf, hat getroffen) to hit

drüben over there
festlich festive(ly)
freilich sure, of course
gemeinsam together
herein- (prefix) in (motion toward the speaker)
hinein- (prefix) in (motion away from the speaker)

kräftig strong
lieb nice, good
traditionell traditional
überall everywhere
voller full of

an der Hand by the hand
auf etwas zu toward, in the direction of s.th.
aus ganz Deutschland from all over Germany
das geht nicht that's not possible
es wäre lieb von dir it would be nice of you
ganz gleich it doesn't matter
halb so schön half as nice
hereinspaziert! step right up!
hinein ins Vergnügen! join the fun!
in Scharen in droves
is dös a Gaudi! (Bavarian) what a blast!
Jahr für Jahr year after year
meine Damen und Herren! ladies and gentlemen!
Rekorde aufstellen to set records
sie sagen . . . dazu they call it . . .
wenn ich doch nur 20 Mark gewinnen würde! if only I would win 20 marks!
wenn ich dürfte, würde ich hierbleiben if I could, I'd stay here

19–29

der Fahrchip, −s token
das Gewehr, −e rifle
der Glückspilz, −e lucky duck
das Häschen, − bunny
der Pechvogel, ⁼ unlucky person
die Plastikrose, −n plastic rose
das Rote Kreuz the Red Cross
die Runde, −n round
die Schiessbude, −n shooting gallery
die Schiffsschaukel, −n (carnival ride)
der Schuss, ⁼e shot
die Spinne, −n (carnival ride)
der Treffer, − hit, bull's-eye
der Wurf, ⁼e throw
die Zuckerwatte cotton candy

flitzen to whisk, flit
rammen to ram
schaukeln to swing, sway

danebengehen (ging daneben, ist danebengegangen) sep to miss
danebenwerfen (wirft daneben, warf daneben, hat danebengeworfen) sep to throw and miss
s. festhalten (hält fest, hielt fest, hat festgehalten) sep to hold tight
schiessen (schoss, hat geschossen) to shoot

geräuchert smoked
schwindlig dizzy

hättest du Lust auf (ein Eis)? would you like (an ice cream)?
könnte ich . . . ? could I . . . ?
möchtest du . . . ? would you like . . . ?
wie wär's mit . . . ? how about . . . ?

du hast das Schiessen gelernt, als das Treffen noch nicht Mode war you learned to shoot before hitting the mark came into style
eine Niete! a blank!
gar nichts nothing at all
halt dich fest! hold on tight!
Pech gehabt! bad luck!

30–38

der Aschermittwoch Ash Wednesday
die Atmosphäre atmosphere
die Fantasie imagination
der Fasching (see fn p. 190)
der Faschingsdienstag Shrove Tuesday
der Faschingsprinz, −en (den −en) (see fn p. 114)
der Faschingsumzug, ⁼e Fasching parade
die Fastenzeit Lent
das Firmament heavens
der Karton, −s carton
das Konfetti confetti
der Lautsprecher, − loud-speaker
die Nähmaschine, −n sewing machine

der Obertertianer, − ninth grader (in a Gymnasium)
die Papierschlange, −n (crepe) paper streamer
der Pirat, −en (den −en) pirate
das Prinzenpaar, −e (see fn p. 114)
die Stoppeln (pl) stubble

ertönen to sound
herrschen to prevail, rule
regieren to reign, rule
schunkeln to link arms and sway to music
s. vorbereiten auf A to prepare for

brav good, well-behaved
falsch false
irgendein any
nach according to
ohrenbetäubend deafening

als „Garnichts" as anything you like
auf geht's! let's go!
ein blaues Auge a black eye
eviva España! long live Spain!
ganz nach deiner Fantasie leave it up to your imagination
hallo! hi!
um so mehr all the more
zu Ende gehen to be over
zu dieser Zeit at this time

▲ Schafweiden am Meer
▲ Strandkörbe schützen gegen den Wind.

Fischerhafen   In Kiel

DER NORDEN

The greater part of northern Germany is an expanse of lowlands with wind and water, changing clouds, and a sense that the sea is always near.

So sah Emil Nolde (1867–1956) den Norden.

Bathing beaches and the lonely dunes of the North Sea islands lure millions of tourists every summer. Tidy farms, colorful fishing villages, and red-brick buildings distinguish this area from the rest of Germany.

Aside from the fishing and dairy industries, the nursery industry thrives here. The nurseries around Wiesmoor in East Frisia are especially well known.

Plate 17

Stadtverkehr vor dem Holstentor

Manns Geburtshaus

LÜBECK, founded in 1143, became a prosperous port during the Middle Ages mainly through its trade in salt, which was shipped from here to all parts of the world. Thomas Mann (1875–1955), Germany's greatest modern writer, was born here. The city is the scene of Mann's most prominent work, *Buddenbrooks,* for which he received the Nobel Prize for Literature in 1929.

Lübeck is a manufacturing and trading center. A famous product of Lübeck is marzipan, a rich almond candy, which is shipped all over the world.

Das Rathaus (1230–1570)

Der Überseehafen

Flaggen der Reedereien

HAMBURG, "The Gateway to the World," is Germany's northern metropolis. Founded in 800, it acquired city status in 1215. The river Elbe, connecting Hamburg to the vast hinterland and to the North Sea, is the backbone of Hamburg's shipping economy. Hamburg has always been a cosmopolitan city, where many cultures cross. It has hundreds of foreign shipping agencies and more foreign consulates and trade missions than any other city except New York. Citizens of Hamburg have long had the reputation of being open-minded and culturally aware. In 1677 the rich merchants of Hamburg founded the first opera open to people from all walks of life. Today the Hamburger Oper and the Schauspielhaus rank among the best in the world. The University of Hamburg is one of the largest and most important universities in the Federal Republic.

Being so close to the sea, Hamburg restaurants and markets specialize in fish and seafood.

Gustav Gründgens als Mephisto in Goethes *Faust*

Die Michaeliskirche

Plate 19

BERLIN, established in the 1200's, was not a very important place during the first 400 years of its existence. It was Frederick the Great (1712–1786) who through his leadership and conquests made Prussia a world power and Berlin a center of the arts and sciences.

Under Bismarck (1815–1898), the founder of the German Reich, Berlin became the capital of Germany in 1871. Bismarck made the city into Germany's largest commercial center, and its population increased from 400,000 in 1871 to nearly 4,000,000 in 1920.

In the late 19th and early 20th centuries, Berlin was a center of music and the arts; and after World War I, in the "Golden Twenties," Berlin became the center of experimental theater, art, and literature.

Today West Berlin is Germany's leading center for the electrotechnical, metal, textile, and food-processing industries.

Bismarck-Denkmal

▼ Das Sternhaus

Berlin, die grösste deutsche Stadt

▼ Plastik von Calder vor der neuen Nationalgalerie und Matthäuskirche (1846)

Die Gedächtniskirche

Schloss Bellevue (1785–1786)

Das Brandenburger Tor steht in Ostberlin.

At the end of World War II, Berlin was divided, and many of her treasures lie in what is now East Berlin. For the purposes of daily living, most West Berliners are confined to the western part of the city, and can travel to and from the Federal Republic only along tightly controlled routes. Separated from the rest of Western Germany and surrounded by the Wall, West Berlin still remains a vital and beautiful city. It offers abundant parks, lakes, and forests, as well as a rich cultural tradition—museums, galleries, theaters, and sidewalk cafés.

Auf dem Kurfürstendamm

Auf der Pfaueninsel im Wannsee

Plate 21

Stahlwerk in Essen

Nordrhein-Westfalen

The most densely populated state contains the industrial heart of Germany, the Ruhrgebiet. Here many large manufacturing cities have virtually merged into one vast megalopolis, with coal mines, steel mills, and chemical factories.

This state is not only bursting with economic activity, but is also full of intellectual and cultural life. There are Ruhr Festivals in Recklingshausen, the Ruhr University in Bochum, great theaters and the famous Academy of Art in Düsseldorf, and music festivals in Bonn, Beethoven's native city and capital of the Federal Republic.

East of the Ruhrgebiet is the beautiful agricultural area of Westfalen, whose people traditionally are strongly Catholic and politically conservative.

Düsseldorf, one of Germany's fashion centers

Fronleichnamsprozession, Paderborn

Rathaus, Schwalenberg

Plate 22

Hessen

This central state contains the Rhein-Main-Gebiet, the second-largest industrial megalopolis in the Federal Republic. The Rhein-Main-Flughafen in Frankfurt is Germany's busiest airport; and there are large industrial plants such as the Farbwerke Höchst, automobile factories, and many government offices.

Die Paulskirche, Tagungsort der Nationalversammlung

Der Römer, das Wahrzeichen Frankfurts

Hessen's largest city is Frankfurt. Many emperors were crowned in the Römer, now a treasured landmark. In the Paulskirche, now a national shrine, the first—unsuccessful—National Assembly convened in 1848.

In 1749, Germany's most famous writer and poet, Goethe, was born in Frankfurt. His birthplace, am Grossen Hirschgraben, is a museum today.

Johann Wolfgang von Goethe (1749–1832), grösster deutscher Denker und Dichter

Rheinland-Pfalz

Every year, millions of tourists come to see the castles, vineyards, and villages along the Rhein and Mosel rivers, famous in legend and folklore. About 70% of German wine is produced in this area, often called the "Land of Vineyards and Forests." Three of the oldest German cities — Trier, Koblenz, and Mainz — were founded by the Romans and lie in this state.

Mainz is the capital. Here, in 1450, Gutenberg perfected the printing press.

In 1521, in the cathedral at Worms, Martin Luther spoke his famous words, "Here I stand," to the Pope's representative.

Burg Pfalzgrafenstein am Rhein

Gutenberg (1394?–1468) in seiner Werkstatt

Das Gutenberg-Museum in Mainz

Der romanische Dom (975–1239) in Mainz

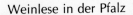

Weinlese in der Pfalz

Plate 24

37

PETERS SOMMER JOB: GELD FÜR DIE FAHRSCHULE

1 Peters Ferienjob ⊗

Peter hat grosses Glück gehabt. Er hat einen tollen Job gefunden. Er ist Verkäufer in einem amerikanischen Billig-Restaurant.

Im blauen Kittel mit dem Papierkäppi fesch auf dem Kopf steht er hinter dem Ladentisch und bedient die Kunden.

1 Peter als Verkäufer

Sie essen bei uns preiswert	
Hamburger	DM 1,40
Cheeseburger	DM 1,60
Viertel-Pfünder	DM 3,20
(Hamburger mit 125g Rindfleisch)	
1/4 Hühnchen	DM 2,35
Pommes frites	DM ,90
Pommes frites	DM 1,20
(Riesenportion)	
Äppel Pei	DM 1,20

. . . nun was trinken Sie?	
Kaltschale 0,3 l	DM 1,50
(mit Erdbeer-, Schoko-, Vanillegeschmack)	
Cola/Limonade 0,25 l	DM ,90
Cola/Limo gross 0,4 l	DM 1,45
Orangengetränk	DM ,90
Bier vom Fass	DM 1,40
Flaschenbier	DM 1,40
Kaffee/heisses Kakaogetränk	DM ,90
Ketchup 14g Beutel	DM ,10

,,Diesen Job kann man schnell lernen", meint Peter. ,,Alle Läden sind Selbstbedienungsläden. Jede Filiale verkauft dasselbe, und die Auswahl ist nicht sehr gross: Hamburger, einfache und doppelte, Cheeseburger, dann gibt es auch Hühnchen und Pommes frites. Wir haben auch einen guten Äppel Pei! Zum Trinken verkaufen wir natürlich Bier, Kaffee, Cola und Limo. Alles in Pappbechern. Unser neuer Schlager ist eine Kaltschale. Das ist süsse Trinkcreme, gemixt. Und die schmeckt toll!

,,Die Hamburger sind immer gleich: Hackfleisch, garniert mit einem Salatblatt, Gurke und einer Scheibe Zwiebel. Obendrauf kommt entweder Senf oder Ketchup — oder beides. Beim Cheeseburger kommt eine Scheibe Käse aufs Hackfleisch."

2 Beantwortet die Fragen!

1. Warum hat Peter grosses Glück gehabt?
2. Was tut Peter, und was trägt er bei der Arbeit?
3. Warum kann man diesen Job schnell lernen?
4. Was kann man in diesem Laden alles kaufen? Wie teuer ist alles?
5. Was kommt alles auf einen Hamburger?
6. Und was isst du gern auf deinem Hamburger?

3 MÜNDLICHE ÜBUNG ⊗

4 Eine bekannte Kundin ⊛

BABSIE   Ja, schau mal! Der Peter!

PETER   Grüss dich, Babsie!

BABSIE   Grüss dich! — Du siehst richtig fesch aus in deiner Uniform.

PETER   Ja, wirklich?! — Wie geht's dir denn?

BABSIE   Soso.

PETER   Ich hab' dich schon lange nicht gesehen. Arbeitest du irgendwo?

BABSIE   Nee. Ich suche irgendetwas. Aber jetzt nur noch für ein paar Wochen. Ich fahr' dann mit meinen Eltern in Urlaub.

PETER   Es ist schlecht, für so kurze Zeit etwas zu finden.

BABSIE   Ich hätte einen Job gehabt, aber der war draussen in Sendling.

PETER   Warum hast du ihn nicht genommen?

Mofa is short for Motor-fahrrad (motorized bicycle).

BABSIE   Es ist zu weit. Wenn ich ein Mofa gehabt hätte, hätte ich den Job schon genommen. Aber mit dem Bus und der Strassenbahn dauert es zu lange.

PETER   Siehst du, da hab' ich's schön. Ich kann zur Arbeit laufen.

BABSIE   Ich dachte, dass du im Wertkauf[1] arbeitest. Irgend-jemand hat mir das gesagt.

PETER   Da war ich nur eine Woche. Im Warenlager. Schlech-ter Verdienst. Wenn ich meinen Führerschein schon gehabt hätte, hätten sie mich als Fahrer eingestellt. Dann hätte ich mehr verdient.

BABSIE   Machst du jetzt den Führerschein?

PETER   Jaja, eisern! Der kostet eine Menge Geld. Deshalb schufte ich ja auch so viel. Ich mach' sogar Über-stunden.

BABSIE   Sag mal, wie hast du denn diesen Job bekommen? Durchs Arbeitsamt[2]?

PETER   Ach, es hat doch gar keinen Zweck, aufs Arbeitsamt zu gehen. Die vermitteln nur längere Jobs, keine Ferienjobs. In der Zeitung stehen ab und zu Anzei-gen, aber auf die bewirbt sich jeder. Ich bin einfach herumgelaufen und hab' überall gefragt, ob sie je-mand gebrauchen können. — So, und was möchtest du jetzt haben? Da kommen Kunden.

BABSIE   Gib mir einen Cheeseburger und etwas zu trinken. Ist die Kaltschale gut?

PETER   Sagenhaft! Du musst sie unbedingt versuchen.

[1] **Wertkauf** is the name of a large discount department store in Munich.
[2] **Das Arbeitsamt,** *employment bureau,* is run by the state government. It not only helps people find employment, but also pays unemployment benefits and provides free training for certain kinds of jobs.

BABSIE	Willst du mal kosten? — Was ich sagen wollte: bist du zu Utes Geburtstagsparty eingeladen?
PETER	Klar! Sie hat mich gestern abend angerufen. Kommst du auch?
BABSIE	Ja, natürlich!
PETER	Toll! Dann sehen wir uns also bei der Ute. Tschüs, Babsie!
BABSIE	Tschüs!

5 Beantwortet die Fragen!

1. Was für ein Kompliment macht Babsie dem Peter?
2. Was für einen Job sucht sie?
3. Warum hat sie den Job in Sendling nicht genommen?
4. Warum ist Peter nicht länger beim Wertkauf geblieben?
5. Als was hätte er mehr verdient?
6. Wozu braucht Peter so viel Geld?
7. Wie hat er diesen Job gefunden?
8. Warum hat es für Peter keinen Zweck, aufs Arbeitsamt zu gehen?
9. Was bestellt Babsie?
10. Wo werden sich Babsie und Peter wieder treffen?

6 Wo können sich unsere Freunde in den Ferien Geld verdienen? ⊗

1 Gabi hilft in einem Reitstall.

2 Eberhard arbeitet in einem Warenlager.

3 Ursula ist Verkäuferin in einem Spielzeugladen.

4 Josef arbeitet als Strassenarbeiter.

5 Irene ist diesen Sommer Kellnerin.

6 Jürgen verkauft Zeitungen.

7 Eva hilft in einer Drogerie.

8 Wolfgang mäht den Rasen im Olympiapark.

9 Heidi ist in einem Büro beschäftigt.

7 Was machen sie mit dem Geld, das sie verdient haben? ⊗

Ich brauche Geld für den Urlaub.

1

Babsie

Ich brauche eine neue Schiausrüstung.

2

Hans-Peter

Ich mache den Führerschein.

3

Peter

Ich mache einen Segelkurs mit.

4

Monika

Ich möchte im Herbst einen Tanzkurs mitmachen, einen Kurs für Fortgeschrittene.

5

Elli

Ich will mir eine neue Stereoanlage kaufen.

6

Michael

Ich spare mein Geld. Ich möchte mir ein Mofa kaufen.

7

Hansi

Ich mache diesen Winter einen Schikurs in den Bergen, in Westendorf.

8

Eva

8 MÜNDLICHE ÜBUNG ⊗

9 KONVERSATIONSÜBUNG

Sucht ihr Arbeit? Diskutiert mit euren Klassenkameraden darüber!
1. Wie könnt ihr euch am besten einen Job suchen? (durchs Arbeitsamt? durch die Zeitung? durch Bekannte? selbst?)
2. Wo oder als was würdet ihr am liebsten arbeiten?
3. Was ist für euch beim Jobsuchen wichtig? (Entfernung? Verdienst? Arbeitsklima?)
4. Was macht ihr mit dem Geld, das ihr euch verdient habt?

10 SCHRIFTLICHE ÜBUNGEN

a. Beantwortet die Fragen von Übung 9 schriftlich!

b. Schreibt einen Aufsatz mit dem Thema: Mein Ferienjob. Der Aufsatz soll folgende Fragen beantworten: 1. Wo und als was hast du gearbeitet? 2. Wie hast du den Job bekommen? 3. Wie bist du zur Arbeit gekommen? 4. Wie hat dir die Arbeit gefallen? 5. Was hast du mit dem Verdienst gemacht?

11

Young Germans today enjoy a relatively high standard of living. Most boys and girls between 15 and 18 are in apprenticeship programs and earn their own money. They are financially better off than Gymnasium students like Babsie and Peter, who have to depend on an allowance from home and whatever they can earn in the summer. Few high school students have jobs during the school year, but many find summer jobs, especially in the service industries. Jobs in the service industries may include work as a salesperson, a waiter or waitress, a gas station attendant, a travel agent, a taxi driver, etc.

12 CONDITIONAL SENTENCES
Unreal Conditions Referring to the Past

Lest die Beispiele und beantwortet die folgenden Fragen! ⊗

Wenn ich ein Mofa gehabt hätte, hätte ich den Job genommen.

What does this sentence mean? Does this sentence refer to the present or to the past? What kind of condition is expressed? What do the verb phrases in each clause consist of?

Wenn Babsie Zeit gehabt hätte, wäre sie länger geblieben.

What does this sentence mean? Does this sentence refer to the present or to the past? What kind of condition is expressed? What do the verb phrases in each clause consist of?

13 Lest die folgende Zusammenfassung!

In Unit 23 of **Unsere Freunde,** you learned about real and unreal conditions that refer to present time. In sentences containing unreal conditions that refer to past time, the subjunctive form of **haben** or **sein,** plus a past participle, are used in both the condition and the conclusion.

Condition	Conclusion
Wenn ich ein Mofa **gehabt hätte,** *If I had had a mofa,*	**hätte** ich den Job **genommen.** *I'd have taken the job.*
Wenn Babsie Zeit **gehabt hätte,** *If Babsie had had time,*	**wäre** sie länger **geblieben.** *she would have stayed longer.*

14 Peter, was hättest du getan, wenn du Ferien gehabt hättest? ⊗

Wärst du in München geblieben?

Ja, wenn ich Ferien gehabt hätte, wäre ich in München geblieben.

Hättest du gearbeitet?
Hättest du Geld verdient?
Wärst du an den See gefahren?
Wärst du in der Stadt herumgelaufen?
Hättest du den Führerschein gemacht?

Ja, wenn . . ., hätte ich gearbeitet.
. . ., hätte ich Geld verdient.
. . ., wäre ich an den See gefahren.
. . ., wäre ich in der Stadt herumgelaufen.
. . ., hätte ich den Führerschein gemacht.

Note that we have used the short form wärst instead of wärest, which is used more often in written style.

15 Was hättest du getan, wenn du einen Job gesucht hättest? ⊗

die Anzeigen in der Zeitung lesen?

Ich hätte die Anzeigen in der Zeitung gelesen.

zum Arbeitsamt gehen?
überall herumlaufen?
überall fragen?
den ersten Job nehmen?
mit dem Mofa nach Sendling fahren?

Ich wäre zum Arbeitsamt gegangen.
Ich wäre überall herumgelaufen.
Ich hätte überall gefragt.
Ich hätte den ersten Job genommen.
Ich wäre mit dem Mofa nach Sendling gefahren.

16 Wie hätte Peter mehr verdient? ⊗

Er hat seinen Führerschein noch nicht
  gehabt.
Er hat wenig Zeit gehabt.
Er hat wenig Überstunden gemacht.
Er ist nicht lange geblieben.
Er hat nicht als Fahrer gearbeitet.
Er ist nicht alt genug gewesen.

Er hätte mehr verdient, wenn er seinen
  Führerschein gehabt hätte.
. . ., wenn er mehr Zeit gehabt hätte.
. . ., wenn er mehr Überstunden gemacht hätte.
. . ., wenn er länger geblieben wäre.
. . ., wenn er als Fahrer gearbeitet hätte.
. . ., wenn er älter gewesen wäre.

17 Was sagt Babsie, und was antwortet Peter? ⊗

Ich hab' gearbeitet, weil ich kein Geld
  hatte.
Ich hab' Anzeigen gelesen, weil ich einen
  Job brauchte.
Ich bin aufs Arbeitsamt gegangen, weil
  ich Zeit hatte.
Ich hab' in einem Büro gearbeitet, weil
  ich Lust hatte.
Ich hab' mehr verdient, weil ich älter war.
Ich hab' diesen Job nicht bekommen, weil
  ich nicht alt genug war.

Wenn ich kein Geld gehabt hätte, hätte
  ich auch gearbeitet.
Wenn ich einen Job gebraucht hätte, hätte
  ich Anzeigen gelesen.
Wenn ich Zeit gehabt hätte, wäre ich aufs
  Arbeitsamt gegangen.
Wenn ich Lust gehabt hätte, hätte ich in einem
  Büro gearbeitet.
Wenn ich älter gewesen wäre, hätte ich mehr
  verdient.
Wenn ich älter gewesen wäre, hätte ich diesen Job
  bekommen.

18 Fragt eure Klassenkameraden! (Seht euch dabei die Bilder auf S. 196 und 197 an!)

Wo hättest du gern gearbeitet?
Wo hättest du lieber gearbeitet?
Als was hättest du lieber gearbeitet?
Was hättest du mit deinem Verdienst ge-
  macht?
Was hättest du lieber damit gemacht?

(In einem Supermarkt.)
(Ich hätte lieber . . .)
Ich hätte lieber als Segellehrer gearbeitet.
Ich hätte mir ein Radio gekauft.

Ich wäre lieber nach Spanien geflogen.

19 Denk- und Sprech-Fix ⊗

*The teacher (or a student) calls on one student to give a noun, a second student to give a verb,
and a third student to produce a past conditional sentence using these words.*
Erster Schüler: Buch
Zweiter Schüler: lesen
Dritter Schüler: Wenn ich ein Buch gehabt hätte, hätte ich es gelesen.

20 "IF ONLY" CIRCUMSTANCES IN THE PAST

Wishes that refer to past time are expressed as the **wenn-**clause (condition) of a conditional sentence. The conclusion is unstated. Since the sentence refers to past time, the subjunctive of **haben** or **sein** is used with the appropriate past participle. The words **doch, nur,** or **doch nur** are often used for emphasis.

Wenn ich doch nur mehr verdient hätte!	*If only I had earned more!*
Wenn ich doch nur nach Sendling gefahren wäre!	*If only I had gone to Sendling!*

21 Peter antwortet seiner Mutter. Er klagt: ⊗

Du hast den Führerschein noch nicht gehabt.

Du hast eben nicht viel verdient.

Du hast dich nicht im Mai beworben.

Du hast den Kurs nicht mitgemacht.

Du bist nicht in die Stadt gefahren.

Wenn ich doch nur den Führerschein gehabt hätte!
Wenn ich doch nur mehr verdient hätte!
Wenn ich mich doch nur im Mai beworben hätte!
Wenn ich doch nur den Kurs mitgemacht hätte!
Wenn ich doch nur in die Stadt gefahren wäre!

22 SCHRIFTLICHE ÜBUNGEN

Schreibt die Antworten für Übungen 14 bis 17 und Übung 21!

23 In der Fahrschule ⊗

Peter macht seinen Führerschein in der Fahrschule Betz. Er hat einmal in der Woche am Nachmittag Fahrunterricht und am selben Abend theoretischen Unterricht. Peter macht den Führerschein gleich in zwei Klassen: Klasse 1 für Motorräder und Klasse 3 für PKWs.

You may want to have students read the driving school brochure aloud and check any unfamiliar words or phrases in the German-to-English Vocabulary at the back of the book.

Preisübersicht der Fahrschule Betz	
Rheinstraße 30 (U-Bahn HSt. der U 3, Bonner Platz)	
Grundgebühr Klasse III oder I	**DM 120.—**
Pkw-Fahrstunde 45 Min.	**ab DM 21.—**
Vorstellung zur Prüfung	**DM 66.50**
(Ausländer auf Anfrage)	
Grundgebühr Klasse IV oder V	**DM 30.—**
Vorstellung zur Prüfung (nur Theorie)	**DM 15.—**

Herr Weiser gibt theoretischen Unterricht. Er nimmt heute die Verkehrszeichen durch. Das ist nicht schwer für Peter, denn er kennt diese Verkehrszeichen schon.

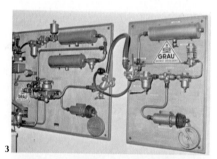

Im theoretischen Unterricht lernt Peter nicht nur die Verkehrszeichen kennen, sondern auch viel über das Verhalten im Verkehr, wie: Überholen, Nebeneinanderfahren, Vorfahrt, Abbiegen, Wenden, Rückwärtsfahren, Halten, Parken und vieles mehr.

Er lernt auch das Verhalten bei Gefahren im Strassenverkehr wie: Fahren bei Dunkelheit und schlechter Sicht, bei Schnee und bei Eis, und wie man sich bei Unfällen verhalten muss.

Und dann lernt er etwas über die Technik von Fahrzeugen, besonders über die Licht- und Bremsanlagen.

Der Fahrunterricht macht ihm mehr Spass. Wenn Peter gewollt hätte, hätte er einen Schulwagen mit Automatik wählen können. Aber er hat sich für einen BMW mit Gangschaltung entschieden—für einen BMW, wie sein Vater fährt. Den Wagen kennt er, denn er hat ihn schon ab und zu gefahren. 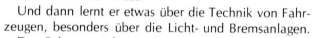 Since Peter doesn't have his driver's license yet, the only practicing he has done before this has been on private property.

FAHRLEHRER	Herr Niebisch, Sie hätten ein wenig langsamer über die Kreuzung fahren sollen!
PETER	Entschuldigung!
FAHRLEHRER	Und vorhin, an der Ampel, hätten Sie ein wenig mehr Gas geben müssen. Der Motor wäre Ihnen fast stehengeblieben.
PETER	Ich weiss nicht, was heut' mit mir los ist.
FAHRLEHRER	Ich sag' Ihnen das nur, weil so etwas der Prüfer schlecht bewertet hätte. — Und eben an der Kreuzung hätten Sie schalten müssen. — So, und jetzt halten Sie mal an. Hier ist eine Parklücke. Schön rückwärts reinfahren!
PETER	Auweh!
FAHRLEHRER	Das ist schon besser. Sie hätten aber noch näher an den Bürgersteig ranfahren können. — Und jetzt fahren wir wieder denselben Weg zurück.

24 Beantwortet die Fragen!

1. Wo macht Peter seinen Führerschein?
2. Wann hat er Unterricht?
3. Was für einen Führerschein macht er?
4. Wie teuer ist die Grundgebühr? Und eine Fahrstunde?
5. Was lernt Peter alles im theoretischen Unterricht?
6. Was macht ihm mehr Spass?
7. Für was für einen Schulwagen hat er sich entschieden? Warum?
8. Was für einen hätte er wählen können?
9. Was sagt der Fahrlehrer zu Peter, als sie über die Kreuzung gefahren sind?
10. Was hätte er vorhin an der Ampel tun müssen? Warum?
11. Warum sagt der Fahrlehrer das?
12. Was hätte Peter eben an der Kreuzung tun müssen?
13. Was muss Peter jetzt tun?
14. Kommt er gut in die Parklücke? Was meint der Fahrlehrer?

25
26 MÜNDLICHE ÜBUNG ⊗

Applicants for a German driver's license are required to take a course in driver education and at least ten hours of driving lessons. This means that getting a driver's license becomes fairly expensive. When applying for a license in any specific class, the applicant must furnish proof of age. An applicant for a Class 3 license, for example, must be at least eighteen years old (or sixteen, if medically certified as having the capabilities of an eighteen-year-old). In addition, the applicant must submit two passport pictures, proof of a clean criminal record, and proof of completing a first-aid course. People over 60 also have to take an eye test.

The driving school prepares its students for both the theoretical examination and the road test given by the Motor Vehicle Bureau. The written test contains 25 questions. The road test takes a minimum of 30 minutes. As of this writing, drivers' licenses are issued for life and do not have to be renewed.

27 Was für Führerscheine gibt es? ⊗

Fahrerlaubnis	Fahrzeug	Alter
Klasse 1	für Motorräder über 50 ccm[1]	18 Jahre
Klasse 2	für Lastwagen über 7,5 t[2]	21 Jahre
Klasse 3	für Personenkraftwagen für Motorräder bis 50 ccm für Lastwagen bis 7,5 t	18 Jahre
Klasse 4	für Motorräder bis 50 ccm (Mopeds, Mofas)	16 Jahre
Klasse 5	für Fahrzeuge unter 50 ccm	16 Jahre

[1] **ccm: Kubikzentimeter,** *cubic centimeter.*
[2] **t: Tonne,** *ton.* **Eine Tonne** equals 1,000 kg, or 2,200 lbs.

28 Was brauchst du, wenn du dich zur Prüfung anmeldest? ⊗

1. ein ausgefülltes Anmeldeformular
2. zwei Passbilder
3. ein polizeiliches Führungszeugnis. Das bekommst du bei der Polizei in deinem Polizeirevier.
4. Nachweis über Teilnahme an einem Erste-Hilfe-Kursus
5. DM 66,50. Das ist die Gebühr für die Anmeldung.

29 Fragt eure Klassenkameraden!

1. Wann machst du deinen Führerschein?
2. Wo hast du den Unterricht?
3. Was lernst du alles im theoretischen Unterricht?
4. Wann hast du Fahrunterricht?
5. Was für einen Schulwagen wählst du? Warum?
6. Was lernst du alles im Fahrunterricht?
7. Was für einen Führerschein würdest du in Deutschland brauchen?
8. Was musst du alles mitbringen, wenn du dich zur Prüfung anmeldest?

30

Residents of Germany must be registered with the local police at all times. When you change your residence, even within the same city, you must go in person to your local precinct to notify the police of your move. First you de-register (man meldet sich ab); then you go to your new precinct and re-register (man meldet sich wieder an). Upon request, the police will also issue a polizeiliches Führungszeugnis, a document showing whether you have a criminal record. This document must be produced when you apply for a passport, a driver's license, or any professional license.

31 MODALS IN PAST CONDITIONAL SENTENCES

Lest die Beispiele und beantwortet die folgenden Fragen! ⊗

Wenn Peter **gewollt hätte, hätte** er einen Wagen mit Automatik **wählen können.**
What kind of sentence is this? Does it refer to the present or to the past? Name the verb phrase in the condition. Name the verb phrase in the conclusion. Why is **können** used instead of **gekonnt?**

Sie **hätten** ein wenig mehr Gas **geben müssen!**
What is expressed in this sentence? What does this sentence mean? Does it refer to the present or to the past? Name the verb phrase. Why is **müssen** used instead of **gemusst?**

32 Lest die folgende Zusammenfassung!

1. In Unit 33 you learned about the "double infinitive" which occurs in the conversational past tense of modal constructions.

Er **hat** einen Wagen **wählen können.**
He was able to choose a car.

(continued)

2. The double infinitive together with the subjunctive form of **haben** can be used in the conclusion of a past conditional sentence. The **wenn**-clause is expressed or implied.

> Wenn Peter **gewollt hätte, hätte** er einen Wagen mit Automatik **wählen können.**
> *If Peter had wanted to, he could have chosen a car with automatic transmission.*

3. The conclusion of a past conditional sentence can be used to express criticism. There is no "condition" in such sentences.

> Sie **hätten** ein wenig mehr Gas **geben müssen!**
> *You ought to have given a little more gas!*
> Sie **hätten** nicht so schnell über die Kreuzung **fahren sollen!**
> *You shouldn't have driven so fast across the intersection!*

33 Was hätte Peter alles tun können, wenn er gewollt hätte? ⊗

Hat Peter den Fahrkurs machen können?

Wenn er gewollt hätte, hätte er den Fahrkurs machen können.

Hat er den Kurs selbst bezahlen können?

. . ., hätte er den Kurs selbst bezahlen können.

Hat er einen Wagen mit Automatik wählen können?

. . ., hätte er einen Wagen mit A. wählen können.

Hat er die Fahrprüfung im Juni machen können?

. . ., hätte er die Fahrprüfung im Juni machen können.

Hat er den Führerschein 1. Klasse kriegen können?

. . ., hätte er den Führerschein 1. Klasse kriegen können.

34 Was hätte Peter alles tun müssen? ⊗

Hat er zu wenig Gas gegeben?

Er hätte mehr Gas geben müssen.

Hat er zu schlecht geparkt?

Er hätte besser parken müssen.

Ist er zu schnell gefahren?

Er hätte langsamer fahren müssen.

Hat er zu langsam gewendet?

Er hätte schneller wenden müssen.

Hat er vor der Kreuzung nicht geschaltet?

Er hätte vor der Kreuzung schalten müssen.

35 KONVERSATIONSÜBUNG

For suggestions, see Exercise 6 in the Listening Comprehension Program, p. T118.

Wer von euch wird bald den Führerschein machen? Unterhaltet euch darüber! Besprecht:
1. wo du deinen Führerschein machen wirst; wieviel der Unterricht kostet; wie viele Fahrstunden du haben musst; wann und wo du deine Fahrprüfung machst, usw.
2. was du alles im theoretischen Unterricht lernen musst
3. was du im Fahrunterricht lernen musst
4. was für Gefahren es im Strassenverkehr gibt, und was du darüber lernst

36 SCHRIFTLICHE ÜBUNGEN

a. Schreibt die Antworten für Übungen 33 und 34!
b. Schreibt einen Aufsatz mit dem Thema: Bald werde ich meinen Führerschein machen.

37 HÖRÜBUNG ⊗

	0	0	1	2	3	4	5	6	7	8	9	10
Present	✓											
Past		✓										

38 Ein Spiel mit Verkehrszeichen ⊗

Was bedeuten diese Zeichen? Ihr dürft raten. (Die Antworten findet ihr auf Seite 208.)

Ampel
Anfang der Autobahn
Baustelle
Beschrankter Bahnübergang
   (240 m)
Einfahrt-Verbot
Einseitig (rechts)
   verengte Fahrbahn
Ende der Geschwindigkeits-
   begrenzung
Erste Hilfe

Fussgängerüberweg
Gefahrstelle
Gegenverkehr
Gegenverkehr hat Vorfahrt
Halteverbot
Höchstgeschwindigkeit 40
Kinder
Kreuzung
Kurve rechts
Mindestgeschwindigkeit 30
Seitenwind

Steigung
Überholverbot
Unbeschrankter Bahnübergang
Unebene Fahrbahn
Verbot für Kraftwagen
Verbot für Motorräder
Vorfahrt gewähren
Vorfahrt nur an dieser
   Stelle
Vorfahrtstrasse
Wildwechsel

Each bar on this sign represents a distance of 80 meters.

39 Wie gut kennt ihr euch aus? ⊗

1. Wer muss bis zuletzt warten?

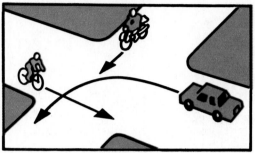

2. Wer hat die Vorfahrt?

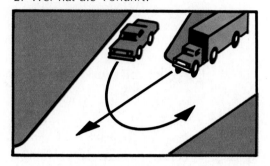

3. In welcher Reihenfolge dürfen sie fahren?

4. In welcher Reihenfolge dürfen sie fahren?

5. Wer hat die Vorfahrt?

6. In welcher Reihenfolge dürfen sie fahren?

7. Wer muss warten?

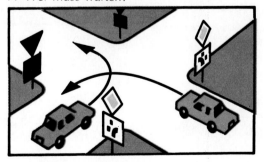

8. In welcher Reihenfolge dürfen sie fahren?

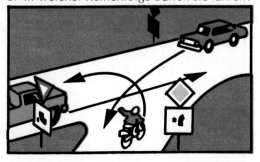

1. Fahrzeug 1
2. Fahrzeug 1
3. 1–2–3
4. 1–3–2

5. Fahrzeug 2
6. 2–1–3
7. Fahrzeug 1
8. 2–3–1

40 Auf Utes Geburtstagsparty

Peter und Babsie treffen sich auf Utes Geburtstagsparty. Seht euch die Bilder an, und beschreibt, wie die Gäste Utes Geburtstag feiern! For suggestions, see p. T50.

You may want to mention that die Limo is short for Limonade, and that das Mofa is short for Motorfahrrad.

WORTSCHATZ

1–3
der **Äppel Pei,** –s *apple pie*
die **Auswahl** *choice, selection*
das **Billig-Restaurant,** –s *fast-food restaurant*
der **Cheeseburger,** – *cheeseburger*
die **Fahrschule,** –n *driving school*
der **Ferienjob,** –s *vacation job*
die **Filiale,** –n *branch (store)*
die **Gurke,** –n *pickle*
der **Hamburger,** – *hamburger*
das **Hühnchen,** – *chicken*
der **Job,** –s *job*

die **Kaltschale,** –n *cold drink*
der **Ketchup** *ketchup*
der **Kittel,** – *work jacket*
der **Ladentisch,** –e *counter*
die **Limo,** –s *lemon soda*
der **Pappbecher,** – *paper cup*
das **Papierkäppi,** –s *paper cap, hat*
das **Salatblatt,** –er *lettuce leaf*
die **Scheibe,** –n *slice*
der **Schlager,** – *hit, popular item*
der **Selbstbedienungsladen,** ± *self-service store*

die **Trinkcreme,** –s *milk drink*
die **Zwiebel,** –n *onion*

beides *both*
doppelt *double*
einfach *single; simple, plain*
fesch *smart, dashing*
garniert *garnished*
gemixt *mixed*
obendrauf *on top*

entweder . . . oder *either . . . or*

4–22
die **Anzeige,** –n *ad*
das **Arbeitsamt,** ±er *(see fn p. 195)*
die **Drogerie,** –n *drugstore*
der **Führerschein,** –e *driver's license*
die **Kundin,** –nen *customer*
das **Mofa,** –s *mofa*
der **Olympiapark** *Olympic grounds*
der **Reitstall,** ±e *riding stable*
der **Schikurs,** –e *skiing lessons*
der **Segelkurs,** –e *sailing course*
der **Spielzeugladen,** ± *toy store*
die **Stereoanlage,** –n *stereo set*
der **Strassenarbeiter,** – *street worker*
die **Überstunden** (pl) *overtime*
die **Uniform,** –en *uniform*
der **Verdienst** *pay, earnings*
das **Warenlager,** – *warehouse*
der **Zweck,** –e *purpose*

einstellen sep *to employ*
schuften *to work hard*
verdienen *to earn*
vermitteln *to arrange, provide*

s. **bewerben auf** A (bewirbt sich, bewarb sich, hat sich beworben) *to apply for, to answer (an ad)*

bekannt *familiar*
draussen *out, outside*
irgendetwas *anything*
irgendjemand *anyone*
irgendwo *anywhere*
richtig *really*
sagenhaft *sensational, terrific*

beschäftigt sein *to be employed*
da kommen Kunden *here come some customers*
den Führerschein machen *to get a driver's license*
einen Schikurs machen *to take skiing lessons*
es hat keinen Zweck *it's no use*
gar kein *none at all*
in den Ferien *during vacation*
in der Zeitung stehen *to be in the newspaper*
jaja, eisern! *oh yes, like mad!*
nur noch *only*
soso *so-so*
wie geht's dir? *how are you?*

23–41
das **Anmeldeformular,** –e *application form*
die **Automatik** *automatic transmission*
der **BMW,** –s *(a German-made car)*
die **Bremsanlage,** –n *brake system*
die **Dunkelheit** *darkness*
das **Eis** *ice*
der **Erste-Hilfe-Kursus, Kurse** *first-aid course*
die **Fahrerlaubnis,** –se *driving permission*
der **Fahrlehrer,** – *driving instructor*
die **Fahrstunde,** –n *driving lesson*
der **Fahrunterricht** *driving instruction*
das **Fahrzeug,** –e *motor vehicle*
das **Führungszeugnis,** –se *(see note p. 203)*
die **Gangschaltung** *manual transmission*
das **Gas,** –e *gas*
die **Gebühr,** –en *fee*
die **Gefahr,** –en *danger*
der **Lastwagen,** – *truck*
die **Lichtanlage,** –n *lights*
das **Moped,** –s *moped*
der **Motor,** –en *motor*

das **Motorrad,** ±er *motorcycle*
der **Nachweis,** –e *proof*
die **Parklücke,** –n *parking space*
das **Passbild,** –er *passport photo*
der **Personenkraftwagen,** – *car*
die **Polizei** *police*
das **Polizeirevier,** –e *police precinct*
der **Prüfer,** – *examiner*
der **Schulwagen,** – *school car*
der **Strassenverkehr** *traffic*
die **Teilnahme** *participation*
die **Technik** *engineering*
das **Verhalten** *behavior, conduct*
die **Vorfahrt** *right-of-way*

s. **anmelden** sep *to apply, register*
schalten *to shift*

durchnehmen (nimmt durch, nahm durch, hat durchgenommen) sep *to cover (in class)*
s. **entscheiden für** (entschied sich, hat sich entschieden) *to decide on*
ranfahren (fährt ran, fuhr ran, ist rangefahren) sep *to drive close to, against*

reinfahren (fährt rein, fuhr rein, ist reingefahren) sep *to drive in (to)*
rückwärts fahren (fährt rückwärts, fuhr rückwärts, ist rückwärts gefahren) sep *to back up*
stehenbleiben (blieb stehen, ist stehengeblieben) sep *to stall*
s. **verhalten** (verhält sich, verhielt sich, hat sich verhalten) *to behave, conduct o.s.*

ausgefüllt *filled-out (document)*
polizeilich *police; by the police*
theoretisch *theoretical*
vorhin *before*

am selben Abend *on the same evening*
auweh! *oh!, uh-oh!*
der Motor wäre Ihnen fast stehengeblieben *the motor almost died on you*
Gas geben *to give gas*
so etwas *something like that*
sich zur Prüfung anmelden *to sign up for a test*

Antworten für Seite 205: 1. Gefahrstelle; 2. Kreuzung; 3. Kurve rechts; 4. Unebene Fahrbahn; 5. Steigung; 6. Seitenwind; 7. Einseitig (rechts) verengte Fahrbahn; 8. Baustelle; 9. Gegenverkehr; 10. Ampel; 11. Fussgängerüberweg; 12. Kinder; 13. Wildwechsel; 14. Unbeschrankter Bahnübergang; 15. Vorfahrt nur an dieser Stelle; 16. Vorfahrt gewähren; 17. Vorfahrtstrasse; 18. Beschrankter Bahnübergang (240m); 19. Verbot für Kraftwagen; 20. Gegenverkehr hat Vorfahrt; 21. Überholverbot; 22. Anfang der Autobahn; 23. Erste Hilfe; 24. Verbot für Motorräder; 25. Mindestgeschwindigkeit 30; 26. Halteverbot; 27. Einfahrt-Verbot; 28. Höchstgeschwindigkeit 40; 29. Ende der Geschwindigkeitsbegrenzung

Auf dem Lande

1 Wo wird Viehwirtschaft getrieben? ⊛

Die Gebiete an der Küste entlang, in Ostfriesland und in Schleswig-Holstein, und die Alpengebiete erhalten besonders viel Regen. In diesen Gebieten ist das Klima zu feucht für den Getreideanbau, aber ideal für die Viehwirtschaft.

Die Bergbauern in den Alpen sind hauptsächlich auf die Viehwirtschaft angewiesen. Die Wiesen und Weiden sind besonders saftig, und in den Talwiesen kann das Gras oft dreimal im Jahr gemäht werden.

1

Die Kühe in Friesland sind schwarzgefleckt.

2 Bei den Reiters in St. Jakob ⊛

Das Leben auf dem Bauernhof bei Herrn Reiter ist typisch für viele Bergbauern in den Alpen. Der Reiter-Hof ist verhältnismässig gross. Vierzig bis fünfzig Kühe stehen im Winter im Stall, und acht bis zehn Kälber werden jeden Winter geboren. Herr Reiter hält auch zehn bis zwölf Schweine und zwei Schafe, und über dreissig Hühner laufen im Hühnerstall umher.

Herr Reiter könnte die Arbeit nicht schaffen, wenn nicht seine Frau und die Buben und Mädel mithelfen würden. Frau Reiter, und besonders der Alois und der Franzl helfen im Stall; die Rosi und die Annemarie helfen der Mutter im Haushalt. Frau Reiter vermietet Zimmer. Wenn Gäste da sind, gibt es sehr viel zu tun. Auch die kleine Gretl muss dann helfen.

1

Die ganze Familie

2

Alois bei den Hausaufgaben

3

In der Küche

Für ihre Hilfe bekommen die Kinder ein schönes Taschengeld. Es wird in die Sparbüchse gesteckt oder auf die Bank gebracht.

Im Winter, wenn das Vieh im Stall ist, gibt es besonders viel zu tun. Die Jungen stehen schon um halb sechs auf und arbeiten bis um sieben Uhr im Stall. Dann müssen sie zur Schule. Und am späten Nachmittag, zwischen den Hausaufgaben, helfen sie auch wieder mit.

Zweimal am Tag wird der Stall gereinigt, und der Mist wird mit der Schubkarre auf den Misthaufen gefahren. Dann werden die Kühe gefüttert. Sie bekommen Kraftfutter und Heu, und Wasser zum Trinken.

Dann werden sie gemelkt. Herr Reiter hat Melkmaschinen. Die machen die Arbeit leichter. Die Milch wird dann ins Milchhaus gestellt und wird morgens von einem Milchauto abgeholt. Die Milchmenge wird gemessen und der Fettgehalt geprüft. Dann wird die Milch zur Molkerei gebracht.

4 Es gibt immer viel zu nähen.

5 Die Buben bekommen ihr Taschengeld.

6 Die Kühe werden gefüttert.

7 Franzl hilft.

8 Alois im Milchhaus

9 Das ist Käfer. Sie gibt 9 kg Milch am Tag.

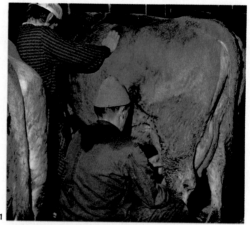

In der Molkerei wird die Milch zuerst untersucht. Es könnte ja sein, dass sie von einer kranken Kuh kommt. Dann wird die Milch gereinigt und zu einem Teil entrahmt. Dann wird sie erhitzt und wieder auf fünf Grad abgekühlt. Dann kommt sie in Flaschen oder Tüten und wird verkauft.

11 Käfer an der Melkmaschine

Die Schafe werden von Alois gefüttert.

Die Schweine werden von Franzl gefüttert.

3 Was für Tiere gibt es auf einem Bauernhof? ⊗

Kühe. Die Kuh muht.

Kälber. Das Kalb ist jung.

Schafe. Das Schaf bäht.

Schweine. Das Schwein grunzt.

Ziegen. Die Ziege meckert.

Hühner. Das Huhn gackert.

Küken. Das Küken piepst.

einen Hahn. Der Hahn schreit: Kikeriki!

Gänse. Die Gans schnattert.

Enten. Die Ente quakt.

Pferde. Das Pferd wiehert.

Fohlen. Das Fohlen hat wacklige Beine.

4 Was geben uns die Tiere? ⊗

Schweine:
Schinken

Kühe:
Milch

Schafe:
Wolle

Gänse:
Federn

Hühner:
Eier

5 Wie heissen die Jungen von . . . ? ⊗

Kühe haben Kälber.
Pferde haben Fohlen.
Schafe haben Lämmer.
Ziegen haben Kitzen.

Schweine haben Ferkel.
Hühner haben Küken.
Gänse haben Gänschen.
Enten haben Entchen.

6 Beantwortet die Fragen!

1. Welche Gebiete sind ideal für die Viehwirtschaft?
2. Worauf sind die Bergbauern angewiesen?
3. Wie sind die Wiesen und Weiden im Gebirge?
4. Was kann man über das Leben bei den Reiters sagen?
5. Wieviel Vieh hat der Reiter-Hof?
6. Warum müssen alle mithelfen?
7. Wer macht was?
8. Wann gibt es besonders viel zu tun?
9. Wann müssen die beiden Buben im Stall helfen?
10. Beschreibt, was im Stall alles getan wird!
11. Wie werden die Kühe gemelkt?
12. Was wird getan, bevor die Milch zur Molkerei gebracht wird?
13. Was wird mit der Milch alles getan, bevor sie verkauft wird?
14. Was für Tiere gibt es auf einem Bauernhof? Was wisst ihr über sie?

7 MÜNDLICHE ÜBUNG ⊗

8 THE PASSIVE: werden AND THE PAST PARTICIPLE

Lest die Beispiele und beantwortet die folgenden Fragen! ⊗

Alois **reinigt** → den Stall.
Der Stall ← **wird gereinigt.**

What does the first sentence mean? and the second? Name the direct object in the first sentence. What is the function of this word in the second sentence? Name the verb phrase in the second sentence. What does it consist of?

(continued)

Wir **fütterten** → die Tiere.
Die Tiere ← **wurden gefüttert.**

What do these sentences mean? What time do they refer to? What tense are they in? Name the verb phrase in the second sentence. What does it consist of?

Franzl **hat** gerade → die Kühe **gemelkt.**
Die Kühe ← **sind gemelkt worden.**

What do these sentences mean? What time do they refer to? What tense are they in? Name the verb phrase in the second sentence. What does it consist of?

Der Stall wird **von Alois** gereinigt.

What does this sentence mean? Who does the cleaning? How is this idea expressed?

Die Kühe werden **von seinem Vater** gefüttert.

What does this sentence mean? Who does the feeding? How is this idea expressed? What case follows **von?**

9 Lest die folgende Zusammenfassung!

1. The verb **werden,** used together with a past participle, expresses the idea that something is being done. The person or thing responsible for doing it is not always mentioned.

   Der Stall **wird gereinigt.**
   The stable is being cleaned (is in the process of being cleaned).

2. To emphasize that something is being done "right now, at this moment," the words **gerade, eben,** or **jetzt** are often used.

   Die Kühe werden **gerade** gefüttert.
   The cows are being fed right now.

3. The construction using **werden** plus the past participle is often called the "passive voice." (Up to now you have been using the "active voice.") The passive construction can be used in all tenses. The present and past tenses are shown below.

Tense		Inflected Form of **werden**	Past Participle	
Present	Der Stall	**wird**	**gereinigt.**	
Narrative Past	Der Stall	**wurde**	**gereinigt.**	
		Inflected Form of **sein**		Past Participle Form of **werden**
Conversational Past	Der Stall	**ist**	**gereinigt**	**worden.**
Past Perfect	Der Stall	**war**	**gereinigt**	**worden.**

Point out that the passive construction is often used when the event or process is more important than the person responsible. The agent, therefore, is often omitted from a passive sentence. See especially exercise 31, where historic discoveries are discussed.

NOTE: a. The past participle remains constant in all the tenses; the forms of **werden** change according to person and tense.
b. The forms of **sein** are used with the past participle of **werden**.
c. The past participle of **werden** in this construction has a special form, **worden**, which differs from the regular form, **geworden**.

4. A phrase telling by whom something is done is introduced in German by **von**, followed by the dative. The person named in the **von**-phrase is called the "agent."

Der Stall wird **von Alois** gereinigt.   *The stable is being cleaned by Alois.*
Die Kühe werden **von ihm** gefüttert.   *The cows are being fed by him.*

10 Was wird jetzt alles im Stall gemacht? ⊗

Reinigt man den Stall?
Füttert man die Hühner?
Holt man die Melkmaschinen?
Melkt man die Kühe?
Misst man die Milchmenge?
Prüft man den Fettgehalt?

Ja, der Stall wird jetzt gereinigt.
Ja, die Hühner werden jetzt gefüttert.
Ja, die Melkmaschinen werden jetzt geholt.
Ja, die Kühe werden jetzt gemelkt.
Ja, die Milchmenge wird jetzt gemessen.
Ja, der Fettgehalt wird jetzt geprüft.

11 Was wird von wem gemacht? ⊗

Herr Reiter füttert die Schafe.

Sein Sohn reinigt den Stall.
Seine Frau füttert die Schweine.
Seine Tochter melkt die Kühe.
Sein Nachbar prüft die Milch.
Sein Fahrer holt die Milch ab.

Die Schafe werden von Herrn Reiter gefüttert.
Der Stall wird von seinem Sohn gereinigt.
Die Schweine werden von seiner Frau gefüttert.
Die Kühe werden von seiner Tochter gemelkt.
Die Milch wird von seinem Nachbarn geprüft.
Die Milch wird von seinem Fahrer abgeholt.

12 Was ist mit der Milch schon alles passiert? ⊗

Hat jemand die Milch abgeholt?
Hat sie jemand untersucht?
Hat sie jemand entrahmt?
Hat sie jemand erhitzt?
Hat sie jemand abgekühlt?
Hat sie jemand verkauft?

Ja, sie ist schon abgeholt worden.
Ja, sie ist schon untersucht worden.
Ja, sie ist schon entrahmt worden.
Ja, sie ist schon erhitzt worden.
Ja, sie ist schon abgekühlt worden.
Ja, sie ist schon verkauft worden.

13 Kannst du mir das sagen? ⊗

Sind alle Hühner gefüttert worden?

Sind alle Ställe gereinigt worden?
Sind alle Kühe gemelkt worden?
Sind alle Tiere untersucht worden?
Sind alle Wiesen gemäht worden?
Sind alle Zimmer vermietet worden?

Ich glaube nicht, dass alle Hühner gefüttert worden sind.
. . ., dass alle Ställe gereinigt worden sind.
. . ., dass alle Kühe gemelkt worden sind.
. . ., dass alle Tiere untersucht worden sind.
. . ., dass alle Wiesen gemäht worden sind.
. . ., dass alle Zimmer vermietet worden sind.

14 Was passiert mit der Milch in der Molkerei? ⊗

untersuchen / reinigen / entrahmen / erhitzen / abkühlen / verkaufen

Zuerst wird sie untersucht. Dann . . .

wird sie gereinigt. Dann entrahmt. Dann wird sie erhitzt, abgekühlt und zuletzt verkauft.

15 Wisst ihr noch, was die Familie Rutz im Garten macht? ⊗

Herr Rutz schneidet die Hecke.
Er giesst auch die Blumen.
Roger mäht den Rasen.
Frau Rutz jätet das Unkraut.
Eliane kehrt die Terrasse.
Und Marcel bindet den Strauch fest.
Die Familie verrichtet alle Gartenarbeiten.

Die Hecke wird von Herrn Rutz geschnitten.

Die Blumen werden auch von ihm gegossen.
Der Rasen wird von Roger gemäht.
Das Unkraut wird von Frau Rutz gejätet.
Die Terrasse wird von Eliane gekehrt.
Und der Strauch wird von Marcel festgebunden.
Alle Gartenarbeiten werden von der Familie verrichtet.

16 Was passiert auf Hans-Peters Party? ⊗

Bowle trinken / essen / Platten aussuchen / tanzen / lachen und singen

Zuerst wird Bowle getrunken. Dann . . .

wird gegessen. Dann werden Platten ausgesucht. Dann wird getanzt und dann gelacht und gesungen.

17 SCHRIFTLICHE ÜBUNGEN

Schreibt die Antworten für Übungen 10 bis 16!

18 Auf der Alm° ⊗

Im Sommer haben es die Reiters etwas leichter: sie brauchen sich nicht um das Vieh zu kümmern°. Anfang Juni wird das Vieh auf die Alm getrieben°, wo es den ganzen Sommer bleibt.

Der Auftrieb° ist immer ein ganz besonderes Ereignis. Die Kühe werden geschmückt, und einige tragen grosse Glocken um den Hals. Wie das schallt! Und auf der Alm, hoch im Gebirge, hat Herr Reiter eine Sennhütte: ein grosser Bau mit Stall und Wohnräumen. Ein Senner und eine Sennerin werden für den Sommer angestellt°; die kümmern sich dann um das Vieh.

Und was geschieht mit der Milch? Die wird von hier oben durch eine Milchleitung° ins Tal geschickt, wo sie direkt in den Tank von einem Milchauto läuft. Es gibt aber auch Sennhütten, wo Butter und Käse zubereitet werden. Bergwanderer rasten gern in diesen Sennhütten und trinken Milch oder Buttermilch und essen Butter- und Käsebrote. Die schmecken herrlich!

LEXIKON: die Alm: *Alpine pasture*; s. kümmern um: *to be concerned with, take care of*; treiben: *to drive, herd*; der Auftrieb: *cattle drive (to the Alpine pasture)*; anstellen: *to hire*; die Leitung: *pipeline*

19 Beim Grasmähen ⊗

Das Gras ist hoch, und es kann schon wieder gemäht werden. Am Steilhang, wo Alois und Franzl im Winter Schi laufen, wächst es besonders gut. Hier kann Herr Reiter mit seinem Traktor auch nicht gut hin, und das Gras muss mit der Hand gemäht werden. Alois mäht es mit der Sense.

1

Alois schärft die Sense.

2

Das Gras muss mit der Hand gemäht werden. Es wird durch Sonne und Wind schnell getrocknet.

3

Wenn es dann trocken ist, kann es zusammengerecht werden.

20 Beim Heuen ⊗

Die grosse Wiese im Tal ist mit der Mähmaschine gemäht worden. Das Gras ist noch nicht trocken, und es soll heute gewendet werden. Der Franzl ist gerade dabei, den Heuwender an den Traktor zu hängen. Mit dem Heuwender kann die ganze Wiese in zwei Stunden gewendet werden. Wenn das Heu heute trocken wird, wird ein Teil in den Heustadel gesteckt. Es bleibt dort bis zum Winter, wenn es für das Vieh gebraucht wird.

1

3

Das Heu ist trocken. Jetzt wird der grosse Heurechen an den Traktor gehängt.

2

Franzl fährt den Traktor mit dem Heuwender.
Franzl, only 13, is allowed to operate his father's tractor on the fields of their own farm.

4 Das Heu kann damit in Zeilen gelegt werden für den automatischen Ladewagen.

5 Herr Reiter fährt den Ladewagen in die Scheune.

6 Das Heu wird abgeladen und mit dem Gebläse auf den Heuboden „geschossen."

21 Beantwortet die Fragen!

1. Warum haben es die Reiters im Sommer leichter?
2. Wo sind die Kühe im Sommer?
3. Wie sehen die Kühe aus, wenn sie auf die Alm getrieben werden?
4. Wie sieht die Sennhütte aus?
5. Was machen die Senner?
6. Wie wird die Milch von der Alm ins Tal geschickt?
7. Was wird mit der Milch auf anderen Sennhütten gemacht?
8. Wo muss das Gras mit der Hand gemäht werden? Warum?
9. Was geschieht, wenn es trocken ist?
10. Wie lange bleibt das Heu im Heustadel?
11. Wie ist die grosse Wiese gemäht worden?
12. Wozu braucht Franzl den Heuwender?
13. Was macht er mit dem Heurechen?
14. Wie kommt das Heu von der Wiese auf den Heuboden?

22 MÜNDLICHE ÜBUNG ⊗

23 THE PASSIVE INFINITIVE

Lest die Beispiele und beantwortet die folgenden Fragen! ⊗

> Wir **werden** die Kühe **füttern.**
> Die Kühe **werden gefüttert werden.**

What does the first sentence mean? What time does it refer to? Name the infinitive. What does the second sentence mean? What time does it refer to? What two words together form the infinitive in this sentence?

> Sie **müssen** das Gras **mähen.**
> Das Gras **muss gemäht werden.**

What does the first sentence mean? What construction is used? Name the infinitive. What does the second sentence mean? What two words together form the infinitive in this sentence?

> Sie **konnten** das Heu **wenden.**
> Das Heu **konnte gewendet werden.**

What does the first sentence mean? and the second? What time do both sentences refer to? Name the infinitive in the first sentence. What two words together form the infinitive in the second sentence?

24 Lest die folgende Zusammenfassung!

1. The passive infinitive is used in passive constructions that require an infinitive. The passive infinitive consists of a past participle plus the infinitive **werden.**

Active Infinitive	Passive Infinitive
füttern	**gefüttert werden**
mähen	**gemäht werden**

2. Sentences that require the passive infinitive include passive sentences referring to future time, as well as passive sentences involving modals.

			Passive Infinitive	
Future	Die Kühe	**werden**	**gefüttert werden.**	The cows will be fed.
Modals: Present	Das Gras	**muss**	**gemäht werden.**	The grass must be mowed.
Past	Das Heu	**konnte**	**gewendet werden.**	The hay could be turned.

25 Was wird heute noch alles gemacht werden? ⊗

Werdet ihr das Gras noch mähen?
Werdet ihr es noch wenden?
Werdet ihr es noch zusammenrechen?
Werdet ihr es noch auf den Ladewagen laden?
Werdet ihr es noch in die Scheune bringen?
Werdet ihr es noch im Stall brauchen?

Ja, es wird noch gemäht werden.
Ja, es wird noch gewendet werden.
Ja, es wird noch zusammengerecht werden.
Ja, es wird noch auf den Ladewagen geladen werden.

Ja, es wird noch in die Scheune gebracht werden.
Ja, es wird noch im Stall gebraucht werden.

26 Alois! Was noch alles gemacht werden muss! ⊗

Du musst noch das Gras mähen!
Du musst noch die Sense schärfen!
Du musst noch das Heu wenden!
Du musst noch den Stall reinigen!
Du musst noch die Ziegen füttern!
Du musst noch die Kühe melken!

Ja, das Gras muss noch gemäht werden.

Ja, die Sense muss noch geschärft werden.
Ja, das Heu muss noch gewendet werden.
Ja, der Stall muss noch gereinigt werden.
Ja, die Ziegen müssen noch gefüttert werden.
Ja, die Kühe müssen noch gemelkt werden.

27 Wann soll alles getan werden? ⊗

Er soll das Gras mähen.
Er soll es wenden.
Er soll das Heu in die Scheune fahren.
Er soll es abladen.
Er soll es auf den Heuboden schiessen.

Wann soll das Gras gemäht werden?

Wann soll es gewendet werden?
Wann soll das Heu in die Scheune gefahren werden?
Wann soll es abgeladen werden?
Wann soll es auf den Heuboden geschossen werden?

28 Was nicht getan werden darf! ⊗

Du darfst die Milch nicht erhitzen!
Du darfst die Butter nicht verkaufen!
Du darfst den Käse nicht essen!
Du darfst den Joghurt nicht lange aufheben!
Du darfst die Buttermilch noch nicht trinken!

Die Milch darf nicht erhitzt werden.
Die Milch darf nicht verkauft werden.
Der Käse darf nicht gegessen werden.
Der Joghurt darf nicht lange aufgehoben werden.

Die Buttermilch darf noch nicht getrunken werden.

29 Was Inge alles tun muss! Was sagt ihre Grossmutter? ⊗

Sie soll die Spülmaschine ausräumen.

Sie soll die Servietten falten.
Sie soll die Wäsche mangeln.
Sie soll den Tee kochen.
Sie soll die Gäste bedienen.

Die Spülmaschine muss noch ausgeräumt werden.
Die Servietten müssen noch gefaltet werden.
Die Wäsche muss noch gemangelt werden.
Der Tee muss noch gekocht werden.
Die Gäste müssen noch bedient werden.

Point out that "Tee/Kaffee kochen" means "to make tea/coffee.

30 Was Babsie mit ihrer neuen Bluse tun und nicht tun kann. ⊗

Bluse / nicht enger machen

nicht zurückbringen
nicht umtauschen
nicht heiss waschen
aber nass aufhängen
oder reinigen

Die Bluse kann nicht enger gemacht werden.
Sie kann nicht zurückgebracht werden.
Sie kann nicht umgetauscht werden.
Sie kann nicht heiss gewaschen werden.
Aber sie kann nass aufgehängt werden.
Oder sie kann gereinigt werden.

Note that in passive sentences dealing with historic events, the agent phrase is often omitted.

31 Etwas aus der Geschichte ⊗

1492 hat Kolumbus Amerika entdeckt.
1593 hat Galileo das Thermometer erfunden.
1876 hat Bell das Telefon erfunden.
1877 hat Edison den Plattenspieler erfunden.
1903 haben die Gebrüder Wright das Flugzeug erfunden.
1932 hat Farnsworth das Fernsehen erfunden.

1492 ist Amerika entdeckt worden.
1593 ist das Thermometer erfunden worden.

1876 ist das Telefon erfunden worden.
1877 ist der Plattenspieler erfunden worden.

1903 ist das Flugzeug erfunden worden.

1932 ist das Fernsehen erfunden worden.

32 HÖRÜBUNG ⊗

	1	2	3	4	5	6	7	8	9	10
Active										
Passive (werden + past participle)										

33 KONVERSATIONSÜBUNGEN

For suggestions, see Exercise 6 in the Listening Comprehension Program, p. T122.

a. Diskutiert, wie das Gras von der Wiese als Heu in den Stall kommt!

b. Diskutiert, wie die Milch von der Kuh über die Molkerei in unseren Kühlschrank kommt!

34 SCHRIFTLICHE ÜBUNGEN

Schreibt die Antworten für Übungen 25 bis 31 und für Übung 33a oder b!

35 Die Bundesrepublik Deutschland: Agrarland° oder Industriestaat? ⊗

Wenn man mit dem Flugzeug über die Bundesrepublik fliegt, so könnte man glauben, dass die BRD ein Agrarland ist. Was man sieht, ist ein buntes Mosaik von Feldern und Wäldern — und die vielen kleinen Orte und Städte scheinen° in die Landschaft hinein-
5 zupassen.

Was man aus dem Flugzeug sieht, kann man auch statistisch aufteilen°: 56% ist Agrarland (30% Ackerbau°, 23% Wiese und Weide, 3% Obstgärten und Weinberge); 29% sind Wälder; 5% ist Ödland°; und nur 10% sind Industrieland und Städte. Der Boden-
10 nutzung nach° würde man also sagen, dass die BRD ein Agrar-land ist.

Aber die Arbeitsstatistik zeigt ein anderes Bild. Von allen Be-rufstätigen° in der BRD arbeiten 49% in der Industrie, 25% für die Regierung°, 18% im Handel-° und Transportwesen und nur 8% in
15 der Landwirtschaft°. Die Bundesrepublik ist daher ein Industriestaat und kein Agrarland. Sie führt Industrieprodukte aus°, und sie muss Agrarprodukte einführen°.

Die Industrie in der BRD konzentriert sich auf vier Gebiete: das Ruhrgebiet, das Gebiet um Frankfurt, das Gebiet um Mannheim-
20 Ludwigshafen und das Saargebiet. In diesen Gegenden und in einigen anderen grossen Städten ist die Bevölkerung° am dichtesten.

Landwirtschaftliche Betriebe° sind über die ganze Bundes-republik verstreut°, und die meisten sind kleine Bauernhöfe bis zu 20 Hektar°. Die grossen Bauernhöfe sind in Westfalen und im
25 bayerischen Alpenvorland. Viehzucht° spielt eine grosse Rolle in Ostfriesland, in Schleswig-Holstein und in den bayerischen Alpen, besonders im Allgäu.

Der Weinbau beschränkt sich auf° die Gebiete um den Ober-rhein und Mittelrhein, die Mosel, den Neckar und den Main.

das Agrarland: agricultural country

scheinen: to seem

aufteilen: to divide up
der Ackerbau: farming

das Ödland: wasteland
der Bodennutzung nach: according to land use

die Berufstätigen (pl.): people who have jobs
die Regierung: government
der Handel: trade
die Landwirtschaft: agri-culture
ausführen: to export
einführen: to import

die Bevölkerung: population
landwirtschaftliche Betriebe: farms
verstreut: spread out, scattered
der Hektar: a land measure, 2.471 acres

die Viehzucht: breeding of livestock

s. beschränken auf: to be limited to

36 Beantwortet die Fragen!

1. Warum könnte man glauben, dass die BRD ein Agrarland ist?
2. Warum ist die BRD eigentlich ein Industriestaat?
3. Wo sind die Industriegebiete?
4. Wo ist die Bevölkerung am dichtesten?
5. Wo sind die grossen Bauernhöfe?
6. Wo spielt Viehzucht eine Rolle?
7. Auf welche Gebiete beschränkt sich der Weinbau?

37 MÜNDLICHE ÜBUNG ⊗

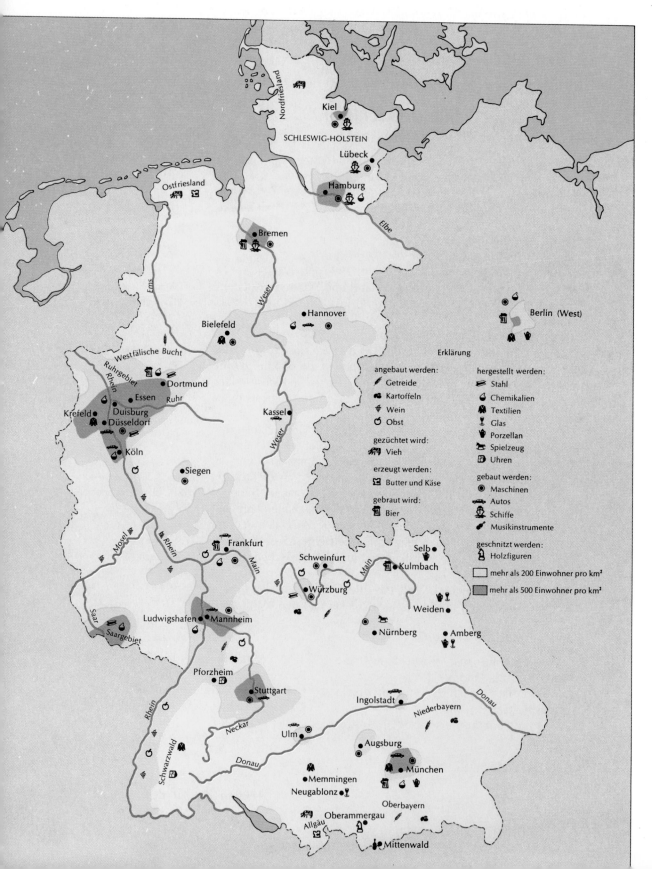

Nordfriesland

Kiel

SCHLESWIG-HOLSTEIN

Lübeck

Ostfriesland

Hamburg

Elbe

Bremen

Ems

Weser

Hannover

Bielefeld

Berlin (West)

Westfälische Bucht

Ruhrgebiet

Rhein

Dortmund

Ruhr

Essen

Krefeld

Duisburg

Düsseldorf

Kassel

Weser

Köln

Siegen

Erklärung

angebaut werden:

Getreide

Kartoffeln

Wein

Obst

gezüchtet wird:

Vieh

erzeugt werden:

Butter und Käse

gebraut wird:

Bier

hergestellt werden:

Stahl

Chemikalien

Textilien

Glas

Porzellan

Spielzeug

Uhren

gebaut werden:

Maschinen

Autos

Schiffe

Musikinstrumente

geschnitzt werden:

Holzfiguren

mehr als 200 Einwohner pro km²

mehr als 500 Einwohner pro km²

Mosel

Saar

Rhein

Frankfurt

Main

Schweinfurt

Selb

Main

Kulmbach

Würzburg

Weiden

Saargebiet

Ludwigshafen

Mannheim

Nürnberg

Amberg

Pforzheim

Stuttgart

Ingolstadt

Niederbayern

Donau

Rhein

Neckar

Ulm

Donau

Augsburg

München

Schwarzwald

Memmingen

Neugablonz

Oberbayern

Allgäu

Oberammergau

Mittenwald

39 **Besprecht nun die Karte auf Seite 222!** ⊗

   a. Diskutiert, wo die meisten und die wenigsten Leute wohnen!

   b. Diskutiert, was in den verschiedenen Gegenden der BRD angebaut oder erzeugt wird!

   1. Wo werden Getreide, Kartoffeln, Wein und Obst angebaut?

   2. Wo wird Vieh gezüchtet?

   3. Wo werden Butter und Käse erzeugt?

   4. Wo wird Bier gebraut?

   5. Wo werden Stahl, Chemikalien, Textilien, Glas und Porzellan, Spielzeug und Uhren hergestellt?

   6. Wo werden Maschinen, Autos, Schiffe und Musikinstrumente gebaut?

   7. Wo werden Holzfiguren geschnitzt?

   c. Diskutiert, was von der BRD ausgeführt und was in die BRD eingeführt wird!

   d. Seht auf eine Karte von den Vereinigten Staaten und diskutiert, was in den verschiedenen Gegenden angebaut oder erzeugt wird! (Zum Beispiel: Was wird in Kalifornien, im Napa-Tal, angebaut? — Im Napa-Tal wird Wein angebaut.)

   e. In was für einer Gegend wohnt ihr? Beschreibt eure Gegend! Beschreibt euren Staat! (Wie ist die Landschaft? Wie ist das Klima? Was für Industrie gibt es? usw.)

40 **RATESPIEL MIT ZAHLEN** ⊗   This can be used as a quiz of popular culture, not necessarily referring to historically important events but to movies, politics, etc.

Seid ihr gut mit Jahreszahlen? Jeder von euch soll zwei oder drei Jahreszahlen bereithaben, und ihr fragt dann eure Klassenkameraden, was in einem bestimmten Jahr passiert ist! (Zum Beispiel: Was ist 1932 passiert? — 1932 wurde das Fernsehen erfunden.)

41 # WORTSCHATZ

1–17

das **Alpengebiet,** – e *Alpine region*
der **Bergbauer,** – n *farmer (in a mountainous region)*
das **Entchen,** – *duckling*
die **Ente, –n** *duck*
die **Feder, –n** *feather*
das **Ferkel,** – *piglet*
der **Fettgehalt** *fat content*
das **Fohlen,** – *foal*
das **Friesland** *(area in northern Germany)*
die **Gans, ⁼e** *goose*
das **Gänschen,** – *gosling*
der **Getreideanbau** *grain production*
der **Hahn, ⁼e** *rooster*
der **Haushalt, –e** *household*
das **Heu** *hay*

der **Hof, ⁼e** *small farm*
das **Huhn, ⁼er** *hen*
der **Hühnerstall, ⁼e** *henhouse*
das **Junge, –n** *young (animal)*
das **Kalb, ⁼er** *calf*
die **Kitze, –n** *kid (young goat)*
das **Klima** *climate*
das **Kraftfutter** *enriched feed*
das **Küken,** – *chick*
die **Küste, –n** *coast*
das **Lamm, ⁼er** *lamb*
das **Mädel,** – *girl*
die **Melkmaschine, –n** *milking machine*
das **Milchauto, –s** *milk truck*
das **Milchhaus, ⁼er** *milk (storage) house*

die **Milchmenge, –n** *quantity of milk*
der **Mist** *manure*
der **Misthaufen,** – *manure pile*
die **Molkerei, –en** *dairy*
das **Schaf, –e** *sheep*
die **Schubkarre, –n** *wheelbarrow*
das **Schwein, –e** *pig*
die **Sparbüchse, –n** *piggy bank*
der **Stall, ⁼e** *stable*
die **Talwiese, –n** *meadow in a valley*
die **Tüte, –n** *plastic container (for milk)*
das **Vieh** *livestock*
die **Viehwirtschaft** *raising of livestock*
die **Ziege, –n** *goat*

abkühlen sep to cool off
bähen to bleat (sheep)
entrahmen to skim off the cream
erhitzen to heat
gackern to cackle
grunzen to grunt
meckern to bleat (goats)
melken to milk
muhen to moo
piepsen to peep
quaken to quack
schaffen to manage, do
schnattern to cackle (geese)
wiehern to neigh

erhalten (erhält, erhielt, hat
  erhalten) to get, receive
schreien (schrie, hat geschrien)
  to call, scream

feucht damp, moist, humid
hauptsächlich mainly
saftig lush, juicy
schwarzgefleckt having black spots
typisch typical(ly)
verhältnismässig relative(ly)
wacklig shaky, wobbly

an der Küste entlang along the
  coast
angewiesen sein auf A to be dependent upon
auf dem Land(e) in the country,
  on the farm
auf 5 Grad abkühlen to cool to 5
  degrees (Celsius)
es könnte ja sein it could be
geboren werden to be born
im Haushalt helfen to help in the
  house, with household chores
kikeriki! cock-a-doodle-doo!
(Schweine) halten to keep, raise
  (pigs)
Viehwirtschaft treiben to raise
  livestock
zu einem Teil partially, in part

18–34 die Alm, –en Alpine pasture
der Auftrieb cattle drive (to the
  Alpine pasture)
der Bau, –ten building
das Gebläse, – blower (for hay)
die Glocke, –n bell
das Grasmähen mowing
der Heuboden, ≈ hayloft
das Heuen haymaking, haying
der Heurechen, – hay rake
der Heustadel, – hay barn; hay
  shed
der Heuwender, – machine for
  turning hay (tedder)
der Ladewagen, – hay-loader
die Mähmaschine, –n mower
die Milchleitung, –en milk
  pipeline
die Scheune, –n barn
der Senner, – person who tends
  livestock (and runs dairy) on
  the Alm

die Sennhütte, –n building on the
  Alm, consisting of a stable and
  living quarters for the Senner
die Sense, –n scythe
der Tank, –s tank
der Traktor, Traktoren tractor
die Wohnräume (pl) living quarters
die Zeile, –n windrow

anstellen sep to hire
s. kümmern um to be concerned
  with, take care of
rasten to rest
schallen to sound, ring
schärfen to sharpen
zubereiten sep to prepare
zusammenrechen sep to rake up

abladen (lädt ab, lud ab, hat abgeladen) sep to unload
treiben (trieb, hat getrieben) to
  drive, herd

automatisch automatic
direkt direct(ly)

er kann nicht gut hin he can't
  get to it easily; it's hard to get
  to

35–37 der Ackerbau farming
das Agrarland agricultural
  country
das Agrarprodukt, –e farm
  product
das Allgäu (area in southern
  Germany)
das Alpenvorland Alpine foothills
die Arbeitsstatistik, –en labor
  statistics
der Berufstätige, –n (den –n
  person who has a job
die Bevölkerung population
die Bodennutzung land use
der Handel trade
der Hektar, – (measure of land)
die Industrie, –n industry
das Industrieland industrial land
das Industrieprodukt, –e industrial product
der Industriestaat, –en industrial
  state

die Landwirtschaft agriculture
der Mittelrhein middle Rhine
das Mosaik mosaic
der Oberrhein upper Rhine
der Obstgarten, ≈ orchard
das Ödland wasteland
die Regierung, –en government
das Ruhrgebiet (industrial area in
  western Germany)
das Saargebiet (industrial area in
  western Germany)
das Transportwesen transportation
  (system)
die Viehzucht breeding of livestock
der Weinbau wine-growing
der Weinberg, –e vineyard
Westfalen (area in western
  Germany)

aufteilen sep to divide up
ausführen sep to export
s. beschränken auf A to be
  limited to
einführen sep to import
hineinpassen sep to fit into
s. konzentrieren auf A to concentrate on

scheinen (schien, hat geschienen)
  to seem, appear

bayerisch Bavarian (adj.)
daher therefore
landwirtschaftlich agricultural(ly)
statistisch statistical(ly)
verstreut spread out, scattered

landwirtschaftliche Betriebe
  farms

38–39 die Chemikalien (pl) chemicals
das Getreide grain
die Holzfigur, –en wooden figure
die Maschine, –n machine
das Porzellan porcelain
der Stahl steel
die Textilien (pl) textiles

anbauen sep to plant, grow
brauen to brew
erzeugen to produce
herstellen sep to manufacture,
  produce
schnitzen to carve
weben to weave

Lehrlinge

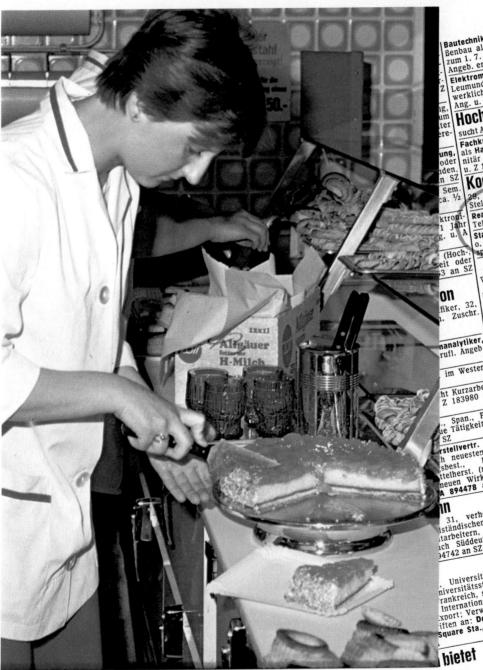

1 Vor der Wahl° eines Berufes ⊗

die Wahl: *choice*

Was soll ich werden?

Jedes Jahr verlassen 50% aller Jugendlichen die Schule mit 14
oder 15 Jahren, um eine Berufsausbildung° zu beginnen oder um
irgendwo Geld zu verdienen. Im Unterricht der letzten und vor-
5 letzten Klassen wird viel über die Berufe gesprochen, und da gibt
es viele Wünsche und Meinungen° der Schüler.

die Berufsausbildung: *job training*

die Meinung: *opinion*

Die Meinung eines Mädchens: „Ich will einen Beruf lernen, und
der Beruf muss mir Spass machen. Am liebsten würde ich in einem
Büro arbeiten, als Stenotypistin. Aber Friseuse wäre auch nicht
10 schlecht.''

Die Meinung eines Jungen: „Ich will gleich nach der Schule
Geld verdienen. Ich suche mir irgendwo einen Job. Was ich arbeite,
ist mir ganz gleich°. Ich brauche erst mal ein Mofa, und wenn
ich 18 bin, kauf' ich mir ein Auto.''

es ist mir ganz gleich: *it's all the same to me*

15 Lehre° oder Job? Vorteile und Nachteile°

Die Möglichkeit, gleich nach der Schule Geld zu verdienen, ist
für viele Jugendliche sehr verlockend°. Sie fühlen sich frei, un-
abhängig° von Eltern und Schule. Es zeigt sich aber oft sehr bald,
dass sie als ungelernte Arbeiter geringere° Chancen haben, am
20 Arbeitsplatz voranzukommen° und mehr Geld zu verdienen.
„Ungelernte'' werden auch leichter arbeitslos als „Gelernte''.

die Lehre: *apprenticeship*
der Nachteil: *disadvantage*

verlockend: *tempting*
unabhängig: *independent*
gering: *small, limited*
vorankommen: *to get ahead*

Die Frage, einen Job zu nehmen oder eine Lehre zu beginnen, ist
für die Zukunft° des Jugendlichen von grösster Bedeutung°.

die Zukunft: *future*
die Bedeutung: *significance*

Wer die Wahl hat, hat die Qual. (a proverb)

25 Wer weiss schon mit 15 Jahren, welcher der über 500 Lehrberufe für ihn oder sie am besten ist? Es ist deshalb notwendig°,
sich früh genug Information über die verschiedenen Berufe zu
verschaffen°. Freunde, Verwandte° und Bekannte können dabei
helfen. Informationsblätter° des Arbeitsamtes geben ausführliche°
30 Beschreibungen über die einzelnen Berufe. Diese Blätter kann
jeder vom Arbeitsamt kostenlos erhalten.

notwendig: *necessary*

s. verschaffen: *to get*
Verwandte (pl.): *relatives*
das Blatt: *pamphlet*
ausführlich: *detailed*

Wer eine Lehrstelle sucht, sollte aber ganz bestimmt mit den
Eltern zum Berufsberater° des Arbeitsamtes gehen. Der Berufsberater kann im Gespräch die Interessen und Fähigkeiten° des
35 Schülers testen und gewisse° Berufe vorschlagen.

der Berater: *adviser*
die Fähigkeit: *ability*
gewiss-: *specific*

Wie finde ich eine Lehrstelle?

Es ist nicht leicht, eine passende Lehrstelle zu finden. Auch hier
können Freunde und Bekannte helfen. Man kann auch selbst in die
Betriebe° der Nachbarschaft gehen und nach einer Lehrstelle
40 fragen. Dann sollte man die Inserate° der Tageszeitungen lesen
oder selbst in der Zeitung inserieren°.

der Betrieb: *business, company*
das Inserat: *ad*
inserieren: *to place an ad*

Stellenangebote		Stellengesuche
Junges Mädchen als Lager-arbeiterin gesucht. Bitte anrufen! Tel: 21 68 40	**Friseurlehrling** für so-fort gesucht. Salon Kosmos. Tel: 34 78 31	**Schüler**, 16 Jahre, sucht Stelle für kaufm. Ausbildung in Industrie im Raum Erlangen.

2 Beantwortet die Fragen!

1. Was tun über 50% aller Jugendlichen jedes Jahr?
2. Wo wird über die Berufe gesprochen?
3. Was ist die Meinung eines Mädchens?
4. Was ist der Wunsch eines Jungen?
5. Warum ist ein Job für viele Jugendliche verlockend?
6. Was sind die Nachteile eines „Ungelernten"?
7. Was ist für den Jugendlichen von grösster Bedeutung?
8. Warum ist es oft sehr schwer, sich für einen Beruf zu entscheiden?
9. Wie kann man sich Information über die Berufe verschaffen?
10. Was sollte man ganz bestimmt tun?
11. Was macht der Berufsberater?
12. Wie kann man eine Lehrstelle finden?

3 MÜNDLICHE ÜBUNG ⊗

4 Eine Ausbildung bei Pfannkuch ⊗

Wer im Raum Karlsruhe-Stuttgart-Freiburg durch die Gegend fährt, wird bestimmt den grossen Lastwagen der Firma Pfannkuch begegnen°. Diese Lastwagen sind Tag und Nacht unterwegs und transportieren Lebensmittel und andere Waren° in die Filialen dieser grossen Firma.

Die Firma besteht° seit 1896, und heute beschäftigt sie über 2 000 geschulte Mitarbeiter in ihren Supermärkten, Disco-Märkten und SB-Warenhäusern. Pfannkuch ist eine fortschrittliche° Firma. 1952 eröffnete die Firma den ersten Selbstbedienungsladen in Karlsruhe. Das war damals eine kleine Sensation!

In den über 100 Stellen in Hessen, Rheinland-Pfalz und Baden-Württemberg versorgt° die Firma ca.° 600 000 Menschen mit allen Dingen des täglichen Lebens.

Die Zentrale der Firma ist in Karlsruhe. Hier sitzt das Management. Hier wird geplant, eingekauft, importiert, gerechnet°.

Hier sind die grossen Lagerhallen, wo über 25 000 Artikel gelagert° und dann an die einzelnen Filialen verteilt werden.

LEXIKON: begegnen: *to meet;* die Waren (pl.): *merchandise;* bestehen: *to exist;* fortschrittlich: *progressive;* versorgen mit: *to provide with;* ca. (circa): *approximately;* rechnen: *to figure;* lagern: *to store*

4

5

Die Firma hat ihr eigenes Fleischwerk. Das Fleisch von Tieren, die vor wenigen Stunden in Friesland oder im Allgäu geschlachtet° wurden, wird hier verarbeitet und verpackt.

In der eigenen Bäckerei werden täglich Torten, Brote, Brezeln und Brötchen gebacken. Diese werden dann, frisch und warm, in die einzelnen Filialen gebracht.

6

7

Die Firma hat ihre eigene Betriebsschule°. Diese müssen die Lehrlinge neben der normalen Berufsschule° besuchen°. Nach einer praktischen und theoretischen Ausbildung kann ein Lehrling nach zwei Jahren die Prüfung als Verkäufer und nach drei Jahren die Prüfung als Einzelhandelskaufmann° machen.

Sigrid Knöll. Sie ist 16, im zweiten Ausbildungsjahr. Sigrid ist die Tochter eines Polizisten.

„Ich hab' mich bei Pfannkuch beworben, weil ich eine gute Ausbildung haben möchte. Meine Eltern und meine Grossmutter haben schon immer bei Pfannkuch eingekauft. Und mein Vater kennt den Leiter einer Filiale. So bin ich halt zu Pfannkuch gegangen. Ich bereue es nicht. Ich hab' schon alle Abteilungen° durchgemacht, und ich darf schon ab und zu aushelfen. Anfang des nächsten Jahres mach' ich meine Prüfung. Ich freu' mich schon darauf."

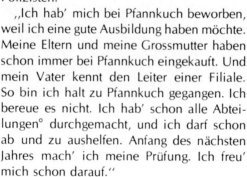

8

LEXIKON: schlachten: *to slaughter;* die Betriebsschule: *company training school;* die Berufsschule: *trade school;* besuchen: *to attend;* der Einzelhandelskaufmann: *person trained to run a retail business;* die Abteilung: *department*

Martina Lankow. Sie ist gerade 16 geworden, und sie ist im ersten Ausbildungsjahr. Martina ist die Tochter eines Bäckers.

„Was mir gefällt ist, dass sich die Firma um die Lehrlinge kümmert. Am ersten Tag hab' ich eine Besichtigung° der Zentrale mitgemacht, und wir haben gleich etwas über die Geschichte der Firma gehört. Wir werden gut unterrichtet, und ich bin sicher, dass ich am Ende meiner Lehrzeit etwas kann."

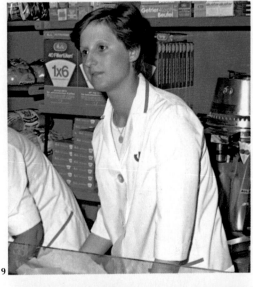

9

Werner Holzer. Er ist 15 und im ersten Ausbildungsjahr. Er ist der Sohn eines Elektrikers.

„Während der ersten Woche hat es mir überhaupt nicht gefallen. Ich hätte am liebsten wieder aufgehört. Ich konnte mich einfach nicht an die Arbeitszeit gewöhnen, von 8 bis 18 Uhr 30. Keinen freien Nachmittag mehr zum Fussballspielen! Jetzt gefällt es mir gut. Während des ersten Lehrjahres bekomme ich 250 Mark monatlich. Ich brauch' zu Hause nichts abzugeben°, und ich hab' mir von meinem Lohn° schon ein Mofa gekauft. Nach meiner Ausbildung muss ich zur Bundeswehr[1]. Vielleicht komm' ich dann wieder zu Pfannkuch zurück."

10

5 Beantwortet die Fragen!

1. Wo sieht man die Lastwagen der Firma Pfannkuch?
2. Was habt ihr alles über diese Firma gehört?
   a. Wieviel Mitarbeiter hat die Firma?
   b. Wo arbeiten diese?
   c. Was passierte 1952?
   d. Wieviel Menschen versorgt die Firma?
   e. Wo ist die Zentrale?
   f. Was geschieht in den Lagerhallen?
   g. im Fleischwerk?
   h. in der Bäckerei?
   i. Beschreibt die Betriebsschule!
3. Was habt ihr über Sigrid Knöll gehört?
4. Was wisst ihr über Martina Lankow?
5. Was habt ihr über Werner Holzer gelesen?

6 MÜNDLICHE ÜBUNG ⊗

LEXIKON: die Besichtigung: *tour;* ich brauch' zu Hause nichts abzugeben: *I don't have to contribute (any of my pay) at home;* der Lohn: *wages, pay*

[1] In Germany, young men are required to serve in the **Bundeswehr,** *armed forces,* for 15 months. Conscientious objectors may do alternate service as, for example, hospital workers or ambulance drivers.

The law allowing conscientious objector status on basis of a simple written explanation is undergoing a constitutional challenge, as of early 1978. Some people feel that not enough young men are entering the Bundeswehr. Being awarded C.O. status means serving in a hospital or other social institution, or in the German Development Service (similar to our Peace Corps) for 15 months.

7 THE GENITIVE CASE

Lest die Beispiele und beantwortet die folgenden Fragen! ⊗

Er ist der Sohn eines Elektrikers.
Name the two noun phrases in the sentence. What do they mean? Name the determiner preceding the second noun. How does the form of that noun differ from the nominative form?

Das ist der Wunsch ihres Kindes.
Name the two noun phrases in this sentence. What do they mean? Name the determiner preceding the second noun. How does the form of that noun differ from the nominative form?

Die Zentrale der Firma ist in Karlsruhe.
Name the two noun phrases. Name the determiner preceding the second noun. What is the gender of the second noun? Is the form of this noun different from the nominative form?

Das ist die Meinung eines Jungen.
Name the determiner before the second noun. What ending does **Junge** have?

Fünfzig Prozent der Kinder verlassen die Schule.
Name the two noun phrases. Is the second noun singular or plural? Name the determiner that precedes this noun.

Das ist **die Meinung meines jüngeren Bruders.**
Das ist **der Wunsch des kleinen Kindes.**
Das ist **der Beruf ihrer älteren Schwester.**
Das sind **die Lehrlinge dieser vielen Filialen.**
Name the second noun phrase in each sentence. What is the gender of the noun in each one? Are the noun phrases singular or plural? What can you say about the adjective ending in each one?

Während des ersten Lehrjahres bekomme ich 250 Mark.
Name the noun phrase that follows **während.** Name the determiner. How does the form of the noun differ from the nominative form?

8 Lest die folgende Zusammenfassung!

1. You have learned that in a sentence, nominative case forms can signal the subject, accusative case forms the direct object, and dative case forms the indirect object or a "for-construction." Genitive case forms can signal an "of-relationship" between two nouns. This relationship, which often involves a situation of belonging to someone or something, is expressed in various ways in English. It can be expressed by the preposition "of": *the color of the car, the study of geography.* Or it can be indicated by "'s": *my father's house, Max's car.* Family relationships are also expressed in English by "'s": *my mother's cousin.* Occasionally they are expressed by "of": *the father of the children.* In informal style, they can even be expressed by both: *a friend of my father's.* In German, any of these relationships may be expressed by the genitive case.

2. The genitive case may be marked by:
   • the form of the determiner alone: die Lehrlinge **dieser** Filiale
   • the forms of both determiner and noun: der Sohn **eines Elektrikers**

3. Genitive endings:
   a. **Der, dieser**-words, and **ein**-words take the ending **-es** for the masculine and neuter singular, and **-er** for the feminine singular and the plural. (See the following chart.)

Singular		Plural
masculine and neuter	feminine	
des	der	der
dieses	dieser	dieser
jedes	jeder	aller
welches	welcher	welcher
eines	einer	—
keines	keiner	keiner
meines, usw.	meiner, usw.	meiner, usw.
—	—	vieler, einiger, mehrerer, usw.

b. Masculine and neuter nouns indicate the genitive singular by adding **-s** to nouns with two or more syllables. Nouns with one syllable generally add **-es** (although **-s** alone is often used with common ones). Masculine and neuter one-syllable nouns which end in **-s, -ss, -sch, -st, -x, -z,** or **-tz** must add the ending **-es** in the genitive.

> *masculine:* Er ist der Sohn **eines** Elektriker**s**.
> *neuter:* Das ist der Wunsch **ihres** Kind**es**.

c. Feminine nouns and plural forms add no ending in the genitive.

> *feminine:* Die Zentrale **der** Firma ist in Karlsruhe.
> *plural:* Fünfzig Prozent **aller** Jugendlichen verlassen die Schule.

d. Masculine nouns that take the ending **-n** or **-en** in the accusative and dative also take that ending in the genitive.

> Das ist die Meinung **eines** Jung**en**.

The genitive forms of such nouns do not normally add **-s**, although it is sometimes heard in casual speech. Exceptions: **der Name, des Namens; das Herz, des Herzens; der Bauer, des Bauern** or **des Bauers.**

e. All adjectives end in **-en** following the genitive forms of **der, dieser**-words, and **ein**-words.

> Das ist die Meinung **meines** jünger**en** Bruders.
> Hier sind die Lehrlinge **dieser** viel**en** Filialen.

f. Unpreceded adjectives before feminine and plural nouns take the endings of **dieser**-words.

> Das sind die Lehrlinge viel**er** Filialen.

g. Unpreceded adjectives before masculine and neuter singular nouns take the ending **-en.**

> Anfang letzt**en** Jahr**es** hatte ich die Prüfung.
> Ich arbeite bis Ende nächst**en** Monat**s.**

9   USES OF THE GENITIVE

1. The genitive is used to express various "of-relationships" between two nouns.

> **Die Lage der Filiale** ist günstig.   *The location of the branch store is good.*
> Das ist **der Wunsch eines Mädchens.**   *That's one girl's wish.*

(continued)

2. The genitive may be used to indicate possession.

> Das ist **das Mofa eines Lehrlings.**
> *That's an apprentice's mofa.*

3. The genitive form must be used after the preposition **während.**

> **Während des ersten Lehrjahres** bekomme ich 250 Mark.
> *During the first year of apprenticeship I get 250 marks.*

4. In spoken German, the preposition **von,** followed by the dative, is often used instead of the genitive form to express possession or an "of-relationship."

> **Die Lage von dieser Filiale** ist günstig.
> Das ist **der Wunsch von einem Mädchen.**
> Das ist **das Mofa von einem Lehrling.**

10 Was ist der Wunsch dieser Leute? ⊗

Der Junge will Bäcker werden.	Das ist der Wunsch dieses Jungen.
Das Mädchen will Friseuse werden.	Das ist der Wunsch dieses Mädchens.
Die Frau will Berufsberaterin werden.	Das ist der Wunsch dieser Frau.
Das Kind will Arzt werden.	Das ist der Wunsch dieses Kindes.
Die Schüler wollen im Büro arbeiten.	Das ist der Wunsch dieser Schüler.
Der Lehrling will Filialleiter werden.	Das ist der Wunsch dieses Lehrlings.

11 Was macht der Berufsberater? ⊗

Hat der Schüler Interesse?	Er prüft das Interesse des Schülers.
Hat das Kind Fähigkeiten?	Er prüft die Fähigkeiten des Kindes.
Hat die Firma Wünsche?	Er prüft die Wünsche der Firma.
Hat der Lehrling Chancen?	Er prüft die Chancen des Lehrlings.
Hat die Zentrale Lehrstellen?	Er prüft die Lehrstellen der Zentrale.

12 Frl. Lankow hat überall eine Besichtigung mitgemacht. ⊗

Haben Sie die Firma gesehen?	Ja, ich hab' eine Besichtigung der Firma mitgemacht.
Haben Sie das Geschäft gesehen?	Ja, ich hab' eine B. des Geschäfts mitgemacht.
Haben Sie den Laden gesehen?	Ja, ich hab' eine B. des Ladens mitgemacht.
Haben Sie die Stadt gesehen?	Ja, ich hab' eine B. der Stadt mitgemacht.
Haben Sie das Dorf gesehen?	Ja, ich hab' eine B. des Dorfes mitgemacht.
Haben Sie die Filialen gesehen?	Ja, ich hab' eine B. der Filialen mitgemacht.

13 Was wissen Sie über diese Firma, Frl. Knöll? ⊗

Wissen Sie etwas über diese Firma?	Ich kenne die Geschichte dieser Firma.
Wissen Sie etwas über diese Gegend?	Ich kenne die Geschichte dieser Gegend.
Wissen Sie etwas über diesen Supermarkt?	Ich kenne die Geschichte dieses Supermarktes.
Wissen Sie etwas über dieses Warenhaus?	Ich kenne die Geschichte dieses Warenhauses.
Wissen Sie etwas über diese Geschäfte?	Ich kenne die Geschichte dieser Geschäfte.
Wissen Sie etwas über diesen Beruf?	Ich kenne die Geschichte dieses Berufs.

14 Fragen wir diese Leute nach ihrer Meinung! ⊗

Fragen wir einen Jungen!   Hier ist die Meinung eines Jungen.

ein Mädchen / einen Schüler / eine Mutter / einen Polizisten / einen Berufsberater

eines Mädchens / eines Schülers / einer Mutter / eines Polizisten / eines Berufsberaters

15 Wann bekommen Sie Ihren Lohn, Herr Holzer? ⊗

Im ersten Lehrjahr?   Ja, während des ersten Lehrjahres.

in der ersten Woche? / im ersten Monat? / im ersten Jahr?

während der ersten Woche / des ersten Monats / des ersten Jahres

16 Wann haben Sie Ihre Prüfung? ⊗

Nächstes Jahr?   Ja, Anfang des nächsten Jahres.

nächste Woche? / nächsten Monat? / nächste Stunde? / nächsten Sommer?

der nächsten Woche / des nächsten Monats / der nächsten Stunde / des nächsten Sommers

17 Wer wünscht sich einen guten Beruf? ⊗

Haben viele Leute diesen Wunsch?   Klar! Das ist der Wunsch vieler Leute.
Haben alle Schüler diesen Wunsch?   Klar! Das ist der Wunsch aller Schüler.
Haben mehrere Lehrlinge diesen Wunsch?   Klar! Das ist der Wunsch mehrerer Lehrlinge.
Haben einige Arbeiter diesen Wunsch?   Klar! Das ist der Wunsch einiger Arbeiter.
Haben alle Menschen diesen Wunsch?   Klar! Das ist der Wunsch aller Menschen.

18 SCHRIFTLICHE ÜBUNGEN

Schreibt die Antworten für Übungen 11 bis 17!

19 HÖRÜBUNG ⊗

Welches Wort steht am Ende des Satzes?

1. _____   3. _____   5. _____   7. _____   9. _____

2. _____   4. _____   6. _____   8. _____   10. _____

20 In einem SB-Laden ⊗

Ware von der Zentrale ist eingetroffen. Die Leiterin der Filiale zeigt Sigrid den Lieferschein. Sigrid muss die Ware mit dem Lieferschein vergleichen und prüfen, ob alles da ist.

Sigrid mit ihrer Filialleiterin

Die Ware wird ausgepackt,

sie bekommt einen Preis und

wird in die Regale gestellt.

Die Filiale ist von 13 Uhr bis 15 Uhr geschlossen. Martina hat also zwei Stunden Mittagspause. Sie liest gewöhnlich, oder sie geht mit einer Kollegin spazieren.

Many small stores close for two hours at midday, because local people don't usually do their shopping then. Supermarkets, however, stay open, offering prepared lunch foods.

Dann hilft sie in der Kuchenabteilung aus.

In der Gemüseabteilung prüft sie, ob noch genügend Ware da ist.

In der Fleischabteilung sind viele Kunden; sie muss jetzt hier mithelfen.

21 In einem Disco-Markt ⊗

Werners Arbeitsplatz ist in einem Disco-Markt. Er wird nach demselben Lehrplan ausgebildet wie Sigrid und Martina. Werner ist Mitglied der Jugendvertretung. Diese achtet darauf, dass die Firma die Bestimmungen des Jugendschutzgesetzes einhält. Jugendliche unter 18 Jahren dürfen z. B. nicht länger als 44 Stunden wöchentlich arbeiten. Der Betrieb muss den Jugendlichen genügend Pausen geben. Der Lehrling darf auch keine Arbeiten machen, die mit seiner Ausbildung nichts zu tun haben, wie z. B. Brötchenholen, Putzen oder Gartenarbeiten beim Chef![1]

Werner mit elektrischem Transportwagen

Werner wiegt das Obst.

Er ist für die leeren Flaschen verantwortlich.

Er hängt ein Preisschild auf. Er hat es selbst geschrieben.

22 Beantwortet die Fragen!

1. Was macht Sigrid alles im SB-Laden?
2. Was habt ihr alles über Martina gehört?
3. Wie wird Werner ausgebildet?
4. Was ist Werner auch?
5. Worauf achtet die Jugendvertretung?
6. Was sagt das Jugendschutzgesetz?
7. Was für Arbeiten verrichtet Werner gerade im Disco-Markt?

23 MÜNDLICHE ÜBUNG ⊗

24 THE DEMONSTRATIVES derselbe, dieselbe, dasselbe

The words **derselbe, dieselbe,** and **dasselbe,** *the same,* are demonstratives which combine the definite article with an adjective, **selb-**. The two parts are written as one word. The article changes according to gender, number, and case. **Selb-** takes the normal adjective ending following that article: "Das ist **derselbe** Lehrling. Ich habe **denselben** Beruf. Wir lesen **dieselben** Bücher." When a preposition contracts with the definite article, **selb-** is written as a separate word: **am selben (an demselben)** Tag; **zur selben (zu derselben)** Zeit.

[1] It used to be customary to make first-year apprentices do mostly clean-up chores and errands unrelated to their job training. These practices were abolished in 1972 by a law concerning the proper training of apprentices.

25   Bei Werner ist es immer dasselbe. ⊗

Hat er einen anderen Beruf?	Nein, er hat denselben Beruf.
Arbeitet er in einer anderen Filiale?	Nein, er arbeitet in derselben Filiale.
Wird er nach einem anderen Lehrplan unterrichtet?	Nein, er wird nach demselben Lehrplan unterrichtet.
Geht er in eine andere Berufsschule?	Nein, er geht in dieselbe Berufsschule.
Hat er die Prüfung in einem anderen Monat?	Nein, er hat die Prüfung im selben Monat.
Hat er etwas anderes vor?	Nein, er hat dasselbe vor.

26   THE DETERMINER irgendein

The determiner **irgendein,** *any (kind of), some (kind of),* has the same endings as the **ein**-words. The plural form is **irgendwelche.**

Er will **irgendeinen** Beruf lernen.	*He wants to learn some kind of profession.*
Du kannst **irgendeine** Zeitung kaufen.	*You can buy any newspaper.*
Sie bedient **irgendwelche** Kunden.	*She's waiting on some customers.*

27   Der Martina ist alles gleich. ⊗

Martina, machen Sie heute diese Arbeit?	Ich mache irgendeine Arbeit.
Nehmen Sie an diesem Samstag Urlaub?	Ich nehme an irgendeinem Samstag Urlaub.
Möchten Sie dieses Geschäft sehen?	Ich möchte irgendein Geschäft sehen.
Helfen Sie diesen Kunden?	Ich helfe irgendwelchen Kunden.
Arbeiten Sie in dieser Abteilung?	Ich arbeite in irgendeiner Abteilung.
Packen Sie diese Waren aus?	Ich packe irgendwelche Waren aus.

28   Wie ist Martina zu Pfannkuch gekommen? ⊗

Die Firma Pfannkuch ist sehr daran interessiert, jungen Menschen eine gute Ausbildung zu geben. Die Firma braucht immer neuen Nachwuchs°. Sie inseriert in den Tageszeitungen der Gegend in und um Karlsruhe, und 5 sie schickt Werbematerial° in die Schulen. Ab und zu hat die Firma auch einen „Tag der offenen Tür", an dem sie die Bevölkerung einlädt, die verschiedenen Abteilungen der Zentrale zu besichtigen°. 10

Martina hat eine Anzeige der Firma Pfannkuch in der Karlsruher Zeitung gelesen, und sie hat sich daraufhin° bei der Firma um die Lehrstelle beworben. Sie hat ein Bewerbungsschreiben an die Firma geschickt und 15 hat ihren handgeschriebenen Lebenslauf°,

LEXIKON: der Nachwuchs: *new employees;* das Werbematerial: *advertising material;* besichtigen: *to see, tour;* daraufhin: *thereupon;* der Lebenslauf: *résumé*
Note the "see-in" on the advertising poster.

eine Abschrift° des letzten Schulzeugnisses° und ein Passbild neueren Datums beigelegt°. Eine gute Woche später bekam sie schon eine Antwort von der Ausbildungsabteilung der Firma. Sie wurde darin eingeladen, mit einem Elternteil° zu einem Vorstellungsgespräch zu erscheinen. Die Firma will jeden Bewerber kennenlernen um festzustellen°, ob er sich wirklich für den gewählten Beruf interessiert und sich dafür eignet°.

Bevor die Firma einen Lehrling anstellen kann, muss der Lehrling zu einer ärztlichen Untersuchung. Hier wird festgestellt, ob sich der Lehrling für den gewählten Beruf auch körperlich° eignet.

Als letztes wird dann der Ausbildungsvertrag° vom Lehrling, von den Eltern und von der Firma unterschrieben. In diesem Vertrag sind die Rechte und Pflichten° beider Parteien festgelegt, z. B. die Dauer° der Ausbildung, Zeit der Ausbildung und Urlaub, Pflichten des Lehrlings, Bezahlung, usw.

LEXIKON: die Abschrift: *copy;* das Schulzeugnis: *report card;* beilegen: *to enclose;* der Elternteil: *parent;* feststellen: *to determine;* s. eignen für: *to be suited for*

LEXIKON: körperlich: *physically;* der Ausbildungsvertrag: *training contract;* die Pflicht: *duty, responsibility;* die Dauer: *length of time*

In the letter below, point out the formal letter-writing style.

29 Martina Lankow bewirbt sich. Sie schreibt eine Bewerbung. ⊗

Martina Lankow   Karlsruhe, den 27. 4. 1978
                                   Bismarckstrasse 75

Pfannkuch & Co.,
Ausbildungsabteilung
75 Karlsruhe

Betreff: Bewerbung um eine Lehrstelle als Verkäuferin

Sehr geehrte Herren!

Ich habe Ihre Anzeige in der Karlsruher Zeitung gelesen, und ich bewerbe mich um eine Lehrstelle als Verkäuferin in Ihrer Firma.

Zur Zeit besuche ich noch die 9. Klasse der Hauptschule hier in Karlsruhe. Ich habe besonders in Mathematik und in Deutsch gute Noten.

Einen handgeschriebenen Lebenslauf und eine Abschrift meines letzten Schulzeugnisses lege ich bei.

Hochachtungsvoll

Martina Lankow

30 Martina schreibt einen Lebenslauf. ⊗

Im Lebenslauf müssen erwähnt werden:

a. Name
b. Geburtstag
c. Geburtsort
d. Eltern
e. Beruf des Vaters
f. Schulbildung
g. Lieblingsfächer
h. Berufswunsch

> Lebenslauf
>
> Ich heiße Martina Lankow. Ich wurde am 3. März 1964 in Mannheim geboren. Mein Vater ist der Bäckermeister Hans Lankow. Meine Mutter heißt Ursula Lankow, geb. Bauer. Sie ist nicht berufstätig.
>
> Seit 1970 besuche ich die Hauptschule hier in Karlsruhe, und ich bin jetzt in der 9. Klasse. Meine Lieblingsfächer in der Schule sind Mathematik und Deutsch.
>
> Nach meiner Schulentlassung möchte ich gern Verkäuferin werden. Ich glaube, daß ich für diesen Beruf gut geeignet bin.
>
> Karlsruhe, den 27. April, 1978
>
> Martina Lankow

31 MÜNDLICHE ÜBUNG ⊗

32 SCHRIFTLICHE ÜBUNGEN

a. Jetzt bewirbst du dich um eine Stelle und schreibst eine Bewerbung!

b. Schreibe deinen eigenen Lebenslauf!

33 KONVERSATIONSÜBUNG For suggestions, see Exercise 9 in the Listening Comprehension Program, p. T128.

Hast du dich schon einmal um eine Stelle beworben?
1. Wo? Wann? Wie? 2. Wie hast du die Stelle gefunden? 3. Bei wem hast du dich vorstellen müssen? 4. Was für eine Arbeitszeit hattest du? 5. Was hast du verdient? 6. Wie bist du zum Arbeitsplatz gekommen? 7. Wie hast du gelernt, was du tun musst? 8. Wie viele Kollegen hattest du? Beschreibe einige Kollegen! Was haben sie tun müssen? 9. Wie war der Chef?
10. Wie lange hast du dort gearbeitet? Arbeitest du noch?

34 Gerda lernt Zahntechnikerin. ⊗

Gerda ist Lehrling im Dental-Labor Beck-
mann in Gütersloh, Nordrhein-Westfalen.
Sie lernt Zahntechnikerin. Neben dem Chef
und dem Junior-Chef, dem Sohn des Chefs,
5 sind im Labor elf Techniker und zehn Lehrlinge beschäftigt.

Die Lehrlingsausbildung beträgt normal
$3\frac{1}{2}$ Jahre; für Abiturienten $2\frac{1}{2}$ – 3 Jahre. Gerda
arbeitet vier Tage im Betrieb; sie geht einen
10 Tag in die Berufsschule in Bielefeld. Der

Lehrlingslohn beträgt DM 150 im ersten
Lehrjahr, DM 170 im zweiten Lehrjahr und
DM 190 im dritten.

Gerda hat das Abitur. Wenn sie ausgelernt
hat, kann sie ihre Gesellenprüfung machen. 15
Sie kann dann als Zahntechnikerin arbeiten.
Nach fünf Gesellenjahren kann sie die
Meisterprüfung machen – und als Meister
darf sie dann selbst Lehrlinge ausbilden.

1. Dental-Labor in Gütersloh
2. Gerda mit dem Junior-Chef
3. Beim Gipsmischen für Zahnprothesen
4. Hier fertigt sie Gebissschablonen an.
5. Fertige Gebisse

35

WORTSCHATZ

1–3

der Arbeitsplatz, ⸚e *place of work*
die **Ausbildung** *training*
die **Bedeutung, –en** *significance*
die **Berufsausbildung** *job training*
der **Berufsberater, –** *job adviser*
die **Beschreibung, –en** *description*
der **Betrieb, –e** *business, company*
das **Blatt, ⸚er** *pamphlet*
die **Chance, –n** *opportunity*
die **Fähigkeit, –en** *ability*
der **Gelernte, – n** *skilled worker*
die **Information, –en** *information*
das **Inserat, –e** *ad*
das **Interesse, –n** *interest*
der **Lehrberuf, –e** *occupation requiring an apprenticeship*
die **Lehre, –n** *apprenticeship*
die **Lehrstelle, –n** *apprentice position*
die **Meinung, –en** *opinion*
die **Möglichkeit, –en** *possibility*

die **Nachbarschaft, –en** *neighborhood*
der **Nachteil, –e** *disadvantage*
die **Stelle, –n** *position*
das **Stellenangebot, –e** *want ad*
die **Stellengesuche (pl)** *situations wanted*
der **Ungelernte, – n** *unskilled worker*
der **Verwandte, –n** (den – n) *relative*
die **Wahl, –en** *choice*
die **Zukunft** *future*

fragen nach *to inquire about*
inserieren *to advertise*
testen *to test*
s. verschaffen *to get, acquire*

sprechen über A *to talk about*
vorankommen sep *to get ahead*

arbeitslos *unemployed*
ausführlich *detailed*
gering *limited, small*
gewiss- *specific*
kostenlos *without charge*
notwendig *necessary*
passend *suitable, appropriate*
unabhängig (von) *independent (of)*
ungelernt *unskilled*
verlockend *tempting*
vorletzt- *next-to-last*

erst mal *first of all*
es ist mir gleich *it's all the same to me*
50% (fünfzig Prozent) *fifty percent*
ganz bestimmt *by all means*
wer die Wahl hat, hat die Qual *whoever has a choice also has the difficulty of choosing*

4–19

die **Abteilung, –en** *department*
die **Arbeitszeit, –en** *working hours*
die **Berufsschule, –n** *trade school*
die **Besichtigung, –en** *tour*
die **Bundeswehr** *armed forces*
der **Disco-Markt, ⸚e** *discount store*
der **Einzelhandelskaufmann** *person trained to run a retail business*
der **Elektriker, –** *electrician*
die **Firma, Firmen** *firm, company*
das **Fleischwerk, –e** *meat-processing plant*
die **Lagerhalle, – n** *warehouse*
die **Lehrzeit** *period of apprenticeship*
der **Leiter, –** *manager, head*
der **Lohn, ⸚e** *wages, pay*
der **Mitarbeiter, –** *co-worker*

der **Polizist, –en** (den – en) *police officer*
das **SB-Warenhaus, ⸚er** (Selbstbedienungs-) *self-service department store*
die **Sensation, –en** *sensation*
die **Ware, –n** *article of merchandise*
die **Zentrale, – n** *central office*

begegnen D (ist begegnet) *to meet*
beschäftigen *to employ*
eröffnen *to open*
importieren *to import*
lagern *to store*
rechnen *to figure*
schlachten *to slaughter*
transportieren *to transport*
verarbeiten *to process*
verpacken *to pack, wrap*
versorgen mit *to provide with*

aushelfen sep *to help out, assist*
bestehen (bestand, hat bestanden) *to exist*

fortschrittlich *progressive*
geschult *trained, skilled*
monatlich *monthly*
neben D *besides, in addition to*
praktisch *practical*
während (genitive) *during*

alle Abteilungen durchmachen *to work in all departments*
die Schule besuchen *to go to school*
freier Nachmittag *afternoon off*
ich kann etwas *I know something*
schon immer *all along, always*
so bin ich halt zu P. gegangen *so I simply went to Pfannkuch*

20–27

die **Filialleiterin, – nen** *branch manager*
das **Jugendschutzgesetz, –e** *child labor law*
die **Jugendvertretung, – en** *youth representative group*
die **Kollegin, –nen** *colleague*
der **Lehrplan, ⸚e** *curriculum*
der **Lieferschein, – e** *invoice*

das **Mitglied, –er** *member*
das **Regal, –e** *shelf*
der **SB-Laden, ⸚** *self-service store*
der **Transportwagen** *electric cart*

achten auf A *to see to*
aufhängen sep *to hang up*
ausbilden sep *to train*
eintreffen sep *to come in*

genügend *enough*
höchstens *at the most*
wöchentlich *weekly*

Bestimmungen einhalten *to meet stipulations*
verantwortlich sein für *to be responsible for*
z.B. (zum Beispiel) *for example*

28–33

die **Abschrift, –en** *copy*
der **Berufswunsch, ⸚e** *desired occupation*
der **Bewerber, –** *applicant*
das **Bewerbungsschreiben, –** *letter of application*
die **Bezahlung, –en** *pay*
die **Dauer** *length of time*
der **Elternteil, –e** *parent*
der **Geburtsort, –e** *place of birth*
der **Lebenslauf, ⸚e** *résumé*
der **Nachwuchs** *new employees*
die **Partei, – en** *party*
die **Pflicht, –en** *duty, responsibility*
das **Recht, –e** *right*
die **Schulbildung, –en** *schooling*

die **Schulentlassung, – en** *completion of school*
das **Schulzeugnis, –se** *report card*
der **Vertrag, ⸚e** *contract*
das **Vorstellungsgespräch, –e** *interview*

beilegen sep *to enclose*
besichtigen *to see, tour*
s. eignen für *to be suited for*
erwähnen *to mention, state*
festlegen sep *to establish, set*
feststellen sep *to determine*

s. bewerben um *to apply for*
unterschreiben (unterschrieb, hat unterschrieben) *to sign*

ärztlich *medical*
berufstätig *working, employed*
daraufhin *thereupon*
gewählt *chosen*
körperlich *physical(ly)*

Betreff *regarding*
ein Passbild neueren Datums *a recent passport photo*
geb. (geborene) *maiden name*
hochachtungsvoll *respectfully; very truly yours*
interessiert sein an A *to be interested in*
Sehr geehrte Herren! *Dear Sirs:*
Tag der offenen Tür *open house*
zur Zeit *at the present time*

The discussion that follows is necessarily simplified, omitting much reference to the underlying problems of global population and industrialization rates. The perspective is generally that of present-day life in industrialized countries. The main emphasis is on what students themselves can do, either individually or with their home communities.

1 Der Mensch und seine Umwelt° ⊗

die Umwelt: *environment*

Schon jahrtausendelang hat der Mensch seine Umwelt negativ beeinflusst. Wir brauchen nur an Caesars Legionen zu denken, die die Landschaft Spaniens für immer verändert haben. Seit dem Beginn des Industriezeitalters droht° der Mensch aber, die natür-
5 liche Ordnung zu zerstören°. Der Mensch hatte plötzlich gelernt, sich mit Hilfe von wissenschaftlichen° und technischen Erfindungen das Leben zu erleichtern. Und dabei nahm er keine Rücksicht° auf die Folgen seines Handelns°.

drohen: *to threaten*
zerstören: *to destroy*
wissenschaftlich: *scientific*
die Rücksicht: *consideration*
die Folgen seines Handelns: *the consequences of his actions*

Erst in den letzten drei Jahrzehnten erkannte° der Mensch die
10 Gefahren: die Veränderungen in seiner Umwelt können für ihn lebensgefährlich sein. Schlechte Luft, verseuchtes° Wasser und der Lärm von Fahrzeugen und Flugzeugen machen das Leben in unseren Grossstädten ungesund und für kränkliche Menschen sogar
15 lebensgefährlich. Im Winter 1952 starben° in London in einer Woche plötzlich 5 000 Menschen an Bronchitis. Ursache: der Smog.

erkennen: *to recognize*
verseucht: *polluted*

sterben: *to die*

1

An jedem Wochenende verlassen die Stadtbewohner ihre Woh- nungen und flüchten° in die Natur. Die Hamburger fahren an die Ostsee°, die Leute vom Ruhrgebiet in die Eifel und ins Siebenge-
20 birge[1], die Münchner suchen Ruhe und Erholung in den Flusstälern und in den Bergen. Draussen in der Natur finden sie Erholung. Hier tanken sie Frischluft auf, und dann sausen sie am Sonntag- abend mit ihren Autos wieder in den Schmutz und Lärm ihrer Städte zurück°.

flüchten: *to flee*
die Ostsee: *Baltic Sea*

zurücksausen: *to speed back*

2 Unsere Luft ⊗

Die Luft, die wir atmen, ist ungesund. Der Mensch hat sie ver- giftet°. In den Industriegebieten kann die Staubkonzentration° auf 400 Teilchen° je Kubikmillimeter steigen—das ist tausendmal so viel wie in reiner° Landluft! Eine solch verschmutzte Gegend erhält
5 30% weniger Sonnenlicht als die ländliche Umgebung°.

vergiften: *to poison*
der Staub: *dust*
das Teilchen: *particle*
rein: *pure, clean*
die Umgebung: *area, sur- roundings*

[1] **Die Eifel** is a volcanic plateau on the left side of the Rhine, west of Koblenz. **Das Siebengebirge** is a range of hills on the right side of the Rhine, east of Bonn.

Wer fliegt schon höher als der Dreck

Mensch! Denk'an Deine Umwelt

DER BUNDESMINISTER DES INNERN

Wer ist für die verschmutzte Luft verantwortlich?

Unsere Luft ist ein Gasgemisch°, das aus 78% Stickstoff°, 20,9% Sauerstoff° und anderen Gasen besteht, wie Argon, Helium, Krypton und Wasserstoff°. Der Mensch aber verändert heute dieses
10 Gemisch mit Dreck°, Staub und Giften°.

Chemiker haben festgestellt, dass der Schmutz und die Gifte in der Luft zu 45% aus privaten Haushalten, aus Kohle- und Ölöfen° kommen. 35% kommen aus Industriebetrieben und 20% von

das Gemisch: *mixture*
der Stickstoff: *nitrogen*
der Sauerstoff: *oxygen*
der Wasserstoff: *hydrogen*
der Dreck: *dirt*
das Gift: *poison*

der Ofen: *stove*

1

Motorfahrzeugen. Die Gase, die von Motorfahrzeugen in die Luft
15 geblasen° werden, sind aber besonders gefährlich. Sie bleiben in der Nähe des Bodens°, und wir atmen sie ein.

blasen: *to blow*
der Boden: *ground*

Woher kommt der Sauerstoff?

Industriebetriebe, Kohle- und Ölöfen, Motorfahrzeuge und natürlich alle Lebewesen verbrauchen° ständig° Sauerstoff. Ein ein-
20 ziges Auto saugt auf tausend Kilometer soviel Sauerstoff in sich hinein°, wie ein Mensch ein ganzes Jahr lang braucht, nämlich 350 kg!

Lieferanten° des Sauerstoffs sind hauptsächlich unsere Wälder und unsere Grünanlagen°. Ein einziger Baum produziert soviel
25 Sauerstoff, wie ein Mensch verbraucht. Aber leider sind zwei Drittel der Wälder auf unserer Erde nicht mehr vorhanden°. In der BRD gehen täglich 50 bis 70 Hektar Grünland verloren°. Es werden darauf Strassen, Häuser und Industriebetriebe gebaut. Dieses Grünland geht als Sauerstofferzeuger° verloren, während jährlich
30 Millionen Autos immer mehr Sauerstoff verbrauchen.

verbrauchen: *to use, consume*
ständig: *constantly*

in sich hineinsaugen: *to suck in, consume*

der Lieferant: *supplier*
die Grünanlage: *park*

vorhanden sein: *to be in existence*
verlorengehen: *to be lost*

der Sauerstofferzeuger: *producer of oxygen*

The statistic about two-thirds of the forests is based on a comparison with forest acreage before the time of the ancient Romans, who did the first large-scale clearing of wooded areas.

Lektion 40 Unsere Umwelt 243

3 Beantwortet die Fragen!

1. Wie lange hat der Mensch seine Umwelt negativ beeinflusst?
2. Seit wann droht der Mensch aber, die natürliche Ordnung zu zerstören?
3. Was hatte der Mensch gelernt?
4. Was macht das Leben in unseren Grossstädten gefährlich?
5. Was passierte 1952 in London?
6. Was tun die Menschen, um Ruhe und Erholung zu suchen?
7. Warum kann man sagen, dass unsere Luft ungesund ist?
8. Woraus besteht die Luft? Wie verändert der Mensch die Luft?
9. Woher kommen Dreck und Gifte in unserer Luft?
10. Was verbraucht ständig Sauerstoff?
11. Welche Gase sind besonders gefährlich? Warum?
12. Wieviel Sauerstoff verbraucht ein Auto auf 1 000 Kilometer?
13. Woher kommt der Sauerstoff?
14. Welche Gefahr besteht heute?

4 MÜNDLICHE ÜBUNG ⊗

5 SCHRIFTLICHE ÜBUNG

Beantwortet die Fragen von Übung 3 schriftlich!

6 Unser Wasser ⊗

Wasser ist, wie die Luft, für Mensch, Tier und Pflanze unentbehrlich°. Auch als Produktionsfaktor für die Industrie spielt Wasser eine grosse Rolle. Wasserverbrauch und als Folge Wasserverschmutzung sind in den letzten Jahren rapide angestiegen°. Wasser
5 kann im Kreislauf° der Natur nicht beliebig° vermehrt werden. Wir wissen jetzt, dass der Wasservorrat° begrenzt° ist, und dass wir mit unserem Wasser sparsam° umgehen° müssen.

unentbehrlich: *indispensable*

ansteigen: *to increase*
der Kreislauf: *cycle*
beliebig: *at will*
der Vorrat: *supply*
begrenzt: *limited*
sparsam: *sparingly*
umgehen mit: *to deal with*

Wer verbraucht das Wasser?

Der Mensch bedarf° täglich etwa 2,5 bis 3,5 Liter Wasser, um
10 einfach am Leben zu bleiben. Der tägliche durchschnittliche° Verbrauch für einen Einwohner der BRD ist aber 125 Liter. Und in manchen Ländern ist der Verbrauch noch höher.

bedürfen: *to need*
durchschnittlich: *average*

Hilfe! Ich bin doch keine Ölsardine
Mensch! Denk' an Deine Umwelt
DER BUNDESMINISTER DES INNERN

Das Bundesministerium des Innern publishes signs like this and the ones on the following pages, to alert the public to the importance of environmental concerns. The figure of "Ummi," the symbol of environmental protection, has become as well-known in Germany as the figure of Smokey the Bear in this country.

Please note that this chart reflects only household use, not industrial or agricultural consumption. See p. T38 for a further discussion of water resources and usage.

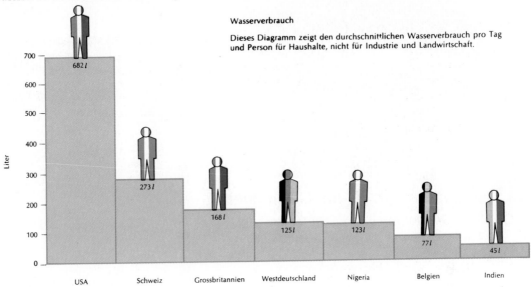

Wasserverbrauch

Dieses Diagramm zeigt den durchschnittlichen Wasserverbrauch pro Tag und Person für Haushalte, nicht für Industrie und Landwirtschaft.

Liter

700 —
600 —
500 —
400 —
300 —
200 —
100 —
0 —

682 l — USA
273 l — Schweiz
168 l — Grossbritannien
125 l — Westdeutschland
123 l — Nigeria
77 l — Belgien
45 l — Indien

Wir verbrauchen heute so viel Wasser, weil unser Lebensstandard gestiegen ist. Wir haben moderne Badezimmer, Waschma-
15 schinen, Geschirrspülmaschinen; wir waschen unsere Autos, und wir bewässern unsern Rasen. Unsere Landwirtschaft verbraucht riesige Wassermengen°, ebenso die Industrie. Um einen Liter Bier herzustellen, werden 20 Liter Wasser benötigt°—für eine Tonne Stahl 100 000 Liter!

die Wassermenge: *amount of water*
benötigen: *to require*

20 **Wodurch wird unser Wasser schmutzig?**

Unsere Flüsse und Seen sind schmutzig. Giftige Abwässer° vieler Industriebetriebe gelangen° in unsere Flüsse, ebenso Abwässer aus Millionen Haushalten. Die Donau ist nur in alten Liedern blau, und der „schöne deutsche Rhein" is bald ein toter° Strom. In vielen
25 Flüssen sterben die Fische, und die Verschmutzung ist an vielen Stellen schon so schlimm, dass man dort nicht mehr baden darf.

das Abwasser: *sewage, waste water*
gelangen in: *to get into, reach*
tot: *dead*

7 **Beantwortet die Fragen!**

1. Wer braucht und verbraucht Wasser?
2. Was ist in den letzten Jahren angestiegen? Warum ist das schlecht? Was müssen wir tun?
3. Wie hoch ist der Wasserverbrauch in verschiedenen Ländern?
4. Warum verbrauchen wir so viel Wasser?

5. Was verbraucht auch viel Wasser?
6. Wodurch werden heute unsere Flüsse und Seen so schmutzig?
7. Wie sehen die Donau und der Rhein heute aus?
8. Was sind die Folgen der Wasserverschmutzung?

8 **MÜNDLICHE ÜBUNG** ☺

9 **SCHRIFTLICHE ÜBUNG**

Beantwortet die Fragen von Übung 7 schriftlich!

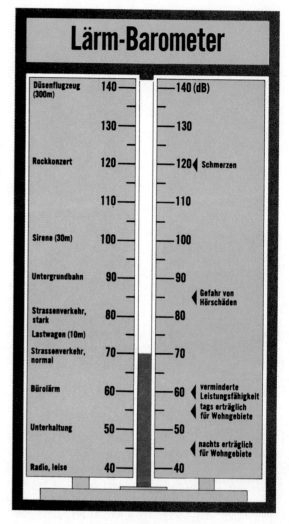

Lärm-Barometer

Düsenflugzeug (300m)	140	140 (dB)
	130	130
Rockkonzert	120	120 ◀ Schmerzen
	110	110
Sirene (30m)	100	100
Untergrundbahn	90	90
		◀ Gefahr von Hörschäden
Strassenverkehr, stark	80	80
Lastwagen (10m)		
Strassenverkehr, normal	70	70
Bürolärm	60	60 ◀ verminderte Leistungsfähigkeit tags erträglich für Wohngebiete
Unterhaltung	50	50
		◀ nachts erträglich für Wohngebiete
Radio, leise	40	40

10 Lärm: Gefahr für die Gesundheit ⊗

Jeder zweite Bewohner der BRD fühlt sich heute tagsüber vom Lärm gestört, in der Nacht jeder vierte.

Starker Lärm beeinflusst unser Nerven-
5 system. Der Mensch kann sich weniger konzentrieren; seine Arbeitskraft° verringert° sich. Starker Lärm kann auch zu Schwer-hörigkeit° und zu erhöhtem Blutdruck° führen. In der Regel° kann sich der Mensch
10 an starken Lärm nicht gewöhnen.

Ursachen des Lärms sind:
a. der Strassenverkehr, der seit 1950 um das 15fache° angestiegen ist
b. der Flugverkehr, der seit 1950 um das 30- bis 40fache zugenommen hat
c. Industrielärm

At room distances, a food blender is noisier than rush-hour traffic.

LEXIKON: die Arbeitskraft: *strength and productivity;* s. verringern: *to lessen;* die Schwerhörigkeit: *hearing loss;* erhöhter Blutdruck: *increased blood pressure;* in der Regel: *as a rule;* um das 15fache: *fifteenfold*

In reading the "Lärmbarometer," note that decibels work logarithmically in relation to sound intensity. This means that on the decibel scale, any increase of 10 decibels indicates a tenfold increase in sound intensity. A 60 db sound is ten times more intense than a 50 db sound and one hundred (10 × 10) times more intense than a 40 db sound.

11 Unsere Abfälle° ⊗

der Abfall: *waste, garbage*

Stellt euch mal an eine Strassenecke und beobachtet eure Mit-menschen, wie sie eure Stadt verschmutzen! Einer wirft seine Zi-garette weg, ein anderer die leere Packung, ein dritter eine leere Streichholzschachtel°. Einer steht von der Bank auf, lässt aber seine
5 Zeitung liegen. Fünf Minuten später hat der Wind genug damit gespielt und sie, Seite für Seite, in eine andere Richtung geschickt.

die Streichholzschachtel: *matchbox*

Ja, alles, was wir zu Hause nicht tun dürfen, tun wir leider auf der Strasse. Dabei sollten wir stolz sein auf die Strasse, in der wir leben. Sie ist ein Teil unserer Stadt, die andere Leute besuchen und
10 bewundern. Keiner sollte vergessen, dass die Strasse kein Müll-platz° ist!

der Müllplatz: *garbage dump*

Aber es gibt einfach zu viel Abfall! Und unsere Abfälle, be-sonders unsere Küchenabfälle, nehmen von Jahr zu Jahr zu.

Die Gründe dafür sind:
a. Wir verbrauchen immer mehr Dinge.
b. Alles, was wir kaufen, ist verpackt.
c. Wir reparieren fast nichts mehr, sondern werfen alles weg.

At this point you might have a discussion of "planned obsolescence," the fact that today many products we buy are designed to be thrown out rather than repaired.

12 Beantwortet die Fragen!

1. Wie viele Leute fühlen sich vom Lärm gestört?
2. Wie beeinflusst der Lärm den Menschen?
3. Was sind die Ursachen des Lärms?
4. Wie verschmutzt der Mensch seine Stadt?
5. Warum gibt es heute so viel Abfall?

13 MÜNDLICHE ÜBUNG ⊗

14 RELATIVE PRONOUNS der, die, das IN RELATIVE CLAUSES

Lest die Beispiele und beantwortet die folgenden Fragen! ⊗

> **Die Luft** ist ungesund. Wir atmen **sie**.
> **Die Luft, die** wir atmen, ist ungesund.

Name the noun phrase in the first sentence. Name the pronoun in the second sentence. In the third sentence, which word refers to **die Luft?**

> Die Luft ist **ein Gasgemisch. Es** besteht aus vielen Gasen.
> Die Luft ist **ein Gasgemisch, das** aus vielen Gasen besteht.

Name the noun phrase in the first sentence. Name the pronoun in the second sentence. In the third sentence, which word refers to **ein Gasgemisch?**

> **Der Lärm** ist für uns gefährlich. Wir hören **ihn**.
> **Der Lärm, den** wir hören, ist für uns gefährlich.

Name the noun phrase in the first sentence. Name the pronoun in the second sentence. In the third sentence, which word refers to **der Lärm?** Why is the form **den** used?

15 Lest die folgende Zusammenfassung!

1. A relative clause is a dependent clause that refers to an element in the main clause. In German, relative clauses are always introduced by relative pronouns. These are identical with the definite articles, with the exception of the dative plural form.

	masculine	feminine	neuter	plural
Nominative	der	die	das	die
Accusative	den	die	das	die
Dative	dem	der	dem	**denen**

(continued)

2. The gender (**der, die, das**) and number (singular, plural) of a relative pronoun are determined by the noun phrase or pronoun to which it refers. The case (nominative, accusative, dative) is determined by the function of the relative pronoun in the relative clause.

Der Lärm, den wir hören, ist für uns gefährlich. The genitive case of relative pronouns is taught in the reader.

den ⟨ GENDER, NUMBER: *masculine, singular* — **der** Lärm
    ⟨ CASE: *accusative (direct object function)* — Wir hören **ihn.**

3. Relative clauses are dependent clauses, requiring verb-last position.

Die Gase, die von Motorfahrzeugen **kommen,** sind besonders gefährlich.

4. A relative clause generally follows immediately after the noun phrase or pronoun to which it refers.

Das Wasser, das wir trinken, ist verseucht.

5. For stylistic reasons, however, the relative clause is sometimes separated from the noun phrase or pronoun to which it refers by a word or two, usually a separable prefix, an infinitive, or a past participle.

Wir haben **das Wasser** getrunken, **das verseucht war.**

6. Relative pronouns, frequently omitted in English, are never omitted in German.

Das Wasser, das wir trinken, ist verseucht.
The water we drink is polluted.

Relative clauses are used most often in writing. For more exercises, see the Arbeitsheft and the Übungsheft.

16 Verbindet diese Sätze, zuerst mündlich, dann schriftlich! ⊗

Beispiel: Der Lärm ist furchtbar. Wir hören ihn den ganzen Tag.
    Der Lärm, den wir den ganzen Tag hören, ist furchtbar. For answers, see p. T50.
1. Das Wasser ist schmutzig. Wir trinken es hier.
2. Die Abfälle nehmen zu. Wir werfen sie weg.
3. Der Rhein war früher sauber. Er ist heute verschmutzt.
4. Die Luft ist giftig. Wir atmen sie in der Stadt.
5. Der Fluss hat keine Fische mehr. Wir haben ihn verschmutzt.
6. Die Gase sind besonders gefährlich. Sie werden von den Autos in die Luft geblasen.

17 Was können wir tun, um unsere Umwelt zu verbessern? ⊗

Es gibt heute Gesetze°, die sich mit unserer Umwelt befassen°: Gesetze für die Reinhaltung der Luft und des Wassers, Gesetze zur Bekämpfung des Lärms°, usw.

das Gesetz: *law*
s. befassen mit: *to deal with*

zur Bekämpfung des Lärms: *intended to fight noise*
nützen: *to be of use*

Was nützen° aber die Gesetze, wenn der einzelne sie nicht beachtet? Immer wieder hört man Leute sagen: „Was nützt es, wenn ich mein Auto verkaufe und den Bus benutze? Was nützt es, wenn ich die Gewässer nicht verschmutze? Auf mich kommt es doch gar nicht an°.''

auf mich kommt es nicht an: *what I do doesn't matter*

Falsch! Jeder einzelne kann und muss mithelfen und dafür sorgen, dass wir uns nicht einer Katastrophe nähern.

Hier sind einige Vorschläge, die jeder beachten sollte:

1

Use these suggestions as discussion topics.

1. Wir müssen bescheidener leben.

a. Brauchen wir wirklich all diese elektrischen Geräte, die Energie verbrauchen?

2

b. Müssen wir mit unserm Auto in die Stadt fahren, oder können wir öffentliche Verkehrsmittel° benutzen?

Bei geschlossener Schranke

Bitte Motor abstellen

3

2. Wir müssen sauberer leben.

a. Können wir nicht den Motor abstellen, wenn wir im Verkehr warten müssen?

4

b. Wenn wir im Wald picknicken, können wir nicht unsere Abfälle wieder mit nach Hause nehmen?

5

6

LEXIKON: öffentliche Verkehrsmittel: *public transportation*

Es wird freundlich er-
sucht das Bächlein
ungestört zu lassen.
• Bitte achtet auf die
Kinder, daß sie nichts
hineinwerfen

7

c. Wir sollten auch keinen Abfall ins Wasser werfen, wenn wir spazierengehen.

8

Abfälle

9

10

11

d. Für unsere Abfälle sind Papierkörbe und
Abfalltonnen da. Benutzen wir sie!

18 Was wird getan, um den Lärm zu bekämpfen? ⊗

Im Lande Bayern, zum Beispiel, gibt es viele Vorschriften°, die
den Lärm bekämpfen.

die Vorschrift: *regulation*

1. Kofferradios, Tonbandgeräte oder Cassetten-Recorder dürfen in
   der freien Natur oder in der Öffentlichkeit° nicht verwendet
   werden.

in der Öffentlichkeit: *in public*

2. Motorräder und laute Motoren dürfen in der Nähe fremder
   Wohnungen nicht angelassen° werden.

anlassen: *to start up*

3. Die Zahl der Motorboote auf den Seen wurde verringert; auf
   einigen Seen dürfen keine Motorboote mehr fahren.

4. Auf dem Flughafen München-Riem dürfen Flugzeuge nach
   22.00 Uhr und vor 6.00 Uhr nicht mehr starten oder landen.

5. Der Strassenlärm wurde durch Geschwindigkeitsbeschrän-
   kungen° in der Nähe von Wohnhäusern stark herabgesetzt°.

die Geschwindigkeitsbeschränkung: *speed restriction*
stark herabgesetzt: *greatly
reduced*

6. Der Gebrauch von Rasenmähern an Sonntagen ist verboten.

7. Wohnungen an verkehrsreichen° Strassen werden schallge-
   dämpft°.

verkehrsreich: *heavily traveled*
schallgedämpft: *sound-
insulated*

1

2

Lärmschutz

19 HÖRÜBUNG ⊗

	1	2	3	4	5	6	7	8	9	10	11	12
Luftverschmutzung												
Wasserverschmutzung												
Lärm												
Abfall												

20   was IN RELATIVE CLAUSES

Lest die Beispiele und beantwortet die folgenden Fragen! ⊗

> **Alles** ist verpackt. Wir kaufen **es.**
> **Alles, was** wir kaufen, ist verpackt.

Name the relative pronoun in the third sentence. What word does **was** refer to?

21 Lest die folgende Zusammenfassung!

1. The relative pronoun **was** is used to refer to indefinite pronouns, such as **alles, etwas, nichts, viel,** and **wenig.**

   > **Alles, was** wir kaufen, ist verpackt.
   > Es gibt **etwas, was** ich nicht weiss.
   > Es gibt **nichts, was** wir nicht verbessern können.

2. As with other clauses introduced by a relative pronoun, a relative clause introduced by **was** may be separated by one or two words from the indefinite pronoun to which it refers.

   > **Er hat viel gesagt, was** ich vorher nicht wusste.

22 Verbindet diese Sätze, zuerst mündlich, dann schriftlich! ⊗ For answers, see p. T00.

Beispiel: Alles ist verpackt. Wir kaufen es.
    Alles, was wir kaufen, ist verpackt.

1. Nichts soll gestört werden. Es wächst im Wald.
2. Wir werfen viel weg. Es könnte repariert werden.
3. Er sagt, wir können nur wenig tun. Es verbessert die Umwelt.
4. Das Buch schlägt etwas vor. Wir sollten es beachten.
5. Wir sollten alles zu Hause lassen. Es macht grossen Lärm.
6. Der Mensch tut viel. Es stört die natürliche Ordnung.

Use the following suggestions as topics for discussion. Not everyone will agree with each idea. Students might enjoy having a debate on one or two specific ideas.

23 Wie können wir unsere Umwelt schöner machen? ⊗

1. Wir können in unseren Städten den Verkehr verbieten und Fussgängerzonen schaffen.
Fussgängerzone in Paderborn

2. Wir können unsere eigenen Gärten „umweltfreundlicher" gestalten. Unsere Vorgärten gehören zum öffentlichen Grün.

3. Wir können Brunnen in unseren Städten anlegen, die die Luft feucht und rein halten.

4. Wenn wir keinen Garten haben, so können wir Blumen auf unserem Balkon pflanzen und Zimmerpflanzen in unseren Zimmern züchten.

5. Wir können Spielplätze für Kinder bauen.

Having designated play areas helps to protect other areas from destruction.

6. Wir können unsere Landschaft verschönern und Erholungseinrichtungen bauen, die alle gebrauchen können, zum Beispiel: Wanderwege, Radwege, Badeplätze, Schiabfahrten und Unterkunftshäuser für Wanderer und Bergsteiger.

7. Jeder von uns muss und kann dazu beitragen, unsere Umwelt zu verbessern. Es kommt auf jeden an! In Deutschland gibt es viele Bürgeraktionen, zum Beispiel:

a. In Besigheim gehen im Frühjahr Kinder und Erwachsene in den Wald und tragen die Abfälle zusammen—Papier, Flaschen, sogar Autoreifen!

b. In Paderborn wird mehrere Male im Jahr Altpapier gesammelt. Es wird dann zu Papierfabriken gebracht, wo es eingestampft und wieder verwertet wird.

c. In Müllheim gibt es einen Umweltschutzverein. Dieser ist sehr aktiv. Im Frühjahr, zum Beispiel, pflanzen die Mitglieder dieses Vereins Bäume und Sträucher in der Stadt und Umgebung und fordern die Stadtbewohner auf, das gleiche zu tun.

24 MÜNDLICHE ÜBUNG ⊗

25 KONVERSATIONSÜBUNGEN

For suggestions, see Exercise 7 in the Listening Comprehension Program, p. T133.

a. Diskutiert über: 1. Luftverschmutzung 2. Wasserverschmutzung 3. Lärm 4. Abfall

(continued)

b. Besprecht folgende Fragen!

1. Wer verschmutzt unsere Umwelt? Wo sieht man die Verschmutzung am meisten?
2. Was wird getan, um die Umweltverschmutzung zu bekämpfen?
3. Was wird getan, um die Umwelt zu verschönern? (Manche Leute meinen, dass solche Dinge die Umwelt nicht verschönern, sondern stören. Was meint ihr dazu?)
4. Gibt es in eurer Stadt oder in eurem Staat Umweltverschmutzung? Könnt ihr einige Beispiele nennen? Wer ist dafür verantwortlich? Was wird gegen diese Verschmutzung getan? Was könnte oder sollte man tun?
5. Was tust du selbst, um die Umweltverschmutzung zu bekämpfen und um deine Umwelt zu verschönern? Was tust du, um Wasser zu sparen?
6. Organisiert eure Schule oder eure Gemeinde Bürgeraktionen zur Verbesserung der Umwelt?

26 SCHRIFTLICHE ÜBUNG

Schreib einen Aufsatz über eines der Themen in Konversationsübung 25!

27 Im Wald finden wir Ruhe und Erholung. Beachtet diese Regeln!

Autos auf Parkplätzen abstellen!

1

,,Wo soll man denn da spazierengehen?''

Feuer gefährdet den Wald!

2

,,Hoffentlich brennt das Schnitzel nicht an!''

Der Wald ist kein Müllplatz!

3

,,Endlich raus aus dem Grossstadtdreck.''

Lärm stört!

4

,,Endlich kein Nachbar.''

Bäume sind kein Schnitzobjekt!

5 „Hoffentlich haben die nichts gegen moderne Kunst."

„Selbstversorgung" ist Diebstahl!

6 „Mach schnell! — Wir können den Schofför nicht so lange warten lassen."

28 WORTSCHATZ

1

der **Beginn** *beginning*
die Bronchitis *bronchitis*
die **Erfindung, −en** *invention*
das Flusstal, ⸚er *river valley*
die **Folge, −n** *consequence*
die Frischluft *fresh air*
die **Gefahr, −en** *danger*
das **Handeln** *action, behavior*
das Industriezeitalter *industrial age*
das **Jahrzehnt, −e** *decade*
die **Landschaft, −en** *landscape*
die Legion, −en *legion*
die Ostsee *Baltic Sea*
die **Rücksicht** *consideration*
der **Schmutz** *dirt*
der Smog *smog*

(das) **Spanien** *Spain*
der **Stadtbewohner, −** *city dweller*
die **Umwelt** *environment*
die **Veränderung, −en** *change*

auftanken sep *to tank up, fill up with*
drohen *to threaten*
erleichtern *to make easier*
erkennen (erkannte, hat erkannt) *to recognize*
flüchten *to flee*
zerstören *to destroy*
zurücksausen sep *to speed back*

sterben (stirbt, starb, ist gestorben) *to die*

jahrtausendelang *for thousands of years*
kränklich *sickly*
lebensgefährlich *life-threatening*
negativ *negative(ly)*
technisch *technological(ly)*
ungesund *unhealthy*
verseucht *polluted, contaminated*
wissenschaftlich *scientific(ally)*

Rücksicht nehmen auf A *to show consideration for*
und dabei . . . *and in so doing*

2−5

das Argon *argon*
der **Boden** *ground*
der **Chemiker, −** *chemist*
der **Dreck** *dirt*
das **Drittel, −** *third*
das Gasgemisch, −e *gas mixture*
das **Gift, −e** *poison*
die **Grünanlage, −n** *park, landscaped area*
das Grünland *green areas*
der Hektar *(measure of land)*
das Helium *helium*
der **Industriebetrieb, −e** *factory*
das **Industriegebiet, −e** *industrial area*
der Kohleofen, ⸚ *coal stove*
das Krypton *krypton*
der Kubikmillimeter, − *cubic millimeter*
das **Lebewesen, −** *living thing*
der Lieferant, −en *supplier*
das Motorfahrzeug, −e *motor vehicle*
die **Nähe** *vicinity*

der Ölofen, ⸚ *oil stove*
der **Sauerstoff** *oxygen*
der Sauerstofferzeuger, − *producer of oxygen*
das **Sonnenlicht** *sunlight*
der **Staub** *dust*
die **Staubkonzentration** *dust concentration*
der Stickstoff *nitrogen*
das **Teilchen, −** *particle*
die **Umgebung, −en** *area, surroundings*
der Wasserstoff *hydrogen*

atmen *to breathe*
einatmen sep *to breathe in*
produzieren *to produce*
verbrauchen *to use, consume*
vergiften *to poison*

bestehen aus (bestand, hat bestanden) *to consist of*
blasen (bläst, blies, hat geblasen) *to blow*

steigen (auf A**)** (stieg, ist gestiegen) *to rise, climb (to)*
verlorengehen (ging verloren, ist verlorengegangen) sep *to be, get lost*

jährlich *yearly*
je *per*
ländlich *country, rural*
nämlich *namely; that is to say*
privat *private*
rein *pure, clean*
ständig *constantly*
verschmutzt *dirty, polluted*

auf tausend Kilometer *every thousand kilometers*
eine solch- *such a*
in der Nähe *near, in the vicinity of*
in sich hineinsaugen *to suck in, consume*
soviel wie *as much as*
vorhanden sein *to be in existence*

6–16

der **Abfall,** ⸚**e** waste, garbage
das Abwasser, ⸚ sewage, waste water
die **Arbeitskraft,** ⸚**e** strength and productivity
der **Bewohner,** – inhabitant
die **Donau** Danube River
der **Flugverkehr** air traffic
die Geschirrspülmaschine, – n dishwasher
der Industrielärm industrial noise
der **Kreislauf,** ⸚**e** cycle
der **Küchenabfall,** ⸚**e** kitchen garbage
der **Lebensstandard** standard of living
der **Mitmensch, –en** (den – en) fellow human being
der **Müllplatz,** ⸚**e** garbage dump
das Nervensystem, – e nervous system
die Packung, – en wrapper, package
die **Person, –en** person
die **Pflanze, –n** plant
der Produktionsfaktor, – oren production factor
die **Regel, –n** rule
der **Rhein** Rhine River

die **Schwerhörigkeit** hearing loss
der Stahl steel
die **Strassenecke, – n** street corner
der **Strassenverkehr** street traffic
die Streichholzschachtel, – n match box
der **Strom,** ⸚**e** (big) river
die Tonne, – n ton
der **Verbrauch** use, consumption
die **Verschmutzung** pollution
die Wassermenge, – n amount of water
der **Wasservorrat,** ⸚**e** water supply
die **Zigarette, –n** cigarette

bedürfen to need
benötigen to require
bewässern to water
gelangen in A to get into, reach
s. konzentrieren to concentrate
vermehren to increase
s. **verringern** to lessen, decrease
verschmutzen to dirty, pollute

ansteigen (stieg an, ist angestiegen) sep to increase, rise
liegenlassen (lässt liegen, liess liegen, hat liegenlassen) sep to leave behind, forget

umgehen mit (ging um, ist umgegangen) sep to deal with
zunehmen (nimmt zu, nahm zu, hat zugenommen) sep to increase

begrenzt limited
beliebig at will
dabei but, yet
durchschnittlich average
ebenso just as
rapide rapidly
sparsam sparing(ly)
tot dead
unentbehrlich indispensable
verpackt packaged

am Leben bleiben to stay alive
ein dritter a third one
erhöhter Blutdruck increased blood pressure
in der Nacht during the night
in der Regel as a rule
pro Person per person
starker Lärm loud noise
stolz sein auf A to be proud of
um das 15fache fifteenfold

17–26

die **Abfalltonne, –n** garbage can
das **Altpapier, – e** old newspaper
der **Badeplatz,** ⸚**e** swimming area
der **Balkon, –s** balcony
die **Bekämpfung, – en** fight against
die **Bürgeraktion, – en** community campaign, drive
die **Energie** energy
die Erholungseinrichtung, – en recreational facility
das **Frühjahr** spring
der **Gebrauch** use
das **Gerät, –e** appliance
die Geschwindigkeitsbeschränkung, – en speed restriction
das **Gesetz, –e** law
die Katastrophe, – n catastrophe
das **Kofferradio, –s** portable radio
die Papierfabrik, – en paper factory
der **Papierkorb,** ⸚**e** wastebasket
die Reinhaltung keeping clean, free of pollution
die Schiabfahrt, – en ski run
der **Spielplatz,** ⸚**e** playground
der Strassenlärm street noise
das Unterkunftshaus, ⸚**er** shelter
der **Verein, –e** club, organization
der Vorgarten, ⸚ front yard
die **Vorschrift, –en** regulation
der **Wanderer, –** hiker
der **Wanderweg, –e** hiking trail
die **Zimmerpflanze, –n** house plant

anlegen sep to build, put in
auffordern sep to urge
s. **befassen mit** to deal with, be concerned with
bekämpfen to fight
einstampfen sep to pulp
gefährden to endanger
gestalten to form
herabsetzen sep to lower, reduce
nützen to be of use
picknicken to picnic
pflanzen to plant
schaffen to create
starten to take off
verbessern to improve, correct
verschönern to make more beautiful
verwenden to use
verwerten to use, utilize
züchten to grow, raise

anlassen (lässt an, liess an, hat angelassen) sep to start up
beitragen zu (trägt bei, trug bei, hat beigetragen) sep to contribute to
verbieten (verbat, hat verboten) to forbid
zusammentragen (trägt zusammen, trug zusammen, hat zusammengetragen) sep to gather

aktiv active
fremd strange, unknown
öffentlich public
schallgedämpft sound-insulated
umweltfreundlich showing consideration for the environment
verboten forbidden
verkehrsreich heavily traveled

auf mich kommt es nicht an what I do doesn't matter
das gleiche the same thing
der einzelne the individual
es wird wieder verwertet it is recycled
Gesetze zur Bekämpfung des Lärms laws intended to fight noise
in der freien Natur in the open air
in der Öffentlichkeit in public
öffentliches Grün public green area(s)
stark herabgesetzt greatly reduced

27

der Diebstahl theft, robbery
die Kunst art
das Schnitzobjekt, – e object to carve on
der Schofför, – e chauffeur
die Selbstversorgung helping yourself (to something)

abstellen sep to park, leave
anbrennen (brannte an, hat angebrannt) sep to catch fire, burn

raus out (of)

mach schnell! hurry up!

Das neue Rathaus (1543–1582)　　　Typisches Dorf im Schwarzwald

Das Kaufhaus (1518–1532), der schönste Bau der Stadt

Der Südwesten
BADEN-WÜRTTEMBERG

Baden-Württemberg, the third largest state in the Federal Republic, has a varied landscape and climate. It includes the Schwarzwald — Black Forest — a popular vacation area with many lovely, old villages hidden among its dark pine forests. The region is famous for Schwarzwälder Schinken and Schwarzwälder Kirschtorte. The city of Freiburg is known for its beautiful cathedral and for its university, which was founded in 1457 and has a world-wide reputation. Nearly 20,000 students live in the town, from all parts of the world. Freiburg also has the National Academy of Music, as well as great theaters and famous publishing houses.

Plate 25

Müllheimer Weinfest und Weinkeller

A mild, pleasant climate fosters the growth of tobacco and grapes. Baden-Württemberg is the second most important wine-growing region in Germany. Natives and visitors sample wines and enjoy themselves at the hundreds of local wine festivals.

The small town of Staufen has a long history. For a century, beginning in 1138, the Swabian ducal house of Staufen provided kings and emperors for Germany. This history is documented on the façade of the Rathaus.

Next to the Rathaus is the Gasthaus Löwe. Here in 1539, the real Dr. Faustus, who became a legend, lost his life trying to make gold for his sponsor, Anton von Staufen. The story of Dr. Faustus was immortalized by Goethe in his great drama, *Faust*.

Hier wohnte Dr. Faustus.

Wappen an der Fassade des Rathauses

Palmen auf der Blumeninsel Mainau

Das Schloss (1746), von Graf Bernadotte bewohnt

The warmest climate in Germany is found around Lake Constance. Tropical vegetation thrives on the island of Mainau. This historic area is dotted with villages, old churches, and picturesque buildings.

Der Marktplatz in Urach

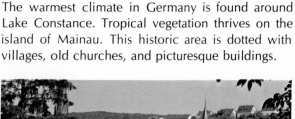

Kloster Maulbronn, um 1350 erbaut

The town of Urach lies in the Schwäbische Alb, a high plateau. Urach has a beautiful marketplace with half-timbered houses from the late Middle Ages.
The Kloster Maulbronn is Germany's best-preserved medieval monastery.
Tübingen is one of Germany's most famous university towns. The University of Tübingen was founded in 1477. Every summer, various student groups enjoy the traditional "Stechen" on the river Neckar. Here, overlooking the river, Hölderlin, a German poet, spent the last years of his life.

Plate 27

Ulm, the birthplace of Albert Einstein, lies in the easternmost part of Baden-Württemberg. The city was nearly destroyed in the second World War, but most of the damage has been repaired.

The Rathaus was built in 1369–1370. The beautiful window decorations, gables, arcades, and colorful frescoes were added around 1540.

Every four years there is the traditional Fischerstechen on the Danube, carried out with great pageantry and colorful costumes.

The Ulmer Münster provides a spectacular setting for a wedding.

Plate 28

Bayern

Bavaria is the largest of the ten Länder and, with 10.5 million people, the second largest in population after Nordrhein-Westfalen.

The Bavarians have a great sense of historical identity and a distinctive culture. The countryside is dotted with charming villages, each with its own church. Most Bavarian churches have an onion-shaped steeple, or Zwiebelturm.

▲ Rottach am Tegernsee

St. Heinrich am Starnberger See

▼ Schloss Linderhof

Bavaria has beautiful lakes, spectacular mountains, and historic castles, monasteries, and cathedrals. One specialty of the area is beer. The state has over 300 breweries, the first licensed in 1143. Another specialty is Münchner Weisswurst, served with sweet mustard, fresh rolls or pretzels, radishes, and —of course—beer.

Münchner Brotzeit

Bavaria's Alps are the highest mountains in Germany. The peaks are often snow-capped throughout the year. The Karwendelgebirge, 2800 meters high, looms over Mittenwald.

Mittenwald is a ski resort, and has also been a center of German violin-making for 300 years. The founder of violin-making, Matthias Klotz (1653–1743) is honored by a memorial sculpture.

In the villages, a colorful variety of local costumes, Trachten, is especially evident on Sundays and special occasions. The folk music and dances of the region are usually accompanied by accordion or zither.

When the weather is warm, the most popular place to enjoy a meal or a stein of beer is an outdoor "Biergarten."

▲ Promenadenplatz, im Herzen der Stadt

Das Alte Rathaus (1470–1474) ▶

▲ Schloss Nymphenburg

Der Viktualienmarkt ▶

The capital of Bavaria is Munich. It has a population of 1.3 million and is, after Berlin and Hamburg, the third largest city in the Federal Republic.

An elegant and international city, Munich is also famous for its "Gemütlichkeit," or friendly atmosphere. The city is a center of art, music, and culture, with important museums, galleries, and theaters. It also has many parks, fountains, and outdoor markets.

Plate 31

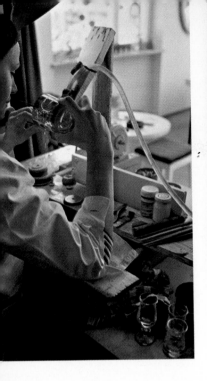

A large part of Bavarian manufacturing is in the old handicraft tradition. Bavaria is known for its glass and china, and for its furniture. Toys are made in Nürnberg, with violin-making in Mittenwald and woodcarving in Oberammergau and elsewhere. Small home-industries, such as knitting and pipe-making, can also be found in many places.

And, of course, Bavaria has such famous skiers as Rosi Mittermaier, who won one silver and two gold medals in the 1976 Winter Olympics in Innsbruck.

Rosi comes from the Winklmoos-Alm, near Reit im Winkl and the Austrian border.

Plate 32

Grammar Summary

The Definite Articles

	Masculine	Feminine	Neuter	Plural
Nominative	der	die	das	die
Accusative	den	die	das	die
Dative	dem	der	dem	den
Genitive	des	der	des	der

dieser-words

	Masculine	Feminine	Neuter	Plural
Nominative	dieser	diese	dieses	diese
Accusative	diesen	diese	dieses	diese
Dative	diesem	dieser	diesem	diesen
Genitive	dieses	dieser	dieses	dieser

Other dieser-words: jeder, welcher, mancher

ein-words

	Masculine	Feminine	Neuter	Plural
Nominative	ein	eine	ein	(meine)
Accusative	einen	eine	ein	(meine)
Dative	einem	einer	einem	(meinen)
Genitive	eines	einer	eines	(meiner)

Other ein-words: kein, mein, dein, sein, ihr,
unser, euer, ihr, Ihr

Interrogative Pronouns

Nominative	wer?	was?
Accusative	wen?	was?
Dative	wem?	

Personal Pronouns   Reflexive Pronouns

		Nominative	Accusative	Dative	Accusative	Dative
Singular						
1st person		ich	mich	mir	mich	mir
2nd person		du	dich	dir	dich	dir
	m.	er	ihn	ihm		
3rd person	f.	sie	sie	ihr	sich	sich
	n.	es	es	ihm		
Plural						
1st person		wir	uns	uns	uns	uns
2nd person		ihr	euch	euch	euch	euch
3rd person		sie	sie	ihnen	sich	sich
Formal Address		Sie	Sie	Ihnen	sich	sich

Prepositions

Accusative	durch, für, gegen, ohne, um
Dative	aus, bei, mit, nach, seit, von, zu
Two-Way: Dative-wo? Accusative — wohin?	an, auf, hinter, in, neben, über, unter, vor, zwischen
Genitive	während, wegen

Indefinite Personal Pronouns

Nominative	man, einer	keiner	jeder	jemand	niemand	wer
Accusative	einen	keinen	jeden	jemand	niemand	wen
Dative	einem	keinem	jedem	jemand	niemand	wem

The Definite Article as Demonstrative Pronoun

	Masculine	Feminine	Neuter	Plural
Nominative	der	die	das	die
Accusative	den	die	das	die
Dative	dem	der	dem	denen

ein-words Used as Pronouns

	Masculine	Feminine	Neuter	Plural
Nominative	meiner	meine	meins	meine
Accusative	meinen	meine	meins	meine
Dative	meinem	meiner	meinem	meinen

der as Relative Pronoun

	Masculine	Feminine	Neuter	Plural
Nominative	der	die	das	die
Accusative	den	die	das	die
Dative	dem	der	dem	denen

Note: **was** is used as a relative pronoun after **alles, das, etwas, nichts, viel, wenig,** and when referring to a whole clause.

was für ein Used with a Noun

	Masculine	Feminine	Neuter	Plural
Nom:	Was für ein Ort?	Was für eine Stadt?	Was für ein Dorf?	Was für Dörfer?
Acc:	Was für einen Ort?	Was für eine Stadt?	Was für ein Dorf?	Was für Städte?
Dat:	In was für einem Ort?	In was für einer Stadt?	In was für einem Dorf?	In was für Orten?

was für Used as a Pronoun

	Masculine	Feminine	Neuter	Plural
Nom:	Was für einer?	Was für eine?	Was für eins?	Was für welche?
Acc:	Was für einen?	Was für eine?	Was für eins?	Was für welche?
Dat:	Mit was für einem?	Mit was für einer?	Mit was für einem?	Mit was für welchen?

Determiners of Quantity

alle	all	**einige**	some
andere	other	**mehrere**	several
ein paar	a few	**viele**	many
beide	both	**wenige**	few (not many)

Endings of Adjectives after der and dieser-words

	Masculine	Feminine	Neuter	Plural
Nominative	der **−e** Ort	die **−e** Stadt	das **−e** Dorf	die **−en** Orte
Accusative	den **−en** Ort	die **−e** Stadt	das **−e** Dorf	die **−en** Orte
Dative	dem **−en** Ort	der **−en** Stadt	dem **−en** Dorf	den **−en** Orten
Genitive	des **−en** Ortes	der **−en** Stadt	des **−en** Dorfes	der **−en** Orte

Endings of Adjectives after ein-words

Nominative	ein **−er** Ort	eine **−e** Stadt	ein **−es** Dorf	keine **−en** Orte
Accusative	einen **−en** Ort	eine **−e** Stadt	ein **−es** Dorf	keine **−en** Orte
Dative	einem **−en** Ort	einer **−en** Stadt	einem **−en** Dorf	keinen **−en** Orten
Genitive	eines **−en** Ortes	einer **−en** Stadt	eines **−en** Dorfes	keiner **−en** Orte

Note: Adjectives that follow **alle** and **beide** (and sometimes **manche**) have the plural ending **−en.**

Endings of Adjectives Not Preceded by der, dieser-words, or ein-words

Nominative	**−er** Lippenstift	**−e** Tusche	**−es** Haar	**−e** Augen
Accusative	**−en** Lippenstift	**−e** Tusche	**−es** Haar	**−e** Augen
Dative	**−em** Lippenstift	**−er** Tusche	**−em** Haar	**−en** Augen
Genitive	**−en** Lippenstifts	**−er** Tusche	**−en** Haares	**−er** Augen

Note: Adjectives that follow numerals and the determiners of quantity take the above plural endings.

derselbe

	Masculine	Feminine	Neuter	Plural
Nominative	derselbe	dieselbe	dasselbe	dieselben
Accusative	denselben	dieselbe	dasselbe	dieselben
Dative	demselben	derselben	demselben	denselben
Genitive	desselben	derselben	desselben	derselben

Comparative and Superlative Forms

comparative: add comparative marker **−er** to adjective or adverb
Er läuft schneller.
add comparative marker **−er** plus adjective ending
Das ist ein schöneres Bild.

superlative: add superlative marker **−st** to adjective plus adjective ending
Er fährt das kleinste Auto.
Ich habe sein schönstes Foto.

Note: For irregular forms see pages 86 and 87.

Word Order: Order of Objects

	Indirect Object, Noun or Pronoun	Direct Object Noun
Dr. Meier gibt Er zeigt	dem Patienten ihr	das Rezept. die Tabletten.

	Direct Object Pronoun	Indirect Object, Noun or Pronoun
Dr. Meier gibt Er zeigt	es sie	dem Patienten. ihr.

Word Order

verb-first position	questions that do not begin with an interrogative **Trinkst du Kaffee?** **Spielst du Fussball?** commands **Sprechen Sie nicht so schnell!**
verb-second position	statements **Wir spielen morgen.** **Übermorgen kommt mein Vetter.** questions that begin with an interrogative **Wohin fahrt ihr?** sentences connected by und, oder, aber, denn **Ich komme nicht, denn ich habe keine Zeit.**
verb-last position	clauses introduced by als, bevor, bis, dass, ob, weil, wenn, and interrogatives (wo? wann? warum? etc.) **Ich komme heute nicht, weil ich keine Zeit habe.**

Present Tense Verb Forms

	spielen	warten	sehen	fahren	müssen	sein	haben	werden
ich	spiele	warte	sehe	fahre	muss	bin	habe	werde
du	spielst	wartest	siehst	fährst	musst	bist	hast	wirst
er, sie, es	spielt	wartet	sieht	fährt	muss	ist	hat	wird
wir	spielen	warten	sehen	fahren	müssen	sind	haben	werden
ihr	spielt	wartet	seht	fahrt	müsst	seid	habt	werdet
sie, Sie	spielen	warten	sehen	fahren	müssen	sind	haben	werden
	All weak verbs	*Verbs whose stems end in −t, −d, or −n*	*For verbs with stem vowel change see pp. 262ff*		*For other modal verbs see pp. 262ff*			

Command Forms

Fam. Sing.	spiel!	warte!	sieh!	fahr!	sei!	hab!	werde!
Fam. Pl.	spielt!	wartet!	seht!	fahrt!	seid!	habt!	werdet!
Formal, Sing., Pl.	spielen Sie!	warten Sie!	sehen Sie!	fahren Sie!	seien Sie!	haben Sie!	werden Sie!
let's form	spielen wir!	warten wir!	sehen wir!	fahren wir!	seien wir!	haben wir!	werden wir!
general public		warten!					

Future

(a) *present tense verb forms*	Er kommt morgen.
(b) **werden** + *infinitive*	Er wird (morgen) kommen.

Narrative Past Tense Forms (Imperfect)

	spielen	warten	sehen	fahren	müssen	sein	haben	werden
ich	spielte	wartete	sah	fuhr	musste	war	hatte	wurde
du	spieltest	wartetest	sahst	fuhrst	musstest	warst	hattest	wurdest
er, sie, es	spielte	wartete	sah	fuhr	musste	war	hatte	wurde
wir	spielten	warteten	sahen	fuhren	mussten	waren	hatten	wurden
ihr	spieltet	wartetet	saht	fuhrt	musstet	wart	hattet	wurdet
sie, Sie	spielten	warteten	sahen	fuhren	mussten	waren	hatten	wurden
	All weak verbs	*Weak verbs whose stems end in −t, −d, or −n.*	*All strong verbs follow this pattern for endings. For vowel changes, see pp. 262ff*		*For other modal verbs see pp. 262ff*			

Conversational Past Tense Forms (Present Perfect)

auxiliary (**haben** or **sein**) + a past participle				
Formation of Past Participles				
Weak Verbs	spielen	(er) spielt	gespielt	Er hat gespielt.
with inseparable prefixes	besuchen	(er) besucht	besucht	Er hat ihn besucht.
with separable prefixes	abholen	(er) holt ab	abgeholt	Er hat uns abgeholt.
Strong Verbs	kommen		gekommen	Er ist gekommen.
with inseparable prefixes	bekommen		bekommen	Er hat es bekommen.
with separable prefixes	ankommen		angekommen	Er ist angekommen.

Note: For past participles of strong verbs and irregular verbs, see page 262ff.

Past Perfect

past tense forms of **haben** or **sein** and past participle
Die Schüler   hatten   einen Titel   gefunden.
Frau Braun   war   zu Hause   geblieben.

Conditional

(a) *real condition*	Wenn wir Zeit haben, fahren wir in die Schweiz. Wenn es heiss ist, bleiben wir zu Hause.
(b) *unreal condition*	Wenn wir Zeit hätten, würden wir in die Schweiz fahren. Wenn es heiss wäre, würden wir zu Hause bleiben. Wenn ich könnte, würde ich aufs Oktoberfest gehen.

Subjunctive Forms of haben, sein, werden

ich	hätte	wäre	würde
du	hättest	wärest	würdest
er, sie, es	hätte	wäre	würde
wir	hätten	wären	würden
ihr	hättet	wäret	würdet
sie, Sie	hätten	wären	würden

Subjunctive Forms of Modals

Infinitive:	**dürfen**	**können**	**mögen**	**müssen**	**sollen**	**wollen**
Past Tense Form:	durfte	konnte	mochte	musste	sollte	wollte
Subjunctive: ich	dürfte	könnte	möchte	müsste	sollte	wollte
du	dürftest	könntest	möchtest	müsstest	solltest	wolltest
er, sie, es	dürfte	könnte	möchte	müsste	sollte	wollte
wir	dürften	könnten	möchten	müssten	sollten	wollten
ihr	dürftet	könntet	möchtet	müsstet	solltet	wolltet
sie, Sie	dürften	könnten	möchten	müssten	sollten	wollten

The Passive Construction

		werden	**plus Past Participle**
Present Tense	Der Stall	wird	gereinigt.
Narrative Past	Der Stall	wurde	gereinigt.
Convers. Past	Der Stall	ist	gereinigt worden.
Past Perfect	Der Stall	war	gereinigt worden.
			plus Passive Infinitive
Future	Der Stall	wird	gereinigt werden.
with Modals			
Present Tense	Der Stall	kann	gereinigt werden.
Past Tense	Der Stall	musste	gereinigt werden.

PRINCIPAL PARTS OF VERBS

This list includes all strong verbs from the 24 units of **Unsere Freunde** and the 16 units of **Die Welt der Jugend,** as well as weak verbs with a stem vowel change or other irregularity. Only the basic verbs are listed. Verbs with separable and inseparable prefixes are listed only if the basic verb has not been taught, or if the prefixed verb uses **sein** to form the conversational past. Usually, only one English meaning of the verb is given. Other meanings may be found in the German-English Vocabulary. Verbs marked with an asterisk are "inactive" vocabulary, included for recognition only.

Infinitive	Present (stem vowel change)	Past	Past Participle	Meaning
abbiegen		bog ab	ist abgebogen	to turn
abstossen	stösst ab	stiess ab	abgestossen	to push off (a boat)
anfangen	fängt an	fing an	angefangen	to begin
backen	bäckt	backte	gebacken	to bake
beginnen		begann	begonnen	to begin
beissen		biss	gebissen	to bite
bekommen		bekam	bekommen	to get, receive
s. bewerben	bewirbt	bewarb	beworben	to apply
bieten		bot	geboten	to offer
binden		band	gebunden	to tie

Infinitive	Present (stem vowel change)	Past	Past Participle	Meaning
bitten		bat	gebeten	to ask
blasen*	bläst	blies	geblasen	to blow (wind)
bleiben		blieb	ist geblieben	to stay
brechen	bricht	brach	gebrochen	to break
brennen		brannte	gebrannt	to burn
bringen		brachte	gebracht	to bring
denken		dachte	gedacht	to think
dürfen	darf	durfte	gedurft (dürfen)	to be allowed, may
eintreffen	trifft ein	traf ein	ist eingetroffen	to arrive, come in
empfehlen	empfiehlt	empfahl	empfohlen	to recommend
s. entscheiden		entschied	entschieden	to decide
entstehen		entstand	ist entstanden	to develop, come into being
essen	isst	ass	gegessen	to eat
fahren	fährt	fuhr	gefahren	to drive (a vehicle)
fahren	fährt	fuhr	ist gefahren	to travel
fallen	fällt	fiel	ist gefallen	to fall
finden		fand	gefunden	to find
fliegen		flog	ist geflogen	to fly
fliessen		floss	ist geflossen	to flow
fressen	frisst	frass	gefressen	to eat (of animals)
geben	gibt	gab	gegeben	to give
gefallen	gefällt	gefiel	gefallen	to please, be pleasing
gefrieren		gefror	ist gefroren	to freeze
gehen		ging	ist gegangen	to go, walk
geschehen	geschieht	geschah	ist geschehen	to happen
gewinnen		gewann	gewonnen	to win
giessen		goss	gegossen	to water
haben	hat	hatte	gehabt	to have
halten	hält	hielt	gehalten	to hold
hängen		hing	gehangen	to hang, be hanging
heben		hob	gehoben	to lift, raise
heissen		hiess	geheissen	to be named
helfen	hilft	half	geholfen	to help
s. hinaufwinden*		wand hinauf	hinaufgewunden	to wind upwards
hinunterschiessen*		schoss hinunter	ist hinuntergeschossen	to shoot down (a slope)
kennen		kannte	gekannt	to know, be familiar with
klingen		klang	geklungen	to sound
kommen		kam	ist gekommen	to come
können	kann	konnte	gekonnt (können)	to be able, can
laden	lädt	lud	geladen	to load
lassen	lässt	liess	gelassen	to leave
laufen	läuft	lief	ist gelaufen	to run, walk
leihen		lieh	geliehen	to lend
lesen	liest	las	gelesen	to read
liegen		lag	gelegen	to lie, be located
liegenlassen	lässt liegen	liess liegen	liegenlassen	to forget
messen	misst	mass	gemessen	to measure
mögen	mag	mochte	gemocht (mögen)	to like
müssen	muss	musste	gemusst (müssen)	to have to, must
nehmen	nimmt	nahm	genommen	to take
nennen		nannte	genannt	to name
raten	rät	riet	geraten	to guess
reiben		rieb	gerieben	to rub
reissen		riss	gerissen	to tear
rennen		rannte	ist gerannt	to run
reiten		ritt	ist geritten	to ride horseback
riechen		roch	gerochen	to smell
rufen		rief	gerufen	to call
schaffen*		schuf	geschaffen	to create
scheinen		schien	geschienen	to shine, appear
schieben		schob	geschoben	to push
schiessen		schoss	geschossen	to shoot

Infinitive	Present (stem vowel change)	Past	Past Participle	Meaning
schlafen	schläft	schlief	geschlafen	to sleep
schlagen	schlägt	schlug	geschlagen	to beat
schliessen		schloss	geschlossen	to shut
schneiden		schnitt	geschnitten	to cut
schreiben		schrieb	geschrieben	to write
schreien		schrie	geschrien	to scream
schwimmen		schwamm	ist geschwommen	to swim
schwingen*		schwang	geschwungen	to swing, wave
sehen	sieht	sah	gesehen	to see
sein	ist	war	ist gewesen	to be
singen		sang	gesungen	to sing
sitzen		sass	gesessen	to sit
sollen	soll	sollte	gesollt (sollen)	to be supposed to, shall
sprechen	spricht	sprach	gesprochen	to speak
springen		sprang	ist gesprungen	to jump
stechen	sticht	stach	gestochen	to sting
stehen		stand	gestanden	to stand
steigen		stieg	ist gestiegen	to climb, rise
sterben	stirbt	starb	ist gestorben	to die
streichen		strich	gestrichen	to brush
streiten		stritt	gestritten	to quarrel
tragen	trägt	trug	getragen	to carry, wear
treffen	trifft	traf	getroffen	to hit
treiben*		trieb	getrieben	to drive, herd
treten		trat	ist getreten	to step, walk
trinken		trank	getrunken	to drink
tun		tat	getan	to do
verbieten		verbot	verboten	to forbid
vergessen	vergisst	vergass	vergessen	to forget
vergleichen		verglich	verglichen	to compare
verlieren		verlor	verloren	to lose
verschwinden		verschwand	ist verschwunden	to disappear
wachsen	wächst	wuchs	ist gewachsen	to grow
waschen		wusch	gewaschen	to wash
werden	wird	wurde	ist geworden (worden)	to become
werfen	wirft	warf	geworfen	to throw
wiegen		wog	gewogen	to weigh
wissen	weiss	wusste	gewusst	to know (facts)
wollen	will	wollte	gewollt (wollen)	to want to
ziehen		zog	gezogen	to pull
ziehen		zog	ist gezogen	to go

German-English Vocabulary

This vocabulary includes all the active words appearing in the 24 units of **Unsere Freunde,** and both the active and inactive words appearing in the 16 units and the cultural inserts of **Die Welt der Jugend.** Exceptions are most proper nouns, forms of verbs other than the infinitive, and forms of determiners other than the nominative. Also excluded are words from optional reading selections, if these words are glossed or listed in the **Wortschatz** for the unit, or if they are cognates which students should recognize.

Each noun is listed with its definite article and with its plural ending, if any. Following each definition is a numeral that refers to the unit in which the word first appears. If two numerals follow a single definition, the second shows the unit in which that definition is made active.

The following abbreviations are used in this index: adj (adjective), o.s. (oneself), pref (prefix), pl (plural form), s. (sich), s.o. (someone), and s.th. (something).

A

ab *from, starting at,* 9; *departing* (notation on train schedules), 22; ab DM 6,95 *from 6 marks 95,* 9
ab- (pref) *away,* 22; *down,* 23
ab: ab und zu *now and then,* 31
abbauen *to fold up, put away,* 25
abbiegen *to turn,* 8
die **Abbildung, –en** *illustration,* 27
abdrehen *to turn off,* 5
abend: heute abend *this evening,* 22
der **Abend, –e** *evening,* 10; guten Abend! *good evening,* 6; am Abend *in the evening,* 10; zu Abend essen *to eat supper,* 20
das **Abendbrot** *supper,* 33
das **Abendessen, –** *evening meal, supper,* 20
die **Abendzeitung** (a Bavarian newspaper), 32
aber *but,* 2; das ist aber nett! *why, that's awfully nice!* 10
abfahren *to depart, leave the station,* 22
die **Abfahrt, –en** *departure,* 22; *descent,* 34
der **Abfahrtslauf, ⸗e** *downhill race,* 34
der **Abfall, ⸗e** *waste, garbage,* 40
der **Abfallbehälter, –** *garbage can; wastebasket,* 40
der **Abfallbeutel, –** *garbage bag,* 40
der **Abfalleimer, –** *garbage pail,* 40
die **Abfalltonne, –n** *garbage can,* 40
abgemacht! *agreed!* 32
der **Abhang, ⸗e** *slope,* 23
abholen *to pick up,* 21
das **Abitur** (final examination for Gymnasium students), 25
der **Abiturient, –en** *one who has passed the* Abitur, 25
abkühlen *to cool off;* auf 5 Grad abkühlen *to cool to 5 degrees (Celsius),* 38

abladen *to unload,* 38
abliefern *to deliver,* 25
abnehmen *to take off,* 23; den Hörer abnehmen *to lift the receiver,* 6
abrichten *to train (animals)* 26
der **Abschied: zum Abschied** *as a farewell, when saying goodby,* 6
abschliessen *to lock,* 29
abschneiden *to cut off,* 16
abschreiben *to copy,* 29
die **Abschrift, –en** *copy,* 39
der **Absender, –** *sender,* 12
abspülen *to rinse off,* 35
absteigen *to climb down, descend,* 23
abstellen *to turn off,* 18; *to park, leave,* 40
abstossen *to push off,* 35
das **Abteil, –e** *compartment,* 22
die **Abteilung, –en** *department,* 39
abtrocknen *to dry oneself off,* 21
das **Abwasser, ⸗** *sewage, waste water,* 40
abwischen *to wipe off,* 35
der **Abzug, ⸗e** *print, copy,* 30
ach! *oh!* 2
acht *eight,* 1
achten auf *to pay attention to,* 32; *to see to,* 39
die **Achterbahn, –en** (carnival ride), 36
Achtung! *careful! watch out!* 8
achtzehn *eighteen,* 1
achtzig *eighty,* 4
der **Ackerbau** *farming,* 38
die **Adjektivendung, –en** *adjective ending,* 29
der **Adler, –** *eagle,* 26
der **Affe, –n** *monkey,* 11
die **Affenmutter, ⸗** *mother monkey,* 26
der **Affenwald** *monkey forest,* 26
die **After-Shave Lotion, –s** *aftershave lotion,* 31

das **Agrarland** *agricultural country,* 38
das **Agrarprodukt, –e** *farm product,* 38
die **Ahnung, –en** *idea, notion,* 8; keine Ahnung haben *to have no idea,* 8
aktiv *active,* 40
das **Album, Alben** *album,* 30
alkoholfrei *nonalcoholic,* 25
alle *all,* 9; alle drei Jahre *every three years,* 28; alle zwei Tage *every two days,* 31; alle sein *to be all gone, used up,* 32
allein *alone,* 16
alles *everything,* 3; *all,* 7; alles Gute *best wishes,* 15; alles Gute zum Muttertag! *happy Mother's Day!* 15
das **Allgäu** (area in southern Germany), 38
der **Alltag** *daily routine,* 30
die **Alm, –en** *Alpine pasture,* 38
die **Alpen** (pl) *Alps,* 29
das **Alpengebiet, –e** *Alpine region,* 38
das **Alpenvorland** *Alpine foothills,* 38
das **Alphabet** *the alphabet,* 2
als *as,* 9, 13; *than,* 13; *when,* 26; als erste *as the first one,* 13; als ob *as if,* 26; als Junge *as a boy,* 28; als erstes *first of all, the first thing,* 30
also *well,* 7; *therefore, so,* 9, 22; *okay then,* 32
alt *old,* 1
älter: ältere Leute *elderly people,* 26
die **Altersgruppe, –n** *age group,* 27
das **Altpapier, –e** *old newspaper,* 40
die **Altstadt, ⸗e** *old part of the city,* 28
das **Aluminium** *aluminum,* 34
die **Aluminiumfolie** *aluminum foil,* 26
am (an dem): am liebsten *most, best of all,* 2; am liebsten haben *to like best,* 4; am Samstag *on Saturday,* 7; am Himmel *in the sky,* 18;

am Zaun by the fence, 19; **am 22. Juli** on the 22nd of July, 21; **am Anfang** in the beginning, 27; **am Hang** on the slope, 34; **am Leben bleiben** to stay alive, 40

amerikanisch (adj) American, 15

die **Ampel, −n** traffic light, 8

s. **amüsieren** to have fun, 32, 36

an to, on, at, by, against, 19; arriving (notation on train schedules), 22; **an der Hand** by the hand, 26, 36

an- (pref) towards, 22

anbauen to plant, grow, 38

der **Anblick, −e** view, sight, 26

anbrennen to catch fire, burn, 40

das **Andenken** souvenir, 26

andere other, 1, 3; others, 10; **die anderen** the others, 7

andern: ihr andern the rest of you, 26

anders: sie haben es sich anders überlegt they changed their minds, 32

andre: alles andre everything else, 26; **die andre** the other one, 32; **manches andre** many other things, 35

andrehen to turn on, 5

andres: was andres something else, 2; **etwas andres** something else, something different, 7

der **Anfang, ⁼e** beginning, start, 27; **am Anfang** in the beginning, 27; **Anfang März** at the beginning of March, 27

anfangen to begin, start, 5

der **Anfänger, −** beginner, 5

die **Anfängergruppe, −n** group of beginners, 34

anfassen to touch, take hold of, 11

anfertigen to make, 39

anfeuchten to dampen, 31

die **Anfrage: Ausländer auf Anfrage** foreigners by appointment, 37

angeben to brag, 34

angeblich alleged(ly), 28

angehen: das geht dich nichts an! that's none of your business! 26

angeln to fish, 10

angenehm: angenehme Unterrichtsdauer convenient length of lessons, 32

der **Angestellte, −n** white-collar worker, 36

angewiesen: angewiesen sein auf to be dependent upon, 38

angezogen (adj.) dressed, 23

die **Angst, ⁼e** fear, 11; **Angst haben** to be afraid, 11

anhalten to stop, come to a stop, 8

anhören to listen to (s.th.), 5

ankommen to arrive, 22; **auf mich kommt es nicht an** what I do doesn't matter, 40

die **Ankunft, ⁼e** arrival, 22

anlassen to start up, 40

anlegen to build, put in, 40

das **Anmeldeformular, −e** application form, 37

s. **anmelden** to apply, register, 37; **sich zur Prüfung anmelden** to sign up for a test, 37

der **Anorak, −s** parka, 34

anprobieren to try on, 9

die **Anrede, −n** greeting, salutation, 12

anrufen to call up, 6

anschauen to watch, look at, 23

anschnallen to fasten, 34

die **Anschrift, −en** address, 12

ansehen to look at, 22

die **Ansichtskarte, −n** picture postcard, 26

anspritzen to splash, 21

anspruchsvoll demanding, 32

anstecken to infect, pass along (an illness), 33

ansteigen to increase, rise, 40

anstellen to hire, 38

s. **anstellen** to stand in line, 34

anstimmen: ein Lied anstimmen to start up a song, 26

die **Antwort, −en** answer, 2, 4; **eine Antwort geben** to give an answer, 4

antworten to answer, 2, 4

die **Anweisung, −en** instruction, 26

die **Anzeige, −n** ad, 37

anziehen to put on, 17

s. **anziehen** to get dressed, 21

der **Anzug, ⁼e** suit, 9

der **Apfel ⁼** apple, 15

der **Apfelsaft, ⁼e** apple juice, 20

die **Apfelsine, −n** orange, 15

die **Apotheke, −n** pharmacy, 33

der **Apotheker, −** pharmacist, 3

der **Apparat, −e** phone, 6

der **Äppel Pei, −s** apple pie, 37

der **Appetit, −e** appetite, 20; **guten Appetit!** hearty appetite! (enjoy your meal!), 20

der **April** April, 12

das **Aquarium, Aquarien** aquarium, 11

die **Arbeit, −en** work, 16

arbeiten to work, 3

der **Arbeiter, −** blue-collar worker, 3

das **Arbeitsamt, ⁼er** employment bureau, 37

die **Arbeitskraft, ⁼e** strength and productivity, 39

arbeitslos unemployed, 39

der **Arbeitsplatz, ⁼e** place of work, 39

die **Arbeitsstatistik, −en** labor statistics, 38

die **Arbeitszeit, −en** working hours, 39

das **Arbeitszimmer, −** workroom, 19

der **Ärger** trouble, 32; **es gibt Ärger** there'll be trouble, 32

s. **ärgern: Mensch, ärgere dich nicht!** hey, don't get mad! (name of a board game), 29

das **Argon** argon, 40

arm poor, 26

der **Arm, −e** arm, 21

das **Armband, ⁼er** bracelet, 17

der **Armbrust, ⁼e** crossbow, 28

der **Armbrustschütze, −n** crossbowman, 28

der **Ärmelkanal** English Channel, 30

der **Artikel, −** article, 27

der **Arzt, ⁼e** doctor, 33

ärztlich medical, 39

die **Asche** ashes, 26

der **Aschenbecher, −** ashtray, 25

der **Aschermittwoch** Ash Wednesday, 36

die **Aster, −n** aster, 16

der **Atem** breath, 31

atmen to breathe, 40

die **Atmosphäre** atmosphere, 36

au: au weh! oh, no! 27

aua! ouch! 33

auch also, too, 1; **ich auch!** me, too! 11

auf on, 19; on top of, 11; open, 35; **auf dem Land(e)** in the country, 1, 38; **auf Platz eins** in the first place, 5; **auf die Plätze!** on your mark! 13; **auf deutsch** in German, 23; **aufs 1. Programm umschalten** to change to Channel 1, 24; **auf einer Party** at a party, 32; **auf zum Schilager!** off we go to the ski lodge! 34; **auf etwas zu** toward, in the direction of s.th., 36; **auf 5 Grad abkühlen** to cool to 5 degrees, 38; **auf tausend Kilometer** every thousand kilometers, 40; **stolz sein auf** to be proud of, 40

aufbauen to build up, 30

aufbewahren to store, keep, 19

aufbrechen to set out, break camp, 23

aufessen to eat up, 36

auffordern to ask (to dance), 32; to urge, 40

aufführen to perform, 27

die **Aufführung, −en** performance, 27

die **Aufgabe, −n** assignment, 4

aufgehen to go up, rise, 27

aufhaben to be assigned, 4; **sie hat so viel auf!** she has so much homework! 4

aufhalten to hold up, take up a person's time, 28

aufhängen to hang up, 38, 39

aufheben to keep, save, 17

aufhören to stop, 5

aufkriegen: ich krieg' den Knoten nicht mehr auf I can't get the knot out, 35

auflegen to put on a record, 5; **den Hörer auflegen** to hang up the receiver, 6

aufmachen to open, 17

aufmerksam attentive(ly), 31

die **Aufnahme, −n** photo, picture, 30

aufpassen to watch out, be careful, 11

aufpumpen *to pump up,* 8

die **Aufräumearbeit, −en** *clean-up chores,* 25

der **Aufräumedienst** *clean-up crew,* 25

aufräumen *to clean up, put in order,* 19

der **Aufsatz, ≐e** *composition,* 4

das **Aufsatzthema, −themen** *composition theme,* 19

aufschlagen *to open,* 27

der **Aufschnitt** *cold cuts,* 15

aufschreiben *to write down,* 7

s. **aufsetzen** *to put on,* 21

aufstehen *to get up,* 18

aufstellen: Rekorde aufstellen *to set records,* 36

auftanken *to tank up, fill up with,* 40

aufteilen *to divide up,* 38

auftragen: auftragen auf *to put on, apply,* 31

auftreten *to enter (onto a stage),* 27

der **Auftrieb** *cattle drive (to the Alpine pasture),* 38

aufwachen *to wake up,* 26

aufwärts *up, upward,* 26

aufwecken *to wake (s.o.) up,* 26

das **Auge, −n** *eye,* 4, 7

die **Augenbraue, −n** *eyebrow,* 31

der **Augenbrauenstift, −e** *eyebrow pencil,* 31

das **Augenlid, -er** *eyelid,* 31

die **Augenwimper, −n** *eyelash,* 31

der **August** *August,* 12

die **Aula, −s** *auditorium,* 25

aus *from,* 5; *out, out of,* 15; aus England *from England,* 5; von hier aus *from here, from this point,* 23; aus der Schweiz *from Switzerland,* 29; aus Metall *(made) out of metal,* 34

ausbilden *to train,* 39

die **Ausbildung** *training,* 39

die **Ausbildungsabteilung, −en** *training department,* 39

ausbreiten *to spread out,* 21

die **Ausdauer** *perseverance,* 30

der **Ausdruck, ≐e** *expression, phrase,* 28

der **Ausflug, ≐e** *outing,* 8; einen Ausflug machen *to go on an outing,* 8

das **Ausflugsziel, −e** *destination for an outing,* 23

ausführen *to export,* 38

ausführlich *detailed,* 39

ausgeben *to spend (money),* 25

ausgefüllt (adj) *filled-out (document),* 37

ausgehen *to go out,* 32

ausgeruht (adj) *rested,* 34

ausgerüstet (adj) *outfitted, equipped,* 35

ausgestreckt (adj) *stretched-out,* 26

ausgezeichnet *excellent(ly), per-*

fect(ly), 9

aushelfen *to help out, assist,* 39

s. **auskennen** *to know one's way around; to be familiar with,* 37

die **Auskunft, ≐e** *information,* 8

auslachen *to laugh at, make fun of,* 31

das **Ausland** *foreign country, countries,* 29; ins Ausland *to a foreign country,* 29

ausländisch *foreign,* 29

auslernen *to complete one's training,* 39

ausmachen *to put out,* 26

auspacken *to unpack, unwrap,* 17

ausräumen *to empty, clear out,* 14

die **Ausrede, −n** *excuse,* 32

ausreichen *to be enough,* 27

der **Ausrufer, −** *carnival barker,* 36

s. **ausruhen** *to relax, rest,* 21

ausrutschen *to slip, slide,* 23

ausschalten *to turn off,* 24

der **Ausschnitt, −e** *portion, excerpt,* 27; *detail (from a work of art),* 28

aussehen *to look appear,* 7; es sah so aus, als ob *it looked as if,* 26; er sieht gut aus! *he's good-looking!* 32

die **Aussicht, −en** *view,* 10

die **Aussichtsterrasse, −n** *observation deck,* 26

ausspülen *to rinse out,* 33

aussteigen *to get out,* 23

aussuchen *to select,* 27

ausüben *to pursue,* 30

ausverkauft *sold out,* 28

die **Auswahl** *choice, selection,* 37

auswählen *to choose,* 24

s. **ausziehen** *to get undressed,* 21

das **Auto, −s** *car,* 3

die **Autobahn, −n** *superhighway,* 26

das **Autogramm, −e** *autograph,* 30

das **Autokennzeichen, −** *auto identification on license plate,* 29

die **Automatik** *automatic transmission,* 37

automatisch *automatic,* 38

der **Autotyp, −en** *type of car,* 29

auweh! *oh! uh-oh!* 37

B

das **Bächlein, −** *little brook,* 40

backen *to bake,* 15

der **Backenzahn, ≐e** *molar,* 33

der **Bäcker, −** *baker,* 15; beim Bäcker *at the bakery,* 15

die **Bäckerei, −en** *bakery,* 15

der **Bäckerladen, ≐** *bakeshop,* 15

der **Backsteinturm, ≐e** *brick tower,* 28

das **Bad, ≐er** *bath,* 31

der **Badeanzug, ≐e** *bathing suit,* 21

die **Badehose, −n** *bathing trunks,* 21

der **Bademuffel, −** *person who does not like to take a bath,* 31

baden *to bathe, swim,* 21

(s.) **baden** *to bathe, take a bath,* 31

das **Baden: beim Baden** *swimming, at the beach,* 28

der **Badeplatz, ≐e** *swimming area,* 40

das **Badezimmer, −** *bathroom,* 19

die **Badische Zeitung** *(a newspaper in Baden),* 27

der **Baggersee, −n** *artificial lake,* 29

bähen *to bleat (sheep),* 38

die **Bahn, −en** *railway,* 22; mit der Bahn *by rail,* 22

der **Bahnhof, ≐e** *train station,* 22

der **Bahnsteig, −e** *train platform,* 22

bald *soon,* 7

der **Balkon, −s** *balcony,* 40

der **Ball, ≐e** *dance, prom,* 25

die **Banane, −n** *banana,* 15

die **Band, −s** *band,* 5

die **Bank, ≐e** *bench,* 23

die **Bank, −en** *bank,* 34

der **Bär, −en** *bear,* 11

das **Barometer, −** *barometer,* 18

der **Bart, ≐e** *beard,* 31

die **Baseballkarte, −n** *baseball card,* 30

basteln *to build, do crafts,* 2

das **Basteln** *crafts,* 2

der **Basteltisch, −e** *worktable,* 19

der **Bau, −ten** *building,* 38

der **Bauch, ≐e** *stomach,* 21

die **Bauchschmerzen** (pl) *stomachache,* 33

bauen *to build,* 25

der **Bauernhof, ≐e** *farm,* 26

der **Baum, ≐e** *tree,* 16

die **Baustelle, −n** *construction site,* 37

der **Bayer, −n** *Bavarian,* 35

bayerisch (adj) *Bavarian,* 38

das **Bayern** *Bavaria,* 21

beabsichtigen *to intend to,* 34

beachten *to observe, heed,* 8

der **Beamte, −n** *official, officer,* 22

beantworten *to answer,* 4

der **Becher, −** *cup, container,* 15

bedeckt *overcast,* 18

bedeuten *to mean,* 8

die **Bedeutung, −en** *significance,* 39

bedienen *to serve,* 7

bedürfen *to need,* 40

beeilen *to hurry,* 21

beeinflussen *to influence,* 18

die **Beere, −n** *berry,* 26

s. **befassen: sich befassen mit** *to deal with, be concerned with,* 40

befestigen *to fasten, secure,* 35

s. **befinden** *to be (located),* 23

befreundet: befreundet sein mit *to be going with, to be friends with,* 32

begegnen *to meet,* 39

begeistern *to delight,* 30

begeistert *enthusiastic(ally),* 27

der **Beginn** *beginning,* 40

beginnen *to begin,* 13

begleiten *to accompany,* 36

begrenzt *limited,* 40

begrüssen *to greet,* 6

die **Begrüssung: zur Begrüssung** *as a greeting; when saying hello,* 6
behalten *to keep,* 11
bei *by, next to,* 6; *at,* 15; bei den Müllers *at the Müllers',* 14; bei diesem Wetter *in this weather,* 18; bei uns *where we live,* 18, sie bestellten bei Helga *they ordered from Helga,* 25; bei der Arbeit *at work,* 26; bei dir *with you,* 29
beibringen *to teach,* 34
beide: die beiden *the two (of them),* 2
beides *both,* 37
der **Beifahrersitz, −e** *passenger seat,* 29
beilegen *to enclose,* 39
beim (bei dem) *at the,* 15; beim Zähneputzen *(while) brushing one's teeth,* 31; beim Arzt *at the doctor's,* 33
das **Bein, −e** *leg,* 21; auf den Beinen *on your feet,* 33
das **Beispiel, −e** *example,* 35; zum Beispiel *for example,* 35
beissen *to bite,* 11
der **Beitrag, ≠e** *contribution,* 24
beitragen: beitragen zu *to contribute to,* 40
bekämpfen *to fight,* 40
die **Bekämpfung, −en** *fight against,* 40; Gesetze zur Bekämpfung des Lärms *laws intended to fight noise,* 40
bekannt *well-known,* 29; *familiar,* 37
der **Bekannte, −n** *acquaintance,* 25
die **Bekanntschaft, −en** *acquaintance,* 32
bekommen *to get, receive,* 4
belasten: den Talschi belasten *to put weight on the downhill ski,* 34
belegt *filled,* 32; belegte Brote *open-faced sandwiches,* 25
die **Beleuchtung** *lighting,* 25
beliebig *at will,* 40
beliebt *popular,* 25, 30
bellen *to bark,* 11
belustigen *to amuse,* 28
bemalen *to paint on, draw on,* 25
s. **benehmen** *to behave o.s.,* 26
benötigen *to require,* 40
benutzen *to use,* 8
bequem *comfortable,* 22
das **Benzin** *gasoline,* 29
beobachten *to watch, observe,* 30
bereit *ready,* 35; bereit sein zu *to be prepared to,* 35
bereithaben *to have ready,* 38
bereuen *to regret,* 32
der **Berg, −e** *mountain,* 10
die **Berg- und Talbahn, −en** *roller coaster,* 36
bergab *down the mountain,* 23
der **Bergbauer, −n** *farmer (in a mountainous region),* 38
der **Berggasthof, ≠e** *mountain inn,* 34

die **Berghütte, −n** *mountain hut, shelter,* 23
bergig *mountainous,* 26
der **Bergschuh, −e** *hiking boot,* 23
der **Bergsteiger, −** *mountain climber,* 10
der **Bergwanderer, −** *mountain hiker,* 38
die **Bergwelt** *mountain world,* 34
der **Bericht, −e** *report,* 24
berichten *to report,* 12
der **Beruf, −e** *profession,* 3; von Beruf *by profession,* 28
die **Berufsausbildung** *job training,* 39
der **Berufsberater, −** *job adviser,* 39
die **Berufskleidung** *work clothes,* 39
die **Berufsschule, −n** *trade school,* 39
berufstätig *working, employed,* 39
der **Berufstätige, −n** *person who has a job,* 38
der **Berufswunsch, ≠e** *desired occupation,* 39
berühmt *famous,* 27
beschäftigen *to employ,* 39
s. **beschäftigen** *to be occupied, busy,* 30, sich beschäftigen mit *to occupy o.s. with,* 30
beschäftigt: beschäftigt sein *to be employed,* 37
die **Beschäftigung, −en** *activity,* 30
bescheiden *modest,* 32
beschneiden *to cut,* 16
s. **beschränken: sich beschränken auf** *to be limited to,* 38
beschrankt: beschrankter Bahnübergang *railroad crossing with gates,* 37
beschreiben *to describe,* 3
die **Beschreibung, −en** *description,* 39
beschriften *to write on,* 25
beseitigen *to do away with,* 31
der **Besen, −** *broom,* 16
besichtigen *to see, tour,* 39
die **Besichtigung, −en** *tour,* 39
Besigheimer: zwei Glas Besigheimer *two glasses of Besigheim wine,* 25
besitzen *to own, possess,* 30
besonder- *special,* 22, 27
besonders *especially,* 16
besprechen *to discuss,* 27
besser *better,* 13
best- *best,* 27
das **Besteck, −e** *knife, fork, and spoon,* 20
bestehen *to pass (a test),* 25; *to exist,* 39; bestehen aus *to consist of,* 40
bestellen *to order,* 14
besten: am besten *best,* 30; wie fahren wir am besten? *what is the best way to go?* 10
bestimmt *surely,* 6; *certain(ly),* 38; ganz bestimmt *by all means,* 39
die **Bestimmung: Bestimmungen einhalten** *to meet stipulations,* 39

der **Besuch** *company, visitor,* 36
besuchen *to visit,* 10; gut besucht *well attended,* 27; die Schule besuchen *to go to school,* 39
der **Besucher, −** *visitor,* 28
betragen *to amount to,* 39
Betreff *regarding,* 39
der **Betrieb, −e** *business, company,* 39; landwirtschaftliche Betriebe *farms,* 38
die **Betriebsschule, −n** *company training school,* 39
das **Bett, −en** *bed,* 19
der **Bettler, −** *beggar,* 28
der **Beutel, −** *container,* 15; *packet,* 37
die **Bevölkerung** *population,* 38
bevor *before,* 8
bewässern *to water,* 40
bewegen *to move (s.th.),* 27
s. **bewegen** *to move,* 30
die **Bewegung, −en** *movement, motion,* 28; sich in Bewegung setzen *to begin to move,* 28; in Bewegung sein *to be in motion,* 30
s. **bewerben: sich bewerben auf** *to apply for, to answer (an ad),* 37; sich bewerben um *to apply for,* 39
der **Bewerber, −** *applicant,* 39
das **Bewerbungsschreiben, −** *letter of application,* 39
bewerten *to rate, judge,* 27
bewirten *to entertain, serve with food and drink,* 28
bewohnen *to inhabit,* Plate 27
der **Bewohner, −** *inhabitant,* 40
bewölkt *cloudy,* 18
bewundern *to admire,* 26
bezahlen *to pay,* 15
die **Bezahlung, −en** *pay,* 39
die **Biene, −n** *bee,* 16
das **Bier, −e** *beer,* 14
das **Bierlokal, −e** *pub,* 20
der **Bierwagen, −** *beer wagon,* 36
bieten *to offer,* 10, 22
das **Bild, −er** *picture,* 3; Bilder machen *to take pictures,* 26
das **Bildnis, −se** *portrait,* 28
billig *cheap,* 5
das **Billig-Restaurant, −s** *fast-food restaurant,* 37
bimmeln *to jingle,* 36
die **Bindung, −en** *binding,* 34
die **Biologie** *biology,* 4
die **Birne, −n** *pear,* 15
bis *to, up to,* 1; *until,* 25; *by,* 34; bis nach *to, up to,* 10; bis zum (Parkplatz) *to the (parking lot),* 23; von . . . bis zu *from . . . to . . . ,* 27; bis spätestens um 11 Uhr *by 11 o'clock at the latest,* 34
bisschen: ein bisschen *a little,* 5
bist: du bist's *it's you,* 6
bitte *please,* 5; wie bitte? *pardon?* 6; bitte schön! *you're welcome!* 8; so, bitte! *well then, anything else?* 15; bitte! *here you*

are! 20; die Speisekarte, bitte!
here's the menu, 20; bitte nicht!
please don't, 35
bitten: bitten um *to ask for*, 8; darf
ich bitten? *may I have this dance?*
32
bitter *bitter*, 33
bitteschön *may I help you? what
will it be?* 15
blasen *to blow*, 40
blass *pale*, 26
das **Blatt, ⁼er** *leaf*, 16; *blade (of an
oar)*, 35; *pamphlet*, 39
blau *blue*, 2; ein blaues Auge *a
black eye*, 36
die **Blaubeere, −n** *blueberry*, 26
die **Blechkiste, −n** *tin crate*, 29
die **Blechkutsche** *old heap*, 26
bleiben *to stay, remain*, 5
der **Bleistift, −e** *pencil*, 4
der **Blinddarm** *appendix*, 33
die **Blinddarmentzündung** *appendicitis*, 33
der **Blitz, −e** *lightning*, 18
blitzen *to lightning*, 18
der **Block, ⁼e** *sawhorse*, 35
blöd *silly*, 18; *dumb*, 23; du blöder
Kerl! *you jerk!* 29; so was Blödes!
how stupid! 33
blond *blond*, 7
bloss *just, only*, 23; wo bleiben sie
bloss? *where can they be?* 32
die **Blume, −n** *flower*, 15
der **Blumenhändler, −** *florist*, 25
die **Bluse, −n** *blouse*, 17
der **Blutdruck: erhöhter Blutdruck** *increased blood pressure*, 40
der **BMW, −s** *BMW (a German-made
car)*, 37
der **Boden, ⁼** *attic*, 19; *ground*, 40
die **Bodennutzung** *land use*, 38
der **Bodensee** *Lake Constance*, 29
der **Bogen, −** *turn*, 34; einen Bogen
fahren *to make a turn*, 34
bohren *drill*, 33
das **Bohren** *drilling*, 33
die **Boje, −n** *buoy*, 35
das **Boot, −e** *boat*, 35; Boot fahren
to go boating, 35
das **Bootshaus, ⁼er** *boathouse*, 35
(s.) **borgen** *to borrow*, 32
das **Borwasser** *boric acid*, 33
böse *mad, angry*, 32; er sieht uns
böse an *he's giving us a dirty look*,
32
die **Boutique, −s** *boutique*, 17
die **Brandsalbe, −n** *burn ointment*, 33
das **Brathähnchen, −** *roast chicken*, 20
das **Brathendl, −** *roast chicken*, 36
die **Bratwurst, ⁼e** *fried sausage*, 15
brauchen *to need*, 4; *to take (time)*,
22; brauchen . . . zu *to need to*,
30
brauen *to brew*, 38
die **Brauerei, −n** *brewery*, 36
braun *brown*, 9; *tan (from the sun)*,
21; braun werden *to get a tan*, 21

der **Bräutigam, −e** *bridegroom*, 28
das **Brautpaar, −e** *bridal pair*, 28
brav *good, well-behaved*, 36
bravo! *bravo! hurray!* 13
brechen *to break*, 33
s. **brechen: sich (den Knöchel) brechen** *to break one's (ankle)*, 33
breit *wide*, 9
die **Bremsanlage, −n** *brake system*, 37
brennen *to burn*, 21
das **Brett, −er** *board*, 36; ans schwarze
Brett *on the bulletin board*, 25
die **Brezel, −n** *pretzel*, 7
der **Brief, −e** *letter*, 12
die **Briefmarke, −n** *stamp*, 12
der **Briefmarkenkatalog, −e** *stamp
catalog*, 30
das **Briefmarkensammeln** *stamp collecting*, 30
der **Briefmarkensammler, −** *stamp
collector*, 30
die **Brille, −n** *glasses*, 7
bringen *to bring*, 7
die **Bronchitis** *bronchitis*, 40
das **Brot, −e** *bread*, 15; *sandwich*, 25
das **Brötchen, −** *roll*, 15
die **Brotmaschine, −n** *bread-slicing
machine*, 25
die **Brotzeit, −en** *(Bavarian) snack*,
Plate 29
die **Bundesrepublik** *Federal Republic*,
18
der **Bruder, ⁼** *brother*, 2
brüllen *to yell*, 26
brünett *brunet*, 7
der **Brunnen, −** *fountain*, 22
der **Bub, −en** *boy*, 16
das **Buch, ⁼er** *book*, 4
die **Buche, −n** *beech tree*, 26
das **Bücherregal, −e** *bookshelf*, 19
die **Büchse, −n** *can*, 23
der **Buchstabe, −n** *letter (of the alphabet)*, 2
die **Bühne, −n** *stage*, 27
das **Bühnenbild, −er** *stage set, scenery*, 27
bummeln *to stroll, walk leisurely*,
32
das **Bund** *bunch*, 15
die **Bundesbahn, −en** *Federal Railroad*, 22
die **Bundespost** *Federal Post Office*, 6
die **Bundeswehr** *German armed forces*, 39
die **Bundweite, −n** *waist size*, 9
bunt *colorful*, 2
die **Burg, −en** *fortress, castle*, 26
die **Bürgeraktion, −en** *community
campaign, drive*, 40
der **Bürgersteig, −e** *sidewalk*, 36
der **Burghof, ⁼e** *castle courtyard*, 26
das **Büro, −s** *office*, 3
der **Bursche, −n** *young guy*, 29
der **Bus, Busse** *bus*, 22
die **Busfahrt, −en** *bus trip*, 10
die **Butter** *butter*, 15
die **Buttermilch** *buttermilk*, 38

C

ca. (circa) *around, approximately*,
39
campen *to camp out*, 29; campen
fahren *to go camping*, 29
das **Campen** *camping*, 29; zum Campen fahren *to go camping*, 29
die **Campingsachen** (pl) *camping supplies, equipment*, 29
die **Cassette, −n** *cassette*, 5
der **Cassetten-Recorder, −** *cassette recorder*, 5
Celsius *centigrade*, 18; in Grad
Celsius *in degrees centigrade*, 18
der **Cha-cha-cha** *cha-cha-cha*, 32
die **Chance, −n** *opportunity*, 39
der **Cheeseburger, −** *cheeseburger*, 37
der **Chef, −s** *boss*, 33
die **Chemikalien** (pl) *chemicals*, 38
der **Chemiker, −** *chemist*, 40
die **Cola, −s** *cola*, 7
die **Compact-Kassette, −n** *compact*,
31
der **Cup, −s** *cup, trophy*, 34

D

da *here*, 7; *there*, 17; *then*, 21; da
war mir mein Stehplatz lieber *so I
preferred standing*, 28; da sind
there are, 32; da kommen Kunden
here come some customers, 37
dabei *but, yet*, 40; und dabei . . .
and in so doing, 40
dabeihaben *to have along*, 29
der **Dachboden, ⁼** *attic*, 19
dafür: kein Interesse dafür haben
to have no interest in, 9; dafür sein
to be in favor of, 27; ich kann nichts
dafür *I can't help it*, 35
dagegen: ich bin dagegen *I'm
against it*, 27; etwas/nichts dagegen
haben *to have something/nothing
against it*, 32
daher *therefore*, 38
dahinter *behind it, that*, 26
damals *in those days, at that time*,
28
die **Dame, −n** *date, partner*, 32; *lady*,
32; meine Damen und Herren! *ladies and gentlemen!* 36
damit *with it, with that*, 27
der **Dampf, ⁼e** *steam*, 23
danach *after that*, 31
danebengehen *to miss*, 36
danebenwerfen *to throw and miss*,
36
der **Dank: vielen Dank!** *thanks! many
thanks!* 8; Gott sei Dank! *thank
God!* 33
danke *thanks*, 6; danke, gut *fine,
thanks*, 6
danken *to thank*, 17
dann *then*, 2
daraufhin *thereupon*, 39

dargestellt *represented*, 31
darin *in it, in that*, 31
darum *therefore*, 26
das *the, that*, 1; **wer ist das?** *who is that?* 1; **das da** *that one there*, 19
dass *that*, 7; **dass du dich ja rasierst!** *be sure you shave!* 31
dasselbe *the same thing*, 27
die **Dativform, −en** *dative form*, 19
das **Datum, Daten** *date*, 12; **ein Passbild neueren Datums** *a recent passport photo*, 39
die **Dauer** *length of time*, 39
dauern *to last*, 4; **bei mir dauert's nicht lange** *it doesn't take me long*, 31
dauernd *constantly*, 18
die **Dauerwelle, −n** *permanent wave*, 31
davon: ich halte nicht viel davon *I don't think much of it*, 24
davonlaufen *to run away*, 26
dazu: du bist zu schwach dazu *you're too weak for that*, 26; **sie sagen . . . dazu** *they call it*, 36
dB (Dezibel) *decibels*, 40
die **Decke, −n** *blanket*, 8; *ceiling*, 19
decken *to cover*, 20; **den Tisch decken** *to set the table*, 20
die **Deckenleuchte, −n** *ceiling lighting fixture*, 25
dein *your*, 3
die **Dekoration, −en** *decoration*, 25
dekorieren *to decorate*, 19
denen: mit denen *with them*, 32
denken *to think*, 25; **denken an** *to think of*, 25
der **Denker, −** *thinker*, Plate 23
das **Denkmal, ⁼er** *memorial*, Plate 20
der **Denksport** *game of concentration*, 16
denn (particle), 2; *because*, 11; **wer gewinnt denn?** *say, who's winning?* 2
denselben (dieselben) *the same*, 34
das **Dental-Labor, −s** *dental lab*, 39
das **Deodorant, −s** *deodorant*, 31
der *the*, 1
deshalb *therefore*, 16
desinfizieren *to disinfect*, 31
deutlich *clear, distinct*, 26
deutsch (adj) *German*, 15; **die deutschen Länder** *the German states*, 3; **die Deutsche Demokratische Republik** *German Democratic Republic*, 3; **auf deutsch** *in German*, 26
das **Deutsch** *German (language)*, 4
das **Deutschland** *Germany*, 1
die **Deutschstunde, −n** *German class period*, 27
der **Dezember** *December*, 12
das **Dia, −s** *color slide*, 28
der **Dialog, −e** *dialog*, 18
dich *you*, 7

dicht *thick*, 31
der **Dichter, −** *poet*, Plate 23
dick *thick*, 26
die *the*, 1
der **Diebstahl** *theft, robbery*, 40
dienen: womit kann ich dienen? *may I help you?* 33
der **Dienstag** *Tuesday*, 4
dieser *this*, 9
diesig *misty, hazy*, 23
diesmal *this time*, 27
das **Ding, −e** *thing*, 30
dir *you, to you, for you*, 17
direkt *direct(ly)*, 38
der **Disco-Markt, ⁼e** *discount store*, 39
diskutieren *to discuss*, 27; **diskutieren über** *to discuss*, 29
divers *assorted*, 20
die **D-Mark (Deutsche Mark)** *German mark*, 34
doch (particle), 5; *but*, 27; **hört doch auf!** *hey, stop!* 5; **wenn ich doch nur 20 Mark gewinnen würde!** *if only I would win 20 marks!* 36
der **Doktor, −en** *doctor*, 33
der **Dokumentarfilm, −e** *documentary film*, 28
der **Dom, −e** *cathedral*, Plate I
die **Donau** *Danube River*, 40
der **Donner, −** *thunder*, 18
donnern *to thunder*, 18; **es donnert und blitzt** *it's thundering and lightning*, 18
der **Donnerstag** *Thursday*, 4
doppelt *double*, 37
das **Dorf, ⁼er** *village*, 1
dort *there*, 8
dorthin *(to) there*, 8
dös: is dös a Gaudi! (Bavarian) *what a blast!* 36
der **Drache, −n** *dragon*, 27
das **Drachenkostüm, −e** *dragon costume*, 27
der **Draht, ⁼e** *wire*, 25
dran: wer ist dran? *whose turn is it?* 4; **Mathe kommt dran** *math comes next*, 4
drängen *to press, be in a hurry*, 23
draufhaben: 180 Sachen draufhaben *to be driving 180km/h*, 29
der **Dreck** *dirt*, 40
drehen *to turn*, 24
drei *three*, 1; **die drei** *the three three (of them)*, 2
dreimal *three times*, 17
dreissig *thirty*, 4; **eine 30iger** *30-Pfennig stamp*, 37
dreizehn *thirteen*, 1
dritt- *third*, 27; **ein dritter** *a third one*, 40
das **Drittel, −** *third*, 40
die **Drogerie, −n** *drugstore*, 37
drohen *to threaten*, 40
drüben *over there*, 34, **dort drüben** *over there*, 22
drüber *over (s.th.)*, 29

drücken *to press, push*, 24
drum *therefore*, 36
du *you*, 1; **du, ich habe eine Party** *hey, I'm having a party*, 7
der **Dudelsackpfeifer, −** *bagpiper*, 28
die **Dult, −en** *carnival, fair*, 36
dumm *dumb*, 32
die **Dummheit, −en** *silly prank, nonsense*, 26
dunkel *dark*, 7
dunkelblau *dark blue*, 9
dunkelgrün *dark green*, 9
die **Dunkelheit** *darkness*, 37
die **Dunkelkammer, −n** *darkroom*, 30
dünn *thin*, 31
durch *through*, 10
durcheinander *all together, mixed up*, 27
durchfahren *to pass through (without stopping)*, 22
durchmachen: alle Abteilungen durchmachen *to work in all departments*, 39
durchnehmen *to cover (in class)*, 37
durchschnittlich *average*, 40
dürfen *to be allowed to, may*, 8; **was darf es sein?** *may I help you?* 9; **wenn ich dürfte, würde ich hierbleiben** *if I could, I'd stay here*, 36
durfte *could, was allowed to*, 20
der **Durst** *thirst*, 7; **Durst haben** *to be thirsty*, 7
die **Dusche, −n** *shower*, 31; **unter die Dusche gehen** *to take a shower*, 31
s. **duschen** *to shower, take a shower*, 31
das **Düsenflugzeug, −e** *jet plane*, 40
das **Dutzend** *dozen*, 36
der **D-Zug, ⁼e** *express train*, 22

E

eben *just*, 13; **er hat eben 20 gemacht** *he just did twenty*, 13; **gib mal eben her!** *give it to me a minute, will you?* 32
ebenso *just as*, 40
echt *real, true-to-life*, 24; *genuine, authentic*, 27
die **Ecke, −n** *corner*, 19
der **Eckzahn, ⁼e** *eyetooth*, 33
die **Edeldame, −n** *noble lady*, 28
die **Edelfrau, −en** *noblewoman*, 28
die **Edelleute** (pl) *nobles, nobility*, 28
ehemalig *former*, 25
die **Ehre, −n** *honor*, 28
das **Ehepaar, −e** *married couple*, 32
ehren *to honor*, 34
das **Ei, −er** *egg*, 15
die **Eiche, −n** *oak tree*, 26
die **Eidechse, −n** *lizard*, 11
eigen *own*, 27
eigentlich *actually*, 19
s. **eignen: s. eignen für** *to be suited*

for, 39

der **Eilzug,** ⁓e *fast train,* 22
ein *a, an,* 1
einander *each other,* 27
einatmen *to breathe in, inhale,* 40
eindrehen *to roll up (hair),* 31
einer *somebody,* 35; *one (of them),* 32; da will einer überholen *somebody wants to pass,* 29
einfach *one-way (ticket),* 22; *simply,* 26; *easy, simple,* 29; *single,* 37; *plain,* 37

die **Einfahrt: Einfahrt-Verbot** *no entrance,* 37
einführen *to import,* 38

der **Eingang,** ⁓e *entrance, entryway,* 16
eingebildet *conceited,* 27, 32
eingeräumt *(adj) furnished, arranged,* 19
einhalten: Bestimmungen einhalten *to meet stipulations,* 39
einige *several, a few,* 14

s. **einigen** *to agree,* 27; sich einigen auf *to agree on,* 27
einkaufen *to shop,* 12, 15; einkaufen gehen *to go shopping,* 15
einladen *to invite,* 7

die **Einladung,** ⁓en *invitation,* 7
einlegen *to put in,* 5
einmal *someday,* 19; *once,* 25; nicht einmal *not even,* 26; bitte einmal herhören! *pay attention! listen, please!* 27
einmalig *terrific, fantastic,* 28

die **Einmannjolle,** ⁓n *small boat for one person,* 35
einnehmen *to take (medicine),* 33
einpacken *to wrap, to pack up,* 26
einräumen *to put away, put in order,* 19
eins *one,* 1
einsammeln *to collect,* 25
einschalten *to turn on, tune in,* 24

das **Einschlafen: die Musik war zum Einschlafen** *the music was so bad, you could have fallen asleep,* 25
einschlagen *to strike (lightning),* 18
einsehen *to see, acknowledge,* 36
einseitig: einseitig verengte Fahrbahn *road narrows on one side,* 37
einsetzen *to write in,* 29; *to put in,* 35

das **Einsteigen** *climbing aboard,* 35
einstellen *to adjust, focus,* 24; *to employ,* 37
einstudieren *to learn, study (a part, music),* 27
eintreffen *to come in,* 39
eintreten *to step into,* 35

der **Eintritt** *admission,* 25

das **Eintrittsgeld** *admission money,* 26

die **Eintrittskarte,** ⁓n *admission ticket,* 25

der **Eintrittspreis,** ⁓e *cost of admis-*sion, 25, 26
einverstanden: einverstanden sein mit *to be in agreement with, to agree to,* 27

der **Einwohner,** ⁓ *resident,* 22

der **Einzelhandelskaufmann, -kaufleute** *person trained to run a retail business,* 39

die **Einzelheit,** ⁓en *detail,* 34
einzeln *individual,* 27; der einzelne *the individual,* 40
einzig *single, only,* 29; die einzigen *the only ones,* 23; kein einziges Stück mehr *not one single thing more,* 29

das **Eis** *ice cream,* 21; *ice,* 37
eisern *iron,* 28; jaja, eisern! *oh yes, like mad!* 37

das **Eisessen** *eating ice cream,* 32; Eisessen gehen *to go for ice cream,* 32

das **Eishockey** *ice hockey,* 34

der **Eishockeyschläger,** ⁓ *ice-hockey stick,* 34
eiskalt *ice-cold,* 23

der **Elefant,** ⁓en *elephant,* 11
elegant *elegant,* 34

der **Elektriker,** ⁓ *electrician,* 39
elektrisch *electric,* 31
elektronisch *electronic,* 30
elf *eleven,* 1

die **Eltern** (pl) *parents,* 3

der **Elternteil,** ⁓e *parent,* 39
empfehlen *to recommend,* 33

das **Ende,** ⁓n *end,* 21; am Ende *at the end,* 27; zu Ende *over, finished,* 26; Ende August *at the end of August,* 27; zu Ende gehen *to be over,* 36
enden *to end,* 28
endlich *finally,* 9

die **Endung,** ⁓en *ending,* 30

das **Engelein,** ⁓ *little angel,* 36

die **Energie** *energy,* 32, 40
eng *narrow, tight,* 17; *cramped,* 29

das **England** *England,* 5

das **Englisch** *English (language),* 4
englisch *(adj) English,* 30

das **Englischdiktat,** ⁓e *English dictation,* 34

das **Entchen,** ⁓ *duckling,* 38
entdecken *to discover,* 38

die **Ente,** ⁓n *duck,* 29, 38
entfernt *distant, at a distance,* 8; weit entfernt *far away,* 8; von Wettingen entfernt *from Wettingen,* 23

der **Entfesslungskünstler,** ⁓ *escape artist,* 36
entgegen *toward, against,* 26; dem Verkehr entgegen *against the traffic,* 26
entgegenkommen *to come toward,* 26
entlang *along,* 34; die Strasse entlang fahren *to ride down the street,* 8; an der Küste entlang *along the coast,* 38
entrahmen *to skim off the cream,* 38

s. **entscheiden: sich entscheiden für** *to decide on,* 37

die **Entscheidung,** ⁓en *decision,* 13
entschuldigen *to excuse,* 33

die **Entschuldigung,** ⁓en *excuse,* 33; Entschuldigung! *excuse me!* 8
entspannen *to relax,* 30
entspringen *to rise, originate,* 35
entstehen *to develop, come into being,* 30
enttäuscht *disappointed,* 35
entweder: entweder . . . oder *either . . . or,* 37
entwerfen *to design,* 27
entwickeln *to develop,* 30

das **Entwickeln** *developing,* 30; zum Entwickeln bringen *to bring for developing,* 30

die **Entzündung,** ⁓en *infection,* 33
er *he,* 1
erbauen *to build,* Plate 27
erben *to inherit,* 19

die **Erdbeere,** ⁓n *strawberry,* 7

die **Erde** *earth,* 16; auf Erden *on earth,* 36

das **Erdgeschoss,** ⁓e *ground floor,* 19

die **Erdkunde** *geography,* 4

das **Ereignis,** ⁓se *event, occasion,* 25
erfahren *to learn, find out,* 27
erfinden *to invent,* 38

die **Erfindung,** ⁓en *invention,* 40

der **Erfolg,** ⁓e *success,* 25
erfrischen *to refresh,* 31

die **Erfüllung: in Erfüllung gehen** *to be fulfilled,* 32

das **Ergebnis,** ⁓se *result,* 13
erhalten *to get, receive,* 38
erhitzen *to heat,* 38

die **Erholung,** ⁓en *rest, relaxation,* 10

die **Erholungseinrichtung,** ⁓en *recreational facility,* 40

s. **erinnern: s. erinnern an** *to remember,* 32

s. **erkälten** *to catch cold,* 33
erkältet: wenn ich schwer erkältet bin *when I have a bad cold,* 33

die **Erkältung,** ⁓en *cold,* 33
erkennen *to recognize,* 40
erklären *to explain,* 11

die **Erklärung,** ⁓en *explanation,* 38
erleben *to experience,* 10

das **Erlebnis: als bleibendes Erlebnis** *as a memorable experience,* 32
erleichtern *to make easier,* 40
ermahnen *to warn, admonish,* 26
ernst *serious,* 32

der **Ernst: im Ernst** *seriously,* 35
ernsthaft *serious(ly),* 30
eröffnen *to open,* 39
erreichen *to reach,* 13
erst *only,* 21; *just,* 23; *not until,* 32; erst seit Januar *only since January,* 17; ich bin erst das zweite

Mal Schütze *this is only the second time I've been a marksman,* 28

erst- *first,* 27; im ersten Stock *on the second floor (first story above ground floor),* 19; erste, zweite, dritte, usw. *first, second, third, etc.,* 30; als erstes *first of all, the first thing,* 30; die Erste Hilfe *first aid,* 37

der **Erste-Hilfe-Kursus, Kurse** *first-aid course,* 37

erstklassig *first-rate,* 25

ersuchen *to request,* 40

ertönen *to sound,* 28, 36

erträglich *bearable, tolerable,* 40

der **Erwachsene, −n** *adult, grown-up,* 23

erwähnen *to mention, state,* 39

erwarten *to expect,* 7

erwidern *to reply,* 26

erwischen: den hat's erwischt! *he got it! he caught it!* 34

erzählen *to tell (a story),* 4; erzählen von *to tell about,* 33

erzeugen *to produce,* 38

es *it,* 3

Espana: eviva España! *long live Spain!* 36

essen *to eat,* 4

das **Essen** *food,* 14; *meal,* 14

der **Esslöffel, −** *tablespoon,* 33

das **Etikett, −e** *label,* 33

eviva: eviva España! *long live Spain!* 36

das **Etui, −s** *pencil case,* 4

etwa *about, approximately,* 29

etwas *something,* 3, 7; *somewhat,* 24; etwas Musik *some music,* 5; etwas andres *something different,* 7; etwas Warmes *something warm,* 7

euch *you,* 7; *to you, for you,* 17

euer *your,* 1, 5

das **Europa** *Europe,* 30

europäisch *European,* 30

Export: Export Hell *light export-formula beer,* 20

extrem *extreme(ly),* 39

F

das **Fach, ⁼er** *(school) subject,* 4

das **Fachwerkhaus, ⁼er** *half-timbered house,* 26

Façon *(style of haircut),* 31

fad: wie fad! *how dull!* 25

die **Fähigkeit, −en** *ability,* 39

die **Fahne, −n** *flag, banner,* 28

der **Fahnenschwinger, −** *banner-waver,* 28

der **Fahrchip, −s** *token,* 36

fahren *to ride,* 8; *to drive (a vehicle),* 10; fahren nach *to go to,* 29; Schi fahren *to ski,* 34; Schlitten fahren *to go sledding,* 34; Boot fahren *to go boating,* 35; eine

Wende fahren *to come about (in boating),* 35; rückwärts fahren *to back up,* 37

Fahrenheit *Fahrenheit,* 18

der **Fahrer, −** *driver,* 26

die **Fahrerin, −nen** *driver,* 29

die **Fahrerlaubnis** *driving permission,* 37

der **Fahrgeldzuschuss, ⁼e** *contribution to commutation costs,* 39

die **Fahrkarte, −n** *train ticket,* 22

der **Fahrlehrer, −** *driving instructor,* 37

der **Fahrplan, ⁼e** *train schedule,* 22

das **Fahrrad, ⁼er** *bicycle,* 8

das **Fahrradschloss, ⁼er** *bike lock,* 8

die **Fahrschule, −n** *driving school,* 37

der **Fahrstil, −e** *(skiing) style,* 34

die **Fahrstunde, −n** *driving lesson,* 37

die **Fahrt, −en** *trip, ride,* 22

der **Fahrunterricht** *driving instruction,* 37

das **Fahrzeug, −e** *motor vehicle,* 37

der **Falkenträger, −** *falconer,* 28

fallen *to fall,* 18

falsch *wrong,* 8; *false,* 36

falten *to fold,* 14

die **Familie, −n** *family,* 3

das **Familien-Hobby, −s** *family hobby,* 30

die **Fanfare, −n** *fanfare,* 28

die **Fantasie** *imagination,* 25, 36; ganz nach deiner Fantasie *leave it up to your imagination,* 36

fantastisch *fantastic(ally),* 25, 27

das **Farbbild, −er** *color picture, color print,* 30

die **Farbe, −n** *color,* 2

färben *to tint, dye,* 31

das **Farbenspiel, −e** *color game,* 9

der **Farbfernseher, −** *color TV set,* 24

der **Farbfilm, −e** *color film,* 30

farbig *in color,* 30; farbig fotografieren *to photograph in color,* 30

der **Farbstift, −e** *colored pencil,* 4

der **Fasching** *(southern German) carnival season before Lent,* 36

der **Faschingsdienstag** *Shrove Tuesday,* 36

der **Faschingsprinz, −en** *"prince" chosen for the Fasching season,* 36

der **Faschingsumzug, ⁼e** *Fasching parade,* 36

die **Faschingsveranstaltung, −en** *Fasching event,* 32

das **Fass, ⁼er** *keg,* 37; Bier vom Fass *beer on tap,* 37

fast *almost,* 5

die **Fastenzeit** *Lent,* 36

der **Fasttag, −e** *day of fasting,* 26

faul *lazy,* 31

der **Faulpelz** *lazybones,* 1

die **Faxen: Faxen machen** *to play silly pranks,* 26

der **Februar** *February,* 12

die **Feder, −n** *feather,* 38

fehlen *to be absent,* 4; was fehlt den Kindern? *what's the matter with the children?* 33

fehlend- *missing,* 29

der **Fehler, −** *mistake, shortcoming,* 32

die **Feier, −n** *celebration, party,* 25; die 500-Jahr-Feier *500th anniversary celebration,* 28

feiern *to celebrate,* 25

feilen *to file,* 31

das **Feld, −er** *field,* 10

die **Feldblume, −n** *wild flower,* 26

die **Ferien** (pl) *vacation,* 29; in den Ferien *during vacation,* 37

der **Ferienjob, −s** *vacation job,* 37

der **Ferienort, −e** *vacation spot,* 29

das **Ferkel, −** *piglet,* 38

die **Ferne: in der Ferne** *in the distance,* 26

das **Fernglas, ⁼er** *binoculars,* 8

das **Fernrohr, ⁼e** *telescope,* 23

fernsehen *to watch television,* 24

das **Fernsehen** *television,* 24; im Fernsehen *on television,* 27

das **Fernsehprogramm, −e** *TV broadcast,* 24

die **Fernsehsprache** *television terms,* 24

fertig *ready,* 13; wir sind fertig *we're finished,* 2

s. **fertigmachen** *to get ready,* 31

fesch *smart, dashing,* 37; ein fescher Junge! *a sharp guy!* 32

fest *tightly,* 11

das **Fest, −e** *festival,* 20; *celebration,* 28

festbinden *to tie up,* 16

festhalten *to hold tight,* 23

s. **festhalten** *to hold tight,* 36; halt dich fest! *hold on tight!* 36

festlegen *to establish, set,* 39

festlich *festive(ly),* 36

das **Festmahl, −e** *banquet,* 28

der **Festsaal, −säle** *banquet hall,* 32

feststellen *to determine,* 39

die **Festung, −en** *fortress,* Plate 16

die **Festwiese, −n** *fairgrounds,* 36

der **Festzug, ⁼e** *procession,* 28

fett: selber essen macht fett *I don't get fat on what you eat,* 26

der **Fettgehalt** *fat content,* 38

fetthaltig *containing fats and oils,* 31

feucht *damp, moist, humid,* 38

das **Feuer, −** *fire,* 26

das **Fieber** *fever,* 33

das **Fieberthermometer, −** *fever thermometer,* 33

die **Filiale, −n** *branch (store),* 37

die **Filialleiterin, −nen** *branch manager,* 39

der **Film, −e** *film, movie,* 24; *roll of film,* 26

der **Filmstar, −s** *movie star,* 30

der **Filzschreiber, −** *felt-tipped pen,* 25

das **Finanzkomitee, −s** committee in charge of finances, 25
finanziell financial, 32
finden to find, 9
der **Fingerhut, ⁼e** foxglove, 26
der **Fingernagel, ⁼** fingernail, 31
finster dark, 23
die **Firma, Firmen** firm, company, 39
das **Firmament** heavens, 36
der **Fisch, −e** fish, 11; **Fische** (pl) Pisces, 32
das **Fischerstechen** (traditional fishermen's game of competing for the catch by pushing each other out of the boat), Plate 27
die **Fläche, −n** plateau, plain, 23
die **Flagge, −n** flag, 34
die **Flasche, −n** bottle, 15
die **Flaschenannahme** bottle-return counter, 39
das **Flaschenbier, −e** bottled beer, 37
der **Flaschenwein, −e** bottled wine, wine sold by the bottle, 25
das **Fleisch** meat, 14, 15
der **Fleischer, −** butcher, 15
die **Fleischerei, −en** butcher shop, 15
die **Fleischerladen, ⁼** butcher shop, 15
das **Fleischwerk, −e** meat-processing plant, 39
die **Fliege, −n** fly, 16
fliegen to fly, 22
fleissig industrious, hard-working, 25
fliehen to flee, 27
fliessen to flow, 35
flitzen to whisk, flit, 36
der **Flitzer, −** small, fast car, 29
der **Floh, ⁼e** flea, 32
die **Flossfahrt, −en** ride on a raft, 35
die **Flöte, −n** flute, 5
flüchten to flee, 40
der **Flug, ⁼e** flight, 24
der **Flügel, −** wing, 26
der **Flughafen, ⁼** airport, 8
der **Flugverkehr** air traffic, 40
das **Flugzeug, −e** airplane, 22
der **Flugzeugträger, −** aircraft carrier, 2
der **Flur, −e** corridor, hallway, 19
der **Fluss, ⁼e** river, 8
das **Flusstal, ⁼er** river valley, 40
flüstern to whisper, 26
das **Fohlen, −** foal, 38
die **Folge, −n** consequence, 40
folgen to follow, 26
folgend- following, 25
fördern to encourage, promote, 30
forsch outspoken, energetic, 32
fortschrittlich progressive, 39
Fortschritts- (noun pref) advanced, 32
fortsetzen to continue, 26
das **Foto, −s** photo, 30
der **Fotoamateur, −e** amateur photographer, 30
der **Fotoapparat, −e** camera, 23

die **Fotoarbeit, −en** photography work, chores, 30
der **Fotograf, −en** photographer, 30
fotografieren to photograph, 11
das **Fotografieren** photography, 30
das **Fotolabor, −s** photo lab, 30
der **Fotoladen, ⁼** camera store, 34
das **Fotomodell, −e** photographer's model, subject, 30
der **Foxtrott** fox trot, 32
die **Frage, −n** question, 1, 4
fragen to ask, 4; **fragen nach** to inquire about, 39
der **Fragesatz, ⁼e** question, 16
das **Fragewort, ⁼er** question word, 10
das **Frankreich** France, 18
der **Franzose, −n** Frenchman, 34
das **Französisch** French (language), 26
französisch (adj) French, 26
die **Frau, −en** Mrs., 3; wife, 10; woman, 27
das **Fräulein, −** Miss, 3
frech fresh, 32
frei free, 22; **ist hier noch frei? may I sit here?** 22; **freier Nachmittag** afternoon off, 39; **in der freien Natur** in the open air, 40
freihalten to save, keep open, 32
die **Freiheit** freedom, 27
freilich sure, of course, 36
der **Freitag** Friday, 4
die **Freizeit** leisure time, 30
die **Freizeitbeschäftigung, −en** leisure-time activity, 30
fremd foreign, 35; strange, unknown, 40
der **Fremde, −n** stranger, 27
das **Fremdenverkehrsbüro, −s** tourist office, 10
fressen to eat (of animals), 11; to eat away, 35
die **Freude: die Freude auf** the anticipation of, 27
s. **freuen: sich freuen auf** to look forward to, 28; **sich freuen über** to be happy about, 34
der **Freund, −e** friend, 1; boyfriend, 17
die **Freundin, −nen** friend, girlfriend, 21
freundlich friendly, 14; fair, 18; **mit freundlichen Grüssen** sincerely, very truly yours, 33
die **Freundschaft, −en** friendship, 30
das **Friesland** (area in northern Germany), 38
frisch fresh, 31
die **Frischluft** fresh air, 40
der **Friseur, −e** hairdresser, barber, 31; **beim Friseur** at the hairdresser's (barber's), 31
die **Friseuse, −n** hairdresser, 32
s. **frisieren** to do one's hair, fix one's hair, 31
der **Frisierstab, ⁼e** curling iron, 31
frites: Pommes frites (pl) French fries, 20

das **Frl. (Fräulein)** Miss, 39
froh glad, 26
die **Fronleichnamsprozession, −en** Corpus Christi procession, Plate 22
der **Frosch, ⁼e** frog, 11
die **Fruchtlimo, −s** fruit drink, 20
früh early, 23
das **Frühjahr** spring, 40
der **Frühling** spring, 18
das **Frühstück, −e** breakfast, 20
frühstücken to have breakfast, 20
s. **fühlen: s. (wohl) fühlen** to feel (well), 33
führen to lead, 26
der **Führer, −** guide, 26
der **Führerschein, −e** driver license, 37; **den Führerschein machen** to get a driver's license, 37
die **Führung, −en** guided tour, 26
das **Führungszeugnis, −se** conduct record (a police document), 37
füllen to fill, 29
fünf five, 1
fünft-: von der fünften aufwärts from the fifth (grade) up, 26
fünfzehn fifteen, 1
fünfzig fifty, 4
für for, 1; was für (ein) what kind of (a) 6; **Jahr für Jahr** year after year, 36
furchtbar terrible, awful, 25, 33
fürs (für das) for the, 10
der **Fürst, −en** prince, 28
das **Fürstentum, ⁼er** principality, 29
das **Fürstenzelt, −e** royal tent, 28
der **Fuss, ⁼e** foot, 21; **zu Fuss** on foot, 28; **zu Fuss gehen** to walk, 28
der **Fussball, ⁼e** soccer, soccer ball, 2
der **Fussboden, ⁼** floor, 19
der **Fussgänger, −** pedestrian, 8
die **Fussgängerzone, −n** pedestrian mall, 22
die **Fusspumpe, −n** foot pump, 29
der **Fussweg, −e** footpath, 8
das **Futter** feed, animal food, 11
füttern to feed (animals), 11

G

die **Gabel, −n** fork, 20
gackern to cackle, 38
galoppieren to gallop, 30
die **Gangschaltung** manual transmission, 37
die **Gans, ⁼e** goose, 38
das **Gänschen, −** gosling, 38
der **Gänsemarsch: im Gänsemarsch** single file, 26
ganz very, completely, 18; **die ganze Familie** the whole family, 3; **ganz rot** all red, 21; **ganz hinten** all the way in the back, 26 **seine ganzen Spiele** all of his games, 29; **ganz schön heiss** quite hot, really pretty hot, 33; **aus ganz Deutschland** from all over Germany, 36; **ganz**

gleich *it doesn't matter,* 36
gar: gar nicht *not at all,* 23; **gar nichts** *nothing at all,* 36; **gar kein** *none at all,* 37
die **Garage, −n** *garage,* 19
Garnichts: als „Garnichts" *as anything you like,* 36
garniert *garnished,* 25
der **Garten, ∻** *garden,* 16
die **Gartenarbeit, −en** *garden work,* 16
die **Gartentür, −en** *garden gate,* 19
das **Gas, −e** *gas,* 37; **Gas geben** *to give gas,* 37
das **Gasgemisch, −e** *gas mixture,* 40
der **Gast, ∻e** *guest,* 7
der **Gastgeber, −** *host,* 24
der **Gasthof, ∻e** *hotel, inn,* 14
die **Gaststube, −n** *main room (of a restaurant or lodge),* 36
der **Gastwirt, −e** *innkeeper,* 3
die **Gaudi: is dös a Gaudi!** *(Bavarian) what a blast!* 36
der **Gaukler, −** *juggler,* 28
geb. (geborene) *maiden name,* 39
geben *to give,* 4; **was gibt's Neues?** *what's new?* 6; **es gibt** *there is,* 7; **er gibt sie ihr** *he gives it to her,* 33; **Gas geben** *to give gas,* 37
das **Gebiet, −e** *area,* 10
das **Gebirge, −** *mountains,* 10
das **Gebiss, −e** *denture,* 39
das **Gebissschablone, −n** *mold for making dentures,* 39
das **Gebläse, −** *blower (for hay),* 38
geboren: geboren werden *to be born,* 38
der **Gebrauch** *use,* 40
gebrauchen: gebrauchen (zu) *to use (for),* 31
gebraucht (adj) *used,* 29
die **Gebrüder** (pl) *brothers,* 38
die **Gebühr, −en** *fee,* 37
das **Geburtshaus, ∻er** *birthplace, house of birth,* Plate 18
der **Geburtsort, −e** *place of birth,* 39
der **Geburtstag, −e** *birthday,* 17; **alles Gute zum Geburtstag!** *happy birthday!* 17
das **Geburtstagsgeschenk, −e** *birthday present,* 17
die **Geburtstagskarte, −n** *birthday card,* 17
der **Geburtstagstisch, −e** *birthday table,* 17
das **Gedränge** *pushing and shoving crowd,* 28
die **Geduld** *patience,* 30
geehrt: Sehr geehrte Herren! *Dear Sirs:,* 39
die **Gefahr, −en** *danger,* 37, 40
gefährden *to endanger,* 40
gefährlich *dangerous,* 2
die **Gefahrstelle, −n** *danger area,* 37
gefärbt *colored, dyed,* 31
gefallen *to please,* 17; **es gefällt mir** *I like it,* 17

gefrieren *to freeze,* 18
das **Gefühl, −e** *feeling,* 35
gegen *about, toward, approximately,* 21; *against,* 27; **etwas (Gutes) gegen** *something (good) for,* 33
die **Gegend, −en** *region, area,* 22
das **Gegenstück, −e** *counterpart,* 30
das **Gegenteil, −e** *opposite,* 30
gegenüber (von) *across (from),* 34
der **Gegenverkehr** *oncoming traffic,* 37
die **Gegenwart** *present time,* 26
die **Gegnerin, −nen** *opponent,* 13
gehässig *nasty,* 14
gehen *to go,* 6; **wie geht's?** *how are you?* 6; **weiter ging's** *onward, we went on, we continued,* 26; **geht in Ordnung!** *that's fine,* 33; **auf geht's!** *let's go!* 36; **das geht nicht** *that's not possible,* 36; **zu Ende gehen** *to be over,* 36; **wie geht's dir?** *how are you?* 37
gehören *to belong,* 19
der **Geier, −** *hawk,* 26
die **Geige, −n** *violin,* 5
gelangen: gelangen in *to get into, reach,* 40
gelaufen: er kam gelaufen *he came running,* 26
gelb *yellow,* 2
das **Geld** *money,* 5
der **Gelernte, −n** *skilled worker,* 39
gell? *right?* 28
die **Gemahlin, −nen** *wife,* 28
gemein *mean,* 21
gemeinsam *together,* 36
gemixt *mixed,* 37
das **Gemüse** *vegetables,* 15
der **Gemüsehändler, −** *greengrocer,* 15
die **Gemüsehandlung, −en** *vegetable store,* 15
der **Gemüseladen, ∻** *vegetable store,* 15
gemütlich *cozy, warm,* 34
die **Gemütlichkeit** *hospitality, friendliness, homelike atmosphere,* Plate 31
genau *closely, exactly,* 11, 23
die **Generalprobe, −n** *dress rehearsal,* 27
genug *enough,* 10
genügend *enough,* 35, 39
das **Gepäcknetz, −e** *luggage rack,* 22
gerade *just,* 14; *at the moment, right now,* 30; **er ist gerade dabei** *he is just now (doing . . .),* 34
geradeaus *straight ahead,* 8
das **Gerät, −e** *tool, utensil,* 16; *gadget,* 30; *appliance,* 40
geräuchert *smoked,* 36
gering *limited, small,* 39
gern *gladly,* 6; **gern spielen** *to like to play,* 2; **gern haben** *to like,* 5; **ich möchte gern** *I would like,* 15

das **Geschäft, −e** *store,* 11; *business, work,* 32; **im Geschäft** *at work,* 32
die **Geschäftsleute** (pl) *business people,* 25, 36
das **Geschäftszentrum, −zentren** *business center,* 14
das **Geschenk, −e** *present,* 17
geschehen *to happen,* 18; **das geschieht dir recht!** *it serves you right!* 26
das **Geschehen** *event(s),* 28
die **Geschichte, −en** *history,* 4; *story,* 26
geschickt *skillful, handy,* 32
das **Geschirr** *dishes,* 4
die **Geschirrspülmaschine, −n** *dishwasher,* 40
der **Geschmack, ∻e** *flavor,* 37
geschminkt *made-up,* 31
geschult *trained, skilled,* 39
die **Geschwindigkeitsbegrenzung, −en** *speed limit,* 37
die **Geschwindigkeitsbeschränkung, −en** *speed restriction,* 40
die **Geschwister** (pl) *brothers and sisters, siblings,* 19
geschwollen *swollen,* 33
das **Gesellenjahr, −e** *journeyman year,* 39
die **Gesellenprüfung, −en** *exam to qualify as a journeyman,* 39
das **Gesellschaftsspiel, −e** *party game,* 34
das **Gesetz, −e** *law,* 40; **Gesetze zur Bekämpfung des Lärms** *laws intended to fight noise,* 40
gesichert (adj) *assured, guaranteed,* 25
das **Gesicht, −er** *face,* 17
das **Gespräch, −e** *conversation,* 27
gestalten *to form,* 40
die **Geste, −n** *gesture,* 27
gestern *yesterday,* 14
gesund *healthy,* 2
die **Gesunderhaltung** *keeping healthy,* 40
die **Gesundheit** *health,* 32, 33
das **Getränk, −e** *drink, beverage,* 20
die **Getränkekarte, −n** *beverage list,*
das **Getreide** *grain,* 38
der **Getreideanbau** *grain production,* 38
gewählt (adj) *chosen,* 39
gewaschen (adj) *washed,* 23
das **Gewässer, −** *body of water,* 35
das **Gewehr, −e** *rifle,* 36
das **Gewicht, −e** *weight,* 15
gewinnen *to win,* 2
der **Gewinner, −** *winner,* 27
gewiss- *specific,* 39
das **Gewitter, −** *thunderstorm,* 18
s. **gewöhnen: sich gewöhnen an** *to get used to,* 28; **man gewöhnt sich daran** *you get used to it,* 28
gewöhnlich *usually,* 4; *ordinary,* 30
giessen *to water,* 16

das **Gift, −e** *poison,* 40
giftig *poisonous,* 26
der **Gipfel, −** *peak, summit,* 23
der **Gips** *plaster (cast),* 33
das **Gipsbein, −e** *leg cast,* 33
das **Gipsmischen** *mixing plaster,* 39
die **Giraffe, −n** *giraffe,* 11
die **Gitarre, −n** *guitar,* 5
glänzen *to sparkle, shine,* 26
das **Glas, ⸚er** *glass,* 7
glatt *straight,* 7; *smooth,* 31
glätten *to smooth,* 31
glauben *to believe, think,* 2; **glauben an** *to believe in,* 32
gleich *right away,* 14; *same,* 35; **auf gleicher Höhe** *at the same level,* 35; **ganz gleich** *it doesn't matter,* 36; **es ist mir gleich** *it's all the same to me,* 39; **das gleiche** *the same thing,* 40
gleichfalls *the same to you,* 20
das **Gleis, −e** *train track,* 22
der **Gletscher, −** *glacier,* 23
die **Glocke, −n** *bell,* 38
das **Glück** *luck,* 22; *happiness, good luck,* 25; **Glück haben** *to be lucky,* 22
glücklich *happy, happily,* 30
der **Glückspilz, −e** *lucky duck,* 36
der **Gong, −s** *gong,* 18
gotisch *Gothic,* 28
Gott: Gott sei Dank! *thank God,* 33
grad: es ist grad erst drei *it's just 3 now,* 7; **weil ich grad hier bin** *as long as I'm here,* 33
der **Grad** *degree,* 18; **in Grad Celsius** *in degrees centigrade,* 18
das **Gramm, −** *gram,* 15
die **Grammatikübung, −en** *grammar exercise,* 4
das **Gras, ⸚er** *grass,* 21
das **Grasmähen** *mowing,* 38
der **Grasschi** *grass-ski,* 34
gratulieren *to congratulate,* 17
grau *gray,* 9
die **Grenze, −n** *border, boundary,* 22
der **Grenzpolizist, −en** *border guard,* 26
grillen *to grill,* 26
grinsen *to grin,* 23
die **Grippe** *flu,* 33
gross *big,* 7; *tall,* 7
grossartig *terrific,* 25
(das) **Grossbritannien** *Great Britain,* 29
die **Grösse, −n** *size,* 9; *height,* 15
die **Grosseltern** (pl) *grandparents,* 19
die **Grossmutter, ⸚** *grandmother,* 3
die **Grossstadt, ⸚e** *large city,* 1
grösst- *largest,* 28
der **Grossvater, ⸚** *grandfather,* 3
grosszügig *generous,* 14
grün *green,* 2
das **Grün: öffentliches Grün** *public green area(s),* 40
die **Grünanlage, −n** *park, landscaped area,* 40

Grund- (noun pref) *basic,* 32
der **Grund, ⸚e** *reason,* 14
der **Grundschritt, −e** *basic step,* 32
das **Grünland** *green areas,* 40
grunzen *to grunt,* 38
die **Gruppe, −n** *group,* 5
der **Gruss, ⸚e** *greeting,* 12; **mit freundlichen Grüssen** *sincerely, very truly yours,* 33
grüssen *to greet,* 6; **grüss dich!** *hi!* 6; **grüss Gott!** *hello!* 6; **grüss schön zu Hause!** *give my regards to your parents!* 33
der **Gulden, −** *florin,* Plate 13
der **Gummi** *rubber,* 34
günstig *favorable,* 14
gurgeln *to gargle,* 31
die **Gurke, −n** *cucumber,* 15; *pickle,* 37
der **Gürtel, −** *belt,* 9
gut *good,* 4; *well,* 7; *OK,* 6; **ja, gut!** *OK!* 5; **mach's gut!** *take care,* 6; **guten Tag!** *hello! good day!* 6; **er sieht gut aus!** *he's good-looking!* 32; **mir ist nicht gut** *I don't feel well,* 33; **er kann nicht gut hin** *he can't get to it easily; it's hard to get to,* 38
die **Güte: ach, du meine Güte!** *oh, my goodness!* 26
gutgehen *to go well,* 27
der **Gymnasiast, −en** *student (at a Gymnasium),* 27
das **Gymnasium, Gymnasien** *academic secondary school,* 25
die **Gymnastik** *gymnastics, exercises,* 29; **Gymnastik machen** *to exercise, do exercises or gymnastics,* 29

H

das **Haar, −e** *hair,* 7
die **Haarbürste, −n** *hairbrush,* 31
die **Haarfarbe, −n** *hair color,* 7
der **Haarschnitt, −e** *haircut,* 31
das **Haarspray, −s** *hair spray,* 31
der **Haartrockner, −** *hair dryer,* 31
das **Haarwasser** *hair tonic,* 31
haben *to have,* 4; **gern haben** *to like,* 5; **Hunger haben** *to be hungry,* 7; **welche Grösse hat Peter?** *what size does Peter take?* 9; **haben wir's?** *will that be all?* 15; **Verspätung haben** *to be late,* 22
das **Hackfleisch** *chopped meat,* 15
der **Hafen, ⸚** *harbor,* 35
der **Hahn, ⸚e** *rooster,* 38
halb *half,* 29; **ein halbes Pfund** *half a pound,* 15; **halb sechs** *five-thirty,* 23, 25; **halb so schön** *half as nice,* 36
halbbedeckt *partly cloudy,* 18
hallo! *hi!* 36; **hallo, Fräulein!** *excuse me, waitress!* 20
der **Hals, ⸚e** *neck,* 23
die **Halsentzündung, −en** *throat infection,* 33

die **Halsschmerzen** (pl) *sore throat,* 33
die **Halstablette, −n** *throat lozenge,* 33
das **Halstuch, ⸚er** *(neck) scarf,* 17
halt: so bin ich halt zu Pfannkuch gegangen *so I simply went to Pfannkuch,* 39
halten *to stop,* 8; *to hold,* 26; **halten von** *to think of, have an opinion about,* 24; **(Schweine) halten** *to keep, raise (pigs),* 38
die **Haltestelle, −n** *(bus, streetcar) stop,* 32
das **Halteverbot** *no stopping,* 37
die **Haltung** *position, posture,* 32
der **Hamburger, −** *hamburger,* 37
der **Hammer, ⸚** *hammer,* 25
der **Hamster, −** *hamster,* 11
die **Hand, ⸚e** *hand,* 4; **mit der Hand** *by hand,* 16
die **Handcreme, −s** *hand cream,* 31
der **Handel** *trade,* 38
das **Handeln** *action, behavior,* 40
der **Handschuh, −e** *glove,* 9
das **Handschuhtragen: Handschuhtragen ist Pflicht** *wearing gloves is mandatory,* 34
hauptsächlich *mainly,* 18
das **Handtuch, ⸚er** *towel,* 14
die **Handvoll** *handful,* 26
der **Hang, ⸚e** *slope,* 34
hängen *to hang, be hanging (strong),* 19; *to hang up (weak),* 19
hänseln *to tease,* 26
hart *hard,* 14
der **Hartgummi** *hard rubber,* 34
das **Häschen** *bunny,* 36
der **Hase, −n** *rabbit,* 11
hassen *to hate,* 28
hässlich *ugly,* 29
hatte *had,* 20
hätte *would have,* 23; **wir würden bleiben, wenn wir mehr Zeit hätten** *we would stay if we had more time,* 23
Haupt- (noun pref) *main,* 20
das **Hauptgericht, −e** *main course,* 20
die **Hauptschulklasse, −n** *elementary school class,* 35
die **Hauptstadt, ⸚e** *capital city,* 22
das **Haus, ⸚er** *house,* 1; **von zu Hause** *from home,* 11; **zu Hause** *at home,* 16
die **Hausapotheke, −n** *portable medicine chest,* 33
die **Hausaufgabe, −n** *homework,* 4
der **Hausbesuch, −e** *house call,* 33
die **Hausfrau, −en** *housewife,* 3
der **Haushalt, −e** *household,* 38; **im Haushalt helfen** *to help in the house, with household chores,* 38
der **Hausmeister, −** *custodian,* 25
die **Hausnummer, −n** *house number,* 12
die **Haustür, −en** *front door,* 29
die **Haut, ⸚e** *skin,* 31
he! *hey!* 29, 35; **he?** *huh?* 26

heben *raise, lift,* 4
die **Hecke, −n** *hedge,* 6
die **Heckenschere, −n** *hedge clippers,* 16
das **Heft, −e** *notebook,* 4
heften *to fasten, attach,* 25
heftig *severe, bad,* 33
die **Heftmaschine, −n** *stapler,* 25
das **Heftpflaster, −** *Band-Aid,* 33
die **Heimat** *native land,* 24
heiraten *to marry,* 27
heiss *hot,* 18
heissen *to be named, called,* 1; *to mean,* 8
heiter *mostly sunny,* 18; *cheerful,* 32
der **Hektar, −** *hectare (measure of land),* 38, 40
helfen *to help,* 13
das **Helium** *helium,* 40
hell *light,* 9; *ein Helles a light beer,* 20
hellblau *light blue,* 9
das **Hemd, −en** *shirt,* 9
das **Henkeltöpfchen, −** *little mug,* 25
her *here (motion toward speaker),* 34; *das ist jetzt 6 Jahre her that was 6 years ago,* 30
herabsetzen *to lower, reduce,* 40; *stark herabgesetzt greatly reduced,* 40
herauf- (pref) *up (to),* 19
heraufkommen *to come up,* 19
heraus- (pref) *out (of),* 23
herausreissen *to tear out,* 26
herbeirufen *to call over,* 26
herein- (pref) *in (motion toward the speaker),* 36
hereinspaziert! *step right up!* 36
hergeben *to give (away), hand over,* 32; *gib mal eben her! give it to me a minute, will you?* 32
herhören *to listen, pay attention,* 27; *bitte einmal herhören! pay attention; listen, please!* 27
herkommen *to come from, to come here,* 26; *sie kamen vom Affenwald her they were coming from the monkey forest,* 26
der **Herr, −en** *Mr.,* 3; *gentlemen,* 32; *meine Herren gentlemen,* 32; *Herr Doktor Doctor,* 33; *Sehr geehrte Herren! Dear Sirs:* 39
herrlich *beautiful,* 10
die **Herrschaften** (pl): **Grüss Gott, die Herrschaften!** *hello, ladies and gentlemen!* 20
herrschen *to prevail, rule,* 36
herschauen *to look here,* 11
herschieben: vor sich herschieben *to push along in front,* 23
herstellen *to build, produce,* 27, 38; *to manufacture,* 38
herum- (pref) *around,* 22
herunter- (pref) *down,* 25
herunternehmen *to take down,* 25
das **Herz, −en** *heart,* 27

herzlich *warm, hearty,* 12; *herzliche Grüsse warmest greetings,* 12
der **Herzog, ⸚e** *duke,* 28
das **Herzogtum, ⸚er** *dukedom,* 28
das **Heu** *hay,* 38
der **Heuboden, ⸚** *hayloft,* 38
das **Heuen** *haymaking, haying,* 38
heuer *this year,* 28
der **Heurechen, −** *hay rake,* 38
der **Heustadel, −** *hay barn; hay shed,* 38
heute *today,* 4; *heute abend this evening,* 22
der **Heuwender, −** *machine for turning hay (tedder),* 38
hier *here* 4; *hier Radler Radler speaking,* 6
hier- (pref) *here,* 23
hierher- (pref) *(to) here,* 14
hierherkommen *to come here,* 14
die **Hilfe** *help,* 25; *Hilfe! help!* 40
die **Himbeere, −n** *raspberry,* 26
der **Himmel, −** *heaven, sky,* 18
hin *there (motion away from the speaker),* 22, 35; *hin und zurück back and forth, round trip,* 22; *er kann nicht gut hin he can't get to it easily, it's hard to get to,* 38
hinauf- (pref) *up,* 23
hinaufführen *to lead upward, upstairs,* 26
hinein: hinein ins Vergnügen! *join the fun!* 36
hinein- (pref) *in (motion away from the speaker),* 36
hineinpassen *to fit into,* 38
hineinsaugen: in sich hineinsaugen *to suck in, consume,* 40
die **Hinfahrt, −en** *trip (to),* 29
s. **hinlegen** *to lie down,* 33
s. **hinsetzen** *to sit down,* 32
s. **hinstellen** *to go and stand, to place o.s.,* 26
hinten *behind,* 21
hinter *behind,* 19
hintereinander *one behind the other,* 8
hinunter- (pref) *down,* 13
hinunterlaufen *to run down,* 13
hinunterrutschen *to slip, slide down,* 26
hinunterschiessen *to shoot down (a slope),* 34
hinzulernen: etwas hinzulernen *to learn s.th. in addition to what you already know,* 32
der **Hirsch, −e** *stag, deer,* 11
historisch *historical,* 28
die **Hitze** *heat,* 18
hitzefrei *time off because of hot weather,* 21
das **Hobby, −s** *hobby,* 7
hoch *high,* 10; *tall,* 26
hochachtungsvoll *respectfully; very truly yours,* 39
der **Hochsprung, ⸚e** *high jump,* 13

höchst- (pref) *highest,* 28
höchstens *at the most,* 39
die **Höchstgeschwindigkeit** *maximum speed,* 37
die **Hochzeit, −en** *wedding,* 28; *die Landshuter Hochzeit the Landshut Wedding,* 28
der **Hochzeitszug, ⸚e** *wedding procession,* 28
der **Hof, ⸚e** *schoolyard,* 4; *courtyard,* 26; *small farm,* 38
hoffen *to hope,* 17
hoffentlich *hopefully, I hope,* 9
höflich *polite,* 32
hoh- *(a form of hoch),* 29
die **Höhe** *height, level,* 35; *auf gleicher Höhe at the same level,* 35
der **Höhepunkt, −e** *high point,* 28
höher *higher,* 13
holen *to get, fetch,* 4
der **Holländer, −** *Dutchman,* 29
das **Holz** *wood,* 26
die **Holzfigur, −en** *wooden figure,* 38
der **Honig** *honey,* 33
hören *to hear, listen,* 5
der **Hörer, −** *receiver,* 6
das **Horoskop, −e** *horoscope,* 32
Hörschäden (pl) *hearing damage,* 40
die **Hörübung, −en** *listening exercise,* 1
die **Hose, −n** *pants,* 9
der **Hosenanzug, ⸚e** *pantsuit,* 17
das **Hotel, −s** *hotel,* 23
HSt. (Haltestelle): U-Bahn HSt. der U 3, Bonner Platz *subway train U 3 to the Bonner Platz station,* 37
hübsch *pretty,* 26; *cute,* 30
huckepack: huckepack tragen *to carry piggyback,* 26
das **Huhn, ⸚er** *hen,* 38
das **Hühnchen, −** *chicken,* 37
der **Hühnerstall, ⸚e** *henhouse,* 38
der **Hund, −e** *dog,* 11
hundemüde *dead tired,* 31
hundert *hundred,* 4
das **Hundertstel: zwei Hundertstel** *two hundredths,* 34
der **Hunger** *hunger,* 7; *Hunger haben to be hungry,* 7
hungrig *hungry,* 32
husch! *whiz!* 29
der **Husten** *cough,* 33
der **Hustensaft, ⸚e** *cough syrup,* 33
der **Hut, ⸚e** *hat,* 9
die **Hütte, −n** *cabin, lodge,* 34
der **Hüttenabend, −e** *evening of activities at a lodge,* 34

I

ich *I,* 1
ideal *ideal,* 10
die **Idee, −n** *idea,* 8

ihm *him, to him; it, to it,* 16
ihn *him,* 5
ihnen *them, to them,* 16
Ihnen *you, to you, for you,* 17
ihr *you, their, her,* 2; *to her,* 16
Ihr *your,* 10
im: im März *in March,* 25, 27; im letzten Jahr *last year,* 29
der **Imbiss, −e** *snack,* 25
immer *always,* 4; *noch immer still,* 13; immer höher *higher and higher,* 26; immer beliebter *more and more popular,* 30; immer noch *still,* 33; schon immer *all along, always,* 39
importieren *to import,* 39
in *in,* 1; in der Johann-Sebastian-Bach-Strasse *on J. S. Bach Street,* 19; in diesem Jahr *this year,* 27; in (die Schweiz) *to (Switzerland),* 29; in den Ferien *on vacation,* 37
die **Industrie, −n** *industry,* 38
der **Industriebetrieb, −e** *factory,* 40
das **Industriegebiet, −e** *industrial area,* 40
das **Industrieland** *industrial land,* 38
der **Industrielärm** *industrial noise,* 40
der **Industrieprodukt, −e** *industrial product,* 38
der **Industriestaat, −en** *industrial state,* 38
das **Industriezeitalter** *industrial age,* 40
der **Infinitivsatz, ⁔e** *sentence with an infinitive construction,* 34
die **Information, −en** *information,* 39
der **Ingenieur, −e** *engineer,* 16
der **Inhaber, −** *proprietor,* 15
das **Insekt, −en** *insect,* 16
das **Inserat, −e** *ad,* 39
inserieren *to advertise,* 39
das **Instrument, −e** *instrument,* 5
interessant *interesting,* 2
das **Interesse, −n** *interest,* 39
s. **interessieren** *to be interested, interest oneself,* 30; s. interessieren für *to be interested in,* 30
international *international,* 29
das **Interview, −s** *interview,* 28
der **Interviewer, −** *interviewer,* 28
irgendein *any,* 36
irgendetwas *anything,* 37
irgendjemand *anyone,* 37
irgendwo *anywhere,* 37
die **Isar** *Isar River,* 35
der **Italiener, −** *Italian,* 34
italienisch (adj) *Italian,* 29

J

ja *yes,* 1; ja, gut *okay,* 5; dass du dich ja rasierst! *be sure you shave!* 31; ja? *OK? right?* 35; es könnte ja sein *it could be,* 38
die **Jacke, −n** *jacket,* 9
das **Jahr, −e** *year,* 1; im Jahre 1975 *in 1975,* 28; Jahr für Jahr *year after year,* 36
die **Jahreszahl, −en** *date (by year),* 26
jährlich *yearly,* 40
der **Jahrmarkt, ⁔e** *fair,* 36
jahrtausendelang *for thousands of years,* 40
das **Jahrzehnt, −e** *decade,* 40
jaja: jaja, eisern! *oh yes, like mad!* 37
der **Januar** *January,* 12
jäten *to weed,* 16
die **Jause, −n** (Austrian) *snack,* 34
je *per,* 40
die **Jeans** (pl) *jeans,* 9
der **Jeans-Shop, −s** *jeans shop,* 9
jedem: er schaut jedem auf den Schipass *he looks at everyone's lift ticket,* 34
jeder *each, every,* 9; *each one, everyone,* 26
jemand *somebody,* 22
jetzt *now,* 2; das ist jetzt 6 Jahre her *that was 6 years ago,* 30
jg. (junge): jg. Paare ab 25 Jahre *young couples 25 years and older,* 32
der **Job, −s** *job,* 37
das **Jobsuchen** *job hunting,* 37
die **Jodtinktur** *iodine,* 33
der **Joghurt, −s** *yogurt,* 15
der **Jugendliche, −n** *young person,* 34
die **Jugendmarke, −n** *stamp for the benefit of youth organizations,* 30
das **Jugendschutzgesetz, −e** *child labor law,* 39
die **Jugendvertretung, −en** *youth representative group,* 39
(das) **Jugoslawien** *Yugoslavia,* 29
der **Juli** *July,* 12
jung *young,* 11
der **Junge, −n** *boy,* 1
das **Junge, −n** *young (animal),* 38
die **Jungfrau** *Virgo,* 32
der **Juni** *June,* 12
der **Junior-Chef, −s** *the boss's son, the future boss,* 39
die **Jury, −e** *jury,* 27

K

der **Kaffee, −s** *coffee,* 14
der **Kaffeelöffel, −** *coffee spoon,* 20
das **Kaffeetrinken** *coffee drinking,* 32; Kaffeetrinken gehen *to go for a cup of coffee,* 32
der **Käfig, −e** *cage,* 11
der **Kaiser, −** *emperor,* 26
der **Kaiseradler, −** *imperial eagle,* 26
der **Kajak, −s** *kayak,* 35
das **Kakaogetränk, −e** *cocoa,* 37
das **Kalb, ⁔er** *calf,* 38
das **Kalbsschnitzel, −** *veal cutlet,* 15
der **Kalender, −** *calendar,* 28
kalt *cold,* 18; etwas Kaltes *something cold,* 7
die **Kälte** *cold,* 18
die **Kaltschale, −n** *cold drink,* 37
die **Kamera, −s** *camera,* 30
der **Kamm, ⁔e** *comb,* 21
s. **kämmen** *to comb one's hair,* 21
kämpfen *to fight, struggle,* 21; kämpfen um *to fight for,* 13
der **Kanal, Kanäle** *canal,* 35
der **Kandidat, −en** *candidate,* 27
der **Kanon, −s** *canon, round,* 35
die **Kanone, −n** *cannon,* 26; unter aller Kanone *very bad,* 26
kapieren *to understand* (colloquial), 32
kapiert? *got it? understand?,* 32
kaputt *worn out,* 9; *broken, broken-down,* 29
s. **kaputtlachen** *to laugh o.s. sick,* 32
kaputtmachen *to break,* 16
karg: kargere Ausstattung *sparse selection,* 39
die **Karte, −n** *map,* 10; *card, note,* 26; *ticket,* 34
die **Kartoffel, −n** *potato,* 20
die **Kartoffelchips** (pl) *potato chips,* 7
der **Kartoffelsalat, −e** *potato salad,* 7
der **Karton, −s** *carton,* 36
das **Karussell, −s** *carousel,* 36
der **Käse, −** *cheese,* 15
die **Kasse, −n** *ticket window,* 26; an der Kasse *at the ticket table,* 25; die Kasse war positiv *we came out ahead (financially)* 25; in die Kasse kommen *to go into the fund,* 25
der **Kassenzettel, −** *receipt,* 17
die **Kastanie, −n** *chestnut,* 26
der **Katalog, −e** *catalog,* 30
die **Katastrophe, −n** *catastrophe,* 40
die **Katze, −n** *cat,* 11
die **Katzenwäsche** *washing quickly at the sink,* 31
kaufen *to buy,* 5
das **Kaufhaus, ⁔er** *department store,* Plate 25
kaufm. (kaufmännisch) (adj) *business,* 39
kaum *hardly,* 13
kehren *to sweep,* 16
kein *no, not any,* 7
keiner *nobody,* 34, 35
der **Keller, −** *cellar, basement,* 19
der **Kellner, −** *waiter,* 32
kennen *to know, be acquainted with, familiar with,* 3; kennst du dich aus? *do you know your way around?* 8
kennenlernen *to get to know, make the acquaintance of,* 5
das **Kennzeichen, −** *identifying numbers, letters, or symbols,* 29
der **Kerl, −e** *boy,* 29; du blöder Kerl! *you jerk!* 29
der **Keuchhusten** *whooping cough,* 33
der **Ketchup** *ketchup,* 37
die **Kiefer, −n** *pine,* 26
kikeriki! *cock-a-doodle-doo!* 38
das **Kilogramm, −** *kilogram,* 15

der **Kilometer,** − *kilometer,* 10
das **Kind, −er** *child,* 2
die **Kinderkrankheit, −en** *childhood disease,* 33
das **Kinn, −e** *chin,* 21
das **Kino, −s** *movies, movie theater,* 32; ins Kino gehen *to go to the movies,* 32
die **Kirche, −n** *church,* 22
der **Kirchturm, ⸚e** *church steeple,* 26, 28
die **Kirmes,** − *carnival, fair,* 36
die **Kirsche, −n** *cherry,* 15
der **Kirschbaum, ⸚e** *cherry tree,* 26
das **Kissen,** − *pillow,* 19
der **Kittel,** − *work jacket,* 37
die **Kitze, −n** *kid (young goat),* 38
klagen über *to complain about,* 33
die **Klapperkiste, −n** *rattletrap,* 29
klar *clear,* 18; klar! *sure!* 7
klasse *great, terrific,* 25, 29; ein klasse Wagen *a great car,* 29
die **Klasse, −n** *class,* 3; erste Klasse *first class (on the train),* 22
die **Klassenarbeit, −n** *test,* 4
der **Klassenkamerad, −en** *classmate,* 5
die **Klassenlehrerin, −nen** *homeroom teacher,* 26
die **Klassenmutti: unsere Klassenmutti!** *our class mommy!* 26
das **Klassenzimmer,** − *classroom,* 4
klatschen *to clap, applaud,* 13
das **Klavier, −e** *piano,* 5
der **Klavierspieler,** − *piano player,* 30
kleben *to glue, stick,* 25
der **Klebstoff, −e** *glue, paste,* 25
das **Kleid, −er** *dress,* 17
die **Kleider** (pl) *clothing,* 26
klein *small,* 3; *short,* 7
das **Kleine, −n** *baby, little one,* 26
das **Kleingeld, −er** *small change,* 20
die **Kleinstadt, ⸚e** *small city,* 1
das **Kleintier, −e** *little animal,* 16
klettern *to climb,* 11
das **Klima** *climate,* 38
der **Klimmzug, ⸚e** *chin-up,* 13
klingeln *to ring,* 6
das **Klingeln** *ringing (of bells),* 23
klingen *to sound,* 26
die **Klosterkirche, −n** *cloister church,* Plate 3
klug *smart,* 32
km² (Quadratkilometer) *square kilometer,* 35
km/Std. (Stundenkilometer): der Bus fährt mit 90 km/Std. *the bus is going 90 km an hour,* 34
knapp: eine knappe Stunde *barely an hour,* 34
das **Knie,** − *knee,* 33
die **Kniewunde, −n** *knee injury,* 33
knipsen *to snap (a picture),* 26
der **Knöchel,** − *ankle,* 33
der **Knoten,** − *knot,* 35
kochen *to boil,* 18; *to cook,* 20
das **Kochgeschirr** *cooking utensil,* 26

das **Kofferadio, −s** *portable radio,* 40
der **Kofferraum, ⸚e** *car trunk,* 23
die **Kohle, −n** *coal,* 23
der **Kohleofen, ⸚** *coal stove,* 40
die **Kollegin, −nen** *colleague,* 39
komisch *funny, strange,* 29
das **Komitee, −s** *committee,* 25
die **Kommode, −n** *chest of drawers,* 19
kommen *to come,* 5; Mathe kommt dran *math is next,* 5; komm! *come on!* 5; kommen an *to come to,* 23; kommen auf *to come to, come upon,* 26; kommen nach *to get to,* 26; im Fernsehen kommen *to be on television,* 27; kommen aus *to come from,* 29; ach, komm! *oh, come on!* 35
die **Komödie, −n** *comedy,* 27
das **Kompliment, −s** *compliment,* 31
kompliziert *complicated,* 30
das **Konfekt** *candy,* 25
das **Konfetti** *confetti,* 36
der **König, −e** *king,* 26
das **Königreich, −e** *kingdom,* 28
können *to be able to, can,* 8; ich kann nichts dafür *I can't help it,* 35; kann sein *could be, may be,* 35; er kann nicht gut hin *he can't get to it easily, it's hard to get to,* 38; ich kann etwas *I know something,* 39
das **Können** *ability,* 30
konnte *could,* 20
könnte: könnte ich . . . ? *could I . . . ?* 36
der **Kontrast, −e** *contrast,* 24
die **Konversationsübung, −en** *conversation exercise,* 1
s. **konzentrieren** *to concentrate,* 40; sich konzentrieren auf *to concentrate on,* 38
das **Konzert, −e** *concert,* 5
der **Kopf, ⸚e** *head,* 30
die **Kopfschmerzen** (pl) *headache,* 33
die **Kopfschmerztablette, −n** *headache pill,* 33
das **Kopftuch, ⸚er** *(head) scarf,* 17
der **Korbball, ⸚e** *basketball,* 2
der **Körpergeruch, ⸚e** *body odor,* 31
körperlich *physical(ly),* 39
der **Kosename, −n** *nickname,* 29
der **Kosmetikartikel,** − *cosmetic article,* 31
kosten *to cost,* 5; *to taste,* 26; lass mich mal kosten! *let me have a taste!* 26
kostenlos *without charge,* 39
das **Kostüm, −e** *woman's suit,* 17; *costume,* 27
der **Krach, −s** *noise,* 23
das **Kraftfutter** *enriched food,* 38
kräftig *strong,* 36
der **Kraftmensch, −en** *muscle man,* 36
der **Kram** *junk,* 19
krank *sick,* 33
das **Krankenhaus, ⸚er** *hospital,* 33

der **Krankheit, −en** *sickness,* 33
der **Krankenschein, −e** *medical slip,* 33
kränklich *sickly,* 40
kratzen *to scratch,* 11
die **Krawatte, −n** *necktie,* 9
der **Krebs** *Cancer,* 32
die **Kreide** *chalk,* 4
der **Kreislauf, ⸚e** *cycle,* 40
der **Kreisverkehr** *traffic circle,* 29; Kreisverkehr hat Vorfahrt *traffic in the circle has right of way,* 29
kreuz: kreuz und quer *every which way,* 32
kreuzen *to tack,* 35
die **Kreuzung, −en** *intersection,* 8
kriegen *to get,* 35
der **Krimi, −s** *mystery, detective show,* 24
das **Krypton** *krypton,* 40
der **Kubikmillimeter,** − *cubic millimeter,* 40
die **Küche, −n** *kitchen,* 3; *food,* 14
der **Kuchen,** − *cake,* 12, 15
der **Küchenabfall, ⸚e** *kitchen garbage,* 40
die **Kuh, ⸚e** *cow,* 23
kühl *cool,* 18
der **Kühlschrank, ⸚e** *refrigerator,* 25
das **Küken,** − *chick,* 38
der **Kuli, −s** *ballpoint pen,* 4
die **Kulisse, −n** *set, scenery,* 27
s. **kümmern:** s. kümmern um *to be concerned with, take care of,* 38
der **Kunde, −n** *customer,* 14
die **Kundin, −nen** *customer,* 37
künftig *future,* 34
die **Kunst** *art,* 40
der **Kunststoff, −e** *synthetic material,* 34
der **Kurs, −e** *course,* 32
die **Kurve, −n** *curve,* 26
kurz *short,* 7; kurz vor sieben *shortly before seven,* 18
die **Kusine, −n** *girl cousin,* 3
die **Küste, −n** *coast,* 38

L

das **Labor, −s** *lab,* 39
lachen *to laugh,* 26
das **Lachen** *laughter,* 27
der **Lack** *lacquer finish,* 35
lackieren *to polish, paint,* 31
laden *to load,* 34
der **Laden, ⸚** *store,* 15
der **Ladentisch, −e** *counter,* 37
der **Ladewagen,** − *hay-loader,* 38
die **Lage, −n** *location,* 14
das **Lager:** auf Lager haben *to have a supply,* 34
die **Lagerarbeiterin, −nen** *worker in a warehouse,* 39
die **Lagerhalle, −n** *warehouse,* 39
lagern *to store,* 39
lahm *lame,* 29

das **Lamm,** ⸗er *lamb,* 38
die **Lampe, −n** *lamp,* 19
das **Land,** ⸗er *state,* 3; *nation,* 10; auf dem Land(e) *in the country,* 1, 38; *on the farm,* 38
die **Lande** (pl) *lands, countries,* 35
  landen *to land,* 26; landen auf *to land on,* 26
  ländlich *country, rural,* 40
die **Landschaft, −en** *scenery,* 23; *landscape,* 40
der **Landwirt, −e** *farmer,* 3
die **Landwirtschaft** *agriculture,* 38
  landwirtschaftlich *agricultural(ly),* 38
  lang *long,* 7
  lange *for a long time,* 6
  langsam *slowly,* 23
  langweilig *boring,* 2; so etwas Langweiliges! *how boring,* 25
der **Lanzenträger, −** *lancer,* 28
der **Lärm** *noise,* 36
der **Lärmschutz** *noise protection,* 40
  lassen *to leave, leave behind,* 20; *to let,* 26; (waschen) lassen *to have (washed),* 29
s. **lassen: er liess sich nicht aus der Ruhe bringen** *he paid no attention,* 26
  lästig *annoying, unpleasant,* 31
der **Lastwagen, −** *truck,* 37
das **Latein** *Latin,* 35
der **Lauf: der 75-m-Lauf** *75-meter dash,* 13
  laufen *to run,* 13; *to walk, go on foot,* 23; er kam gelaufen *he came running,* 26; Schlittschuh laufen *to ice-skate,* 34
der **Lausbub, −en** *rascal,* 30
  laut *loud,* 5
  läuten: es läutet *the bell rings,* 4
der **Lautsprecher, −** *loudspeaker,* 36
  leben *to live,* 32
das **Leben, −** *life,* 25; im Leben *in life,* 25; am Leben bleiben *to stay alive,* 40
  lebendig *lively,* 27
  lebensgefährlich *life-threatening,* 40
der **Lebenslauf,** ⸗e *résumé,* 39
die **Lebensmittel** (pl) *groceries,* 15
  lebensmüde *tired of living,* 29
der **Lebensstandard** *standard of living,* 40
der **Leberkäs** (a favorite Bavarian food), 7
die **Leberwurst,** ⸗e *liverwurst,* 15
das **Lebewesen, −** *living thing,* 40
  lecker *delicious, yummy,* 21
das **Leder** *leather,* 34
der **Lederhandschuh, −e** *leather glove, gauntlet,* 26
  leer *empty,* 22
  legen *to lay, put,* 16; legen auf *to lay (s.th.) on top of,* 14; in Gips legen *to put in a cast,* 33
s. **legen auf** *to lie down on,* 21

die **Legion, −en** *legion,* 40
der **Lehrberuf, −e** *occupation requiring an apprenticeship,* 39
die **Lehre, −n** *apprenticeship,* 39
der **Lehrer, −** *teacher,* 3
die **Lehrkräfte** (pl) *teaching staff,* 39
der **Lehrling, −e** *apprentice,* 32
der **Lehrlingslohn,** ⸗e *apprentice pay,* 39
der **Lehrplan,** ⸗e *curriculum,* 39
  lehrreich *educational,* 24
die **Lehrstelle, −n** *apprentice position,* 39
die **Lehrzeit** *period of apprenticeship,* 39
  leicht *easy,* 2; *easily,* 16; *light,* 17
das **Leichtmetall, −e** *lightweight metal,* 34
  leid: das tut mir leid! *I'm sorry,* 17
  leider *unfortunately,* 17
  leihen *to lend,* 32
  leise *soft, quiet,* 5
s. **leisten** *to afford,* 29
die **Leistung, −en** *achievement, score,* 13
die **Leistungsfähigkeit** *efficiency,* 40
  leiten *to lead,* 5
der **Leiter, −** *leader,* 25; *manager, head,* 39
die **Leiter, −n** *ladder,* 16
der **Leopard, −en** *leopard,* 11
  lernen *to learn, to study,* 4; Friseuse lernen *to train to become a hairdresser,* 32
  lesen *to read,* 3
das **Lesestück, −e** *reading selection,* 29
die **Leseübung, −en** *reading exercise,* 22
  letzt- *last,* 26
  leuchten *to shine,* 35
die **Leute** (pl) *people,* 14
das **Lexikon, Lexika** *dictionary, word list,* 1
die **Lichtanlage, −n** *lights,* 37
der **Lidschatten, −** *eye shadow,* 31
  lieb *nice, good,* 36; Lieber Herbert! *Dear Herbert,* 7
die **Liebe** *love,* 36
  lieben *to love,* 23
  lieber: mir waren meine alten Schier lieber *I preferred my old skis,* 34
  lieber (als) *rather (than),* 6
das **Liebespaar, −e** *pair of lovers,* 27
  Lieblings- (noun pref) *favorite,* 5
das **Lieblingsgeschäft, −e** *favorite store,* 11
der **Lieblingssänger, −** *favorite singer,* 12
  liebsten: am liebsten *most, best of all,* 2; am liebsten haben *to like most of all,* 4
das **Lied, −er** *song,* 26
der **Lieferant, −en** *supplier,* 40
der **Lieferschein, −e** *invoice,* 39
  liegen *to lie, be located,* 10; liegen

  an *to depend on, be caused by,* 35; woran liegt das? *what's the reason for that?* 35
  liegenlassen *to leave behind, forget,* 40
der **Liegestuhl,** ⸗e *reclining garden-chair,* 21
der **Liegestütz, −e** *push-up,* 31
der **Lift, −s** *ski lift,* 34
die **Liftkarte, −n** *lift ticket,* 34
die **Liftstation, −en** *lift station,* 34
die **Limo, −s** *lemon soda,* 37
die **Limonade** *lemon soda,* 20
das **Lineal, −e** *ruler,* 4
die **Linie, −n** *line,* 32
  link- *left,* 32
  links *left,* 8; *on the left,* 19; nach links *to the left,* 8
die **Lippe, −n** *lip,* 21
der **Lippenstift, −e** *lipstick,* 31
die **List** *cunning,* 27
die **Liste, −n** *list,* 30
der **Liter, −** *liter,* 25
das **Loch,** ⸗er *hole,* 9; *cavity,* 33
der **Lockenwickler, −** *curler,* 31
  lockig *curly,* 7
der **Lohn,** ⸗e *wages, pay,* 39
s. **lohnen** *to be worth (the trouble, the money),* 28; es hat sich gelohnt *it was worth it,* 28
das **Lokal, −e** *restaurant,* 14
die **Lokomotive, −n** *locomotive engine,* 23
  los: was ist los? *what's the matter?* 5; was ist denn hier los? *what's going on here?* 19
das **Los, −e** *(lottery) chance,* 25
  löschen *to quench,* 23
  losfahren *to start driving,* 26
  losgehen *to start, get started,* 28; es ging los *it started, we started,* 26
der **Löwe, −n** *lion,* 11; *Leo,* 32
das **Löwenbräu** (a brewery in Munich), 36
der **Löwenzahn,** ⸗e *dandelion,* 26
  Ltr (Liter) *liter,* 25
die **Luft,** ⸗e *air,* 8
die **Luftmatratze, −n** *air mattress,* 21
die **Lupe, −n** *magnifying glass,* 30
die **Lust: Lust haben (zu)** *to feel like, have the desire (to do s.th.),* 7; Lust haben auf *to want, to feel like having,* 21; hättest du Lust auf (ein Eis)? *would you like (an ice cream)?* 36
  lustig *funny,* 7
das **Lustspiel, −e** *comedy,* 27

M

  m. (mit) *with,* 20
  machen *to make,* 5; *to do,* 3; mach's gut! *take care!* 6; eine Busfahrt machen *to take a bus trip,* 10; Urlaub machen *to take a vaca-*

tion, 11; das macht zusammen 25 Mark 30 *that makes 25 marks 30 all together,* 15; das macht nichts *it doesn't matter,* 17; sich Sorgen machen *to worry,* 20; ein Picknick machen *to have a picnic,* 26; eine Aufnahme, ein Foto machen *to take a picture,* 30; machen lassen *to have done,* 30; es hat Hunger gemacht *it made us hungry,* 34; den Führerschein machen *to get a driver's license,* 37; einen Schikurs machen *to take skiing lessons,* 37; mach schnell! *hurry up!* 40

das **Mädchen,** − *girl,* 1

das **Mädchengymnasium, −gymnasien** *secondary school for girls,* 35

das **Mädel,** − *girl,* 38
mähen *to mow,* 16

der **Mäher,** − *mower,* 16

die **Mahlzeit, −en** *mealtime,* 20; Mahlzeit! *enjoy the meal!* 20

die **Mähmaschine, −n** *mower,* 38

der **Mai** *May,* 12

das **Maiglöckchen,** − *lily of the valley,* 16

der **Maikäfer,** − *Japanese beetle,* 16

der **Maitanz, ⁼e** *May Day dance,* 32

das **Make-up** *make-up,* 31
mal (particle), 5; ich frag' mal *I'll just ask,* 5; mal was andres *something else for a change,* 10; mal . . . mal . . . *sometimes . . . sometimes . . . ,* 18; erst mal *first of all,* 39

das **Mal, −e** *time, instance,* 28; das achte Mal *the eighth time,* 28
malen *to draw,* 18
malerisch *picturesque,* 29
man *one, they, you, people,* 8
managen *to manage,* 3
manche *some, many,* 7
mancher, −e, −es *many a,* 27
manchmal *sometimes,* 11

die **Mandeln** (pl) *tonsils,* 33
mangeln *to iron, press,* 14

(s.) **maniküren** *to manicure,* 31

das **Maniкür-Etui, −s** *manicure set,* 31

der **Mann, ⁼er** *man,* 22; *husband,* 27

das **Männchen,** − *little man,* 8
männlich *masculine,* 22

die **Mannschaft, −en** *team, crew,* 35

der **Mannschaftswechsel** *crew change,* 35

der **Mantel, ⁼** *coat,* 9

die **Margerite, −n** *daisy,* 26

der **Marienkäfer,** − *ladybug,* 16

die **Mark, −** (German monetary unit), 5

die **Marke, −n** *brand,* 29; *stamp,* 30; die 50-Pfennig-Marke *50-Pfennig stamp,* 12
markiert *marked,* 8

das **Markstück, −e** *mark piece,* 20

der **Markt, ⁼e** *market,* 22
marschieren *to march,* 26

der **März** *March,* 12

die **Maschine, −n** *machine,* 38

die **Masern** (pl) *measles,* 33

die **Mass** (a one-liter serving of beer), 36

der **Mast, −en** *mast,* 35

das **Material, −ien** *material,* 34

die **Mathe** *math,* 4

die **Mauer, −n** *wall,* 26

die **Maus, ⁼e** *mouse,* 26
maximal: maximale Übungsmöglichkeit *maximum practice time,* 32

der **Mechaniker,** − *mechanic,* 3
meckern *to bleat (goats),* 38

die **Medikament, −e** *medication,* 33

die **Medizin** *medicine,* 33

das **Meer, −e** *sea,* 35

das **Mehl** *flour,* 15
mehr *more,* 7; magst du keinen Leberkäs mehr? *don't you want any more Leberkäs?* 7
mehrere *several,* 28

die **Mehrzahl** *plural,* 3

die **Meile, −n** *mile,* 10
mein *my,* 3
meinen *to think, be of the opinion,* 9; *to mean,* 28
meins: meins, deins, usw. *mine, yours, etc.,* 32

die **Meinung, −en** *opinion,* 24, 39
meisten: die meisten *most,* 14; am meisten *most of all,* 30

der **Meister,** − *master,* 39

die **Meisterprüfung, −en** *exam to qualify as a master,* 39
melken *to milk,* 38

die **Melkmaschine, −n** *milking machine,* 38

die **Melodie, −n** *melody,* 25

die **Menge: eine Menge (Geld)** *a lot of (money),* 25

der **Mensch, −en** *person,* 23; Mensch! *boy! man!* 5
merken *to notice,* 27

s. **merken** *to remember,* 35

das **Merkspiel, −e** *memory game,* 4
merkwürdig *strange,* 26

die **Messe, −n** *faire,* 36
messen *to measure,* 9; das Fieber messen *to take one's temperature,* 33

das **Messer,** − *knife,* 20

das **Metall, −e** *metal,* 34

der **Meter,** − *meter,* 9
mich *me,* 7
mies *bad, lousy,* 25
mieten *to rent,* 10

das **Mikrofon, −e** *microphone,* 26, 32

das **Milchauto, −s** *milk truck,* 38

das **Milcherzeugnis, −se** *dairy product,* 15

das **Milchhaus, ⁼er** *milk (storage house,* 38

die **Milchkanne, −n** *milk can,* 14

die **Milchleitung, −en** *milk pipeline,* 38

die **Milchmenge, −n** *quantity of milk,* 38

die **Milliarde, −n** *billion,* 30

die **Million, −en** *million,* 28

Min. (Minuten) *minutes,* 23

die **Mindestgeschwindigkeit** *minimum speed,* 37
minus *minus,* 4

die **Minute, −n** *minute,* 4

das **Mineralwasser** *mineral water,* 20
mir *me, to me, for me,* 17

der **Mist** *manure,* 38

der **Misthaufen,** − *manure pile,* 26, 38
mit *with,* 4; mit der Bahn *by rail,* 22
mit- (pref) *with, along,* 6

der **Mitarbeiter,** − *co-worker,* 39
miteinander *together, with each other,* 4
mitfahren *to come along, get a ride,* 10
mitgeben *to give, send along with,* 33

das **Mitglied, −er** *member,* 39
mithaben *to have along, bring along,* 6
mithelfen *to help out,* 14
mitkommen *to come along,* 6
mitmachen *to participate,* 26

der **Mitmensch, −en** *fellow human being,* 40
mitnehmen *to take along,* 8

der **Mitschüler,** − *classmate,* 22

der **Mitspieler,** − *participant,* 28

der **Mittag: zu Mittag essen** *to eat lunch,* 20

das **Mittagessen,** − *lunch,* 20

die **Mittagspause, −n** *lunch-break,* 23

die **Mitte, −n** *middle,* 27

das **Mittelalter** *Middle Ages,* 28

der **Mittelrhein** *middle Rhine,* 38
mitten (in) *in the middle of,* 34

der **Mittwoch** *Wednesday,* 4

die **Möbel** (pl) *furniture,* 19
mochte *liked, cared for,* 20
möchte *would like (to),* 7; möchtest du . . . ? *would you like . . . ?* 36

die **Mode, −n** *fashion, style,* 30; Mode sein *to be in style,* 30

das **Modell, −e** *model,* 30
modern *modern,* 30

das **Mofa, −s (Motorfahrrad)** *mofa,* 37
mogeln *to cheat,* 2
mögen *to like, to care (to have),* 7
möglich *possible,* 34

die **Möglichkeit, −en** *possibility,* 39

der **Molch, −e** *salamander,* 16

die **Molkerei, −en** *dairy,* 38

der **Moment, −e** *moment,* 26; einen Moment *just a moment,* 26

der **Monat, −e** *month,* 12
monatlich *monthly,* 39

der **Montag** *Monday,* 4

das **Moped, −s** *moped,* 37
morgen *tomorrow,* 4

der **Morgen,** − *morning,* 4; guten Morgen! *good morning!* 6

morgens *in the morning,* 13

das **Mosaik** *mosaic,* 38

das **Motiv, -e** *subject,* 30

der **Motor, -en** *motor,* 37

das **Motorfahrzeug, -e** *motor vehicle,* 40

das **Motorrad, ⸚er** *motorcycle,* 37

die **Mücke, -n** *mosquito,* 16

müde *tired,* 26

m ü. d. M. (Meter über dem Meer) *meters above sea level,* 10

muhen *to moo,* 38

der **Müllplatz, ⸚e** *garbage dump,* 40

der **Mumps** *mumps,* 33

der **Mund, ⸚er** *mouth,* 26; **halt den Mund!** *shut up! be quiet!* 26

das **Mundwasser** *mouthwash,* 31

mündlich *oral,* 1

das **Münster, -** *cathedral,* Plate 1

die **Münze, -n** *coin,* 20

das **Museum, Museen** *museum,* 22

die **Musik** *music,* 4

der **Musikant, -en** *musician,* 28

die **Musikkapelle, -n** *band,* 36

die **Musikstunde, -n** *music lesson,* 30

müssen *to have to, must,* 8

musste *had to,* 20

der **Mut** *courage,* 32

die **Mutter, ⸚** *mother,* 3

der **Muttertag, -e** *Mother's Day,* 15

die **Mütze, -n** *cap,* 17

N

na *well,* 5; **na gut!** *well then, OK,* 32; **na und?** *so what?* 31

nach *to,* 10; *after,* 15; *according to,* 36; **es sieht nach Regen aus** *it looks like rain,* 18; **nach Hause** *(towards) home,* 21; **nach oben rennen** *to run upstairs,* 23; **nach (Frankreich)** *to (France),* 29; **ganz nach deiner Fantasie** *leave it up to your imagination,* 36; **fragen nach** *to ask about,* 39

der **Nachbar, -n** *neighbor,* 27

die **Nachbarin, -nen** *neighbor,* 11

die **Nachbarschaft, -en** *neighborhood,* 39

nachgehen *to follow,* 31

nachhelfen *to help along,* 31

nachher *later, afterwards,* 6

die **Nachhilfestunde, -n** *extra help after school,* 35

nachlaufen *to run after, chase,* 32

der **Nachmittag, -e** *afternoon,* 10

nachmittags: Donnerstag nachmittags *on Thursday afternoon(s),* 27

der **Nachname, -n** *last name,* 12

die **Nachrichten** (pl) *news,* 24

nachschauen *to check,* 29

das **Nachschlagen: zum Nachschlagen** *for reference,* 1

nachsehen *to look up, check,* 8

die **Nachspeise, -n** *dessert,* 20

nächst- *next,* 25; **im nächsten Jahr** *next year,* 25; **die nächsten** *the next ones,* 27; **nächsten April** *next April,* 27

die **Nacht, ⸚e** *night,* 6; **gute Nacht!** *good night!* 6; **in der Nacht** *during the night,* 40

der **Nachteil, -e** *disadvantage,* 39

der **Nachttisch, -e** *night table, bedside table,* 19

der **Nachweis, -e** *proof,* 37

der **Nachwuchs** *new employees,* 39

nachziehen *to trace,* 31

der **Nagel, ⸚** *nail,* 25

die **Nagelbürste, -n** *nailbrush,* 31

die **Nagelfeile, -n** *nail file,* 31

der **Nagellack** *nail polish,* 31

die **Nagelschere, -n** *nail scissors,* 31

nah *near,* 23

die **Nähe** *vicinity,* 40; **in der Nähe** *near, in the vicinity of,* 40

nähen *to sew,* 3

s. **nähern** *to approach,* 26

die **Nähmaschine, -n** *sewing machine,* 36

der **Name, -n** *name,* 1

nämlich *namely, that is to say,* 40

die **Narbe, -n** *scar,* 33

naschen *to nibble,* 7

die **Nase, -n** *nose,* 21

nass *wet,* 4

das **Nationalitätszeichen, -** *emblem identifying nationality,* 29

die **Nationalversammlung, -en** *national congress,* Plate 23

die **Natur** *nature,* 24; **in der freien Natur** *in the open air,* 40; **von Natur aus** *naturally,* 31

natürlich *natural(ly),* 30

neben *next to, beside,* 19; *along with, in addition to,* 39

nebeneinander *next to each other,* 8

der **Nebenfluss, ⸚e** *tributary,* 35

nee! (colloquial speech) *no,* 28

negativ *negative(ly),* 40

nehmen *to take,* 4

nein *no,* 1

die **Nelke, -n** *carnation,* 16

nennen *to name, call,* 7

das **Nervensystem, -e** *nervous system,* 40

nervös *nervous,* 27

das **Nest, -er** *nest,* 16

nett *nice,* 10

neu *new,* 6; *newly,* 19; **neu schreiben** *to write over,* 27

neuer: ein Passbild neuren Datums *a recent passport photo,* 39

Neues: was gibt's Neues? *what's new?* 6; **viel Neues kommt auf dich zu** *many new things are coming your way,* 32

neugierig *curious,* 17

neun *nine,* 1

neunzehn *nineteen,* 1

neunzig *ninety,* 4

nicht *not,* 1; **ist das nicht?** *isn't that?* 1; **noch nicht** *not yet,* 13

nichts *nothing,* 6

das **Nichtstun** *doing nothing,* 35

nie *never,* 22; **noch nie** *never yet,* 22

(das) **Niederbayern** *Lower Bavaria,* 28

die **Niederlande** (pl) *the Netherlands,* 29

niedrig *low,* 39

niemand *nobody,* 22

die **Niete: eine Niete!** *a blank!* 36

die **Nikolausparty, -s** *Christmas party,* 32

das **Nikotin** *nicotine,* 32

nobel *noble,* 28

der **Nobelmann, ⸚er** *nobleman,* 28

noch *in addition, besides, still, yet,* 7; **noch einmal (noch mal)** *once again,* 19; **wer mag noch Kartoffelsalat?** *who wants more potato salad?* 7; **noch etwas andres** *something else besides,* 7; **noch ein Cola** *another (glass of) cola,* 7; **noch nicht** *not yet,* 7, 13; **noch immer** *still,* 13; **noch was?** *something else?* 15; **gestern noch** *just yesterday,* 16; **noch nie** *never yet,* 22; **die kommen schon noch** *don't worry, they'll come,* 32; **immer noch** *still,* 33; **noch jemand** *anyone else,* 35; **nur noch** *only,* 37

Nordamerika *North America,* 30

der **Norden** *north,* 18

nördlich *north(erly),* 10

Nordost *northeast,* 18

Nordwest *northwest,* 18

normal *normal,* 9

das **Normal(benzin)** *regular gas,* 29

not: Seefahrt ist not *the call of the sea is irresistible,* 35

die **Note, -n** *grade, mark,* 4

notwendig *necessary,* 39

der **November** *November,* 12

die **Null, -en** *zero,* 9

null: null Uhr dreissig *thirty minutes past midnight,* 22

die **Nummer, -n** *number,* 6

das **Nummernschild, -er** *license plate,* 29

nun *now,* 3

nur *only,* 6; **nur keine Angst!** *don't be afraid!* 29; **wenn ich doch nur 20 Mark gewinnen würde!** *if only I would win 20 marks!* 36; **nur noch** *only,* 37

die **Nuss, ⸚e** *nut,* 7

nützen *to be of use,* 40

das **Nylon** *nylon,* 34

O

ob *if, whether,* 7; **ob es vielleicht wieder meine Mandeln sind?** *I wonder if it's my tonsils again?* 33

oben *upstairs, above,* 23; **nach oben rennen** *to run upstairs,* 23;

hier oben *up here,* 26; dort oben *up there,* 26

obendrauf *on top,* 37

(das) **Oberbayern** *Upper Bavaria,* 1

das **Oberland** *highland, upland,* 23

der **Oberrhein** *upper Rhine,* 38

der **Oberschüler,** − *secondary school student,* 32

der **Oberstudienrat, ⁼e** (rank of teacher in a Gymnasium), 34

der **Obertertianer,** − *ninth grader (in a Gymnasium),* 36

das **Obst** *fruit,* 15

der **Obstgarten, ⁼** *orchard,* 26, 38

obwohl *although,* 27

der **Ochse, −n** *ox,* 36

o. d. (ob der): Rothenburg o. d. Tauber *Rothenburg on the Tauber,* Plate 9

oder *or,* 2; entweder . . . oder *either . . . or,* 37

das **Ödland** *wasteland,* 38

offen *open,* 25; offene Weine *wines sold by the glass,* 25

öffentlich *public,* 40

die **Öffentlichkeit: in der Öffentlichkeit** *in public,* 40

öffnen *to open,* 18

oft *often,* 16

ohne *without,* 10

das **Ohr, −en** *ear,* 31

ohrenbetäubend *deafening,* 36

die **Ohrenschmerzen** (pl) *earache,* 33

oje! *oh dear!* 4

o.k. *okay,* 7

der **Oktober** *October,* 12

das **Oktoberfest** (a yearly festival in Munich), 36

das **Öl** *oil,* 29

die **Öljacke, −n** *slicker,* 35

der **Ölofen, ⁼** *oil stove,* 40

die **Ölsardine, ⁻n** *sardine packed in oil,* 40

der **Ölstand** *oil level,* 29

Olympia *Olympics,* 30

die **Olympiade** *Olympics,* 34

der **Olympiapark** *Olympic grounds,* 37

die **Oma, −s** *grandmother,* 3

der **Onkel,** − *uncle,* 3

der **Opa, −s** *grandfather,* 3

die **Oper, −n** *opera,* 8

die **Operation, −en** *operation,* 33

opfern *to sacrifice,* 35

das **Orangengetränk, −e** *orange drink,* 37

der **Orangensaft, ⁼e** *orange juice,* 25

das **Orchester,** − *orchestra,* 25

ordentlich *neat, orderly,* 32

die **Ordnung, −en** *order, neatness,* 19; geht in Ordnung! *that's fine,* 33

der **Ordungssinn** *sense of organization,* 30

die **Organisation, −en** *organization,* 30

das **Organisationskomitee,** −s *orga-*nizing committee, 25

organisieren *to organize,* 39

die **Orgel, −n** *organ,* 30

der **Orgelspieler,** − *organist,* 30

der **Ort, −e** *place, town,* 23

der **Osten** *east,* 18

das **Österreich** *Austria,* 1

österreichisch (adj) *Austrian,* 22

das **Ostfriesland** *East Frisia,* 1

östlich *east(erly),* 10

die **Ostsee** *Baltic Sea,* 40

oval *oval,* 29

P

das **Paar, −e** *pair,* 9

paar: ein paar *a few, some,* 12

paarmal: ein paarmal *a few times,* 32

das **Päckchen,** − *package,* 17

packen *to grab,* 21

die **Packung, −en** *wrapper, package,* 40

das **Paddel,** − *paddle,* 29

das **Paddelboot, −e** *paddle boat,* 35

die **Palme, −n** *palm tree,* Plate 27

der **Panne, −n** *car breakdown,* 20

das **Papier, −e** *paper,* 4

der **Papierfabrik, −en** *paper factory,* 40

das **Papierkäppi, −s** *paper cap, hat,* 37

der **Papierkorb, ⁼e** *wastebasket,* 40

die **Papierschlange, −n** *(crepe) paper streamer,* 36

der **Pappbecher,** − *paper cup,* 37

die **Pappe** *cardboard, posterboard,* 25

das **Parfüm, −s** *perfume,* 31

der **Park, −s** *park,* 8, 22

parken *to park,* 28

die **Parklücke, −n** *parking space,* 37

der **Parkplatz, ⁼e** *parking lot,* 23

die **Partei, −en** *party,* 39

das **Partizip, −ien** *participle,* 14

der **Partner,** − *partner,* 32

die **Party, −s** *party,* 7

die **Pass, ⁼e** *passport,* 22

das **Passbild, −er** *passport photo,* 37

passen *to fit,* 9; es passt nicht zu deinem Gesicht *it doesn't go with your face,* 17

passend *suitable, appropriate,* 39

passieren *to happen,* 25; was ist dir passiert? *what happened to you?* 33

die **Passkontrolle, −n** *passport check,* 22

die **Passstrasse, −n** *road through a mountain pass,* 23

der **Patient, −en** *patient,* 33

pauken (colloquial) *to cram, study,* 32

die **Pause, −n** *break, recess,* 4; *pause,* 26; Pause machen *to take a break,* 26

das **Pech** *bad luck,* 29; Pech haben *to have bad luck,* 29; Pech gehabt! *bad luck!* 36

der **Pechvogel, ⁼** *unlucky person,* 36

die **Person, −en** *person,* 19; pro Person *per person,* 40

der **Personenkraftwagen** − *car,* 37

die **Perücke, −n** *wig,* 27

der **Petrus** *Saint Peter,* 36

der **Pfad, −e** *path,* 26

das **Pfand, ⁼er** *deposit,* 25

die **Pfaueninsel, −n** *peacock island,* Plate 21

der **Pfennig, −e** (German coin, hundredth part of a mark), 6

das **Pferd, −e** *horse,* 28

der **Pferdewagen,** − *horse-drawn wagon,* 28

der **Pfifferling, −e** (type of mushroom), 26

der **Pfirsich, −e** *peach,* 15

die **Pflanze, −n** *plant,* 16

pflanzen *to plant,* 40

die **Pflaume, −n** *plum,* 15

pflegen *to take care of,* 31

die **Pflicht, −en** *duty, responsibility,* 39; Handschuhtragen ist Pflicht *wearing gloves is mandatory,* 34

pflücken *to pick, pluck,* 23

das **Pfund, −e** *pound,* 15

die **Phantasie** *imagination,* 25

das **Picknick, −s** *picnic,* 26, 29

picknicken *to picnic,* 40

der **Picknickplatz, ⁼e** *picnic area,* 26

piepsen *to peep,* 38

das **Pillerseetal** *Pillersee Valley,* 10

der **Pilz, −e** *mushroom,* 26

die **Pinkepinke** (slang) *money,* 36

die **Pinne, −n** *tiller,* 35

der **Pinsel,** − *paintbrush,* 25; (small) brush, 31

die **Pinzette, −n** *tweezers,* 30

der **Pirat, −en** *pirate,* 36

der **PKW,** − **(Personenkraftwagen)** *car,* 29; PKW-Fahrstunde 45 Min. *45-minute driving lesson,* 37

das **Plakat, −e** *poster,* 25

der **Plan, ⁼e** *plan,* 27

planen *to plan,* 7

das **Planen** *planning,* 29

das **Plastik, −s** *plastic,* 34

die **Plastik, −en** *sculpture,* Plate 20

die **Plastikrose, −n** *plastic rose,* 36

der **Plastiksack, ⁼e** *plastic bag,* 16

platt: einfach platt gefahren *simply drove over it and squashed it,* 26

die **Platte, −n** *record,* 5

der **Plattenladen, ⁼** *record shop,* 5

der **Plattenspieler,** − *record player,* 5

der **Platz, ⁼e** *plaza, public square,* 22; *space,* 10; *place,* 13; *seat,* 22; Platz haben *to have room,* 10; auf die Plätze! fertig! los! *on your mark! get set! go!* 13; Platz nehmen *to take a seat, sit down,* 29; auf dem Platz *in place,* 32

plaudern *to chat,* 25

pleite: pleite sein *to be broke,* 32

plombieren *to fill (a cavity),* 33

plötzlich *suddenly,* 8
plus *plus,* 4
(das) **Polen** *Poland,* 28
die **Polizei** *police,* 37
polizeilich *police; by the police,* 37
das **Polizeirevier, −e** *police precinct,* 37
der **Polizist, −en** *police officer,* 39
Pommes: Pommes frites (pl) *French fries,* 20
das **Popcorn** *popcorn,* 26
die **Pop-Musik** *pops, popular music,* 24
der **Popsänger, −** *pop singer,* 19
populär *popular,* 5
der **Porsche, −** *Porsche (German sports car),* 29
das **Porzellan** *porcelain,* 38
die **Post** *post office,* 12
das **Poster, −s** *poster,* 19
die **Postleitzahl, −en** *zip code,* 12
das **Prädikat: mit Prädikat** *distinguished (wine),* 25
praktisch *practical,* 39
präparieren *to prepare,* 34
die **Präposition, −en** *preposition,* 35
das **Präsens** *present tense,* 25
die **Praxis** *doctor's office,* 33
der **Preis, −e** *price,* 17; *prize,* 25; Gr. Preis DLG (Grosser Preis der Deutschen Landschafts-Gesellschaft) *Grand Prize of the German Agricultural Society,* 25
die **Preiselbeere, −n** *cranberry,* 26
die **Preisübersicht: Preisübersicht der Fahrschule Betz** *schedule of fees at the Betz Driving School,* 37
preiswert *worth the price, economical,* 9
prima! *great!* 7; **ein prima Platz** *a great spot,* 28
die **Primel, −n** *primrose,* 26
das **Prinzenpaar, −e** *"prince" and "princess" for the Fasching season,* 36
die **Prinzessin, −nen** *princess,* 28
privat *private,* 40
pro: Einwohner pro km² *inhabitants per square kilometer,* 38; **pro Person** *per person,* 40
die **Probe, −n** *rehearsal,* 27
proben *to rehearse,* 27
probieren *to try,* 32
der **Produktionsfaktor, −en** *production factor,* 40
produzieren *to produce,* 40
prüfen *to test, check,* 29
der **Profit, −e** *profit,* 25
das **Programm, −e** *program,* 24; **1. Programm** *Channel 1,* 24
das **Prosit: ein Prosit der Gemütlichkeit!** *let's drink to good company and good times!* 25
der **Prospekt, −e** *pamphlet, (travel) folder,* 29
Prost! *cheers!* 20

das **Prozent: 50% (fünfzig Prozent)** *fifty percent,* 39
der **Prüfer, −** *examiner,* 37
die **Prüfung, −en** *test,* 35
der **Puck, −s** *puck,* 34
der **Pudding, −s** *pudding,* 20
s. **pudern** *to put on powder,* 27
der **Pulli, −s** *pullover,* 17
der **Pullover, −** *pullover,* 9
punkt: punkt halb eins *at 12:30 on the dot,* 25
pünktlich *punctual(ly), on time,* 22
die **Puppe, −n** *puppet,* 27
das **Puppenspiel, −e** *puppet show,* 27
putzen *to clean,* 8
s. **putzen: sich die Zähne putzen** *to brush one's teeth,* 31
puzzeln *to do a jigsaw puzzle,* 2
das **Puzzeln** *doing jigsaw puzzles,* 2
das **Puzzlespiel, −e** *jigsaw puzzle,* 2
die **Pyramide, −n** *pyramid,* 36

Q

der **Quadratkilometer, −** *square kilometer,* 35
der **Quadratmeter, −** *square meter,* 35
quaken *to quack,* 38
die **Qual: wer die Wahl hat, hat die Qual** *whoever has a choice also has the difficulty of choosing,* 39
die **Qualität** *quality,* 39
der **Quatsch** *nonsense,* 32
die **Quinta** *sixth grade (at a Gymnasium),* 27
der **Quintaner, −** *sixth grader (at a Gymnasium),* 27

R

die **Radarfalle, −n** *radar trap,* 29
der **Radfahrer, −** *bicycle rider,* 8
der **Radiergummi, −s** *eraser,* 4
das **Radieschen, −** *radish,* 15
das **Radio, −s** *radio,* 5
die **Radtour, −en** *bicycle trip,* 18
der **Radweg, −e** *bicycle path,* 8
der **Rahmen: in grossem Rahmen** *in a formal setting,* 6
rammen *to ram,* 36
ran: geh doch mal ran! *answer the phone, will you?* 6
ranfahren *to drive close to, against,* 37
rapide *rapidly,* 40
der **Rasen, −** *lawn,* 16
der **Rasensprenger, −** *lawn sprinkler,* 16
der **Rasierapparat, −e** *shaver,* 31
(s.) **rasieren** *to shave (o.s.),* 31
das **Rasieren** *shaving,* 31
die **Rasierklinge, −n** *razor blade,* 31
das **Rasierwasser** *shaving lotion,* 31
rasten *to rest,* 38
raten *to guess,* 17

das **Raten** *guessing,* 26
das **Ratespiel, −e** *guessing game,* 7
das **Rathaus, ⸚er** *town hall,* 22
der **Raubvogel, ⸚** *bird of prey,* 26
der **Raum, ⸚e** *room,* 26; **im Raum** *in the vicinity of,* 39
räumen *to clear,* 34
raus *out (of),* 33, 40; **raus aus dem Bett!** *get out of bed!* 23
rechen *to rake,* 16
der **Rechen, −** *rake,* 16
rechnen *to figure,* 39
die **Rechnung, −en** *bill, check,* 20
recht: recht haben *to be right,* 26; **recht so?** *OK like this?* 31; **dem Peter ist das recht** *that's OK with Peter,* 32
recht- *right,* 32
das **Recht, −e** *right,* 39
rechts *right,* 8; *on the right,* 19
die **Rede, −n** *speech,* 25; **eine Rede halten** *to give a speech,* 25
reden *to talk,* 6; **reden über** *to talk about,* 25; **du musst reden!** *you should talk!* 26
die **Redewendung, −en** *expression, idiom,* 31
die **Reederei, −en** *shipping firm,* Plate 19
das **Regal, −e** *shelf,* 39
die **Regel, −n** *rule,* 40; **in der Regel** *as a rule,* 40
regelmässig *regular(ly),* 32
der **Regen, −** *rain,* 18
der **Regenmantel, ⸚** *raincoat,* 8
die **Regenwolke, −n** *rain cloud,* 35
der **Regenwurm, ⸚er** *earthworm,* 16
das **Regenzeug** *raingear,* 35
regieren *to reign, rule,* 36
die **Regierung, −en** *government,* 38
regnen *to rain,* 18; **es regnet** *it's raining,* 18
regnerisch *rainy,* 18
das **Reh, −e** *deer, doe,* 11
s. **reiben** *to rub (o.s.),* 21
reich *rich,* 27; **Herzog Ludwig der Reiche** *Duke Ludwig the Rich,* 28
reichen *to reach, hand,* 20
der **Reifen, −** *tire,* 29
der **Reifendruck** *tire pressure,* 29
die **Reihenfolge, −n** *order, sequence,* 37
rein *pure, clean,* 40
reinfahren *to drive in (to),* 37
reingehen *to go in, fit in,* 29
die **Reinhaltung** *keeping clean, free of pollution,* 40
(s.) **reinigen** *to clean (o.s.),* 31
reinst- *real, perfect,* 36
die **Reise, −n** *trip,* 16; **auf Reisen sein** *to be on a trip,* 16
der **Reiseatlas, −se** *atlas,* 29
der **Reisebroschüre, −n** *travel brochure,* 29
das **Reisebüro, −s** *travel bureau,* 29
reisen *to travel,* 29

der **Reisende, −n** *traveler,* 22
der **Reiseprospekt, −e** *travel folder,* 10
das **Reiseziel, −e** *destination,* 29
die **Reisszwecke, −n** *thumbtack,* 25
reiten *to ride horseback,* 2
das **Reiten** *riding horseback,* 2
der **Reitstall, ⁼e** *riding stable,* 37
der **Reizker, −** *(type of mushroom),* 26
der **Rektor, −en** *principal, director,* 25
der **Rekord, −e** *record,* 30; Rekorde aufstellen *to set records,* 36
rennen *to run,* 23
das **Rennen, −** *race,* 34
reparieren *to repair,* 3
die **Republik: die Deutsche Demokratische Republik** *the German Democratic Republic,* 3
die **Residenz, −n** *living apartments of a bishop or prince,* Plate 16
der **Rest** *rest, remainder,* 26
retten *to save, rescue,* 27
der **Rettich, −e** *radish,* 7
das **Rezept, −e** *prescription,* 33
der **Rhein** *Rhine River,* 40
richten *to fix, adjust,* 8
richtig *right, correct,* 4; *real, proper,* 26; *really,* 37
die **Richtung, −en** *direction,* 18
riechen *to smell,* 31
das **Riesenportion, −en** *giant portion,* 37
riesig *gigantic, huge,* 26
das **Rindfleisch** *beef,* 15
das **Ringlein, −** *little ring,* 28
das **Ripple, −** *smoked pork chop,* 25
der **Ritter, −** *knight,* 28
der **Rivale, −n** *rival,* 27
der **Rock, ⁼e** *skirt,* 17
rodeln *to go sledding,* 34
die **Rolle, −n** *role, part,* 27
rollen *to roll,* 34
der **Rollsitz, −e** *sliding seat,* 35
der **Römer, −** *Roman (citizen),* 35
die **Rose, −n** *rose,* 16
rot *red,* 2
das **Rote Kreuz** *the Red Cross,* 36
der **Rotor** *(carnival ride),* 36
das **Rouge** *rouge,* 31
rüber: gehn wir mal rüber! *let's go over,* 25
der **Rücken, −** *back,* 21
der **Rucksack, ⁼e** *knapsack,* 23
die **Rückseite, −n** *back (side),* 12
die **Rücksicht** *consideration,* 40; Rücksicht nehmen auf *to show consideration,* 40
der **Rücksitz, −e** *back seat,* 29
rückwärts *backwards,* 32; rückwärts fahren *to back up,* 37
das **Ruder, −** *rudder; oar,* 35
rudern *to row,* 35
das **Rudern** *rowing,* 35
der **Ruf** *reputation,* 32
rufen *to call, shout,* 5
die **Ruhe** *quiet, rest,* 10; er liess sich nicht aus der Ruhe bringen *he paid no attention,* 26; lass mich in

Ruh'! *leave me alone!* 31
ruhig *quiet,* 10
das **Ruhrgebiet** *(industrial area in Western Germany),* 38
die **Rumba** *rumba,* 32
der **Rummelplatz, ⁼e** *amusement park,* 36
rund *around, about, approximately,* 30
die **Runde, −n** *loop, circle,* 26; *round,* 36
die **Rüstung, −en** *armor, suit of armor,* 28
die **Rutschbahn, −en** *(carnival ride),* 36

S

das **Saargebiet** *(industrial area in Western Germany),* 38
die **Sache, −n** *thing,* 17; deine Sache *your concern,* 26; 180 Sachen draufhaben *to be driving 180 km/h,* 29
saftig *lush, juicy,* 38
sagen *to say,* 2; kannst du uns bitte sagen . . . ? *can you please tell us . . . ?* 8; sag mal! *say!* 28
sagenhaft *incredible, fabulous,* 32; *sensational, terrific,* 37
der **Salat, −e** *salad, lettuce,* 15
das **Salatblatt, ⁼er** *lettuce leaf,* 37
das **Salz, −e** *salt,* 15
das **Salzwasser** *salt water,* 35
sammeln *to collect,* 26
das **Sammeln** *collecting,* 30
der **Sammler, −** *collector,* 30
die **Sammlung, −en** *collection,* 23
der **Samstag** *Saturday,* 7
der **Sand, −e** *sand,* 21
die **Sandale, −n** *sandal,* 17
sandig *sandy,* 29
satt *full,* 7
der **Satz, ⁼e** *sentence,* 1
das **Satzende, −n** *end of the sentence,* 5
sauber *clean,* 14; die Dekorationen sind sauber! *the decorations are neat!* 25
der **Sauerstoff** *oxygen,* 40
der **Sauerstofferzeuger, −** *producer of oxygen,* 40
der **SB-Laden, ⁼** *self-service store,* 39
das **SB-Warenhaus, ⁼er (Selbstbedienungs-)** *self-service department store,* 39
das **Schach** *chess,* 2
die **Schachtel, −n** *box,* 33
schade! *too bad!* 23
das **Schaf, −e** *sheep,* 38
schaffen *to manage, do,* 38; *to create,* 40; wir haben's geschafft! *we did it!* 27
der **Schaffner, −** *train conductor,* 22
die **Schafweide, −n** *sheep meadow,* Plate 17
schallen *to sound, ring,* 38

schallgedämpft *sound-insulated,* 40
die **Schallplatte, −n** *record,* 30
schalten *to shift,* 37
der **Schalter, −** *booth, window,* 23
die **Schar: in Scharen** *in droves,* 36
scharf *sharp, clear,* 24
schärfen *to sharpen,* 38
der **Schatten, −** *shadow,* 21
der **Schatz, ⁼e** *sweetheart,* 26, 36
die **Schau, −en** *show,* 24
schauen *to look,* 5; schauen auf *to look at,* 26
schaukeln *to swing, sway,* 36
der **Schauspieler, −** *actor,* 27
die **Schauspielerin, −nen** *actress,* 27
die **Scheibe, −n** *puck,* 34; *slice,* 37
der **Schein, −e** *bill, paper money,* 20
scheinen *to shine,* 18; *to seem, appear,* 38
der **Scheinwerfer, −** *headlight,* 8
der **Schellfisch, −e** *shellfish,* 20
schenken *to give as a gift,* 17
die **Schere, −n** *scissors,* 25
die **Scheune, −n** *barn,* 38
scheusslich *dreadful, horrible,* 5
der **Schi, −er** *ski,* 34; Schi fahren *to ski,* 34
die **Schiabfahrt, −en** *ski run,* 40
das **Schi-Ass** *ski ace,* 34
die **Schiausrüstung, −en** *ski outfit and equipment,* 34
die **Schibrille, −n** *ski goggles,* 34
schick *stylish,* 17
schicken *to send,* 13; schicken an *to send to,* 25
schieben *to push,* 23
die **Schiessbude, −n** *shooting gallery,* 36
schiessen *to shoot,* 36
das **Schiessen: du hast das Schiessen gelernt, als das Treffen noch nicht Mode war** *you learned to shoot before hitting the mark came into style,* 36
der **Schifahrer, −** *skier,* 34
das **Schiff, −e** *ship,* 22; im Schiff *amidships,* 35
die **Schiffsschaukel, −n** *(carnival ride),* 36
das **Schigelände, −** *ski area,* 34
der **Schihang, ⁼e** *ski slope,* 34
der **Schikurs, −e** *skiing lessons,* 37; einen Schikurs machen *to take skiing lessons,* 37
der **Schilager, −** *ski lodge,* 34
Schi laufen *to ski,* 10
der **Schiläufer, −** *skier,* 10
das **Schild, −er** *sign,* 8
die **Schildkröte, −n** *turtle,* 11
der **Schilling, −** *shilling (Austrian monetary unit),* 34
die **Schimütze, −n** *ski hat, cap,* 34
der **Schinken, −** *ham,* 15
der **Schipass, ⁼e** *lift ticket,* 34
der **Schipullover, −** *ski sweater,* 34
der **Schistiefel, −n** *ski boot,* 34

schlachten *to slaughter*, 39

der **Schlafanzug, ≃e** *pajamas*, 17

schlafen *to sleep*, 10

der **Schlafsack, ≃e** *sleeping bag*, 29

das **Schlafzimmer, −** *bedroom*, 19

schlagen *to beat, defeat*, 13; *to beat, pound*, 27; *to hit*, 31

der **Schlager, −** *hit tune*, 25; *hit, popular item*, 37

die **Schlagzeile, −n** *headline*, 27

das **Schlagzeug** *drums*, 5

schlampig *sloppy*, 32

die **Schlange, −n** *snake*, 11

der **Schlauch, ≃e** *garden hose*, 16

das **Schlauchboot, −e** *rubber boat*, 29

schlecht *bad*, 5; *der Marita ist schlecht* *Marita feels sick*, 26; *mir ist schlecht* *I feel sick*, 33

Schleswig-Holstein (a state in northern Germany), 35

das **Schleuderballwerfen, −** *slingball contest*, 13

das **Schliessfach, ≃er** *locker*, 22

schliessen *to shut*, 22

schliesslich *finally*, 27

schlimm *bad*, 33

der **Schlitten, −** *sled*, 34; *Schlitten fahren* *to go sledding*, 34

der **Schlittschuh, −e** *ice skate*, 34; *Schlittschuh laufen* *to ice-skate*, 34

das **Schloss, ≃er** *castle*, 26

die **Schlossruine, −n** *castle ruin*, 26

schlucken *to swallow*, 33

der **Schluss: Schluss damit!** *that's enough!* 26; *Schluss machen* *to break up*, 32

der **Schlüssel, −** *key*, 14

schmecken *to taste*, 23

der **Schmerz, −en** *pain*, 33

die **Schmerztablette, −n** *analgesic, pain reliever*, 33

der **Schmetterling, −e** *butterfly*, 16

s. **schminken** *to put on make-up*, 27, 31

das **Schminken** *making up*, 31

schmücken *to decorate*, 28

der **Schmutz** *dirt*, 40

schmutzig *dirty*, 4

die **Schnalle, −n** *buckle*, 34

der **Schnappschuss, ≃e** *snapshot*, 30

schnattern *to cackle (geese)*, 38

die **Schnecke, −n** *snail*, 16

der **Schneepflug, ≃e** *snowplow*, 34

der **Schneewalze, −n** *machine for packing snow on ski slopes*, 34

schneiden *to cut*, 15

der **Schneidezahn, ≃e** *incisor*, 33

schneien *to snow*, 18; *es schneit* *it's snowing*, 18

schnell *fast*, 13

die **Schnellstrasse, −n** *highway*, 29

das **Schnitzel, −** *cutlet*, 20

schnitzen *to carve*, 38

das **Schnitzobjekt, −e** *object to carve on*, 40

der **Schnupfen** *head cold*, 33

die **Schnur, ≃e** *string*, 25

der **Schofför, −e** *chauffeur*, 40

Schoko- (noun prefix) *chocolate*, 37

die **Schokolade, −n** *chocolate*, 23

schon *already*, 1; *schon wieder so soon again*, 7; *ich glaub' schon I think so*, 28; *wie lange machen Sie schon mit? how long have you been taking part, participating?* 28; *die kommen schon noch don't worry, they'll come*, 32; *schon gut! OK!* 32; *that's fine*, 33; *schon immer all along, always*, 39

schön *nice, pretty, beautiful*, 14; *good (weather)*, 18; *okay, good, fine*, 28; *bitte schön! you're welcome*, 8; *etwas Schönes something nice*, 27; *ganz schön heiss quite hot, really pretty hot*, 33; *grüss schön zu Hause! give my regards to your parents!* 33

schonen *to protect*, 31

s. **schonen: sie schont sich die Augen** *she's sleeping (resting her eyes)*, 26

die **Schorle, −n** *wine with soda water*, 25

schönst- : unser Schönster! *our most handsome!* 26; *das Schönste the best part*, 27; *am schönsten nicest of all*, 28

schräg *diagonal(ly)*, 34

der **Schrank, ≃e** *wardrobe*, 19

schrecklich *frightening, horrible*, 24

schreiben *to write*, 4; *schreiben an to write to*, 26

der **Schreibtisch, −e** *desk*, 19

schreien *to scream*, 36, 38; *to call*, 38

der **Schreiner, −** *carpenter*, 19

die **Schrift, −en** *writing*, 30

schriftlich *written, in writing*, 37

der **Schritt, −e** *step, pace*, 13

die **Schubkarre, −n** *wheelbarrow*, 38

schüchtern *shy*, 32

schuften *to work hard*, 37

der **Schuh, −e** *shoe*, 9

der **Schulausflug, ≃e** *school excursion*, 26

der **Schulbeginn** *beginning of school*, 27

die **Schulbildung, −en** *schooling*, 39

schulden *to owe*, 14

der **Schuldirektor, −en** *school director (principal)*, 21

die **Schule, −n** *school*, 4; *zur Schule gehen to go to school*, 16

die **Schulentlassung, −en** *completion of school*, 39

der **Schüler, −** *pupil, student*, 4

der **Schüleraustausch** *student exchange program*, 27

das **Schülerdeutsch** *student slang*, 26

das **Schülertheater, −** *student theater*, 27

der **Schulfreund, −e** *school friend*, 12

das **Schuljahr, −e** *school year*, 27

das **Schulorchester, −** *school orchestra*, 27

die **Schulpartnerschaft** *partnership between schools*, 27

der **Schulraum, ≃e** *schoolroom*, 25

die **Schulsachen** (pl) *school supplies*, 4

der **Schulsport** *school sports*, 13

der **Schulsportfest, −e** *school field day*, 13

der **Schultag, −e** *school day*, 27

die **Schultasche, −n** *schoolbag*, 4

der **Schulwagen, −** *school car*, 37

das **Schulzeugnis, −se** *report card*, 39

schunkeln *to link arms and sway to music*, 36

der **Schuss, ≃e** *shot*, 36

der **Schütze, −n** *marksman*, 28; *Sagittarius*, 32

schwach *weak*, 26

der **Schwamm, ≃e** *sponge*, 4

schwarz *black*, 2

schwarzgefleckt *having black spots*, 38

die **Schwarzweissaufnahme, −** *black-and-white photo*, 30

der **Schwarzweissfernseher, −** *black-and-white TV set*, 24

der **Schwarzweissfilm, −e** *black-and-white film*, 30

schweben *to float (in the air)*, 34

das **Schweigen** *silence*, 26

das **Schwein, −e** *pig*, 38

das **Schweinefleisch** *pork*, 15

das **Schweineschnitzel, −** *pork cutlet*, 26

das **Schweinskotelett, −s** *pork chop*, 15

das **Schweinswürstl, −** *pork sausage*, 36

der **Schweizer, −** *Swiss*, 34

schwer *difficult*, 2; *heavy*, 15; *bad, severe*, 33

schwerfallen *to be difficult*, 35

das **Schwergewicht** *heavy emphasis*, 39

die **Schwerhörigkeit** *hearing loss*, 40

schwerst- : am schwersten *hardest*, 30

das **Schwert, −er** *sword*, 26; *centerboard*, 35

die **Schwester, −n** *sister*, 2

schwierig *difficult*, 30

schwierigst- : am schwierigsten *most difficult*, 30

schwimmen *to swim*, 2; *schwimmen gehen to go swimming*, 6

die **Schwimmflosse, −n** *fin*, 21

der **Schwimmsteg, −e** *floating pier*, 35

die **Schwimmweste, −n** *life jacket*, 35

schwindlig *dizzy*, 36; *mir wird schwindlig I'm getting dizzy*, 36

schwingen *to swing, wave*, 28

die **Schwitzkur, −en** *sweat cure*, 33

der **Schwung: in Schwung bringen** *to put in the mood for a party*, 25

sechs *six*, 1
sechzehn *sixteen*, 1
sechzig *sixty*, 4
der See, **−n** *lake*, 8
die Seefahrt, **−en** *going to sea*, 35
das Segel, **−** *sail*, 35
das Segelboot, **−e** *sailboat*, 35
der Segelklub, **−s** *sailing club*, 35
der Segelkurs, **−e** *sailing course*, 37
der Segellehrer, **−** *sailing instructor*, 35
segeln *to sail*, 35
der Segelunterricht *sailing instruction, lesson*, 35
sehen *to see*, 4; sehen auf *to look at*, 13
sehr *very*, 2
die Seife, **−n** *soap*, 31
sein *to be*, 2
sein *his*, 2; *its*, 5
seit *since*, 27; die Jury war seit einigen Wochen unterwegs *the jury had been traveling around for a few weeks*, 27
seitdem *since then*, 32
die Seite, **−n** *page*, 4; *side*, 19
der Seitenwind *side wind*, 37
seitwärts *sideways*, 32
der Sekt *German champagne*, 25
die Sekunde, **−n** *second*, 13
selber: selber essen macht fett *I don't get fat on what you eat*, 26; am selben Abend *on the same evening*, 37
selbst *myself, yourself, himself, herself, ourselves, yourselves, themselves*, 27
der Selbstbedienungsladen, **−** *self-service store*, 37
die Selbstversorgung *helping yourself (to something)*, 40
selbstvertändlich *naturally, of course*, 20
selten *seldom*, 4
die Semmel, **−n** *roll*, 7
der Sendeschluss *end of broadcasting for the day*, 24
die Sendung, **−en** *broadcast*, 24
der Senf *mustard*, 7
der Senner, **−** *person who tends livestock (and runs dairy) on the Alm*, 38
die Sennhütte, **−n** *building on the Alm, consisting of a stable and living quarters*, 38
die Sensation, **−en** *sensation*, 39
die Sense, **−n** *scythe*, 38
der September *September*, 12
die Serviette, **−n** *napkin*, 14
der Sessel, **−** *armchair*, 19; *seat (of chair lift)*, 34
die Sesselbahn, **−en** *chair lift*, 10
setzen *to set, place*, 19
s. setzen *to sit down*, 21
das Shampoo, **−s** *shampoo*, 31
sicher *sure*, 14
die Sicht *view*, 23

sie *she*, 1; *they*, 2; *her*, 5
Sie *you*, 10; Sie, Herr Fahrer! *hey, driver!* 26
sieben *seven*, 1
siebzehn *seventeen*, 1
siebzig *seventy*, 4
siegen *to win*, 13
der Sieger, **−** *winner, victor*, 34
die Siegerehrung, **−en** *honoring the winner*, 34
das Silber *silver*, 23
die Silvesterparty, **−s** *New Year's Eve party*, 32
die Simpelfransen (pl): streich deine Simpelfransen aus dem Gesicht! *brush your (simpleton's) bangs out of your face*, 26
sind: es sind 48 Kilometer *it is 48 kilometers*, 10
singen *to sing*, 5
das Singen *singing*, 26
die Sirene, **−n** *siren*, 40
sitzen *to sit*, 3
der Sitzplatz, **≈e** *seat*, 28
der Skorpion *Scorpio*, 32
der Slalom, **−s** *slalom race, course*, 34
der Slalomlauf, **≈e** *slalom (race)*, 34
der Smog *smog*, 40
so *so*, 4; *about, approximately*, 30; so schnell wie *as fast as*, 13; so? *really? is that so?* 14; so ein *such a*, 28; so la la *so-so*, 31; ja, so was! *well, can you beat that!* 32; so was Blödes! *how stupid!* 33; so etwas *something like that*, 37
sobald *as soon as*, 21
die Socke, **−n** *sock*, 9
das Sofa, **−s** *sofa, couch*, 19
sofort *right away*, 12
sogar *even*, 10
sogenannt *so-called*, 30
der Sohn, **≈e** *son*, 3
solch- : eine solch- *such a*, 40
der Soldat, **−en** *soldier*, 28
sollen *to be supposed to, ought, should*, 8
sollte *should, was supposed to*, 20
der Sommer, **−** *summer*, 18
der Sommerball, **≈e** *summer dance*, 25
die Sommerferien (pl) *summer vacation*, 21
die Sommerreise, **−n** *summer trip*, 29
Sonder- (noun pref) *special*, 32
sondern *but, on the contrary*, 35; nicht nur . . . sondern auch *not only . . . but also*, 26
das Sonderangebot, **−e** *special order*, 5
der Sonderbus, **−se** *charter bus*, 34
die Sondermarke, **−n** *special-issue stamp*, 30
der Sonnabend *Saturday*, 4
die Sonne, **−n** *sun*, 18
s. sonnen *to sunbathe*, 21
das Sonnen *sunbathing*, 23

der Sonnenbrand, **≈e** *sunburn*, 21
die Sonnenbrille, **−n** *sunglasses*, 8
die Sonnencreme, **−s** *suntan lotion*, 21
das Sonnenlicht *sunlight*, 40
das Sonnenöl, **−e** *suntan oil*, 21
der Sonnenschirm, **−e** *beach umbrella*, 29
sonnig *sunny*, 18
der Sonntag *Sunday*, 20
sonst *otherwise*, 32
die Sorge, **−n** *worry, care*, 20; sich Sorgen machen *to worry*, 20
sorgen für *to take care of*, 11
das Sortiment, **−e** *assortment, selection*, 39
soviel: soviel wie *as much as*, 40
soso *so-so*, 37; soso! *well, what do you know!* 32
sowieso *anyway*, 20
die Sozialleistung, **−en** *employee benefit, social benefit*, 39
(das) Spanien *Spain*, 40
spannend *exciting, interesting*, 24
die Sparbüchse, **−n** *piggy bank*, 38
sparen für *to save for*, 36
sparsam *sparing(ly)*, 40
der Spass *fun*, 8; Spass machen *to be fun*, 8; die Affen machten uns Spass *the monkeys were fun*, 26; ich hab' nur Spass gemacht *I was only kidding*, 35
spät *late*, 25; wie spät ist es? *what time is it? how late is it?* 25
der Spaten, **−** *spade*, 16
später *later*, 4
spätestens *at the latest*, 34; bis spätestens um 11 Uhr *by 11 o'clock at the latest*, 34
die Spätlese *wine made from grapes harvested late in the season*, 25
das Spatzenhirn: du hast ein Spatzenhirn! *you birdbrain!* 26
spazierengehen *to go for a walk*, 4
der Spaziergänger, **−** *walker*, 10
die Speisekarte, **−n** *menu*, 20
das Spektakel, **−** *spectacle*, 28
spenden *to donate*, 25
der Spezi, **−s** (Spezialfreund) *best friend*, 34
der Spiegel, **−** *mirror*, 19
das Spiel, **−e** *game*, 2; *play*, 27
spielen *to play*, 2; *to act*, 27; spielst du mit? *do you want to play?* 2; Theater spielen *to put on a play*, 27
der Spielplatz, **≈e** *playground*, 40
der Spielverderber, **−** *spoilsport*, 32
das Spielzeug, **−e** *toy*, 30
der Spielzeugladen, **≈e** *toy store*, 37
spiessen *to spear*, 26
die Spinne, **−n** *spider*, 16; *(carnival ride)*, 36
die Spitze: die Fete war Spitze *the party was terrific*, 25; an der Spitze *at the head, in front*, 26

der **Spitzer,** −   *pencil sharpener,* 4
der **Spitzname,** −n   *nickname,* 7
der **Sport**   *sport(s),* 2
das **Sportgeschäft,** −e   *sporting-goods store,* 34
der **Sportlehrer,** −   *gym teacher,* 13
der **Sportler,** −   *athlete,* 34
sportlich   *sporty,* 29
der **Sportplatz,** ⁼e   *athletic field,* 13
die **Sportschau,** −en   *sports show,* 24
die **Sprache,** −n   *language,* 35
das **Sprachgebiet: das deutsche Sprachgebiet**   *the German-speaking area,* Map p. xiv
das **Sprachrohr,** −e   *megaphone,* 35
sprechen   *to speak,* 4; **sprechen über**   *to talk about,* 39
die **Sprechstimme,** −n   *speaking voice,* 27
springen   *to jump,* 13
spröde   *coarse, brittle,* 31
der **Sprung,** ⁼e   *jump,* 13
spülen   *to wash (dishes),* 14
die **Spülmaschine,** −n   *dishwasher,* 14
die **Stadt,** ⁼e   *city,* 3
der **Stadtbewohner,** −   *city dweller,* 40
die **Städtemarke,** −n   *stamp commemorating cities,* 30
das **Städtische Theater**   *City Theater,* 27
der **Stadtknecht,** −e   *city guard,* 28
die **Stadtpfarrkirche,** −n   *principal city church,* Plate 14
der **Stadtplan,** ⁼e   *city map,* 8
der **Stahl**   *steel,* 38, 40
das **Stahlwerk,** −e   *steel-works,* Plate 22
der **Stall,** ⁼   *stable,* 38
stammen: stammen aus   *to come from,* 30
der **Standardtanz,** ⁼e   *standard dance,* 32
ständig   *constantly,* 40
stark   *strong,* 18; **stark herabgesetzt**   *greatly reduced,* 40; **starker Lärm**   *loud noise,* 40
starten   *to take off,* 40
die **Station,** −en   *station,* 34
statistisch   *statistical(ly),* 38
stattfinden   *to take place,* 13
der **Staub**   *dust,* 40
die **Staubkonzentration**   *dust concentration,* 40
Std. (Stunde)   *hour,* 23
stechen   *to scorch (sun),* 21
das **Stechen**   (traditional fishermen's game of competing for the catch by pushing each other out of the boat), Plate 27; **das Stechen auf das Ringlein**   *tilting for the ring,* 28
stecken   *to put,* 6; *to stick,* 25; **wo steckst du denn?**   *where have you been keeping yourself?* 28
steckenbleiben   *to get stuck,* 27
das **Steckenpferd,** −e   *hobby horse; hobby,* 30

der **Steg,** −e   *pier,* 35
stehen   *to stand,* 13; **es steht Ihnen gut**   *it looks good on you,* 17; **da steht kein Preis dran**   *there's no price on it,* 17; **an erster Stelle stehen**   *to be in first place,* 30; **wie es auf dem Etikett steht**   *as it says on the label,* 33; **in der Zeitung stehen**   *to be in the newspaper,* 37
stehenbleiben   *to stop, stand still,* 23; *to stall,* 37; **der Motor wäre Ihnen fast stehengeblieben**   *the motor almost died on you,* 37
stehenlassen   *to leave standing, leave behind,* 10
die **Stehlampe,** −n   *standing lamp,* 19
der **Stehplatz,** ⁼e   *standing room,* 28; **da war mir mein Stehplatz lieber**   *so I preferred standing,* 28
steigen   *to rise,* 18; *to climb,* 22; **steigen (auf)**   *to rise, climb (to),* 40
die **Steigung,** −en   *upgrade,* 37
steil   *steep,* 23
der **Steilhang,** ⁼e   *steep slope,* 34
der **Stein,** −e   *stone,* 23
steinig   *stony,* 23
der **Steinpilz,** −e   (type of mushroom), 26
die **Stelle,** −n   *place, spot,* 23; *position,* 39; **an erster Stelle stehen**   *to be in first place,* 30
stellen   *to place, put,* 19; **eine Frage stellen**   *to ask a question,* 4
das **Stellenangebot,** −e   *want ad,* 39
die **Stellengesuche** (pl)   *situations wanted,* 39
die **Stenotypistin,** −nen   *stenotypist,* 39
sterben   *to die,* 40
die **Stereoanlage,** −n   *stereo set,* 37
der **Stern,** −e   *star,* 32
die **Sternkunde**   *astrology,* 32
das **Sternzeichen,** −   *astrological sign,* 32
der **Stich,** −e   *woodcut,* 28
das **Stichwort,** ⁼er   *cue word,* 32
der **Stickstoff**   *nitrogen,* 40
der **Stiefel,** −   *boot,* 17
das **Stiefmütterchen,** −   *pansy,* 16
der **Stier**   *Taurus,* 32
der **Stil,** −e   *style,* 32
still   *still, quiet,* 34
die **Stimme,** −n   *voice,* 2, 5
stimmen: das stimmt   *that's right,* 27
die **Stimmung**   *atmosphere, mood,* 25
die **Stirn,** −en   *forehead,* 21
der **Stock,** ⁼e   *stick,* 26; *(ski) pole,* 34
der **Stock,** −werke   *floor, story,* 19; **im ersten Stock**   *on the second floor,* 19
stöhnen   *to groan,* 33, 35
stolz   *proud,* 23; **stolz sein auf**   *to be proud of,* 40
der **Stolz**   *pride,* 27
die **Stoppeln** (pl)   *stubble,* 36

stoppen   *to stop,* 13
die **Stoppuhr,** −en   *stopwatch,* 13
das **Stop-Zeichen,** −   *stop sign,* 8
stören   *to disturb,* 11
der **Strafzettel,** −   *traffic ticket,* 29
der **Strand,** ⁼e   *shore, beach,* 21
der **Strandkorb,** ⁼e   *wicker beach chair with high back and sides,* Plate 17
die **Strasse,** −n   *street,* 8
der **Strassenarbeiter,** −   *street worker,* 37
die **Strassenbahn,** −en   *streetcar,* 22
die **Strassenecke,** −n   *street corner,* 40
der **Strassenkreuzer,** −   *very big car,* 29
der **Strassenlärm**   *street noise,* 40
das **Strassenschild,** −er   *street sign,* 26
die **Strassenseite,** −n   *side of the street,* 26
der **Strassenverkehr**   *traffic,* 37; *street traffic,* 40
der **Strauch,** ⁼er   *shrub, bush,* 16
streicheln   *to stroke, pet,* 11
s. **streichen: streich dir deine Simpelfransen aus dem Gesicht**   *brush your (simpleton's) bangs out of your face,* 26
die **Streichholzschachtel,** −n   *matchbox,* 40
streiten   *to fight, quarrel,* 29
stricken   *to knit,* 3
der **Strom,** ⁼e   *(big) river,* 40
strömen: strömen auf   *to stream to,* 36
die **Strophe,** −n   *verse, stanza,* 26
der **Strumpf,** ⁼e   *sock, stocking,* 17
die **Strumpfhosen** (pl)   *tights,* 34
das **Stück,** ⁼e   *piece,* 15; *coin, piece (of money),* 20; *play,* 27; **ein kurzes Stück**   *a short way,* 34
die **Studentengruppe,** −n   *student group,* 36
die **Studentin,** −nen   *student,* 19
der **Studienassessor,** −en   *(rank of teacher in a Gymnasium),* 35
studieren   *to study,* 23
der **Stuhl,** ⁼e   *chair,* 19
die **Stunde,** −n   *hour,* 22
der **Stundenplan,** ⁼e   *school schedule,* 4
stürmen   *to storm,* 34
stürzen   *to rush, fall,* 26; **stürzen auf**   *to rush to, fall on,* 26
der **Sturzhelm,** −e   *helmet,* 34
suchen   *to look for,* 10
Südamerika   *South America,* 30
der **Süden**   *south,* 18
südlich   *southerly,* 10
Südost   *southeast,* 18
Südwest   *southwest,* 18
der **Südwestfunk Stuttgart**   *southwestern TV network broadcasting from Stuttgart,* 27
das **Super(benzin)**   *super gas,* 29
der **Supermarkt,** ⁼e   *supermarket,* 14
die **Suppe,** −n   *soup,* 20
der **Suppenlöffel,** −   *soupspoon,* 20

süss *sweet*, 11
die **Süssigkeit**, −en *candy, sweets*, 33
das **Süsswasser** *fresh water*, 35
die **Szene**, −n *scene*, 27

T

die **Tablette**, −n *tablet, pill*, 33
die **Tafel**, −n *blackboard*, 4
der **Tag**, −e *day*, 10; guten Tag!
hello! good day! 6; Tag! *hi! hello!*
6
das **Tagebuch**, ⁼er *journal*, 23
die **Tagesschau**, −en *news show*, 24
die **Tagessuppe**, −n *soup of the day*,
20
die **Tageszeitung**, −en *daily newspaper*, 39
täglich *daily*, 33
tagsüber *during the day*, 27
der **Tagungsort**, −e *convention site*,
Plate 23
das **Tal**, ⁼er *valley*, 10
das **Talent**, −e *talent*, 35
der **Talschi: den Talschi belasten** *to
put weight on the downhill ski*, 34
die **Talwiese**, −n *meadow in a valley*,
38
der **Tango** *tango*, 32
der **Tank**, −s *tank*, 29, 38
tanken *to fill up, buy gas*, 29
die **Tankstelle**, −n *gas station*, 3
der **Tankwart**, −e *gas station attendant*, 26, 28
die **Tanne**, −n *fir tree*, 26
die **Tante**, −n *aunt*, 3
der **Tanz**, ⁼e *dance*, 32; sich zum
Tanz versammeln *to gather for
the dancing*, 28
tanzen *to dance*, 10
das **Tanzen: beim Tanzen** *while dancing*, 25
der **Tänzer**, − *dancer*, 32
die **Tanzfläche**, −n *dance floor*, 32
der **Tanzkreis**, −e *dancing club*, 32
der **Tanzkurs**, −e *dance course*, 32
die **Tanzschiffahrt**, −en *boat trip with
dancing*, 32
die **Tanzschule**, −n *dancing school*,
32
die **Tanztunde**, −n *(ballroom) dancing class*, 31
die **Tasche**, −n *pocketbook*, 17; tote
bag, 22
das **Taschengeld** *allowance*, 32
der **Taschenkalender**, − *pocket calendar*, 29
die **Tasse**, −n *cup*, 14
die **Taste**, −n *bar, key*, 24
die **Tätigkeit**, −en *activity*, 30
tauchen *to dive*, 21; *to dip*, 25
tauschen *to exchange*, 30
das **Tauschen** *exchanging*, 30
tausend *thousand*, 10
das **Taxi**, −s *taxi*, 22

das **Team**, −s *team*, 25
die **Technik** *engineering*, 37
der **Techniker**, − *technician*, 39
technisch *technological(ly)*, 40
der **Teddybär**, −en *teddy bear*, 36
der **Tee**, −s *tea*, 14
der **Teil**, −e *part*, 23; zu einem Teil
partially, in part, 38
das **Teilchen**, − *particle*, 40
die **Teilnahme** *participation*, 37
das **Telefon**, −e *telephone*, 6
das **Telefonbuch**, ⁼er *telephone book*,
6
telefonieren *to telephone*, 6
die **Telefonnummer**, −n *telephone
number*, 32
die **Telefonzelle**, −n *telephone booth*,
6
das **Teleobjektiv**, −e *telephoto lens*,
30
der **Teller**, − *plate*, 20
die **Temperatur**, −en *temperature*, 18
das **Tennis** *tennis*, 2
der **Teppich**, −e *carpet, rug*, 19
die **Terrasse**, −n *terrace*, 26
der **Tesafilm** *transparent tape*, 25
testen *to test*, 39
teuer *expensive*, 5
der **Text**, −e *script*, 27
das **Texten** *script-writing*, 27
die **Textilien** (pl) *textiles*, 38
das **Theater**, − *theater*, 8
das **Theaterstück**, −e *play*, 27
das **Thema, Themen** *subject, topic*, 32
theoretisch *theoretical*, 37
das **Thermometer**, − *thermometer*, 18
die **Theorie**, −n *theory*, 37
das **Tier**, −e *animal*, 11
das **Tierfoto**, −s *animal picture*, 30
die **Tierhandlung**, −en *pet store*, 11
der **Tierpark**, −s *zoo*, 11
die **Tiersendung**, −en *animal program*,
24
der **Tiger**, − *tiger*, 11
das **Tirol** *Tyrol*, 1
der **Tisch**, −e *table*, 14
die **Tischdekoration**, −en *table decoration*, 25
der **Tischgebrauch**, ⁼e *table manners,
customs*, 20
der **Titel**, − *title*, 27
die **Tochter**, ⁼ *daughter*, 3
das **Töchterlein**, − *little daughter*, 25
die **Toilette**, −n *toilet, bathroom*, 19
toll *terrific, great*, 2
die **Tomate**, −n *tomato*, 15
die **Tombola**, −s *raffle, lottery*, 25
der **Ton**, ⁼e *tone, sound*, 24
das **Tonbandgerät**, −e *tape recorder*, 5
die **Tonne**, −n *ton*, 40
das **Tor**, −e *gate*, 26; *slalom gate*, 34
die **Torte**, −n *cake*, 15
tot *dead*, 40
die **Trachtengruppe**, −n *group dressed
in traditional costumes*, 36
traditionell *traditional*, 36
tragen *to wear*, 7; *to carry*, 19

das **Tragen: zum Tragen** *for carrying,
to carry*, 23
trainieren *to train*, 30
das **Training** *practice*, 35
der **Traktor**, −en *tractor*, 38
die **Tram**, −s *streetcar*, 22
transportieren *to transport*, 39
der **Transportwagen**, − *electric cart*,
39
das **Transportwesen** *transportation
(system)*, 38
die **Traube**, −n *grape*, 15
s. **trauen** *to dare, have confidence*,
34
träumen *to dream*, 35
traurig *sad*, 24; etwas Trauriges
something sad, 27
treffen *to hit*, 36
s. **treffen** *to meet*, 32
das **Treffen: du hast das Schiessen
gelernt, als das Treffen noch nicht
Mode war** *you learned to shoot
before hitting the mark came into
style*, 36
der **Treffer**, − *hit, bull's-eye*, 36
der **Treffpunkt: Treffpunkt der Jugend**
where young people get together, 32
treiben *to drive, herd*, 38; Sport
treiben *to go in for sports*, 32;
Viehwirtschaft treiben *to raise livestock*, 38
die **Treppe**, −n *stairs, staircase*, 19
das **Tretboot**, −e *pedalo*, 35
treten *to step*, 27
treu *true, faithful*, 36
die **Tribüne**, −n *grandstand, bleacher*,
28
die **Trinkcreme**, −s *milk drink*, 37
trinken *to drink*, 7
das **Trinken** *drinking; drinks*, 25
das **Trinkgeld**, −er *tip*, 14
trocken *dry*, 31
das **Trockenobst** *dried fruit*, 23
(s.) **trocknen** *to dry (o.s.)*, 31
die **Trollblume**, −n *globe flower*, 26
die **Trompete**, −n *trumpet*, 5
das **Tröpfchen**, − *little drop*, 25
trösten *to comfort*, 20
tschau! *so long!* 6
das **Tuch**, ⁼er *rag*, 35
tun *to do*, 2; zu tun haben mit *to
have to do with*, 35
der **Tunnel**, − *tunnel*, 23
die **Tür**, −en *door*, 19; Tag der offenen Tür *open house*, 39
der **Turm**, ⁼e *tower*, 22
turnen *to do gymnastics*, 13
die **Turnhalle**, −n *gymnasium*, 26
das **Turnier**, −e *jousting tournament*,
28
der **Turnierplatz**, ⁼e *tournament
grounds*, 28
der **Turnschuh**, −e *tennis shoe*, 23
die **Tusche**, −n *India ink*, 25
die **Tüte**, −n *plastic container (for
milk)*, 38
TWS (Tanzschule Wolfgang Steuer)

Wolfgang Steuer Dancing School,
32

der **Typ, —en** *type,* 32

typisch *typical(ly),* 38

U

u. (und) *and,* 20

die **U-Bahn (Untergrundbahn), —en**
subway, 22

üben *to practice,* 27

über *through, by way of,* 10;
above, over, 19; *about,* 25

überall *everywhere,* 36

überhaupt *really, in any case,* 32;
in general, 33; überhaupt nichts
nothing at all, 31; überhaupt nicht
not even, not at all, 34

überholen *to pass,* 8

das **Überholverbot** *no passing,* 37

s. **überlegen** *to think over,* 32; sie
haben es sich anders überlegt *they
changed their minds,* 32

übermorgen *day after tomorrow,*
24

übernachten *to stay overnight,* 14

überqueren *to cross (over),* 8

überraschen *to surprise,* 32

die **Überraschung, —en** *surprise,* 26

überreden *to persuade,* 32, 35

der **Überseehafen, ⸚** *international harbor,* Plate 19

die **Überstunden** (pl) *overtime,* 37

überzeugen *to convince,* 26

übrigens *by the way,* 30

die **Übung, —en** *exercise,* 1

das **Übungsmodell, -e** *practice model,* 39

die **Uhr, —en** *clock,* 22; um 9 Uhr 35
at 9:35, 4; wieviel Uhr ist es? *what
time is it?* 25

die **Uhrzeit, —en** *time by the clock,* 25

um *around,* 18; um 9 Uhr 35 *at
9:35,* 4; um eine halbe Stunde verschieben *to postpone for half an
hour,* 25; um Mitternacht *at midnight,* 25; um . . . zu . . . *in order
to,* 26; um so mehr *all the more,*
36; um das 15fache *fifteenfold,* 40

s. **umdrehen** *to turn around,* 29

die **Umgebung, —en** *area, surroundings,* 40

umgehen: umgehen mit *to deal
with,* 40

umherlaufen *to run around,* 4

umkehren *to turn around,* 8

umrennen *to knock down,* 32

umrühren *to stir,* 20

der **Umschlag, ⸚e** *envelope,* 12

umschalten *to change (channels),*
24

s. **umsehen** *to look around,* 34

umsteigen *to change trains,* 22

umtauschen *to exchange,* 17

der **Umweg, -e** *detour,* 26

die **Umwelt** *environment,* 40

umweltfreundlich *showing consideration for the environment,* 40

der **Umweltverbesserer** *improver of
the environment,* 40

der **Umzug, ⸚e** *parade,* 28

unterwegs *on the way, en route,*
8; die Jury war seit einigen Wochen
unterwegs *the jury had been traveling around for a few weeks,* 27

unabhängig (von) *independent
(of),* 39

unbedingt *absolutely, no matter
what,* 23

unbequem *uncomfortable,* 29

**unbeschrankt: unbeschrankter
Bahnübergang** *railroad crossing
with no gates,* 37

und *and,* 1

uneben: unebene Fahrbahn *rough
pavement,* 37

unentbehrlich *indispensable,* 40

der **Unfall, ⸚e** *accident,* 29

ungefähr *about, approximately,* 32

ungelernt *unskilled,* 39

der **Ungelernte, —n** *unskilled worker,*
39

ungeschickt *clumsy,* 32

ungesund *unhealthy,* 40

die **Uniform, —en** *uniform,* 37

das **Unkraut, ⸚er** *weed,* 16

unnatürlich *unnatural,* 31

uns *us,* 7; *to us, for us,* 17

unser *our,* 5

unten *downstairs, below,* 19

unter *under, below,* 19

unterbrechen *to interrupt,* 26

unterhalb *below,* 28

unterhalten *to entertain,* 10

s. **unterhalten: s. unterhalten (mit)**
to converse (with), 32

unterhaltsam *entertaining,* 24

die **Unterhaltung, —en** *conversation,*
40

das **Unterkunftshaus, ⸚er** *shelter,* 40

der **Unterricht** *class, instruction,* 4

unterrichten *to teach, instruct,* 3

unterschreiben *to sign,* 39

das **Unterseeboot, -e** *submarine,* 2

untersuchen *to examine,* 33

die **Untertertia** *eighth grade (at a
Gymnasium),* 35

die **Unterwäsche** *underwear,* 9

unzufrieden *dissatisfied,* 32, 36

der **Urlaub, -e** *vacation,* 10; im Urlaub *on vacation,* 10; in den
Urlaub *(going) on vacation,* 29; in
Urlaub fahren *to go on vacation,*
29

der **Urlauber, —** *vacationer,* 10

der **Urlaubstag, -e** *day of vacation,*
29

die **Ursache, —n** *cause,* 26; keine
Ursache! *don't mention it! You're
welcome!* 26

usw. (und so weiter) *etc., and so
forth,* 20

V

die **Vase, —n** *vase,* 25

der **Vater, ⸚** *father,* 3

der **Vati, —s** *dad,* 16

das **Veilchen, —** *violet,* 26

s. **verabreden: s. verabreden mit** *to
make a date with,* 32
**verabredet: ich bin schon verab-
redet** *I already have a date,* 32

s. **verabschieden** *to say good-by,* 22

s. **verändern** *to change, be changed,*
32

die **Veränderung, —en** *change,* 40

**verantwortlich: verantworlich sein
für** *to be responsible for,* 39

verarbeiten *to process,* 39

das **Verb, —en** *verb,* 35

verbessern *to improve, correct,* 40

die **Verbform, en** *verb form,* 1

verbieten *to forbid,* 40

verbilligt *reduced in price,* 39

verbinden *to connect,* 22

die **Verbindung, —en** *connection,* 6

verboten *forbidden,* 40

der **Verbrauch** *use, consumption,* 40

verbrauchen *to use, consume,* 40

s. **verbrennen** *to burn o.s.,* 26

verbringen *to spend (time),* 10

verdienen *to earn,* 37

der **Verdienst** *pay, earnings,* 37

verdrehen *to turn,* 31

der **Verein, -e** *club, organization,* 40

verfolgen *to follow, watch,* 28

vergangen: im vergangenen Jahr
in the past year, 30

die **Vergangenheit** *past time,* 25

vergehen *to pass, go by (time),* 26

vergessen *to forget,* 8

vergiften *to poison,* 40

das **Vergissmeinnicht, -e** *forget-me-
not,* 16

vergleichen *to compare,* 10

s. **vergnügen** *to enjoy o.s.,* 25

das **Vergnügen** *pleasure, enjoyment,*
36; hinein ins Vergnügen! *join
the fun!* 36

die **Vergrösserung, —en** *enlargement,*
30

der **Vergrösserungsapparat, -e** *enlarger,* 30

s. **verhalten** *to behave, conduct o.s.,*
37

das **Verhalten** *behavior, conduct,* 37

verhältnismässig *relative(ly),* 38

verheiratet *married,* 25

der **Verkauf** *sale,* 25

verkaufen *to sell,* 25

der **Verkehr** *traffic,* 26

das **Verkehrsmittel, —** *means of transportation,* 22

verkehrsreich *heavily traveled,* 40

das **Verkehrszeichen, —** *traffic sign,* 8

verknipsen *to use up film,* 28

verlangen *to demand, require,* 30

verlängern *to lengthen,* 31

verlesen *to read off,* 25

die **Verlosung, −en** *drawing (in a lottery),* 25
verlassen *to leave (s.th.),* 4
s. **verletzen** *to injure o.s.,* 33
verlieren *to lose,* 2
verlockend (adj) *tempting,* 39
verlorengehen *to be lost, get lost,* 40
vermehren *to increase,* 40
vermieten *to rent (out),* 19
vermindert (adj) *reduced, lowered,* 40
vermitteln *to arrange, provide,* 37
vernünftig *reasonable, sensible, reasonably, sensibly,* 32; vernünftig tanzen lernen *to learn to dance properly,* 32
verpacken *to pack, wrap,* 39
verpackt (adj) *packaged,* 40
verrichten *to do, perform,* 16
s. **verringern** *to lessen, decrease,* 40
verrückt *crazy, insane,* 19
s. **versammeln** *to gather,* 28, 34
s. **verschaffen** *to get, acquire,* 39
verschieben *to postpone,* 25; verschieben auf *to postpone until,* 35
verschieden *various, different,* 18
verschmutzen *to dirty, pollute,* 40
verschmutzt (adj) *dirty, polluted,* 40
die **Verschmutzung** *pollution,* 40
verschneit *snow-covered,* 34
verschönern *to make more beautiful,* 40
verschreiben *to prescribe,* 33
verschwinden *to disappear,* 21
verschwommen *blurry, out-of-focus,* 24
verseucht (adj) *polluted, contaminated,* 40
versorgen: versorgen mit *to provide with,* 39
die **Verspätung, −en** *lateness,* 22
versprechen *to promise,* 36
verstauchen *to sprain,* 33
s. **verstauchen: sich (den Fuss) verstauchen** *to sprain one's foot,* 33
versteckt *hidden,* 2
verstehen *to understand,* 6; verstehen von *to understand, know about,* 31
verstreut *spread out, scattered,* 38
verstummen: verstummen lassen *to silence,* 40
versuchen *to try,* 11
verteilen *to distribute,* 35
der **Vertrag, ±e** *contract,* 39
der **Vertreter, −** *salesperson,* 14
verursachen *to cause,* 18
verwandeln *to change,* 18; *to transform,* 27
der **Verwandte, −n** *relative,* 39
verwaschen *faded,* 9
verwenden *to use,* 40
verwerten *to use, utilize,* 40; es wird wieder verwertet *it is recycled,* 40

verzehren *to devour,* 36
der **Vetter, −n** *boy cousin,* 3
das **Vieh** *livestock,* 38
die **Viehwirtschaft** *raising of livestock,* 38
die **Viehzucht** *breeding of livestock,* 38
viel *much,* 4
viele *many,* 6, 10
vieles *many things, a lot,* 32; vieles mehr *much more,* 10
vielleicht *maybe,* 5; ich sah vielleicht lustig aus! *boy, did I ever look funny!* 33
vier *four,* 1
der **Vierer, −** *four-seater (boat),* 35
viertel *quarter,* 15; drei viertel Pfund *three-quarters of a pound,* 15
das **Viertel: Viertel nach eins** *1:15,* 25; Viertel vor zwei *1:45,* 25; drei Viertel sieben *6:45,* 25; Viertel neun *8:15,* 25
der **Viertel-Pfünder, −** *quarter-pounder,* 37
der **Viervierteltakt** *4/4 time,* 32
vierzehn *fourteen,* 1
vierzig *forty,* 4
der **Viktualienmarkt** *(Munich's great outdoor food market),* Plate 31
der **Vogel, ±** *bird,* 11; einen Vogel haben *to be nuts (cuckoo),* 19
die **Vokabel, −n** *vocabulary word,* 35
das **Volk, ±er** *people, folk,* 28
das **Volksfest, −e** *folk festival,* 36
voll *full,* 22
voller *full of,* 36
der **Volleyball** *volleyball,* 26
vollklimatisiert *fully air-conditioned,* 2
vom (von dem) *from the, of the,* 15; vom letzten Jahr *from last year,* 27; vom Rad fallen *to fall off a bike,* 33
von *from,* 15; *of,* 15; von . . . nach *from . . . to,* 10; östlich von *east of,* 10; von . . . bis zu *from . . . to,* 27; von allen Hobbys *out of all hobbies,* 30
vor *in front of,* 14; *before,* 18; *forward,* 32; vor der Stadt *outside the city limits, on the outskirts of the city,* 28; vor einer Woche *a week ago,* 28
vorankommen *to get ahead,* 39
voraus *ahead,* 13
vorbei- (pref) *by, past,* 23
vorbei: an . . . vorbei *alongside,* 23; vorbei sein *to be over,* 27
vorbeibringen *to bring by, drop off,* 33
vorbeifahren: an etwas vorbeifahren *to drive by s.th.,* 26
vorbeikommen *to pass,* 23; komm doch mal vorbei! *come over sometime!* 28
vorbereiten *to prepare,* 25

s. **vorbereiten: sich vorbereiten auf** *to prepare for,* 36
die **Vorbereitung, −en** *preparation,* 27
das **Vordruckalbum, -alben** *preprinted stamp album,* 30
die **Vorfahrt** *right of way,* 37
das **Vorfahrt-Zeichen, −** *sign indicating right of way,* 8
die **Vorführung, −en** *show, demonstration,* 26
der **Vorgarten, ±** *front yard,* 40
vorgestern *day before yesterday,* 24
vorhaben *to plan to do,* 9
vorhanden: vorhanden sein *to be in existence,* 40
der **Vorhang, ±e** *curtain,* 27
vorher *before,* 27
die **Vorhersage, −n** *forecast,* 18
vorhin *before,* 37
vorkommen: das kam mir Spanisch vor *it was Greek to me,* 26
vorlesen *to read aloud,* 34
vorletzt- *next-to-last,* 39
vormittag: gestern vormittag *yesterday morning,* 20
das **Vormittagsprogramm, −e** *morning program,* 24
vorn *up front,* 26; von vorn *from the beginning,* 5; nach vorn *ahead, toward the front,* 23
der **Vorname, −n** *first name,* 12
der **Vorschlag, ±e** *suggestion,* 35
vorschlagen *to suggest,* 26
die **Vorschrift, −en** *regulation,* 40
Vorsicht! *careful!* 11
vorsichtig *carefully,* 8
die **Vorspeise, −n** *appetizer,* 20
vorstellen *to introduce,* 7
die **Vorstellung, −en** *performance, show,* 36; Vorstellung zur Prüfung *coaching for the test,* 37
das **Vorstellungsgespräch, −e** *interview,* 39
vortanzen: etwas vortanzen *to perform a dance,* 34
der **Vorteil, −e** *advantage,* 30
vorwärts *forward,* 32
vorwurfsvoll *reproachful(ly),* 26
der **VW, −** *Volkswagen,* 10

W

die **Waage** *Libra,* 32
wach *awake,* 23
das **Wachs** *wax,* 34
wachsen *to grow,* 16; *to wax,* 34
wacklig *shaky, wobbly,* 38
die **Waffe, −n** *weapon,* 26
der **Waffensaal, −säle** *armor hall,* 26
der **Wagen, −** *car,* 10
das **Wagenwaschen** *car wash,* 29
die **Wahl, −en** *choice,* 39; wer die Wahl hat, hat die Qual *whoever has a choice also has the difficulty of choosing,* 39

wählen *to dial,* 6; *to elect; to choose,* 25

wahnsinnig: wahnsinnig gut *awfully well,* 35

wahr *true,* 19

während *while,* 26; *during,* 39

das **Wahrzeichen,** – *landmark,* Plate 23

der **Wald, ⸚er** *woods, forest,* 10

die **Waldkunde: Waldkunde machen** *to study nature,* 26

der **Walzer,** – *waltz,* 32

die **Wand, ⸚e** *wall,* 19

der **Wanderer,** – *hiker,* 40

die **Wanderkarte, –n** *map of hiking trails,* 23

wandern *to hike, wander,* 10

die **Wanderung, –en** *hike,* 23

der **Wanderweg, –e** *hiking trail,* 40

die **Wange, –n** *cheek,* 31

wann *when,* 4

die **Wanne, –n** *bathtub,* 31

das **Wappen,** – *coat of arms,* 26

war *was,* 20

wäre *were, would be,* 23; **wenn es . . . wäre** *if it were . . . ,* 23; **wie wär's mit . . . ?** *how about . . . ?* 36; **der Motor wäre Ihnen fast stehengeblieben** *the motor almost died on you,* 37

die **Ware, –n** *article of merchandise,* 39

das **Warenlager,** – *warehouse,* 37

warm *warm,* 18; **etwas Warmes** *something warm,* 7

die **Wärme** *warmth,* 18

warnen *to warn,* 33

warten *to wait,* 6; **warten auf** *to wait for,* 7

der **Wärter,** – *keeper,* 26

warum *why,* 2

was *what,* 2; **was andres** *something else,* 2; **was für Noten** *what kind of marks,* 4; **was für (ein)** *which, what kind of (a.)* 6

die **Wäsche** *wash, laundry,* 14

s. **waschen** *to wash oneself,* 23

der **Waschlappen,** – *washcloth,* 31

die **Waschmaschine, –n** *washing machine,* 19

das **Wasser** *water,* 11

der **Wassermann** *Aquarius,* 32

die **Wassermenge, –n** *amount of water,* 40

wässern: das Boot wässern *to put the boat in the water,* 35

die **Wasserschlacht, –en** *water fight,* 21

der **Wassersport** *water sport,* 35

der **Wassersportler,** – *athlete (in water sports),* 35

der **Wasserstoff** *hydrogen,* 40

der **Wasserverbrauch** *water consumption,* 40

die **Wasserverschmutzung** *water pollution,* 40

der **Wasservorrat, ⸚e** *water supply,* 40

der **Wasserweg, –e** *waterway,* 35

die **Waterkant** (dialect) *seashore,* 35

weben *to weave,* 38

wechseln *to change,* 32; **Geld wechseln** *to exchange money (from one currency to another),* 34

wecken *to wake up,* 23

der **Wecker,** – *alarm clock,* 18

wedeln *to wedeln,* 34

weg *gone,* 33; **das Cola war weg** *the cola was all gone,* 25; **ich muss weg** *I have to go out,* 31; **er kann nicht weg** *he can't get away,* 33

weg- (pref) *away,* 11

der **Weg, –e** *path, way,* 10

weglaufen *to run away,* 11

der **Wegweiser,** – *signpost,* 23

wegwerfen *to throw away,* 19

weh: weh tun *to hurt,* 33; **es tut mir weh** *it hurts me,* 33

wehen *to blow,* 18; *to fly, wave,* 34

s. **wehren** *to defend oneself,* 21

weiblich *feminine,* 22

weich *soft,* 26

die **Weide, –n** *pasture,* 23

das **Weihnachtsgeld** *Christmas bonus,* 39

weil *because,* 20

der **Wein, –e** *wine,* 20

der **Weinbau** *wine-growing,* 38

der **Weinberg, –e** *vineyard,* 26, 38

das **Weinfest, –e** *wine festival,* Plate 26

der **Weinkeller,** – *wine-cellar,* Plate 26

die **Weinlese** *grape harvest,* Plate 24

der **Weisheitszahn, ⸚e** *wisdom tooth,* 33

weiss *white,* 2

der **Weisswein, –e** *white wine,* 20

weit *far,* 13; *full, wide,* 17; **ein weiter Weg** *a long way,* 23; **von weitem** *from far away,* 26; **so weit sein** *to be ready,* 27; **sie haben es nicht weit** *they don't have far to go,* 34

weiter- (pref) *further,* 22

weiterfahren *to travel further, continue on,* 22

weitergehen *to go on, go further,* 22

weitermarschieren *to march on,* 23

weitertragen *to carry further, keep carrying,* 23

welcher *which,* 9

wellig *wavy,* 31

die **Welt, –en** *world,* 28

das **Welttanzprogramm: Weltanzprogramm in erfolgreicher Unterrichtsmethode** *international dances taught by a successful method,* 32

wem *(to, for) whom,* 14

wen *whom,* 4

die **Wende, –n** *turn,* 35; **eine Wende fahren** *to come about (in boating),* 35

wenden *to turn, to come about,* 35

wenig *few, little,* 13; **ein wenig** *a little,* 23

weniger *less,* 13

wenigstens *at least,* 29

wenn *when, whenever, if,* 6

wer *who,* 1; *whoever,* 27

das **Werbematerial, –ien** *advertising material,* 39

werben *to advertise,* 30; **werben für** *to advertise for,* 30

werden *will,* 9; *to become,* 13; **sie wird fünfzehn** *she's turning fifteen,* 17; **gut werden** *to turn out well,* 28; **es wird Zeit** *it's time,* 32; **mir wird schlecht** *I'm getting sick,* 36

werfen *to throw,* 13; **die Pyramide vom Brett werfen** *to knock the pyramid off the board,* 36

die **Werkstatt, ⸚e** *workshop,* Plate 24

das **Werkzeug, –e** *tool, equipment,* 25

die **Wespe, –n** *wasp,* 16

die **Weste, –n** *vest, jacket,* 35

der **Westen** *west,* 18

der **Western,** – *western (movie),* 24

Westfalen (area in western Germany), 38

westlich *westerly,* 10

der **Wettbewerb, –e** *contest, competition,* 27

wetten *to bet,* 5

der **Wetter** *weather,* 18

das **Wetteramt, ⸚er** *weather bureau,* 18

das **Wetterbericht, –e** *weather report,* 18

der **Wettkampf, ⸚e** *match, contest,* 13

wichtig *important,* 14; **etwas Wichtiges** *something important,* 27

der **Widder** *Aries,* 32

wie *how,* 1; *as,* 3, 10; *like,* 3, 19; **wie alt** *how old,* 1; **wie bitte?** *pardon?* 6; **wie geht's?** *how are you?* 6; **wie heisst sie?** *what's her name?* 1; **so schnell wie** *as fast as,* 13

wieder *again,* 5

wiederholen *to repeat,* 27

die **Wiederholung, –en** *review, repetition,* 6

das **Wiederhören: auf Wiederhören!** *good-by! (on phone),* 6; **Wiederhören!** *bye! (on phone),* 6

wiederkriegen *to get back,* 32

das **Wiedersehen: auf Wiedersehen:** *good-by!* 6; **Wiedersehen!** *bye!* 6

wiegen *to weigh,* 15

wiehern *to neigh,* 38

die **Wiese, –n** *lawn,* 21; *meadow,* 26

wissen *to know (facts),* 14; **ich weiss es nicht** *I don't know,* 35

wieso? *why? how come?* 31

wieviel *how many,* 4; *how much,* 5

wievielmal *how many times,* 27

der **Wildwechsel** *animal crossing,* 37
die **Wimperntusche, −n** *mascara,* 31
der **Wind, −e** *wind,* 18
   windig *windy,* 18
das **Windsurfing** *wind-surfing,* 35
   winken *to wave,* 22
der **Winter, −** *winter,* 10
der **Wintersport** *winter sport,* 34
   wir *we,* 2
   wirklich *really,* 10
die **Wirtin, −nen** *innkeeper,* 34
das **Wissen** *knowledge,* 30
   wissenschaftlich *scientific(ally),* 40
der **Witz, −e** *joke,* 34
   witzig *witty, funny,* 32
   wo *where,* 1
die **Woche, −n** *week,* 10
das **Wochenende, −n** *weekend,* 20
   wöchentlich *weekly,* 39
   woher *from where,* 29; woher kommen sie? *where are they from?* 29
   wohin *(to) where,* 8; wohin fahren sie? *where are they going?* 29
das **Wohl: zum Wohl!** *to your health!* 20
   wohl *probably,* 26; *well,* 33
die **Wohlfahrtsmarke, −n** *stamp for the benefit of a worthy cause,* 30
   wohnen *to live,* 1
das **Wohngebiet, −e** *residential district,* 40
das **Wohnhaus, ⸚er** *apartment house,* 30
die **Wohnräume** (pl) *living quarters,* 38
die **Wohnung, −en** *apartment living quarters,* 19
das **Wohnzimmer, −** *living room,* 6, 19
die **Wolke, −n** *cloud,* 15
   wolkenlos *cloudless,* 18
   wolkig *cloudy,* 18
die **Wolle** *wool,* 34
   wollen *to want to,* 8
   wollte *wanted to,* 20
   womit *with what,* 31; womit kann ich dienen? *may I help you?* 33
   woran: woran liegt das? *what's the reason for that?*
das **Wort, ⸚er** *word,* 21
die **Worte** (pl) *words (in context),* 27
   wörtlich *literal(ly),* 31
der **Wortschatz, ⸚e** *vocabulary,* 1
die **Wunde, −n** *wound,* 33
s. **wundern** *to wonder,* 32
   wunderbar *wonderful,* 28
   wunderschön *beautiful(ly),* 28
der **Wunsch, ⸚e** *wish,* 15; haben Sie noch einen Wunsch? *would you like anything else?* 15
   wurde *became, got,* 20
   würde *would,* 23; wir würden bleiben, wenn wir mehr Zeit hätten *we would stay if we had more time,* 23

der **Wurf, ⸚e** *throw,* 36
die **Wurst, ⸚e** *sausage,* 15

Z

die **Zahl, −en** *number,* 1
   zahlen *to pay,* 20; zahlen, bitte! *the check, please,* 20
   zählen *to count,* 25
   zahm *tame, gentle,* 11
der **Zahn, ⸚e** *tooth,* 26, 31
der **Zahnarzt, ⸚e** *dentist,* 33
die **Zahnbürste, −n** *toothbrush,* 31
das **Zähneputzen** *tooth brushing,* 31
die **Zahnpasta, −sten** *toothpaste,* 31
die **Zahnprothese, −n** *denture,* 39
das **Zahnputzglas, ⸚er** *bathroom cup, water glass,* 31
die **Zahnschmerzen** (pl) *toothache,* 33
die **Zahntechnikerin, −nen** *dental technician,* 39
die **Zange, −n** *wire-cutters,* 25
der **Zauberer, −** *magician,* 27
der **Zaubertrunk, ⸚e** *magic potion,* 27
der **Zaun, ⸚e** *fence,* 19
   z. B. (zum Beispiel) *for example,* 39
das **ZDF (das Zweite Deutsche Fernsehen)** *Channel Two (on German TV),* 24
das **Zebra, −s** *zebra,* 11
   zehn *ten,* 1
der **Zehner, −** *10-mark bill,* 32
der **Zehnjährige, −n** *10-year-old (child),* 35
das **Zeichen, −** *sign,* 8
   zeichnen *to draw,* 30
s. **zeigen** *to appear, become apparent,* 25
   zeigen *to show,* 16; zeigen auf *to point to,* 26
die **Zeile, −n** *line (of a text),* 27; *windrow,* 38
die **Zeit, −en** *time,* 13; es wird Zeit *it's time,* 32; zu dieser Zeit *at this time,* 36; zur Zeit *at the present time,* 39
der **Zeitraum** *time span,* 32
die **Zeitung, −en** *newspaper,* 3
der **Zeitvertreib** *pastime,* 30
das **Zelt, −e** *tent,* 29
   zelten: zelten fahren *to go camping,* 29
der **Zentimeter, −** *centimeter,* 9
die **Zentrale, −n** *central office,* 39
   zerreissen *to tear up,* 26
   zerstören *to destroy,* 40
der **Zettel, −** *small piece of paper,* 35
die **Ziege, −n** *goat,* 38
   ziehen *to move, go,* 26; *to pull,* 33; es zieht *there's a draft,* 22; die Wolken ziehen *the clouds are moving,* 35
das **Ziel, −e** *goal,* 13

   zielen *to aim,* 36
   ziemlich *fairly,* 19
die **Zigarette, −n** *cigarette,* 40
das **Zimmer, −** *room,* 14
die **Zimmerpflanze, −n** *house plant,* 40
der **Zollbeamte, −n** *customs official,* 22
der **Zoo, −s** *zoo,* 8; *petstore,* 11
   zu *too,* 5; *to,* 7; *closed,* 20; von zu Hause *from home,* 11; zu Mittag essen *to eat for lunch,* 20; um . . . zu . . . *in order to,* 26; zu Fuss *on foot,* 28; zu Fuss gehen *to walk,* 28; zu Pferd *on horseback,* 28; grüss schön zu Hause! *give my regards to your parents!* 33; zu Ende gehen *to be over,* 36; zu dieser Zeit *at this time,* 36
   zubereiten *to prepare,* 38
   züchten *to breed,* 11; *to grow, raise,* 40
der **Zucker, −** *sugar,* 15
die **Zuckerwatte** *cotton candy,* 36
   zuerst *first,* 4
   zufahren: fahr doch endlich zu! *go ahead!* 29
der **Zug, ⸚e** *train,* 22
der **Zugang: Zugang verboten** *no admittance,* 35
die **Zugbrücke, −n** *drawbridge,* 26
die **Zugnummer, −n** *train number,* 22
die **Zugspitze** *(highest mountain in Germany),* 30
   zuhören *to listen,* 10
der **Zuhörer, −** *listener,* 31
   zukommen: viel Neues kommt auf dich zu *many new things are coming your way,* 32
die **Zukunft** *future,* 39
   zuletzt *finally, last of all,* 12
   zum (zu dem) *to the,* 15; zum Abschied *when saying good-by,* 6; zum Frühstück *for breakfast,* 20; zum Rasieren *for shaving,* 31; zum Beispiel *for example,* 35
   zumachen *to close,* 11
   zunehmen *to increase,* 40
die **Zunge, −n** *tongue,* 26
   zur (zu der) *to the,* 15; zur Zeit *at the present time,* 39
   zurück- (pref) *back,* 8
   zurückbekommen *to get back,* 20
   zurückfahren *to go back,* 8
   zurückgeben *to give back,* 20
   zurückkehren *to go back,* 34; *to return,* 35
   zurücklaufen *to walk back,* 23
   zurücksausen *to speed back,* 40
   zurückstellen *to put back in place,* 19
   zurufen *to call to,* 32
   zusammen *together,* 15
   zusammen- (pref) *together,* 21
   zusammenbinden *to tie together,* 25

die **Zusammenfassung, −en** *summary,* 1

zusammenkommen *to meet, get together,* 25

zusammenpacken *to pack together,* 25

zusammenrechen *to rake up,* 38

zusammensitzen *to sit together,* 23

zusammentragen *to gather,* 40

der **Zuschauer, −** *spectator, audience,* 27

der **Zuschlag** *additional price,* 30

zuschauen *to look on, watch,* 2

zusteuern: zusteuern auf *to head in the direction of,* 32

zwanzig *twenty,* 1

der **Zweck, −e** *purpose,* 37; **es hat keinen Zweck** *it's no use,* 37

zwei *two,* 1

zweimal: zweimal nach München *two tickets to Munich,* 22; **zweimal in der Woche** *twice a week,* 27

zweit- *second,* 28; **im zweiten Stock** *on the third floor (the second story above ground floor),* 19; **den zweiten** *the second (of the month),* 12

der **Zwerg, −e** *dwarf,* 16

die **Zwiebel, −n** *onion,* 37

die **Zwillinge** (pl) *Gemini,* 32

zwischen *between,* 19

zwölf *twelve,* 1

zwölft- *twelfth,* 30

der **Zwölftklässler, −** *twelfth grader,* 25

English-German Vocabulary

This vocabulary includes only the active words in the 24 units of **Unsere Freunde** and the 16 units of **Die Welt der Jugend**. These are the words listed in heavy type at the end of each unit.

German nouns are listed with the definite article and with the plural ending, if any. Following each definition is a numeral that refers to the unit in which the word is first made active. German idioms are listed under the English word or words that the student would be most likely to look up.

English words that have more than one meaning in German (e.g., tight: *fest, eng*) are listed only once, followed by the various German equivalents. To be sure of using a German word correctly in context, students should refer to the unit in which it is introduced.

The following abbreviations are used in this index: adj (adjective), o.s. (oneself), pref (prefix), pl (plural form), s. (sich), s.o. (someone), and s.th. (something).

A

a *ein*, 4; *eine*, 4
ability *das Können*, 30; *die Fähigkeit, –en*, 39
able: to be able *können*, 8; was able *konnte*, 20
aboard: all aboard! *einsteigen!* 22
about *über*, 25; *etwa*, 29; *rund*, 30; *so*, 30; *ungefähr*, 32; to come about (in boating) *wenden*, 35; how about . . . ? *wie wär's mit . . . ?* 36
above *über*, 18
absent: to be absent *fehlen*, 4
accident *der Unfall, ⸚e*, 29
accompany *begleiten*, 36
according: according to *nach*, 36
ace: ski ace *das Schi-Ass*, 34
achievement *die Leistung, –en*, 13
acquaintance *der Bekannte, –n*, 25; *die Bekanntschaft, –en*, 32
acquainted: to be acquainted with *kennen*, 3; to get acquainted with *kennenlernen*, 5
acquire *s. verschaffen*, 39
across: across (from) *gegenüber (von)*, 34
act *spielen*, 27
action *das Handeln*, 40
active *aktiv*, 40
activity *die Beschäftigung, –en*, 30; *die Tätigkeit, –en*, 30; leisure-time activity *die Freizeitbeschäftigung, –en*, 30
actor *der Schauspieler, –*, 27
actress *die Schauspielerin, –nen*, 27
actually *eigentlich*, 23
ad *die Anzeige, –n*, 37; *das Inserat, –e*, 39
addition: in addition *noch*, 7; in addition to *neben*, 39
address *die Anschrift, –en*, 12
adjust *einstellen*, 24
admire *bewundern*, 26
admission *der Eintritt*, 25
admittance: no admittance *Zugang*

verboten, 35
adult *der Erwachsene, –n*, 12
advanced (noun pref) *Fortschritts-* , 32
advantage *der Vorteil, –e*, 30
adviser: job adviser *der Berufsberater, –* , 39
afford *s. leisten*, 29
afraid: to be afraid *Angst haben*, 11; don't be afraid! *nur keine Angst!* 29
after *nach*, 15; after that *danach*, 31; extra help after school *die Nachhilfestunde, –n*, 35; year after year *Jahr für Jahr*, 36
afternoon *der Nachmittag, –e*, 10; on Thursday afternoon(s) *Donnerstag nachmittags*, 27
afterwards *nachher*, 6
again *wieder*, 5; *noch mal*, 6
against *entgegen*, 26; *gegen*, 27; against the traffic *dem Verkehr entgegen*, 26; I'm against it *ich bin dagegen*, 27; to have something/nothing against it *etwas/nichts dagegen haben*, 32; to drive against *ranfahren*, 37
ago: a week ago *vor einer Woche*, 28; that was 6 years ago *das ist jetzt 6 Jahre her*, 30
agree: to agree on *s. einigen auf*, 27; to agree to *einverstanden sein mit*, 27
agreement: to be in agreement with *einverstanden sein mit*, 27
agriculture *die Landwirtschaft*, 38
ahead *nach vorn*, 23; straight ahead *geradeaus*, 8; to be ahead *voraus sein*, 13; to get ahead *vorankommen*, 39
aim *zielen*, 36
air *die Luft, ⸚e*, 8; air mattress *die Luftmatratze, –n*, 21; air traffic *der Flugverkehr*, 40
airplane *das Flugzeug, –e*, 22
airport *der Flughafen, ⸚*, 8
alarm clock *der Wecker, –*, 18
album *das Album, Alben*, 30

alive: to stay alive *am Leben bleiben*, 40
all *alle*, 9; *alles*, 7; who (all) is coming? *wer kommt denn alles?* 7; will that be all? *haben wir's?* 15; all the time *dauernd*, 18; all red *ganz rot*, 21; all of his games *seine ganzen Spiele*, 29; nothing at all *überhaupt nichts*, 31; *gar nichts*, 36; not at all *überhaupt nicht*, 34; all the more *um so mehr*, 36; none at all *gar kein*, 37; all along *schon immer*, 39
allowance *das Taschengeld*, 32
allowed: to be allowed to *dürfen*, 8
almost *fast*, 5
alone *allein*, 16; leave me alone! *lass mich in Ruh'!* 31
along *mit-* (pref), 6; *entlang*, 34; to go along *mitfahren*, 10; along the coast *an der Küste entlang*, 38
Alpine foothills *das Alpenvorland*, 38
Alpine pasture *die Alm, –en*, 38
Alps *die Alpen* (pl), 29
already *schon*, 1
also *auch*, 1
although *obwohl*, 27
aluminum *das Aluminium*, 34
always *immer*, 4; *schon immer*, 39
American (adj) *amerikanisch*, 15
amusement park *der Rummelplatz, ⸚e*, 36
an *ein*, 4; *eine*, 4
analgesic *die Schmerztablette, –n*, 33
and *und*, 1; and so on *usw. (und so weiter)*, 20
angry *böse*, 32
animal *das Tier, –e*, 11; little animal *das Kleintier, –e*, 16
ankle *der Knöchel, –*, 33
annoying *lästig*, 31
another: another (glass of) cola *noch ein Cola*, 7
answer *antworten*, 4; *beantworten*, 12; to answer (an ad) *s. bewerben auf*, 37
answer *die Antwort, –en*, 4

anticipation: the anticipation of *die Freude auf,* 27

any *irgendein,* 36; not any *kein,* 7

anyone *irgendjemand,* 37; anyone else *noch jemand,* 35

anything *irgendetwas,* 37

anyway *sowieso,* 20

anywhere *irgendwo,* 37

apartment *die Wohnung, –en,* 19

apartment house *das Wohnhaus, ̈er,* 30

apparent: to become apparent *s. zeigen,* 25

appear *aussehen,* 7; *s. zeigen,* 25

appendicitis *die Blinddarmentzündung,* 33

appendix *der Blinddarm,* 33

appetite *der Appetit,* 20; hearty appetite! *guten Appetit!* 20

appetizer *die Vorspeise, – n,* 20

applaud *klatschen,* 13

apple *der Apfel, ̈,* 15

appliance *das Gerät, – e,* 40

applicant *der Bewerber, – ,* 39

application: application form *das Anmeldeformular, – e,* 37; letter of application *das Bewerbungsschreiben, – ,* 39

apply *auftragen auf,* 31; *s. anmelden,* 37; to apply for *s. bewerben auf,* 37; *s. bewerben um,* 39

apprentice *der Lehrling, – e,* 32; apprentice position *die Lehrstelle, – n,* 39

apprenticeship *die Lehre, – n,* 39; period of apprenticeship *die Lehrzeit,* 39; occupation requiring apprenticeship *der Lehrberuf, – e,* 39

approach *s. nähern,* 26

appropriate *passend,* 39

approximately *etwa,* 29; *rund,* 30; *so,* 30; *ungefähr,* 32

April *der April,* 12

aquarium *das Aquarium, Aquarien,* 11

area *das Gebiet, – e,* 10; *die Gegend, – en,* 22; *die Fläche, – n,* 23; *die Umgebung, – en,* 40; landscaped area *die Grünanlage, – n,* 40; industrial area *das Industriegebiet, – e,* 40

arm *der Arm, – e,* 21

armchair *der Sessel, – ,* 19

armed forces *die Bundeswehr,* 39

around *um,* 10; *gegen,* 21; *herum-* (pref), 22; *rund,* 30; around three *gegen drei,* 7

arrange *vermitteln,* 37

area: ski area *das Schigelände, – ,* 34

arrival *die Ankunft, ̈e,* 22

arrive *ankommen,* 22

arriving (notation on train schedules) *an,* 22

article *der Artikel, – ,* 27; article of merchandise *die Ware, – n,* 39

as *wie,* 10; *als,* 13; as fast as *so schnell wie,* 13; as if *als ob,* 26; it looked as if *es sah so aus, als ob,* 26; as a boy *als Junge,* 28; as a rule *in der Regel,* 40

ask *fragen,* 4; to ask a question *eine Frage stellen,* 4; to ask for *bitten um,* 8; to ask (to dance) *auffordern,* 32

assignment *die Aufgabe, – n,* 4

aster *die Aster, – n,* 16

astrology *die Sternkunde,* 32

at *an,* 19; *bei,* 15; at 9:35 *um 9 Uhr 35,* 4; at the Müllers' *bei den Müllers,* 14; at this time *zu dieser Zeit,* 36

athlete *der Sportler, – ,* 34; (in water sports) *der Wassersportler, – ,* 35

athletic field *der Sportplatz, ̈e,* 13

atlas *der Reiseatlas, – se,* 29

atmosphere *die Stimmung,* 25

attended: well attended *gut besucht,* 27

attention: pay attention! *bitte einmal herhören!* 27; to pay attention to *achten auf,* 32

attic *der Boden, ̈,* 19; *der Dachboden, ̈,* 19

audience *der Zuschauer, – ,* 27

auditorium *die Aula, – s,* 25

August *der August,* 12

aunt *die Tante, – n,* 3

Austria *das Österreich,* 3

authentic *echt,* 27

automatic *automatisch,* 38

automatic transmission *die Automatik,* 37

awake *wach,* 23

away *weg-* (pref), 11; far away *weit entfernt,* 8; right away *sofort,* 12; a few kilometers away *einige Kilometer entfernt,* 14; to throw away *wegwerfen,* 19; to do away with *beseitigen,* 31

awful *furchtbar,* 33

awfully: why, that's awfully nice! *das ist aber nett!* 10; awfully well *wahnsinnig gut,* 35

B

back *zurück-* (pref), 8; to go back *zurückfahren,* 8; *zurückkehren,* 34; to put back *zurückstellen,* 19; in back *hinten,* 21; back and forth *hin und zurück,* 22; all the way in the back *ganz hinten,* 26; to back up *rückwärts fahren,* 37

back *der Rücken, – ,* 21; back (side) *die Rückseite, – n,* 12; back seat *der Rücksitz, – e,* 29

backwards *rückwärts,* 32

bad *schlecht,* 5; *heftig,* 33; *schlimm,* 33; *schwer,* 33; too bad! *schade!* 23; when I have a bad cold *wenn ich schwer erkältet bin,* 33; bad luck! *Pech gehabt!* 36

bake *backen,* 15

baker *der Bäcker, – ,* 15

bakery *die Bäckerei, – en,* 15; at the bakery *beim Bäcker,* 15

bakeshop *der Bäckerladen, ̈,* 15

balcony *der Balkon, – s,* 40

ballpoint pen *der Kuli, – s,* 4

band *die Band, – s,* 5; *die Musikkapelle, – n,* 36

banana *die Banane, – n,* 15

Band-Aid *das Heftpflaster, – ,* 33

bank *die Bank, – en,* 34; piggy bank *die Sparbüchse, – n,* 38

banner *die Fahne, – n,* 28

bar *die Taste, – n,* 24

barely: barely an hour *ein knappe Stunde,* 34

bark *bellen,* 11

barn *die Scheune, – n,* 38

barometer *das Barometer, – ,* 18

basic *Grund-* (noun pref), 32; basic step *der Grundschritt, – e,* 32

basketball *der Korbball, ̈e,* 2; *der Basketball,* 13

bath *das Bad, ̈er,* 31; to take a bath (s.) *baden,* 31; person who does not like to take a bath *der Bademuffel, – ,* 31

bathe *baden,* 21; to bathe (s.) *baden,* 31

bathing suit *der Badeanzug, ̈e,* 21

bathroom *das Badezimmer, – ,* 19; *die Toilette, – n,* 19

bathroom cup *das Zahnputzglas, ̈er,* 31

bathtub *die Wanne, – n,* 31

Battleship (game) *die Seeschlacht,* 2

Bavaria *das Bayern,* 21

Bavarian *der Bayer, – n,* 35

be *sein,* 2; be (in, at) *s. befinden,* 23; where can they be? *wo bleiben sie bloss?* 32; to be in the newspaper *in der Zeitung stehen,* 37

beach *der Strand, ̈e,* 21; at the beach *beim Baden,* 28

bear *der Bär, – en,* 11

beard *der Bart, ̈e,* 31

beat *schlagen,* 13, 27; well, can you beat that! *ja, so was!* 32

beautiful *schön,* 8; *herrlich,* 10; beautiful(ly) *wunderschön,* 28; to make more beautiful *verschönern,* 40

became *wurde,* 20

because *denn,* 11; *weil,* 20

become *werden,* 13

bed, *das Bett, – en,* 19

bedroom *das Schlafzimmer, – ,* 19

bee *die Biene, – n,* 16

beech tree *die Buche, – n,* 26

beef *das Rindfleisch,* 15

been: where have you been keeping yourself? *wo steckst du denn?,* 28; how long have you been taking part? *wie lange machen Sie schon mit?* 28

beer *das Bier, – e,* 14; a light beer *ein Helles,* 20

before *bevor,* 8; *vor,* 18; *vorher,* 27; *vorhin,* 37

beggar *der Bettler, – ,* 28

begin *beginnen,* 13

beginner *der Anfänger, – ,* 5

beginners: group of beginners *die Anfängergruppe, –n,* 34

beginning *der Anfang, ≃e,* 27; *der Beginn,* 40; from the beginning *von vorn,* 5; at the beginning of March *Anfang März,* 27; in the beginning *am Anfang,* 27

behave *s. verhalten,* 37; to behave o.s. *s. benehmen,* 26

behavior *das Verhalten,* 37; *das Handeln,* 40

behind *hinter,* 19; *hinten,* 21; one behind the other *hintereinander,* 8; from behind *von hinten,* 21

being: to come into being, *entstehen,* 30

believe *glauben,* 2; to believe in *glauben an,* 32

bell *die Glocke, –n,* 38; the bell rings *es läutet,* 4

belong *gehören,* 19

below *unter,* 18

belt *der Gürtel, –,* 9

bench *die Bank, ≃e,* 23

Bernese Alps *das Berner Oberland,* 23

berry *die Beere, –n,* 26

beside *neben,* 19

besides *noch,* 7; *neben,* 39; something else besides *noch etwas andres,* 7

best *best-,* 27; *am besten,* 30; best of all *am liebsten,* 2; to like best *am liebsten haben,* 4; what's the best way to go? *wie fahren wir am besten?* 10; best wishes *alles Gute,* 15; the best part *das Schönste,* 27

bet *wetten,* 5

better *besser,* 13; I'd better write it all down *ich schreib' mal lieber alles auf,* 7

between *zwischen,* 19

beverage *das Getränk, –e,* 20

bicycle *das Fahrrad, ≃er,* 8; bicycle lock *das Fahrradschloss, ≃er,* 8; bicycle path *der Radweg, –e,* 8; bicycle rider *der Radfahrer, –,* 8; bicycle trip *die Radtour, –en,* 18

big *gross,* 7

bill (money) *der Schein, –e,* 20; 10-mark bill *der Zehner, –,* 32

binding *die Bindung, –en,* 34

binoculars *das Fernglas, ≃er,* 8

biology *die Biologie,* 4

bird *der Vogel, ≃,* 11; bird of prey *der Raubvogel, ≃,* 26

birth: place of birth *der Geburtsort, –e,* 39

birthday *der Geburtstag, –e,* 17; birthday card *die Geburtstagskarte, –n,* 17; birthday table *der Geburtstagstisch, –e,* 17; happy birthday! *alles Gute zum Geburtstag!* 17; it's Barbara's birthday *Barbara hat Geburtstag,* 17; for, on your birthday *zu deinem Geburtstag,* 17

bit: a bit *etwas,* 16

bite *beissen,* 11

bitter *bitter,* 33

black *schwarz,* 2; a black eye *ein blaues Auge,* 36

black-and-white: black-and-white TV set *der Schwarzweissfernseher, –,* 24; black-and-white photo *die Schwarzweissaufnahme, –n,* 30; black-and-white film *der Schwarzweissfilm, –e,* 30

blackboard *die Tafel, –n,* 4

blank: a blank! *eine Niete!* 36

blanket *die Decke, –n,* 8

bleacher *die Tribüne, –n,* 28

blond *blond,* 7

blouse *die Bluse, –n,* 17

blow *wehen,* 11

blue *blau,* 2; blue-collar worker *der Arbeiter, –,* 3

blueberry *die Blaubeere, –n,* 26

blurry *verschwommen,* 24

BMW (a German sports car) *der BMW, –s,* 37

board *einsteigen,* 22

boat *das Boot, –e,* 35; rubber boat *das Schlauchboot, –e,* 29; paddle boat *das Paddelboot, –e,* 35

boating: to go boating *Boot fahren,* 35

body: body of water *das Gewässer, –,* 35

boil *kochen,* 18

book *das Buch, ≃er,* 4

bookcase *das Bücherregal, –e,* 19

boot *der Stiefel, –,* 17

border *die Grenze, –n,* 22

boring *langweilig,* 2

borrow *(s.) borgen,* 32

born: to be born *geboren werden,* 38

boss *der Chef, –s,* 33

both *beides,* 37

bother *stören,* 11

bottle *die Flasche, –n,* 23

boutique *die Boutique, –n,* 17

box *die Schachtel, –n,* 33

boy *der Junge, –n,* 1; *der Bub, –en,* 16; boy! *Mensch!* 5

boyfriend *der Freund, –e,* 17

bracelet *das Armband, ≃er,* 17

brag *angeben,* 34

branch (store) *die Filiale, –n,* 37

brand *die Marke, –n,* 29

bread *das Brot, –e,* 15

break *kaputtmachen,* 16; *brechen,* 33; to break camp *aufbrechen,* 23; to break up *Schluss machen,* 32; to break one's (ankle) *s. (den Knöchel) brechen,* 33

break *die Pause, –n,* 26; to take a break *Pause machen,* 26

breakdown (car) *die Panne, –n,* 20

breakfast *das Frühstück, –e,* 20; second breakfast *das zweite Frühstück,* 20; to have breakfast *frühstücken,* 20

breath *der Atem,* 31

breathe *atmen,* 40

breed *züchten,* 11

brewery *die Brauerei, –n,* 36

bring *bringen,* 7; to bring along *mithaben,* 6

brittle *spröde,* 31

broadcast *die Schau, –en,* 24; *die Sendung, –en,* 24; TV broadcast *die Fernsehsendung, –en,* 24

broadcasting: end of broadcasting for the day *der Sendeschluss,* 24

brochure: travel brochure *die Reisebroschüre, –n,* 29

broke: to be broke *pleite sein,* 32

broken *kaputt,* 29

broom *der Besen, –,* 16

brother *der Bruder, ≃,* 2; brothers and sisters *die Geschwister* (pl), 19

brushing: (while) brushing one's teeth *beim Zähneputzen,* 31

brown *braun,* 9

brunet *brünet,* 7

brush: to brush one's teeth *sich die Zähne putzen,* 31

brush: (small) brush *der Pinsel, –,* 31

buckle *die Schnalle, –n,* 34

bug *das Kleintier, –e,* 16

build *basteln,* 2; *bauen,* 25; *herstellen,* 27; to build up *aufbauen,* 30

building *der Bau, –ten,* 38

bull's-eye *der Treffer, –,* 36

bunch *das Bund,* 15

bureau: travel bureau *das Reisebüro, –s,* 29

burn *brennen,* 21; to burn o.s. *s. verbrennen,* 26

bus *der Bus, –se,* 22; bus trip *die Busfahrt, –en,* 10; charter bus *der Sonderbus, –se,* 34

bus stop *die Haltestelle, –n,* 32

bush *der Strauch, ≃er,* 16

business *das Geschäft, –e,* 32; *der Betrieb, –e,* 39; that's none of your business! *das geht dich nichts an!* 26; business people *die Geschäftsleute* (pl), 36

business center *das Geschäftszentrum, –zentren,* 14

but *aber,* 2; *doch,* 27; *sondern,* 35; not only . . . but also *nicht nur . . . sondern auch,* 26

butcher *der Fleischer, –,* 15; butcher shop *die Fleischerei, –en,* 15; *der Fleischerladen, ≃,* 15

butter *die Butter,* 15

butterfly *der Schmetterling, –e,* 16

buy *kaufen,* 5

by *bei,* 6; *bis,* 34; by 11 o'clock at the latest *bis spätestens um 11 Uhr,* 34; by the hand *an der Hand,* 36; by all means *ganz bestimmt,* 39

bye! *tschüs!* 6

C

cabin *die Hütte, –n,* 34

cage *der Käfig, –e,* 11

cake *der Kuchen, –,* 15; *die Torte, –n,* 15

calendar: pocket calendar *der Tasch-enkalender, –, 29*
calf *das Kalb, ⁼er, 38*
call *rufen,* 5; *nennen,* 7; *schreien,* 38; to call up *anrufen,* 6; to call for *abholen,* 21; to call to *zurufen,* 32
called: to be called *heissen,* 1
camera *der Fotoapparat, – e,* 23; *die Kamera, – s,* 30
camp: to camp out *campen,* 29
camping *das Campen,* 29; camping supplies *die Campingsachen (pl),* 29; to go camping *campen fahren,* 29; *zum Campen fahren,* 29; *zelten fahren,* 29
can *können,* 8
can *die Büchse, – n,* 23
canal *der Kanal, Kanäle,* 35
candy *das Konfekt,* 25
cap *die Mütze, – n,* 17; *die Schimütze, – n,* 34
capital city *die Hauptstadt, ⁼e,* 22
car *das Auto, – s,* 3; *der Wagen, –,* 10; *der PKW, –,* 29; *der Personen-kraftwagen, –,* 37
card *die Karte, – n,* 2
cardboard *die Pappe,* 25
care: take care! *mach's gut!* 6; to take care of *sorgen für,* 11; *pflegen,* 31; *s. kümmern um,* 38,
care (to have) *mögen,* 7
careful(ly) *vorsichtig,* 8; careful! *Vorsicht!* 11; to be careful *auf-passen,* 11
carnation *die Nelke, – n,* 16
carousel *das Karussell, – s,* 36
carpenter *der Schreiner, –,* 19
carpet *der Teppich, – e,* 19
carry *tragen,* 19; to carry further *weitertragen,* 23
carton *der Beutel, –,* 15; *der Karton, – s,* 36
case: in any case *überhaupt,* 32
cassette *die Cassette, – n,* 5; cassette recorder *der Cassetten-Recorder, –,* 5
cast: to put in a cast *in Gips legen,* 33
castle *die Burg, – en,* 26; *das Schloss, ⁼er,* 26; castle ruin *die Schloss-ruine, – n,* 26
cat *die Katze, – n,* 11
catalog *der Katalog, – e,* 30; stamp catalog *der Briefmarkenkatalog, – e,* 30
catch: to catch cold *s. erkälten,* 33
cause *verursachen,* 18
cause *die Ursache, – n,* 26
caused: to be caused by *liegen an,* 35
cavity *das Loch, ⁼er,* 33
ceiling *die Decke, – n,* 19
celebrate *feiern,* 25
celebration *die Feier, – n,* 25; *das Fest, – e,* 28
cellar *der Keller, –,* 19
centigrade *Celsius,* 18
centimeter *der Zentimeter, –* (cm), 9
cha-cha-cha *der Cha-cha-cha,* 32

chair *der Stuhl, ⁼e,* 19; chair lift *die Sesselbahn, – en,* 10; reclining garden chair *der Liegestuhl, ⁼e,* 21
chalk *die Kreide,* 4
chance (lottery) *das Los, – e,* 25
change *verwandeln,* 18; *s. verändern,* 32; *wechseln,* 32; (clothes) *s. um-ziehen,* 21; (trains, etc.) *umsteigen* 22; (channels) *umschalten,* 24; they changed their minds *sie haben es sich anders überlegt,* 32
change *die Veränderung, – en,* 40; (money) *das Kleingeld,* 20; some-thing else for a change *mal was andres,* 10
channel: channel 1 1. (erstes) Pro-gramm, 24; channel 2 2. (zweites) Programm, 24
charter: charter bus *der Sonderbus, – se,* 34
chase *nachlaufen,* 32
cheap *billig,* 5
cheat *mogeln,* 2
check *nachsehen,* 8; *nachschauen,* 29; *prüfen,* 29
check *die Rechnung, – en,* 20; the check, please! *zahlen, bitte!* 20
cheek *die Wange, – n,* 31
cheerful *freundlich,* 14; *heiter,* 32
cheers! *prost!* 20
cheese *der Käse, –,* 15
cheeseburger *der Cheeseburger, –,* 37
chemist *der Chemiker, –,* 40
cherry *die Kirsche, – n,* 15
chess *das Schach,* 2
chest: chest of drawers *die Kommode, – n,* 19
chicken *das Hühnchen, –,* 37; roast chicken *das Brathendl, –,* 36
child *das Kind, – er,* 2
childhood disease *die Kinderkrank-heit, – en,* 33
chin *das Kinn, – e,* 21
chin-up *der Klimmzug, ⁼e,* 13
chocolate *die Schokolade, – n,* 23
choice *die Auswahl,* 37; *die Wahl, – en,* 39; whoever has a choice also has the difficulty of choosing *wer die Wahl hat, hat die Qual,* 39
chopped meat *das Hackfleisch,* 15
choose *auswählen,* 24; *wählen,* 25
chosen (adj) *gewählt,* 39
church *die Kirche, – n,* 8
church steeple *der Kirchturm, ⁼e,* 28
cigarette *die Zigarette, – n,* 40
city *die Stadt, ⁼e,* 3; big city *die Grossstadt, ⁼e,* 1; city map *der Stadtplan, ⁼e,* 8; City Theater *das Städtische Theater,* 27; old part of the city *die Altstadt, ⁼e,* 28
clap *klatschen,* 13
class *die Klasse, – n,* 3; *der Unterricht,* 4; (ballroom) dancing class *die Tanzstunde, – n,* 31
classmate *der Klassenkamerad, – en,* 5
classroom *das Klassenzimmer, –,* 4
clean *sauber,* 14; *rein,* 40

clean *putzen,* 8; clean up *aufräu-men,* 19; to clean (o.s.) *s. reinigen,* 31
clear *scharf,* 24; *deutlich,* 26
clear *räumen,* 34
clear out *ausräumen,* 14
climate *das Klima,* 38
climb *klettern,* 11; *steigen,* 22; climb in *einsteigen,* 22; climb down *ab-steigen,* 23; climb (to) *steigen (auf),* 40
clock *die Uhr, – en,* 22
close *zumachen,* 11; *schliessen,* 22
close *nah,* 23; to drive close to *ran-fahren,* 37
closed (adj) *zu,* 20
closely *genau,* 23
closet *der Schrank, ⁼e,* 19
clothing *die Kleidung,* 17
cloud *die Wolke, – n,* 18
cloudless *wolkenlos,* 18
cloudy: partly cloudy *wolkig,* 18; *halbbedeckt,* 18
club *der Verein, – e,* 40
clumsy *ungeschickt,* 32
coal *die Kohle, – n,* 23
coarse *spröde,* 31
coast *die Küste, – n,* 38; along the coast *an der Küste entlang,* 38
coat *der Mantel, ⁼,* 9
coffee *der Kaffee, – s,* 14; coffee spoon *der Kaffeelöffel, –,* 20; to go for a cup of coffee *Kaffeetrinken gehen,* 32
coin *die Münze, – n,* 20
cola *das Cola, – s,* 7
cold *kalt,* 18; something cold *etwas Kaltes,* 7; it's so cold! *so eine Kälte!* 18; cold cuts *der Aufschnitt,* 15
cold *die Erkältung, – en,* 33; to catch cold *s. erkälten,* 33
colleague *die Kollegin, – nen,* 39
collect *einsammeln,* 25; *sammeln,* 26
collecting *das Sammeln,* 30; stamp collecting *das Briefmarkensammeln,* 30
collection *die Sammlung, – en,* 23
collector *der Sammler, –,* 30; stamp collector *der Briefmarkensammler, –,* 30
color *die Farbe, – n,* 2; color TV set *der Farbfernseher, –,* 24; color film *der Farbfilm, – e,* 30; color picture, print *das Farbbild, – er,* 30; in color *farbig* 30; to photograph in color *farbig fotografieren,* 30
colored (adj) *gefärbt,* 31
colored pencil *der Farbstift, – e,* 4
colorful *bunt,* 2
comb: to comb one's hair *s. kämmen,* 21
comb *der Kamm, ⁼e,* 21
come *kommen,* 5; come on! *komm!* 5; to come here *hierherkommen,* 14; to come along *mitkommen,* 6; to come up (to) *heraufkommen,* 19; to come (to) *kommen an,* 23; that

comes to . . . *das macht . . .*, 15; to come to, come upon *kommen auf*, 26; to come toward *entgegenkommen*, 26; come over sometime *komm doch mal vorbei!* 28; to come from *kommen aus*, 29; to come about (in boating) *wenden*, 35; oh, come on! *ach, komm!* 35; to come in *eintreffen*, 39

comedy *die Komödie*, *–n*, 27; *das Lustspiel*, *–e*, 27

comfort *trösten*, 20

comfortable *bequem*, 22

committee *das Komitee*, *–s*, 25

compact *die Compact-Kassette*, *–n*, 31

company *der Besuch*, 36; *der Betrieb*, *–e*, 39; *die Firma, Firmen*, 39

compare *vergleichen*, 10

compartment *das Abteil*, *–e*, 22

competition *der Wettbewerb*, *–e*, 27

complain: to complain about *klagen über*, 33

completely *ganz*, 18

complicated *kompliziert*, 30

compliment *das Kompliment*, *–e*, 31

composition *der Aufsatz*, *≃e*, 4; subject of a composition *das Aufsatzthema*, *–themen*, 19

conceited *eingebildet*, 27, 32

concerned: to be concerned with *s. kümmern um*, 38; *s. befassen mit*, 40

concert *das Konzert*, *–e*, 5

conduct: to conduct o.s. *s. verhalten*, 37

conduct *das Verhalten*, 37

conductor (train) *der Schaffner*, *–*, 22

confetti *das Konfetti*, 36

confidence: to have confidence *s. trauen*, 34

congratulate *gratulieren*, 17

congratulations! *ich gratuliere dir ganz herzlich!* 17

connect *verbinden*, 22

connection *die Verbindung*, *–en*, 6

consequence *die Folge*, *–n*, 40

consideration *die Rücksicht*, 40; to show consideration for *Rücksicht nehmen auf*, 40; showing consideration for the environment *umweltfreundlich*, 40

consist: to consist of *bestehen aus*, 40

console *trösten*, 20

constantly *dauernd*, 18; *ständig*, 40

consume *verbrauchen*, 40

consumption *die Verbrauch*, 40

container *der Becher*, *–*, 15

contaminated *verseucht*, 40

contest *der Wettkampf*, *≃*, 13; *der Wettbewerb*, *–e*, 27

continue *fortsetzen*, 26; to continue to carry *weitertragen*, 23; we continued *weiter ging's*, 26

contract *der Vertrag*, *≃e*, 39

contrast *der Kontrast*, *–e*, 24

contrary: on the contrary *sondern*, 35

contribute: to contribute to *beitra-*

gen, 40

conversation *das Gespräch*, *–e*, 27

converse: to converse (with) *s. unterhalten (mit)*, 32

convince *überzeugen*, 26

cook *kochen*, 20

cool *kühl*, 18; to cool off *abkühlen*, 38

copy *der Abzug*, *≃e*, 30; *die Abschrift*, *–en*, 39

corner *die Ecke*, *–n*, 19

cosmetic: cosmetic article *der Kosmetikartikel*, *–*, 31

correct *richtig*, 4

correct *verbessern*, 40

cost *kosten*, 5

costume *das Kostüm*, *–e*, 27

costumes: group dressed in traditional costumes *die Trachtengruppe*, *–n*, 36

cotton candy *die Zuckerwatte*, 36

cough *der Husten*, 33

could *konnte*, 20; could be *kann sein*, 35; could I . . .? *könnte ich . . .?* 36; if I could, I'd stay here *wenn ich dürfte, würde ich hierbleiben*, 36; it could be *es könnte ja sein*, 38

count *zählen*, 25

counter *der Ladentisch*, *–e*, 37

country *das Land*, *≃er*, 10; in the country *auf dem Land(e)*, 1, 38; foreign country *das Ausland*, 29; to a foreign country *ins Ausland*, 29

country (adj) *ländlich*, 40

courage *der Mut*, 32

course *der Kurs*, *–e*, 32; (food) *das Gericht*, *–e*, 20; main course *das Hauptgericht*, *–e*, 20; dance course *der Tanzkurs*, *–e*, 32; sailing course *der Segelkurs*, *–e*, 37

course: of course! *klar!* 7; *selbstverständlich*, 20; *freilich*, 36

court *der Hof*, *≃e*, 22

courtyard *der Hof*, *≃e*, 26

cousin (boy) *der Vetter*, *–n*, 3; (girl) *die Kusine*, *–n*, 3

cover: to cover (in class) *durchnehmen*, 37

cow *die Kuh*, *≃e*, 23

co-worker *der Mitarbeiter*, *–*, 39

cozy *gemütlich*, 34

crafts: to do crafts *basteln*, 2

cram *pauken*, 32

cramped *eng*, 29

crazy *verrückt*, 19; you're crazy! *du hast einen Vogel!* 19

cream: to skim off the cream *entrahmen*, 38

crew *die Mannschaft*, *–en*, 35

crowd: pushing and shoving crowd *das Gedränge*, 28

cucumber *die Gurke*, *–n*, 15

cup *der Becher*, *–*, 15; *die Tasse*, *–n*, 20

curious *neugierig*, 17

curler *der Lockenwickler*, *–*, 34

curling iron *der Frisierstab*, *≃e*, 31

curly *lockig*, 7

curriculum *der Lehrplan*, *≃e*, 39

curtain *der Vorhang*, *≃e*, 27

custodian *der Hausmeister*, *–*, 25

customer *der Kunde*, *–n*, 14; *die Kundin*, *–nen*, 37

customs official *der Zollbeamte*, *–n*, 22

cut *schneiden*, 16; cut off *abschneiden*, 15

cute *hübsch*, 30

cutlet *das Schnitzel*, *–n*, 20

D

daily *täglich*, 33

dairy *die Molkerei*, *–en*, 38

dairy product *das Milcherzeugnis*, *–se*, 15

damp *feucht*, 38

dance *tanzen*, 10

dance *der Ball*, *≃e*, 25; *der Tanz*, *≃e*, 32; dance course *der Tanzkurs*, *–e*, 32; may I have this dance? *darf ich bitten?* 32; standard dance *der Standardtanz*, *≃e*, 32

dancer *der Tänzer*, *–*, 32

dancing: (ballroom) dancing class *die Tanzstunde*, *–n*, 31; dancing school *die Tanzschule*, 32

danger *die Gefahr*, *–en*, 37

dangerous *gefährlich*, 2

Danube River *die Donau*, 40

dare *s. trauen*, 34

dark *dunkel*, 7; *dunkel-* (pref), 9; *finster*, 23

darkness *die Dunkelheit*, 37

dash: 75-meter dash *der 75-m-Lauf*, 13

dashing *fesch*, 37

date *das Datum, Daten*, 12; *die Dame*, *–n*, 32; to make a date with *s. verabreden mit*, 32

daughter *die Tochter*, *≃*, 3

day *der Tag*, *–e*, 10; good day! *guten Tag!* 6; every day *jeden Tag*, 11; soup of the day *die Tagessuppe*, *–n*, 20; day after tomorrow *übermorgen*, 24; day before yesterday *vorgestern*, 24; during the day *tagsüber*, 27

days: in those days *damals*, 28

dead *tot*, 40

deafening *ohrenbetäubend*, 36

deal: to deal with *s. befassen mit*, 40; *umgehen mit*, 40

dear: Dear Herbert *Lieber Herbert!* 7; Dear Sirs: *Sehr geehrte Herren!* 39

decade *das Jahrzehnt*, *–e*, 40

December *der Dezember*, 12

decide: to decide on *s. entscheiden für*, 37

decision *die Entscheidung*, *–en*, 13

deck: observation deck *die Aussichtsterrasse*, *–n*, 26

decorate *dekorieren,* 19; *schmücken,* 28

decoration *die Dekoration, –en,* 25

decrease *s. verringern,* 40

deer *der Hirsch, –e,* 11

defeat *schlagen,* 13

defend o.s. *s. wehren,* 21

degree *der Grad,* 18; 12 degrees above zero *12 Grad Wärme,* 18

delay *die Verspätung, –en,* 22

delayed: to be delayed *Verspätung haben,* 22

delicious *lecker,* 21

delight *begeistern,* 30

demand *verlangen,* 30

demanding *anspruchsvoll,* 32

demonstration *die Vorführung, –en,* 26

dentist *der Zahnarzt, ⸚e,* 33

depart *abfahren,* 22

departing (notation on train schedules) *ab,* 22

department *die Abteilung, –en,* 39

departure *die Abfahrt, –en,* 22

depend: to depend on *liegen an,* 35

dependent: to be dependent on *angewiesen sein auf,* 38

deodorant *das Deodorant, –s,* 31

descend *absteigen,* 23

describe *beschreiben,* 3

description *die Beschreibung, –en,* 39

design *entwerfen,* 27

desk *der Schreibtisch, –e,* 19

destination *das Reiseziel, –e,* 29

dessert *die Nachspeise, –n,* 20

destination (of an outing) *das Ausflugziel, –e,* 23

destroy *zerstören,* 40

detail *die Einzelheit, –en,* 34

detailed *ausführlich,* 39

detective show *der Krimi, –s,* 24

determine *feststellen,* 39

detour *der Umweg, –e,* 26

developing: to bring for developing *zum Entwickeln bringen,* 30

develop *entstehen,* 30; *entwickeln,* 30

devour *verzehren,* 36

dial *wählen,* 6

diagonal(ly) *schräg,* 34

diary *das Tagebuch, ⸚er,* 23

dictation: English dictation *das Englischdiktat, –e,* 34

did: we did it! *wir haben's geschafft!* 27

die *sterben,* 40; the motor almost died on you *der Motor wäre Ihnen fast stehengeblieben,* 37

different *verschieden,* 18

difficult *schwer,* 2; *schwierig,* 30; most difficult *am schwierigsten,* 30

difficulty: whoever has a choice also has the difficulty of choosing *wer die Wahl hat, hat die Qual,* 39

dinner: to eat dinner *zu Mittag essen,* 20; for dinner (midday meal) *zum Mittagessen,* 20

direct(ly) *direkt,* 38

direction *die Richtung, –en,* 18; in the direction of *in Richtung,* 22; to head in the direction of *zusteuern auf,* 32; in the direction of s.th. *auf etwas zu,* 36

director *der Rektor, –en,* 25

dirt *der Dreck,* 40; *der Schmutz,* 40

dirty *schmutzig,* 4; *verschmutzt,* 40; to make dirty *verschmutzen,* 40

disadvantage *der Nachteil, –e,* 39

disappear *verschwinden,* 21

disappointed *enttäuscht,* 35

discuss *besprechen,* 27; *diskutieren,* 27; *diskutieren über,* 29

dish *das Gericht, –e,* 20

dishes *das Geschirr,* 14

dishwasher *die Spülmaschine, –n,* 14

disinfect *desinfizieren,* 31

disorderly *unordentlich,* 19

dissatisfied *unzufrieden,* 32

distance: in the distance *in der Ferne,* 26

distant *entfernt,* 8

distinct *deutlich,* 26

distribute *verteilen,* 35

disturb *stören,* 11

dive *tauchen,* 21

dizzy *schwindlig,* 36

documentary film *der Dokumentarfilm, –e,* 28

do *tun,* 2; *machen,* 3; *verrichten,* 16; *schaffen,* 38; what does your mother do? *was macht (ist) deine Mutter?* 3; to do one's hair *s. frisieren,* 31; to have to do with *zu tun haben mit,* 35

doctor *der Arzt, ⸚e,* 33; *der Doktor,* 33; at the doctor's *beim Arzt,* 33; Doctor *Herr Doktor,* 33

doe *das Reh, –e,* 11

dog *der Hund, –e,* 11

done: well done! *gut gemacht!* 13

don't: please don't *bitte nicht!* 35

door *die Tür, –en,* 19; front door *die Haustür, –en,* 29

dot: at 12:30 on the dot *punkt halb eins,* 25

double *doppelt,* 37

down *hinunter-* (pref), 13; *unten,* 23; *herunter-* (pref), 25; to ride down the street *die Strasse entlangfahren,* 8; down the mountain *bergab,* 23

downstairs *unten,* 19

dozen *das Dutzend,* 36

draft: there's a draft *es zieht,* 22

draw *malen,* 18; *zeichnen,* 30; to draw on *bemalen,* 25

drawing (in a lottery) *die Verlosung, –en,* 25

dress rehearsal *die Generalprobe, –n,* 27

drill *bohren,* 33

drink *trinken,* 7

drive (a vehicle) *fahren,* 10; drive on *weiterfahren,* 22; drive by: to drive by s.th. *an etwas vorbeifahren,* 26; to drive in (to) *reinfahren,* 37; to

drive close to *ranfahren,* 37

driver *der Fahrer, –,* 26; *die Fahrerin, –nen,* 29; driver's license *der Führerschein, –e,* 37

driving: driving instruction *der Fahrunterricht,* 37; driving instructor *der Fahrlehrer, –,* 37; driving lesson *die Fahrstunde, –n,* 37; driving school *die Fahrschule, –n,* 37

drugstore *die Drogerie, –n,* 37

drums *das Schlagzeug, –e,* 5

dry: to dry o.s. off *s. abtrocknen,* 21; to dry (o.s.) *(s.) trocknen,* 31

dry *trocknen,* 31

duck *die Ente, –n,* 38

duke *der Herzog, ⸚e,* 28

dumb *dumm,* 32

dumpling *der Kloss, ⸚e,* 20

during *während,* 39; during the day *tagsüber,* 27; during vacation *in den Ferien,* 37; during the night *in der Nacht,* 40

dust *der Staub,* 40

Dutchman *der Holländer, –,* 29

duty *die Pflicht, –en,* 39

dweller: city dweller *der Stadtbewohner, –,* 40

dye *färben,* 31

dyed (adj) *gefärbt,* 31

E

each *jeder,* 9; each one *jeder,* 26

eagle *der Adler, –,* 26

ear *das Ohr, –en,* 31

earache *die Ohrenschmerzen* (pl), 33

early *früh,* 23

earn *verdienen,* 37

earnings *der Verdienst,* 37

earth *die Erde,* 16

earthworm *der Regenwurm, ⸚er,* 16

easier: to make easier *erleichtern,* 40

easily *leicht,* 16

east *der Osten,* 18; east (of) *östlich (von),* 10; East Frisia *das Ostfriesland,* 1

easy *leicht,* 2; *einfach,* 29

eat *essen,* 4; (when speaking of animals) *fressen,* 11; to eat supper *zu Abend essen,* 20; to eat up *aufessen,* 36

educational *lehrreich,* 24

egg *das Ei, –er,* 15

eight *acht,* 1

eighteen *achtzehn,* 1

eighty *achtzig,* 4

either: either . . . or *entweder . . . oder,* 37

elect *wählen,* 25

electric *elektrisch,* 31

electronic *elektronisch,* 30

elegant *elegant,* 34

elephant *der Elefant, –en,* 11

eleven *elf,* 1

else: something else *was andres,* 2; something else *noch was?* 15; well then, anything else? *so, bitte!* 15;

would you like anything else? *haben Sie noch einen Wunsch?* 15; anyone else *noch jemand,* 35
employ *einstellen,* 37; *beschäftigen,* 39
employed (adj) *berufstätig,* 39; to be employed *beschäftigt sein,* 37
employment bureau *das Arbeitsamt, ⁼er,* 37
empty *ausräumen,* 14
empty *leer,* 16
enclose *beilegen,* 39
encourage *förden,* 30
end *das Ende,* 21; at the end *am Ende,* 27; at the end of August *Ende August,* 27
endanger *gefährden,* 40
energetic *forsch,* 32
energy *die Energie,* 40
engineer *der Ingenieur, –e,* 16
English (adj) *englisch,* 30
enjoy: enjoy your meal! *guten Appetit!* 20; *Mahlzeit!* 20; to enjoy o.s. *s. vergnügen,* 25
enjoyment *das Vergnügen,* 36
enlargement *die Vergrösserung, –en,* 30
enough *genug,* 10; *genügend,* 35; that's enough! *Schluss damit!* 26; to be enough *ausreichen,* 27
enter *auftreten,* 27
entertain *unterhalten,* 10
entertaining *unterhaltsam,* 24
enthusiastic(ally) *begeistert,* 27
entrance *der Eingang, ⁼e,* 12
envelope *der Umschlag, ⁼e,* 12
environment *die Umwelt,* 40; showing consideration for the environment *umweltfreundlich,* 40
equipment *das Werkzeug, –e,* 25; ski equipment *die Schiausrüstung, –en,* 34
eraser *der Radiergummi, –s,* 4
especially *besonders,* 16
equipped (adj) *ausgerüstet,* 35
etc. *usw. (und so weiter),* 20
Europe *das Europa,* 30
European *europäisch,* 30
even *sogar,* 10; not even *gar nicht,* 23; *nicht einmal,* 26; *überhaupt nicht,* 34
evening *der Abend, –e,* 10; in the evening *am Abend,* 10; this evening *heute abend,* 22
event *das Ereignis, –se,* 25
every *jeder,* 9; every day *jeden Tag,* 11; every three years *alle drei Jahre,* 28; every two days *alle zwei Tage,* 31; every which way *kreuz und quer,* 32
everyone *jeder,* 26
everything *alles,* 7
everywhere *überall,* 36
exact(ly) *genau,* 11
examine *untersuchen,* 33
examiner *der Prüfer, –,* 37
example *das Beispiel,* 35; for example

zum Beispiel, 35; *z. B.,* 39
excerpt *der Ausschnitt, –e,* 27
excellent(ly) *ausgezeichnet,* 9
exchange *umtauschen,* 17; *tauschen,* 30; *wechseln,* 32; student exchange program *der Schüleraustausch,* 27; to exchange money *Geld wechseln,* 34
exchanging *das Tauschen,* 30
exciting *spannend,* 24
excursion: school excursion *der Schulausflug, ⁼e,* 26
excuse *entschuldigen,* 33; excuse me! *Entschuldigung!* 8; excuse me, Miss! *hallo, Fräulein!* 20
excuse *die Ausrede, –n,* 32; *die Entschuldigung, –en,* 33
exercise *Gymnastik machen,* 29
exercises *die Gymnastik,* 29
exist *bestehen,* 39
existence: to be in existence: *vorhanden sein,* 40
expect *erwarten,* 7
expensive *teuer,* 5
experience *erleben,* 10
explain *erklären,* 11
export *ausführen,* 38
extra; extra help after school *die Nachhilfestunde, –n,* 35
eye *das Auge, –n,* 7
eye shadow *der Lidschatten, –,* 31
eyebrow *die Augenbraue, –n,* 31
eyebrow pencil *der Augenbrauenstift, –e,* 31
eyeglasses *die Brille, –n,* 7
eyelash *die Augenwimper, –n,* 31
eyelid *das Augenlid, –er,* 31

F

fabulous *sagenhaft,* 32
face *das Gesicht, –er,* 17
factory *der Industriebetrieb, –e,* 40
Fahrenheit *Fahrenheit,* 18
fair *der Jahrmarkt, ⁼e,* 36; *die Messe, –n,* 36
fairgrounds *die Festwiese, –n,* 36
fall *fallen,* 18
fall *der Herbst,* 18
false *falsch,* 36
familiar *bekannt,* 37; to be familiar with *kennen,* 3
family *die Familie, –n,* 3; the Rutz family *die Familie Rutz,* 16
famous *berühmt,* 27
fantastic(ally) *fantastisch,* 27
fantastic *einmalig,* 28
far *weit,* 8; from far away *von weitem,* 26; they don't have far to go *sie haben es nicht weit,* 34
farm *der Bauernhof, ⁼e,* 26; small farm *der Hof, ⁼e,* 38; on the farm *auf dem Land(e),* 38
farmer *der Landwirt, –e,* 3
fashion *die Mode, –n,* 30
fast *schnell,* 13
fast-food: fast-food restaurant *das*

Billig-Restaurant, –s, 37
fasten *festbinden,* 16; *heften,* 25; *anschnallen,* 34; *befestigen,* 35
father *der Vater, ⁼,* 3
fats: containing fats and oils *fetthaltig,* 31
favor: to be in favor of *dafür sein,* 27
favorable *günstig,* 14
favorite *Lieblings-* (noun pref), 5; well, that's her favorite subject *ja, das Fach hat sie am liebsten,* 4
fear *die Angst, ⁼e,* 11
feather *die Feder, –n,* 38
February *der Februar,* 12
fee *die Gebühr, –en,* 37
feed *das Futter,* 11
feed (animal) *füttern,* 11
feel: to feel like (doing s.th.) *Lust haben (zu),* 7; to feel like having *Lust haben auf,* 21; to feel (well) *s. (wohl) fühlen,* 33; I don't feel well *mir ist nicht gut,* 33
feeling *das Gefühl, –e,* 35
fellow: fellow human being *der Mitmensch, –en,* 40
felt-tipped pen *der Filzschreiber, –,* 25
fence *der Zaun, ⁼e,* 19
festival: folk festival *das Volksfest, –e,* 36
festive(ly) *festlich,* 36
fetch *holen,* 4
fever *das Fieber,* 33
few *wenig,* 13; a few *ein paar,* 12; *einige,* 14; for a few weeks *seit einigen Wochen,* 27; a few times *ein paarmal,* 27
field *das Feld, –er,* 10; athletic field *der Sportplatz, ⁼e,* 13; school field-day *das Schulsportfest, –e,* 13
fifteen *fünfzehn,* 1; 1:15 *Viertel nach eins,* 25; *Viertel zwei,* 25
fifty *fünfzig,* 4
fight *streiten,* 29; *bekämpfen,* 40; to fight (for) *kämpfen (um),* 13
file *feilen,* 31
fill *einfüllen,* 14; *füllen,* 29; (a cavity) *plombieren,* 33; fill up (gas tank) *tanken,* 29
filled (adj) *belegt,* 32
filled-out (document) *ausgefüllt,* 37
film *der Film, –e,* 24; roll of film *der Film, –e,* 26; black-and-white film *der Schwarzweissfilm, –e,* 30; color film *der Farbfilm, –e,* 30
fin *die Schwimmflosse, –n,* 21
finally *endlich,* 9; *zuletzt,* 12; *schliesslich,* 27
financial *finanziell,* 32
find *finden,* 9; to find o.s. *s. befinden,* 23; find out *erfahren,* 27
fine *schön,* 28; fine thanks! *danke, gut!* 6; that's fine *schon gut,* 33
fingernail *der Fingernagel, ⁼,* 31
finished *zu Ende,* 26; we're finished *wir sing fertig,* 2
fir tree *die Tanne, –n,* 26

higher: higher and higher *immer höher,* 26
hike *wandern,* 10
hike *die Wanderung, –en,* 23
hiker *der Wanderer, –,* 40
hiking: map showing hiking trails *die Wanderkarte, –n,* 23; hiking boot *der Bergschuh, –e,* 23
him *ihn,* 5
hire *anstellen,* 38
his *sein,* 2, 5
historical *historisch,* 28
history *die Geschichte,* 4
hit *der Treffer, –,* 36; *der Schlager, –,* 37
hit *schlagen,* 31; *treffen,* 36
hobby *das Hobby, –s,* 7; family hobby *das Familien-Hobby,* 30
hold *halten,* 26; to take hold of *anfassen,* 11; to hold tight *festhalten,* 23; *s. festhalten,* 36; hold on tight! *halt dich fest!* 36; to hold (s.o.) up *aufhalten,* 28
hole *das Loch, ⁼er,* 9
home: from home *von zu Hause,* 11; at home *zu Hause,* 16; go home *nach Hause gehen,* 21
homeroom teacher *die Klassenlehrerin, –nen,* 26
homework *die Hausaufgabe, –n,* 4; she has so much homework! *sie hat so viel auf!* 4
honey *der Honig,* 33
honor *ehren,* 34
horoscope *das Horoskop, –e,* 32
hospital *das Krankenhaus, ⁼er,* 33
hope *hoffen,* 17; I hope *hoffentlich,* 9
hopefully *hoffentlich,* 9
horrible *schrecklich,* 24
horse *das Pferd, –e,* 28
horseback: on horseback *zu Pferd,* 28
hose *der Schlauch, ⁼e,* 16
hot *heiss,* 18; it's so hot! *so eine Hitze!* 18
hotel *der Gasthof, ⁼e,* 14; *das Hotel, –s,* 23
hour *die Stunde, –n,* 22; working hours *die Arbeitszeit, –en,* 39
house *das Haus, ⁼er,* 1; house number *die Hausnummer, –n,* 12; to help in the house *im Haushalt helfen,* 38; open house *Tag der offenen Tür,* 39
house plant *die Zimmerpflanze, –n,* 40
household *der Haushalt, –e,* 38; to help with household chores *im Haushalt helfen,* 38
housewife *die Hausfrau, –en,* 3
how *wie,* 1; how much *wieviel,* 5; how are you? *wie geht's?* 6; how do you like . . . ? *wie gefällt dir . . . ?* 17; how come? *wieso?* 31; how about . . . ? *wie wär's mit . . . ?* 36; how are you? *wie geht's dir?* 37
huge *riesig,* 26
human being: fellow human being *der Mitmensch, –en,* 40

humid *feucht,* 28
hundred *hundert,* 4
hunger *der Hunger,* 7
hungry *hungrig,* 32; to be hungry *Hunger haben,* 7
hurray! *bravo!* 13
hurry *s. beeilen,* 21; *drängen,* 23
hurt *weh tun,* 33; it hurts me *est tut mir weh,* 33
husband *der Mann, ⁼er,* 27

I

I *ich,* 1
ice *das Eis,* 37
ice-cold *eiskalt,* 23
ice cream *das Eis,* 20; to go for ice cream *Eisessen gehen,* 32
ice hockey *das Eishockey,* 34; ice-hockey stick *der Eishockeyschläger,* 34
ice-skate *Schlittschuh laufen,* 34
ice skate *der Schlittschuh, –e,* 34
idea *die Ahnung, –en,* 8; *die Idee, –n,* 8
ideal *ideal,* 10
identification: (numbers, letters, symbols) *das Kennzeichen, –,* 29; (automobile) *das Autokennzeichen, –,* 29; (nationality) *das Nationalitätszeichen, –,* 29
if *wenn,* 6; *ob,* 7
illustration *die Abbildung, –en,* 27
imagination *die Fantasie,* 36; leave it up to your imagination *ganz nach deiner Fantasie,* 36
import *einführen,* 38; *importieren,* 39
important *wichtig,* 14
improve *verbessern,* 40
in *in,* 1; (motion toward the speaker) *herein- (pref),* 36; (motion away from the speaker) *hinein- (pref),* 36; in the afternoon *am Nachmittag,* 10; in March *im März,* 25; in 1975 *im Jahre 1975,* 28; in it, in that *darin,* 31
incline: steep incline *der Abhang, ⁼e,* 23
increase *ansteigen,* 40; *vermehren,* 40; *zunehmen,* 40
incredible *sagenhaft,* 32
india ink *die Tusche, –n,* 25
individual (adj) *einzeln,* 27; the individual *der einzelne,* 40
industrial: industrial area *das Industriegebiet, –e,* 40
industrious *fleissig,* 25
industry *die Industrie, –n,* 38
infect *anstecken,* 33
infection *die Entzündung, –en,* 33; throat infection *die Halsentzündung, –en,* 33
influence *beeinflussen,* 18
information *die Auskunft, ⁼e,* 8; *die Information,* 39; to ask for informa-

tion *um Auskunft bitten,* 8; tourist information office *das Fremdenverkehrsbüro, –s,* 10
inhabitant *der Bewohner, –,* 40
inherit *erben,* 19
injure o.s. *s. verletzen,* 33
injury: knee injury *die Kniewunde, –n,* 33
inn *der Gasthof, ⁼e,* 14
innkeeper *der Gastwirt, –e,* 3; *die Wirtin, –nen,* 34
inquire: to inquire about *fragen nach,* 39
insect *das Insekt, –en,* 16
instruct *unterrichten,* 3
instruction *der Unterricht,* 4; *die Anweisung, –en,* 26; sailing instruction *der Segelunterricht,* 35; driving instruction *der Fahrunterricht,* 37
instructor: sailing instructor *der Segellehrer, –,* 35; driving instructor *der Fahrlehrer, –,* 37
instrument *das Instrument, –e,* 5
intend *beabsichtigen,* 34
interest *das Interesse, –n,* 39
interested: to be interested in *s. interessiern für,* 30; *interessiert sein an,* 39
interesting *interessant,* 2
international *international,* 29
intersection *die Kreuzung, –en,* 8
interrupt *unterbrechen,* 26
interview *das Interview, –s,* 28; *das Vorstellungsgespräch, –e,* 39
interviewer *der Interviewer, –,* 28
into *in,* 19
introduce *vorstellen,* 7
invention *die Erfindung, –en,* 40
invitation *die Einladung, –en,* 7; invitation card *die Einladungskarte, –n,* 7
invite *einladen,* 7
iron *mangeln,* 14
it *es,* 3
Italian *der Italiener, –,* 34
Italien (adj) *italienisch,* 29
item: popular item *der Schlager, –,* 37
its *sein,* 5

J

jacket *die Jacke, –n,* 9
January *der Januar,* 12
jeans *die Jeans* (pl), 9; jeans shop *der Jeans-Shop, –s,* 9
jerk: you jerk! *du blöder Kerl!* 29
job *der Job, –s,* 37; vacation job *der Ferienjob, –s,* 37; person who has a job *der Berufstätige, –n,* 38; job adviser *der Berufsberater, –,* 39; job training *die Berufsausbildung,* 39
joke *der Witz, –e,* 34
journal *das Tagebuch, ⁼er,* 23
judge *bewerten,* 27
juice *der Saft, ⁼e,* 20

juicy *saftig*, 38
July *der Juli*, 12
jump *springen*, 13
jump *der Sprung*, ⁼e, 13
June *der Juni*, 12; June bug *der Maikäfer*, –, 16
junk *der Kram*, 19
jury *die Jury*, –s, 27
just *eben*, 13; *gerade*, 14; *bloss*, 23; *erst*, 23; I'll just ask *ich frag' mal*, 5; it's just 3 now *es ist grad erst drei*, 7; just yesterday *gestern noch*, 16; he is just now (doing . . .) *er ist gerade dabei*, 34

K

kayak *der Kajak*, –s, 35
keep *behalten*, 11; *aufheben*, 17; where have you been keeping yourself? *wo steckst du denn?* 28; to keep open *freihalten*, 32; to keep (pigs) *(Schweine) halten*, 38
keeper *der Wärter*, –, 26
ketchup *der Ketchup*, 37
key *der Schlüssel*, –, 14; *die Taste*, –n, 24
kidding: I was only kidding *ich hab' nur Spass gemacht*, 35
kilogram *das Kilogramm*, –, 15
kilometer *der Kilometer*, – (km), 10; it's 48 kilometers *es sind 48 Kilometer*, 10
kind: what kind of (a) *was für (ein)*, 6
king *der König*, –e, 26
kitchen *die Küche*, –n, 3
knapsack *der Rucksack*, ⁼e, 23
knee *das Knie*, –, 33
knife *das Messer*, –, 20
knit *stricken*, 3
knob *der Knopf*, ⁼e, 24
knock: to knock down *umrennen*, 32
knot *der Knoten*, –, 35
know *kennen*, 3; (facts) *wissen*, 14; to get to know *kennenlernen*, 5; to know about *verstehen von*, 31; well, what do you know! *soso!* 32; I don't know *ich weiss es nicht*, 35; I know something *ich kann etwas*, 39
knowledge *das Wissen*, 30

L

label *das Etikett*, –e, 33
ladder *die Leiter*, –n, 16
ladies: ladies and gentlemen *meine Damen und Herren*, 36
lady *die Dame*, –n, 32
ladybug *der Marienkäfer*, –, 16
lake *der See*, –n, 8
Lake Constance *der Bodensee*, 29
lamb *das Lamm*, ⁼er, 38
lamp *die Lampe*, –n, 19; floor lamp *die Stehlampe*, –n, 19; night-table lamp *die Nachttischlampe*, –n, 19

land: to land on *landen auf*, 26
landscape *die Landschaft*, –en, 40
language *die Sprache*, –n, 35
last *letzt-* , 26; last of all *zuletzt*, 12; last name *der Nachname*, –n, 12; last week *letzte Woche*, 14; from last year *vom letzten Jahr*, 27; last year *im letzten Jahr*, 29
late *spät*, 25; to be late *Verspätung haben*, 22; how late is it? *wie spät ist es?* 25
lateness *die Verspätung*, –en, 22
later *später*, 4; *nachher*, 6
latest: at the latest *spätestens*, 34; by 11 o'clock at the latest *bis spätestens um 11 Uhr*, 34
Latin *das Latein*, 35
laugh *lachen*, 26; to laugh at *auslachen*, 31; to laugh o.s. sick *s. kaputtlachen*, 32
laughter *das Lachen*, 27
laundry *die Wäsche*, 14
law *das Gesetz*, –e, 40
lawn *der Rasen*, –, 16; *die Wiese*, –n, 21; lawn sprinkler *der Rasensprenger*, –, 16
lay *legen*, 16
lazy *faul*, 31
leaf *das Blatt*, ⁼er, 16; lettuce leaf *das Salatblatt*, ⁼er, 37
learn *lernen*, 4; *einstudieren*, 27; to learn s.th. in addition *etwas hinzulernen*, 32
least: at least *wenigstens*, 29
leather *das Leder*, 34
leave *verlassen*, 4; *lassen*, 23; to leave behind *stehenlassen*, 10; *liegenlassen*, 40; leave me alone! *lass mich in Ruh'!* 31; leave it up to your imagination *ganz nach deiner Fantasie*, 36
left *links*, 8; *link-* , 32; on the left *links*, 19; to the left *nach links*, 8
leg *das Bein*, –e, 21
leisure time *die Freizeit*, 30; leisure-time activity *die Freizeitbeschäftigung*, –en, 30
lemon soda *die Limonade*, –n, 20; *die Limo*, –s, 37
lend *leihen*, 32
length: length of time *die Dauer*, 39
lengthen *verlängern*, 31
leopard *der Leopard*, –en, 11
less *weniger*, 13
lessen *s. verringern*, 40
lesson: driving lesson *die Fahrstunde*, –n, 37; music lesson *die Musikstunde*, –n, 30; sailing lesson *der Segelunterricht*, 35; skiing lessons *der Schikurs*, –e, 37; to take skiing lessons *einen Schikurs machen*, 37
let *lassen*, 26
letter *der Brief*, –e, 12; letter carrier *der Briefträger*, –, 12; letter of application *das Bewerbungsschreiben*, –, 39
lettuce *der Salat*, –e, 15; lettuce leaf

das Salatblatt, ⁼er, 37
let's: let's go! *auf geht's!* 36
license: driver's license *der Führerschein*, –e, 37; to get a driver's license *den Führerschein machen*, 37
license plate *das Nummernschild*, –er, 29
lie *liegen*, 10; lie down on *s. legen auf*, 21; *s. hinlegen*, 33
life *das Leben*, –, 25; in life *im Leben*, 25
life jacket *die Schwimmweste*, –n, 35
life-threatening *lebensgefährlich*, 40
lift *heben*, 4; lift the receiver *den Hörer abnehmen*, 6
light *hell-* (pref), 9; *leicht*, 17; a light beer *ein Helles*, 20
lighting *die Beleuchtung*, 25; ceiling lighting fixture *die Deckenleuchte*, –n, 25
lightning *blitzen*, 18
lightning *der Blitz*, –e, 18
like *gern haben*, 5; *mögen*, 7; to like to play *gern spielen*, 2; he would like (to) *er möchte*, 7; I would like *ich möchte gern*, 15; would you like anything else? *haben Sie noch einen Wunsch?* 15; I like it *es gefällt mir*, 17; how do you like . . . ? *wie gefällt dir . . . ?* 17; would you like (an ice cream)? *hättest du Lust auf (ein Eis)?* 36; would you like . . . ? *möchtest du . . . ?* 36
like *wie*, 19; it looks like rain *es sieht nach Regen aus*, 18; something like that *so etwas*, 37
liked *mochte*, 20
lily of the valley *das Maiglöckchen*, –, 16
limited *begrenzt*, 40
line *die Zeile*, –n, 27; *die Linie*, –n, 32; to stand in line *s. anstellen*, 34
lion *der Löwe*, –n, 11
lip *die Lippe*, –n, 21
lipstick *der Lippenstift*, –e, 31
listen (to s.th.) *anhören*, 5; *zuhören*, 10; listen, please! *bitte einmal herhören*, 27
liter *der Liter*, –, 29
little *wenig*, 13; a little *ein bisschen*, 5; *etwas*, 24
live *wohnen*, 1; *leben*, 32; where we live *bei uns*, 18
lively *lebendig*, 27
liverwurst *die Leberwurst*, ⁼e, 15
livestock *das Vieh*, 38
living: living room *das Wohnzimmer*, –, 6; living quarters *die Wohnung*, –en, 19; *die Wohnräume* (pl), 38; living thing *das Lebewesen*, –, 40; standard of living *der Lebensstandard*, –s, 40
lizard *die Eidechse*, –n, 11
load *laden*, 34
located: to be located *liegen*, 10
location *die Lage*, –n, 14
lock *abschliessen*, 29

locker das Schliessfach, =er, 22
locomotive die Lokomotive, -n, 23
lodge die Hütte, -n, 34
long lang, 7; for a long time lange, 6; so long! tschau! 6; tschüs! 6
look schauen, 5; aussehen, 7; to look at sehen auf, 13; ansehen, 17; s. ansehen, 22; schauen auf, 26; to look here herschauen, 11; to look up nachsehen, 8; it looks like rain es sieht nach Regen aus, 18; it looks good on you es steht Ihnen gut, 17; it doesn't look good on you es steht dir nicht, 17; it looked as if es sah so aus, als ob, 26; he's giving us a dirty look er sieht uns böse an, 32; to look around s. umsehen, 34
lose verlieren, 2
loss: hearing loss die Schwerhörigkeit, 40
lost: to be lost, get lost verlorengehen, 40
lot: a lot of (money) eine Menge (Geld), 25
lottery die Tombola, -s, 25
loud laut, 5
loudspeaker der Lautsprecher, -, 36
lousy scheusslich, 5
lower herabsetzen, 40
Lower Bavaria (das) Niederbayern, 28
lozenge: throat lozenge die Halstablette, -n, 33
luck das Glück, 22; good luck das Glück, 25; bad luck das Pech, 29; to have bad luck Pech haben, 29; bad luck! Pech gehabt! 36
lucky: to be lucky Glück haben, 22; lucky duck der Glückspilz, -e, 36
luggage rack das Gepäcknetz, -e, 22
lunch das Mittagessen, -, 20; lunch break die Mittagspause, -n, 23
lush saftig, 38

M

mad böse, 32
made: I have color prints made ich lasse Farbbilder machen, 30
made-up geschminkt, 31
magnifying glass die Lupe, -n, 30
mail die Post, 12
main Haupt- (noun pref), 20; main course Hauptgericht, -e, 20; main room (of a restaurant or lodge) die Gaststube, 34
mainly hauptsächlich, 18
make machen, 5; to make easier erleichtern, 40; to make more beautiful verschönern, 40
make-up das Make-up, 31; to put on make-up (s.) schminken, 31
making up das Schminken, 31
man der Mann, =er, 22; man! Mensch! 5
manage managen, 3; schaffen, 38
manager der Leiter, -, 39

manicure (s.) maniküren, 31
manicure set das Manikür-Etui, 31
manual: manual transmission die Gangschaltung, 37
manufacture herstellen, 38
many manche, 7; viele, 10; many a mancher, -e, -es, 27
map die Karte, -n, 10; der Plan, =e, 11; map showing hiking trails die Wanderkarte, -n, 23
march marschieren, 26
March der März, 12
mark die Note, -n, 4; die Mark, -, 5; on your mark! get set! go! auf die Plätze! fertig! los! 13; one-mark piece das Markstück, -e, 20; German mark die D-Mark (Deutsche Mark), 34
marked markiert, 8
market der Markt, =e, 22
marksman der Schütze, -n, 28
marry: to marry heiraten, 27
mascara die Wimperntusche, -n, 31
mast der Mast, -en, 35
match der Wettkampf, =e, 13
material das Material, -ien, 34
math die Mathe, 4
matter: what's the matter? was ist los? 5; it doesn't matter das macht nichts, 17; ganz gleich, 36; what's the matter with the children? was fehlt den Kindern? 33; what I do doesn't matter auf mich kommt es nicht an, 40
may dürfen, 8; may be kann sein, 35
May der Mai, 12
maybe vielleicht, 5
me mich, 7; me, too! ich auch! 11
meadow die Weide, -n, 23; die Wiese, -n, 26
meal das Essen, 14; meal (time) die Mahlzeit, -en, 20
mean bedeuten, 8; heissen, 8; meinen, 28
mean gemein, 21
means: by all means unbedingt, 23; ganz bestimmt, 39
measles die Masern (pl), 33
measure messen, 9
meat das Fleisch, 15
mechanic der Mechaniker, -, 3
medical ärztlich, 39
medication die Medikament, -e, 33
medicine die Medizin, 33; portable medicine chest die Hausapotheke, -n, 33
meet s. treffen, 32; begegnen, 39
member das Mitglied, -er, 39
mention erwähnen, 39; don't mention it! keine Ursache! 26
menu die Speisekarte, -n, 20
merchandise: article of merchandise die Ware, -n, 39
messy unordentlich, 19
metal das Metall, -e, 34; lightweight metal das Leichtmetall, -e, 34; (made) out of metal aus Metall, 34

meter der Meter, -, (m), 9
midday meal das Mittagessen, -, 20
middle die Mitte, -n, 27; in the middle of November Mitte November, 27; in the middle of mitten (in), 34
Middle Ages das Mittelalter, 28
midnight: 30 minutes past midnight null Uhr dreissig, 22; at midnight um Mitternacht, 25
mile die Meile, -n, 10
milk melken, 38
milk die Milch, 14
milking machine die Melkmaschine, -n, 38
million die Million, -en, 28
minds: they changed their minds sie haben es sich anders überlegt, 32
mine mein, 5; mine, yours, etc. meins, deins, usw., 32
mini-bus der Kleinbus, -se, 34
minus minus, 4
minute: let's listen for a minute hören wir mal zu! 10; give it to me a minute, will you? gib mal eben her! 32
mirror der Spiegel, -, 19
miss danebegehen, 36; to throw and miss danebenwerfen, 36
Miss das Fräulein, -, 3
mistake der Fehler, -, 32
misty diesig, 23
mixed gemixt, 37
moist feucht, 38
moped das Moped, -s, 37
model das Modell, -e, 30; photographer's model das Fotomodell, -e, 30
modern modern, 30
modest bescheiden, 32
mofa das Mofa, -s (Motorfahrrad), 37
mom die Mutti, -s, 7
moment der Moment, -e, 26; at that moment da, 21; just a moment einen Moment, 26; at the moment gerade, 30
Monday der Montag, 4
money das Geld, 5
monkey der Affe, -n, 11
month der Monat, -e, 12
monthly monatlich, 39
mood die Stimmung, 25; to put in the mood for a party in Schwung bringen, 25
more mehr, 7; more potato salad noch Kartoffelsalat, 7; don't you want any more leberkäs? magst du keinen Leberkäs mehr? 7; more and more popular immer beliebter, 30; all the more um so mehr, 36
morning der Morgen, -, 4; in the morning morgens, 13; yesterday morning gestern vormittag, 20
mosquito die Mücke, -n, 16
most die meisten, 14; most of all am liebsten, 6; am meisten, 30; at the most höchstens, 39
mother die Mutter, =, 3; Mother's Day der Muttertag, -e, 15

motion *die Bewegung, −en,* 28; to be in motion *in Bewegung sein,* 30
motor *der Motor, −en,* 37
motor vehicle *das Fahrzeug, −e,* 37
motorcycle *das Motorrad, ≃er,* 37
mountain *der Berg, −e,* 10; mtn. cabin *die Berghütte, −n,* 23; mtn. climber *der Bergsteiger, −,* 10; mtn. range *das Gebirge,* 10; down the mtn. *bergab,* 23; road through a mtn. pass *die Passstrasse, −n,* 23
mountainous *bergig,* 26
mouse *die Maus, ≃e,* 26
mouth *der Mund, ≃er,* 26
mouthwash *das Mundwasser,* 31
move *ziehen,* 26; *bewegen,* 27; *s. bewegen,* 30; move (into place) *einräumen,* 10; (everything) moved back into place *eingeräumt,* 19; to begin to move *sich in Bewegung setzen,* 28
movement *die Bewegung, −en,* 28
movie *der Film, −e,* 24
movies *das Kino, −s,* 32; to go to the movies *ins Kino gehen,* 32
mow *mähen,* 16
mower *der Mäher, −,* 16
mowing *das Grasmähen,* 38
Mr. *der Herr, −en,* 3
Mrs. *die Frau, −en,* 3
much *viel,* 4; how much *wieviel,* 5; as much as *soviel wie,* 40
mumps *der Mumps,* 33
museum *das Museum, Museen,* 22
mushroom *der Pilz, −e,* 26
music *die Musik,* 4; popular music *die Pop-Musik,* 24
musician *der Musikant, −en,* 28
must *müssen,* 8
mustard *der Senf,* 7
my *mein,* 3
mystery *der Krimi, −s,* 24

N

nail *der Nagel, ≃,* 25; nail file *die Nagelfeile, −n,* 31; nail polish *der Nagellack,* 31; nail scissors *die Nagelschere, −n,* 31
name *nennen,* 7
name *der Name, −n,* 1; my name is *ich heisse,* 1; first name *der Vorname, −n,* 12; last name *der Nachname, −n,* 12
named: to be named *heissen,* 1
namely *nämlich,* 40
napkin *die Serviette, −n,* 14
narrow *eng,* 10
nasty *gehässig,* 14
nation *das Land, ≃er,* 10
nationality: emblem identifying nationality *das Nationalitätszeichen, −,* 29
naturally *natürlich,* 14; *von Natur aus,* 31
nature *die Natur,* 24

near *bei,* 15; *nah,* 23; *in der Nähe,* 40
neat *ordentlich,* 32
necessary *notwendig,* 39
neck *der Hals, ≃e,* 21
necktie *die Krawatte, −n,* 9
need *brauchen,* 4; to need to *brauchen . . . zu,* 30
negative(ly) *negativ,* 40
neighbor *die Nachbarin, −nen,* 11; *der Nachbar, −n,* 27
neighborhood *die Nachbarschaft, −en,* 39
nervous *nervös,* 27
nest *das Nest, −er,* 16
Netherlands *die Niederlande* (pl), 29
never *nie,* 22; never yet *noch nie,* 22
new *neu,* 9; what's new? *was gibt's Neues?* 6
news *die Nachrichten* (pl), 18; news of the day *die Tagesschau,* 24
newspaper *die Zeitung, −en,* 3; to be in the newspaper *in der Zeitung stehen,* 37
next *nächst-,* 25; to come next *dran sein,* 4; next to *bei,* 6; *neben,* 19; next to each other *nebeneinander,* 8; next year *im nächsten Jahr,* 25; next April *nächsten April,* 27
next-to-last *vorletzt-,* 39
nibble *naschen,* 7
nice *nett,* 10; *lieb,* 36; nice and wide *schön weit,* 17; half as nice *halb so schön,* 36; it would be nice of you *es wäre lieb von dir,* 36
nicest: nicest of all *am schönsten,* 28
nickname *der Spitzname, −n,* 7; *der Kosename, −n,* 29
night *die Nacht, ≃e,* 6; good night! *gute Nacht!* 6; night table *der Nachttisch, −e,* 19
nine *neun,* 1
nineteen *neunzehn,* 1
ninety *neunzig,* 4
no *nein,* 1; to say no *neinsagen,* 11; oh, no! *au weh!* 27; no one *keiner,* 34
nobles *die Edelleute* (pl), 28
nobody *niemand,* 22; *keiner,* 35
noise *der Krach,* 23; *der Lärm,* 36
noodles: swabian noodles *die Spätzle* (pl), 20
none: none at all *gar kein,* 37
nonsense *der Quatsch,* 32
normal *normal,* 9
north *der Norden,* 18; north (of) *nördlich (von),* 10
northeast *der Nordost,* 18
northwest *der Nordwest,* 18; out of the northwest *aus dem Nordwesten,* 18
nose *die Nase, −n,* 21
not *nicht,* 1; not any *kein,* 7; not at all *gar nicht,* 23; not only . . . but also . . . *nicht nur . . . sondern auch . . .* 26; not until *erst,* 32
notebook *das Heft, −e,* 4
nothing *nichts,* 6; nothing at all *über-*

haupt nichts, 32; *gar nichts,* 36
notice *merken,* 27
notion *die Ahnung, −en,* 8
November *der November,* 12
now *jetzt,* 2; *nun,* 3; right now *gerade,* 30; now and then *ab und zu,* 31
number *die Zahl, −en,* 1; *die Nummer, −n,* 6
nut *die Nuss, ≃e,* 7
nylon *das Nylon,* 34

O

oak tree *die Eiche, −n,* 26
oar *das Ruder, −,* 35
observe *beachten,* 8; *beobachten,* 30
occasion *das Ereignis, −se,* 25
occupied *besetzt,* 22
occupy: to occupy o.s. with *s. beschäftigen mit,* 30
o'clock: at 6 o'clock *um sechs Uhr,* 5
October *der Oktober,* 12
of *von,* 15
off: afternoon off *freier Nachmittag,* 39; to fall off a bike *vom Rad fallen,* 33
offer *bieten,* 10
office *das Büro, −s,* 3
officer: police officer *der Polizist, −en,* 39
often *oft,* 16
oh! *ach!* 2; *auweh!* 37; oh, dear! *oje!* 4
oil *das Öl,* 29
oils: containing fats and oils *fetthaltig,* 31
okay *ja, gut,* 5; *gut!* 6; *O.K.* 7; *na gut!* 32; *schön,* 28; *schon gut!* 32; okay then *also,* 32; that's okay with Peter *dem Peter ist das recht,* 32
old *alt,* 1; old part of the city *die Altstadt, ≃e,* 28
Olympics *die Olympiade,* 34
on *an,* 19; *auf,* 19; *weiter-* (pref), 11; on July 22 *am 22. Juli,* 21; on (this) birthday *zum Geburtstag,* 17; on Saturday *am Samstag,* 7; on J. S. Bach Street *in der J.-S.-Bach-Strasse,* 19; on Monday *am Montag,* 27
once *einmal,* 25; once again *noch einmal,* 6; once a year *einmal im Jahr,* 25
one *eins,* 1; *man,* 8; one (of them) *einer,* 32
ones: the first ones *die ersten,* 7
one-way (ticket) *einfach,* 22
onion *die Zwiebel, −n,* 37
only *nur,* 6; *erst,* 21; *bloss,* 23; *einzig,* 29; *nur noch,* 37; the only ones *die einzigen,* 23; only the second time *erst das zweite Mal,* 28; if only I would win 20 marks! *wenn ich doch nur 20 Mark gewinnen würde!* 36
onward *weiter ging's,* 26

open *aufmachen*, 17; *öffnen*, 18; *aufschlagen*, 27; *eröffnen*, 39
open *auf*, 35; open house *Tag der offenen Tür*, 39; in the open air *in der freien Natur*, 40
operation *die Operation*, –en, 33
opinion *die Meinung*, –en, 39; to be of the opinion *meinen*, 9; have an opinion about *halten von*, 24; in my opinion *meiner Meinung nach*, 27
opponent *die Gegnerin*, –nen, 13
opportunity *die Chance*, –n, 39
or *oder*, 2; either . . . or *entweder . . . oder*, 37
orange *die Apfelsine*, –n, 15
orchestra *das Orchester*, –, 25; school orchestra *das Schulorchester*, –, 27
order *bestellen*, 14
order *die Ordnung*, 19; there has to be order! *Ordnung muss sein!* 19; in order to . . . *um . . . zu . . .*, 26
orderly *ordentlich*, 32
ordinary *gewöhnlich*, 30
organ *die Orgel*, –n, 30
organist *der Orgelspieler*, –, 30
organization *der Verein*, –e, 40
originate *entspringen*, 35
other *andere*, 3; the others *die anderen*, 7; on the other side *auf der anderen Seite*, 19; each other *einander*, 27; the other one *die andre*, 32
otherwise *sonst*, 32
our *unser*, 1
out (of) *aus*, 15; *raus*, 33; *draussen*, 37; to put out *ausmachen*, 26; out of all hobbies *von allen Hobbys*, 30; I have to go out *ich muss weg*, 31; to go out *ausgehen*, 32
outfit: ski outfit and equipment *die Schiausrüstung*, –en, 34
outfitted (adj) *ausgerüstet*, 35
outing *der Ausflug*, ⸚e, 8; to go on an outing *einen Ausflug machen*, 8
outside *draussen*, 37; outside the city limits *vor der Stadt*, 28
outskirts: on the outskirts of the city *vor der Stadt*, 28
outspoken *forsch*, 32
oval *oval*, 29
over *über*, 10; *zu Ende*, 26; over here *her-* (pref), 11; over there *dort drüben*, 22; to be over *vorbei sein*, 27; come over sometime! *komm doch mal vorbei!* 28; over (s.th.) *drüber*, 29; to be over *zu Ende gehen*, 36; over there *drüben*, 36
overcast *bewölkt*, 18; *bedeckt*, 18
overnight: to stay overnight *übernachten*, 14
overtime *die Überstunden* (pl), 37
owe *schulden*, 14
own *besitzen*, 30
own (adj) *eigen*, 27
owner *der Inhaber*, –, 15
ox *der Ochse*, –n, 36
oxygen *der Sauerstoff*, 40

P

pace *der Schritt*, –e, 13
pack up *zusammenpacken*, 21; *einpacken*, 26
package *das Päckchen*, –, 17
packaged (adj) *verpackt*, 40
paddle *das Paddel*, –, 29; paddle boat *das Paddelboot*, –e, 35
page *die Seite*, –n, 4
pain *der Schmerz*, –en, 33
paint *lackieren*, 31; to paint on *bemalen*, 25
paintbrush *der Pinsel*, –, 25
pair *das Paar*, –e, 9
pajamas *der Schlafanzug*, ⸚e, 17
palace *der Hof*, ⸚e, 22
pale *blass*, 26
pamphlet *der Prospekt*, –e, 29
pansy *das Stiefmütterchen*, –, 16
pants *die Hose*, –n, 9
pantsuit *der Hosenanzug*, ⸚e, 17
paper *das Papier*, –e, 4; small piece of paper *der Zettel*, –, 35
paper cup *der Pappbecher*, –, 37
parade *der Umzug*, ⸚e, 28; Fasching parade *der Faschingsumzug*, ⸚e, 36
pardon? *wie bitte?* 6
parent *der Elternteil*, –e, 39; parents *die Eltern* (pl), 3
park *parken*, 28
park *der Park*, –s, 22; *die Grünanlage*, –n, 40
parka *der Anorak*, –s, 34
parking lot *der Parkplatz*, ⸚e, 23; parking space *die Parklücke*, –n, 37
part *der Teil*, –e, 23; *die Rolle*, –n, 27; in part *zu einem Teil*, 38
partially *zu einem Teil*, 38
participant *der Mitspieler*, –, 28
participate *mitmachen*, 26
participation *die Teilnahme*, 37
particle *das Teilchen*, –, 40
partner *die Dame*, –n, 32; *der Partner*, 32
party *die Party*, –s, 7; *die Feier*, –n, 25
pass (in traffic) *überholen*, 8; (food, etc.) *reichen*, 29; (a test) *bestehen*, 25; (time) *vergehen*, 26; to pass along (an illness) *anstecken*, 33
passport *der Pass*, ⸚e, 22; passport inspection *die Passkontrolle*, –n, 22; passport photo *das Passbild*, –er, 37
past: in the past year *im vergangenen Jahr*, 30
pastime *der Zeitvertreib*, 30
pasture *die Weide*, –n, 23; Alpine pasture *die Alm*, –en, 38
path *der Weg*, –e, 10; *der Pfad*, –e, 26
patience *die Geduld*, 30
patient *der Patient*, –en, 33
pause *die Pause*, –n, 26
pay *zahlen*, 20

pay *der Verdienst*, 37; *die Bezahlung*, –en, 39; *der Lohn*, ⸚e, 39
peace *die Ruhe*, 10
peach *der Pfirsich*, –e, 15
peak *der Gipfel*, –, 23
pear *die Birne*, –n, 15
pedestrian *der Fussgänger*, –, 8; pedestrian mall *die Fussgängerzone*, –n, 22
pencil *der Bleistift*, –e, 4; pencil case *das Etui*, –s, 4; pencil sharpener *der Spitzer*, –, 4
people *man*, 8; *die Leute* (pl), 14; *das Volk*, ⸚er, 28
per *je*, 40
percent: fifty percent *50% (fünfzig Prozent)*, 30
perfect(ly) *ausgezeichnet*, 9
perform *verrichten*, 16; *aufführen*, 27
performance *die Aufführung*, –en, 27; *die Vorstellung*, –en, 36
perfume *das Parfüm*, –s, 31
period: German class period *die Deutschstunde*, –n, 27; period of apprenticeship *die Lehrzeit*, 39
permanent wave *die Dauerwelle*, –n, 31
permitted: was permitted to *durfte*, 20
person *die Person*, –en, 19; *der Mensch*, –en, 23
persuade *überreden*, 32
pet *streicheln*, 11
pet store *die Tierhandlung*, –en, 11; *der Zoo*, –, 11
pharmacist *der Apotheker*, –, 3
pharmacy *die Apotheke*, –n, 33
phone *telefonieren*, 6
phone *der Apparat*, –e, 6; *das Telefon*, –e, 6; phone booth *die Telefonzelle*, –n, 6
photo *die Aufnahme*, –n, 30; *das Foto*, –s, 30; black-and-white photo *die Schwarzweissaufnahme*, –n, 30; passport photo *das Passbild*, –er, 37
photograph *fotografieren*, 11; to photograph in color *farbig fotografieren*, 30
photographer *der Fotograf*, –en, 30
photography *das Fotografieren*, 30
physical(ly) *körperlich*, 39
piano *das Klavier*, –e, 5; piano player *der Klavierspieler*, –, 30
pick out *auswählen*, 24
pick up *abholen*, 21
pickle *die Gurke*, –n, 37
picnic *das Picknick*, –s, 26; picnic area *der Picknickplatz*, ⸚e, 26; to have a picnic *ein Picknick machen*, 26
picture *das Bild*, –er, 3; *die Aufnahme*, –n, 30; animal picture *das Tierfoto*, –s, 30; color picture *das Farbbild*, –er, 30; to take pictures *Bilder machen*, 26; to take a picture *eine Aufnahme, ein Foto machen*, 30
picturesque *malerisch*, 29
piece *das Stück*, –e, 15; two pieces

of cheese *zwei Stück Käse,* 15; one-mark piece *das Markstück, -e,* 20; small piece of paper *der Zettel, -,* 35

pier *der Steg, -e,* 35

pig *das Schwein, -e,* 38

piggy bank *die Sparbüchse, -n,* 38

pill *die Tablette, -n,* 33

pillow *das Kissen, -,* 19

pirate *der Pirat, -en,* 36

place *stellen,* 19; to place o.s. *s. hinstellen,* 26

place *der Ort, -e,* 12; *der Platz, ⁼e,* 13; *die Stelle, -n,* 23; to take place *stattfinden,* 13; to be in first place *an erster Stelle stehen,* 30; in place *auf dem Platz,* 32; place of birth *der Geburtsort, -e,* 39

plain *einfach,* 37

plan *planen,* 7; *vorhaben,* 9

plan *der Plan, ⁼e,* 27

plant *anbauen,* 38; *pflanzen,* 40

plant *die Pflanze, -n,* 16; house plant *die Zimmerpflanze, -n,* 40

plaster (cast) *der Gips,* 33

plastic *das Plastik, -s,* 34; plastic bag *der Plastiksack, ⁼e,* 16

plate *der Teller, -,* 20

play *spielen,* 2; do you want to play? *spielst du mit?* 2

play *das Spiel, -e,* 27; *das Stück, -e,* 27; *das Theaterstück, -e,* 27; to put on a play *Theater spielen,* 27

playground *der Spielplatz, ⁼e,* 40

plaza *der Platz, ⁼e,* 22

please *gefallen,* 17

please *bitte,* 5

pleasure *das Vergnügen,* 36

plum *die Pflaume, -n,* 15

plus *plus,* 4

point: to point to *zeigen auf,* 26

poison *vergiften,* 40

poison *das Gift, -e,* 40

poisonous *giftig,* 26

pole: (ski) pole *der Stock, ⁼e,* 34

police *die Polizei,* 37; by the police *polizeilich,* 37; police officer *der Polizist, -en,* 39

polish *lackieren,* 31

polite *höflich,* 32

pollute *verschmutzen,* 40

polluted *verschmutzt,* 40; *verseucht,* 40

pollution *die Verschmutzung,* 40

poor *arm,* 26

popcorn *das Popcorn,* 26

popular *populär,* 5; *beliebt,* 30

population *die Bevölkerung,* 38

pork *das Schweinefleisch,* 15; pork chop *das Schweinskotelett, -s,* 15

Porsche *der Porsche, -,* 29

portable radio *das Kofferradio, -s,* 40

portion *der Ausschnitt, -e,* 27

position *die Stelle, -n,* 39; apprentice position *die Lehrstelle, -n,* 39

possess *besitzen,* 30

possibility *die Möglichkeit, -en,* 39

possible *möglich,* 34; that's not possible *das geht nicht,* 36

post office *die Post,* 12; *das Postamt, ⁼er,* 12; to the post office *auf die Post,* 12

postcard: picture postcard *die Ansichtskarte, -n,* 26

poster *das Poster, -s,* 19; *das Plakat, -e,* 25

posterboard *die Pappe,* 25

postpone *verschieben,* 25; to postpone for half an hour *um eine halbe Stunde verschieben,* 25; to postpone until *verschieben auf,* 35

potato *die Kartoffel, -n,* 20; potato chips *die Kartoffelchips* (pl), 7; potato salad *der Kartoffelsalat,* 7

pound *schlagen,* 27

pound *das Pfund, -e,* 15; two pounds of meat *zwei Pfund Fleisch,* 15

pour *einfüllen,* 14

practice *üben,* 27

practice *das Training,* 35

preferably *lieber,* 13

preferred: I preferred my old skis *mir waren meine alten Schier lieber,* 34

preparation *die Vorbereitung, -en,* 27

prepare *vorbereiten,* 25; *zubereiten,* 38; to prepare for *s. vorbereiten auf,* 36

prepared: to be prepared to *bereit sein zu,* 35

prescribe *verschreiben,* 33

prescription *das Rezept, -e,* 33

present *das Geschenk, -e,* 17

present: at the present time *zur Zeit,* 39

press *mangeln,* 14; *drücken,* 24

pretty *schön,* 8; *hübsch,* 26; really pretty hot *ganz schön heiss,* 33

pretzel *die Brezel, -n,* 7

prevail *herrschen,* 36

price *der Preis, -e,* 17; worth the price *preiswert,* 9

pride *der Stolz,* 27

prince *der Fürst, -en,* 28

princess *die Prinzessin, -nen,* 28

principal *der Schuldirektor, -en,* 21; *der Rektor, -en,* 25

print *der Abzug, ⁼e,* 30; color print *das Farbbild, -er,* 30

private *privat,* 40

prize *der Preis, -e,* 25

probably *wohl,* 20

procession *der Festzug, ⁼e,* 28; wedding procession *der Hochzeitszug, ⁼e,* 28

produce *herstellen,* 27; *erzeugen,* 38; *produzieren,* 40

profession *der Beruf, -e,* 3; by profession *von Beruf,* 28

profit *der Profit, -e,* 25

program *das Programm, -e,* 24

progressive *fortschrittlich,* 39

prom *der Ball, ⁼e,* 25

promote *fördern,* 30

proof *der Nachweis, -e,* 37

proper *richtig,* 26

properly: to learn to dance properly *vernünftig tanzen lernen,* 32

proprietor *der Inhaber, -,* 15

protect *schonen,* 31

proud *stolz,* 23; to be proud of *stolz sein auf,* 40

provide *vermitteln,* 37

public *öffentlich,* 40; public square *der Platz, ⁼e,* 22 in public *in der Öffentlichkeit,* 40

puck *der Puck, -s,* 34; *die Scheibe, -n,* 34

pudding *der Pudding, -s,* 20

pull *ziehen,* 33

pullover *der Pullover, -,* 9; *der Pulli, -s,* 17

pump: foot pump *die Fusspumpe, -n,* 29

pump up *aufpumpen,* 8

punctual(ly) *pünktlich,* 22

pupil *der Schüler, -,* 4

puppet *die Puppe, -n,* 27

puppet show *das Puppenspiel, -e,* 27

pure *rein,* 40

purpose *der Zweck, -e,* 37

pursue *ausüben,* 30

push *schieben,* 23; *drücken,* 24

put *stecken,* 6; *legen,* 19; *setzen,* 19; *stellen,* 19; put in (cassette) *einlegen,* 5; put on (records) *auflegen,* 5; (clothing) *anziehen,* 17; *s. anziehen,* 17; *s. etwas aufsetzen,* 21; (cream, oil) *s. einreiben,* 21; (makeup) *auftragen auf,* 31; *s. schminken,* 31; to put in a cast *in Gips legen,* 33

puzzle: to do a jigsaw puzzle *puzzeln,* 2

Q

quarrel *streiten,* 29

quarters: living quarters *die Wohnräume* (pl), 38

quiet *still,* 34

quite: quite hot *ganz schön heiss,* 33

R

rabbit *der Hase, -n,* 11

radar: radar trap *die Radarfalle, -n,* 29

radio *das Radio, -s,* 5; portable radio *das Kofferradio, -s,* 40

radish *das Radieschen, -,* 15

railroad platform *der Bahnsteig, -e,* 22

rain *regnen,* 18; it's raining *es regnet,* 18

rain *der Regen,* 18

raincoat *der Regenmantel, ⁼,* 8

rainy *regnerisch,* 18

raise *heben,* 4; *züchten,* 11; to raise

(pigs) *(Schweine) halten,* 38
rake *rechen,* 16; to rake up *zusammenrechen,* 38
rake *der Rechen,* –, 16
rate *bewerten,* 27
rather *lieber,* 13; *ziemlich,* 19
razor blade *die Rasierklinge,* –n, 31
reach *erreichen,* 13
read *lesen,* 3; the thermometer reads *das Thermometer zeigt,* 18; to read aloud *vorlesen,* 34
ready *fertig,* 13; *bereit,* 35; to be ready so weit sein, 27; to get ready *s. fertigmachen,* 31
real *echt,* 24; *richtig,* 26
really *endlich mal,* 9; *wirklich,* 10; *überhaupt,* 32; *richtig,* 37; really? so? 14; really pretty hot *ganz schön heiss,* 33
reason *der Grund,* ⸚e, 14; what's the reason for that? *woran liegt das?* 35
reasonable *preiswert,* 9; *vernünftig,* 32
receive *bekommen,* 4; *erhalten,* 38
receiver *der Hörer,* –, 6
recently: as recently as yesterday *gestern noch,* 16
receipt *der Kassenzettel,* –, 17
recess *die Pause,* –n, 4
recognize *erkennen,* 40
recommend *empfehlen,* 33
record *die Platte,* –n, 5; *die Schallplatte,* –n, 30; record player *der Plattenspieler,* –, 5; record shop *der Plattenladen,* ⸚, 5
records: to set records *Rekorde aufstellen,* 36
red *rot,* 2
Red Cross *das Rote Kreuz,* 36
reduce *herabsetzen,* 40
refresh *erfrischen,* 31
refrigerator *der Kühlschrank,* ⸚e, 25
register *s. anmelden,* 37
regret *bereuen,* 31
regular (gas) *das Normal(benzin),* 29
regular(ly) *regelmässig,* 32
regulation *die Vorschrift,* –en, 40
rehearsal *die Probe,* –n, 27
rehearse *proben,* 27
reign *regieren,* 36
relative *der Verwandte,* –n, 39
relative(ly) *verhältnismässig,* 38
relax *s. ausruhen,* 21; *entspannen,* 30
relaxation *die Erholung,* 10
remain *bleiben,* 5
remember *s. erinnern an,* 32; *s. merken,* 35; do you still remember? *wissen Sie noch?* 14
rent (to) *vermieten (an),* 19
rent (from) *mieten,* 10
repair *reparieren,* 3
repeat *wiederholen,* 27
reply *erwidern,* 26
report *berichten,* 12
report: short report *der Kurzbericht,* –e, 24; weather report *der Wetterbericht,* –e, 18
report card *das Schulzeugnis,* –se, 39

reputation *der Ruf,* 32
require *verlangen,* 30; *benötigen,* 40
rescue *retten,* 27
resident *der Einwohner,* –, 22
respectfully *hochachtungsvoll,* 39
responsibility *die Pflicht,* –en, 39
responsible: to be responsible for *verantwortlich sein,* 39
rest *s. ausruhen,* 21; *rasten,* 38
rest *die Erholung,* 10
restaurant *das Lokal,* –e, 14; fast-food restaurant *das Billig-Restaurant,* –s, 37
rested (adj) *ausgeruht,* 34
result *das Ergebnis,* –se, 22
résumé *der Lebenslauf,* ⸚e, 39
Rhine River *der Rhein,* 40
rich *reich,* 27
ride *reiten,* 2; *fahren,* 8
ride *die Fahrt,* –en, 22
rifle *das Gewehr,* –e, 36
right *richtig,* 4; *rechts,* 8; *recht-,* 32; on the right *rechts,* 8; right away *sofort,* 12; *gleich,* 14; to be right *recht haben,* 26; that's right *das stimmt,* 27
right *das Recht,* –e, 39
right-of-way *die Vorfahrt,* 37
ring *klingeln,* 6; *schallen,* 38
rise *steigen,* 18; *aufgehen,* 27; *entspringen,* 35; *ansteigen,* 40; to rise (to) *steigen (auf),* 40
river *der Fluss,* ⸚e, 8; (big) river *der Strom,* ⸚e, 40
roast *der Braten,* –, 20
role *die Rolle,* –n, 27
roll *die Semmel,* –n, 7; *das Brötchen,* –, 15
roll up (hair) *eindrehen,* 31
room *der Platz,* 10; *das Zimmer,* –, 14; *der Raum,* ⸚e, 26; to have room *Platz haben,* 10; to have no more room *keinen Platz mehr haben,* 19; main room (of a restaurant or lodge) *die Gaststube,* –n, 34
rooster *der Hahn,* ⸚e, 38
rose *die Rose,* –n, 16
rouge *das Rouge,* 31
round trip *hin und zurück,* 22; round-trip ticket *die Rückfahrkarte,* –n, 22
route: en route *unterwegs,* 8
row *rudern,* 35
rub: to rub o.s. *s. reiben,* 21; (with cream, oil) *s. einreiben,* 21
rubber *der Gummi,* 34
rudder *das Ruder,* –, 35
rule *herrschen,* 36; *regieren,* 36
rule *die Regel,* –n, 40; as a rule *in der Regel,* 40
ruler *das Lineal,* –e, 4
rumba *die Rumba,* 32
run *laufen,* 13; *rennen,* 23; to run around *umherlaufen,* 4; to run away *weglaufen,* 11; *davonlaufen,* 26; to run down *hinunterlaufen,* 13; to run after *nachlaufen,* 32
rural *ländlich,* 40

S

sacrifice *opfern,* 35
sad *traurig,* 24
sail *segeln,* 35
sail *das Segel,* –, 35
sailboat *das Segelboot,* –e, 35
sailing: sailing instruction *der Segelunterricht,* 35; sailing instructor *der Segellehrer,* –, 35; sailing course *der Segelkurs,* –e, 37
salad *der Salat,* –e, 20
salamander *der Molch,* –e, 16
sale *der Verkauf,* 25
salesperson *der Vertreter,* –, 14; *der Verkäufer,* –, 11
salt *das Salz,* 15
salutation *die Anrede,* –n, 12
same *gleich-,* 35; the same to you *gleichfalls,* 20; the same thing *dasselbe,* 27; the same *denselben (dieselben),* 34; on the same evening *am selben Abend,* 37; it's all the same to me *es ist mir gleich,* 39; the same thing *das gleiche,* 40
sand *der Sand,* 21
sandal *die Sandale,* –n, 17
sandwich *das Brot,* –e, 25; open-faced sandwiches *belegte Brote,* 25
sandy *sandig,* 29
Saturday *der Sonnabend,* 4; *der Samstag,* 7
sausage (sausage meats) *die Wurst,* ⸚e, 15; *die Bratwurst,* ⸚e, 15; pork sausage *das Schweinswürstl,* –, 36
save *aufheben,* 17; *retten,* 27; *freihalten,* 32; to save for *sparen für,* 36
say *sagen,* 2; a sign says *auf einem Schild steht,* 23; say! *sag mal!* 28; as it says on the label *wie es auf dem Etikett steht,* 33; that is to say *nämlich,* 40
scarf (head) *das Kopftuch,* ⸚er, 17; (neck) *das Halstuch,* ⸚er, 17
scar *die Narbe,* –n, 33
scene *die Szene,* –n, 27
scenery *die Landschaft,* –en, 23; *das Bühnenbild,* –er, 27; *die Kulisse,* –n, 27
schedule (school) *der Stundenplan,* ⸚e, 4; (train) *der Fahrplan,* ⸚e, 22; (TV) *das Fernsehprogramm,* –e, 24
school *die Schule,* –n, 4; school bag *die Schultasche,* –n, 4; no school because of the hot weather *hitzefrei,* 21; school field-day *das Schulsportfest,* –e, 13; to go to school *zur Schule gehen,* 16; *die Schule besuchen,* 39; academic secondary school *das Gymnasium,* –ien, 25
schooling *die Schulbildung,* –en, 39
schoolyard *der Hof,* ⸚e, 4
scientific(ally) *wissenschaftlich,* 40
scissors *die Schere,* –n, 25
score *die Leistung,* –en, 13
scratch *kratzen,* 11
scream *schreien,* 36

script *der Text, –e, 27*
script-writing *das Texten, 27*
scythe *die Sense, –n, 38*
sea *das Meer, –e, 35*
seat *der Platz, ⁼e, 22; der Sitzplatz, ⁼e, 28; (of chair lift) der Sessel, –, 34; to take a seat Platz nehmen, 29*
second *zweit-, 28*
second *die Sekunde, –n, 13*
secondary: secondary school student *der Oberschüler, –, 32*
secure *befestigen, 35*
see *sehen, 4; schauen, 5; besichtigen, 39; go and see what the weather's like schau mal nach dem Wetter! 18; to see to achten auf, 39*
seldom *selten, 4*
select *aussuchen, 27*
selection *die Auswahl, 37*
self: myself, yourself, etc. *selbst, 27*
self-service: self-service store *der Selbstbedienungsladen, ⁼, 37*
sell *verkaufen, 25*
send *schicken, 13; to send to schicken an, 25; to send along with mitgeben, 33*
sender *der Absender, –, 12*
sensation *die Sensation, –en, 39*
sensible *vernünftig, 32*
September *der September, 12*
serious(ly) *ernsthaft, 30; ernst, 32; im Ernst, 35*
serve *bedienen, 7*
set *setzen, 19; (the table) decken, 20; to set records Rekorde aufstellen, 36*
set: stage set *das Bühnenbild, –er, 27; die Kulisse, –n, 27*
seven *sieben, 1*
seventeen *siebzehn, 1*
seventy *siebzig, 4*
several *einige, 14; ein paar, 15; mehrere, 28*
severe *heftig, 33; schwer, 33*
sew *nähen, 3*
sewing machine *die Nähmaschine, –n, 36*
shade *der Schatten, –, 21*
shampoo *das Shampoo, –s, 31*
sharp *scharf, 24; a sharp guy! ein fescher Junge! 32*
sharpen *schärfen, 38*
shave: to shave (o.s.) *s. rasieren, 31*
shaver *der Rasierapparat, –e, 31*
shaving: for shaving *zum Rasieren, 31; shaving lotion das Rasierwasser, 31*
she *sie, 1*
sheep *das Schaf, –e, 38*
shelf *das Regal, –e, 39*
shift (gears) *schalten, 37*
shilling (Austrian monetary unit) *der Schilling, –, 34*
shine *scheinen, 18*
ship *das Schiff, –e, 22*
shirt *das Hemd, –en, 9*
shoe *der Schuh, –e, 9*
shoot *schiessen, 36*

shooting gallery *die Schiessbude, –n, 36*
shop *einkaufen, 15*
short *kurz, 7; klein, 7; a short way ein kurzes Stück, 34*
shortcoming *der Fehler, –, 32*
shortly: shortly before seven *kurz vor sieben, 18*
shot *der Schuss, ⁼e, 36*
should *sollen, 8*
shout *rufen, 5*
show *zeigen, 16; to show consideration for Rücksicht nehmen auf, 40*
show *die Vorführung, –en, 26; die Vorstellung, –en, 36*
shower *die Dusche, –n, 31; to take a shower s. duschen, 31; unter die Dusche gehen, 31*
shut off *abstellen, 18*
shy *schüchtern, 32*
sick *krank, 33; Marita feels sick der Marita ist schlecht, 26*
sickly *kränklich, 40*
sickness *die Krankheit, –en, 33*
side *die Seite, –n, 19*
sidewalk *der Bürgersteig, –e, 36*
sideways *seitwärts, 32*
sight *der Anblick, –e, 26*
sign *unterschreiben, 39; to sign up for a test sich zur Prüfung anmelden, 37*
sign *das Schild, –er, 8; das Zeichen, –, 8; astrological sign das Sternzeichen, –, 32*
signature *die Unterschrift, –en, 12*
significance *die Bedeutung, –en, 39*
signpost *der Wegweiser, –, 23*
silence *das Schweigen, 26*
silly *blöd, 18*
silver *das Silber, 23*
silverware *das Besteck, –e, 20*
simple *einfach, 29*
simply *einfach, 26*
since *seit, 27; since then seitdem, 32;*
sincerely *mit freundlichen Grüssen, 33*
sing *singen, 5*
single *einzig, 29; einfach, 37; not one single thing more kein einziges Stück mehr, 29*
Sirs: Dear Sirs: *Sehr geehrte Herren! 39*
sister *die Schwester, –n, 2; brothers and sisters die Geschwister (pl), 19*
sit *sitzen, 3; to sit down s. setzen, 21; Platz nehmen, 29; s. hinsetzen, 32; may I sit here? ist hier noch frei? 22*
six *sechs, 1*
sixteen *sechzehn, 1*
sixty *sechzig, 4*
size *die Grösse, –n, 9*
ski *Schi laufen, 10; Schi fahren, 34*
ski *der Schi, –er, 34; ski area das Schigelände, –, 34; ski boot der Schistiefel, –n, 34; ski lift der Lift, –s, 34; ski slope der Schihang, ⁼e, 34*
skier *der Schiläufer, –, 10; der Schi-*

fahrer, –, 34
skiing: skiing lessons *der Schikurs, –e, 37*
skillful *geschickt, 32*
skim: to skim off the cream *entrahmen, 38*
skin *die Haut, ⁼e, 31*
skirt *der Rock, ⁼e, 17*
sky *der Himmel, 18*
sled *der Schlitten, –, 34*
sledding: to go sledding *rodeln, 34; schlitten fahren, 34*
sleep *schlafen, 10*
sleeping bag *der Schlafsack, ⁼e, 29*
slice *die Scheibe, –n, 37*
slicker *die Öljacke, –n, 35*
slide: color slide *das Dia, –s, 28*
slope *der Hang, ⁼e, 34; on the slope am Hang, 34*
sloppy *schlampig, 32*
slowly *langsam, 23*
small *klein, 3*
smart *klug, 32; fesch, 37*
smell *riechen, 31*
smoked (adj) *geräuchert, 36*
smooth *glätten, 31*
smooth (adj) *glatt, 31*
snail *die Schnecke, –n, 16*
snake *die Schlange, –n, 11*
snap: to snap a picture *knipsen, 26*
snapshot *der Schnappschuss, ⁼e, 30*
sneaker *der Turnschuh, –e, 23*
snow *schneien, 18; it's snowing es schneit, 18*
snow *der Schnee, 18; snow-covered verschneit, 34*
snowplow *der Schneepflug, ⁼e, 34*
so *so, 4; so long! tschüs! 6; is that so? so? 14; so that damit, 16; so what? na und? 31*
so-called *sogenannt, 30*
soap *die Seife, –n, 31*
soccer *der Fussball, 2; soccer ball der Fussball, ⁼e, 2*
social studies *die Sozialkunde, 4*
sock *die Socke, –n, 9; der Strumpf, ⁼e, 17*
sofa *das Sofa, –s, 19*
soft *leise, 5; weich, 26*
sold out (adj) *ausverkauft, 28*
soldier *der Soldat, –en, 28*
some *manche, 7; ein paar, 12; einige, 14*
somebody *einer, 35*
someday *einmal, 19*
someone *jemand, 22*
sometimes *manchmal, 11; sometimes . . . sometimes mal . . . mal, 18*
something *etwas, 7; something else was andres, 2; noch was, 15; something else besides noch was andres, 7; something else for a change mal was andres, 10; something cold (warm) etwas Kaltes (Warmes), 7; something (good) for etwas (Gutes) gegen, 33*
somewhat *etwas, 16*

son *der Sohn, ∸e*, 3
song *das Lied, –er*, 26
soon *bald*, 7; so soon again *schon wieder*, 7
sore: sore throat *die Halsschmerzen* (pl), 33
sorry: I'm sorry *das tut mir aber leid!* 17
so-so *soso*, 37
sound *klingen*, 26; *schallen*, 38
sound *der Ton, ∸e*, 24
soup *die Suppe, –n*, 20; soup of the day *die Tagessuppe, –n*, 20
soupspoon *der Suppenlöffel, –*, 20
south *der Süden*, 18; south (of) *südlich (von)*, 10
southeast *der Südost*, 18
Southern Germany *(das) Süddeutschland*, 29
southwest *der Südwest*, 18
souvenir *das Andenken, –*, 26
space *der Platz*, 10; parking space *die Parklücke, –n*, 37
spade *der Spaten, –*, 16
Spain *(das) Spanien*, 40
speak *sprechen*, 4; Radler speaking *hier Radler*, 6
special *besonder*, 27; *Sonder-* (noun pref), 32; special offer *das Sonderangebot, –e*, 5
spectator *der Zuschauer, –*, 27
speech *die Rede, –n*, 25; to give a speech *eine Rede halten*, 25
spend *ausgeben*, 25; (time) *verbringen*, 10
spider *die Spinne, –n*, 16
splash *anspritzen*, 21
splendid *herrlich*, 10
spoilsport *der Spielverderber, –*, 32
sponge *der Schwamm, ∸e*, 4
sport(s) *der Sport*, 2; sports roundup *die Sportschau*, 24; school sports *der Schulsport*, 13; to go in for sports *Sport treiben*, 32; winter sport *der Wintersport*, 34; water sport *der Wassersport*, 35
sporting goods store *das Sportgeschäft, –e*, 34
sporty *sportlich*, 29
spot *die Stelle, –n*, 23; *die Fläche, –n*, 23;
sprain *verstauchen*, 33; to sprain one's (foot) *sich (den Fuss) verstauchen*, 33
spread out *ausbreiten*, 21
spring *der Frühling*, 18 *das Frühjahr*, 40
stable *der Stall, ∸e*, 38
stag *der Hirsch, –e*, 11
stage *die Bühne, –n*, 27
stairs *die Treppe, –n*, 19
stall *stehenbleiben*, 37
stamp *die Briefmarke, –n*, 12 *die Marke, –n*, 30; 50-Pfenning stamp *die 50-Pfennig-Marke, –n*, 12; stamp catalog *der Briefmarkenkatalog, –e*, 30; stamp collecting *das Briefmarkensammeln*, 30; stamp collector *der Briefmarkensammler, –*, 30; special-issue stamp *die Sondermarke, –n*, 30

stand *stehen*, 13; to go and stand *s. hinstellen*, 26; to stand in line *s. anstellen*, 34
standard of living *der Lebensstandard, –s*, 40
standing room *der Stehplatz, ∸e*, 23
stapler *die Heftmaschine, –n*, 25
star *der Stern, –e*, 32 movie star *der Filmstar, –s*, 30
start *anfangen*, 5; *losgehen*, 28; starting at 6 marks 95 *ab DM 6,95*, 5; to start driving *losfahren*, 26 we started *es ging los*, 26
start *der Anfang, ∸e*, 27
state *erwähnen*, 39
station *die Station, –en*, 34; lift station *die Liftstation, –en*, 34
stay *bleiben*, 5; to stay overnight *übernachten*, 14; to stay alive *am Leben bleiben*, 40
steak *das Steak, –s*, 20
steam *der Dampf*, 23
steep *steil*, 23; steep incline *der Abhang, ∸e*, 23
step *treten*, 27
step *der Schritt, –e*, 13; basic step *der Grundschritt, –e*, 32
stereo set *die Stereoanlage, –n*, 37
stick *kleben*, 25; *stecken*, 25
still *noch*, 7; *noch immer*, 13; *immer noch*, 33; *still*, 34
stir *umrühren*, 20
stocking *der Strumpf, ∸e*, 17
stomach *der Bauch, ∸e*, 21
stomachache *die Bauchschmerzen* (pl), 33
stone *der Stein, –e*, 23
stony *steinig*, 23
stop *aufhören*, 5; *halten*, 8; *anhalten*, 8; *stoppen*, 13; *stehenbleiben*, 23; hey, stop! *hört doch auf!* 5
stop (bus, streetcar) *die Haltestelle, –n*, 32
stopwatch *die Stoppuhr, –en*, 13
store *aufheben*, 19
store *das Geschäft, –e*, 11; *der Laden, ∸*, 15; pet store *der Zoo, –s*, 11; *die Tierhandlung, –en* 11; vegetable store *die Gemüsehandlung, –en*, 15; camera store *der Fotoladen, ∸*, 34; sporting goods store *das Sportgeschäft, –e*, 34; self-service store *der Selbstbedienungsladen, ∸*, 37
story *die Geschichte, –n*, 26
straight *glatt*, 7; straight ahead *geradeaus*, 8
strange *merkwürdig*, 26; *komisch*, 29; *fremd*, 40
stranger *der Fremde, –n*, 27
strawberry *die Erdbeere, –n*, 7
streamer: (crepe) paper streamer *die Papierschlange, –n*, 36
street *die Strasse, –n*, 8; street worker

der Strassenarbeiter, –, 37; street traffic *der Strassenverkehr*, 40
streetcar *die Strassenbahn, –en*, 22
strike (lightning) *einschlagen*, 18
string *die Schnur, ∸e*, 25
stroke *streicheln*, 11
stroll *bummeln*, 32
strong *stark*, 18; *kräftig*, 36
stuck: to get stuck *steckenbleiben*, 27
student *der Schüler, –*, 4; *die Studentin, –nen*, 19; *der Gymnasiast, –en*, 27; secondary school student *der Oberschüler*, 32
study *lernen*, 4; *einstudieren*, 27; *pauken*, 32
stupid: how stupid! *so was Blödes*, 33
struggle *kämfen*, 21
style *die Mode, –n*, 30; to be in style *Mode sein*, 30
stylish *schick*, 9
subject *das Motiv, –e*, 30; *das Thema, –men*, 32; (school) *das Fach, ∸er*, 4; subject of a composition *das Aufsatzthema, –themen*, 19; photographer's subject *das Fotomodell, –e*, 30
subway *die U-Bahn (Untergrundbahn), –en*, 22
success *der Erfolg, –e*, 25
such: such as *wie*, 10; such a *so ein*, 28
suggest *vorschlagen*, 26
suddenly *plötzlich*, 8
sugar *der Zucker*, 15
suggestion *der Vorschlag, ∸e*, 35
suit *passen*, 17
suit *der Anzug, ∸e*, 9; woman's suit *das Kostüm, –e*, 17
suitable *passend*, 39
suited: to be suited for *s. eignen für*, 39
summer *der Sommer*, 18; summer vacation *die Sommerferien* (pl), 21
sun *die Sonne, –n*, 18
sunbathe *s. sonnen*, 21
sunburn *der Sonnenbrand, ∸e*, 21
Sunday *der Sonntag, –e*, 20
sunglasses *die Sonnenbrille, –n*, 8
sunlight *das Sonnenlicht*, 40
suntan cream *die Sonnencreme, –s*, 21
suntan oil *das Sonnenöl, –e*, 21
sunny *sonnig*, 18; mostly sunny *heiter*, 18
super (gas) *das Super(benzin)*, 29
superhighway *die Autobahn, –n*, 26
supermarket *der Supermarkt, ∸e*, 15
supper *das Abendessen, –*, 20; to eat supper *zu Abend essen*, 20
supplies: camping supplies *die Campingsachen* (pl), 29
supply: water supply *der Wasservorrat, ∸e*, 40
supposed: to be supposed to *sollen*, 8; was supposed to *sollte*, 20
sure(ly) *bestimmt*, 6; *sicher*, 14; sure!

klar! 7; freilich! 36; be sure you shave! dass du dich ja rasierst! 31

surprise überraschen, 32

surprise die Überraschung, –en, 26

surroundings die Umgebung, –en, 40

swallow schlucken, 33

sway schaukeln, 36; to link arms and sway to music schunkeln, 36

sweater: ski sweater der Schipullover, –, 34

sweep kehren, 16

sweet süss, 11

swim schwimmen, 2; baden, 21

swimming: (while) swimming beim Baden, 28

swimming trunks die Badehose, –n, 21

swing schaukeln, 36

Swiss der Schweizer, –, 34

Switzerland die Schweiz, 1

swollen geschwollen, 33

synthetic: synthetic material der Kunststoff, –e, 34

symbols: identifying numbers, letters, or symbols das Kennzeichen, –, 29

syrup: cough syrup der Hustensaft, ⸚e, 33

T

table der Tisch, –e, 14; table manners der Tischgebrauch, ⸚e, 20

tablespoon der Esslöffel, –, 33

tablet die Tablette, –n, 33

take nehmen, 4; take care! mach's gut! 6; to take along mitnehmen, 8; to take place stattfinden, 13; he takes the knapsack from me er nimmt mir den Rucksack ab, 23; to take down herunternehmen, 25; to take up a person's time aufhalten, 28; to take a picture eine Aufnahme (ein Foto) machen, 30; it doesn't take me long bei mir dauert's nicht lange, 31; to take a shower unter die Dusche gehen, 31; to take one's temperature das Fieber messen, 33; to take (medicine) einnehmen, 33; to take skiing lessons einen Schikurs machen, 37

talent das Talent, –e, 35

talk reden, 6; to talk about reden über, 25; sprechen über, 39

tall gross, 7; hoch, 26; he's one meter and seventy centimeters tall er ist eins siebzig, 9

tame zahm, 11

tan (skin) braun, 21

tango der Tango, 32

tank der Tank, –s, 29

tape: transparent tape der Tesafilm, 25

tape recorder das Tonbandgerät, –e, 5

taste kosten, 26; let me have a taste!

lass mich mal kosten! 26

taxi das Taxi, –s, 22

tea der Tee, –s, 14

teach unterrichten, 3; beibringen, 34

teacher der Lehrer, –, 3; homeroom teacher die Klassenlehrerin, –nen, 26

team das Team, –s, 25; die Mannschaft, –en, 35

technological(ly) technisch, 40

teeth: to brush one's teeth sich die Zähne putzen, 11

telephone das Telefon, –e, 6; telephone number die Telefonnummer, –n, 32

telephoto lens das Teleobjektiv, –e, 30

telescope das Fernrohr, –e, 23

television das Fernsehen, 24; (see also: **TV**)

tell erzählen, 4; can you please tell us . . . ? kannst du uns bitte sagen . . . ? 8; tell about erzählen von, 33

temperature die Temperatur, –en, 18; what's the temperature today? wieviel Grad haben wir heute? 18; to take one's temperature das Fieber messen, 33

ten zehn, 1; 10-year-old (child) der Zehnjährige, –n, 35

tennis das Tennis, 2

tent das Zelt, –e, 29

terrace die Terrasse, –n, 26

terrible scheusslich, 5; furchtbar, 33

terrific toll, 2; einmalig, 28; klasse, 29

test prüfen, 29; testen, 39

test die Klassenarbeit, –en, 4; die Prüfung, –en, 35; to sign up for a test sich zur Prüfung anmelden, 37

than als, 13

thank danken, 17; thank God! Gott sei Dank! 33

thanks danke, 6; many thanks! vielen Dank! 8

that das, 1; dass, 7; that one there das da, 19; so that damit, 22; that way so, 24

the das, 1; der, 1; die, 1

theater das Theater, –, 8; student theater das Schülertheater, –, 27; movie theater das Kino, –s, 32

their ihr, 2

them; with them mit denen, 32

then dann, 2; da, 21; now and then ab und zu, 31

theoretical theoretisch, 27

there da, 7; dort, 8; (to) there dorthin, 8; hin, 22; over there dort drüben, 8; drüben, 36; that one there das da, 19; there is es gibt, 7; there are da sind, 32;

therefore deshalb, 16; also, 22; darum, 26

thereupon daraufhin, 39

thermometer das Thermometer, –, fever thermometer das Fieberther-

mometer, –, 33

they sie, 2; man, 8

thin dünn, 31

thick dick, 26; dicht, 31

thing die Sache, –n, 17; das Ding, –e, 30

think glauben, 2; meinen, 9; to think of halten von, 24; denken an, 25; I think so ich glaub' schon, 28 to think over s. überlegen, 32

third das Drittel, –, 40

thirst der Durst, 7

thirsty: to be thirsty Durst haben, 7

thirteen dreizehn, 1

thirty dreissig, 4; 5:30 halb sechs, 23; 8:30 halb neun, 25

this dieser, 9; this Saturday diesen Samstag, 9

thousand tausend, 10

threaten drohen, 40

three drei, 1; the three (of them) die drei, 2

throat: throat infection die Halsentzündung, –en, 33; sore throat die Halsschmerzen (pl) 33

through durch, 10; über, 10; durch-(pref), 22; does this train go through (to Munich)? fährt der Zug durch? 22

throw werfen, 13; throw away wegwerfen, 19; to throw and miss danebenwerfen, 36

throw der Wurf, ⸚e, 36

thumbtack die Reisszwecke, –n, 25

thunder donnern, 18

thunder der Donner, 18

thunderstorm das Gewitter, –, 18

Thursday der Donnerstag, 4

ticket die Karte, –n, 11; die Fahrkarte, –n, 22; round-trip ticket die Rückfahrkarte, –n, 22; two tickets to Munich zweimal nach München, 22; admission ticket die Eintrittskarte, –n, 25 traffic ticket der Strafzettel, –, 29; lift ticket die Liftkarte, –n, 34

tie festbinden, 16; to tie together zusammenbinden, 25

tiger der Tiger, –, 11

tight fest, 11; eng, 17; to hold tight festhalten, 23; s. festhalten, 36; hold on tight! halt dich fest! 36

time die Zeit, –en, 13; das Mal, –e, 28; three times dreimal, 17; all the time dauernd, 18; what time is it? wie spät es? 25; wieviel Uhr ist es? 25; how many times wievielmal, 27; this time diesmal, 27; the eighth time das achte Mal, 28; at that time damals, 28; a few times ein paarmal, 32; it's time es wird Zeit, 32; time span der Zeitraum, 32, at this time zu dieser Zeit, 36; at the present time zur Zeit, 39; length of time die Dauer, 29

tint färben, 31

tip das Trinkgeld, –er, 14

tire der Reifen, –, 29

tired *müde,* 26; dead tired *hunde-müde,* 31
title *der Titel,* –, 27
to *bis,* 1; *zu,* 7; *an,* 8; *nach,* 10; *bis nach,* 10; *from . . .to . . . von . . . bis zu . . . ,* 27; to (France) *nach (Frankreich),* 29; to (Switzerland) *in (die Schweiz),* 29
today *heute,* 4
together *zusammen,* 15; *zusammen-*(pref) 21; *gemeinsam,* 36; all together *durcheinander,* 27
tomato *die Tomate,* –n, 15
tomorrow *morgen,* 4
tone *der Ton,* ⁼e, 24
tonsils *die Mandeln* (pl), 33
too *auch,* 1; *zu,* 5; too bad! *schade!* 23
tool *das Gerät,* –e, 16; *das Werkzeug,* –e, 25
tooth *der Zahn,* ⁼e, 31
toothache *die Zahnschmerzen* (pl), 33
toothbrush *die Zahnbürste,* –n, 31
toothpaste *die Zahnpasta,* –pasten, 31
top: on top of *auf,* 19; on top *obendrauf,* 37
topic *das Thema, Themen,* 32
tote bag *die Tasche,* –n, 22
touch *anfassen,* 11
tour *besichtigen,* 39
tour *die Besichtigung,* –en, 39; guided tour *die Führung,* –en, 26
tourist information office *das Fremdenverkehrsbüro,* –s, 10
tournament: jousting tournament *das Turnier,* –e, 28
toward *gegen,* 21; *entgegen,* 26; toward the end of July *gegen Ende Juli,* 21; toward s.th. *auf etwas zu,* 36
towel *das Handtuch,* ⁼er, 14
tower *der Turm,* ⁼e, 14
town *der Ort,* –e, 12; in a town *in einer Kleinstadt,* 1; town hall *das Rathaus,* ⁼er, 22
toy *das Spielzeug,* –e, 30
toy store *der Spielzeugladen,* ⁼, 37
trace *nachziehen,* 31
track *das Gleis,* ⁼e, 22
tractor *der Traktor,* –en, 38
trade school *die Berufsschule,* –n, 39
trading *das Tauschen,* 30
traditional *traditionell,* 36; group dressed in traditional costumes *die Trachtengruppe,* –n, 36
traffic *der Verkehr,* 26; *der Strassenverkehr,* 37; traffic light *die Ampel,* –n, 8; traffic sign *das Verkehrszeichen,* –, 22; against the traffic *dem Verkehr entgegen,* 26; air traffic *der Flugverkehr,* 40; street traffic *der Strassenverkehr,* 40
trail: hiking trail *der Wanderweg,* –e, 40
train *trainieren,* 30; *ausbilden,* 39; to train to become a hairdresser

Friseuse lernen, 32
train *die Bahn,* 22; *der Zug,* ⁼e, 22; by train *mit dem Zug,* 22
training *die Ausbildung,* 39; job training *die Berufsausbildung,* 39
transform *verwandeln,* 18
transmission: automatic transmission *die Automatik,* 37; manual transmission *die Gangschaltung,* 37
transportation: means of transportation *das Verkehrsmittel,* –, 22
trap: radar trap *die Radarfalle,* –n, 29
travel *reisen,* 29; travel folder *der Reiseprospekt,* –e, 10; travel brochure *die Reisebroschüre,* –n, 29; travel bureau *das Reisebüro,* –s, 29
tray *das Tablett,* –e, 14
tree *der Baum,* ⁼e, 16
tributary *der Nebenfluss,* ⁼e, 35
trip *die Reise,* –n, 16; *die Fahrt,* –en, 22; *die Hinfahrt,* –en, 29; to be on a trip *auf Reisen sein,* 16; summer trip *die Sommerreise,* –n, 29
trouble *der Ärger,* 32; there'll be trouble *es gibt Ärger,* 32
truck *der Lastwagen,* –, 37
true *wahr,* 19; true-to-life *echt,* 24
truly: very truly yours *mit freundlichen Grüssen,* 33; *hochachtungsvoll,* 39
trumpet *die Trompete,* –n, 5
trunk (car) *der Kofferraum,* ⁼e, 23
try *versuchen,* 11; *probieren,* 32; try on *anprobieren,* 9
Tuesday *der Dienstag,* 4
tune in *einschalten,* 24
tunnel *der Tunnel,* –, 23
turn *abbiegen,* 8; *drehen,* 24; *wenden,* 35; to turn off *abdrehen,* 5; *abstellen,* 18; *ausschalten,* 24; to turn on *andrehen,* 5; *einschalten,* 24; to turn around *umkehren,* 8; *s. umdrehen,* 29; to turn to Channel 2 *aufs zweite Programm umschalten,* 24; to turn out well *gut werden,* 28
turn: whose turn is it? *wer ist dran?* 2
turtle *die Schildkröte,* –n, 11
TV *das Fernsehen,* 24; to watch TV *fernsehen,* 24; TV broadcast *die Fernsehsendung,* –en, 24; TV set *der Apparat,* –e, 24; *der Fernseher,* –, 24; black-and-white TV set *der Schwarzweissfernseher,* 24; color TV set *der Farbfernseher,* 24; TV schedule *das Fernsehprogramm,* –e, 24; TV terms *die Fernsehsprache,* 24; on TV *im Fernsehen,* 27; to be on TV *im Fernsehen kommen,* 27
tweezers *die Pinzette,* –n, 30
twelfth *zwölft-,* 30
twelve *zwölf,* 1
twenty *zwanzig,* 1
twice *zweimal,* 22; twice a week *zweimal in der Woche,* 27
two *zwei,* 1; the two (of them) *die*

beiden, 2
type *der Typ,* –en, 32
typical(ly) *typisch,* 38
Tyrol *das Tirol,* 1

U

ugly *hässlich,* 29
uh-oh! *auweh!* 37
umbrella: beach umbrella *der Sonnenschirm,* –e, 29
uncle *der Onkel,* –, 3
uncomfortable *umbequem,* 29
under *unter,* 18
understand *verstehen,* 6; *verstehen von,* 31; *kapieren,* 32; understand? *kapiert?* 32
undressed: to get undressed *s. ausziehen,* 21
unemployed *arbeitslos,* 39
unfortunately *leider,* 17
unhealthy *ungesund,* 40
uniform *die Uniform,* –en, 37
unknown *fremd,* 40
unload *abladen,* 38
unlucky person *der Pechvogel,* ⁼ , 36
unnatural *unnatürlich,* 31
unoccupied *frei,* 22
unpleasant *lästig,* 31
until *bis,* 25; not until *erst,* 32
unwrap *auspacken,* 17
up: up to *bis,* 1; *bis nach,* 10; *herauf-*(pref), 19; up to the (parking lot) *bis zum (Parkplatz),* 23; up there (here) *dort (hier) oben,* 26
Upper Bavaria *das Oberbayern,* 1
upward *aufwärts,* 26
upstairs *oben,* 23; (to run) upstairs *nach oben (rennen),* 23
urge *auffordern,* 40
us *uns,* 7
use *benutzen,* 8; *gebrauchen,* 21; *verbrauchen,* 40; to use up film *verknipsen,* 28; to use (for) *gebrauchen (zu),* 31
use *der Gebrauch,* 40; *der Verbrauch,* 40; it's no use *es hat keinen Zweck,* 37; to be of use *nützen,* 40
used (adj) *gebraucht,* 29; to get used to *s. gewöhnen an,* 28; you get used to it *man gewöhnt sich daran,* 28; to be used up *alle sein,* 32
usually *gewöhnlich,* 4
utensil *das Gerät,* –e, 16

V

vacation *der Urlaub,* 10; *die Ferien* (pl), 29; on vacation *im Urlaub,* 10; to go on vacation *Urlaub machen,* 11; *in Urlaub fahren,* 29; day of vacation *der Urlaubstag,* –e, 29; (going) on vacation *in den Urlaub*, 29; vacation spot *der Ferienort*, −e, 29; during vacation *in den Ferien*, 37; vacation job *der Ferienjob*, −s, 37

vacationer *der Urlauber*, −, 10

valley *das Tal*, ¨er, 10

various *verschieden*, 18

vase *die Vase*, −n, 25

vegetable *das Gemüse*, −, 15; vegetable store *die Gemüsehandlung*, −en, 15

verb *das Verb*, −en, 35

very *sehr*, 2; *ganz*, 17

vicinity: in the vicinity of *in der Nähe*, 40

victor *der Sieger*, −, 34

view *die Aussicht*, 10; *der Anblick*, −e, 26

village *das Dorf*, ¨er, 1

violin *die Geige*, −n, 5

visibility *die Sicht*, 23

visit *besuchen*, 10

visitor *der Besucher*, −, 28; *der Besuch*, 36

vocabulary word *die Vokabel*, −n, 35

voice *die Stimme*, −n, 5

W

wages *der Lohn*, ¨e, 39

waist size *die Bundweite*, −n, 9

wait *warten*, 6; wait for *warten auf*, 7

waiter *der Kellner*, −, 32

waitress *die Kellnerin*, −nen, 20

wake up *aufwachen*, 26; to wake (s.o.) up *aufwecken*, 26

walk *gehen*, 8; *laufen*, 23; *zu Fuss gehen*, 28; they take a walk *sie gehen spazieren*, 4; walk back *zurücklaufen*, 23; to walk leisurely *bummeln*, 32

walk *der Fussweg*, −e, 8

walker *der Spaziergänger*, − 10

wall *die Wand*, ¨e, 19; *die Mauer*, −n, 26

waltz *der Walzer*, −, 32

wander *wandern*, 10

want to *wollen*, 8

wanted to *wollte*, 20

wardrobe *der Schrank*, ¨e, 19

warm *herzlich*, 12; *warm*, 13; *gemütlich*, 34; warmest greetings *herzliche Grüsse*, 12

warmth *die Wärme*, 18

was *war*, 20

wash (dishes) *spülen*, 14; (o.s.) s. *waschen*, 23

wash *die Wäsche*, 14

washcloth *der Waschlappen*, −, 31

washing machine *die Waschmaschine*, −n, 19

wasp *die Wespe*, −n, 16

waste *der Abfall*, ¨e, 40

wastebasket *der Papierkorb*, ¨e, 40

watch *zuschauen*, 2; *beobachten*, 30; watch out *aufpassen*, 11; watch TV *fernsehen*, 24

water (plants) *giessen*, 16

water *das Wasser*, 11; water fight *die Wasserschlacht*, −en, 21; go under water *tauchen*, 21; body of water *das Gewässer*, −, 35; water sport(s) *der Wassersport*, 35; water supply *der Wasservorrat*, ¨e, 40

waterway *der Wasserweg*, −e, 35

wave *winken*, 22; *wehen*, 34

wavy *wellig*, 31

wax *wachsen*, 34

wax *das Wachs*, 34

way *der Weg*, −e, 10; by way of *über*, 10; on the way *unterwegs*, 8; that way *so*, 24; by the way *übrigens*, 30; a short way *ein kurzes Stück*, 34

we *wir*, 2

weak *schwach*, 26

weapon *die Waffe*, −n, 26

wear *tragen*, 7

weather *das Wetter*, 18; weather bureau *das Wetteramt*, ¨er, 18; in this weather *bei diesem Wetter*, 18; weather report *der Wetterbericht*, −e, 18

wedding *die Hochzeit*, −en, 28; the Landshut Wedding *die Landshuter Hochzeit*, 28

wedeln *wedeln*, 34

Wednesday *der Mittwoch*, 4

weed *jäten*, 16

weed *das Unkraut*, 16

week *die Woche*, −n, 10; last week *letzte Woche*, 14

weekend *das Wochenende*, −n, 20

weekly *wöchentlich*, 39

weigh *wiegen*, 15

weight *das Gewicht*, −e, 15

welcome: you're welcome *bitte schön!* 8; *keine Ursache!* 26

well *gut*, 8; *wohl*, 33; well done! *gut gemacht!* 13

well *na*, 5; *nun*, 17; well, then, anything else? *so, bitte!* 15; well, can you beat that! *ja, so was!* 32; well then *na gut!* 32; well, what do you know! *soso!* 32

well-behaved *brav*, 36

well-known *bekannt*, 29

went: we went on *weiter ging's*, 26

west *der Westen*, 18; west (of) *westlich (von)*, 10

western *der Western*, −, 24

wet *nass*, 4

what *was*, 2; what will it be? *bitteschön!* 15; *bitte sehr?* 17; with what *womit*, 31

when *wann*, 4; *wenn*, 6; *als*, 26

whenever *wenn*, 6

where *wo*, 1; to where *wohin*, 8; where we live *bei uns*, 18; from where? *woher?* 29; where are they from? *woher kommen sie?* 29; where are they going? *wohin fahren sie?*

whether *ob*, 7

which *welcher*, 9; every which way *kreuz und quer*, 32

while *während*, 26; while brushing one's teeth *beim Zähneputzen*, 31

whisper *flüstern*, 26

white *weiss*, 2; white-collar worker *der Angestellte*, −n, 3; white wine *der Weisswein*, −e, 20

who *wer*, 1

whoever *wer*, 27

whole: the whole family *die ganze Familie*, 3

whom *wen*, 4; (to, for) whom *wem*, 14

why *warum*, 2; *wieso?* 31

wide *breit*, 9; *weit*, 17

wife *die Frau*, −en, 19

wig *die Perücke*, −n, 27

win *gewinnen*, 2; *siegen*, 13

wind *der Wind*, −e, 18

window *das Fenster*, −, 19; ticket window *die Kasse*, −n, 26

windy *windig*, 18

wine *der Wein*, −e, 20

wing *der Flügel*, −, 26

winner *der Gewinner*, −, 27; *der Sieger*, 34

winter *der Winter*, −, 10; in the winter *im Winter*, 10

wire *der Draht*, ¨e, 25; wire-cutters *die Zange*, −n, 25

wish *wünschen*, 17

wish *der Wunsch*, ¨e, 15; best wishes *alles Gute*, 15

with *mit*, 4; *mit-* (pref), 6; with each other *miteinander*, 4; with it *damit*, 27; with you *bei dir*, 29

without *ohne*, 10

witty *witzig*, 32

woman *die Frau*, −en, 27

wonder s. *wundern*, 32; I wonder if it's my tonsils again? *ob es vielleicht wieder meine Mandeln sind?* 33

wonderful *wunderbar*, 28

wood *das Holz*, 26

woods *der Wald*, ¨er, 10

wool *die Wolle*, 34

word *das Wort*, ¨er, 21; words *die Worte* (pl), 27; vocabulary word *die Vokabel*, −n, 35

work *arbeiten*, 3; work together *mithelfen*, 14

work *die Arbeit*, −en, 16; at work *bei der Arbeit*, 26; *im Geschäft*, 32

working *berufstätig*, 39; working hours *die Arbeitszeit*, −en, 39

workroom *das Arbeitszimmer*, −, 19

worktable *der Basteltisch*, −e, 19

world *die Welt*, −en, 28

worn out *kaputt*, 9

A
B
C 8
D 9
E 0
F 1
G 2
H 3
I 4
J 5